KEELE
UNIVERSITY   LIBRARY

Please return by the last date or time shown

La Suite des temps

JEAN-LOUIS CRÉMIEUX-BRILHAC

LES FRANÇAIS DE L'AN 40

TOME II
OUVRIERS ET SOLDATS

*Ouvrage publié
avec le concours
du Centre national des lettres*

nrf

GALLIMARD

SOMMAIRE

ABRÉVIATIONS

AN	Archives nationales (de France)
AD	Archives départementales
ARAS	Archives de l'Assemblée nationale
ARSENAT	Archives du Sénat
APP	Archives de la Préfecture de police
ARRENAULT	Archives de la régie Renault
BN/Man.	Bibliothèque nationale, département des manuscrits
BDIC	Bibliothèque de documentation internationale contemporaine
BMO	*Bulletin municipal officiel de la Ville de Paris*
CEP	Commission d'enquête parlementaire sur les événements survenus en France de 1933 à 1945 (commission Serre)
CERI	Centre d'étude des relations internationales
CRHMSS	Centre de recherches d'histoire des mouvements sociaux et du syndicalisme, université Paris-I
DDF	Documents diplomatiques français
DFA	Direction des fabrications d'armement
FAMB	Fondation de l'automobile Marius Berliet
FNSP	Fondation nationale des sciences politiques
IHTP	Institut d'histoire du temps présent
JOD	*Journal officiel. Débats*
PRO	Public Record Office, Londres
RHDGM	*Revue d'histoire de la Deuxième Guerre mondiale*
SHAA	Service historique de l'armée de l'air
SHAM	Service historique de la marine
SHAT	Service historique de l'armée de terre

I

SUR LE FRONT
DES USINES

INTRODUCTION

La Seconde Guerre mondiale plus encore que la Première s'est jouée sur deux fronts, le front des armées et le front des usines. Le front des usines produit l'équipement des armées : les chances de victoire dépendent de lui comme d'elles. Les ouvriers sont les servants des soldats. C'est aux uns et aux autres que ce livre est consacré, en parties presque égales.

La bataille de la production a donc été l'une des deux batailles que la France a soutenues contre l'Allemagne nazie. Elle a commencé trois ans avant la guerre, combinée avec une mobilisation industrielle qui fut préparée, elle aussi, bien avant l'ouverture des hostilités (ce qui n'avait pas été le cas en 1914) ; elle a eu ses hauts et ses bas, ses héros et ses traîtres ; elle a culminé au printemps de 1940, dans un grand déploiement de tensions et d'efforts.

Pourtant, elle est restée à peu près ignorée. La France de l'époque n'aimait pas son industrie. Pendant la « drôle de guerre », ni les échecs ni les succès industriels n'ont donné lieu à communiqués ; les luttes politiques franco-françaises, puis les péripéties de la guerre éclair occupaient plus visiblement la scène. Après l'armistice de 1940, le voile ne fut guère levé qu'à l'occasion du procès intenté devant la Cour suprême de Riom contre les principaux responsables présumés de la défaite : Daladier y soutint, dans l'incrédulité générale, que les chars de combat n'avaient pas été moins nombreux du côté allié que chez l'ennemi. On a reconnu depuis la Libération, comme le général de Gaulle l'avait affirmé dès juin 1940, que notre désastre avait eu pour causes essentielles les erreurs tactiques et stratégiques d'un État-Major dépassé ; on en déduisit que la bataille de la production aurait été une affaire subsidiaire. On s'y intéressa peu. L'historiographie communiste avait, de son côté, quelques raisons de vouloir l'ignorer.

Évaluer l'armement français de 1940 n'est pourtant pas un sujet indifférent, ceux qui affrontèrent des Panzer sans disposer d'antichars ou qui appelèrent en vain des avions à cocardes tricolores étaient bien placés pour le savoir. Le volume des matériels, leur nature, leur adéquation aux conditions de la guerre moderne méritent d'être considérés de près. L'effort de production, brillant dans certains secteurs, affligeant dans d'autres, moins cohérent que Daladier et ses collaborateurs ne l'ont soutenu, moins calamiteux que ne l'ont prétendu leurs détracteurs, a sûrement été insuffisant dans ses résultats, il n'a été ni scandaleux ni déshonorant et ne justifiait pas l'accusation d'impéritie. Il avait été engagé dans un pays en pleine crise politique, économique et sociale : mais le fait que le gouvernement qui décida d'armer ait été le gouvernement du Front populaire et qu'à son appel les deux partis ouvriers, qui refusaient traditionnellement les budgets militaires, aient mis brusquement en avant la défense nationale, pouvait donner à notre effort militaire un avantage psychologique et une puissante impulsion. Cet avantage n'a jamais été apprécié à sa juste importance ; il fut toutefois en partie annulé du fait des luttes politiques et des secousses sociales qui agitèrent le pays, à commencer par le monde industriel, en 1937 et 1938.

La France n'était pas sans atouts dans la course aux armements ; notons toutefois déjà deux de ses handicaps.

Le premier, moins évident alors qu'il ne nous le paraît aujourd'hui, était le *facteur temps*. Le réarmement allemand avait commencé dès 1934. La France s'ébranla en 1936 et démarra en 1937, si l'on ne tient pas compte du malencontreux programme d'armement aérien décidé en 1934-1935 par le général Denain. Elle était loin de partir de zéro, puisqu'elle avait conservé la majeure partie de ses armements terrestres de 1918, dont la quasi-totalité de son artillerie, alors que l'Allemagne avait été désarmée. Le démarrage allemand, précoce et d'abord clandestin, valut à l'adversaire un double avantage : non seulement le IIIe Reich devança, à chaque étape de la production, la France et la Grande-Bretagne par le volume des matériels livrés (ainsi la courbe de production d'avions modernes des deux démocraties alliées ne devait rejoindre celle de l'Allemagne qu'au milieu de 1940 pour la chasse, en 1941 pour les bombardiers [1]), mais l'Allemagne les avait précédées dans la mise en place des *moyens de production ;* or, la création et le rodage des infrastructures et outillages industriels nécessaires exigeaient des délais difficilement compressibles, comme l'expérience de 1914-1919 l'avait démontré.

Un autre handicap, qui aggrava le premier, relevait, pourrait-on dire, du *mental*. Il a été longuement évoqué dans le volume précédent, c'était l'attachement passionné des Français à la paix, leur certitude que les autres peuples étaient à leur image et qu'il leur suffisait de se cramponner assez fortement à l'idée de paix pour en préserver la réalité. En 1938, la masse française et la majorité de ses élus considéraient que

---

1. Encore leur fallait-il un délai supplémentaire d'au moins six mois pour équilibrer les stocks d'avions accumulés par la Luftwaffe.

Hitler n'avait rien contre la France puisqu'il le disait. Bien peu nombreux étaient ceux qui avaient reconnu la spécificité historique *révolutionnaire* du nazisme et sa fureur de domination ; encore pouvaient-ils croire que celle-ci se tournerait vers l'Est européen, ce qui les rassurait pour la plupart ; de toute façon, les Français pensaient pouvoir dormir tranquilles puisqu'ils avaient la ligne Maginot. Les gouvernants n'en firent pas moins leur devoir. L'effort d'armement, auquel ils se résolurent et qui prit effet avec le budget de 1937, ne fut-il pas trop tardif et son échelonnement trop étalé ? Ce qui compte, à mon sens, davantage, c'est que toute son exécution, en y incluant la vie de ce que j'appelle le front des usines, resta, jusqu'au printemps de 1938 sinon jusqu'à l'offensive allemande de mai 1940, comme tempérée par la conviction que cet effort n'était que de précaution et cet armement qu'un moyen de dissuasion. Pour mener à bien dans les délais requis un si vaste effort, il fallait croire à son utilité et à son urgence. L'État-Major n'aurait pas tant lanterné sur tant de prototypes, le gouvernement n'aurait pas tant tardé à équiper les industries, les industriels à faire connaître leurs besoins et à s'organiser, les ouvriers à sacrifier la semaine de quarante heures, si les uns et les autres avaient cru que la grande explication risquait de commencer en septembre 1939. Même après cette date, on imagine que la concentration des énergies sur les objectifs de production aurait été plus intense si bien des acteurs ne s'étaient laissés prendre au piège de la « drôle de guerre » et n'avaient continué, sans mauvaise conscience, à mettre en avant leurs intérêts et à prendre leur temps, dans ce qu'ils s'obstinaient à tenir pour une parodie de guerre.

Ces considérations sur l'influence du *mental* indiquent assez clairement le sens de cette étude. La bataille de la production sera retracée ici avant tout sous l'angle des mentalités et des comportements. Car les facteurs humains, et d'abord ceux qu'on appelait jadis *moraux,* qui sont des données évidentes du jeu politique et des éléments essentiels du courage au feu, sont aussi un ingrédient de l'efficacité économique. L'analyse parallèle des psychologies et des actes montre à quel point les faits d'opinion, avec les croyances qu'ils mettent en œuvre et leur charge affective, peuvent influer, en temps de crise, sur le front de la production. On se gardera d'y voir une simple projection des intérêts économiques et de la prise de conscience de ces intérêts, bien que ceux-ci aient pesé lourd. La bataille de la production a été un test de l'aptitude du pays à soutenir un défi *extra-ordinaire* dans l'ordre de l'organisation et de l'expansion industrielles : l'objet premier de ce livre est d'évaluer ce que fut la capacité individuelle et collective de compréhension, d'adaptation et d'efficacité devant un tel défi.

Je ne sous-estime pas pour autant le poids des données de l'économie ni de la démographie. Ces contraintes de base réduisaient dès les années trente la France au niveau d'une puissance moyenne, mais l'opinion publique se refusait à en convenir : bien plus, le pays mit, pendant les années de crise, une espèce de fureur d'irrationalité à ne pas tirer le meilleur parti de ses ressources limitées. De même que la France de l'entre-deux-guerres n'a pas eu la politique militaire de sa politique étrangère de sécurité collective et de *containment* de l'Allemagne, il faut admettre qu'elle n'a pas non plus eu, jusqu'à l'extrême fin de 1938, la politique économique d'une telle ambition. Ses ressources économiques et démographiques lui fixaient les limites du possible. La Grande Guerre avait déjà révélé qu'elle n'avait plus un potentiel humain suffisant pour venir seule à bout de l'Allemagne impériale. Reste à voir si ses moyens humains quantitatifs et qualitatifs et l'emploi qu'elle en fit lui permettaient, en 1939-1940, non pas seulement de soutenir une bataille militaire d'attente (elle disposait, au moins sur le papier, des effectifs indispensables), mais de mener de front *et* la bataille militaire *et* la bataille de la production jusqu'à ce que l'Angleterre et les États-Unis appliquent à leur tour la conscription et mobilisent eux-mêmes leur industrie.

Pas plus que je ne l'ai fait pour la bataille de l'opinion, je ne me suis enfermé dans le cadre chronologique de la « drôle de guerre » : car les événements sont liés à une trame préexistante et quand ils se produisent, les acteurs réagissent en fonction de tout le vécu de leur bagage mental. Même s'il est clair que les six semaines qui vont de la fin août au début d'octobre 1939 marquent une rupture avec le passé, je n'ai pu éviter les incursions récurrentes dans les années cruciales 1936-1939, incidemment dans l'histoire plus lointaine de l'entre-deux-guerres et dans celle de la Grande Guerre, dont les témoins gardaient la mémoire et tendaient à renouveler les expériences.

Partant des faits, antérieurs ou contemporains, je me suis interrogé sur le rôle des acteurs — hommes politiques, responsables militaires, organes techniques ou administratifs, patrons, ouvriers — et j'ai cherché à définir leurs états d'esprit et leurs comportements, les premiers éclairant les seconds et ceux-ci aidant à déchiffrer ceux-là. Ce qui conduisait à aborder au moins trois questions d'importance, auxquelles ce livre ne prétend pas donner toujours une réponse assurée.

La première a trait à l'*aptitude du régime* à s'adapter au défi. La IIIe République des années 1930 a été condamnée, pour des raisons différentes, par les porte-parole de la réaction vichyssoise et par les chefs de file de la Résistance. Pendant ses dix dernières années, elle avait paru incapable d'agir, capable tout au plus, *in extremis,* de réagir. Une pente naturelle inclinerait à conclure que la faiblesse et l'instabilité gouvernementales, jointes à l'inexpérience économique et industrielle des dirigeants, qui s'étaient montrés, sans distinction de partis, hors d'état de maîtriser la crise et de pallier les abus du libéralisme économique aussi bien que de faire l'apprentissage d'un interventionnisme moderne, auraient été des vices incompatibles avec le succès du réarmement français. Il n'est pas douteux, Alfred Sauvy l'a montré, qu'une action économique plus rationnelle aurait, en accroissant le produit national, rendu l'effort d'armement plus supportable et plus efficace. Cependant, Daladier, ministre de la Guerre de 1936 à 1940, a bénéficié d'une continuité sans contrôle. Les travaux de Robert Frankenstein sur le financement du réarmement français et ceux d'Emmanuel Chadeau sur l'histoire des industries aéronautiques venant après l'analyse contradictoire faite en 1975 de l'œuvre du gouvernement Daladier en 1938 et 1940[1], obligent à nuancer le jugement ; ils interdisent de conclure soit à une incapacité du régime à s'amender, soit à un vice du système politique plus préjudiciable en France à l'effort d'armement qu'il ne le fut dans les démocraties britannique et américaine. Non pas que des erreurs graves n'aient été commises. Mais si les mécanismes et les pratiques politiques, ou les habitudes mentales qui en découlaient, ont pu avoir par eux-mêmes des effets inhibiteurs, il faut en chercher les exemples sous des formes plus subtiles qu'on ne l'affirme couramment, dans certains modes de prise de décision, dans l'abus des pressions parlementaires qui a pu aggraver le désordre aéronautique, dans le retard mis à inventer des structures modernes d'action administrative, et plus particulièrement dans la difficulté de mettre en place des procédures ou des organes d'arbitrage visant non pas à conclure des compromis, mais à aller vite. Cette dernière faiblesse fut des plus nocives, du moins avant que Dautry ne prenne l'industrie en main. Gouvernement, administrations et industrie durent changer de rythme dans des secteurs d'activité importants, tant économiques que militaires. Ils ne le firent pas sans peine et bien souvent n'y réussirent pas. On ne perdra pas de vue cependant que les mutations et les réformes entraînées par la surprenante accélération de l'Histoire qu'imposait Hitler durent se faire dans un délai étonnamment court, un an à dix-huit mois. On ne perdra pas de vue non plus, en détaillant les à-coups et les dysfonctionnements, que l'observation minutieuse des événements d'une si courte période induit un effet de grossissement aussi artificiel que peut l'être celui du microscope : le même grossissement, appliqué aux ajustements politico-administratifs et aux faits sociaux de la période 1914-1918, ferait apparaître un désordre souvent pire.

Une deuxième question inévitable est celle de l'*aptitude industrielle du pays* en cette fin des années 1930, qu'on l'envisage sous l'angle du potentiel productif ou en fonction du dynamisme des entrepreneurs. Quelle est la réalité industrielle de la France ? Est-ce une France restée à l'heure de son clocher ou la France d'un Louis Renault, à l'avant-garde de la taylorisation ? La France des entreprises patrimoniales et statiques d'*Oscar Barenton, confiseur,* ou une France entrée de plain-pied dans l'ère de la métallurgie moderne et des grandes concentrations ouvrières ?

---

1. Analyse faite à l'occasion du colloque organisé en 1975 à l'initiative de la Fondation nationale des sciences politiques et qui a donné lieu à deux publications fondamentales sous la direction de R. RÉMOND et J. BOURDIN : *Édouard Daladier, chef de gouvernement 1938-1939,* et *La France et les Français en 1938-1939.*

Une France malthusienne ou une France prête à prouver sa capacité productive dès que les profits seraient restaurés ?

C'est sans aucun doute une France restée très rurale en même temps qu'une France industrielle à double secteur et où les zones d'excellence, peu nombreuses (automobile, aviation jusqu'à 1930, électricité, travaux publics, aluminium, soie artificielle, quelques îlots d'agro-alimentaire), côtoient un marais de moyennes entreprises préoccupées d'abord de leur conservation. Faut-il appeler malthusianisme la prudence des patrons à investir et leur souci à ce point tenace de limiter leur production à une consommation stagnante qu'ils ne mettront au service de l'armement qu'un appareil industriel insuffisant et en partie vieilli, même dans les secteurs avancés de la métallurgie, des industries mécaniques et de la chimie ? Je me garderai d'entrer dans la querelle du malthusianisme français. L'essor industriel facile et peu méritoire des années vingt me paraît aussi peu révélateur d'un grand dynamisme des entrepreneurs que leur surplace des années trente le serait d'une atonie chronique. J'accorde volontiers aux historiens qu'il n'y a pas de lien évident ni démontrable entre notre malthusianisme démographique et un malthusianisme économique qu'il importerait de définir avec précision ; en sens inverse, comment ne pas admettre qu'une France de soixante millions d'habitants, ou tout au moins une France ayant conservé un solde démographique positif, aurait été obligée par là même de s'astreindre à un tout autre effort d'industrialisation et d'invention productive ? Je m'en tiens ici à une analyse micro-économique ; elle se trouve limitée — faute d'archives assez diverses — à un nombre restreint de branches industrielles, d'entrepreneurs et de firmes : telle quelle, elle devrait, je le souhaite, projeter quelques lumières sur une psychologie patronale, des comportements patronaux, une participation patronale qui furent disparates, moins simples que les idéologues ne le prétendent, différents dans leurs effets sinon dans leurs motivations de ce qu'ils avaient été pendant la guerre précédente, fortement marqués, en tout cas, par les carences de la politique industrielle de l'État, par le souci étroitement terre à terre des intérêts privés et, plus d'une fois, par le non-remplacement des générations.

Une troisième question, grave et complexe, est celle de la *contribution ouvrière* à la bataille de la production. La poser, c'est, par voie de conséquence, s'interroger sur la place des ouvriers dans la société française et sur l'influence qu'y avait prise le communisme : c'est aussi ajouter une dimension internationale aux facteurs nationaux de comportements.

En août 1914, le Parti socialiste unifié, porte-drapeau du pacifisme de Jaurès, avait condamné la politique d'agression de Guillaume II et s'était rallié à l'Union sacrée ; à son appel, le monde ouvrier qui, un an plus tôt, semblait résolu à couper court à toute menace de guerre impérialiste par la grève générale s'était plié à l'effort de guerre. À partir de 1916 toutefois, les socialistes avaient pris leurs distances. Une minorité pacifiste révolutionnaire s'était affirmée dans les usines[1] et, en 1917 et en 1918, de puissants mouvements de grève avaient mobilisé des dizaines de milliers d'ouvriers contre la guerre dans le bassin de la Loire et les usines du Centre.

En 1939, de larges fractions du monde ouvrier ont incorporé à leur bagage mental le credo de la solidarité internationale des travailleurs et la conviction que la guerre est le fruit détestable des rivalités d'intérêts capitalistes dont les peuples sont les dupes. Mais deux faits nouveaux ont transformé les perspectives : la révolution bolchevique suivie de la montée des fascismes.

L'émergence de l'U.R.S.S., « pays du socialisme » et « patrie des travailleurs », sa volonté d'organiser et de piloter le mouvement ouvrier international jusqu'à la *lutte finale,* puis la diffusion de la ferveur pro-soviétique ont propagé le communisme à la façon d'une « religion temporelle ». La France n'a pas échappé aux remous d'une guerre de religion larvée sous le couvert des luttes sociales ; elle y a échappé d'autant moins que le Parti communiste français, très minoritaire, marginal même dans les années 1920, a réussi, à la faveur de la crise et de la venue au pouvoir du Front populaire, à entraîner dans son sillage la majorité du monde ouvrier.

C'est ainsi dans un triple contexte de tensions sociales, de tension internationale et de crise idéologique que les ouvriers français ont eu à se situer. Jusqu'à l'été 1939, l'objectif de la politique nationale — endiguer le Reich hitlérien — concordait, officiellement du moins, avec l'objectif transnational de résistance au fascisme. Le pacte germano-soviétique du 23 août 1939 a brouillé les cartes ; il a jeté un monde ouvrier déjà perturbé dans un désarroi qui a pris parfois l'allure d'une crise d'appartenance. Les faits sont ensuite bien connus. Le P.C.F. qui, à l'unisson de Moscou, s'était poussé à l'avant-garde du patriotisme jacobin, a tourné casaque ; il a engagé dans les usines la lutte contre la « guerre impérialiste » et pour la paix immédiate ; il a contesté par là même la justification de l'effort d'armement et, du même coup, rendu toute la classe ouvrière suspecte. On a pu soupçonner que, fort du précédent russe de 1917, il comptait voir la guerre s'achever par une révolution qui, partie des usines, installerait *les soviets partout.* La répression a répondu à la contestation ; elle a cherché parfois à la devancer...

Comment se représenter, dans une telle situation, la psychologie des ouvriers ? Quelles ont été leur contribution et leurs résistances dans la bataille de la production ? Comment se sont articulés, répartis, conjugués, ces trois mobiles : le souci de défense nationale d'une collectivité socioprofessionnelle durement mise sous surveillance, son loyalisme

---

1. Cf. Max GALLO, « Quelques aspects de la mentalité et du comportement ouvriers dans les usines de guerre. 1914-1918 », *Le Mouvement social,* n° 56, juill.-sept. 1966, pp. 3-33.

professionnel, et ce qu'il lui restait de ferveur internationaliste ? Jusqu'où est allée l'emprise du P.C.F. dans la propagande et la subversion ? Jusqu'où le sentiment d'appartenance du monde ouvrier à la Nation ? Questions qui ne pouvaient trouver seulement leurs réponses dans des faits recensés, questions que les principaux responsables politiques et militaires de l'époque se sont posées, les uns avec angoisse, d'autres avec confiance, comme Daladier et Reynaud qui, tout en cautionnant la répression anticommuniste, n'ont, semble-t-il, jamais douté du loyalisme de la grande majorité des ouvriers et n'ont pas été démentis par l'événement. Questions qui restent ouvertes... Il reste là des zones obscures de la conscience française. J'ai essayé, dans la dernière partie de ce livre, de les explorer.

Une observation encore. Parce que la bataille de la production est une forme de la défense nationale, ni les patrons ni les ouvriers n'ont, en temps de guerre, le choix de ne pas y participer : leur engagement peut tout au plus différer par l'intensité de l'effort, le degré d'initiative ou l'inertie, la bonne ou la mauvaise volonté, les formes variées de l'émulation ou de la fuite. La psychologie collective joue un grand rôle dans leurs attitudes, comme le prouve la remarquable concordance des réactions devant certains événements. Le rôle des individus et de la psychologie individuelle n'en apparaît pas moins capital, qu'il se manifeste de façon positive ou négative. Impossible de retracer la bataille de la production sans faire leur place à l'homme qui en fut pendant la « drôle de guerre » l'animateur (et le précurseur du renouveau industriel d'après guerre), Raoul Dautry, ainsi qu'à des chefs d'entreprise et à des techniciens sortant de l'ordinaire. Impossible d'oublier que, dans le camp de la contestation communiste, trois, quatre ou cinq mille militants restés fidèles ont été des meneurs qui avaient pour raison d'être l'action révolutionnaire et qui maintinrent dans les usines l'ancrage de leur parti. Impossible enfin d'oublier que, dans une période où la cohésion du corps social était distendue et où les motifs de faire la guerre n'étaient pas évidents, il dépendait de la conscience professionnelle ou patriotique, de l'énergie, de l'indifférence, des modèles mentaux ou des intérêts de chacun, malgré l'entraînement des contagions et des manipulations, de s'engager carrément, à contrecœur ou passivement, dans ce qui était, qu'ils l'aient compris ou non, l'un des plus grands défis des Temps modernes. J'ai voulu rendre justice au gigantesque effort industriel de guerre, presque entièrement occulté à ce jour, qui fut accompli pendant la « drôle de guerre » par une poignée d'hommes d'exception et par une classe ouvrière soumise à une extraordinaire contrainte.

*

J'ai bénéficié pour cette étude de deux sources inédites d'une exceptionnelle richesse, les dossiers d'instruction du procès de Riom et les archives du ministre de l'Armement de 1939-1940, Raoul **Dautry**

Le procès intenté en 1942 devant la Cour suprême de Riom contre les principaux responsables présumés de la défaite a été une parodie de justice. Mais pour étayer l'accusation, qui portait principalement sur les « insuffisances dans la préparation de la mobilisation nationale », les magistrats instructeurs avaient accumulé une immense documentation : près de quatre cents témoignages et une quantité énorme de rapports, études, procès-verbaux, instructions, correspondances, pièces administratives. Les témoignages recueillis dans les mois qui ont suivi l'armistice ont la précision des souvenirs récents. Si certains sont animés par le souci de l'autojustification, d'autres par une fureur partisane qui confine au délire, la plupart reflètent la probité intellectuelle du haut personnel de la IIIᵉ République ; ils apportent en tout cas des faits. Les dossiers administratifs collectés abondent en pièces originales. Le zèle inquisitorial des magistrats enquêteurs a été efficace, je leur dois beaucoup, en dépit de leurs préjugés. Quant aux archives de Dautry, elles fournissent un matériau irremplaçable pour l'étude de notre effort industriel de guerre.

À ces deux sources majeures s'en ajoutent deux autres, ouvertes depuis plus longtemps et déjà mieux explorées, qui leur font en quelque sorte pendant :

— le rapport de la Commission parlementaire d'enquête créée après la Libération pour faire la lumière sur « les événements survenus en France de 1933 à 1945 » forme, avec les neuf volumes de témoignages qui le complètent, un contrepoint aux dossiers de Riom ;

— de même, les archives de Daladier, accessibles depuis une quinzaine d'années, ajoutent leur éclairage politique aux archives de Dautry.

J'ai recouru pour le surplus, notamment pour tenter d'éclairer l'état d'esprit et la contribution des ouvriers d'industrie, aux archives de police, aux dossiers d'un grand nombre de préfectures, à des archives d'entreprises, aux souvenirs de témoins et d'acteurs et, bien entendu, à une abondante littérature historique.

I

L'industrie, les pouvoirs
et la mobilisation industrielle
(1936-1939)

1

Forces et faiblesses françaises

« *Nous vaincrons parce que nous sommes les plus forts...* » Ce slogan de la « drôle de guerre », qui fut l'objet de tant de sarcasmes après la défaite française, énonçait pourtant une vérité que la victoire finale des Alliés confirma : oui, les ressources matérielles et humaines des nations libres — et, dès 1939, celles de la coalition franco-anglaise appuyée par les États-Unis — l'emportaient sur celles du Reich hitlérien. La capacité industrielle cumulée des deux démocraties était un atout majeur dans une guerre qui devait être pour beaucoup une guerre de matériel, mais il fallait le temps de la conjuguer et de la mettre en œuvre. Les huit mois de répit qui leur furent laissés, de septembre 1939 à mai 1940, n'y suffirent pas.

Les deux gouvernements se mirent d'accord le 17 novembre 1939 sur les moyens de coordonner leur effort économique de guerre [1]. Daladier put affirmer le 30 novembre devant la Chambre qu'il s'agissait « de la fusion de toutes les ressources morales, économiques, militaires des deux pays » et qu'une coordination étroite avait été établie dans le domaine des fabrications.

En réalité, la France, exposée en avant-garde, dut assumer l'essentiel de l'effort industriel nécessaire à sa défense, de même qu'elle supporta l'essentiel de l'effort militaire. Les commandes de machines et d'avions aux États-Unis furent parfaitement coordonnées et le *pool* du transport maritime fut une réussite ; mais l'Angleterre, en pleine mobilisation industrielle, ne put fournir à la France d'autre appoint en armes que l'équipement de ses dix divisions et le renfort de quatre cents avions stationnés sur le continent ; sa contribution en charbon, en coke, en acier et en machines, ne put être que modeste. C'est avec quatre-vingt-dix

---

1. La coordination portait sur l'aviation, l'armement, les matières premières, le pétrole, le ravitaillement et le blocus. Elle fut assurée par un Comité de coopération franco-britannique assisté de six Comités spécialisés et présidé par un Français efficace, Jean Monnet. L'accord fut complété en décembre 1939 par un important arrangement financier. Ainsi devait être réalisé ce qui ne l'avait été qu'à la fin de la Grande Guerre ; encore la coopération n'avait-elle alors très bien fonctionné qu'en matière de ravitaillement.

divisions françaises sur cent que la France livra bataille ; c'est à peu près uniquement avec les armements produits entre 1937 et 1940 par sa propre industrie qu'elle dut affronter l'Allemagne.

Les limites de la capacité productive. La main-d'œuvre spécialisée

Soutenir la course aux armements avec l'Allemagne nazie en pleine crise économique avait été pour elle une épreuve. Quatre séries de chiffres symbolisent la différence de potentiel démographique et industriel des deux pays[1] :

1. Le nombre de salariés en France à l'approche de la guerre est de 11,5 millions ; il culmine en Allemagne avec 21,5 millions de salariés en 1939. Le nombre de travailleurs engagés dans la production industrielle en France est de l'ordre de 5,5 millions ; il est de 14 millions dans le Reich.

2. Les dépenses militaires allemandes de 1933 à 1938 ont dépassé celles réunies de la France, de l'Angleterre et des États-Unis et, dans la seule année 1938, l'Allemagne a vraisemblablement consacré aux armements *cinq fois plus de crédits* que la France[2].

3. L'effet d'entraînement sur l'économie du Reich, renforcé par l'obligation d'exporter à tout prix, a été spectaculaire. L'indice de la production industrielle par rapport à 1928 n'a été que 96 en France durant le premier semestre de 1939[3] contre 135 dans l'Allemagne des frontières du Traité de Versailles, Sarre comprise[4]. Encore ce décalage ne rend-il pas compte de la différence de structure des productions et notamment de la part prépondérante de l'industrie lourde dans le IIIe Reich, ni de la modernisation des outillages à laquelle l'Allemagne de Weimar a été incitée par la nécessité de payer aux Alliés les réparations de la guerre 14-18.

1. Sources : *Annuaire statistique de la France. Résumé rétrospectif*, Paris, I.N.S.E.E., Imprimerie nationale, 1966, et *Statistisches Jahrbuch für das Deutsche Reich 1939-1940*, *Statistisches Reichsamt*, Berlin, 1940.
2. 3 540 millions de livres sterling de pouvoir d'achat contre 3 463 millions pour les trois démocraties occidentales d'après A. TOYNBEE, *Le Monde en mars 1939* ; 52,5 milliards de marks de 1935 à 1940 pour le Reich d'après le Dr SCHACHT et le maréchal KEITEL, dont 5,5 dans l'année budgétaire 1935-1936, 7 en 1936-1937, 11 en 1938-1939, 20,5 en 1939-1940, Tribunal militaire international, *Procès des grands criminels de guerre, Nuremberg, 1947-1949*, 42 volumes, t. XLI, p. 249.
3. Soit 107 par rapport à 1913.
4. 125 si l'on se fonde sur la série statistique « raccordée » qui incorpore l'Autriche et les Sudètes.
Les 11 milliards de Reichsmarks de l'année fiscale 1938-1939 (avril 1938 à mars 1939) équivalaient, au taux officiel du change, à plus de *150 milliards de francs* et, compte tenu du pouvoir d'achat réel du Reichsmark, à un minimum de 65 milliards de francs. Or les dépenses militaires totales de la France pour l'année 1938 ont été de 29,15 milliards, les crédits de paiement de 1938 accordés au titre des seules dépenses d'armement avaient été pour 1938 de *10,7 milliards.* Cf. R. FRANKENSTEIN, *Le Prix du réarmement français, 1935-1939*, pp. 312-315.

4. La production d'acier, l'indicateur le plus significatif de la puissance industrielle à cette époque, a avoisiné en France 7 900 000 tonnes en 1937 et un tonnage équivalent en 1939, avec un fléchissement à 6 137 000 tonnes en 1938 (4 657 000 tonnes en 1913), face à une production annuelle allemande presque triple (plus de 22,5 millions de tonnes, alors qu'elle était tombée à 5 771 000 tonnes en 1932). En cas de guerre, la France devait trouver annuellement à l'extérieur 1 million de tonnes de coke et peut-être 1 million de tonnes d'acier.

Ainsi, l'ensemble des données physiques désavantageait la France plus qu'en 1914. La fureur de revanche et d'expansion des dirigeants hitlériens donnait de plus à leur effort de guerre un rythme et une frénésie d'innovation sans commune mesure avec l'application consciencieuse des responsables français. Le *Führerprinzip* appliqué à une économie autarcique entraînait l'industrie de guerre allemande à brûler les étapes dans une sorte de « chaos au pas cadencé ».

La France de 1936 n'était cependant pas hors d'état de relever le défi. Elle ne repartait pas, comme l'Allemagne, de zéro dans son effort d'armement : elle n'avait pas cessé de disposer d'une armée, d'une marine et d'une aviation, d'énormes stocks, y compris les dotations de premier équipement d'une éventuelle mobilisation, d'une abondante artillerie et d'un réseau d'arsenaux. Nation nantie bien qu'elle eût trop longtemps vécu sur son capital, maîtresse d'un empire colonial de 60 millions d'habitants qui lui assurait sans débourser de devises près du tiers de ses importations, pouvant compter sur un accès sans entraves à toutes les matières premières du monde, assurée de la maîtrise des mers grâce à la puissance conjointe des flottes alliées et ne doutant pas du concours à terme de l'industrie américaine, dispensée enfin, grâce à ses avoirs, de l'obligation où était l'Allemagne de financer strictement par des exportations le coût des achats extérieurs nécessaires à sa défense, elle n'était nullement vouée à perdre la course aux armements. Quand Léon Blum et Daladier adoptèrent en 1936 le programme dit des 14 milliards, les acquis militaires et financiers du pays restaient assez considérables pour permettre de concentrer les efforts d'une industrie de qualité, servie par une main-d'œuvre excellente, sur ce qui était le complément essentiel de la défense : la fabrication de chars et d'avions et l'extension de la flotte de guerre.

L'échec économique du gouvernement du Front populaire venant après la désastreuse déflation de Laval ne facilita pas les choses, sans qu'on puisse dire qu'il ait vraiment nui à l'exécution des programmes. L'indice de la production industrielle d'octobre 1938 (année, il est vrai, de récession mondiale) n'était encore que de 83 par rapport au record de l'année 1928 (100) et marquait un recul de 6 points sur mars 1937. Dans un contexte de déficits chroniques, de recours croissant à l'emprunt et de menace permanente sur les réserves d'or, les charges militaires furent vite à la limite du supportable, alors qu'avec un produit intérieur accru de 15 ou 20 % la nation les aurait supportées aisément et aurait pu même les accroître (A. Sauvy, *Histoire économique*, t. I, pp. 343-344). Faute d'ai-

sance budgétaire, les ministres des Finances, de Vincent Auriol à Paul Reynaud, s'évertuèrent en sous-main à serrer la vis et étalèrent les dépenses.
Daladier, du jour où il fut président du Conseil, ne ménagea pas les
ouvertures de crédits et il arbitra par principe pour le réarmement, mais
en 1938 encore, les Finances retardaient les engagements de crédits pour
les fabrications militaires, sans considération du budget voté. Le 24 juillet
1939, à trente-quatre jours de la guerre, le secrétaire général des Finances
Bouthillier déclarait le dernier programme de l'État-Major incompatible
avec les possibilités financières du pays et laissait entendre que « des
mesures de restriction de la production pourraient intervenir en vue de
freiner en conséquence le rythme actuel des fabrications d'armement »[1].

Au stade de l'exécution se révélèrent par ailleurs deux des goulets
d'étranglement qui allaient entraver le plus sérieusement la montée en
puissance de l'industrie : la pénurie de main-d'œuvre spécialisée et les
retards de l'outillage.

Ce pays, depuis 1932, n'avait jamais connu le plein emploi. Pourtant le
manque de main-d'œuvre qualifiée était sérieux à la fin de 1938 et au
début de 1939 et il allait prendre des proportions dramatiques à la
mobilisation. On en a attribué la responsabilité à la semaine de 40 heures,
ce qui, en 1938 du moins, n'était pas faux. Les 40 heures étaient devenues
à tous égards injustifiables lorsque, après Munich, le réarmement
s'accéléra. Mais l'intensité passionnelle du débat sur les 40 heures a
occulté la réalité sous-jacente. Comme Alfred Sauvy l'a magistralement
montré, les 40 heures conduisaient à bloquer la production à un niveau où
elle ne pouvait que plafonner. La défense des 40 heures se fondait en
outre sur la conviction qu'il y avait en France un considérable surcroît de
main-d'œuvre inutilisée avec laquelle il fallait partager le travail pour
supprimer le chômage et qu'au surplus cette main-d'œuvre inemployée
était polyvalente. Or, c'était une illusion. La situation de l'emploi de 1938-
1939 est très différente de celle des années 1933-1935. Il est vrai qu'il
subsiste jusqu'à la guerre un volant de près de 350 000 chômeurs secourus
et de 375 000 demandeurs d'emploi[2]. Mais six ans de crise ont donné au

---

1. La phrase est empruntée à la note de protestation signée le lendemain 25 juillet par le
général Colson, chef d'État-Major de l'armée. Les comptes rendus de la réunion du
24 juillet (reproduits dans les Mémoires de GAMELIN, *Servir*, t. II, pp. 435-437) font
apparaître les exigences stupéfiantes de Bouthillier, qui entend réduire de 13,5 milliards à 6
les demandes d'engagements supplémentaires présentées pour la fin de l'année 1939 par
l'État-Major de l'armée. « *Dans l'impossibilité où se trouve le pays de supporter un effort
financier aussi important* (...) il y aura lieu, *si besoin est,* de prendre des mesures pour
ralentir certaines fabrications, en particulier par le *retour de la semaine de 60 heures à la
semaine de 40 heures* dans certaines industries. » Point sur lequel le secrétaire général de la
Défense nationale, Jacomet, qui présidait la réunion, se déclara, dans un premier
mouvement, d'accord, si même la suggestion ne venait pas de lui.
2. On compte, en juillet 1939, 343 000 chômeurs secourus dont 238 000 hommes et
105 000 femmes, 376 000 demandes d'emploi non satisfaites, dont 259 000 émanant
d'hommes et 117 000 de femmes. Plus des deux tiers sont dans la Seine (185 000 chômeurs
secourus, 192 000 demandeurs d'emploi) (source I.N.S.E.E.).

patronat l'occasion d'éliminer par priorité des entreprises les inaptes et les vieux : dans les industries des métaux de la région parisienne, 32 % des chômeurs ont plus de 60 ans et pour les 26 spécialités les plus demandées, 54 % ont plus de 50 ans[1], de sorte que les chômeurs de 1938-1939 sont composés en grande majorité de travailleurs âgés, sans qualification ou ayant perdu leur qualification[2], d'un contingent d'ouvriers d'industries non stratégiques (textile, bois) et de personnels d'exécution du secteur tertiaire, et pour le reste d'une réserve mobile et peu qualifiée qui se renouvelle cinq ou six fois par an. Or ce que l'industrie recherche, ce sont des professionnels pour les branches qui alimentent le réarmement : mines, métallurgie, industries mécaniques, électriques et chimiques.

Une enquête menée au cours de l'été 1938 par le ministère du Travail sur les possibilités de récupération des chômeurs parisiens de la métallurgie secourus, soit 9 200, revèle que ceux-ci sont, pour 47 %, des manœuvres et des O.S. dont à peine plus de la moitié ont moins de 60 ans, et sur lesquels plus d'un millier sont inaptes. La proportion des professionnels immédiatement récupérables ne dépasse pas 6 % de l'effectif total ; un millier d'autres semblent pouvoir être récupérés après des stages de trois à quatre mois de rééducation. Pour l'ensemble de la France, si l'on se fonde sur les chiffres vraisemblablement forcés de l'Union ouvrière des syndicats des métaux, les 45 000 chômeurs de la métallurgie pourraient difficilement fournir plus de 7 500 ajusteurs, fraiseurs et tourneurs[3].

Rien d'étonnant si, dès le printemps 1938, quand l'Anschluss a poussé les ministères militaires à multiplier les commandes, certaines branches des industries mécaniques ont commencé à être à court de « professionnels », outilleurs, régleurs, ouvriers d'entretien et ajusteurs avant tout, mais aussi tourneurs et fraiseurs. Il faut se représenter que les outillages de l'époque, imprécis ou fragiles malgré les progrès de la mécanisation et parfois vétustes, font des outilleurs, régleurs et ouvriers d'entretien des agents irremplaçables : ils préparent la tâche des O.S. ; la mise au point des machines, le travail d'exécution des ateliers et le bon fonctionnement des

---

1. La vie professionnelle se prolonge jusqu'à un âge plus avancé qu'aujourd'hui : en 1936, 65,5 % des hommes de 65 à 70 ans, 45,3 % des hommes de plus de 70 ans restent des actifs (ou des demandeurs d'emploi). Mais dans la métallurgie et les industries mécaniques, les conditions de travail sont si dures que les ouvriers de plus de 50 ans sont considérés comme ayant un rendement diminué et passent pour médiocrement utilisables. L'âge moyen y est moins élevé que dans les autres branches industrielles.
2. Cf. chiffres du recensement qualitatif du chômage portant sur 178 000 personnes dans le département de la Seine, Sous-commission des fabrications d'armement, Commission de l'armée de la Chambre des députés, 20 octobre 1938 (ARAS).
3. *Ibid.* Témoignage de Pouillot et audition, à la même séance de la Sous-commission des fabrications d'armement, de M. Doury, secrétaire général de l'Union syndicale des ouvriers et ouvrières métallurgistes. Les chiffres que donne R. JACOMET (*L'Armement de la France, 1936-1939,* p. 260) sur les résultats du recensement qualitatif du chômage de 1938 (45 000 chômeurs de la métallurgie dont 2 000 professionnels) répondent à une interprétation erronée des résultats.

chaînes dépendent de leurs capacités. Il en est de même des ajusteurs, spécialité aujourd'hui en voie d'extinction : les finitions et montages dépendent d'eux. Le rôle des uns et des autres est d'autant plus important que les matériels à produire sont complexes : c'est le cas dans les industries de guerre. Le pourcentage des « professionnels » y est élevé : sur l'ensemble des firmes travaillant à la veille de la guerre pour la Défense nationale, les ouvriers qualifiés sont, avec le personnel de maîtrise, 680 000 (55,3 %) face à 550 000 O.S. et manœuvres (44,7 %)[1]. La proportion est d'un ouvrier professionnel ou d'entretien pour deux manœuvres ou O.S. dans la chimie, la sidérurgie lourde et chez Renault, d'au moins un professionnel pour un ouvrier non qualifié dans l'aéronautique et dans les entreprises de métallurgie et mécaniques de la Loire, de trois voire quatre professionnels pour un O.S. ou manœuvre dans l'industrie de la machine-outil. Périodiquement déjà, depuis 1936, la surcharge de travail des régleurs, outilleurs et ouvriers d'entretien (ou leur effectif insuffisant) menace, ici ou là, de freiner la production. Aussi est-ce d'abord aux ouvriers de ces spécialités que les patrons de 1938 demandent des heures supplémentaires en dérogation aux 40 heures. Puis, quand la crise tchèque pousse l'État à accélérer les commandes et que les « motoristes » de l'aéronautique se décident à accroître leurs effectifs, suivis dans l'automne et l'hiver 1938 par les constructeurs d'avions et certaines firmes de mécanique, les industriels ont souvent peine à recruter. Sur une quarantaine de mille salariés qu'embauche le secteur aéronautique de janvier 1938 à septembre 1939, dont au moins 15 000 professionnels, la majorité de ces derniers sont des transfuges des industries mécaniques, attirés par des salaires plus avantageux. Certaines recrues sont purement et simplement débauchées auprès des concurrents. Si la société des automobiles Renault a tout l'année 1938 un surcroît de personnel dû au fléchissement des ventes de voitures particulières (ce qui permet d'épurer sans ménagement 1 800 ouvriers après la grève de novembre), il n'en est pas de même chez Renault-Aviation, qui s'efforce d'augmenter sa production : Louis Renault pousse les hauts cris parce que, entre septembre et la mi-novembre 1938, 237 de ses ouvriers désertent ses ateliers pour s'engager chez d'autres « avionneurs » ou chez Gnôme et Rhône. Au début de 1939, les horaires de 45 ou de 48 heures des constructions aéronautiques ne suffisant pas à alimenter les fabrications, on cherche éperdument des professionnels pour pouvoir passer au travail en deux ou trois équipes[2].

À la mi-juin 1939, la durée moyenne du travail dans les mines, la métallurgie et les industries mécaniques s'élève à 44 heures ; elle atteint 49 heures dans les établissements de la Marine ; sur 175 entreprises

---

1. Ministère de l'Armement, direction de la main-d'œuvre, Note relative aux besoins en main-d'œuvre des usines de guerre privées, 27 décembre 1939, annexe aux dépositions de Dautry à Riom (AN 2W/43).
2. E. CHADEAU, *État, entreprise et développement industriel : l'industrie aéronautique*, pp. 981 et s.

privées travaillant pour la Marine, 66 font plus de 48 heures et 13 seulement moins de 40 heures. La durée du travail est en voie de rejoindre celle de l'Allemagne : pour l'ensemble industries extractives-métallurgie-industries mécaniques, les horaires industriels français ne sont inférieurs que de 2,2 à 7,7 % à ceux des ouvriers allemands, selon les entreprises et les branches, contre 18 % l'année précédente. La France de l'été 1939 n'a plus de réserve de main-d'œuvre qualifiée, en dehors de l'appoint que procureraient des horaires à nouveau prolongés et l'emploi de réfugiés républicains espagnols auxquels bien peu de dirigeants français songent à recourir. En juin 1939, sur 865 chômeurs de la métallurgie parisienne convoqués par les services de l'emploi, 34 seulement sont jugés récupérables [1] comme ajusteurs-fraiseurs. Sur 120 chômeurs convoqués quelques semaines plus tard par Renault, 7 seulement sont retenus comme utilisables [2]. Des 375 000 chômeurs de l'Hexagone, l'administration n'espère pas récupérer dans le 2e semestre 1939 plus de 3 000 travailleurs pour la métallurgie au terme des actions de formation et de rééducation prévues. Contrairement à ce que tout le monde croit, le chômage de la fin de 1938 et de 1939 est, en dehors des industries du textile, du meuble et du bâtiment, un chômage résiduel. Le drame humain des travailleurs sans emploi et sans ressources, parce qu'ils sont en réalité inaptes ou âgés, cache la réalité économique : pour l'essentiel, et mis à part quelques branches comme le textile, le chômage, à la veille de la guerre, n'est plus qu'un mythe.

La carence de l'enseignement technique et professionnel

Ces signes de tension sur le marché du travail qualifié sont d'autant plus singuliers qu'ils se produisent dans une phase de relance, mais non pas vraiment de surchauffe de l'économie : mis à part le fait nouveau du boom aéronautique, la production industrielle rejoint tout juste, en juin 1938, son niveau de 1928.

La ressource trop limitée d'ouvriers professionnels et d'ingénieurs tient en réalité à des causes plus profondes.

L'apprentissage, tel qu'il se pratiquait avant 1914 dans les petites et moyennes entreprises de mécanique et de transformation, a disparu dans les années 1920 [3], victime du recul de l'artisanat et d'une fiscalité pénalisante. Sans doute l'effondrement est-il compensé en nombre par la multiplication des mécaniciens de garages ou de petits ateliers liés à l'automobile, mais rien n'a été prévu pour intégrer cette nouvelle

---

1. Déclarations du ministre du Travail Pomaret devant la Commission du travail de la Chambre, 21 juin 1939 (ARAS).
2. Lettre de Dautry à Daladier, décembre 1939 (AN 307 AP/107 A).
3. Cf. Rapport présenté par M. Thibault au Conseil national économique sur la situation des industries mécaniques et transformatrices des métaux, session du 2 juillet 1934, extrait du *Journal officiel* du 18 juillet 1934.

catégorie d'excellents autodidactes aux industries d'armement : l'armée, d'ailleurs, se les réserve pour le temps de guerre.

L'enseignement technique organisé n'a pas pris sur une assez grande échelle le relais de l'apprentissage ; ses insuffisances sont typiques des contradictions paralysantes où s'est enfermée la IIIe République finissante : ministres radicaux et enseignants socialistes se sont refusés à livrer, comme à l'étranger, la formation professionnelle à un patronat utilitariste et peu soucieux de promotion humaine, mais ils n'ont pas été en mesure d'organiser, à côté de l'enseignement secondaire traditionnel, un nouvel ensemble de formations répondant aux besoins de l'économie à ses différents niveaux.

La loi Astier de 1919 a bien créé des cours professionnels à temps partiel obligatoires pour les jeunes travailleurs de treize à dix-huit ans[1]. En 1939, ils n'accueillent guère plus de 200 000 apprentis échelonnés sur trois ans de scolarité ; toutes spécialités réunies, on compte moins de 40 000 candidats aux différents certificats d'aptitude professionnelle. Le nombre annuel des C.A.P. délivrés est sans rapport avec l'effectif des professionnels à remplacer.

Les industries de pointe ne sont pas restées inactives : Schneider a depuis longtemps monté au Creusot un système d'enseignement efficace, l'école d'apprentis de Renault à Billancourt (qui compte 800 élèves répartis sur trois ans de scolarité) est si recherchée qu'on n'y entre que sur concours, Berliet forme des professionnels pour toute la région lyonnaise, l'effort éducatif des de Wendel est remarquable, le Syndicat professionnel des industries mécaniques, les industries chimiques et divers groupements provinciaux ont organisé des formations ouvrières de qualité. Ces initiatives sont néanmoins restées circonscrites.

Le patronat s'est, en grande partie, abstenu d'ajouter à ses charges celles de la formation professionnelle, comme le faisait le patronat allemand — il est vrai qu'il n'y a été encouragé que mollement —, de sorte qu'une des préoccupations du gouvernement à l'approche de la guerre est de forcer les patrons à organiser sérieusement l'apprentissage. Mais les crédits sont insuffisants et aucune autorité de contrôle, ni aucun mécanisme efficace de sanction n'assure l'application des mesures annoncées[2]. La formation des ouvriers qualifiés, délaissée ou mal assumée par l'État, négligée par les professions, reste dramatiquement insuffisante : le plus grave problème industriel de la mobilisation sera de créer une main-d'œuvre qualifiée pour la production de guerre.

Les piliers les plus solides de l'enseignement technique d'État sont le niveau secondaire et l'enseignement supérieur. 100 000 élèves suivent les cours d'une école nationale professionnelle, d'une classe technique de lycée ou d'un collège technique, au regard des 700 000 élèves que groupe

---

1. Ces cours à la charge des communes comportent quatre heures d'enseignement par semaine jusqu'à un minimum de cent heures par an.

2. A. PROST, *L'Enseignement en France de 1800 à 1967.*

l'ensemble des formations du second degré[1]. L'enseignement d'État forme, à ce niveau, une cohorte excellente, mais trop peu nombreuse, de techniciens supérieurs et de techniciens, ainsi qu'une élite ouvrière d'agents de maîtrise.

On ne s'expliquerait pas cette stagnation si on ne tenait compte, ici comme ailleurs, de la peur frileuse de la crise. A. Sauvy a mis en lumière la prétendue rationalité qui tient lieu de politique et qui pousse les agents économiques de l'époque à ajuster la *production à la consommation*, à tous les niveaux et sur tous les plans : la formation professionnelle en est une illustration.

Dès 1932, on a redouté la surproduction des cadres et des personnels techniques autant que la surproduction des biens[2]. Ainsi, a-t-on limité ou étalé les formations d'ouvriers qualifiés ; les syndicats eux-mêmes s'y sont résignés, dans leur hantise du chômage. De même on a limité, puis réduit les flux d'ingénieurs diplômés. Pour les grandes écoles[3], le nombre des admis n'était encore en 1932 supérieur que de 12 % à ce qu'il était en 1900, malgré l'énorme développement de la grande industrie et l'accroissement de 40 % du nombre de candidats. Un mouvement restrictionniste avait été amorcé dès la fin des années 1920, Polytechnique donnant l'exemple en réduisant ses promotions de 250 à 200. Toutes les écoles de bon niveau ont suivi quand la crise a été là. Les promotions d'ingénieurs diplômés avaient été en 1931 *supérieures* de 25 % à celles de 1914, elles étaient en 1939 de 10 % *inférieures*. Pour 3 nouveaux ingénieurs de 1929, il n'en sort plus que 2 en 1939[4].

Dans les écoles d'Arts et Métiers, pourvoyeuses d'ingénieurs de fabrication, on a sabré le recrutement de 50 % : les promotions sortantes qui étaient jusqu'à 1930 de 2 000 ou plus, sont de 1 049 en 1939. Tout compte fait, il était sorti des écoles 35 000 ingénieurs diplômés de 1921 à 1930 ; il en est sorti 23 000 de 1931 à 1940.

Jusqu'à 1937, cette diminution massive n'a pas affecté visiblement la marche de l'industrie ; on a cru avoir assaini le marché de l'emploi ;

---

1. Cf. A. SAUVY, *Histoire économique de la France entre les deux guerres*, t. II, pp. 328-362.

2. Il est vrai qu'en 1936, fait inouï dans une société longtemps stable, 440 centraliens étaient inscrits comme demandeurs d'*emploi* à l'Association des anciens de Centrale, dont la moitié était des chômeurs, et que 600 000 F de secours ont été distribués à des polytechniciens ou à leurs familles en détresse. Cité par Georges RIBEILLE, *Les Mouvements d'ingénieurs sous le Front populaire*, colloque « Le Front populaire et la vie quotidienne », 15-16 septembre 1986, Paris, CRHMSS, multigr.

3. Polytechnique, Centrale, Mines de Paris et de Saint-Étienne, Ponts et Chaussées, Supaéro, École supérieure des P.T.T., Institut agronomique et Institut agronomique colonial. Seuls ont continué de croître les effectifs des écoles nationales professionnelles, passés de 3 500 en 1930 à 11 000 en 1939 et des écoles secondaires donnant un diplôme reconnu par l'État, ainsi que ceux des écoles privées d'« ingénieurs » ou de sous-ingénieurs qui, « garantissent, moyennant des droits de scolarité élevés, un diplôme douteux à environ un millier d'élèves par an ». Cf. R. DAUTRY, *Que faire de nos 50 000 ingénieurs ?*, conférence du 26 janvier 1935 (AN 307 AP/15).

4. Source : FASFID.

personne n'a reconnu les conséquences néfastes du non-renouvellement et du vieillissement déjà sensible des cadres en place. C'est seulement en 1938 ou en 1939, selon les cas, que pour la première fois depuis vingt ans, le nombre des admis dans les écoles d'ingénieurs augmente — et il ne cessera plus d'augmenter pour un demi-siècle ; mais les effets ne s'en feront sentir sur les promotions sortantes qu'à partir de juin 1940. On a découvert entre-temps pendant la « drôle de guerre » que la pénurie d'ingénieurs et notamment d'ingénieurs de fabrication, s'ajoutant à la pénurie de professionnels qualifiés, est un grave handicap.

La crise des outillages

Un deuxième goulet d'étranglement, perceptible dès 1936 dans une large fraction des industries stratégiques, a été la stagnation des outillages.

À partir de 1931, la crise a réduit à néant les investissements. On a pu parler pour l'industrie d'un « Sedan économique »[1]. Les émissions de valeurs mobilières de sociétés, censées correspondre à des investissements productifs, ont baissé en francs courants de 88 % depuis 1930 pour tomber à 3 milliards en 1938[2]. La chute des profits a, par ailleurs, tari l'autofinancement : la première réaction des chefs d'entreprises a été « d'arrêter les commandes d'outillage, les installations existantes leur permettant de travailler pendant de longues années à allure réduite »[3]. Les investissements lourds des années trente ont été surtout le fait de quelques branches de pointe (électricité, textiles synthétiques) ; quelques-uns étaient devenus nécessaires pour garder un marché ou répondre à une demande assurée[4]. Le réarmement allait susciter une reprise à partir de 1936-1937, notamment dans la métallurgie du Centre, mais dans l'ensemble, jusqu'à 1938 sinon 1939, les équipements nouveaux tendent davantage à améliorer la productivité en économisant la main-d'œuvre qu'à accroître la capacité productive. Dans le secteur minier, le

1. L'expression est de F. Walter, cité par F. CARON, *Histoire économique de la France, XIXᵉ-XXᵉ siècle*, p. 159.

2. Cf. A. SAUVY, *Histoire économique de la France entre les deux guerres*, t. III, p. 405.

3. Rapport présenté par M. Thibault au Conseil national économique, session du 4 juillet 1934, extrait du *Journal officiel* du 18 juillet 1934.

4. C'est le cas de Saint-Gobain qui installe en 1937 dans sa glacerie de Chanteraine un train de doucissage et de polissage continus selon le procédé anglais Pilkington. Mais on se gardera d'y voir un témoignage d'un exceptionnel dynamisme de la part d'une firme qui a prouvé son conservatisme en se désintéressant du verre triplex et dont la prospérité tient pour beaucoup à une rente de situation. On se gardera plus encore d'y voir un symbole du dynamisme de l'industrie française dans l'entre-deux-guerres. Il aura fallu attendre 1930 pour que Pont-à-Mousson opte pour la technique moderne de centrifugation et 1938 pour que ses dirigeants se décident à en tirer pleinement parti en fabriquant des tuyaux allégés. Cf. A. BAUDANT, *Pont-à-Mousson, 1918-1939*, p. 470. La longue prudence de Pont-à-Mousson paraît beaucoup plus symptomatique des comportements des années trente.

forage de deux puits et la modernisation de la mine de Faulquemont en Lorraine, poursuivis de 1933 à 1938, sont tout à fait exceptionnels ; aux mines d'Anzin, les résultats de la décennie font apparaître un véritable désinvestissement de 100 millions de francs constants distribués en dividendes, tandis que la « non-remise à jour, après 1932, des moyens de production constituait une véritable consommation d'actif industriel »[1]. Sans aller aussi loin, les chemins de fer français, les plus performants d'Europe, qui ont commandé 37 500 wagons de 1928 à 1932, n'en auront commandé que quelques centaines de 1934 à la veille de la guerre et sont contraints d'économiser sur l'entretien du matériel roulant. La sidérurgie, qui a été entièrement modernisée dans les années 1920, s'est ensuite reposée sur ses lauriers, puis a stagné dans la crise. Rien d'étonnant si le Comité des forges reconnaît que depuis 1928 « elle ne se préoccupe pas suffisamment de son renouvellement (...) ; compte tenu de ce qui a été fait à l'étranger, c'est 2 milliards de plus qu'il aurait été nécessaire de mettre de côté en prévision des renouvellements futurs (...) ; 2 milliards d'investissements ont été négligés » (entre 1920 et 1936)[2].

Tout compte fait, la formation de capital fixe des entreprises n'aurait pas dépassé 1 milliard en 1938 contre 17 en 1929[3]. Dès janvier 1939, le programme d'armement en cours pousse l'industrie lourde aux limites de son potentiel productif, du moins au rythme de 45 heures de travail par semaine.

La faiblesse technique que l'arrêt des investissements a aggravée de la façon la plus voyante est celle du parc des machines-outils. Le modernisme des grandes firmes automobiles et de la construction électrique ne doit pas faire illusion, une large partie des industries de transformation, y compris les industries mécaniques, se révélera inadéquate à l'épreuve de la guerre.

Inadaptation qualitative : les industries mécaniques et de transformation françaises sont en majorité des industries légères qui fabriquent de petits objets n'exigeant qu'un outillage lui-même relativement léger. Ainsi découvre-t-on, durant l'été de 1938, qu'elles sont dépourvues de grosses presses, à l'automne de 1939 que les moyens en estampage de grande puissance nécessaires pour faire les pales d'hélice, les vilebrequins, les carters, font totalement défaut[4].

---

1. Cf. la thèse remarquable de O. HARDY, *Industries, patronat et ouvriers du Valenciennois pendant le premier XXᵉ siècle*, p. 2372, et l'article d'A. MOUTET, « La rationalisation dans les mines du Nord », *Le Mouvement social*, avril 1986.
2. Note du Comité des forges sur la situation de la sidérurgie, 20 février 1939 (AN 139 AQ/98).
3. Chiffres d'émissions de valeurs mobilières des sociétés et de formation de capital fixe des entreprises, d'après A. SAUVY, *o.c.*, t. II, p. 318.
4. Chez Renault, exemple pourtant d'équipement moderne, le gros pilon à masse frappante de 7 tonnes, qui est constamment surchargé, a été endommagé en 1937 ; pendant deux ans, on reste à la merci d'un accident. Un pilon de 35 000 livres, commandé aux États-Unis en 1939, ne pourra pas être installé avant fin mars 1939. Cf. F. PICARD, Carnets inédits communiqués à l'auteur, 11 décembre 1939, pp. 55 et s.

Vieillissement des machines : une enquête menée en 1934 à l'initiative du ministère de la Guerre a révélé que l'âge moyen des machines-outils était de 20 ans, alors qu'il était de 7 en Allemagne et de 3 aux États-Unis[1]. On estime en 1939 leur âge moyen à 18 ans dans l'industrie automobile, à 35 dans l'ensemble de la métallurgie[2]. Renault n'a pas été en mesure d'assurer, de 1930 à 1938, le renouvellement normal de l'usine, sauf pendant quelques mois de la fin de 1936 et de 1937[3]. Berliet, qui a pu moderniser son aciérie en 1930, n'accroît ensuite son matériel qu'en rachetant d'occasion, en 1935, l'outillage des automobiles Delage qui ont déposé leur bilan[4].

L'industrie des machines-outils, en plein marasme avec à peine plus de 10 000 ouvriers contre 20 000 en Suisse, 70 000 en Allemagne et plus de 100 000 aux États-Unis, produit difficilement 20 000 machines par an, alors que le parc est de 550 000 ; ses délais usuels de fourniture sont de neuf mois. D'où une dépendance croissante à l'égard de l'étranger, États-Unis, Allemagne surtout, alors pourtant que « l'expérience de la Grande Guerre a prouvé que la machine-outil était le moyen de combat de l'arrière ». Hispano, qui commande 386 machines-outils de novembre 1937 à avril 1939, n'en trouve pas une sur le marché français[5].

L'ancienneté de l'outillage réagit sur la production : elle freine les cadences, limite les possibilités de grandes séries et impose de recourir à de nombreux ouvriers de haute qualification dont les effectifs sont insuffisants. Elle est précisément le plus sensible dans deux branches d'importance stratégique : les industries spécialisées d'armement et les constructions aéronautiques. Il faut y ajouter la plupart des moyennes entreprises de petite métallurgie et de mécanique, dont on sous-estime le rôle de sous-traitantes en temps de guerre.

De 1918 à 1936-1937, les industries d'armement, firmes privées ou établissements de l'État (à l'exception des arsenaux de la Marine), sont restées en sommeil. La fabrication des obus de 75 est stoppée depuis 1920. Aucune usine ne fabrique plus d'acier à canons, sauf Schneider pour servir des commandes étrangères restées assez nombreuses, mais parcellaires. Aux ateliers Schneider du Havre, spécialisés dans les fabrications de matériels d'artillerie de campagne, on n'a rien renouvelé :

> Le bon fonctionnement n'est assuré que grâce à la valeur professionnelle des chefs de service, de la maîtrise et de la main-d'œuvre. Lors de l'expropriation par l'État de cette usine, en 1937, l'expertise contradictoire affectera son outillage d'un coefficient de vétusté de 80 %. À la cartouche-

1. R. Jacomet, *o.c.*, Jacomet ne précise pas sur quelles branches industrielles a porté l'enquête.
2. Cité par P. Fridenson, *Histoire des usines Renault*, p. 286.
3. *Ibid.*, p. 278.
4. Témoignage de Paul Berliet, 8 décembre 1987.
5. AN 307 AP/21.

rie de la Manufacture des machines du Haut-Rhin (Manurhin), transportée de Mulhouse, installée au Mans aux frais de l'État et dotée de commandes de longue durée, il n'y a ni bureau de dessin, ni atelier de précision pour la confection des vérificateurs, ni atelier central pour la réparation des machines ; les établissements, notoirement insuffisants, ne sont même pas clôturés[1].

L'ingénieur général Carré a rendu compte au cours de l'instruction du procès de Riom de l'état de l'usine d'armes automatiques Hotchkiss de Levallois, lorsqu'il en prit possession au nom de l'État au printemps 1937[2] :

> Toutes les machines, sauf environ 10 fraiseuses Cincinatti avaient été achetées d'occasion et beaucoup dataient d'avant l'autre guerre ; elles étaient, pour la plupart, incapables de réaliser correctement, avec la constance voulue, les usinages en série qui auraient dû être de règle.
>
> Leur nombre était très insuffisant (1 000 environ) pour organiser des chaînes de fabrication homogènes, ce qui obligeait à des démontages fréquents d'appareils pour passer d'une fabrication à une autre, quelquefois deux ou trois dans la même journée pour la même machine.
>
> Les pièces ne sortaient pas finies des machines et devaient être terminées à la lime, parfois avec une surépaisseur de 0,5 mm à enlever, ce qui est une hérésie.
>
> En comparant les procédés en usage à Châtellerault (établissement d'État) j'ai constaté qu'à Châtellerault il suffisait de 10 manœuvres spécialisés pour monter 50 armes par jour, tandis que chez Hotchkiss, il fallait 200 ajusteurs ajustant les pièces à la lime comme cela se faisait à Châtellerault en 1890.

La situation des usines d'aviation de 1936-1937 est la pire : sur 40 firmes pour la plupart sans moyens et sans capacité productive, une seule, Gnôme et Rhône, s'est imposée sur le marché international et a des marges lui permettant d'investir facilement ; trois autres sociétés sont à flot et financièrement indépendantes, Caudron-Renault, Latécoère et Hispano-Suiza ; encore l'équipement d'Hispano n'a-t-il guère progressé depuis 1918 : il ne commence à être renouvelé qu'à partir de l'automne 1937. L'outillage du reste de la branche est presque partout quasi artisanal.

C'est dire que le réarmement décidé en 1936 impliquait non seulement de multiplier les commandes militaires, mais de rénover des pans entiers de l'industrie. Les nationalisations des industries d'armement et des constructions aéronautiques, d'inspiration d'abord idéologique, répon-

---

1. Note n° 66, Comité de liaison de la Défense nationale, 16 mars 1940, AN 496 AP (4 DA/2, Dr. 1).
2. Témoignage de Carré, AN 496 AP (4 DA/13). Cf. aussi sur Hotchkiss Levallois la note du 16 mars 1940 du Comité de production de la Défense nationale : « Les machines, serrées dans des locaux insuffisamment vastes, étaient groupées par catégorie et non par fabrication. Il n'y avait pas de chaîne rationnelle, les pièces suivaient un itinéraire long et enchevêtré, les appareillages et outillages étaient en nombre insuffisant, un long et coûteux travail à la lime restait à exécuter par les ateliers de montage. »

daient pour une part à ce souci. Gamelin, qui y avait d'abord été hostile, s'y était rallié dans l'espoir qu'elles permettraient de redresser plus vite les industries d'armement. « Le courant politique est favorable aux nationalisations, lui avait expliqué le secrétaire général de la Défense nationale Jacomet, pour les réaliser, on nous donnera sans rechigner tout l'argent que nous demanderons. Nous l'obtiendrons beaucoup moins facilement par tout autre moyen [1]. » Ce fut l'effet le plus positif — encore que trop tardif — des nationalisations de 1936 : elles ouvrirent la voie aux investissements de l'État. Les investissements au profit des sociétés nationales d'aéronautique furent les plus précoces et les plus importants, 450 millions de crédits furent également engagés entre 1937 et septembre 1939 pour équiper les établissements nationalisés d'armements terrestres.

Il était moins simple de mettre à niveau les firmes privées. Le ministère de l'Air fut le plus novateur : il mit au point dès 1938 plusieurs procédures souples d'aide au développement — contrats de démarrage ou d'investissement — et admit la possibilité pour les firmes d'amortir des investissements déterminés d'outillage sur des commandes de guerre. En 1938 fut institué un mécanisme original : la Caisse de coopération pour la décentralisation de l'industrie aéronautique fut en mesure d'assurer le préfinancement de nouvelles infrastructures, puis d'outillages, étant entendu que l'État en resterait propriétaire, mais pourrait à la fin des hostilités les rétrocéder aux industriels en fonction de leurs programmes de production du temps de paix. C'est la formule que les États-Unis allaient retenir pour 90 % de leurs investissements du temps de guerre [2]. Par un curieux retour des choses, le gouvernement Daladier n'hésita pas à payer ainsi des infrastructures et à reconstituer des outillages au bénéfice de sociétés privées que la nationalisation avait privées dix-huit mois plus tôt de leurs usines. Mais ces procédures répugnaient à l'administration des Finances, leur mise en œuvre traîna, surtout au ministère de la Guerre où l'on perdit des mois, après la mobilisation, à étudier des types de contrats moins dispendieux.

En fait, la prise en charge des outillages de l'industrie ne fut pas appliquée sur une grande échelle avant le printemps de 1939 à la production aéronautique et n'avait touché à la mobilisation qu'une quinzaine de firmes de métallurgie lourde ou d'armement.

Beaucoup avait été fait — Daladier put en présenter les justificatifs devant la cour de Riom — mais non pas tout ce qui pouvait l'être, ni dans les délais qu'aurait exigés le risque extérieur. C'est là une des ambiguïtés du procès des gouvernants de la IIIe République devant l'Histoire.

---

1. Cf. GAMELIN, *Servir*, t. I, pp. 212-213, et R. JACOMET, *o.c.*, pp. 224 et 236.
2. *Quinze ans d'aéronautique française*, pp. 483-484.

2

Patronat de choc, patronat regardant

> Que l'argent est la clef de tous les grands ressorts...
>
> MOLIÈRE, *L'École des femmes*.

Les gouvernants étaient en droit de compter sur le patronat pour relever la production industrielle. De l'avis d'observateurs bien placés, dont des praticiens aussi peu suspects de préjugés antipatronaux que le ministre de l'Armement Dautry, les patrons ont porté à l'effort de guerre un empressement inégal, moindre qu'en 1914[1]. André Géraud, alias Pertinax, journaliste hors de pair et bon connaisseur des milieux de droite, va plus loin[2] :

> Les gouvernements n'auraient trouvé dans les rangs patronaux que trop d'hommes aigris, tremblants pour leurs avoirs, persuadés que l'entrée en guerre entraînerait l'occupation immédiate des usines, préoccupés surtout de réduire leurs risques personnels, ne concevant pas que la vie vaille d'être vécue si, dans la hiérarchie existante, quelque chose est altéré. (...) D'où les querelles qui suivirent les décrets de nationalisation. (...) Quelques-uns, en tout cas, ne reculèrent devant rien pour gagner le combat social, inattentifs à l'autre combat.

---

1. C'est l'avis de Dautry dès avril 1940. « Peut-être y a-t-il là une illusion que feraient apparaître des rapprochements de dates, ajoute-t-il, car c'est seulement à la fin de 1916 ou en 1917, après deux ou trois ans de guerre, que l'industrie a atteint son plein développement. » Cette précaution n'atténue toutefois pas la sévérité de son jugement sur le zèle inégal des industriels de 1936 à 1940. Cf. AN 307 AP/107 A.
Cf., dans le même sens, le témoignage de Rochette à Riom : AN 2W/43. Le secrétaire général de la Défense nationale, Jacomet, a été plus sévère encore pour les patrons dans le livre-plaidoyer qu'il a publié après la guerre, de même que l'ancien directeur des fabrications d'armement Happich devant la commission Serre. Ces deux témoignages, venant d'hommes qui étaient juges et parties et s'exprimaient dans le climat peu favorable aux patrons des lendemains de la Libération, doivent être accueillis avec précaution.
2. PERTINAX, *Les Fossoyeurs*, t. I, *Les Derniers Chefs de la Troisième République*, p. 153.

Les marchands de canons ne se seraient pas pressés, cette fois, pour fondre des canons.

Le contrecoup des nationalisations

Ceux que vise Pertinax ont des noms : Louis Renault, « pacifiste jusqu'au bout des ongles », l'intraitable Marius Berliet, mal employé par la République, Brandt et Schneider, qui ne lui avaient pas pardonné leur nationalisation très partielle. Réservons pour d'autres chapitres le cas des deux premiers[1].

Brandt, constructeur imaginatif de mortiers et d'obus connu dans le monde entier, mais inlassable procédurier, avait fait enlever de son usine nationalisée de Châtillon tous les plans et dessins industriels dans la nuit du 30 décembre 1936, quatre jours avant la date fixée pour son transfert à l'État. Daladier avait riposté en prenant le lendemain un arrêté rendant l'expropriation immédiatement exécutoire[2] : « Les hostilités entre Brandt et l'État allaient durer jusqu'à la guerre, absorbant un temps précieux des uns et des autres[3]. » Quant au potentat du Creusot, Eugène Schneider, convaincu que l'expropriation qui le frappait était une vengeance politique, il avait fait construire un mur pour isoler les ateliers nationalisés du reste de ses usines et lorsque le Conseil d'État valida la nationalisation, il en retira tout son personnel.

La nationalisation partielle du Creusot était un cas extrême d'imbrication passionnelle d'enjeux idéologiques et techniques. Elle avait été un symbole politique[4], elle fut une erreur industrielle. Elle allait trop loin ou pas assez : elle portait sur un atelier employant 675 ouvriers sur un effectif total de 11 000, dont l'activité était inséparable du reste de l'usine où il était enclavé. L'expropriation partielle compliquait les fabrications ; elle n'était viable que si l'entente régnait entre les parties : elle nourrit une cascade d'incidents.

La nationalisation des ateliers Schneider du Havre, de Harfleur et du Hoc était moins voyante, mais plus conséquente : ces ateliers groupaient un effectif proche de 2 500 personnes spécialisées dans la construction des matériels d'artillerie de calibre inférieur à 155 mm. Leur expropriation modifiait sensiblement le rôle de la société. Pendant la Grande

---

1. Cf. ci-dessous, IIIe partie, chap. 2 et 3.
2. Cf. R. JACOMET, *o.c.*, p. 232, et *Journal officiel*, déc. 1936, p. 13658, et janv. 1937, arrêté du 1er janv. 1937, p. 273.
3. Dautry, AN 307 AP/92.
4. Le secrétaire général du parti socialiste, Paul Faure, député-maire du Creusot de 1924 à 1928, évincé ensuite sous la pression des Schneider, avait mené pendant dix ans campagne contre eux. La S.F.I.O. avait tenu à nationaliser au moins une parcelle du Creusot pour sanctionner à la fois le pouvoir excessif des « premiers marchands de canons » de France et le despotisme paternaliste qu'ils exerçaient depuis un siècle sur leur personnel et la population locale.

Guerre, celle-ci avait été reconnue par l'État comme un des premiers « chefs de groupe » de la production d'armements : elle recevait la commande de matériels d'artillerie complets et en répartissait l'exécution sous sa responsabilité entre ses usines et ses sous-traitants. Les ateliers Schneider, du fait de la nationalisation de leurs dépendances du Havre qui comprenait les ateliers de montage des matériels d'artillerie et un champ de tir, ne purent plus tenir ce rôle de chefs de groupe, sauf pour des fabrications plus limitées ou pour des éléments d'équipements tels que les carcasses de chars lourds. « Leur usine du Creusot ne peut jouer d'autre rôle que celui d'un puissant auxiliaire des établissements de l'État », notaient en 1939 les enquêteurs de la Commission de l'armée ; « privés de moyens d'essais, ils seraient difficilement en mesure de créer des matériels nouveaux »[1]. Tel avait bien été l'un des objectifs visés : casser, à la faveur d'une mesure politique, le monopole coûteux de Schneider sur les fabrications privées d'artillerie.

Au symbole politique qu'était l'expropriation s'ajoutait ainsi, pour la firme du Creusot, une sorte de dégradation professionnelle. Schneider, la ressentit amèrement. Titulaire en 1937, en tant que chef de file, d'un marché de 115 carcasses de chars, il ne s'en acquitta qu'avec un zèle médiocre en limitant ses responsabilités au minimum ; rien toutefois ne permit d'inférer que l'exécution tardive et peu rationnelle de la commande fût due à d'autres motifs qu'à sa commodité industrielle[2]. La réconciliation entre Schneider et l'État ne fut vraiment scellée qu'au début de la guerre, quand le gouvernement Daladier mit fin à cette nationalisation[3].

On se gardera d'amplifier, à partir des cas de Brandt et Schneider, le choc en retour des nationalisations. Dans le secteur des armements terrestres, les ateliers transférés à l'État employaient moins de 11 000 salariés. Sur 7 sociétés touchées, 5, dont Renault, s'y étaient pliées sans regimber. Dans le secteur de l'aéronautique, les industriels expropriés s'étaient frotté les mains ; les recours qu'ils engagèrent ne visaient qu'à décrocher l'indemnisation maximale, ce qui fut le cas.

Intérêts patrimoniaux et prudence financière

En dehors de rares patrons de firmes nationalisées, une fraction appréciable du patronat a-t-elle vraiment limité sa participation à l'effort

1. Rapport des Isnards, Fernand Laurent et de Grandmaison sur Schneider et Le Creusot présenté le 5 octobre 1939 à la Commission de l'armée de la Chambre des députés (ARAS).
2. Note n° 112 du 27 novembre 1937 du Contrôle général du ministère de la Guerre, dont l'analyse rehaussée d'extraits figure dans les archives Dautry (AN 306 AP/89 A). Voir plus loin p. 48 n. 3.
3. Par décret du 20 novembre 1939. L'initiative venait de Dautry qui avait mené la négociation et fixé les contreparties industrielles que Schneider abandonna à l'État.

de réarmement ? Et sous quelle inspiration ? Il faut y regarder de près en évitant tout confusionnisme lié aux psychodrames du temps.

Qu'à partir de l'automne 1936, une fois passée leur grande peur, la majorité des patrons se soient opposés au gouvernement du Front populaire, que pendant deux ans ils aient été obnubilés par les avancées du pouvoir ouvrier et se soient arc-boutés sur leur souci de mettre en échec une menace communiste qu'ils se sont figurée imminente, on le sait. Des patrons ont étendu leur méfiance à l'État républicain pour lequel ils n'éprouvaient que rancune et mépris. Plusieurs d'entre eux et non des moindres, ont financé les partis d'extrême droite et les ligues [1]. Des milieux patronaux ont encouragé les campagnes qui ont intensifié la fuite des capitaux et fait obstacle à l'instauration du contrôle des changes, consolidant le « mur d'argent » sur lequel buta le gouvernement du Front populaire. En mars 1938, moins de quinze jours après l'annexion de l'Autriche au Reich, le refus opposé par les représentants patronaux à ce qui a sans doute été la seule chance de rompre avec la semaine de 40 heures en préservant la paix sociale a eu tous les aspects de la politique du pire [2] : ce fut une lourde faute qui relança pour six mois les heurts sociaux. Doit-on admettre pour autant que cette opposition voyante, dont les contrecoups anti-économiques furent certains, ait eu son pendant au niveau de l'entreprise, où l'exaspération partisane et la soif de revanche auraient été poussées parfois au point d'entraver la production ? On peut hésiter à le croire, dans la mesure où la logique de l'entreprise est de produire et où son objectif est le profit. Pertinax, on l'a vu, n'en a pas douté. Des syndicats ont lancé, de leur côté, des campagnes antipatronales relayées par la presse communiste accusant des directions de compromettre délibérément la défense nationale, de ne pas affecter, à Saint-Nazaire, les équipes nécessaires à la construction du *Pasteur,* de se refuser, dans la métallurgie du Centre, à moderniser le matériel, de souvent laisser la moitié du personnel en attente de travail et de ne rien faire pour intensifier les fabrications, afin que le discrédit en retombe sur les ouvriers. Le Syndicat des métallurgistes de

---

1. Le P.P.F. de Doriot recevait en 1938 des fonds des grands lainiers du Nord, de grandes firmes d'automobile et de l'alimentation (Byrrh), du Comité des houillères, des aciéries de l'Est et de sept grandes banques parisiennes (Rivaud, Vernes, Rothschild, B.N.C.I., Banque de l'Indochine, Worms et Lazard), du Comité de prévoyance et d'action sociale et du Centre de l'industrie et du commerce. Cf. P. FRIDENSON, « Le patronat français », *in* R. RÉMOND et J. BOURDIN, *La France et les Français en 1938-1939* p. 150.

2. Le deuxième gouvernement Blum, aux prises le 24 mars 1938 avec une grève des ouvriers métallurgistes de la région parisienne, proposa de porter la durée du travail dans la métallurgie à 45 heures avec 7 % d'augmentation des salaires. La Fédération des métaux accepta de prendre la proposition en considération. Les organisations patronales s'y refusèrent, jugeant l'augmentation du salaire de base injustifiée. Cf. R. JACOMET, *o.c.,* p. 259, et A. SAUVY, *o.c.,* t. I, p. 309.

Saint-Chamond est allé jusqu'à lancer, en avril 1938, un « véritable S.O.S. » à Daladier[1] :

> Alors que vous faites appel au pays pour collaborer à l'œuvre entreprise par le gouvernement et à l'effort pour assurer la sécurité de notre pays, la direction des Forges et Aciéries de la Marine emploie tous ses efforts pour saboter le rendement de ses divers services.

On fera la part de la polémique dans ces réquisitoires : même quand les faits dénoncés sont exacts, l'interprétation qu'ils en donnent relève du manichéisme de classe. L'analyse des comportements micro-économiques fait apparaître des motivations beaucoup plus simples : la propension à produire au-delà du minimum nécessaire, le rythme et les modalités de l'exécution des commandes, les décisions de recruter ou de ne pas recruter, d'investir ou de ne pas investir, ont été gouvernés moins par l'idéologie, le patriotisme, le pacifisme ou la tactique anti-ouvrière que par la commodité industrielle, celle-ci se ramenant, pour les entrepreneurs, à la continuité la plus avantageuse et la moins onéreuse de la production et du gain. Sans doute, les choix patronaux n'étaient-ils pas déconnectés de la politique, une logique passionnelle a pu les infléchir ici ou là dans le sens de la *bonne* ou de la *mauvaise* volonté à l'égard des *desiderata* militaires, tout comme l'affectivité a eu sa part dans les rendements ouvriers. Généralement, dans toute la période 1936-1940, les comportements connus des entrepreneurs concordent avec leur intérêt patrimonial, un intérêt généralement conçu avec une prudence parcimonieuse, attentive à minimiser les risques plus encore qu'à maximiser les profits. Car ce patronat de choc fait en même temps figure de patronat timoré. Dix ans d'expansion dans la facilité, puis dix ans de survie dans le protectionnisme l'ont renforcé dans un pragmatisme de gestion qui se réduit au souci d'une rentabilité inséparable de la sécurité.

Malthusiens, ces patrons ?

Faut-il imputer à l'esprit malthusien cette prudence parfois poussée jusqu'à l'immobilisme ? L'historien de l'économie Maurice Lévy-Leboyer s'est insurgé contre l'idée d'un malthusianisme patronal que démentirait la remarquable expansion des années 1920[2]. L'impression d'atonie vient, selon lui, avant tout du nombre resté anormalement élevé de moyennes entreprises. Il est sûr que l'industrie de 1936-1940 est très différente de celle du début du siècle et le bouillonnement d'idées que

---

1. Lettre du secrétaire du Syndicat des métaux de Saint-Chamond à Daladier, 23 avril 1938, reproduite par M. LUIRARD, *La Région stéphanoise dans la guerre et dans la paix*, p. 175.
2. M. LÉVY-LEBOYER, « Le patronat français a-t-il été malthusien ? », *Le Mouvement social*, n° 88, juill.-sept. 1974.

révèlent les décades de Pontigny sur l'industrie ou la revue d'Auguste Detœuf, *Les Nouveaux Cahiers*[1], prouve combien la génération montante de managers est sensible aux nouvelles donnes de l'économie.

Bien des signes attestent pourtant, dans les branches essentielles à la Défense nationale, une timidité de l'esprit d'entreprise qui tend à pérenniser les modes de production. Paradoxalement, la France victorieuse de 1918 a peut-être pâti de ne pas avoir à produire et à exporter pour vivre ou même pour survivre. Les entrepreneurs des années vingt s'en sont souvent tenus à la facilité, au développement des industries légères et aux exportations vers les colonies. Non seulement le slogan « l'Allemagne paiera » a été démobilisateur, mais les réparations au titre des dommages de guerre ont eu un effet pervers : les prestations allemandes en nature, qui ont atteint pour les seuls produits mécaniques 3,25 milliards de francs pour les années 1926-1933, ont dissuadé nos industriels de produire et assuré à leurs concurrents allemands un marché privilégié du fait de l'obligation de recourir à eux pour compléter les outillages[2]. L'industrie française, on l'a vu, ne s'est pas battue pour occuper le marché des machines-outils. Si les importations et les exportations de produits mécaniques ont été dans l'ensemble équilibrées, leur valeur au kilo est trois fois moindre à l'exportation qu'à l'importation. Quand la crise est arrivée, la trop longue surévaluation du franc a découragé les efforts à l'exportation ; puis, à partir de 1936, le scepticisme ou le pessimisme des patrons les a retenus de s'engager.

On se gardera de sous-estimer les ressources de l'industrie française, elles lui ont permis une spectaculaire montée en puissance en 1939-1940. En sens inverse, on ne peut ignorer, quand démarre le réarmement, ce qu'il faut bien appeler des comportements-freins.

1. L'indifférence aux besoins de la clientèle est courante. La conception d'une industrie de transformation misant sur la production de masse en faisant appel à la consommation de masse reste limitée à des secteurs pionniers tels que l'automobile. La sidérurgie refuse de coopérer avec ses utilisateurs pour améliorer ses produits. Il faut une pression constante et des récriminations incessantes de la part des industries mécaniques pour que les aciéristes, fabricants traditionnels de rails et de poutrelles, daignent développer des aciers fins et installer des fours électriques. Si Louis Renault s'est acharné à créer ses propres aciéries, ses propres laminoirs, ses propres fabrications d'outillages, c'est à coup sûr par un appétit d'expansion dont Ford lui donnait l'exemple, mais

---

1. A. Detœuf, directeur général d'Alsthom, « une des plus belles intelligences de son époque » (P. Brisson), remarquable agitateur d'idées, auteur d'un livre qui fit date : *Les Propos d'O. L. Barenton, confiseur*, où il fait un portrait-charge du moyen entrepreneur des années 1930. Il est l'animateur des *Nouveaux Cahiers*, mensuel publié de 1937 à 1940 par Gallimard.

2. Conseil national économique, *La Situation des industries mécaniques et transformatrices des métaux*, extrait du *Journal officiel* du 18 juillet 1934.

aussi pour échapper à la dépendance d'un Comité des forges soucieux d'uniformiser et de réglementer la production, et pour assurer la qualité de ses outils et de ses tôles, que le marché n'a jamais pu lui garantir. Le problème prendra une acuité accrue en 1938, quand s'accroîtra la demande d'aciers à canons et d'aciers complexes pour les moteurs d'avions.

2. La médiocrité de la recherche industrielle est devenue un handicap [1]. Dès 1934, le rapport Thibault au Conseil national économique sur les industries mécaniques déplore

> une certaine méfiance à l'égard de la technique qui fait renoncer à des recherches dont l'utilité immédiate n'apparaît pas. D'une manière générale, les services d'études sont peu développés, les immobilisations sont aussi réduites que possible : il en résulte que l'industrie mécanique française se trouve en état d'infériorité pour monter dans de bonnes conditions certaines fabrications [2].

Il en est de même des industries chimiques : la modicité de leurs moyens de recherche va de pair avec la pauvreté des laboratoires universitaires. L'industrie des années 1930, là où elle peut investir, est beaucoup moins soucieuse d'innovation que d'une rationalisation qui lui permette de réduire ses coûts. Saint-Gobain jusqu'à la guerre ne s'intéresse pas aux nouvelles formes du verre : le triplex incassable pour les vitres d'automobiles, c'est l'outsider Boussois qui le développe. D'ailleurs, Saint-Gobain, en 1940, n'a pas de laboratoire.

3. La faiblesse des banques d'affaires et leur esprit précautionneux n'ont pas fait d'elles des pôles d'incitation : c'est beaucoup plus naturellement de l'État qu'on attend les crédits d'investissement que peut exiger le réarmement.

Des facteurs humains contribuent en outre à ralentir l'évolution des firmes.

L'adaptation de la grande entreprise au progrès technique et surtout à des formes modernes d'organisation et de gestion est beaucoup plus complexe que jadis, on le voit chez Renault comme à Pont-à-Mousson ; or cette difficulté d'adaptation est aggravée par le fait que la génération intermédiaire a été décimée par la guerre. Les dirigeants des grandes

---

1. Dautry, bon observateur, écrit en 1935 : « Le progrès exige ce qui manque le plus à l'heure actuelle, le goût du risque à longue échéance (...). L'esprit des Français conserve toujours quelque chose de l'avarice paysanne, cette idée que la recherche industrielle est un mauvais placement et qu'il est plus habile de profiter de l'effort étranger en lui achetant le produit de ses recherches contre une rémunération sans aléa. C'est ainsi que commença cette véritable " colonisation " de la France par l'industrie étrangère qui devient angoissante (...). Tant de licences, tant de produits qui nous viennent de l'étranger m'inquiètent (...). Je ne peux ignorer que, lorsqu'on a acquis une licence, il est bien rare qu'on atteigne un jour la perfection d'exécution de ceux qui ont conçu et mis au point : on court perpétuellement derrière eux. »
2. Conseil national économique, *ibid*.

firmes, comme les chefs de l'armée, sont pour beaucoup des hommes du passé attachés aux recettes auxquelles ils ont dû leur succès. Certains des plus importants participent à de multiples conseils d'administration tout en prétendant gérer en personne leur principale entreprise. Théodore Laurent, magnat de la sidérurgie, fait partie de quatre-vingts conseils. Cette dispersion ne permet pas une politique d'entreprise concertée[1].

Enfin, les industriels français continuent d'ignorer le monde extérieur. Si Renault, Berliet ou les dirigeants de la chimie suivent de très près les progrès de la technique à l'étranger, rares sont ceux qui se soucient d'étudier sur place les nouveaux modes d'organisation, les nouvelles techniques commerciales ou qui ont observé de près l'esprit conquérant des hommes d'affaires américains et allemands.

Une partie des patrons ne pourra dans une première phase apporter au réarmement qu'un dynamisme mesuré.

Les marchés moins profitables

Face aux commandes de l'État, note Dautry, les industriels de 1936-1939 « pouvaient les rechercher ou les fuir, les exécuter avec zèle ou avec lenteur selon les opportunités de leur activité générale »[2]. C'est bien ce qui ressort des faits et l'on comprend aisément pourquoi.

Les fournitures aux armées, en dehors du secteur aéronautique, n'ont plus les mêmes attraits qu'en 1914-1918. Depuis la Grande Guerre, une vague de réprobation déferle sur les « marchands de canons » : elle vient non pas de la seule gauche pacifiste ou anticapitaliste, mais entraîne une large fraction des intellectuels, des paysans, des artisans. « Les industries de guerre n'ont pas la sympathie du public », constatait déjà en 1936 le sénateur modéré Lémery : « Le genre d'activité auxquelles elles se consacrent paraît à tous un mal nécessaire, mais un mal[3]. » On les dénonce comme immorales, corruptrices, investies d'un pouvoir occulte, pourvoyeuses de profits inavouables et responsables de toutes les guerres du siècle. D'où un réseau sans cesse renforcé d'interdictions, de pénalisations et de contrôles : on les a sanctionnées pour le passé, on se prémunit contre elles pour l'avenir.

En 1914-1918, l'État, résolu à faire produire à tout prix, avait toléré sinon encouragé l'accroissement des profits ; le secrétaire d'État socialiste à l'Armement, Albert Thomas, s'y était lui-même résigné malgré les pressions de l'opinion, quitte à faire rendre gorge plus tard. Après la victoire, le retour du bâton avait durement frappé, les actions en recouvrement de profits excessifs ou illicites s'étaient multipliées. Or

1. Le gouvernement de Vichy limitera à douze les participations à des conseils d'administration.
2. AN 307 AP/107 A.
3. JOD Sénat, 8 août 1936, p. 1110.

quand le réarmement démarre en 1937, non seulement les dossiers des poursuites et des restitutions ne sont pas clos, mais on les rouvre. La loi de finances du 31 juillet 1933 avait imposé la révision des marchés conclus entre les industriels et l'administration de 1914 à 1919 ; elle stipulait un reversement forfaitaire à l'État sur les marchés de guerre pour lesquels le bénéfice avait dépassé 10 %. Deux décrets de 1937 et de 1938 réactivent la procédure ; à partir de l'été 1937, une cohorte de patrons est aux prises avec l'État dans des contentieux qui, vingt ans après les faits incriminés, les astreignent à des reversements substantiels grevés d'intérêts moratoires de 8 % à compter de la décision de révision. Louis Renault y figure en bonne place. Ses bénéfices connus sur les fabrications d'obus ont évolué pendant l'autre guerre entre 35 et 60 %, ses bénéfices globaux ont atteint 33,5 % en 1914 et 1915, 18,2 % en 1917-1918[1]. Au terme de trois ans de procédure, il recevra, en octobre 1939, de l'administration des contributions directes un avertissement d'avoir à payer 46 275 000 francs représentant la taxe due sur ses marchés anciens. C'est une somme énorme. Après recours au jury national des industries de guerre et finalement à des arbitres, ceux-ci arrêteront que la taxe devra être payée pour moitié par Louis Renault lui-même et pour moitié par la Société des automobiles Renault. La sentence arbitrale tombera le 26 avril 1940. Ces longues inquisitions ne sont pas pour stimuler parmi les industriels l'appétit des commandes de l'État.

Il y a plus : le principe affirmé par le Parlement depuis 1923 est que nul ne doit s'enrichir grâce à la guerre. Ce principe n'a pas une portée seulement rétroactive : la loi de 1938 sur l'organisation de la nation en temps de guerre édicte la suppression de « tout bénéfice sur la fourniture des prestations nécessaires aux besoins du pays ». Les modalités d'application de la loi, telles qu'elles sont publiées en janvier 1939, sont draconiennes, le secrétaire général de la Défense nationale y a veillé en personne[2]. Voilà bien là une des ambiguïtés de la politique de Daladier : le même gouvernement qui fait un énorme effort afin de réarmer le pays dans un cadre libéral et qui se montre si attentif à restaurer les profits industriels et financiers croit pouvoir s'interdire de stimuler la production de guerre par l'attrait du profit.

Jusqu'à la mobilisation, le régime des fournitures en temps de paix n'interdit pas un « profit raisonnable ». Néanmoins la présomption (parfois justifiée) de profits excessifs est si forte que les services

---

1. AN 91 AQ/54.
2. Le décret du 5 janvier 1939, considérant les fabrications d'armement comme un véritable service public, soumet en temps de guerre les entreprises à un étonnant régime d'économie contrôlée : cession des produits à l'État au prix de revient, suppression aussi bien des bénéfices que des aléas des entreprises, octroi à celles-ci d'un intérêt forfaitaire du capital engagé, augmenté d'une somme correspondant à l'usure ou à la destruction des matériels utilisés pour l'État, attribution par l'État de primes de rendement et d'invention à répartir parmi le personnel de production. Comme on le verra, le gouvernement renonça, à la déclaration de guerre, à ce système complexe.

techniques et du contrôle des ministères militaires poussent dans plus d'un cas la conscience professionnelle jusqu'à l'acharnement afin de réduire les marges bénéficiaires. En 1934, profitant des difficultés des entreprises, ils ont ramené de 2 500 000 à 1 400 000 francs le prix manifestement excessif demandé pour les premiers chars B par le consortium Schneider-Renault-Forges et Chantiers de la Méditerranée[1]. Des fournisseurs en situation dominante comme Gnôme et Rhône ou Brandt ont néanmoins réussi à faire avaliser des prix choquants, même si le Contrôle général admet que « les abus... ont été le fait d'une minorité et que, dans son ensemble, l'industrie française a conscience de son rôle et de ses devoirs »[2]. Passé 1936, les services de la Guerre, de mieux en mieux informés des coûts, serrent la vis, tiennent la dragée haute à la S.O.M.U.A. (Société d'outillage mécanique et d'usinage d'artillerie) et rompent avec les Forges et Chantiers de la Méditerranée qui réclament pour la fabrication de chars légers des prix « léonins »[3] ; sur les directives des Finances, ils refusent de laisser incorporer dans les coûts une part substantielle d'outillage, ce qui, on le découvrira plus tard, est une erreur. L'analyse des marchés d'armement de Renault dans les années trente montre l'âpreté des négociations : le ministère, non content de comprimer les devis, exige par exemple que Renault prenne en charge les multiples modifications imposées par les militaires sur des modèles déjà en fabrication ; il fait pression, lors de commandes importantes, pour obtenir gratuitement la cession de la licence de fabrication de matériels Renault au profit des établissements de l'État, ce à quoi l'industriel ne se résigne finalement que contraint et forcé[4]. Ainsi, le marchandage des contrats alourdis par des avenants en cascade tourne couramment à l'épreuve d'endurance dans un climat d'irritation. Si des industriels étranglés par la crise, comme Berliet, quémandent les contrats, les Forges de Montbard, qui usinent des carcasses de chars Renault, annoncent leur décision de ne plus produire, à partir de 1937, d'éléments de matériels blindés : c'est une réaction exceptionnelle, mais qui illustre le raidissement de certains industriels, même en période de vaches maigres.

Depuis 1938, les contractants sont par ailleurs astreints à tenir à disposition les justificatifs de leurs prix de revient et de leurs bénéfices. Ces derniers sont soumis à un système d'imposition spécifique fondé, ici encore, sur la présomption que les bénéfices tirés des fabrications d'armements sont excessifs. En plus de l'impôt sur les bénéfices industriels et commerciaux que paient tous les industriels, les entreprises

---

1. Note de l'ingénieur général Lavirotte, CEP, t. III, p. 234.
2. Rapport au Sénat sur le budget de la guerre pour 1938, Sénat, année 1937, n° 619, annexe 5, p. 39.
3. R. JACOMET, *o.c.*, p. 163.
4. J. CLARKE, « The Nationalization of War Industries (in France), 1936-1937, A Case Study », *Journal of Modern History*, vol. 40, 1977/3, pp. 411 et s.

travaillant pour la défense nationale ont été frappées d'une taxe spéciale de 20 % sur les bénéfices par elles réalisés (décret-loi du 16 juillet 1935) : cette taxe a été portée progressivement à 36 % des bénéfices réalisés, de sorte qu'en 1938 et 1939, « pour une entreprise travaillant uniquement pour la défense nationale, le total des deux impôts représente 51,12 % du bénéfice imposable[1]. En réalité, cette lourde fiscalité a manqué son but, car la plupart des industriels en ont incorporé la charge dans leurs prix ou l'ont esquivée grâce à des artifices comptables[2].

La balance réelle des profits et des difficultés financières des firmes bénéficiant de commandes de l'État reste difficile à apprécier. Les situations sont contrastées selon les branches, la taille des entreprises, la part des armements dans leur production et selon les périodes. Les profits de la sidérurgie et des grandes firmes spécialisées d'armement sont confortables à partir de 1937-1938, copieux de 1938 à 1940, bien supérieurs à ce que les plaintes du lobby métallurgique et minier laisseraient supposer[3] ; le temps est passé cependant pour elles des énormes surprofits et des devis incontrôlés, les nouveaux profiteurs sont ailleurs, parmi une minorité aventureuse de constructeurs aéronautiques, dont on retracera plus loin l'étonnante ascension.

Marine Homécourt et S.O.M.U.A.

Les résultats de deux grandes sociétés d'armement terrestre sont symptomatiques.

La Société des forges et aciéries de la Marine et d'Homécourt regroupe un large secteur de l'industrie métallurgique et minière réparti entre le département de la Loire (Rive-de-Gier, Saint-Chamond), le Sud-Ouest (Le Boucau avec 3 hauts fourneaux, 2 fours Martin, 2 fours électriques) et la Meurthe-et-Moselle (7 hauts fourneaux à Homécourt, mine de Faulquemont), à quoi s'ajoutent des filiales telles que les aciéries de Rombas parmi les plus modernes de France et celles de Dillederdange au Luxembourg. Ses bénéfices nets ont été de 4 106 000 francs en 1936-1937 (après affectation de 19 millions aux amortissements, et de 12 700 000 francs aux provisions pour travaux et amortissements d'outillage). Ils triplent en 1938-1939 et en 1939-1940, en dépit de l'affectation aux amortissements du montant formidable de 61 millions en 1938-1939, de 55 millions en 1939-1940 ; les dividendes distribués

---

1. A. BIGANT, *La Nationalisation et le contrôle des industries de guerre*, p. 42.
2. R. de LESTRADE, *Le Financement des dépenses publiques pendant la guerre 1939-1940*.
3. La société Holtzer fait exception parmi les « marchands de canons » en distribuant pour 1938 des dividendes qui ne dépassent pas 1 % du nominal : c'est qu'elle a été spécialement mal gérée et commence tout juste à se rétablir, cf. AN 524/Mi 1.

s'élèvent de 10 francs par action en 1935-1936, à 30 francs pour les exercices 1938-1939 et 1939-1940, passant de 2,2 à 6,6 % du nominal, ce qui est aussi le taux de rémunération des actionnaires de Rombas[1].

La S.O.M.U.A. (Société d'outillage mécanique et d'usinage d'artillerie) est une entreprise d'un type tout différent : c'est la principale filiale d'industrie mécanique de Schneider. Elle a participé de 1914 à 1918 au programme d'usinage d'artillerie légère et de construction de tracteurs de la société mère. La baisse des commandes militaires des années vingt l'a menée à diversifier au maximum sa production en l'orientant vers la grosse mécanique, les moulages de fonte ainsi que l'entretien et la transformation des matériels de chemin de fer. Elle a été durement touchée par la crise qui a ramené ses profits bruts de 8 millions en 1930-1931 à 6 millions en 1932-1933, ses amortissements et ses investissements à zéro ; elle a suspendu toute distribution de dividendes pendant les quatre exercices 1930-1931 à 1933-1934. Sa chance est d'avoir été consultée au printemps 1934 au sujet d'un char rapide de cavalerie et d'avoir fait une proposition qui a intéressé l'État-Major. En novembre, elle a entrepris, à ses risques et périls, la construction d'un prototype qui, sorti en mai 1935, a été agréé dans l'été. Entre 1936 et la guerre, l'État-Major de l'armée passe commande de 500 chars S.O.M.U.A. dont 279 auront été livrés à la mobilisation. Les produits bruts de la société s'élèvent de 3 millions en 1934-1935 à 4,5 en 1936-1937, à 11,5 en 1937-1938 après remboursement des porteurs de bons et d'obligations, à près de 16 en 1938-1939, à 34 en 1939-1940 : profits suffisants pour affecter en 1938-1939 plus de 9 millions aux amortissements industriels et pour reprendre la distribution de dividendes qui, limités à 3 % du nominal au cours des exercices 1934-1935 et 1935-1936, passent à 8 % en 1937-1938 et 1938-1939, à 10 % en 1939-1940[2].

L'aubaine de la S.O.M.U.A. est un cas extrême. Son démarrage fulgurant n'aurait pas été possible si la société n'avait disposé en 1934 d'une provision de 5,7 millions pour « garanties et éventualités diverses », s'ajoutant à une « réserve extraordinaire » de 4 millions. Les entreprises de l'époque ne sont pas toutes aussi bien loties, loin de là. Indépendamment du fléchissement des profits, puis de la reprise de récession de l'automne 1937, qui se prolonge jusqu'à l'automne 1938, le

---

1. La société Marine Homécourt assure 7 à 8 % de la production nationale de fonte et d'acier sous la forme de lingots, poutrelles, rails, bandages de roues de wagons et tôles de blindage. Bien qu'éprouvée par la crise, elle a bénéficié d'un contrat continu de commandes des chemins de fer et de la Marine (AN 139 AQ/1). Ces profits ont été acquis en dépit des blocages successifs des prix de l'acier, qui forment la plus grosse part de la production de la Marine Homécourt et qui, soumis aux autorisations de la Commission de surveillance des prix, n'ont pas augmenté de novembre 1937 à janvier 1939. Les documents accessibles ne permettent toutefois pas de déterminer les pourcentages des bénéfices bruts ou des profits et pertes.

2. AN 292/Mi-I. Ces profits ont été acquis en dépit de la déconfiture de l'usine de Vénissieux, qui a vu, de 1936 à 1938, les commandes de son principal client, la S.N.C.F., diminuer de 80 % et qui se reconvertit en 1938-1939 aux armements.

bas niveau des trésoreries explique bien des réticences. C'est le cas des sociétés publiques et privées d'aéronautique qui, à quatre exceptions près, n'ont ni capital disponible ni fonds de roulement. Même dans les autres secteurs, des firmes attributaires de commandes de l'État se trouvent en difficulté. La réglementation des marchés publics de 1932-1933 n'envisage les paiements que sur services faits, l'État se prémunissant contre tous les risques financiers. Jusqu'à 1936, peu de marchés prévoient des acomptes. Les trésoreries sont d'autant plus vulnérables que l'administration exige couramment le démarrage des fabrications plusieurs mois avant de notifier ses commandes ; l'État est ensuite un payeur tardif. Les avances de fait qu'il oblige ainsi les firmes à lui consentir sont parfois énormes : 100 millions de francs à l'automne 1936 au détriment de Panhard, jusqu'à 200 millions en 1937-1938 dans le cas de Renault. À la veille de la guerre, il doit à Laffly, pour des tracteurs, une centaine de millions qui ne sont même pas engagés, une trentaine de millions depuis des mois à la S.O.M.U.A. pour des véhicules blindés, autant au constructeur d'avions Amiot, qui est à deux doigts de la cessation de paiements[1].

Les entreprises ont toujours répugné à emprunter : les banques, toujours en arrière de la main, n'accordent leur concours, en cas de découvert, qu'au compte-gouttes et à des taux élevés[2]. Renault, apparemment si solide, a dû, de 1936 à 1938, obtenir des banques, outre des facilités de caisse accrues (plus de 60 millions), des avances sur ses marchés militaires jusqu'à concurrence de 120 millions[3]. La création de la Caisse nationale des marchés de l'État en 1936, initiative ingénieuse, aurait dû faciliter les choses. C'est seulement à partir de mai 1938 que la Caisse a disposé d'un fonds de dotation suffisant[4]. C'est seulement en mars 1939, sous le choc de l'occupation de Prague, que deux décrets-lois permettent aux départements militaires d'accorder aux titulaires de marchés des avances « sur la valeur des matériaux approvisionnés » et, au titre des prestations effectuées par des sous-traitants, des avances portant intérêt à 5 % en vue de leur permettre de faire face à « des difficultés de trésorerie exceptionnelles » ; mais les circulaires d'application ne sont pas prises avant septembre et octobre 1939, de sorte que le montant des avances sur marchés d'armements ne dépasse pas 160 millions à la déclaration de guerre. C'est seulement après l'ouverture des

---

1. Cf. en particulier sur Laffly la déposition de Guérard à Riom, AN 496 AP (4 DA/15 et 4 DA/19) ; sur la S.O.M.U.A., le témoignage de Pérony, AN 496 AP (4 DA/24) ; sur Panhard, R. JACOMET, *o.c.* ; sur Amiot, les procès-verbaux de janvier des comités du matériel du ministère de l'Air, SHAA IB/4.
2. Les taux français sont jusqu'au printemps 1939 parmi les plus élevés d'Europe. La S.N.C.A.S.O., société nationalisée d'aéronautique, paie au début de 1939 des agios à 7 % sur 27 millions de découvert : Conseil d'administration de la S.N.C.A.S.O., 28 mars 1939, AN 99 AQ/4.
3. P. FRIDENSON, *Histoire des usines Renault*, pp. 274-275.
4. Cf. R. FRANKENSTEIN, *o.c.*, p. 249 et s.

hostilités et surtout après octobre 1939 que le mécanisme est réglementairement au point : en quelques jours, le total des avances s'élève à plus d'un milliard [1].

Un zèle inégal et sans hâte

Les marchés une fois conclus, un bon nombre de directions d'entreprises ont le souci de tenir scrupuleusement leurs engagements ; l'ardeur à produire est pourtant inégale : jusqu'à la fin de 1938, la commodité, la prudence et l'intérêt prévalent et l'administration n'y peut mais ; ce n'est pas avant mars 1939 qu'un décret fait obligation d'exécuter par priorité les commandes de défense nationale [2].

Quand, à l'automne 1937, l'État-Major s'est inquiété de la lenteur de fabrication des chars, l'enquête a révélé des zones d'insouciance et de laisser-aller. Renault, qui fabrique les ensembles mécaniques, est en avance sur les programmes et les aciéristes chargés de l'élaboration du métal et du moulage tiennent les délais ; les retards viennent des usineurs favoris du ministère de la Guerre, Schneider, Fives-Lille, les Chantiers de Bretagne et, pour les pièces laminées, Imphy et Saint-Chamond ; les uns sont insuffisamment outillés, d'autres ont délibérément accepté une surcharge de commandes, d'autres encore sont incapables ou peu soucieux de coordonner leurs sous-traitants ; ceux qui ont des débouchés civils ne se hâtent pas, sachant que les ateliers d'État du montage des chars sont engorgés et que l'équipement en tourelles, en appareils de visée, en mitrailleuses et en canons qui doit être assuré par les services de la guerre, est « en prodigieux retard ». Schneider, on l'a dit déjà, a soigneusement limité ses responsabilités et ses dépenses [3]. Ailleurs, il

1. Cf. R. JACOMET, *o.c.*, p. 204, et AN Fonds Dautry, 307 AP/107 A. Les formalités de versement des avances continuent d'exiger des délais que certaines entreprises supportent mal. Même une firme aussi bien dotée de réserves et de provisions que Commentry-Fourchambault sera obligée de demander, en janvier 1940, l'ouverture d'un compte d'avances sur titres pour assurer sa trésorerie.

2. L'État est lourdement armé pour sanctionner les manquements par rupture ou non-exécution des contrats, mais les cas sont rares. Tous les gros marchés comportaient en outre des clauses prévoyant des pénalités de retard et les ministères militaires ne se sont pas fait faute de les appliquer jusqu'à 1936. Mais quand le réarmement a commencé, ces clauses sont devenues inopérantes du fait que l'administration fixait souvent des délais qu'elle-même savait impossibles à tenir, que les départements militaires avaient généralement une large part de responsabilité dans les retards industriels en raison des incessantes modifications qu'ils demandaient sur les matériels, enfin que la multiplication des sous-traitants rendait très malaisée la détermination exacte des responsabilités.

3. Note n° 112 du Contrôle général du ministère de la Guerre en date du 27 novembre 1937, commentée et partiellement reproduite en 1940 par Dautry, AN 307 AP/89 A. Le rapport du Contrôle général souligne que Schneider a sous-traité la commande en bloc, par nombre déterminé de carcasses, chaque sous-traitant devenant aussi, aux yeux de Schneider, le coordinateur de sa quote-part : « Le rôle de coordinateur de Schneider se trouve ainsi réduit au strict minimum. Du point de vue de l'organisation scientifique du travail, de la recherche du meilleur rendement et de la vitesse d'exécution maximale, on

arrive que des firmes étalent leur production pour ne pas avoir à débaucher en attendant de nouvelles commandes ou pour regrouper des fabrications de même nature.

Le fait est que, jusqu'à l'automne 1938, personne ne se presse parce que personne ne croit à l'éventualité d'une guerre. L'incertitude est accrue par l'absence de loi pluriannuelle de programme, par l'ignorance où l'on est du contenu même des programmes, par la discontinuité des commandes, par le refus du ministère des Finances d'autoriser avant le printemps de 1939 la passation de marchés pluriannuels : autant de motifs qui font douter de la poursuite du réarmement et rendent les industriels circonspects. Au pire moment de la crise tchécoslovaque, des lenteurs de fabrication si inquiétantes persistent que le directeur du contrôle au ministère de la Guerre alerte l'autorité supérieure · le développement des fabrications, écrit-il [1],

> se heurte actuellement au désir des industriels de ne pas embaucher de personnel en surnombre pour faire face à un supplément temporaire de commandes, dans la crainte de ne pas pouvoir ultérieurement débaucher ce personnel.

Ils préfèrent, en effet, recourir à des heures supplémentaires tout en estimant leur coût insupportable ; c'est pour cela, beaucoup plus que pour des raisons de principe, qu'ils bataillent pour l'abolition de la semaine de 40 heures [2]. Jusqu'à ce que le gouvernement leur donne satisfaction en revenant à la semaine de 45 heures, ils limitent leurs charges d'employeurs : ce ne sont pas des comportements propres à intensifier la production.

Les industriels et l'investissement

La crainte de s'engager est plus nette encore quand il s'agit d'investir, mais il faut distinguer, là aussi, entre les firmes.

Pour la S.O.M.U.A., qui a le vent en poupe, pas d'hésitations : ses achats d'outillage n'avaient pas dépassé 1,1 million en 1936-1937, ils s'élèvent à 6,8 millions en 1937-1938, à près de 15 millions en 1938-1939, pour culminer à 18 millions en 1939-1940, non compris 3 millions de

---

aurait pu souhaiter, semble-t-il, une meilleure organisation dans laquelle Schneider aurait confié au même industriel la production de tous les exemplaires d'une même pièce ; on aurait eu ainsi des séries plus longues et moins nombreuses ; mais cette forme d'organisation aurait entraîné pour Schneider un travail de coordination beaucoup plus important. »

1. Note du directeur du contrôle Lachenaud au secrétaire général Jacomet, 24 septembre 1938 (SHAT 6N/309), citée par R. FRANKENSTEIN, *o.c.*, p. 242.

2. A. SAUVY a montré que l'opposition patronale aux 40 heures était moins dirigée contre les 40 heures *en soi* que contre les augmentations de salaires qui y étaient liées : *o.c.*, t. I, p. 309. Comme l'a souligné R. FRANKENSTEIN, *o.c.*, p. 276 et s., la dénonciation des 40 heures tout au long de l'année 1938 cache un autre débat et vise un second objectif qui est la réduction des coûts salariaux.

constructions [1]. De même, les métallurgistes de la Loire, soutenus par les ministères de la Guerre et de la Marine malgré leurs prix relativement élevés, n'ont pas hésité à renforcer de 1936 à 1938 leur équipement de base en fours électriques, en laminoirs et en ponts roulants, que ce soit aux aciéries de Saint-Étienne, à Saint-Chamond, à Firminy ou à Rive-de-Gier : leurs bénéfices redevenus consistants, ils sont assurés de contrats de rails et de plaques de blindage pour des années. La Marine Homécourt augmente ses immobilisations de 2,25 % en 1936-1937, de près de 4 % en 1937-1938, de 9 % en 1938-1939 et maintiendra ce taux élevé en 1939-1940, soit un accroissement des immobilisations de 60 millions de juin 1938 à juin 1939, sur lesquelles la contribution de l'État ne dépassera pas 9,3 millions [2]. La société Commentry-Fourchambault se contente, jusqu'après la crise de Munich, d'un effort limité : 8,6 millions d'outillages neufs en 1938-1939 pour un chiffre d'affaires supérieur à 400 millions ; c'est moins que le montant des dividendes distribués, qui s'élève la même année à 16 % du nominal pour les actions de jouissance et à 11 % pour les actions de capital : Commentry-Fourchambault ne se décidera à un effort de modernisation et d'extension qu'au printemps 1939, sinon à la déclaration de guerre [3].

Jusque-là, il semble qu'on hésite couramment à accepter une commande si elle exige un nouvel outillage et l'on ne se résout à un investissement qu'en fonction des marchés qui donnent l'assurance de l'amortir. Lorsque, au lendemain du premier « coup de Prague », en mars 1939, la Marine pousse Joseph Holtzer à moderniser un de ses ateliers, l'industriel répond qu'il le fera si on veut bien lui confier d'autres commandes que le laissé-pour-compte des arsenaux [4]. À quelques jours de là, le secrétaire général de la Défense nationale Jacomet va demander aux industriels du Centre de « procéder à de puissants investissements ». Il les trouve pour « la plupart très réticents » : à l'en croire, ni l'annonce de marchés pluriennaux, ni la garantie de prêts bonifiés, ni l'ouverture de crédits d'outillage ne les appâtent. Ils redoutent, rapporte-t-il, que derrière les contrôles sur l'emploi des avances que leur ferait l'État se cache une inquisition fiscale [5]. Des industriels s'expliquent carrément : ils se souviennent de la difficile liquidation de la guerre de 14-18 et ne

---

1. AN 292/Mi, complément à 122 AQ/1 à 4. Les chiffres d'affaires correspondants ne sont pas mentionnés dans les rapports communiqués.
2. Rapport à l'assemblée générale des Forges et aciéries de la Marine et Homécourt, AN 139/AQ/1.
3. Rapports à l'assemblée générale et procès-verbaux des conseils d'administration de Commentry-Fourchambault, AN 59 AQ/910 à 913, 36 Mi/18.
4. Rapports à l'assemblée générale de la société Holtzer, avril 1939 : AN 524 Mi/1. Holtzer est d'autant plus réticent que ses finances ont été compromises par une gestion industrielle déplorable. C'est finalement l'État qui finance pour 25 millions l'installation de 2 fours électriques et de grosses installations de forgeage dans les ateliers Holtzer d'Unieux. Cf. R. JACOMET, *o.c.*, p. 205.
5. R. JACOMET, *o.c.*, p. 200.

veulent surtout pas financer des équipements dont ils risqueraient de ne pas avoir l'emploi après la guerre[1].

L'administration militaire s'essaie avec un succès inégal à prévenir ou à dissiper les réticences. Son formalisme décourage souvent les bonnes volontés ; des réglementations éprouvées ont des effets pervers. Ainsi le ministère de la Guerre attribue chaque année les commandes d'obus en fonte aciérée au fournisseur qui propose, sous pli fermé, le prix le plus bas ; ce fournisseur est chaque année différent ; incertain d'obtenir le marché, aucun ne veut faire de dépense pour se moderniser. En novembre 1938, Pont-à-Mousson propose de s'outiller pour la fabrication en série des obus de 155 si on lui en garantit une commande de 100 000, mais la seule adjudication se limite à 30 000 obus répartis entre les fabricants par lots de 5 000 ; Pont-à-Mousson ne bouge pas ; un an plus tard, l'approvisionnement en obus de 155 sera l'un des casse-tête de l'armement[2].

La société Laffly a réalisé à ses frais en 1934 un tracteur tous terrains pour l'artillerie lourde qui a été agréé : en 5 ans, on ne lui en a fait fabriquer que 35, presque tous par séries de 4 ou 6 : Laffly n'investit pas et s'en tiendra, jusqu'à juin 1940, à la production semi-artisanale[3].

Pour beaucoup de patrons qui n'ont pas de réserves ou qui répugnent à les engager, si l'État veut des investissements, c'est à lui de les financer. Ils se cabrent surtout quand il s'agit de décentraliser leurs usines ou d'y créer des surcapacités de production. Et il est vrai que les énormes transferts et extensions à réaliser dans des délais très courts dépassent souvent les moyens de l'industrie : dans tous les pays belligérants, la puissance publique en fera les frais. L'administration des finances, se souvenant que pendant la Grande Guerre les investissements industriels ont été réalisés en majorité par autofinancement, ne s'y résout qu'*in extremis* en 1938-1939, et pas à pas ; elle exige, en tout cas, une participation des entreprises. Assez peu d'industriels y consentent, sauf à poser leurs conditions. Paul-Louis Weiller, président de Gnôme et Rhône, a pris sur lui de faire le plus gros investissement privé de l'avant-guerre à des fins militaires, 106 millions de 1937 à 1940, pour transformer son usine du boulevard Kellerman en blockhaus à l'épreuve des bombes et pour accroître sa capacité de fonderie, mais il refuse de porter au-dessus de 15 % sa part dans la construction d'une nouvelle usine au Mans[4]. Le cas n'est pas isolé.

---

1. Cf. ingénieur général Roos dans *Quinze ans d'aéronautique française*, pp. 483-484. La double crainte, commune à beaucoup d'industriels, de retours de bâtons fiscaux et de surcapacités productives après la guerre transparaît fréquemment dans les dossiers de Dautry et dans les rapports de conseils d'administration tels que ceux de Commentry-Fourchambault.
2. Témoignage de l'ingénieur général Salmon, AN 496 AP (4 DA/18, Dr. 3) et annexe aux dépositions de Dautry à Riom (4 DA/12, Dr. 5).
3. Témoignage de Guérard, AN 496 AP (4 DA/15, Dr. 1).
4. E. CHADEAU, *o.c.*, p. 1015 et s

Crainte de prendre des risques ou d'hypothéquer l'après-guerre d'un côté, freins bureaucratiques de l'autre, la modernisation et les extensions indispensables au réarmement, bien qu'amorcées déjà, ne se développèrent sur une grande échelle qu'à la veille, sinon au lendemain de la mobilisation, et grâce aux financements de l'État.

3

Un armement en mal de doctrine

> Une grande carence les domine toutes : nos chefs
> ou ceux qui agissaient en leur nom n'ont pas su
> penser cette guerre.
>
> Marc BLOCH.

Contrairement à l'opinion répandue au lendemain de la défaite, les gouvernements du Front populaire et plus encore celui de Daladier ont fait beaucoup pour la défense nationale, incomparablement plus que les gouvernements « nationaux » qui les précédaient. Les recherches récentes et notamment les remarquables travaux de Robert Frankenstein ont confirmé les dires de Daladier quant aux moyens financiers consacrés depuis 1936 au réarmement : ils ont été énormes, nonobstant les déficits budgétaires et au risque de compromettre l'amélioration des conditions sociales [1].

Dès l'été 1936, après des années de plafonnement ou de réduction des armements et une reprise limitée en 1934-1935, Léon Blum, président du Conseil nouvellement investi, a avalisé sans discussion le programme quadriennal de matériels dit « des 14 milliards » réclamé par Daladier et qui allait bien au-delà des demandes de l'État-Major ; le Parlement a voté ensuite tous les crédits de défense qui lui ont été demandés. Même si des ministres des Finances — de Vincent Auriol à Paul Reynaud — ont freiné la progression des charges et le déblocage des crédits, l'argent n'a pas manqué pour ceux des équipements que le commandement affirmait indispensables, au point que jusqu'à 1938 le ministère de la Guerre n'a jamais été en mesure d'engager dans l'année budgétaire la totalité de ses crédits d'investissement. L'effort fait d'août 1936 à août 1939 a été intense — 63 milliards en décisions de programmes et 40 milliards d'autorisations d'engagements —, tandis que les dépenses militaires comptaient, dès 1938, pour 48 % des dépenses budgétaires. La part des

---

1. R. FRANKENSTEIN, *Le Prix du réarmement français 1935-1939*, notamment pp. 222 et 311-313.

industries d'armement dans la production industrielle, qui ne dépassait pas 3 % en 1928, est passée à 4,9 % en 1936, à 7,8 % en 1938 et à 14,2 % de janvier à septembre 1939, situation toute différente de celle d'avant 1914. Si l'on considère les seuls « armements mécaniques » (armes et engins de champ de bataille), ils ont absorbé en 1938 plus de 21 % de la production de l'industrie de transformation des métaux et 33,7 % dans les huit premiers mois de 1939 ; à peu près tous les matériels modernes demandés par l'État-Major au titre du plan quadriennal de 1936 existaient au 10 mai 1940 et, malgré les goulets d'étranglement, à peu près tous ces matériels avaient été produits depuis le 1er janvier 1937.

On ne contestera pas que Daladier ait vu clair et qu'il ait présidé avec ténacité, au niveau des décisions politiques et financières, à un réarmement qu'il a pu croire satisfaisant, comme les chiffres de production l'attestaient[1].

On ne contestera pas davantage que l'administration militaire ait poursuivi depuis 1936 un ample effort de production, de commandes et, à un moindre degré, d'investissement, doublé d'une tentative méritoire d'assouplissement des procédures financières[2].

Mais les résultats militaires sont là : l'armée française qui s'appuyait sur le rempart infranchissable de la ligne Maginot et pouvait se prévaloir d'une bonne et solide artillerie classique — près de 8 000 pièces — s'est retrouvée en 1940 avec une aviation inférieure en nombre et en qualité à la Luftwaffe ; avec des blindés aussi nombreux que ceux de l'adversaire, handicapés non seulement par le pitoyable emploi qu'on en fit, mais aussi par le rayon limité des chars lourds, la faible proportion d'engins dotés d'armes sous tourelle et de radios et la livraison tardive de matériels non maîtrisés ; avec des armes antichars et de défense contre avions insuffisantes en nombre comme en portée et en puissance, une absence quasi totale de mines antichars et antipersonnel, des moyens de transmission inexistants ou inopérants. Enfin, et c'est plus qu'un symbole, une armée se déplaçant à 5 km à l'heure dut affronter une force d'assaut motorisée.

Où est donc la faille ?

Il est clair que ni les affrontements politiques et sociaux, ni la crispation sur les 40 heures, ni les réticences ou les prudences calculées des patrons n'ont favorisé cette tension des énergies vers un but unique qu'exigeait le salut national. Mais l'effort a buté bien plus gravement sur une triple carence au sein de l'État :

— l'absence de concepts stratégiques et tactiques précis ;

— l'insuffisance de capacité organisatrice du pouvoir militaire, hors d'état de mettre en place une haute direction technique efficace ;

---

1. Voir les tableaux de production, p. 169 et 170.
2. Effort que le secrétaire général du ministère de la Guerre Jacomet a retracé en détail après la guerre dans un livre intitulé *L'Armement de la France* et qui justifierait un *quitus* si l'on pouvait faire abstraction de tout ce que l'auteur omet.

— enfin, l'étonnante méconnaissance des conditions de la production industrielle moderne.

Des avatars du char de combat...

Les retards et l'inadaptation technique des matériels de 1939-1940 étonnent d'autant plus que les prototypes des principales « armes nouvelles » existaient dès 1935.

Le char de combat — le char lourd — aurait dû constituer le noyau dur de l'armée française et le moyen de rupture des fronts ennemis. C'est ainsi que dès 1921 l'avait imaginé le général Estienne, le père glorieux de l' « artillerie d'assaut » de la Grande Guerre. Cette année-là, Estienne, inspecteur général des chars, avait réuni les cinq plus grands constructeurs et leur avait demandé de s'entendre sans esprit de concurrence sur un modèle de char de combat de 15 tonnes, char lourd pour l'époque. Il en voulait 1 000, capables de couvrir 80 km en une nuit « avec armes et bagages » et promit une première commande de 120 chars à répartir entre les firmes.

Il fallut six ans pour qu'en mars 1927 trois prototypes fussent commandés ; les essais durèrent à nouveau six ans et aboutirent, après de nombreuses mises au point, à un char dit du modèle B1 de 25 tonnes, dont une commande de 7 exemplaires fut passée en mars 1934, une deuxième de 20 en décembre, une dernière de 5 en mars 1936.

Entre-temps, le nouvel inspecteur des chars, le général Velpry, avait jugé nécessaire de porter le blindage de 40 à 60 mm ; ce fut le char B1 *bis*, forme définitive du char de combat voulu quatorze ans plus tôt par Estienne. Ses tribulations n'étaient pas terminées. Sa construction fut ordonnée par le général Bloch (Dassault), sous-chef de l'État-Major, malgré l'opposition de la direction de l'Infanterie et 35 exemplaires du nouveau modèle furent commandés le 2 juillet 1935 ; mais trois mois plus tard, le général Bloch ayant été appelé à d'autres fonctions, la fabrication fut différée par l'État-Major de l'armée [1]. Il fallut qu'en mars 1936 le général Velpry, alarmé par le programme allemand de 1 500 chars, insistât sur la nécessité des chars de bataille pour que le Conseil supérieur de la guerre s'émût [2] et que la construction fût enfin lancée en août 1936 : cette année perdue avait démobilisé les services et l'industrie.

Le BI *bis* existe néanmoins à la fin des années trente ; il est le char le plus puissant du monde ; c'est un engin cher et complexe, dont la construction requiert le concours de 7 importants industriels et un total

1. Cf. les témoignages devant la commission Serre de l'ingénieur principal Lavirotte, CEP, t. II, p. 231 et s. ; des généraux Bruneau et Bruché, t. III, p. 297 et s. ; du général Dassault, p. 1462 et s.
2. Le Conseil supérieur de la guerre comprend, sous la présidence du ministre et la vice-présidence du généralissime, les maréchaux de France et les généraux désignés pour commander des armées en temps de guerre.

de 40 marchés. Il en sort 3 par mois en 1937, 3,3 par mois en 1938, 8,5 en 1939, rythme de production qu'à partir de 1938 l'État-Major juge convenable. À la mobilisation, l'armée dispose de 32 B1 et de 131 B1 *bis,* le déficit sur les prévisions de fabrication est de 20 à 25 %. Ils constituent 8,5 % du parc français, formé pour le reste de chars légers, qui seuls intéressent vraiment la direction de l'Infanterie.

En septembre et octobre 1939, on s'aperçoit dans les bataillons de chars lourds que ces magnifiques machines tardivement livrées ont deux faiblesses : le système très nouveau de commande hydraulique est sujet à des fuites d'huile pouvant atteindre 15 litres à l'heure. Il faut refaire les joints ; on n'en aura pas toujours le temps sur les chars sortis à partir de mars 1940.

Et surtout, leur autonomie est limitée à 5 heures au lieu des 8 heures demandées par l'État-Major en 1935. Le blindage de 60 mm, le canon de 47 qui remplace les deux mitrailleuses initiales ont porté leur poids à 32 tonnes ; on a, en conséquence, remplacé le moteur de 200 CV par un moteur de 320 CV, qu'il a fallu alimenter d'un carburant double, d'où accroissement de la consommation d'essence (qui doit être de l'essence d'avion), sans que la capacité des réservoirs fût augmentée. De plus, du fait de la disposition des tubulures, le plein ne peut se faire qu'incomplètement et demande de 5 à 6 heures pour un bataillon de chars, à moins que celui-ci ne dispose de chenillettes de ravitaillement munies de pompes rapides, mais qui n'existent qu'en petit nombre ; ainsi, la troisième division cuirassée n'en aura aucune, pas plus qu'elle n'aura de dépanneuse tout-terrain. Ces défauts, signalés depuis plusieurs mois, ne sont pas corrigés quand démarre l'offensive allemande. Le commandement dispose alors de plus de 300 chars B1 et B1 *bis,* potentiel formidable s'il était utilisé comme force de frappe (ce qui ne sera pas le cas) ; mais les véhicules de service font défaut et les équipages vivent dans la crainte de la panne d'essence : le retard de la troisième division cuirassée à contre-attaquer sur Sedan tiendra pour une part aux heures perdues à faire le plein[1] ; la première division cuirassée, employée par petits paquets, sera réduite à l'impuissance et détruite faute de carburant ; les derniers chars B1 *bis* de la bataille de Champagne livreront leur ultime combat immobilisés. Or, il ressort du témoignage du général Dassault[2] que le commandant en chef sur le front du Nord-Est, le général Georges, aurait ignoré la limitation à 5 heures de l'autonomie des B1 bis.

De tels avatars ne sont pas isolés.

Indécisions, délais administratifs, rivalités de services, perfectionnisme ont entravé, voire paralysé plus d'une fabrication. Mais, surtout, personne n'avait conçu l'emploi des matériels.

---

1. Cf. le témoignage du général Devaux devant la commission Serre, CEP, pp. 1331 et 1338.
2. Témoignage du général Dassault, *ibid.,* CEP, p. 1463.

... aux prototypes incomparables en mal de production...

Les canons antichars de 1940 ont été insuffisants en nombre et en puissance. Pourtant, il en existait des modèles excellents. Le canon antichar de 47 était « peut-être la plus belle arme qui ait été faite par les puissances combattantes ». Il avait été présenté en 1935 en prototype provisoire. Il ne fut pas adopté. Pourquoi ?

> On ignorait, en particulier, qui s'en servirait : l'infanterie le voulait, l'artillerie également.
> L'État-Major aurait dû les mettre d'accord. Mais à l'État-Major, il y avait aussi des artilleurs et des fantassins qui, eux-mêmes, n'étaient pas d'accord. En outre, pendant assez longtemps, l'État-Major estima que le canon antichar de 25 suffirait, il ne fut convaincu de l'utilité du 47 que quand lui-même vint aux gros blindages. Deux ans furent ainsi perdus[1].

Le premier marché une fois passé, les avatars se sont poursuivis.

> Des modifications ont été constamment apportées à ce matériel. Ceci nous obligeait à passer des avenants aux marchés. Les industriels étaient obligés de transformer leur outillage pour l'adapter aux nouvelles fabrications. D'où un va-et-vient constant des dossiers et interruption de la fabrication, avec retard de telle ou telle pièce[2].

Finalement, au 1er janvier 1939, un seul antichar de 47 était sorti. À la mobilisation, l'armée en avait reçu 270 ; l'énorme effort accompli pendant la « drôle de guerre » porta en mai 1940 la ressource disponible à 1 048 (ou 1 155) pour 1 412 demandés par l'État-Major. Cependant, peu de divisions en reçurent : des centaines de canons de 47 furent pris par les Allemands dans les parcs de matériel ; ils firent merveille en Russie.

Le canon automoteur a été une des innovations techniques de la Seconde Guerre mondiale. La France avait, bien avant les hostilités, grâce à la S.O.M.U.A., le meilleur canon automoteur existant. La décision d'exécuter un prototype avait été notifiée au constructeur le 22 décembre 1936 et confirmée par un marché six mois plus tard, le 19 juin 1937. Ce n'est qu'en novembre que les spécifications techniques furent communiquées à la S.O.M.U.A. : ce long délai ne l'empêcha pas de terminer le prototype le 28 décembre. Pourtant, les essais n'eurent lieu qu'à partir de mars 1939, soit quinze mois plus tard et l'ordre de mise en fabrication n'arriva de l'État-Major que le 10 novembre 1939, de sorte qu'aucun automoteur n'était en service en mai 1940. On dut bricoler en hâte, après les premières défaites, l'arrimage d'un canon de 47 ou de 75

1. Témoignage de Happich, *ibid.,* CEP, p. 1724.
2. Témoignage à l'instruction de Riom du colonel Chartier, ancien directeur des ateliers d'État de Puteaux, AN 496 AP (4 DA/13, Dr. 1).

sur un tracteur plus ou moins blindé. Si l'on en croit la direction de la S.O.M.U.A., la commande aurait traîné deux ans parce que l'atelier d'État de Rueil avait aussi l'ambition de faire un automoteur et que le ministère tenait, pour essayer l'engin de la S.O.M.U.A., à pouvoir le comparer au modèle de Rueil[1].

La décision de motoriser des unités de cavalerie et d'infanterie avait été prise dès 1935, du temps du général Weygand. Le généralissime avait demandé des premiers projets de véhicules à Renault; Gamelin ne donna pas suite. Des unités portées furent néanmoins créées. Les véhicules blindés destinés aux chasseurs portés sortaient de la société Lorraine (De Dietrich) de Lunéville, qui en avait livré 640 au 10 mai 1940. Elle en aurait livré le double si les marchés avaient été passés en temps voulu. Le premier modèle agréé en décembre 1937 ne fut commandé qu'en septembre 1938, neuf mois après la notification verbale de l'Infanterie; le second, agréé en décembre 1938 et mis en construction sans marché, n'avait pas encore fait l'objet de commande en juin 1940[2].

On voudrait pouvoir clore cette énumération peu reluisante avec la mésaventure du canon anti-aérien de 90, le seul qui permît d'atteindre les avions ennemis au-dessus de 6 000 mètres. Dès 1932, la Marine en avait fait fabriquer un par Schneider dont elle avait commandé 32 exemplaires. Il fallut six ans pour qu'il convînt à l'armée. On ne peut nier que les perfectionnements demandés aient été justifiés; les ingénieurs de l'armement et les artilleurs y mirent d'autant plus de zèle qu'ils souhaitaient en remontrer à ces rivaux prestigieux qu'étaient les ingénieurs du génie maritime et de l'artillerie navale, promoteurs du 90 anti-aérien de 1932. La conséquence fut qu'à la mobilisation, l'armée, à

1. Témoignage Pérony à Riom; AN 496 AP (4 DA/14, Dr. 3). Deux raisons furent invoquées à l'État-Major par la section technique de l'Armement pour justifier ces délais : d'une part, l'insuffisante capacité industrielle de la S.O.M.U.A. On semble avoir considéré que la firme n'était pas outillée pour sortir des automoteurs en même temps que les chars, qui avaient la priorité. En conséquence, on reportait la sortie des premiers canons automoteurs à 1942. L'argument était d'autant plus fallacieux que la S.O.M.U.A. avait prévu d'utiliser pour le canon automoteur le châssis du char, ce qui était une excellente solution industrielle; mais la section technique de l'armement avait estimé que cette solution aboutirait « nécessairement à des résultats moins satisfaisants que l'étude directe d'un canon automoteur conçu comme tel ». Une note pour la Direction des fabrications d'armement (DFA) du 22 janvier 1936 (SHAT 7N/4202) confirme le point de vue de la S.O.M.U.A. Une fois de plus, le mieux fut l'ennemi du bien.

2. Un unique spécimen existait construit par l'Atelier nationalisé du Havre. Cf. Matériel et munitions du canon de 90 D.C.A., rapport de situation au 1er novembre 1939, annexe 3 au témoignage Dautry à Riom (FNSP, 4 DA/13, Dr. 5). Au 1er octobre 1939, l'Atelier nationalisé du Creusot, l'A.C.T., chargé de fabriquer les châssis des avant-trains et les trains arrière du canon pour 100 matériels, n'a encore rien livré et les prévisions de livraison sont de 4 matériels avant la fin de 1939. Cf. Rapport de mission au Creusot des députés des Isnards, Fernand-Laurent et de Grandmaison, présenté le 11 octobre 1939 à la Commission de l'armée de la Chambre des députés (ARAS).

défaut d'une arme qu'elle jugeait imparfaite et sujette à l'usure, n'avait rien du tout [1].

Il en est de même des armes légères de D.C.A., que la troupe réclamera en vain en mai 1940, ou des mines antichars et antipersonnel. C'est à un moindre degré le cas du canon antichar de 25, dont un premier modèle était au point dès 1934 et dont la version définitive ne fut arrêtée qu'en 1939, après trois ans d'hésitations entre trois modèles.

C'est le cas des armes individuelles. Le nouveau système d'armes individuelles a été fixé en 1921. Les études d'automatisation du fusil se sont étendues de 1931 au 31 mars 1938 : le remarquable fusil semi-automatique modèle 1936 a été adopté si tard qu'on n'a pas eu le temps de le mettre en service [2]. Le pistolet mitrailleur, arme par excellence de combat rapproché, équivalent de la mitraillette allemande qui impressionna tant nos soldats, devait lui aussi exister : la manufacture d'armes de Saint-Étienne en avait présenté en 1931 un modèle qui avait été essayé et primé, 31 000 coups avaient été tirés sans un incident. Mais il aurait pu y en avoir. On n'y revint qu'en février 1940 : il en était sorti 1 600 à l'heure de l'armistice [3].

Le poids de la doctrine... et de l'absence de doctrine

Ces lacunes et ces retards, auprès desquels les négligences ouvrières ou patronales ont compté pour bien peu, découlaient en premier lieu, il faut le souligner, de la *doctrine*. C'est l'État-Major, énonciateur de la *doctrine*, qui, en fonction de celle-ci, définit les besoins, arrête les tranches de programme, en fixe le volume et l'échéance.

Si personne n'a veillé à ce que les chars lourds aient 8 heures d'essence et les chars légers des postes de radio, c'est que la *doctrine* ne prévoyait de les employer qu'en accompagnement d'infanterie, comme en 1918. Encore le 8 mars 1940, le général Prételat, commandant le groupe d'armées de Lorraine, déclare à Blamont (Meurthe-et-Moselle) en conclusion d'un exercice de manœuvre de deux bataillons de chars :

> C'est un beau carrousel, mais le règlement s'en tient au combat d'accompagnement d'infanterie [4].

1. Témoignage de Dautry à l'instruction de Riom, 24 juillet 1941, AN, 496 AP (4 DA/ 13, Dr. 5), et annexe au témoignage de Happich devant la commission Serre, CEP, p. 1746.
2. L'armée n'a pas poussé la fabrication par crainte d'un accroissement excessif de la consommation de munitions. Pour la même raison, l'adoption d'un fusil à répétition avait traîné après 1870.
3. Témoignage de Dautry à l'instruction du procès de Riom, 24 juillet 1941, AN 496 AP (4 DA/13, Dr. 5), et annexe au témoignage de Happich devant la commission Serre, *o.c.*, p. 1746.
4. L'organisateur du « carrousel » était le colonel de Gaulle.
Il était parfaitement raisonnable, contrairement à ce qui a été souvent écrit, de vouloir pour l'infanterie un accompagnement blindé qui lui est en effet nécessaire ; ce qui ne l'était pas était d'exclure tout autre emploi des chars légers.

S'il n'est pas construit d'automoteurs, c'est — indépendamment des divergences de vues techniques et industrielles — parce que l'État-Major hésite encore en 1939 sur l'emploi de ces engins : « Forment-ils une artillerie d'appui direct pour des masses ? ou bien sont-ils des chasseurs de chars ? Personne ne se prononce laissant ainsi sans solution le problème de l'artillerie à affecter aux divisions cuirassées [1]. »

Si la faillite des transmissions militaires est éclatante dès la première rencontre sur la Meuse, c'est que la *doctrine* les a prévues dans la perspective de fronts stables desservis par le téléphone, sans qu'il fût besoin de privilégier la radio.

La doctrine n'ayant pas progressé depuis 1918, « l'armement de 1939 fut non pas celui qu'exigeait une guerre moderne, mais simplement l'armement de 1918 amélioré » [2]. Le conservatisme militaire s'était accordé avec l'esprit défensif de la nation pour diluer ou stériliser la modernisation de l'armée : tel était d'ailleurs le retard de la pensée tactique que Gamelin, avec deux fois plus de chars et d'avions, aurait sans doute couru aussi bien à la défaite.

Or, les mêmes insuffisances conceptuelles qui précipitèrent l'échec sur le terrain en 1940 avaient contribué depuis des années à l'inadaptation des armements et aux retards d'un bon nombre d'entre eux. Mais comme l'a très bien montré le remarquable analyste qu'est le colonel Dutailly, *l'absence de doctrine* a été au moins aussi paralysante que la doctrine vicieuse.

Le plan « des 14 milliards » de 1936 (tout comme d'ailleurs le programme Weygand de 1934-1935) était uniquement un catalogue de matériels qui ne se fondait sur aucun concept stratégique ou tactique. Ces matériels, personne ne savait alors ce qu'on en ferait. Mais on ne le sait pas davantage quand la guerre éclate. C'est bien en cela que le mode d'élaboration des programmes n'est pas rationnel.

> Les officiers de l'État-Major de l'armée (...) conçoivent un programme et planifient sa réalisation. Ils définissent les caractéristiques d'armes modernes [3].

C'est seulement lorsque ces armes existeront que l'on se préoccupera des structures des formes armées qui en optimiseront l'emploi — à supposer que l'on s'en préoccupe vraiment. Aucune définition de buts stratégiques ou tactiques n'est mentionnée ; pas de coordination entre les projets des différentes armes et des services : on les additionne. Quand Daladier signe en 1936 une instruction générale sur l'établissement des programmes d'armement, il s'en tient à des généralités : « moderniser », « combler les déficits ». Quand Gamelin précise, par une note du 29 août 1936, les mesures à réaliser en matière d'équipement, d'instruction

---

1. H. DUTAILLY, *Les Problèmes de l'armée de terre française...*, p. 154.
2. J. MINART, *P.C. Vincennes, Section 4*, t. II, p. 79.
3. H. DUTAILLY, *o.c.*, p. 105 et s.

et de structures, il ne se fonde pas davantage sur des concepts stratégiques ou tactiques précis. Il prévoit la constitution de deux divisions à base de chars : ni sur leur composition ni sur leur emploi il ne donne la moindre indication, ce qui vaudra au commandement un discret rappel à l'ordre de la part du chef du troisième bureau de l'E.M.A., le lieutenant-colonel Buisson [1] :

> Un programme d'armement ou une loi de programme ne sont que les mesures d'exécution, par tranches d'exécution, d'un but fixé par le commandement en chef et le gouvernement sous la forme ci-après : mission et forme à donner à l'armée française en l'année X (1940), pour lui permettre de remplir son rôle sur le champ de bataille de demain.

À cette question implicite, aucune réponse n'a été donnée. Sans doute, le général Velpry, inspecteur général des chars de combat, a-t-il pris sur lui de préciser dès 1936 la composition que devront avoir les bataillons de chars de 1940, quand le programme « des 14 milliards » sera réalisé ; encore ne tient-il pas compte dans ses prévisions des véhicules de service et des lots d'entretien, faute desquels plusieurs bataillons d'engins modernes mettront un temps anormalement long à devenir opérationnels et ne le seront qu'imparfaitement. Le flou sur l'emploi et, par suite, sur la composition de l'armée blindée persiste.

Fin juillet 1939, Gamelin, recevant les membres des commissions de l'armée, de la Chambre et du sénat au camp de Mailly, leur déclare [2] :

> Il ne faut pas exagérer l'importance des divisions mécaniques. Elles pourront jouer le rôle d'auxiliaires pour l'élargissement de certains trous, mais non pas le rôle considérable que les Allemands semblent espérer d'elles. J'estime que nous avons assez de divisions mécaniques et les prochains crédits que vous m'accorderez ne seront pas attribués à en former d'autres.

Au 1er septembre, la première division cuirassée, annoncée depuis 1936, n'est toujours pas constituée, la notice à l'usage des unités de la division cuirassée n'est toujours pas diffusée ; la composition prévue ne comporte ni artillerie anti-aérienne ni infanterie, mais aucune décision définitive n'est encore prise.

Or, seules des vues claires sur la composition et l'emploi des unités permettraient de définir les équipements. Cette exigence s'impose jusque dans le détail et vaut pour les petites unités comme pour les grandes : fabriquer des pistolets mitrailleurs n'a de sens que si l'on sait quoi en faire ; distribuer des pistolets mitrailleurs dans l'infanterie n'est justifié que si l'on modifie la composition et le mode d'action éventuel de

---

1. Note manuscrite rédigée et signée par le lieutenant-colonel Buisson, citée par H. DUTAILLY, *o.c.*, p. 208.
2. Témoignage de Frédéric-Dupont, député de Paris, à l'instruction du procès de Riom, 7 janvier 1941, AN 496 AP (4 DA/14, Dr. 2).

la section d'infanterie, comme les Allemands le feront au printemps de 1940 ; ce serait une petite révolution ; on n'y a guère réfléchi.

Il y a plus : comme le rappelle le colonel Dutailly, « la puissance d'une armée ne se mesure pas uniquement à la quantité d'armes qu'elle possède, il faut encore qu'elle forme un ensemble cohérent de systèmes d'armement »[1]. Cette notion de systèmes d'armes est relativement nouvelle ; les bureaux de la Guerre, faiblement stimulés par le commandement, ont eu des difficultés à l'appliquer. L'infanterie n'a pas défini un système d'armes antichars cohérent : fallait-il grouper la défense antichars sous la forme d'une section de canons de 25 par bataillon, solution à laquelle on se tiendra, malgré l'insuffisance des fabrications de canons de 25 ? Ou ne valait-il pas mieux mettre en place un système de défense antichars à chaque niveau d'unité, de la compagnie à la division, chaque niveau ayant une arme spécifique, ce qui conduisait à doter la compagnie d'infanterie du fusil antichar anglais expérimenté en 1938 ? L'État-Major semble avoir été tenté par cette solution qui prévalut pendant la Seconde Guerre mondiale : il passa des commandes, mais si tardivement qu'elles ne furent jamais livrées[2].

De tels choix étaient difficiles, et c'est pour beaucoup à l'épreuve du feu que les belligérants se forgèrent leur doctrine : l'armée française n'en eut pas le temps. La frénésie militaire d'Hitler et les appétits de revanche de l'État-Major allemand donnaient à ce dernier une fièvre d'imagination qui n'animait pas les bureaux français, confiants dans la ligne Maginot et persuadés jusqu'à l'automne 1938 que le danger n'était pas imminent. Hitler a pris tous ses adversaires de vitesse. Si le commandement français avait eu la quasi-certitude d'une guerre en 1938, 1939 ou 1940, on veut croire qu'il aurait demandé plus de crédits, imposé des délais maxima aux études, réclamé la fin des 40 heures dans les secteurs stratégiques, hâté l'exécution du programme de 1936 et surtout précisé sa doctrine. Sans doute peut-on considérer que « c'est la croyance générale du pays en la possibilité de sauver la paix et en quelque sorte la volonté de paix qui est à l'origine de la lenteur d'exécution du plan de 1936 »[3]. L'État-Major a mêlé curieusement la clairvoyance, l'autosatisfaction aveugle et la docilité aux aspirations pacifiques de l'opinion. Tout s'est passé comme s'il avait cru que les opérations ne commenceraient qu'à l'heure qu'il fixerait et non à celle que les Allemands choisiraient. Comment admettre sans cela que, sur une production d'armements terrestres quantitativement honorable, mais ralentie par tant de facteurs de sous-production, il ait fait aussi libéralement des générosités[4], rétrocédant à la Pologne, à la Roumanie, à la Yougoslavie et à la Turquie, entre août 1939 et mai 1940, non compris les envois faits à la

---

1. H. DUTAILLY, *o.c.*, p. 113 et s.
2. ID., *ibid*.
3. Témoignage de Dautry à Riom, 27 avril 1941, 4 DA/13, Dr. 5.
4. CEP, pp. 2014-2015.

Finlande, 235 chars Renault 1935, 830 canons antichars modernes, 198 canons et mitrailleuses de D.C.A. modernes, 548 canons (il est vrai des modèles anciens), 613 mortiers et 6000 fusils mitrailleurs ? Il a fallu l'intervention de Daladier auprès de Gamelin, en mai 1940, pour mettre un terme à ces livraisons.

4

Le dédale et les pesanteurs
d'une bureaucratie

La doctrine ou l'absence de doctrine ne suffit pas à expliquer les carences de l'exécution. Ici encore, le pouvoir militaire est en cause : il n'a pas su mieux assurer l'efficacité de l'action technico-administrative qu'il n'a renouvelé la doctrine. Le pouvoir politique ne l'a pas su davantage.

L'amalgame médiocre de réalisations méritoires et de négligences, de conscience professionnelle et de routine qui caractérise le réarmement français tient à la sclérose de l'organisation autant qu'à la timidité intellectuelle.

La direction des fabrications d'armement

La double charge des fabrications et de la mobilisation industrielle incombe à la deuxième direction du ministère de la Guerre ou Direction des fabrications d'armement, la « DFA » ; elle a été créée en 1933 après quinze ans de débats[1]. C'est un service autonome au même titre que l'intendance ou le service de santé. La loi du 3 juillet 1935 lui assigne, pour le compte du département de la Guerre et en liaison avec le service des poudres, la responsabilité de toutes les recherches et expériences techniques concernant l'armement, des études d'armes et des fabrications, conformément aux directives de l'État-Major de l'armée ; elle gère les établissements industriels de la Guerre et les ateliers d'armement nationalisés, place les commandes dans l'industrie privée et conclut les marchés[2].

Elle dispose, pour ce faire, du corps autonome des ingénieurs militaires, corps de création toute récente — 1935 —, formé en grande

---

1. La Direction de l'artillerie avait précédemment la responsabilité des fabrications pour les différentes armes.
2. Cf. colonel A.-Fr. PAOLI, *L'Armée française de 1919 à 1939*, t. IV, pp. 228-229.

partie de polytechniciens venus de la Direction de l'artillerie. Les ingénieurs de l'armement souffrent des maladies infantiles des nouveaux corps techniques : ils ne sont suffisants ni en nombre ni en autorité et restent imparfaitement intégrés aux structures du ministère. Ils sont 178, alors que leurs homologues du génie maritime et de l'artillerie navale, forts d'une tradition séculaire, sont 400. Ces derniers sont secondés par de nombreux ingénieurs des fabrications : la DFA dispose d'ingénieurs des travaux dont le nombre n'est que de 10 en 1936, de 20 en 1937, de 30 en 1938 ; c'est seulement en 1939 qu'il passe à 200. Pour le reste, elle recourt à quelques ingénieurs civils, recrutés sur contrats de trois mois renouvelables, et à des ingénieurs détachés dont l'effectif se réduit à 79 en 1939. Il lui arrive d'être à court de spécialistes, surtout en matière d'armes anti-aériennes et de chars : elle doit attendre juin 1939 pour que l'artillerie lui détache un capitaine expert en D.C.A. ; il faudra en pleine guerre des interventions au plus haut niveau avant qu'elle n'obtienne quelques officiers de réserve pour cette spécialité[1].

Accablée de charges administratives, alors qu'elle est dépourvue jusqu'à 1938 d'adjoints administratifs, la DFA est préposée à une tâche immense de planification ; elle est débordée. Elle a l'ambition de concevoir et de réaliser des prototypes : quelques-uns de ses ingénieurs y excellent, notamment aux ateliers de Rueil et de Puteaux, mais dans des délais parfois longs, faute d'habitude de l'urgence et faute de moyens. Elle fabrique et fait fabriquer. On reproche à ses ingénieurs de tout ignorer de l'exploitation industrielle ; il est vrai que leur expérience se limite le plus souvent à celle des arsenaux et manufactures de l'État, établissements fonctionnarisés qui ont été privés longtemps de l'espoir d'une modernisation et n'ont pas de souci de rentabilité. Le directeur de la DFA n'a lui-même jamais été un ingénieur de fabrication et il a peu de contacts avec l'industrie.

Les prétentions excessives de certains fournisseurs incitent d'ailleurs les ingénieurs de l'armement à la réserve à l'égard des « marchands de canons » : leur rigorisme dépasse parfois la simple conscience professionnelle et reflète la méfiance d'une grande partie de la société envers les puissances d'argent, car la gauche n'est pas seule à dénoncer le profit, une tradition conservatrice et catholique vivace, de Drumont à Bernanos et de Léon Bloy à Péguy, le condamne aussi et persiste dans le milieu militaire. Deux chefs de service de la DFA parmi les plus compétents se distinguent par une « intransigeance » telle à l'égard des industriels qu'elle leur attirera des remontrances[2].

La DFA étendrait volontiers ses prérogatives. On l'accuse d'impérialisme. Une partie au moins du corps a accueilli favorablement les nationalisations, si même elle ne les a pas encouragées par des arguments techniques, satisfaite de casser, à la faveur d'une mesure

---

1. Cf. Témoignage de l'ingénieur général Happich, CEP, p. 1738.
2. Cf. Témoignage de Happich à Riom, AN 496 AP (4 DA/15, Dr. 1).

politique, le monopole onéreux de Schneider sur les fabrications privées d'artillerie et, grâce à la nationalisation de la chaîne de montage d'Issy-les-Moulineaux, la prédominance de Renault sur la construction des chars légers [1].

Or, ce service consciencieux, possessif et surmené, se trouve en porte à faux. Il l'est triplement : à l'intérieur du ministère de la Guerre, face à l'industrie privée, enfin dans le cadre de ses établissements extérieurs, arsenaux et manufactures.

Pouvoir militaire, pouvoir administratif, inexistence du pouvoir technique

Au ministère de la Guerre, la DFA se trouve à la charnière du pouvoir militaire et du pouvoir administratif, tiraillé par trois autorités divergentes : l'État-Major qui ordonne les commandes, le secrétariat général du ministère qui gère le budget et les directions d'armes qui utilisent les matériels [2].

Le *pouvoir militaire,* c'est, au plus haut niveau, Gamelin, chef d'État-Major général de la Défense nationale. Il plane au-dessus de l'État-Major de l'armée, qui a pour chef le général Colson, plus directement efficace. Gamelin peut s'appuyer sur le conseil consultatif de l'Armement, organe technico-tactique, qu'il réunit sans périodicité et d'où ne sortent guère que des vues générales. L'État-Major oriente les recherches, études et expériences techniques, adopte les prototypes, établit les programmes d'armement et détermine leurs délais d'exécution. C'est lui qui, en fonction des budgets, donne l'instruction de faire mettre en fabrication une tranche de chars de telle catégorie et qui débloque les crédits correspondants. C'est dire que la responsabilité du choix d'ensemble des matériels et du rythme des commandes lui appartient. Mais il n'a pas à intervenir dans l'exécution des fabrications.

Le *pouvoir administratif* est exercé par le secrétaire général du ministère de la Guerre, Jacomet, qui est en même temps secrétaire général de la Défense nationale. Jacomet a reçu de Daladier la haute main sur le personnel civil et sur les services chargés des fabrications et de la mobilisation industrielle ; il prépare et négocie le budget ; c'est lui qui signe, au nom du ministre, les marchés de plus de cinq millions de

---

1. Encore que Happich se soit prononcé en 1936 contre la nationalisation de l'atelier Schneider du Creusot. Les réticences de l'administration militaire à l'égard des industriels, fréquemment dénoncées par des fournisseurs, dont on pouvait suspecter la bonne foi, transparaissent à la lecture des témoignages de Jacomet et des ingénieurs généraux Happich et Martignon lors de l'instruction du procès de Riom, puis devant la commission Serre.

2. Les attributions respectives de l'État-Major et de la DFA sont fixées par le décret du 18 janvier 1935 et la loi du 3 juillet 1935. Sur le fonctionnement de ces organismes, cf. les témoignages de Happich à Riom, AN 496 AP (4 DA/15, Dr. 2), et de Dassault, devant la commission Serre, CEP, p. 1463 ; général GAMELIN, *Servir,* t. I, pp. 206-210.

francs ; c'est lui qui contrôle l'emploi des crédits en liaison avec l'État-Major ; c'est lui qui préside, au nom de Daladier (qui n'y aura assisté que trois ou quatre fois) le Comité de vigilance ou Comité mensuel des fabrications d'armement[1]. Autorité administrative, il n'a pas à interférer dans les études d'armement ni dans le contenu des programmes.

Les responsabilités du pouvoir militaire et celles du pouvoir administratif sont ainsi distinctes et complémentaires. Il manque seulement entre les deux une autorité de recours et d'arbitrage en matière tactique et technique, car une fois les programmes arrêtés, l'État-Major passe la main ; le chef d'État-Major général peut seulement faire prévaloir ses vues par la voie d'observations adressées au ministre. Gamelin, « que sa prudence naturelle prédisposait au flou »[2], s'est accommodé de ce système. Il ne suit l'exécution des programmes que de loin.

La haute direction technique à l'étage du haut commandement est inexistante. Ainsi que le général Dassault l'a souligné après la guerre devant la commission parlementaire d'enquête,

> il eût été au moins nécessaire, comme cela s'est fait en Allemagne, de désigner une très haute personnalité militaire compétente et de lui donner les pouvoirs nécessaires pour mettre de l'ordre dans cette confusion. Beaucoup de membres du Conseil supérieur de la Guerre et en particulier le général Prételat en avaient senti la nécessité. (...) La Commission de l'armée du Sénat avait eu également cette pensée[3].

C'est ce qu'entendait Weygand qui avait prévu qu'un sous-chef d'État-Major serait chargé exclusivement des questions d'armement : après son départ, en 1935, on en abandonna l'idée[4]. Weygand avait créé de même un cabinet technique qui lui était rattaché directement ; le cabinet technique, rebaptisé Section de l'armement et des études techniques, fut converti, après lui, en un bureau de l'État-Major de l'armée et perdit du même coup l'autorité qu'il devait à la proximité du généralissime : pour en appeler à celui-ci, la Section technique doit passer par l'intermédiaire du sous-chef d'État-Major compétent, qui doit lui-même passer par le chef d'État-Major de l'armée, Colson. En fait, l'articulation est purement formelle entre les différents organismes qui s'occupent d'armement.

C'est dire qu'il n'y a pas — et il n'y aura pas jusqu'à la deuxième

---

1. Le Comité de vigilance, créé en fait en 1937, officialisé en 1938, était un organe administratif et de contrôle chargé de suivre comment se déroulaient les fabrications et l'emploi des crédits ; il comprenait les directeurs d'armes et de services et un représentant du général Colson, mais aucun représentant direct du général Gamelin. Il a été supplanté en 1939 par le nouveau Comité interministériel de la production. Cf. AN 496 AP, témoignages de Happich (4 DA/15, Dr. 2) et Jugnet (DA/15, Dr. 4).

2. Selon la formule de l'ambassadeur Jean Daridan, alors jeune chargé de mission au cabinet de Daladier, dans son livre *Le Chemin de la défaite,* p. 55.

3. Témoignage du général Dassault devant la commission Serre, CEP, p. 1463.

4. La tradition voulait qu'un sous-chef d'État-Major coiffe au moins deux bureaux de l'État-Major : on se refusa à bousculer la tradition.

semaine de guerre — un vrai patron du réarmement. Cette lacune est d'autant plus préjudiciable que les procédures ne sont pas faites pour une situation d'urgence nationale.

On a voulu à juste titre que les organismes utilisateurs des matériels soient associés aux études d'armement. Moyennant quoi, l'État-Major s'immisce dans les études ; les directions d'armes (infanterie, cavalerie, artillerie) ont multiplié les sections d'études et les commissions d'expérimentation qui soumettent les matériels, avant réception, à des essais qualifiés d'*essais tactiques et opérationnels,* cependant que la DFA est responsable des essais purement *techniques* : d'où d'inévitables frictions. D'autant que les directions d'armes ne se privent pas d'intervenir auprès des constructeurs jusqu'au stade de la fabrication, ce qui leur attire des rappels à l'ordre de la part du secrétariat général.

Aucun délai impératif n'est fixé aux études : les navettes entre services s'éternisent :

> On compte 20 opérations différentes entre le moment où l'État-Major de l'armée envisage la construction d'un matériel nouveau et la mise en place de ce matériel dans les corps de troupe. Cette procédure exige 6 interventions de l'État-Major, 10 de la DFA, 5 des directions d'armes et 5 des constructeurs [1].

Une ou deux fois, Daladier, alerté, pique une colère et exige qu'on en finisse.

> Outre le temps interminable que l'on met à définir les caractéristiques des chars, l'histoire de tous les modèles est marquée d'incessantes tribulations sur les moteurs, les blindages, les chenilles, l'armement, la position des fentes de visée, la position des épiscopes, l'équipement radio : un temps énorme a été perdu en études, discussions, correspondances (...) imposant d'incessants remaniements jusqu'au moment des essais de prototypes [2].

Certains perfectionnements demandés sont si complexes que les outillages industriels disponibles ne peuvent pas les produire ou que seuls des mécaniciens spécialistes sauront les utiliser. Personne n'a qualité pour imposer une trêve au perfectionnisme.

Un handicap des chars moyens de 1940 est qu'ils ne sont pas dotés de postes de radio. La raison ?

> Il y avait deux solutions techniques au problème de la transmission par radio et il [y] avait également deux parties prenantes : les chars de cavalerie et les chars d'infanterie. L'infanterie avait dit : « Voilà le système que nous voulons » et la cavalerie naturellement avait dit « Je veux l'autre ! » Les papiers et les discussions que cela avait entraînés ont causé un retard considérable [3].

Avec les conséquences que l'on devine.

1. H. DUTAILLY, *o.c.,* pp. 109-110.
2. Dautry, AN 307 AP/89 A.
3. Témoignage du général Dassault, CEP, p. 1463.

Les procédures sont tout aussi inadaptées en matière de passation de commandes. Le ministère des Finances en est le premier responsable : il a fait supprimer en 1935 le compte spécial du Trésor affecté à l'armement, il s'est opposé en 1936 au projet de Léon Blum et de Daladier de faire voter une loi pluriennale de programme d'armement[1], de sorte que la DFA subit jusqu'à 1939 les incertitudes et les contraintes de l'annualité budgétaire : remise en cause du budget militaire de 1938 jusqu'au mois de mai, annulation de crédits en fin d'année, reports de dépenses d'un exercice sur l'autre. En 1937 et de nouveau en 1938, les services de la Guerre doivent batailler auprès des Finances pour disposer d'autorisations suffisantes d'engagements afin de lancer les fabrications dans l'industrie : au début, les autorisations n'atteignent pas 50 % des crédits de l'année, ce qui retarde d'autant les commandes[2].

L'État-Major, de son côté, ignore ce qu'est la rationalité industrielle, il n'a jamais voulu jusqu'à 1939 faire connaître un programme précis d'armement s'étendant sur plusieurs années, comme il l'avait fait pour la ligne Maginot. Pourquoi ?, se demandera dix ans plus tard un des principaux intéressés[3].

> Je n'en sais rien ! Peut-être était-ce parce qu'il n'était pas très fixé sur la nature des armements qu'il désirait, qu'il ne pouvait pas prévoir avec précision quel était le matériel dont il aurait besoin au bout de trois, quatre, cinq ans et qu'il préférait vivre, sinon au jour le jour, au moins année par année.

L'ingénieur général Happich, directeur de la DFA, eut connaissance en 1938, par accident, d'un programme d'armement 1938-1941 ; on se refusa à le lui notifier officiellement[4]. L'État-Major persista à donner le programme « par petits morceaux », c'est-à-dire à distribuer les instructions de commandes non pas seulement en début d'année, mais souvent en cours d'année :

> On nous disait : Vous allez commander tant de matériels, à vous de vous arranger avec l'argent que nous mettons à votre disposition. Je reçois une commande de 200 matériels de 25 antichars (...). Les commandes qui devaient suivre n'étaient pas signifiées en temps voulu pour faire une cadence régulière des fabrications dès le début et pour la tenir.

D'où le rythme spasmodique des marchés. Plus d'une commande ne fut notifiée au fournisseur qu'après achèvement de la tranche précédente

---

1. Léon Blum s'était engagé par écrit, en septembre 1936, sur l'exécution en 4 ans du plan « des 14 milliards » qu'il avait fait approuver en Conseil des ministres et le président Lebrun avait confirmé par écrit l'engagement, mais autant pour préserver le secret que pour tenir compte des objurgations des Finances relayées par leur ministre, Vincent Auriol, Blum avait renoncé à faire voter une loi de programme quadriennal.
2. Témoignage à Riom du contrôleur général Jugnet, 18 mars 1941, AN 496 AP (4 DA/15, Dr. 4).
3. Témoignage de Sablet, CEP, p. 1582.
4. Témoignages de Happich et Martignon, CEP, pp. 1722 et 2140.

de fabrication, ce qui interrompait la continuité des séries. « Impossible d'annoncer à Renault : *nous prévoyons pour vous un total de 1 500 chars, équipez-vous en conséquence*[1]. »

C'est dire qu'il n'y a jamais eu, du moins pour une large fraction des matériels, de possibilité de programmation méthodique des fabrications et que la DFA a été maintenue en position d'organisme mineur, condamnée à agir sur ordre au coup par coup.

La DFA est par là même en porte-à-faux vis-à-vis des industriels. Elle serait bien en peine de les galvaniser si elle n'est même pas en mesure de leur en imposer. On le voit quand l'exécution des commandes dérape. Lorsqu'en 1937 l'enquête sur le retard des fabrications de chars met en cause Schneider, Imphy et Saint-Chamond, le Contrôle général, ne découvrant ni une direction responsable ni surtout un chef responsable qui puisse ordonner et accélérer les fabrications des industries privées, en est réduit à demander, pour l'immédiat, une intervention personnelle du ministre ou tout au moins du secrétaire général de la Défense nationale : ce dernier adresse une demi-douzaine de lettres de remontrances aux industriels[2]. Mais le même problème se pose de façon récurrente jusqu'à la guerre : pendant les trois mois de l'été 1938, l'atelier nationalisé de Levallois (ex-Hotchkiss) ne peut sortir aucun canon antichar de 25 parce que Firminy n'a pas livré les ébauches de manchons ; en août et septembre 1938, en pleine crise tchécoslovaque, l'atelier nationalisé de montage de chars légers d'Issy-les-Moulineaux ne produit que 0,7 char par jour parce que Schneider, submergé de commandes, ne livre pas les carcasses[3]. Ces défaillances sont liées à des dysfonctionnements plus généraux de la production nationale et au brusque gonflement des commandes des métallurgistes dont les capacités de laminage et de moulage de l'acier sont limitées, mais elles tiennent aussi, on l'a vu, aux libertés que se permettent des fournisseurs : la DFA est réduite à solliciter le bon vouloir des firmes pour qu'elles fassent passer les priorités de la défense avant leurs commodités ou leurs dividendes[4].

Des effets et des causes

La médiocre efficacité de la DFA pose un problème qui la dépasse. Outre l'insuffisance en nombre et l'inégale qualité du personnel, sa

1. Témoignage de Happich à Riom, AN 496 AP (4 DA/15, Dr. 2).
2. Cf. note n° 112 du Contrôle général en date du 27 novembre 1937, SHAT 8N/109.
3. Rapport présenté le 25 octobre 1938 à la Commission de l'armée de la Chambre par M. Fernand-Laurent, député (ARAS).
4. Ce qui inspirera à Dautry la réflexion suivante : « On n'arme pas un pays menacé et qui le sait ou doit le savoir, en passant des commandes et en réglant des détails à la petite semaine, par le moyen d'organismes anonymes, fuyant devant les initiatives et les responsabilités, et dans le respect du bon plaisir d'exécutants livrés à eux-mêmes » (AN 307 AP/89 A).

faiblesse tient à son insertion dans un système que ralentissent de multiples « routines-freins ». Faut-il y voir le signe d'un affaissement général de la fonction publique pendant l'entre-deux-guerres ? On l'a dit, ce n'est pas évident. La sclérose de l'institution militaire est en revanche un fait spécifiquement patent et aux aspects multiples. De nombreux facteurs y ont contribué, que ce soit la pression anesthésiante de l'esprit défensif dans une nation saignée à blanc par la Grande Guerre, le carcan de réglementations faites pour le temps de paix, la longue disette de crédits ou la désaffection dont la fonction militaire est l'objet. Le vieillissement des cadres de la société militaire, leur conservatisme intellectuel et social que renforce l'autosatisfaction de la victoire de 1918, les maintiennent tournés vers le passé plus que vers l'avenir, attachés aux tactiques éprouvées, aux armes éprouvées, aux structures éprouvées.

Rien n'était joué pourtant en 1935 quand Weygand a pris sa retraite ; il laissait en héritage l'amorce d'une doctrine qui tendait à séparer de l'infanterie l'emploi des chars et deux éléments essentiels d'une modernisation : les prototypes des principales « armes nouvelles » et, par ailleurs, le projet d'un pouvoir technique lié au haut commandement. Gamelin, général diplomate qui se voulait plus stratège que tacticien, n'a su ni méthodiquement concevoir ni tenir en main le réarmement et il s'est satisfait de structures bâtardes pour le réaliser, de même qu'il se satisfera de structures bâtardes dans l'organisation du commandement. Par une fâcheuse conjonction, l'homme qui, en pendant à Gamelin, est investi du pouvoir administratif au ministère de la Guerre, Jacomet, n'est pas davantage un homme d'autorité. Or, c'est à lui qu'il revient, par extension progressive de ses attributions, de superviser la gestion quotidienne du réarmement. « Il suffisait de causer vingt minutes avec M. Jacomet pour voir qu'il ne transformerait jamais la quiète bureaucratie où il avait obtenu ses galons », écrit de lui Pertinax[1]. « Pauvre Jacomet ! Étoiles sur manches de lustrine ! » renchérit Anatole de Monzie[2]. Et l'éminent ingénieur Caquot, le réorganisateur des constructions aéronautiques, qui a eu à le pratiquer, conclut sur cette condamnation définitive : « Homme de bonne volonté, mais sans volonté[3] ! »

La singulière attitude de Jacomet à la réunion financière du 24 juillet 1939 confirme ces jugements : en pleine crise polonaise, aux prises avec le secrétaire général des Finances, Bouthillier, qui prétend réduire de 7,5 milliards, c'est-à-dire de plus de moitié, les demandes supplémentaires d'engagements de crédits présentées pour 1939 par l'État-Major de l'armée, non seulement, il ne s'y oppose pas, mais il accepte, sans doute même prend-il l'initiative de suggérer qu'on puisse ramener de

1. Pertinax, *o.c.*, t. I, p. 146.
2. A. de Monzie, *La Saison des juges*, p. 96.
3. Témoignage de Caquot à l'instruction du procès de Riom, octobre 1940, AN 496 AP (4 DA/13, Dr. 1).

60 à 40 heures l'activité dans certaines industries[1]; ce qui ne l'empê-
chera pas d'en rejeter l'idée avec horreur le lendemain, devant l'indignation des généraux. Si l'on se souvient, en outre, que la loi, très
imparfaite, de 1938 sur l'organisation de la nation en temps de guerre a
été mise au point sous la direction de l'ancien président du conseil
Camille Chautemps, spécialiste des motions « nègre-blanc », expert en
accommodements de façade, même s'ils doivent se révéler inopérants,
on est tenté d'attribuer à Daladier une regrettable propension à s'en
remettre à des chefs complaisants, aussi peu enclins à trancher qu'à
imaginer les moyens de l'action en termes d'efficacité. Non que Daladier
soit indifférent aux problèmes d'organisation ; la manière dont il dote, en
moins d'un an, la radiodiffusion de ses structures de guerre révèle même
de sa part une capacité organisatrice. Mais son rôle est de gouverner et
non d'administrer. Il s'en remet sans doute trop, pour cette tâche
seconde, à l'infaillibilité du haut commandement et aux vertus des
services[2]. Le choix qu'il fait d'hommes sans caractère pour certaines des
plus hautes responsabilités de l'institution et de l'administration militaires, ainsi que la pérennité de structures de consultation sans autorité,
répondent en outre à une logique de facilité qui est celle de la IIIᵉ République finissante. Un pouvoir à la merci de majorités de rencontre est
plus enclin qu'un autre au compromis ; il est tenté plus qu'un autre de
recourir à des hommes de compromis. Flandin a confié en 1935 le
pouvoir militaire à Gamelin pour son loyalisme républicain et pour une
souplesse qui en faisait le général le plus apte à éviter les tensions dans
l'État-Major. Daladier semble avoir promu Jacomet en 1936 comme le
haut fonctionnaire militaire le plus propre à se concilier les socialistes et
à amadouer les Finances tout en les ménageant. Telles sont les
contradictions et les limites de Daladier : lui qui s'applique avec succès à
restaurer en 1938 l'autorité de l'État est en même temps trop profondément politicien pour ne pas s'accommoder jusqu'au désastre de commis
sans caractère, mais sans histoires.

---

1. Compte rendu dans les Mémoires de GAMELIN, *Servir*, t. II, p. 435.
2. Pourtant Daladier a reçu des avertissements. Le 30 mars 1939, le contrôleur général
Jugnet, auquel il porte une grande estime, lui a adressé une « Note sur les accélérations à
attendre des décrets-lois du 20 mars 1939 » où il soulignait qu'il ne suffit pas que les
départements militaires soient armés sur le papier « de tels pouvoirs exceptionnels qu'ils
peuvent intervenir profondément dans tous les domaines liés aux fabrications, briser toutes
résistances et faire surgir toutes initiatives utiles ». Encore faut-il que la machine fonctionne, et cela sans délai, ajoutait-il. Il recommandait en conséquence la mise en jeu de
procédures « extra-rapides » ayant pour objet : « a) le renforcement et la réorganisation
de la direction des fabrications d'armement ; b) l'accélération des fabrications, pour tous
les sujets essentiels qui sont dans les attributions de la direction (...) » (SHAT 8N/109).

5

Arsenaux et manufactures.
Les routines-freins de l'État industriel

Si la DFA est coincée entre le pouvoir administratif et le pouvoir militaire, soutenue de trop loin par le pouvoir politique, démunie en face des industriels, elle est, en revanche, maîtresse d'un domaine qu'elle gère en propre, celui des manufactures nationales d'armes et des arsenaux terrestres, rebaptisés ateliers de l'État.

Pourtant, elle a grand-peine à les mettre au rythme de la guerre qui vient ; ils fonctionnent en porte à faux, ils vivent en porte à faux, elle n'a rien fait pour moderniser leur gestion étatique traditionnelle ou l'adapter à l'urgence. Mais on aborde ici un monde complexe dont les racines plongent dans le passé militaire du pays.

L'expérience incertaine de la Grande Guerre

Les gouvernements français ont tenu de tout temps à la maîtrise des fabrications d'armement : les arsenaux de la Marine datent de l'Ancien Régime, la loi du 13 fructidor an V (30 août 1797) confirmant le monopole de l'État sur la production des poudres est restée la charte de l'industrie des explosifs, la fabrication des canons par l'État remonte à quatre siècles et les ateliers qui équipèrent les armées de l'an II étaient tous des ateliers d'État. Les arsenaux sont restés, sous la IIIe République, l'infrastructure indispensable des armements.

Pourtant, le débat sur la validité d'une industrie militaire d'État et sur son efficacité remonte lui-même à plus d'un siècle. Il fut ouvert sous la Restauration. Il prit, après la défaite de 1870, une ampleur nationale. On imputa alors aux établissements constructeurs de l'État l'infériorité de l'artillerie française face aux canons Krupp à culasse mobile et l'on en vint à soutenir que la plupart des inventions récentes de matériels de guerre venaient de l'industrie privée [1]. L'assertion allait être démentie

---

1. L'argument contribua à l'adoption de la loi de 1885 sur la liberté de fabrication et le commerce des armes.

par les faits, car le quart de siècle 1890-1914 fut illustré par une cohorte brillante d'officiers d'artillerie inventeurs, Deport, Rimailho, Sainte-Claire Deville, dont les noms sont inséparables des premiers canons modernes, le 75 et le 155 court [1] ; malgré des imprévoyances à l'approche de 1914 [2], un formidable travail d'innovation et d'application se poursuivit durant la Grande Guerre dans les établissements militaires.

L'industrie privée devait collaborer à la défense nationale, mais nul ne soupçonnait en 1914 que les établissements de l'État, débordés par une gigantesque demande d'armes et de munitions, seraient hors d'état d'y faire face. De 1914 à 1918, l'État ne consacra pas moins de 300 millions de francs-or à l'extension et à la modernisation de ses arsenaux et manufactures, dont 95 millions (non compris les dépenses d'outillage) allèrent à la création du seul arsenal de Roanne, voulu par le ministre socialiste de l'armement, Albert Thomas, pour être le fleuron de l'industrie d'État. Néanmoins, si les établissements de l'État finirent par employer en 1917 265 000 personnes, c'est près de 1,5 million d'hommes et de femmes qui travaillèrent dans les firmes privées pour la défense nationale. Le rôle des arsenaux fut alors à la fois capital et contesté. Bourges, avec des effectifs quintuplés, atteignit une production de dix à douze fois supérieure aux prévisions d'avant guerre, ce qui n'empêcha pas les parlementaires en mission de dénoncer les arsenaux du Centre pour leur désordre et leurs rendements médiocres et pour leur absentéisme, qui aurait atteint 25 % au printemps 1917.

Le débat rebondit et devint passionné après la Victoire, quand les socialistes voulurent maintenir l'emploi dans certains établissements industriels de l'État, notamment Bourges et Roanne, en les reconvertissant à des productions du temps de paix, ou même en les transformant en « établissements nationaux » autonomes [3]. Albert Thomas rêvait de perpétuer l'arsenal de Roanne sous la forme d'une usine modèle où les travailleurs, intéressés aux résultats, participeraient à la gestion, tandis que la C.G.T. précisait ses projets de « nationalisations à gestion industrialisée ». En réplique, des campagnes politiques furieuses invoquant l'expérience du temps de guerre soulignèrent les vices de la gestion

---

1. Ce qui n'empêcha pas certains de ces remarquables inventeurs de pantoufler dans l'industrie privée : le colonel Deport passe dès 1894 à Châtillon-Commentry où il crée un nouveau matériel de 75 biflèche à tir rapide ; Rimailho, l'illustre inventeur du 155 court, passe en 1913 à Saint-Chamond et, après la guerre de 1914, à la Marine Homécourt.

2. La guerre de 1914 commença sans qu'un choix eût été fait entre trois méthodes rivales de fabrication de l'obus de 75 et « sans qu'une étude détaillée précisât la nature exacte du métal ni les traitements et usinages successifs à lui faire subir » (H. de MARQUAND, *La Question des arsenaux*, pp. 29-30).

3. Divers essais de fabrications industrielles tentés à Tulle, à Châtellerault, Saint-Étienne et Roanne donnèrent des résultats décevants que les responsables expliquèrent par l'extrême spécialisation des productions antérieures. Les essais d'industrialisation de Roanne en 1919-1920 coûtèrent 2 500 000 francs au budget avant que le gouvernement y mît fin.

directe par l'État[1] : poids accablant d'une réglementation uniforme, nécessité d'en référer à tout propos à Paris, lourdeur de transmissions passant obligatoirement par la voie hiérarchique et tenues de recourir à la forme écrite, lenteur des décisions, médiocrité chronique des rendements liée à l'absence de tout souci de rentabilité. Un ingénieur, héritier du grand nom de Carnot, qui avait participé à la vie des arsenaux, publia un livre pour démontrer que si

> la réglementation de l'industrie d'État a été conçue pour éviter les malversations et limiter les dépenses publiques, et si elle y a réussi, par contre, elle s'oppose aux initiatives et constitue un obstacle au progrès[2].

Des critiques plus conjoncturelles affirmaient l'impossibilité de gérer une main-d'œuvre industrielle dans le cadre de structures étatiques : elles visaient surtout Roanne, dont le personnel avait toujours été difficile et s'était associé en 1917 aux grèves du bassin de la Loire contre la guerre[3]. Le fait est que l'arsenal n'avait fonctionné à peu près correctement — mais à un coût très élevé — que pendant les quelques mois de 1918 où l'administration de la Guerre, pressée par l'urgence, l'avait mis à la disposition de Citroën pour y tourner des obus. L'inadaptation technique, financière et sociale des arsenaux était en tout cas assez patente pour que l'on prône de divers côtés le regroupement des ateliers de l'armée de terre dans le cadre d'un office industriel[4]. Le secrétaire général de la C.G.T., Léon Jouhaux, champion de l'industrie d'État, mais sous la forme de « nationalisations industrialisées », était le premier à dénoncer comme pernicieuse « la forme commune d'exploitation de l'État » qui ne peut conduire, estimait-il, « qu'à un résultat déplorable » :

> L'intelligence n'a pas de place où s'exercer, la routine néfaste fait son œuvre et rançonne le consommateur ; les ouvriers se constituent en caste,

1. Cf. notamment les rapports de mission de Joseph Denais, député de Paris, au nom de la Commission de l'armée de la Chambre, *Journal officiel*, 28 novembre 1919, pp. 98 et s. Le fonctionnement s'était amélioré en 1918, mais sans atteindre les rendements des arsenaux de la Marine, avantagés par la qualité de leur main-d'œuvre et de leur encadrement.

2. En particulier les ouvrages de Cl.-J. GIGNOUX, député de la Loire de 1920 à 1924 et future tête pensante du patronat français, sur *L'Arsenal de Roanne. L'État industriel de guerre* et de l'ingénieur de l'État, R. CARNOT, sur *L'Étatisme industriel*.

3. Un rapport de la Chambre de commerce de Roanne de décembre 1918 condamne des comportements ouvriers « révolutionnaires » ou « fouriéristes » qui furent dénoncés à nouveau en 1936-1938 dans certains ateliers de l'État : « Pas de contrôle sur la durée nécessaire à l'exécution des tâches. La question des salaires est traitée en dehors des compétences par les ouvriers eux-mêmes devenus juges et parties et qui passent leur temps inemployé à dresser des listes de revendications toujours accordées. (...) Le tarif des pièces est fixé par une sorte de conseil ouvrier... » Le réquisitoire de 1918 était lié à une opération politique qui dépassait le cadre local.

4. Ce fut l'objet d'une proposition de loi du député-maire de Bourges, Laudier, qui semble avoir été bien accueillie dans les différents partis, mais qui se heurta à l'opposition du gouvernement. L'idée fut reprise en 1923 par le contrôleur général H. de MARQUAND dans son livre *La Question des arsenaux*.

uniquement soucieuse de ses intérêts particuliers, ignorante de l'intérêt général. Au lieu de fournir l'exemple propre à stimuler les initiatives privées, l'entreprise d'État se trouve ainsi être un obstacle au développement du profit social [1].

Le ministre Loucheur, loin de s'engager dans cette voie, interdit tout avenir aux arsenaux en spécifiant qu'ils devaient travailler uniquement pour les services publics et les ramena à des effectifs minimaux : Bourges de 21 000 en 1918 à 3 500, Roanne de 16 000 à 1 100. Pour le reste, on gela le statut des arsenaux en se bornant à assurer aux personnels maintenus une garantie d'emploi renforcée, en qualité d'ouvriers de l'État.

Les ateliers de l'État, piliers de la production d'armes classiques

Car la doctrine du commandement, en dépit des campagnes politiques, n'a pas changé : pour lui, seul un établissement de l'État peut garantir une mise en train immédiate en cas de conflit, seul, il peut se plier à toutes les exigences des armées et il doit, à l'occasion, permettre de faire pièce aux prétentions de l'industrie privée. Ainsi a-t-on prévu une spécialisation des fabrications, les canons aux ateliers de construction de Bourges, Puteaux, Roanne et Tarbes, avec le concours de l'industrie privée (Schneider et Saint-Chamond) ; les armes portatives, les fusils mitrailleurs et les mitrailleuses aux manufactures d'armes, Châtellerault, Saint-Étienne, Tulle, avec ici encore le concours de l'industrie privée pour le complément (Hotchkiss, Manufacture de cycles de Saint-Étienne), les douilles de cartouches d'artillerie aux ateliers de Rennes et Toulouse, les projectiles d'artillerie aux ateliers de Bourges, Roanne et Tarbes. La fabrication doit pouvoir être intensifiée dès les premiers besoins, grâce à la réserve d'outillage de ces établissements en attendant la production de l'industrie mobilisée.

L'administration militaire estime par ailleurs être seule en mesure d'assurer, avec l'efficacité et la sécurité voulues, la fabrication des fusées et artifices ainsi que le chargement des obus dans les pyrotechnies de Bourges, Rennes et Tarbes. De même, elle estime si délicate la fabrication des cartouches d'infanterie qu'elle entend aussi les perfectionner seule aux cartoucheries de Puteaux, Rennes, Tarbes, Vincennes et Valence, le Service des poudres assurant de son côté la fourniture des explosifs [2].

On a vu comment, en 1936, le gouvernement du Front populaire étendit le secteur public par la nationalisation qui fit passer les

1. Léon Jouhaux, cité par Cl.-J. GIGNOUX, *o.c.*, p. 61.
2. Cf. H. de MARQUAND, *o.c.*, pp. 88-89.

établissements du ministère de la Guerre de 22 à 31[1]. Les effectifs qu'ils emploient sont au 1er janvier 1938 de 33 144 salariés dont 28 603 ouvriers, non compris le Service des poudres, soit 51 % des effectifs des industries françaises d'armements terrestres, définies au sens strict[2]. C'est peu en valeur absolue — l'équivalent du personnel des seules usines Renault — assez cependant pour qu'en 1938 la DFA ait réglé (en crédits de paiement) pour deux milliards de fabrications aux ateliers de l'État contre quatre milliards de travaux à l'industrie privée[3]. Et en temps de guerre, les arsenaux et manufactures, gonflés de renforts indéterminés de main-d'œuvre, doivent sextupler au moins leur production en fabriquant la grande masse des armes portatives et de l'artillerie de campagne, ainsi que la quasi-totalité des munitions des armées de terre, de mer et de l'air, le tournage des obus étant seul sous-traité.

Dix-huit ans de somnolence

Pendant dix-huit ans, toute l'industrie de guerre, tant publique que privée, à l'exception des constructions de la Marine, a été mise en sommeil : les ateliers de l'État n'ont pas eu, comme les « marchands de canons », de productions de remplacement.

En 1937-1939, la machine est rouillée et difficile à remettre en marche.

Crise de l'invention : la grande époque des artilleurs-inventeurs semble passée. Des ingénieurs de l'armement contribuent encore à des innovations techniques : à la création ou au perfectionnement des canons de 37, de 47 et de 155 lourd, de même qu'à la culasse automatique du 75 contre-avions et du 75 de casemate ; aucun fusil n'est meilleur que le modèle Saint-Étienne 1936 et l'atelier de Puteaux garde sa vitalité ; mais le climat militaire a cessé d'être stimulant pour la création intellectuelle et l'innovation technique. Des cadres de qualité ont quitté l'armée, d'autres ont préféré ne pas être intégrés comme ingénieurs de l'armement[4]. C'est aux firmes privées qu'a été confiée la réalisation des prototypes de chars et de presque tous leurs éléments — qu'elles seules pouvaient produire. Les munitions n'ont fait l'objet d'aucun progrès sérieux : les ingénieurs de l'État, travaillant en vase

1. La nationalisation a apporté à la DFA, en plus des 22 établissements producteurs préexistants, un atelier de chargement et une manufacture d'armes, 3 ateliers de fabrication, 4 ateliers de construction, portant le total à 31 établissements producteurs. La DFA gère en outre 5 établissements d'expériences, 2 inspections des forges et une École supérieure des fabrications, soit un total de 39 services extérieurs. Cf. A. BIGANT, *La Nationalisation et le contrôle des industries de guerre*, p. 102, d'après le rapport sur le budget de la guerre pour 1938 (Sénat, n° 619, annexe 5).

2. Les nouveaux établissements nationalisés en 1936 comptent à cette date un peu plus du tiers de l'effectif total.

3. Témoignage de Happich, AN 496 AP (4 DA/15, Dr. 2).

4. En effet, le corps autonome des ingénieurs militaires a été doté d'une hiérarchie propre, sans assimilation aux grades de l'armée.

clos, ne les ont, depuis 1918, ni améliorées ni remplacées et ni eux ni l'État-Major n'ont manifesté d'empressement à adopter les techniques nouvelles proposées par des outsiders, telles que le principe de la charge creuse [1]. L'assoupissement a culminé dans l'organisme jumeau de la Direction des fabrications d'armement, le Service des poudres : à en croire Dautry,

> pas un explosif nouveau n'était sorti de son laboratoire central. Pas de travaux scientifiques marquants n'avaient illustré ses ingénieurs. C'est à peu près en vain qu'on chercherait à lui reconnaître une part dans l'évolution de la chimie moderne et des industries qui en dépendent [2].

Crise statutaire et de gestion : les ateliers de l'État, ralentis par leur longue torpeur, souffrent, en outre, du centralisme de l'administration militaire et de son fonctionnement rigide, à base de contrôle hiérarchique [3]. Ces entraves ne sont pas faites pour inspirer la mystique des productions massives nécessaires en temps de guerre.

À défaut du statut d'entreprises publiques, la direction du contrôle a voulu, depuis 1920, doter au moins les arsenaux d'une comptabilité industrielle inspirée de celle de Renault ; les partis politiques en auraient été d'accord. Les bureaux de la Guerre n'ont cessé de s'y opposer. Quand la direction du contrôle a imposé une comptabilité industrielle à Bourges et Châtellerault, les services l'ont fait abolir. Leur obstruction persistait en mars 1936. Ils ne veulent pas s'encombrer d'une gestion industrielle [4].

Tout le monde s'accordait au lendemain de la Première Guerre mondiale sur la nécessité de donner plus de responsabilités à leurs directeurs. Vingt ans après, ils restent ligotés, ils ne sont même pas maîtres de leur calendrier de fabrications. Lorsqu'en septembre-octobre 1938 trois établissements importants, Issy, Le Havre et Caen sont paralysés parce que leurs fournisseurs privés ne les livrent pas, aucun d'eux n'a qualité pour intervenir afin de hâter les livraisons, l'administration centrale du ministère a conclu les marchés et les réclamations doivent passer par elle.

Crise de l'équipement. L'investissement nécessaire a été évalué en 1936 à 1,2 milliard pour les anciens établissements de l'État : on ne s'est activé qu'à partir de l'alerte de septembre-octobre 1938 et l'effort n'est pas devenu intense avant le printemps, voire l'été de 1939. Pour

---

1. Cf. le témoignage de Brandt à Riom, difficilement contestable sur ce point, AN 496 AP (4 DA/12, Dr. 5).
2. AN 306 AP/89.
3. À la différence des sociétés d'aviation nationalisées, les établissements d'armement nationalisés en 1936-1937 n'ont pas été constitués en sociétés nationales, mais directement intégrés à la DFA.
4. Commission de l'armée de la Chambre, séances d'octobre et novembre 1938 et notamment rapports Fernand-Laurent (ARAS).

moderniser les ateliers nationalisés, on avait estimé qu'il fallait 650 millions ; les crédits engagés s'élèvent au 1er septembre 1939 à 452 millions dont 253 de machines et d'outillages — effort nominal important ; mais moins du tiers a été réellement dépensé[1]. Ainsi, des établissements qui devraient être en état de marche instantanée aux premiers jours de la guerre sont hors d'état d'assurer la part de fabrication qui leur est dévolue. Des extensions de bâtiments sont achevées ou très avancées à Bourges, Tarbes, Toulouse, Valence, mais la mobilisation surprend les ateliers de chargement en pleine construction.

Les outillages surtout ont du retard : 19 millions de francs de machines ont été attribués depuis 1936 à la Manufacture nationale d'armes de Saint-Étienne, mais les nouvelles demandes de 1939 de l'État-Major obligeront à sextupler la mise. À la cartoucherie de Toulouse, une partie des machines reste à fournir et 50 % seulement de celles qui sont installées sont en état de fonctionner à la mobilisation. Lorsqu'en novembre 1939 on demande à l'arsenal de Tulle d'installer à Brive une annexe capable de fabriquer 600 canons de D.C.A. bi-tubes de 20 mm par mois, fabrication qui exigera 2 000 machines-outils, dont 200 fraiseuses immédiatement nécessaires, l'arsenal peut fournir 559 machines dont 380 fraiseuses, ce qui est à première vue encourageant ; mais sur ces 380 fraiseuses, un tiers ont plus de 50 ans et 84 % plus de 20 ans ; 320 ont fait la guerre de 1914 et pourraient rejoindre le parc à ferrailles ; 56 ont moins de 10 ans, dont seulement 45 machines neuves[2].

La situation la pire est celle de Roanne, l'arsenal géant. On en attend la fourniture mensuelle de 1 500 000 obus de 75, de 200 000 obus de 105 et 85 000 obus de 155, soit plus du quart des munitions demandées pour l'artillerie de campagne et l'artillerie moyenne. Une fonderie neuve a été installée. Les outillages et machines-outils accumulés devraient permettre de compléter, à la mobilisation, ceux de Citroën et de Westinghouse. En fait, les équipements et les machines existent, mais ils n'ont pour la plupart pas été utilisés depuis l'autre guerre, leur entretien n'a pas suffisamment été suivi : sur 1 900 machines, un tiers seulement sont en état, 250 sont à mettre au rebut et 1 050 à réviser entièrement, ce qui exige 1 200 000 heures de travail. Il n'y a pas un tour neuf. En décembre 1939, on en est au même point et la direction envisage de confier à une firme privée la remise en état des machines[3].

Il avait été prévu, en outre, que Roanne devait assurer en temps de guerre toutes les fabrications et réparations de freins de canons de 75, la

---

1. Cf. R. JACOMET, *o.c.*, pp. 192-194, et surtout la note du 12 mars 1940 du Service central des ateliers et manufactures longuement reproduite dans la déposition de Dautry du 21 mai 1941, AN 496 AP (4 DA/13, Dr. 5).

2. Carnets inédits de l'ingénieur Fernand Picard.

3. Note sur l'établissement de Roanne, 19 mars 1940, AN 496 AP (4 DA/13, Dr. 1), et témoignage de Dautry, 21 mai 1941, AN 496 AP (4 DA/13, Dr. 5).

fabrication des affûts de 105 court modèle 1935, ainsi que la réparation des bouches à feu des 155 longs. Des remaniements et extensions d'ateliers avaient été décidés, avec achèvement prévu pour 1940 : à la mobilisation, l'équipement des ateliers de freins est à peine commencé et celui des bouches à feu reste à entreprendre. En janvier 1940, 140 canons de 155 sont en attente dans l'enceinte de l'arsenal, exactement dans l'état où ils étaient au 11 novembre 1918[1].

L'état général des installations est déplorable, les canalisations n'ont pas été entretenues, le gel de l'hiver met le chauffage hors d'usage. Dans cet établissement démesuré, étalé sur 1,5 million de mètres carrés, il n'y a pas de liaison téléphonique entre les ateliers, les magasins et les bureaux, « on passe son temps à marcher pour le travail et pour le reste ». Les ouvriers militaires « de renforcement » couchent à 3 ou 4 km dans des granges ou dans des hangars non chauffés, sans pouvoir se dévêtir, avec pour certains un robinet pour 25 hommes et sans moyens de transport pour les conduire à l'arsenal.

La sclérose du statut ouvrier et la faillite de Roanne

La crise de l'encadrement et la crise du moral ouvrier enfin pèsent lourdement. L'encadrement des arsenaux et manufactures a été jusqu'à la guerre presque partout squelettique. Le directeur de la Manufacture nationale de Saint-Étienne lançait, le 14 avril 1939, un S.O.S. au ministère : « Il n'y aura plus le 17 avril que 5 ingénieurs militaires à la Manufacture nationale pour un effectif de 3 551 salariés et pas un adjoint au directeur. » Des appels au secours analogues sont venus du Havre, de Châtellerault, de Tarbes, de Moulins, de Saint-Priest, de Valence, de Vonges, de Roanne. « Par-dessus tout, ce qu'il faut étudier, c'est Roanne », écrit Dautry : « Toute la correspondance de cet atelier est un long cri de désespoir. Nulle étude ne montrerait mieux ce qu'a été la vie des arsenaux entre les deux guerres[2]. »

On verra plus loin combien la rigidité du statut des personnels ouvriers et leur système de rémunération y ont été préjudiciables aux rendements[3] : l'habitude où ils ont été maintenus, au moins jusqu'à 1937, de travailler sur des commandes ne portant pas de délais ne leur a pas donné le sens de l'urgence. Les ouvriers d'État sont devenus, comme l'avait craint Léon Jouhaux, une caste où de sérieuses traditions ont entretenu le goût du travail bien fait, mais qui n'a cessé de lutter pour le salaire national, contre le travail aux pièces, pour l'avancement automa-

---

1. Témoignage de Caudron, AN 496 AP (4 DA/13 Dr. 2).
2. Témoignage de Dautry, 21 mai 1941, AN 496 AP (4 DA/13 Dr. 2). Malheureusement, les correspondances des ateliers d'État, mis à part Châtellerault, ont été détruites ou restent inaccessibles.
3. Cf. ci-dessous pp. 331-333.

tique, et qui se crispe sur ses avantages catégoriels jusqu'à pratiquer et même à prôner le freinage. Or l'application de leur statut conduit, en temps de guerre, à une situation de blocage ; les règles édictées à la mobilisation pour l'ensemble des personnels des administrations publiques l'aggravent encore. Toute une série de microfreins, peu visibles en temps de paix, se conjuguent. Tout avancement est suspendu, de sorte qu'un agent appelé à un emploi comportant une rémunération supérieure ne peut pas la percevoir et que personne ne veut assumer de plus lourdes responsabilités. Les contremaîtres étant payés au mois ne bénéficient d'aucune rémunération pour heures supplémentaires ; or, au même moment, le passage à la semaine de 60 heures augmente les salaires ouvriers de 20 % ; il en résulte qu'un contremaître gagne 100 francs de moins par mois qu'un chef d'équipe. Impossible de trouver des contremaîtres, ceux qui sont en poste demandent à « redescendre chefs d'équipe », alors que les effectifs passent de 3 500 en septembre 1939 à 10 000 en novembre et doivent atteindre 18 000 au printemps. Un spécialiste de l'organisation du travail en mission à Roanne écrit, le 15 février 1940 :

> Il faudrait 18 chefs de service, il y en a 6 ; 15 ingénieurs d'atelier, il y en a 1 ; 30 chefs d'ateliers, il y en a 1 ; 120 contremaîtres, il y en a 10 dignes de ce nom ; 400 chefs d'équipe, il y en a 10 véritables,

et il conclut sur ces graves paroles :

> La situation que nous venons d'exposer nous autorise à affirmer qu'il ne peut être question d'imposer, sous quelque forme que ce soit, une cadence de sortie dans les conditions actuelles[1].

Ainsi, il ne suffit pas de reprendre en main les ateliers de l'État les plus délaissés ou de poursuivre leur équipement, la mise au rythme de guerre implique, comme on l'avait déjà constaté pendant la Grande Guerre, de rémunérer les responsabilités et de relier, au moins pour une part, le salaire à l'effort. Le ministère de l'Armement obtiendra au bout de quelques mois du ministère des Finances que les contremaîtres bénéficient d'heures supplémentaires, comme les ouvriers. Mais pour aller au-delà, il faut réviser tout l'édifice sacré des indices, des assimilations et des règles statutaires, ce qui exige le vote d'une loi : le projet était encore à l'étude rue de Rivoli au moment de l'armistice.

Pour ces raisons et quelques autres sur lesquelles on reviendra, les rendements ont été médiocres et le démarrage difficile dans la plupart des ateliers de construction et de fabrication de l'État, ainsi que dans les cartoucheries. Il en avait été ainsi en 1914 ; il ne pouvait pas en être

---

1. Rapport au ministre de l'Armement de M. Caudron, directeur de la société Bedaux-France, 15 février 1940 (AN 496 AP, 4 DA/13 Dr. 2), abondamment cité par Dautry en 1940 et à nouveau devant la commission Serre, *o.c.,* p. 2001.

autrement en 1939. Roanne est un cas extrême : 27 000 obus de 75 seulement sortis, en janvier 1940, quatrième mois de guerre, au lieu de 300 000 programmés, 400 000 obus fabriqués au cours du mois de mai, mais qui ne représentent encore que le quart de la production initialement prévue. Cette faillite a pesé lourd. Le gigantisme de la conception première faisait de l'arsenal de Roanne un établissement difficile à gérer et tous les facteurs défavorables s'y étaient ensuite coalisés pendant vingt ans.

Parmi ces facteurs figure en bonne place la défaillance de la direction des fabrications d'armement dans une des deux tâches majeures qui lui incombaient : la préparation de la mobilisation industrielle.

6

Les ratés de la mobilisation industrielle

Que le passage à l'état de guerre perturbe la production, comment s'en étonner ? On ne peut pas arracher à leurs foyers des millions d'hommes, de femmes et d'enfants, affecter pendant un mois tous les moyens de transport à leurs déplacements, aux transferts de matériels, au ravitaillement et donner en même temps un formidable élan à l'activité industrielle. Mais ni Daladier ni Gamelin ne s'attendaient à une transition aussi chaotique ni aussi longue.

La conception de la guerre longue et les à-coups de la reconversion

La mobilisation industrielle aurait dû très vite pourvoir à tous les manques. C'est ce que prévoyait la thèse officielle énoncée en 1937 par le général Debeney [1], ancien chef d'État-Major, reprise en 1938 par le général Maurin [2], ministre de la Guerre des années 1934-1936, réaffirmée en 1939 par le général Chauvineau [3] qui, dans un livre préfacé par le maréchal Pétain, n'avait pas craint d'affirmer :

> La période de paix n'est qu'une base de départ et la préparation matérielle d'une armée s'effectue pour une large part pendant le conflit lui-même.

1. Le général Debeney, l'un des artisans de la victoire de 1918, était resté l'un des cerveaux de l'État-Major. Son livre, *La Guerre et les hommes* (1937), avait été jugé « saisissant » ; s'il y rejetait les thèses du colonel de Gaulle, il reconnaissait « la tyrannie du matériel » au point d'affirmer que la guerre future serait « une guerre de matériel ».
2. Dans son livre *L'Armée moderne* (1938), le général Maurin ne voyait pas la nécessité de planifier à l'avance les fabrications militaires, ni celle de créer un ministère de l'Armement.
3. Le livre du général Chauvineau (1939) était intitulé : *Une invasion est-elle encore possible ?* L'auteur répondait par la négative.

Le maréchal Pétain, arbitre suprême, avait dans sa préface confirmé la doctrine :

> Couverte par les fronts continus, la France a le temps de s'armer pour résister d'abord, et passer à l'attaque ensuite. Cette perspective n'a rien de réjouissant pour un agresseur éventuel.

Aussi, l'État-Major, n'imaginant de guerre que longtemps immobile et confiant dans la ligne Maginot, avait consacré, de 1936 à 1939, la majeure partie des crédits de fabrication aux « armes nouvelles » et s'en était remis à la période de guerre pour recompléter les matériels courants et pour lancer les fabrications en grande série. D'où au jour J, une formidable demande de matériels à produire, demande accrue par la crainte, commune *in extremis* à tous les états-majors, de ne pas être prêts : déjà le plan E de mobilisation, notifié à partir du printemps 1939, prévoyait une augmentation de 61 % des fabrications en temps de guerre par rapport au plan précédent ; le plan E *bis*, esquissé en juillet, mais surtout le programme d'armement dit des 5 mois, arrêté au Grand Quartier général le 15ᵉ jour de la guerre, sont encore plus ambitieux, ils tendent à doubler, d'ici le printemps 1940, le volume mensuel de production défini par le plan E[1]. Ces demandes « tombées du ciel »[2], selon l'expression de Daladier, s'ajoutent à celles du nouveau plan naval du 20 juillet 1939, et à celles du plan V du ministère de l'Air, réévalué en septembre, qui ambitionne de quadrupler les sorties d'avions en moins d'un an. Elles impliqueraient une reconversion instantanée de l'industrie ouvrant la voie à une production immense.

Or, autant la mobilisation militaire de septembre 1939 est une réussite « que le monde admire » (à en croire *Paris-Soir*), autant la mobilisation industrielle patauge ; malgré la réquisition de la main-d'œuvre, malgré l'introduction de la semaine de 60 heures, la pagaille est générale sur le front des usines : elle dure des mois ; une partie des fabrications s'effondre. En octobre 1939, on dépasse à peine 60 % de la production industrielle de juillet. La production d'acier, qui a fléchi de 36 % en septembre, garde en octobre un retard de 17,8 %, en novembre de 13 %[3] ; or, la demande monte partout en flèche : il manque, en novembre, 150 000 tonnes d'acier ; les livraisons se font mal, les à-coups et les blocages se multiplient. Au 1ᵉʳ novembre, dans 150 établissements du centre de la France travaillant pour la Défense nationale, la production plafonne à 47 % du taux prévu[4]. Si la fabrication des canons de D.C.A. et des 47 antichars se maintient ou continue de progresser,

1. J. MINART, *P.C. Vincennes, Section 4*, t. II, p. 72.
2. Commentaire manuscrit de Daladier en marge de la note du Comité de liaison de la Défense nationale du 16 mars 1940, AN 496 AP (4 DA/2, Dr. 1).
3. Chiffres de l'I.N.S.E.E.
4. Rapport Belmont à la Commission sénatoriale de l'armée, 28 novembre 1939 (ARSENAT).

celle des chars légers diminue de 15 % et piétine jusqu'à février ; le rythme de sortie des B1 *bis* chez Renault tombe de 12, avant la mobilisation, à 9 par mois fin novembre[1] ; les constructions aéronautiques, qui étaient en progrès depuis janvier, s'affaissent, les munitions et les mines stagnent à un niveau dérisoire : « Si une bataille s'était engagée au cours de l'automne 1939 avec une consommation égale aux prévisions, nos canons de 75 — comme d'ailleurs de 47 et de 115 long 1913 — auraient dû cesser de tirer au bout de deux mois. » Le général Picquendar, directeur de l'artillerie, évalue au début de janvier à un mois et demi « le retard au démarrage »[2]. En fait, le démarrage au rythme de guerre n'a pas lieu avant le printemps.

C'était ce que la mobilisation industrielle aurait dû éviter. La Direction des fabrications d'armement était chargée de la préparer, c'est-à-dire de faire par avance l'inventaire des multiples besoins du temps de guerre, de dresser en face le bilan des ressources et de prévoir l'ajustement des ressources aux besoins[3] ; partant de là, il lui incombait d'assigner leurs tâches de guerre aux établissements de l'État et aux principales entreprises et de faire en sorte que soit assurée à tous la triple ressource de main-d'œuvre, de matières premières et d'outillages. Elle n'y est parvenue que très partiellement, ce qui a provoqué des blocages en chaîne.

L'appel sous les drapeaux de la main-d'œuvre industrielle

La cause immédiate de la crise de production de l'automne 1939, mais non la seule, est que la mobilisation militaire a vidé les usines de leur main-d'œuvre. Sur 1 100 000 ouvriers des professions métallurgiques et mécaniques, on en a rappelé 550 000 sous les drapeaux ; les effectifs de professionnels et d'agents de maîtrise des entreprises privées devant travailler pour la Défense nationale tombent de 680 000 à 340 000, ceux des O.S. et des manœuvres chutent de 550 000 à 280 000[4] ; 40 % des ingénieurs, y compris la majorité des ingénieurs de fabrication, sont dispersés dans les unités de l'artillerie et du génie.

La ponction, inégale selon les branches et les régions, est souvent insupportable. La mobilisation a été le mieux préparée dans les mines : la moitié des mobilisables (ceux de 34 ans et plus) y a été maintenue en

1. Rapport Couffet, Taittinger, Courson à la Commission de l'armée de la Chambre (ARAS).
2. J. MINART, *o.c.*, t. II, p. 73.
3. Chaque ministère avait sa responsabilité dans l'ajustement des ressources aux besoins, notamment le ministère des Travaux publics en matière de transports publics, de mines et de carburants — il s'en acquitta parfaitement — et le ministère du Travail en ce qui concernait la main-d'œuvre : il n'en avait pas les moyens.
4. Note du directeur de la main-d'œuvre de l'Armement, 16 décembre 1939, annexe aux dépositions de Dautry à Riom, AN, 496 AP (4 DA/13, Dr. 1).

affectation spéciale. En proportion de l'effectif total, les mobilisés sont 20 % à Decazeville et à Brassac, 27 à 28 % à Lens et à Bruay ; mais pour compenser leur départ, on a requis les retraités qui, bon gré mal gré, sont redescendus dans les fosses, on a transféré dans le Nord les mineurs lorrains des localités frontières évacuées ; on a converti en mineurs des réfugiés espagnols ; le déficit de main-d'œuvre au fond est ramené à la fin d'octobre à 5 % et la production reste soutenue [1]. La S.N.C.F., qui avait un excédent de 60 000 à 70 000 travailleurs et dont le commandement reconnaît le rôle stratégique, se tire d'affaire, elle aussi. Partout ailleurs, le rappel sous les drapeaux s'accompagne des déboires de la réquisition civile. L'aviation a beau bénéficier de la priorité des priorités, les ordres de départ frappent 23 % du personnel ouvrier des firmes les plus touchées. On récupère les ouvriers qualifiés dans les gares la première nuit de la mobilisation, on les maintient à leur poste, nonobstant toutes instructions contraires, on hâte les retours, on embauche qui l'on peut : le déficit nominal est ramené au 1er novembre à 8 %. Mais Gnôme et Rhône, premier producteur national de moteurs d'avions, n'a récupéré, à cette date, que 277 spécialistes sur 2 000 ouvriers mobilisés : sa production s'en ressent [2].

Dans la métallurgie, Schneider se distingue par son faible taux d'appelés, 15 % de l'effectif total : Daladier s'en prévaudra au procès de Riom. Le privilège de Schneider tient en fait à la structure par âge de son personnel autant qu'à la sollicitude de l'administration, car les non-mobilisables y sont près de 60 % ; sur les 3 500 mobilisables, 2 200 spécialistes âgés de 32 ans et plus ont été maintenus en affectation spéciale, proportion qui peut passer pour généreuse. Au contraire, l'A.C.T. — l'atelier nationalisé du Creusot — dont la main-d'œuvre était jeune est durement éprouvé : au 1er octobre, 200 machines sur 600 y sont inutilisées faute de bras [3]. Dans le bassin de la Loire, les directions des firmes, en cheville avec les autorités militaires, ont réussi tout au plus à limiter les dégâts, mais l'espoir d'une forte croissance est déçu. L'armée a enlevé, aux Forges et Aciéries de Saint-Chamond, 19 ingénieurs sur 65 (29,5 %), 126 agents de maîtrise et agents mensualisés sur 900 (14 %), 850 ouvriers sur 3 650 (23,2 %) ; ces prélèvements sont compensés avant le 1er novembre par la venue d'un nombre équivalent d'ingénieurs, de cadres et d'ouvriers mutés d'autres entreprises ou fournis par l'armée, mais l'appoint reste sans commune mesure avec le renfort escompté, qui

1. Sur Decazeville et Brassac, AN 59 AQ/910-913 (36 Mi/18), Conseil d'administration de septembre ; sur le Nord-Pas-de-Calais, Archives de Lewarde et AN 2W/32.

2. Cf. Rapport Sordes, AN 496 AP (4 DA/18, Dr. 1) et sur Gnôme et Rhône, rapport à la sous-commission du matériel aérien du Sénat, 6 novembre 1939 (ARSENAT).

3. Rapport des Isnards, Fernand Laurent et Grandmaison à la Commission de l'armée de la Chambre, 11 octobre 1939 (ARAS). La composition du personnel de Schneider est une singularité sociologique : le paternalisme inflexible de la direction a mis en fuite beaucoup de jeunes, mais a consolidé un personnel très stable, de moyenne d'âge élevée et politiquement inoffensif.

aurait dû venir doubler la force de travail de l'entreprise [1] dès la première quinzaine de la mobilisation. Pour l'ensemble du bassin de la Loire, le déficit par rapport à l'effectif antérieur, compte tenu à la fois du départ des mobilisés et des renforcements par voie de réquisition, a été ramené, au 1er novembre, à 6 % pour les cadres et 13 % pour le personnel ouvrier, mais on est encore loin du compte : les 150 principales entreprises travaillant pour la guerre ne réunissent, à cette date, que 29 500 salariés, le plan de mobilisation en prévoyait 43 000 [2].

La situation est surtout difficile en région parisienne. Chez Renault, mis à part les filiales aéronautiques, 46 % des membres du personnel sont partis et 53 % des ouvriers. On ne compte, au 1er septembre 1939, que 2 275 affectés spéciaux : la direction s'est contentée de demander des affectations spéciales pour l'exécution des programmes de mobilisation qui lui avaient été officiellement notifiés et qui (elle l'avait signalé à l'administration militaire) correspondaient seulement au tiers de sa capacité de production [3]. La mobilisation ne laisse à Billancourt que 12 200 productifs sur 26 000, dont 6 000 non mobilisables et 4 000 femmes, alors que les commandes qui déferlent en septembre exigeraient une main-d'œuvre de 40 000 personnes. On en est réduit à recruter des ouvriers d'estampage chez Citroën ; 6 000 machines-outils sont inutilisées. Les promesses de renforcement ne sont pas mieux tenues ici qu'ailleurs, Louis Renault s'en plaint le 21 septembre à Daladier [4] :

> Le programme de mobilisation qui nous avait été remis prévoyait que l'usine devait recevoir : 3 500 ouvriers au cours de la quinzaine suivant la mobilisation, 3 000 au cours des 15 jours suivants, 3 600 après le 60e jour. Or, 20 jours après la mobilisation, nous n'avons reçu que 580 ouvriers.

Au 1er janvier, Renault n'en aura encore reçu que 5 600. Il en résulte un formidable gâchis.

Non seulement on a mobilisé en masse, mais on a mobilisé aveuglément les chefs de fabrication et certains des spécialistes les plus rares. Aux usines Montupet, qui fournissent la presque totalité des roues de magnésium, éléments essentiels de l'équipement des avions de guerre, le chef de l'affaire a 70 ans ; il a 9 ingénieurs ; il doit quintupler sa fabrication. Sept de ses ingénieurs sont partis aux premiers jours de la guerre : la production de son usine de la région parisienne diminue, sa

---

1. Rapport Richard à la Commission de l'armée de la Chambre, 6 novembre 1939 (ARAS). L'état des besoins établi avant la mobilisation prévoyait à Saint-Chamond un renfort de 3 500 ouvriers dont 1 500 professionnels.
2. Rapport Belmont à la Commission de l'armée de la Chambre, novembre 1939 (ARAS).
3. SHAT, rapport n° 279 sur la préparation de la mobilisation industrielle des établissements Renault (SHAT 8N/111).
4. Annexe au rapport Peyrecave à Riom, AN 496 AP (4 DA/17, Dr. 3). Le 24 septembre, Louis Renault prend sur lui de retenir à l'usine les derniers rappelés

seconde usine, en voie d'équipement à Ussel, s'arrête[1]. Une usine du Havre est bloquée faute de lamineurs qui, tous jeunes, sont partis[2]. On n'a épargné ni les arsenaux ni les poudreries, destinés pourtant à tourner à plein au jour J. On a ignoré les sous-traitants : leurs usines sont dépeuplées et ne peuvent plus livrer. Ce sera un drame pour l'aviation.

Enfin, on a surestimé l'apport de la réquisition civile ; les travailleurs qu'on parvient à récupérer dans les secteurs d'activité non prioritaires sont peu nombreux et médiocrement qualifiés : le recrutement administratif et la réquisition offrent en tout et pour tout aux industriels, au cours du premier mois de guerre, 65 000 travailleurs au lieu de 250 000 attendus et jugés nécessaires[3].

Tout s'est passé comme si l'on avait oublié qu'à la veille de l'armistice de 1918 les fabrications de guerre occupaient 1 710 000 personnes et que, pour atteindre cet effectif, il avait fallu maintenir ou ramener en usine 500 000 mobilisables ; on en a laissé cette fois 220 000 pour satisfaire des besoins beaucoup plus considérables : tout compte fait, l'effectif ouvrier travaillant pour la guerre en septembre 1939 n'atteint pas la moitié de celui de 1918.

Les défaillances de l'organisation et l'obsession des effectifs

Comment en est-on arrivé là, alors qu'on a passé dix ans à mettre au point la méthode de la mobilisation industrielle et que, dès 1931-1932, le ministère de la Guerre affirmait avoir fait le nécessaire pour doter 81 % des usines de leur main-d'œuvre (1 360 000 personnes, dont 2 600 officiers de réserve en affectation spéciale)[4] ? D'autant que les avertissements n'ont pas manqué. La mobilisation de 1938 a montré l'étendue de l'impréparation. On a vu, en septembre 1938, Louis Renault contraint de venir en personne au ministère de la Guerre, un dimanche soir à 18 h, pour demander qu'on sursoie au départ sous les drapeaux, le lendemain matin, des 4 ou 5 ingénieurs de sa centrale électrique dont l'absence aurait paralysé l'usine de l'île Seguin[5]. En novembre 1938, le service de la main-d'œuvre de la DFA a lancé un cri d'alarme et insisté pour le maintien en usine, à la mobilisation, de tous les ingénieurs, chefs de maîtrise, spécialistes et ouvriers qualifiés. En février 1939, le Comité des forges a mis en garde le ministère contre les délais interminables qui

1. Témoignage de Caquot à Riom, 7 oct. 1940, AN 496 AP (4 DA/13, Dr. 1).
2. Commission de l'armée de la Chambre (ARSENAT).
3. Étude sur la main-d'œuvre d'armement, janvier 1943, pp. 5 et 11, AN 307/AP/22. À la date du 6 octobre 1939, le ministère du Travail n'a pas encore fourni un seul ouvrier à l'atelier nationalisé d'Issy-les-Moulineaux (sur 532 demandés) et l'inspection du travail ne laisse aucun espoir de pouvoir satisfaire les demandes « avant longtemps ».
4. Cf. colonel PAOLI, *o.c.*, t. IV, p. 226.
5. Témoignage de l'ingénieur général Martignon à Riom, AN 496 AP (4/DA/16, Dr. 4).

s'écoulent avant que l'autorité militaire signifie les affectations spéciales et contre son refus de maintenir en poste les ingénieurs des aciéries[1] :

> Il faut que le commandement soit averti qu'il serait dans bien des cas difficile de réaliser le rythme de production escompté qui dépend essentiellement de la présence, tout au moins pendant les premiers mois, d'un personnel compétent et entraîné.

Le problème n'en a pas moins été ignoré. Daladier a affirmé, au cours du procès de Riom, avoir pris, le 1er avril 1939, la décision de délivrer une affectation spéciale à 300 000 ouvriers de la métallurgie qui, s'ajoutant à l'effectif des non-mobilisables, auraient permis de couvrir les besoins. La décision, si elle fut prise, n'eut pas de suite[2].

Ici comme ailleurs, Hitler a gagné la France de vitesse. Mais ici encore, des pesanteurs de tous ordres, psychologiques, conceptuelles, organisationnelles, se sont conjuguées pour aggraver le handicap démographique.

Dresser et tenir à jour le double état des ressources et des besoins de main-d'œuvre était une tâche très difficile. Le ministère du Travail, chargé (trop tardivement) du recensement de la main-d'œuvre existante, était le parent pauvre de l'administration, les travaux statistiques se faisaient avec des moyens insuffisants sur des données toujours dépassées, les bureaux militaires ne se hâtaient pas. Le nombre des entreprises devant travailler pour la Défense nationale ne cessait d'augmenter (il atteignit 11 400), leurs besoins fluctuaient avec l'évolution des programmes. Enfin, quantité d'industriels qui ne croyaient pas à l'urgence ou qui ne croyaient pas à la guerre — à moins qu'ils n'en aient rejeté l'idée — tardèrent de leur côté à répondre. Beaucoup ne présentèrent leurs demandes de personnel que, tous ensemble, vers le milieu de 1939. D'où un « embouteillage invraisemblable » dans les bureaux techniques, dans les états-majors et les bureaux de recrutement[3].

Le 29 juillet, le directeur général du Travail Alexandre Parodi et Pierre Racine, chargé de mission pour la main-d'œuvre au cabinet du ministre du Travail Pomaret, angoissés tous deux par la gravité du déséquilibre entre la mobilisation militaire et la mobilisation industrielle que faisait apparaître le dernier recensement des besoins, ont jugé nécessaire que le président du Conseil soit solennellement alerté : ils ont

---

1. Note Lambert-Ribot du 7 février 1939, AN 496 AP (4 DA/16, Dr. 1).
2. Cf. M. RIBET, *Le Procès de Riom*, Paris, Flammarion, 1945, p. 139.
3. Témoignage à Riom du général Ricard, 23-25 octobre 1940. AN 496 AP (4 DA/18, Dr. 1) : « Sur 1 839 établissements connus du service du Travail au 1er septembre 1939 comme ayant une mission de guerre, 1 478 seulement avaient à cette date fourni des états de besoins, dont certains, trop anciens, ne correspondaient plus à la mission de guerre de leur établissement. Parmi les établissements dont les besoins n'étaient pas connus du service, figuraient les établissements à ranger parmi les plus importants : les industries des métaux de la région parisienne. Ces établissements ignoraient d'ailleurs eux-mêmes les besoins des sous-traitants. »

fait signer le soir même par leur ministre une lettre grave à Daladier, l'avertissant que si l'armée maintenait le plan de mobilisation militaire, il manquerait plusieurs centaines de milliers d'ingénieurs, de cadres et d'ouvriers dans les usines pourvues de commandes de guerre au moment de l'ouverture des hostilités. Cette lettre eut pour suite, dans le courant d'août, une réunion à l'État-Major, au cours de laquelle Parodi renouvela ses instances : il lui fut répondu qu'il était trop tard pour changer les plans de mobilisation[1].

Le 25 août, date des « premières mesures répondant à la situation extérieure », l'examen des demandes d'affectations spéciales fut suspendu en application du décret du 15 mai 1939. Au 15 septembre, 60 000 demandes étaient en instance à la région militaire de Paris.

Le mauvais vouloir des militaires s'était conjugué avec les négligences. Les directions d'armes, soucieuses de disposer de cadres techniques, avaient toujours été hostiles au maintien du personnel en usines. La DFA avait mis les autorités en garde elle aussi — sans grand succès ; son directeur en faisait le constat avec amertume :

> L'État-Major n'a pris aucune mesure (...) ; il n'a pas pu ou pas voulu que les demandes d'affectation spéciale soient satisfaites[2].
> Les états-majors de région, obéissant aux ordres de l'État-Major de l'armée, se sont presque toujours refusés à laisser aux chefs d'industrie les ingénieurs, presque tous officiers d'artillerie ou du génie[3].

Les autorités militaires sont imprégnées du souvenir des luttes d'effectifs sur fronts continus de 1914-1918. La doctrine veut de gros bataillons. En Allemagne, l'État-Major ne raisonne pas autrement. Seulement la France se trouve aux prises avec un problème plus grave qui tient à son faible poids démographique. La levée en masse était la voie de la facilité, la logique affective des responsables de tous grades les poussait à refuser les exemptions à l' « impôt du sang ». Même dans l'entourage de Daladier, composé d'anciens combattants, une sorte de défaveur, un relent d' « embusqués », s'attachait aux affectés spéciaux. Enfin, et ce n'est sans doute pas la moindre considération, une bonne partie des bureaux d'états-majors de régions, à commencer par ceux de la région de Paris, redoutaient de maintenir à l'arrière des masses ouvrières suspectes.

Ainsi, l'effort de mobilisation a été immense et indiscriminé, relativement plus lourd qu'en Allemagne, regroupant près de cinq millions d'hommes sous les drapeaux, alors que pourtant les effectifs des troupes de terre aux armées ne devaient guère dépasser 2 600 000 hommes — moins qu'en 1914 — et qu'un million d'hommes des classes âgées, arrachés à leurs foyers, se sont retrouvés en uniforme dans la « zone de l'intérieur » sans utilisation précise. La levée en masse non sélective

---

1. Témoignage de Pierre Racine, 5 juin 1989.
2. Témoignage de Happich à Riom, AN 496/AP (4 DA/15, Dr. 2).
3. Témoignage de Sciandra à Riom, AN 496/AP (4 DA/18, Dr. 3).

répondait à la justice égalitaire que chaque Français réclamait pour les autres ; elle était en retard d'une guerre : dans ce pays sans réserves humaines, la mobilisation manquée de la main-d'œuvre interdisait le démarrage rapide des fabrications de guerre.

C'est seulement dans les derniers jours de septembre 1939 que Daladier en a la révélation. Elle le frappe comme un coup de masse au cours d'une réunion tenue dans son cabinet, à laquelle participent les quatre ministres intéressés — Dautry (Armement), Campinchi (Marine), Guy La Chambre (Air) et Pomaret (Travail), ce dernier assisté de Parodi et de Racine — nouveau secrétaire général de la mobilisation de la main-d'œuvre —, ainsi que les chefs d'état-major adjoints des trois armes et le général Colson. Je dois à Pierre Racine le récit saisissant de cette scène.

Le président du conseil prie ses quatre ministres de faire le point sur la mobilisation industrielle. Les ministres militaires répondent d'abord : seule la Marine est prête, Campinchi et Darlan y ont veillé. C'est alors que Dautry, qui vient d'être nommé ministre, prend la parole ; il déclare que « si l'on prend toutes les mesures nécessaires, dans un an, la production *démarrera* ». Il ne dit pas *atteindra le niveau requis*, mais *démarrera*. La stupeur est générale.

Le président du Conseil, se tournant vers le ministre du Travail, lui demande combien, à son avis, il manque de personnel dans les usines chargées des fournitures de guerre et Charles Pomaret répond : « Environ 700 000 ! »

Les présents entendent alors Daladier prononcer ces phrases surprenantes : « Messieurs, ce que vous me dites m'étonne beaucoup, moi je croyais qu'à la déclaration de guerre, la mobilisation industrielle, non seulement ne connaîtrait pas de recul, mais ferait un bond formidable en avant. Si c'est comme ça, il n'y a plus qu'à faire la paix avec *Monsieur Hitler* ! »

« Propos stupéfiants que je cite de mémoire, mais textuellement, car je ne pourrai jamais les oublier », dit Racine.

« Parodi et moi avons conclu de cette bouleversante exclamation que le président du Conseil n'avait pas été vraiment averti du danger mortel que couraient les industries d'armement quand on mobilisait aux armées plus de quatre millions d'hommes dans un pays exsangue. Nous nous sommes demandé si on lui avait fait lire la lettre du 29 juillet avec l'attention qu'elle méritait. »

Les mesures les plus énergiques furent prises aussitôt, bouleversant les réticences de l'armée. Ce que l'État-Major s'était refusé à faire en août, sur le papier et sans bruit, dut être entrepris en pleine guerre, traumatisant les unités déjà en ligne. Et il était tard, très tard.

Matières premières : prévoyance et imprévoyance

D'autres lacunes compromettent la montée en puissance de l'industrie. Du jour de l'entrée en guerre, il manque aux aciéries 100 000 tonnes de coke allemand par mois, et, quoi qu'on fasse, la demande d'acier sera, chaque mois de la « drôle de guerre », de 20 % supérieure à la production. Dans les autres secteurs de la métallurgie, l'administration a été très inégalement prévoyante.

Des stocks de cuivre et de métaux rares ont été accumulés, dont l'ampleur stupéfia les Allemands quand ils s'en emparèrent : dès le début de 1939, la Défense nationale disposait de 4 mois de stocks de matières premières et elle a obtenu, par un décret-loi non publié du 6 juin 1939, un crédit de 3 milliards pour les compléter. C'est ici que la prévoyance a été la plus facile et la plus efficace. Mais la production des aciers spéciaux nécessaires à la production des moteurs d'avions et des canons antichars ou anti-aériens plafonne et reste, pour une large part, sans qu'on ait beaucoup fait pour y remédier, de qualité défectueuse. Les gros aciéristes ont toujours répugné à livrer des aciers fins qui exigeaient de lourds investissements pour un marché limité et un grand soin dans l'élaboration du métal. C'est pour cela que Louis Renault a monté dès les années 1920 ses propres aciéries et garde une méfiance chronique à l'égard du Comité des forges[1] ; l'impureté ou l'inégale dureté des aciers fins entraîne l'usure des moteurs d'avions tant reprochée à Gnôme et Rhône[2] ; elle interdit la fabrication en série des canons d'aviation et a provoqué chez Hispano des rebuts si nombreux qu'en 1938 la direction de cette firme a alerté le gouvernement et a demandé à ne se ravitailler qu'en aciers fins d'importation[3]. On est à peine plus avancé en septembre 1939 : quatre contrats de démarrage ont bien été accordés à l'industrie du Centre pour la construction de fours électriques, deux fours supplémentaires de 20 tonnes sont envisagés au Boucau et à Pamiers[4] ; tout l'automne, tout l'hiver de la « drôle de guerre », les industriels s'évertuent à obtenir des livraisons de qualité.

La DFA a été encore moins prévoyante pour l'aluminium et le

1. Cf. A. RHODES, *Louis Renault. A Biography*, p. 104.
2. Les moteurs Gnôme et Rhône de fabrication française avaient une durée de vie trois fois moindre que les moteurs sous licence construits en U.R.S.S., infériorité attribuée à la mauvaise tenue des aciers français.
3. La note adressée par Hispano au ministre de l'Air donne des exemples : 5 000 pistons refusés pour défaut de la matière, des séries entières de pièces forgées refusées pour brûlure à la forge. « L'examen de structure révèle dans la plupart des cas l'inclusion de corps étrangers résultant d'un manque de soin ou d'incompétence du personnel chargé de l'élaboration du métal » (AN 307 AP/21).
4. Cf. R. JACOMET, *o.c.*, p. 205, dont il faut nuancer les assertions compte tenu des archives de Marine Homécourt (AN 139 AQ/1) et de Commentry-Fourchambault (AN 59 AQ/910-913) (31 Mi/18). La décision concernant Pamiers, envisagée depuis le printemps 1939, n'a été prise qu'en novembre.

duralumin, matières premières des constructions aéronautiques. Depuis avril 1935, plusieurs fois par an, Péchiney a interrogé en vain les ministères militaires sur leurs besoins. C'est sous leur propre responsabilité, et au jugé, que les industriels ont élevé leur production à 45 000 tonnes en 1938, puis qu'ils ont décidé de la porter à 55 000 tonnes. Au début de 1939, on leur a fait savoir verbalement qu'il serait désirable d'aller au-delà. On a envisagé une convention avec l'État. En novembre, quand l'Armement se saisit du problème, l'état des besoins révèle qu'il faut porter au plus vite la production à 70 000, puis à 90 000 tonnes. On réussit à acheter en hâte 35 000 tonnes de métal aux États-Unis et en Norvège pour 1940 ; mais la capacité de fonderie nationale est insuffisante : il faut, avant la fin de 1939, commander des fours pour cette production accrue, sans qu'aucun fournisseur français ou étranger s'engage sur une date de livraison. La rupture de stocks sera évitée, mais à quel prix ! Ce qui amène Péchiney à faire remettre au secrétariat de la Défense nationale la sévère note de remontrance que voici :

> (...) Il est profondément surprenant que l'on se soit trouvé, quelques semaines après la mobilisation, en présence de programmes de fabrication de guerre considérablement supérieurs à ceux qu'on avait envisagés quelques mois plus tôt.
> (...) On demande aux industriels d'augmenter leurs capacités de production au moment même où ils disposent d'un personnel très réduit, obligés de faire tourner les usines à 100 %, et en même temps de procéder à la construction d'usines nouvelles ; au moment où il est très difficile de se procurer des machines même à l'étranger, où tout coûte plus cher et où les travaux, moins bien surveillés, risquent d'être moins bien exécutés.
> Toutes ces difficultés, ces pertes de temps et d'argent auraient pu être évitées si une estimation plus judicieuse des besoins avait été faite en temps utile et si les mesures adéquates avaient plus immédiatement suivi.
> C'est à ceux auxquels il convenait d'y procéder et, ne l'ayant pas fait ou ne l'ayant fait que très insuffisamment, qu'incombe la lourde responsabilité de la situation dans laquelle on se débat actuellement[1].

Le retard des commandes de machines-outils

On s'aperçoit à la mobilisation qu'il en est de même pour les machines-outils. Quoi qu'ait pu affirmer par la suite le secrétaire général de la Défense nationale Jacomet[2], l'effort entrepris au ministère de l'Air

---

1. Annexes à la déposition de Dautry à Riom, 21 mai 1941, AN 496 AP (4 DA/13, Dr. 5). Ces documents obligent à accueillir avec les plus sérieuses précautions l'affirmation de Jacomet (*o. c.*, p. 206) selon lequel une « convention avait été conclue par les services de la direction de la production avant la mobilisation pour porter la production à 70 000 puis à 90 000 tonnes, moyennant une avance de 52 millions pour la première augmentation et de crédits budgétaires pour la deuxième ». Il arrive à l'ancien secrétaire général de la Défense nationale de pécher par euphémismes ou par erreurs de dates.
2. Dans le livre d'autojustification qu'il publia au lendemain de la guerre, *L'Armement de la France.*

pour accroître les capacités de production aéronautique n'a pas eu son pendant au ministère de la Guerre. Le Comité de production créé en janvier 1938 devait définir une politique des installations et outillages et aurait fait dresser un état des besoins prévisibles en machines-outils : les évaluations n'ont jamais été sérieuses que pour le secteur industriel de l'État. Encore le plan de modernisation des arsenaux, manufactures et ateliers nationalisés n'était-il vraisemblablement pas réalisé à plus de 25 % à la déclaration de guerre et l'aide à l'industrie privée était moins avancée encore [1]. L'administration militaire, diligente pour constituer des stocks de matières premières, ne s'est préoccupée que relativement tard de la modernisation et de l'extension des outillages [2] : des crédits importants n'ont été ouverts à cet effet qu'à la veille de la guerre. Le rapport sur la mobilisation industrielle établi au 1er janvier 1939 avait chiffré à 2,767 milliards les montants nécessaires pour « la mise à hauteur des divers établissements de l'État, des usines de l'industrie privée et la constitution de stocks » ; or les crédits affectés à la mobilisation industrielle ne se sont élevés, en 1938, qu'à la somme incomparablement plus modeste de 252,5 millions de francs (aéronautique non comprise).

Le coût des programmes de mobilisation industrielle tels qu'ils furent réévalués au début de 1939 atteignait 4,454 milliards : les crédits initialement inscrits pour 1939 ne dépassaient pas 487,5 millions, soit à peine plus du dixième, dont 229,7 déjà délégués au titre des engagements d'avance sur l'exercice [3]. La situation n'a vraiment changé qu'au lendemain de l'entrée des Allemands à Prague, quand Daladier a créé, au sein de la DFA, une direction de la production chargée d'administrer les crédits d'équipement industriel et a signé un décret non publié ouvrant une autorisation d'engagement d'un milliard sous la rubrique « Équipement industriel et outillage » [4]. C'est en juin 1939 que pour la première fois le ministère de la Guerre a envoyé un officier en mission d'achat d'outillage aux États-Unis.

Pour l'essentiel des besoins français, l'État avait commandé en 1938 1 741 machines-outils, puis en 1939, antérieurement à la mobilisation, 2 793, soit un total de 4 534. La section machines-outils du ministère de l'Armement dut en commander encore (aéronautique non comprise) 8 392 dans les trois derniers mois de 1939, puis 15 474 au cours du

1. La note du 12 mars 1940 du Service central des ateliers et manufactures (presque intégralement reproduite par Dautry dans son témoignage à Riom du 21 mai 1941 : AN 496 AP, 4 DA/13, Dr. 5) oblige à tempérer sérieusement les affirmations trop satisfaites de Jacomet, *o.c.*, pp. 192-193.

2. Encore en juin 1938, le bureau de la mobilisation industrielle de la DFA était très réticent à l'égard de tout effort important d'investissement industriel, cf. SHAT 8N/111.

3. Direction des fabrications d'armement, bureau de la mobilisation industrielle, rapports annuels sur les années 1937 et 1938 (SHAT 8N/111).

4. Note du 30 mars 1940 du contrôleur général Jugnet sur les accélérations à attendre des décrets-lois du 20 mars 1940 (SHAT 8N/109).

premier semestre de 1940, soit près de 24 000, qui devaient permettre de satisfaire 90 % des besoins prévus [1].

Vu la faiblesse de l'industrie française des machines-outils, des commandes ont été passées en Belgique, en Suisse, en Suède, mais surtout en Allemagne (jusqu'à la veille de la guerre) et aux États-Unis. Les délais sont longs : au 20 avril 1940, on a reçu à peine la moitié des 4 534 machines commandées avant la déclaration de guerre ; 700 machines américaines seulement sont arrivées, alors qu'on a commandé aux États-Unis pour 700 millions de dollars d'équipements industriels. Au moment de l'armistice, 19 671 machines sont encore attendues. Bien que certains marchés soient échelonnés jusqu'à la fin de 1941, on estime que le rythme des livraisons devrait s'accroître rapidement au second semestre de 1940 et que les délais prévisibles correspondent à peu près aux délais nécessaires pour équiper complètement les industries correspondantes en bâtiments, en force motrice et en matières premières. « Ce n'est guère avant 1941, a déclaré Dautry, que nous aurions commencé à être outillés ; ce n'est guère qu'en 1942 que nous l'aurions été de façon satisfaisante. » Appréciation pessimiste : on pouvait espérer pour le printemps 1941 une ample modernisation et un accroissement massif du potentiel des industries métallurgiques et chimiques.

La course à la guerre et les dérapages de l'administration

Si les retards et les étranglements dus à l'outillage sont une des causes du semi-ratage de la mobilisation économique, la confusion administrative née de la précipitation y est aussi pour beaucoup. Pendant tout le milieu de l'année 1939, l'administration et les industriels se perdent dans l'imbroglio des commandes de matériels militaires que l'on a passées (ou omis de passer).

Depuis sa création, en 1935, la DFA a eu à placer deux sortes de commandes, d'une part, les *commandes d'armement* — commandes immédiates de fabrications en temps de paix — et, d'autre part, des commandes conditionnelles dites *commandes de mobilisation* qui, prévues de longue date, devaient assurer, à compter de l'ouverture des hostilités, les fournitures mensuelles d'armes et de munitions réclamées par l'État-Major.

Les commandes de l'un et de l'autre type n'ont cessé de s'amplifier en

---

1. Témoignage de Dautry à Riom, 21 mai 1941, AN 496 AP (4 DA/13, Dr. 5). Les chiffres relatifs à la période de guerre sont empruntés au rapport sur l'activité de la section Machines-outils de la Direction des fabrications d'armement, août 1940 (SHAT 8N/108). La DFA avait engagé, mais non totalement dépensé, au jour de la mobilisation, pour 639 millions de francs de machines et outillages ; les commandes du ministère de l'Armement entre le 2 septembre 1939 et l'armistice dépassent 4 milliards de francs, soit sept années de production d'avant-guerre.

fonction des exigences du commandement. À chaque modification des programmes, la DFA a dû déterminer la part de la production à fournir par les établissements de l'État, « placer » le surplus dans l'industrie privée, réviser le recensement des capacités industrielles, rectifier la répartition des commandes. Tâche immense ! Dans la fièvre de 1938-1939, elle a peine à s'y retrouver ; les industriels s'y retrouvent encore moins. « Nous demandons quelle est l'autorité qui établira la priorité à donner aux différentes fabrications », a demandé le Comité des forges[1]. Ici les commandes d'armement et les commandes de mobilisation se télescopent, ailleurs, les commandes de mobilisation restent dans le flou : au 1er septembre 1939, les usines Renault, premier fournisseur privé des armées en 1918, n'ont reçu, pour orienter leur production de guerre à venir, que des *projets* d'avis de commandes, non numérotés et non datés, modifiés à plusieurs reprises depuis un an ; la direction de Renault n'a pas jugé bon de faire les demandes de réquisition de matériel et de main-d'œuvre correspondant à des commandes non confirmées. « Comment s'étonner de la sous-production manifeste et inévitable enregistrée à Billancourt dès le début de la guerre ? » demanderont, en décembre, les rapporteurs de la Commission de l'armée de la Chambre[2].

Faut-il accabler la Direction des fabrications d'armement ? La préparation de la mobilisation industrielle était au-dessus de la capacité d'une simple direction ministérielle[3]. Elle a fait beaucoup sans avoir ni autorité politique, ni prestige technique, ni expérience économique, ni moyens. La tâche était immense et nouvelle. Pour tenir à jour l'état d'ensemble et de détail des ressources de l'industrie, répartir, à chaque modification du plan les commandes de mobilisation, faire recenser et couvrir les besoins de main-d'œuvre, décider des infrastructures et outillages nécessaires, négocier et assurer leur mise en place, elle ne disposait que de 50 ou 60 ingénieurs chargés par ailleurs de tâches administratives ; encore cet effectif ne fut-il atteint que dans les quinze derniers mois ; au milieu de 1938, il n'atteignait pas la moitié de ce chiffre[4].

Elle avait dû affronter la triple difficulté d'être (car son existence ne remontait qu'à 1935), de faire quadrupler du jour au lendemain la production et d'inventer la mobilisation industrielle. « Quel organisme aurait pu, avec succès, faire face à ces trois tâches à la fois ? » demandait le député de Paris, Fernand-Laurent, au lendemain de Munich, devant la Commission de l'armée. Tout en reconnaissant les réalisations méritoires du service, il jugeait celui-ci inadapté et dépassé par son rôle et il

1. Note du Comité des forges du 7 février 1939 annexée à la déposition Lambert Ribot à Riom : AN 496 AP (4 DA/16, Dr. 1).
2. Rapport Couffet, Taittinger et Courson à la Commission de l'armée de la Chambre après une visite, le 1er décembre 1939, aux usines Renault (ARAS). Cf. aussi le témoignage Peyrecave à Riom, AN 496 AP (4 DA/17, Dr. 3).
3. Témoignage du général Rinderknech, chef de la section technique de l'État-Major, devant la commission Serre, p. 1487.
4. Dautry, AN 307 AP/92.

concluait qu'une réforme de la Direction des fabrications d'armement était nécessaire et urgente :

> Il faut partager rationnellement la besogne de cette direction démesurément étendue : séparer son rôle administratif de sa tâche industrielle ; faire des fabrications d'armement un service autonome ayant à sa tête, non plus un fonctionnaire militaire, mais un véritable industriel (...) à l'exemple de l'Angleterre qui vient de décider la création d'un ministère des Munitions[1].

Une erreur intellectuelle et une faute politique

La France, comme l'Angleterre, est entrée en guerre sans y être prête. Elle ne l'était ni sur le plan des armements, ni sur le plan des infrastructures de la production, ni sur celui de l'organisation industrielle. Mais elle avait la ligne Maginot, c'est-à-dire qu'elle avait le temps, ou qu'elle croyait l'avoir.

Était-ce ou n'était-ce pas une aberration de l'État-Major de réserver pour la période de guerre une si lourde part des fabrications d'armement, aggravée encore, entre juillet et novembre 1939, par la réévaluation des besoins de l'armée? Dautry l'a affirmé[2]. Quantité d'équipements usuels ont manqué de façon criante pendant les premiers mois de guerre, depuis les uniformes et les fusils jusqu'aux fils de fer barbelés et il fallut, pour y pourvoir, lancer à la mobilisation des commandes énormes qui absorbèrent une part très importante de la main-d'œuvre et des matières premières. La prudence aurait commandé de produire plus tôt et de stocker les équipements non évolutifs qui, quelles que fussent les circonstances, seraient nécessaires en immenses quantités. Mais on peut douter qu'un effort industriel beaucoup plus important eût été possible avant la crise de l'automne 1938, compte tenu de l'état des finances, de la contrainte des quarante heures et de l'espoir persistant de pouvoir éviter la guerre.

Il importait d'autant plus que la mobilisation industrielle soit conçue avec l'ampleur nécessaire et pourvue des moyens de sa réussite : ce ne fut pas le cas. Insuffisante dans sa préparation, elle fut défaillante et même doublement défaillante dans sa conception, à la fois par la méconnaissance des priorités et par la sous-estimation de la tâche.

On savait, en 1938, que le plan D *bis*, c'est-à-dire le programme de commandes de mobilisation fixé en 1935, atteignait la limite des capacités productives du pays ; or, on le doubla, ou peu s'en faut, en l'espace d'un an. L'expérience de 1914-1918 avait en outre prouvé les énormes délais qu'exigeait la mise en route d'une industrie de guerre, quand les outillages n'étaient pas en place. Le passage d'un prototype ou d'une production complexe en petite série à la fabrication de masse n'avait jamais pu être réduit à moins de dix-huit mois ; or les matériels

---

1. Rapport présenté à la Commission de l'armée de la Chambre, 25 octobre 1938 (ARAS).
2. Témoignage de Dautry à Riom, 23 mai 1941, AN 496 AP (4 DA/13, Dr. 5).

militaires de 1939 étaient d'une importance et d'une complexité sans rapport avec ceux de 1914 et l'adversaire était autrement outillé. La création d'infrastructures de traitement ou de première transformation des métaux demandait encore plus longtemps que l'extension d'entreprises de mécanique.

Un objectif prioritaire devait donc être de mettre en place, dès le temps de paix, les moyens garantissant le démarrage instantané d'une production de masse : stocks de matières premières (que l'on avait effectivement réunis), mais aussi de machines et renforcement des industries de base, le tout combiné avec la formation et l'affectation prioritaire de personnels industriels, afin de réaliser au jour J la mobilisation de puissants ateliers d'État prêts à fonctionner, en attendant le démarrage plus lent des industries privées.

Une telle politique était dans les moyens de la France ; elle répondait à la mission traditionnelle des arsenaux. Mais quand le directeur de la DFA, Happich, avait suggéré en 1936-1937 de consacrer les premiers crédits de réarmement à l'équipement industriel, on ne l'avait pas écouté [1]. Presque jusqu'au dernier moment, le souci immédiat de produire eut le pas sur l'accroissement du potentiel productif : celui-ci, on l'a vu, ne progressa que tardivement, à mesure que les besoins apparaissaient, guère avant 1939. L'effort prioritaire des bureaux consista à lancer, à coup de questionnaires et de circulaires, un formidable programme de commandes de mobilisation faisant appel à des milliers d'entreprises dont beaucoup n'avaient ni encadrement ni outillages adéquats et se retrouvèrent sans main-d'œuvre. Et quand on se préoccupa vraiment de renforcer les capacités industrielles, on confondit couramment l'engagement des dépenses avec la réalisation d'équipements effectivement productifs.

En fait, ce qui était en cause était la capacité de la IIIe République à s'adapter sur le plan de la décision et des mécanismes du pouvoir, et plus spécialement son aptitude à mettre en place, dans un cadre libéral, le minimum nécessaire d'économie dirigée et d'organisation industrielle. Ce fut une seconde erreur de conception de ne pas le comprendre. Car la préparation de la mobilisation industrielle ne pouvait réussir, surtout dans des délais si courts, qu'à condition d'être perçue dans sa juste perspective, c'est-à-dire comme la première tentative française de planification économique. Elle exigeait de dresser un bilan industriel, de fixer des objectifs, d'en assurer la cohérence, de même que la cohérence des moyens, de prévoir des stimulants à la production du secteur privé : elle supposait la mise en œuvre d'une politique industrielle dans un pays

---

1. Témoignage de Martignon, CEP, p. 1240. Il eût fallu une lucidité et une force de conviction rares pour persuader les gouvernants et les responsables militaires de 1936, 1937 et même 1938, de consacrer une part importante du budget défense à créer de nouvelles capacités industrielles dans l'attente d'une guerre hypothétique, alors que dans l'été 1938 encore la sidérurgie française ne tournait pas aux deux tiers de sa capacité et que 20 % de la production nationale d'aluminium étaient exportés.

qui n'en avait jamais eu et où les acteurs économiques dominants répugnaient — par idéologie, ignorance ou intérêt — à tout dirigisme.

Le programme du deuxième gouvernement Blum en mars 1938 avait été rejeté par une droite crispée et un Sénat conservateur. Si la politique économique des années 1938 et 1939 est ensuite marquée par l'action de Paul Reynaud et finalement par la remontée vigoureuse de la production, elle fait apparaître aussi le retard de la réflexion de l'équipe dirigeante sur ce que pourrait être une politique d'orientation volontariste du réarmement. Rue de Rivoli, Reynaud est surtout préoccupé de ranimer l'économie par la confiance en rééquilibrant les finances publiques et en augmentant la durée du travail ; rue Saint-Dominique, Daladier, réunificateur de la nation et inspirateur du réarmement, règne sans les gouverner sur des services et des états-majors qui voient les problèmes d'organisation industrielle par le petit bout de la lorgnette. Il n'y a pas de ministère de l'Industrie [1]. L'idée d'un plan économique n'est pas mûre. Par un singulier paradoxe, c'est seulement du côté des constructions aéronautiques que se dessine empiriquement, dans la confusion et malgré les sarcasmes d'une partie de l'opinion, une action industrielle conçue avec ampleur.

En face d'un réarmement allemand qui non seulement bénéficie des priorités d'un régime autoritaire et militariste, mais qui est intégré dans une perspective macro-économique et qui se poursuit grâce à la collaboration du grand patronat et de l'État-Major sous la direction de Göring, deuxième personnage du Reich, la politique française de mobilisation industrielle, qui n'est pas beaucoup plus qu'une politique administrative de commandes, innove seulement pas à pas. Elle ne dispose, jusqu'à la guerre, ni des moyens du dirigisme étatique, que ne pouvait admettre le néo-libéralisme ambiant, ni des moyens d'un corporatisme patronal, d'ailleurs peu consistant. Un colonel préside à la mobilisation industrielle. Les relations avec le monde de l'industrie ne débouchent sur aucune tentative d'organisation. Quand le Comité des forges fait valoir, en février 1939, qu'« en temps de guerre, les événements pourront exiger des solutions rapides d'une importance considérable » et préconise, en conséquence, « une collaboration étroite et effective à tous les niveaux entre la direction des fabrications d'armement et l'industrie », collaboration qui pourrait, « comme pendant la dernière guerre, prendre la forme de conférences périodiques de spécialistes », l'État-Major décline l'offre : il invoque le secret de l'organisation de la Défense nationale : il pourrait y avoir des fuites par le canal des syndicats et groupements industriels [2].

Les rouages et les relais d'un fonctionnement industriel de guerre n'ont été prévus que dans l'abstrait, pour le jour de la mobilisation, par projection des rouages existants au 11 novembre 1918. Aucune mesure

---

1. Certains gouvernements de l'époque ont comporté un ministre du Commerce et de l'Industrie. L'appellation « Industrie » était à peu près purement formelle.
2. Témoignagne de Lambert Ribot à Riom, AN 496 AP (4 DA/16, Dr. 1).

psychologique ou matérielle d'accompagnement social n'a été étudiée, aucun préparatif d'hébergement ou même d'accueil des masses ouvrières à réquisitionner n'a été envisagé.

Daladier ou les limites de l'exercice du pouvoir

On a d'autant plus scrupule à porter condamnation que l'effort accompli a été malgré tout substantiel. Mais ce fut une grave faute de jugement que d'attendre l'entrée en guerre pour mettre en place les mécanismes de conception, d'incitation et de commandement qui devaient être ceux d'une économie de guerre. Par la loi du 11 juillet 1938 sur l'organisation de la nation en temps de guerre, le Parlement avait remis au président du Conseil « l'utilisation en temps de guerre de toutes les ressources de la nation » : c'était le confirmer dans la charge de préparer dès le temps de paix cette mobilisation industrielle à laquelle on réfléchissait depuis quinze ans et dont lui-même s'inquiétait depuis son retour aux affaires en 1936. Des pouvoirs renforcés existaient désormais — en principe du moins : c'est lui qui les détenait. Il se contenta de les déléguer ou de les abandonner à l'administration de la rue Saint-Dominique.

Pourtant, il était le patron. Jusqu'à quel point l'était-il vraiment ? Sans doute trop et pas assez à la fois. Il fallait remonter à lui pour tout arbitrage : il y faisait d'ailleurs souvent preuve de lucidité et d'énergie. Mais les limites de son pouvoir apparaissent dramatiquement en septembre 1939 lorsque sont rappelés sous les drapeaux les 300 000 spécialistes dont lui-même affirme avoir ordonné, en avril précédent, le maintien en usine : il fallut, assurera-t-il, l'instruction du procès de Riom pour lui révéler que ses instructions avaient été tournées par les états-majors[1]. L'aveu, s'il est sincère, est accablant !

Effectivement, Daladier ne s'était pas donné — si ce n'est par Jacomet interposé — les moyens de gérer le ministère de la Défense nationale et l'organisation industrielle, en même temps qu'il dirigeait le gouvernement.

On avait envisagé la création d'un « ministère des Industries de défense nationale » pendant la crise tchécoslovaque de septembre 1938. Gamelin s'y était opposé, la jugeant prématurée, n'excluant pas cependant « la création d'un ministère analogue en temps de paix..., à froid, quand la crise serait calmée »[2]. Au lendemain de Munich, la décision aurait dû s'imposer. Léon Blum, plus énergique que beaucoup d'autres, en dépit de son « lâche soulagement », l'avait recommandée. Le directeur de la DFA, l'honnête Happich, en souligna l'urgence et fit dresser un projet[3]. Daladier se contenta d'inciter les services à plus

---

1. AN 496 AP (4 DA) et M. RIBET, *o.c.*, p. 141.
2. Lettre à Daladier, sous timbre « Très secret », 17 sept. 1938 (SHAT 7N/4231).
3. Témoignage de Happich, CEP, p. 1740.

d'efficacité [1]. Il s'en est expliqué plusieurs fois par la suite : d'après lui, un ministère de l'Armement, pour jouer pleinement son rôle, devait recourir à la réquisition des biens et des personnes et, par suite, on ne pouvait le créer qu'à la mobilisation [2] : l'argument est spécieux, de même qu'est spécieuse l'interprétation qu'il a donnée de la mobilisation industrielle lors du procès de Riom :

> La mobilisation industrielle, un échec presque total ?
> Il ne s'agissait pas en France de réaliser la mobilisation industrielle en temps de paix. Des pays l'ont fait, des pays de dictature politique ont pu transférer des ouvriers de l'est à l'ouest, du nord au sud ; dans ces pays on a institué le contrôle des changes, on a considéré que la monnaie nationale n'avait plus à s'affronter sur le marché libre des changes avec les monnaies des autres nations. En France, il n'a jamais été question de cela. La loi a dit : « Préparez votre mobilisation industrielle. » Et le démarrage a été une réalité dans un grand nombre d'usines, dans les établissements nationalisés et, je le crois, dans les arsenaux de l'État [3]...

Daladier semble, en réalité, avoir reculé devant une initiative qui, dans le climat passionné des lendemains de Munich, pouvait passer pour un geste de belliciste. Il craignit surtout de brusquer les hiérarchies de l'administration militaire et de porter ombrage au ministre de l'Air, son fidèle Guy La Chambre. Ces considérations d'opportunité allaient retarder la décision jusqu'à la guerre.

L'affaire rebondit, en effet, en mars 1939, quand Hitler s'empare de la Bohême. Le 20 mars, le décret portant création d'un sous-secrétariat à l'Armement est prêt. Daladier est à deux doigts de le signer ; il ajourne. Dans les premiers jours d'avril, on croit autour de lui la décision acquise. Dautry, pressenti, se voit déjà ministre. Daladier diffère à nouveau. Il veut que tous les ministères et tous les services intéressés en soient d'accord. La Marine ne fait pas d'objection, l'Air non plus, à condition de garder les constructions aéronautiques ; le secrétaire général du Conseil supérieur de la Défense nationale pousse à la roue. Mais au ministère de la Guerre, du mois d'avril à la fin du mois d'août, le secrétaire général Jacomet et la Direction des fabrications d'armement ne sont pas capables de s'entendre avec le chef d'État-Major Colson sur une position commune. Jacomet et le directeur nouvellement nommé de

---

1. « Il faut, prescrit-il, que les organismes intéressés étudient d'urgence les remèdes de base à prendre en considération et, plus généralement, l'organisation même du service. Un premier examen de la situation et des défectuosités et infériorités, ainsi que des améliorations à y apporter immédiatement serait à prendre immédiatement pour la 12e direction, etc. » (Note n° 374/EG, sous timbre du Secrétariat général, signée par Daladier en date du 11 février 1940, Dossiers de la Commission des finances de la Chambre, ARAS). Comme si un homme politique aussi expérimenté que Daladier avait jamais vu une administration sclérosée proposer les moyens de se réformer !

2. L'argument a eu cours à l'époque, on le rencontre dans la presse économique et dans *Les Nouveaux Cahiers* : préparer la mobilisation économique, comme le faisaient les Allemands, aurait risqué de mettre en péril les libertés publiques. Jacomet l'a repris en compte après la guerre, *o.c.*, p. 190.

3. M. RIBET, *o.c.*, pp. 141-142.

la DFA sont pour le *statu quo*. Le 25 août 1939, au lendemain du pacte germano-soviétique, Daladier n'a pas encore décidé s'il vaut mieux créer le ministère de l'Armement à la mobilisation ou prendre encore quelque délai [1].

Il préfère finalement attendre jusqu'au remaniement ministériel du 13 septembre ; encore se contente-t-il de désigner d'abord un ministre de l'Armement qui devra proposer lui-même au gouvernement le statut de son ministère [2].

On ne s'expliquerait pas ces atermoiements si l'on ne se souvenait également que Daladier appartient à une génération de politiques ignorants des mécanismes et des réalités économiques ; il est sur la réserve devant les dirigeants de l'industrie et ne s'est donné aucun moyen d'autorité ou d'influence sur eux, même si sa politique tend à les amadouer. Il n'a aucun conseiller pour l'éclairer sur l'organisation industrielle, parce qu'il n'y a personne, à cette époque, dans la haute administration, qui ait l'expérience de l'industrie. Il se peut qu'il n'ait pas vu qu'un agglomérat de bureaux entraînés à la passation des commandes et au contrôle technique et comptable ne pouvait pas être à la hauteur d'une mission qui exigeait de piloter la moitié de l'industrie. S'il n'a pas mesuré les carences de la préparation industrielle, c'est aussi parce qu'elles ne pouvaient se révéler pleinement qu'une fois la guerre déclarée et que, jusque-là et même au-delà, une partie des services l'a bercé d'illusions [3].

Ainsi, le retard de la production s'est accompagné d'un retard tout aussi préjudiciable dans l'invention des structures et des modes de relations permettant d'organiser cette production. Il fallut la guerre pour mettre en place le ministère de l'Armement. En huit mois, les structures et les méthodes nouvelles allaient faire leurs preuves sous un homme qui était, il est vrai, d'une compétence et d'une trempe exceptionnelles : mais Dautry arrivait trop tard et le temps lui était compté.

1. Gamelin a affirmé avoir été favorable à la création d'un ministère de l'Armement sans attendre l'entrée en guerre, et il a en effet poussé dans ce sens, mais sans énergie. Le général Colson et Jacomet semblent avoir été inquiets de voir réduire leur domaine d'influence. Quant au nouveau directeur des fabrications d'armement, Martignon, nommé à la place de Happich en avril 1940, il estimait qu'il n'y avait pas lieu de nommer un ministre de l'Armement avant l'achèvement de la mobilisation industrielle, c'est-à-dire, selon lui, six mois après la déclaration de guerre. Cf. son témoignage à Riom, AN 496 AP (4 DA/16, Dr. 4). Sur toute cette négociation de coulisse : SHAT 7N/4231.
2. C'est seulement le 20 septembre que sont signés le décret-loi portant création du ministère de l'Armement et, le 3 octobre, les textes fixant la composition, l'organisation et les règles de fonctionnement du nouveau ministère.
3. Dautry a toujours considéré que Daladier avait été abusé par les services au cours de l'année 1939 (cf. AN 307 AP/92). Le service de la mobilisation industrielle a manifestement cherché à camoufler ses insuffisances. Il est avéré de même que le rapport de l'amiral Morris au nom du Comité de liaison de la Défense nationale du 17 janvier 1940 (SHAT 8N/111) dissimule les retards d'équipement des arsenaux et ateliers de l'État et présente comme réalisées des opérations seulement amorcées ou pour lesquelles les crédits ont été seulement engagés.

II

Dautry
ou
les armes de la patrie

1

Dautry

Choisir des buts précis, en fixer l'ordre d'urgence, ne plus jamais rien sacrifier à une intention accessoire de la poursuite de ces buts, galvaniser toutes les énergies, tenir constamment tous les services en haleine, les organiser, les mettre à l'abri des interventions d'où qu'elles viennent, les défendre contre toute attaque ou critique injustifiée, les « couvrir » totalement et ne jamais me faire « couvrir » par eux, sanctionner rarement mais sur-le-champ les fautes grossières, les sanctionner d'autant plus durement que la situation des responsables est plus importante, dire la vérité à tout le monde, dans les services comme au-dehors, collaborer avec tous, ministres, administrations, commissions parlementaires, industriels et ouvriers, sans ménager personne, tenir des contacts directs quotidiens avec les chefs de service, des contacts fréquents avec les industriels, des réunions mixtes chaque semaine à jour fixe, répondre à tous et vite, décider de tout et vite, faire le plus possible des tournées à travers la France (...) pour des contrôles personnels impromptus, détaillés, aux fins de redresser, d'encourager, de stimuler, de servir.

Qui s'exprime ainsi ? Raoul Dautry, nommé ministre de l'Armement le 13 septembre 1939. Programme irréaliste, fureur d'activité délirante ? Non, la règle qu'il s'est fixée, il l'observe. Ce patriote a Colbert pour modèle, Colbert tel qu'on l'enseignait à la communale aux temps du *Tour de France de deux enfants,* un Colbert d'image d'Épinal : Dautry l'admire pour son ardeur infatigable, son goût du travail bien fait et cette attention portée à tout, jusque dans le souci, parmi cinquante activités, de préserver les chênes de la forêt de Tronçais pour faire les mâts des navires royaux. Il rêvait, lui, de laisser à la France du XXe siècle l'équivalent technique de ce que furent en leur temps la machine de Marly ou le haras du Pin, toujours admirables après trois siècles.

D'un Colbert, il a la capacité d'action et, devant la guerre, il déploie l'énergie d'un Carnot. Notre histoire pourtant continue d'ignorer ce grand serviteur. C'est que le temps lui a manqué : la République lui a donné neuf mois pour forger les armes de la France.

Un grand ingénieur humaniste

Il dort quatre heures par nuit, il travaille dix-huit heures. Quand il dirigeait le réseau de chemin de fer de l'État, il faisait déposer à huit heures du matin sur les bureaux de ses collaborateurs « ses idées de la nuit » griffonnées avant l'aube. Il ne cessera pas de se vouloir un ingénieur — un ingénieur promu organisateur. Il a l'intelligence des ensembles, il saisit d'un coup d'œil l'articulation des besoins et leur ordre d'urgence. Certains lui reprochent d'être plus animateur qu'administrateur : il lui arriverait de concevoir trop vite des projets irréalistes. Mais dans sa passion d'aboutir, il sait écouter les praticiens, puis très vite, il tranche. Et il sait faire exécuter. S'il est jaloux de son autorité, s'il est partout, lit tout, contrôle tout, il s'entend aussi à choisir les hommes et à se décharger de l'accessoire sans jamais se laisser déborder.

Le recours à Dautry marque l'entrée en force des élites techniques dans le personnel gouvernemental français. Innovation spectaculaire ! Dans la IIIe République, dominée jusqu'au bout par des ruraux, des avocats et des professeurs qui ont toujours vu l'industrie comme un monde étranger, sinon impur, le polytechnicien Freycinet et l'industriel Loucheur sont restés des spécimens isolés ; des parlementaires chefs d'entreprises comme François de Wendel n'ont jamais exercé qu'un pouvoir d'influence. Dautry, chef d'entreprise, serviteur de la nation, incarne un type de dirigeants nouveaux.

Né à Montluçon en 1880 dans une famille de petite bourgeoisie, orphelin à huit ans, il est un pur produit de l'école laïque ; bon élève, boursier, il a été reçu à Polytechnique en 1900. Après quoi, il a été pendant trente-cinq ans l'homme des chemins de fer.

Il est entré à vingt-trois ans à la Compagnie du Nord en qualité de surveillant au service de la voie du district de Saint-Denis et il a rapidement gravi les échelons. De 1914 à 1918, il a contribué à adapter le réseau du Nord aux besoins de la défense ; de 1920 à 1925, il s'est consacré à la remise en état du réseau : dès 1921, il avait construit 2 300 km de voies, 338 gares, 811 ponts, 8 viaducs. En même temps, il se préoccupait du logement des cheminots : avant la fin de 1918, il a mis en chantier 5 000 logements en bois, puis il fait édifier 6 000 logements en dur dont 800 en cités. Les solutions techniques du problème social lui tiennent à cœur : il est devenu, en 1921, président de la Ligue nationale contre le taudis et, sans abandonner ses fonctions d'ingénieur en chef de l'entretien à la Compagnie du Nord, il a été porté, en 1925, à la présidence de la Régie immobilière de la ville de Paris.

Tels étaient ses titres de technicien et de bâtisseur quand, en 1928, André Tardieu lui a offert la direction du réseau de chemin de fer de l'État. L'« Ouest État » tranchait alors, parmi les sept grands réseaux français, comme une société vieillotte et médiocrement gérée, image routinière du laisser-aller et des piètres rendements. En moins de neuf ans, il a modernisé le réseau, transformé les gares où les auvents de bois ont fait place aux abris de ciment éclatants de blancheur, il a électrifié en moins de vingt mois la ligne Paris-Le Mans et introduit les wagons métalliques légers des trains de banlieue à étages et les autorails Diesel qu'on appelle alors des « michelines » et qui couvrent les 200 km de Paris à Deauville à 100 de moyenne. Au début des années trente, à cinquante ans, il était considéré comme le technicien le plus compétent, le réalisateur le plus efficace des entreprises de service public. Aussi les gouvernements ont pris l'habitude de recourir à lui : en 1931, il a été appelé à présider au renflouement de la Compagnie générale transatlantique et de l'Aéropostale ; en 1932, il a été expert pour la réorganisation des chemins de fer roumains ; en 1935, les gouvernements Doumergue et Laval l'ont associé à l'exécution du « plan Marquet » de grands travaux de modernisation de la France.

Mais, en 1937, après la nationalisation des chemins de fer, il a brusquement demandé sa mise à la retraite et quitté le service public. Il a expliqué qu'il était opposé à la création d'une S.N.C.F. « centralisée à l'allemande » qui « échapperait à toute véritable direction technique et humaine et ne serait plus qu'une machine administrative ruineuse [1] ». Il est alors devenu administrateur délégué de la C.G.E. et, avec les encouragements de Léon Blum, président d'Hispano Suiza, la seconde firme française de moteurs d'avions.

C'est que Dautry, tout en ayant la passion du service public, se méfie de la gestion étatique ; elle est, à ses yeux, toujours menacée de s'enliser dans l'irresponsabilité. Aussi le classe-t-on un peu vite à droite et les communistes le qualifient de « commis du patronat », ce qui est à la fois injuste et inexact, car il n'est pas un homme d'argent et il n'est l'homme de personne. Son ambition est celle d'un technicien « qui a de grandes idées pour la France » [2]. Ces idées, qu'il propage, sont la modernisation nécessaire du pays, administration comprise (car « notre économie souffre d'une double paralysie, paralysie dans le progrès, paralysie dans le rendement »), mais aussi le refus de l'asservissement à la technique. En cela, il est bien de son temps, ou plutôt de l'avant-garde pensante des rénovateurs des années trente. À la fois réalisateur et humaniste dans une période où la France hésite devant sa seconde révolution industrielle, il se situerait à mi-chemin entre Auguste Detœuf et le jeune Lyautey du *Rôle social de l'officier*. Il a lu Renan et Péguy, Georges Sorel et Bergson, Boutroux et Durkheim, Lavisse et Proudhon. Il sympathise avec l'équipe des *Nouveaux Cahiers*. Invariablement républicain, il rejette les tentations fascistes aussi bien que l'exaltation de la

---

1. CEP, témoignages, p. 1960. Il tient aussi la semaine de 40 heures pour une erreur coûteuse qui annule tous les gains de productivité obtenus depuis des années par les chemins de fer.
2. La formule est de Pierre ASSOULINE, *Jean Jardin, 1904-1976. Une éminence grise*, Paris, Balland, 1986, p. 45.

lutte des classes : il croit nécessaire — et possible — de réconcilier la production et le social, non par la politique, mais dans l'action.

Ainsi, dans les années trente, l'expert est devenu un personnage répandu qui se flatte de n'appartenir à aucun parti ni à aucune coterie. Paul Valéry, préfaçant, en 1937, un livre de Dautry au titre éloquent, *Métier d'homme,* a tracé de lui un panégyrique flatteur :

> Vous êtes capable, en un jour, d'être mécanicien, commerçant, politique, financier, ingénieur et architecte, conducteur d'agents, transporteur de foules. Vous commandez, exportez, créez ; et vous tenez dans votre tête à la disposition de l'instant quelque 100 000 données précises des matières les plus diverses et de tous les ordres de grandeur : des chiffres, des visages, des méthodes d'action — et un idéal.

Tableau moins inexact qu'incomplet. D'abord parce que Dautry n'a rien d'un pontife, il est simple, direct, généreux, « un petit homme bien vivant et bien disant », note Monzie, avec, comme Valéry, une mèche rare sur le front et, comme Valéry encore, quelque chose de goguenard parfois dans l'expression.

S'il est vrai que le style c'est homme, on le jugera non pas seulement sur ses écrits des années trente [1], mais plus sûrement à la lumière des notes véhémentes qu'il adresse à Daladier et à Gamelin dans l'hiver de 1940 et surtout des pages vengeresses qu'il remplit sous l'Occupation, de sa ferme et rapide écriture, dans la solitude de sa retraite de Lourmarin : l'ampleur des vues, la clarté de l'exposition, la netteté de la pensée, la précision du détail y sont animées par une passion qui est celle du service de la nation, auquel il se vouera jusqu'à son dernier jour.

Une équipe

C'est à lui que Daladier se proposait, depuis l'époque de Munich, de confier le ministère de l'Armement. Quand il entre au gouvernement, dix jours après le début des hostilités, et s'installe à l'hôtel Majestic avec un ministère à créer de toutes pièces [2], il est trop tard pour forger, d'ici au printemps, toutes les armes dont le pays a besoin. Sa mission, il l'accepte « non sans angoisse, par devoir ».

Le petit homme affable a tôt fait de s'imposer sur le front de l'industrie. Il apporte une équipe, une méthode, une volonté. L'équipe est une des meilleures de France ; elle s'élargira d'hommes qu'il fera émerger ; les praticiens y côtoient des réformistes issus des trois foyers

1. Dont il a délégué pour partie la rédaction au factotum de son secrétariat à la S.N.C.F., Jean Jardin.
2. Les services de la Guerre ont préparé depuis plusieurs mois des projets de ministère de l'Armement, mais la première tâche ministérielle qui lui incombe est de préparer les décrets d'attribution et d'organisation de son ministère, qui ne sont publiés que le 3 octobre 1939.

les plus novateurs de la pensée économique et technicienne des années trente : Le Redressement français, X Crise, *Les Nouveaux Cahiers*. De chez Dautry viendra une grande partie des technocrates qui feront survivre l'industrie française, au temps de Vichy, à travers les comités d'organisation, comme des équipes qui, à la Libération, s'attelleront à la reconstruction [1].

Pour coiffer ou doubler les ingénieurs en chef de l'Armement, cinq hommes sur qui il sait pouvoir compter. À la direction des services techniques du cabinet, Bichelonne, le polytechnicien prodige que Monzie lui a recommandé, cacique de sa promotion, monstre de capacité intellectuelle, de puissance de travail et de suffisance, futur ministre de l'Industrie de Laval ; et, en parallèle avec Bichelonne, Antonini, secrétaire général adjoint hors de pair de la S.N.C.F. Il appelle au secrétariat général du ministère le contrôleur général Marius Jugnet, devant lequel toute l'administration militaire s'incline et qui fait équipe avec Jean Toutée, maître des requêtes déjà éminent, bientôt conseiller d'État, futur président de la section sociale, qui aura la haute main sur tous les problèmes de main-d'œuvre et la politique sociale de l'Armement : c'est Toutée qui fait le décompte des effectifs industriels, qui rédige les lettres dont Dautry bombarde Daladier et Reynaud pour obtenir des renforts de travailleurs, qui préside les réunions de syndicalistes, qui propose ou impose les mesures sociales dans l'industrie et qui, en l'espace de quatre mois, secoue la tutelle du ministère du Travail.

Le cinquième féal de Dautry est Surleau, un ancien des chemins de fer encore qui, ayant commencé sa carrière en qualité de commis des Ponts et Chaussées, a forcé à trente-cinq ans l'accès du corps des Ponts et est devenu le premier directeur général adjoint de la S.N.C.F. Le gouvernement a chargé cet homme de forte carrure des fonctions d'administrateur extraordinaire de la ville de Marseille où Dautry le récupère. À Surleau incombe un service vital du ministère : la Direction des fabrications dans l'industrie. Pas un chef d'entreprise ne pourra refuser quoi que ce soit au tamdem Dautry-Surleau.

Le cabinet technique associe aux ingénieurs en chef de l'Armement des délégués de l'Industrie, à commencer par Lambert-Ribot, délégué général du Comité des forges et de l'Union des industries métallurgiques et minières, l'U.I.M.M., et Rochette, ex-directeur général des usines Skoda, le « Creusot de la Tchécoslovaquie [2] ». Et dans la mouvance de Dautry évolueront de grands chefs d'entreprises comme François Lehideux, administrateur délégué de Renault, ou Raoul de Vitry d'Allais-Froges et Camargue ; mais aussi des jeunes ingénieurs de pointe : deux des meilleurs praticiens de l'économie de leur génération,

---

1. Cf. G. BRUN, *Techniciens et technocraties en France (1918-1945)*, pp. 167-168.
2. Lambert-Ribot est chargé de la Mission matières premières et équipement industriel, Rochette, chargé de la Mission fabrications mécaniques et industries diverses.

Louis Rosenstock-Franck et Roger Nathan qui seront les piliers du premier ministère de l'Économie nationale de la IVe République ; des spécialistes des problèmes humains comme Hyacinthe Dubreuil, l'organisateur Paul Planus, admirateur du modèle suédois, ou le médecin prix Nobel Alexis Carrel ; des syndicalistes comme Vigne, Chevalme et Robert Lacoste et, dans l'ombre, animant avec une farouche énergie la recherche technique, bousculant l'Éducation nationale et les militaires l'universitaire lyonnais Henri Longchambon.

La méthode de Dautry se résume, dans le cadre d'un dirigisme nécessaire, en trois formules : informer et être informé, déléguer et décentraliser, miser sur le facteur humain.

Nommé le 13 septembre 1939, il visite dans la nuit du 15 l'atelier d'étude d'artillerie de Puteaux et la manufacture des mitrailleuses de Levallois-Perret. Il convoque par télégramme pour le dimanche 22 tous les directeurs d'arsenaux, d'ateliers de construction, de forges et de fonderies du secteur d'État — une centaine —, il les questionne de huit heures du matin à minuit et leur demande d'obtenir de leurs services le rendement maximal « en faisant preuve d'initiative et sans s'abriter derrière le papier ». Aux grands patrons du privé, il impose des conférences au moins bimensuelles de compte rendu, comme Millerand l'avait fait en 1914. Il provoque, dans chaque région industrielle, des réunions de chefs d'entreprises où il fait enregistrer les plaintes et les desiderata en présence des représentants du ministère. Les premières réunions tenues dans le Nord les 3 et 4 octobre par Lambert-Ribot donnent lieu à des procès-verbaux édifiants :

> Un grand désordre règne dans les commandes de la Marine, de l'Air et du Génie qui interfèrent avec celles de l'Armement.
> *Delattre* et *Frouard*, à Ferrière-la-Grande, ont 10 mois de travail pour des pièces de laminoirs à duralumin pour la Marine, des pièces pour le *Richelieu* (Marine), des tourelles (Génie), des pièces en acier moulé pour locomotives (S.N.C.F.) et ont récemment reçu une commande de 3 000 gros obus pour lesquels ils n'ont aucun matériel d'exécution ;
> Cail, à Denain, a des commandes de carrés de 140 destinés aux obus de 155 pour lesquels il n'est pas outillé, alors qu'il l'est pour les obus de 220 (...).
> On fait en acier Martin ce qu'on pourrait faire en acier Thomas. (...) Rien ne donne son plein rendement faute de personnel : chez Cail (chars) sur 164 monteurs, 74 sont partis. Même en faisant faire 12 heures par jour, la production demandée ne peut être atteinte (...)[1].

La production de septembre-octobre s'effondre. René de Peyrecave, administrateur de Renault, vient au Majestic dire que la situation est inquiétante à Billancourt. Il faut partout faire redémarrer, arbitrer, stimuler. Trente-huit établissements ou ateliers d'État que prolongent des « régions d'armement », une trentaine de poudreries et quelque

---

1. AN 307 AP/89 A.

11 500 usines, grandes, moyennes et petites sont appelés à travailler pour la défense nationale. Dautry a beau chercher à tout voir et à tout savoir, il ne peut pas tout régenter. Il déléguera les pouvoirs, quitte à sanctionner. À lui d'imposer l'unité des directives et des méthodes et de faire respecter les priorités après en avoir fourni les moyens ; pour le reste, son rôle, tel qu'il le conçoit, devrait être celui d'un animateur qui s'acharne à faire sauter les *routines-freins*.

Il ne cesse de le rappeler :

> Lutter contre la routine, contre l'abus de notes écrites qui pervertissent si aisément les administrations, extension des pouvoirs de tous, vérification constante du règlement des difficultés et de l'obéissance aux ordres donnés : le résultat seul compte [1] !

Son apport le plus original est là. En total contraste avec la léthargie de Gamelin, il veut être un éveilleur de responsabilités. L'ingénieur général Salmon, spécialiste éminent, dira au procès de Riom que

> le grand mérite de M. Dautry est d'avoir (...) par ses instructions et au cours de ses conférences ou conversations, montré aux services comme aux industriels qu'on avait le devoir de s'exposer à des reproches en matière administrative plutôt que de laisser évoluer lentement les problèmes vitaux [2].

La décentralisation devient un élément vital de la production de guerre. Mais il entend que la Mission des fabrications et industries diverses, qui est sous son contrôle direct et que dirige l'homme de Skoda, Rochette, dispose pour chaque fabrication, y compris les chars légers et les chars lourds, d'un responsable connu et armé de pleins pouvoirs, ce qui met fin à une dispersion des responsabilités que le Contrôle général dénonçait depuis trois ans.

Le temps presse. Lui-même est partout, multipliant les interventions. Alfred Fabre-Luce, toujours à l'écoute des rumeurs du pouvoir, écrit en novembre [3] :

> Il fait le tour de France en destituant des incapables et celui des bureaux en déposant sur les tables des feuilles rouges où il a griffonné : « *Les vacances sont finies... Il faut vous rajeunir. C'est bien de la guerre actuelle, n'est-ce pas, que vous vous occupez ?... J'ai l'impression que votre service est un palais de la Belle au Bois dormant...* »

En débarquant, le 22 octobre, à la poudrerie de Toulouse, il découvre d'incroyables négligences dans la mise en état des installations : la direction est débordée par les problèmes de formation, d'organisation et de conduite d'une main-d'œuvre passée en six semaines de 500 à

---

1. AN 307 AP/89 A.
2. AN 496 AP (4 DA/18 Dr. 3).
3. A. FABRE-LUCE, *Journal de la France*, p. 137

8 000 personnes. Il remanie sur-le-champ l'état-major local et délègue le lendemain en mission temporaire deux jeunes industriels de haute qualité, le directeur des usines Babcok et le directeur des usines d'accumulateurs Tudor. À la fin de l'année, la situation est redressée[1].

Le 17 novembre, il préside une réunion qui a pour but d'accélérer les programmes de chars et à laquelle assistent les 23 ingénieurs en chef et ingénieurs intéressés, 2 représentants de l'État-Major et les 50 constructeurs participant à ces fabrications. « Il s'agit, explique-t-il, d'armer des unités nouvelles au printemps et à l'automne 1940, il dépend de vous qu'elles le soient. »

Un industriel présent, appuyé par ses collègues, déclare que c'est impossible. Il réplique qu'il va réquisitionner son usine, qu'elle produira sans doute moins que sous sa direction, « mais qu'il sera patent pour tous qu'on ne doit pas ne pas tenter l'impossible ».

Il n'hésite pas, en effet, à sévir. Peu, mais vite et fort. À son arrivée au ministère, des sanctions instantanées ont frappé des ingénieurs de l'armement nonchalants :

> Des hauts fourneaux devaient être rallumés. L'officier à qui ce soin incombait s'est contenté de formuler des prescriptions, il a négligé de s'assurer qu'elles étaient exécutées, il n'a plus sa place au ministère[2].

L'officier était un colonel et sa disgrâce secoua tout le corps de l'Armement.

Il interfère aussi bien dans la direction d'entreprises privées ; quand il somme les industriels qui ne font rien de rattraper leurs retards au risque d'être remplacés à la tête de leur affaire, ce ne sont pas des propos en l'air, Louis Renault et Marius Berliet ne tarderont pas à s'en apercevoir.

Mais l'importance qu'il attribue au « facteur humain » a pour autre corollaire son acharnement à alléger la peine des travailleurs. Car il fait confiance à l'ouvrier français. « La classe ouvrière a répondu magnifiquement », répète-t-il aux parlementaires incrédules. Il est décidé à ne plus laisser la voie libre, du côté patronal, « à certains abus et à certaines incompréhensions à qui l'on devait tant de nos troubles de l'opinion ouvrière »[3]. Il limite la durée du travail des jeunes, des femmes, des ouvriers âgés ou malades, installe des assistantes sociales dans les centres de travail, rétablit les délégués à la sécurité avec des pouvoirs plus

---

1. AN 307 AP/89 B.
2. Exposé de Dautry devant la Commission de l'armée du Sénat, 27 septembre 1939 (ARSENAT). Limogé de même un commandant qui n'avait pas doté les forts de la ligne Maginot des bidons d'épuration contre les gaz, dont il avait la commande sous le coude depuis deux ans ; disgraciés deux officiers qui demandaient deux ans et demi pour former des personnels avant de constituer les outillages nécessaires à l'exécution des programmes de cartouches.
3. AN 307 AP/89 A.

étendus, contraint des industries à améliorer les conditions d'hygiène, s'impose, envers et contre tous, comme un super-patron social[1].

L'homme de caractère

En fin de compte, ce que Dautry apporte, c'est un caractère. Il est un des seuls au gouvernement qui domine les événements et les hommes. L'interlocuteur « aux manières agréables », à « la voix douce et mesurée » qu'ont vu en lui certains mémorialistes, est un homme d'ardeur. Tout le contraire des sceptiques du cabinet, Monzie ou Pomaret. Quand l'intérêt du pays est en jeu, il peut être d'une brutalité qui stupéfie. Il sait dire non. Il ne mâche pas ses mots. Pour lui, l'alternative est simple : *Vouloir ou ne pas vouloir faire la guerre.* Qui imaginerait que le polytechnicien affable porte à sa chaîne de montre le jeton d'entrée de Danton aux Cordeliers ? Aux représentants de la C.G.T., pour les convaincre de signer la Charte Majestic, il dit : « Pensez-vous comme moi qu'il s'agit de vaincre ou de mourir ? » Pas un autre ministre, à part Mandel, pas un général ne parle en ces termes. Un sénateur s'indigne-t-il du rappel en usine de métallos communistes, il coupe court :

> Je ne peux faire marcher la machine sans les métallurgistes communistes. S'ils bougent, ils repartiront. Mais si on ne veut pas me les donner, il faut faire la paix[2].

À un député de droite qui lui signifie que des parlementaires, des hommes et des femmes du monde s'indignent qu'on emploie des communistes à tourner des obus :

> Ces hommes et ces femmes du monde, réplique-t-il, au lieu de s'occuper du vin chaud et du théâtre aux armées, peuvent se présenter à l'embauche[3].

À la Commission du travail de la Chambre qui proteste contre l'emploi de soldats des vieilles classes dans les poudreries :

> J'ai besoin de faire des poudres, ou alors je m'en vais. Si quelqu'un peut me donner une solution meilleure, je la prendrai volontiers[4].

À l'Anglais Walter Citrine, le secrétaire des Trade Unions, qui lui reproche d'épuiser les ouvriers, il rétorque qu'il allégera la discipline du

1. Voir, sur l'action sociale de Dautry, pp. 259-260.
2. J. Bardoux, *Journal d'un témoin de la IIIe*, p. 139.
3. AN 307 AP/89 A.
4. Commission du travail de la Chambre, compte rendu de la séance du 14 mars 1940 (ARAS).

travail le jour où l'Angleterre aura assez de troupes en France pour permettre une relève.

Même à Daladier, qui s'enlise, il ne ménage pas les admonestations[1] :

> Le pays, les administrateurs, les hommes (...) doivent aujourd'hui plus que jamais être commandés. (...) Il faut que les ordres soient exécutés complètement et vite. Je me garderai de vous en dire autre chose que la nécessité de concentrer entre vos mains de ministre de la Défense nationale un puissant organisme de commandement effectif, simple, ramassé, vigoureux, dont, dans chaque domaine, un homme aurait l'autorité — toute l'autorité — et la responsabilité — toute la responsabilité — et aux décisions duquel chacun n'aurait qu'à obéir. (...)
> Dans l'état présent de la bureaucratie française où tout le monde intervient, où tout le monde écrit et signe, je ne vois pas d'autre moyen de jeter tous les Français hors du papier, hors de la bureaucratie et des enchevêtrements d'attributions dans l'action.

Il n'est pas moins intransigeant à l'heure des défaites. Le 13 mai, il menace de faire fusiller un industriel du Nord qui, aux premières bombes, a arrêté ses fabrications et replié son personnel. Le 29 mai, le général Prételat fait pression sur son chef de cabinet pour que Dautry intervienne en faveur d'un armistice :

> Je me contenterai, rapporte-t-il, de prier mon collaborateur de rappeler à son interlocuteur, s'il avait l'occasion de le revoir, le mot de Jomini : « Pour bien faire la guerre, il faut avant tout la volonté de se battre. »

Dautry avait assumé une mission impossible. « Il ne pouvait gagner sa partie, a écrit un des analystes les plus pénétrants de l'époque, sans renverser quatre formidables barrages, sans courber quatre forces hostiles : la bureaucratie fossilisée de la République, la démagogie parlementaire et électorale qui se déchaîne jusqu'sur le plan technique de l'armement, l'apathie des industriels et l'aboulie de l'État-Major général[2]. »

Par son ardeur et son courage, il y a réussi mieux que ne laisseraient supposer les armements encore insuffisants et mal utilisés de mai-juin 1940. Les circonstances et les hommes étant ce qu'ils étaient, l'étonnant n'est pas que l'armée française ait eu alors si peu d'armes, l'étonnant est, comme lui-même l'a dit, qu'elle en ait eu autant. Il y avait été pour beaucoup.

---

1. Lettre à Daladier du 1er janvier 1940 (AN 307 AP/22).
2. PERTINAX, *Les Fossoyeurs*, t. I, p. 158. D'où les âpres campagnes de dénigrement dont Dautry fut l'objet, notamment de la part du secrétaire général de la Défense nationale et d'ingénieurs de l'Armement qu'il avait bousculés. On en trouve des échos dans les jugements sévères — et injustifiés — que portèrent sur lui des hommes habituellement plus éclairés, tels que Pertinax lui-même et le général Beaufre. Voir plus loin, p. 166.

2

L'autorité de l'État (I) : monsieur Berliet

Le 30 septembre 1939, à dix-neuf heures, un commandant de gendarmerie se présente à la grille de la belle villa lyonnaise de l'avenue de l'Esquirol où réside l'industriel Marius Berliet : il lui apporte l'ordre de réquisition de ses usines de Vénissieux. Motif : *À la date du 26 septembre 1939 aucune mesure n'a été prise pour la mise en route des fabrications de guerre.* Signé : Dautry. Marius Berliet émarge et sur le récépissé inscrit : *Sous toutes réserves.* Il sera désormais jusqu'à sa mort et à travers toutes les péripéties, « l'industriel qui a refusé de tourner des obus » : on en reparlera plus d'une fois lors de rebondissements dramatiques des lendemains de la Libération qui lui valurent l'emprisonnement, sous l'accusation abusive de collaboration économique avec l'ennemi, et la mise sous séquestre pendant cinq ans de ses usines transformées en régie ouvrière.

Marius Berliet a soixante-treize ans en 1939. C'est une des personnalités les plus fortes et les plus insolites de l'industrie provinciale. Il est, derrière Renault et Citroën, le troisième producteur français de véhicules industriels avec une part de 12 % du marché, mais le premier pour les poids lourds et les camions Diesel, et il est, avec un effectif de 5 000 personnes, le premier employeur de la région lyonnaise.

Fils d'un canut devenu petit patron soyeux, il s'est fait lui-même à force de lectures et de cours du soir, sans autre diplôme qu'un certificat d'études. Au tournant du siècle, il s'est jeté dans l'aventure automobile. Il a acheté, en janvier 1899, pour 1 300 francs le contenu d'un atelier lyonnais de 90 m² comprenant un tour, une perceuse et une forge et où il occupait deux ouvriers et un manœuvre. « Après quarante ans de présence ininterrompue, de travail intense, soutenu, toutes mes facultés tendues vers un but unique : grandir ma maison et en faire un outil de production de premier ordre », écrira-t-il, il règne sur les établissements de Vénissieux qu'il a conçus, équipés, financés et dont il a fait une installation grandiose, plus vaste que Renault à Billancourt et que Ford à Detroit... Il y a consacré sa vie, ses qualités, qui restent celles d'un petit entrepreneur du XIXe siècle ; il est opiniâtre, infatigable, d'une compétence technique progressivement acquise, d'une rigueur inflexible d'économie et de contrôle, tranchant du moindre détail, mais il est capable de voir grand. Il y a apporté aussi l'exigence d'un catholique traditionaliste, fidèle de la petite église de la Croix-Rousse, où l'on n'a jamais reconnu le Concordat de 1801 : l'austérité janséniste implique, pour lui comme pour les autres, la dévotion au travail, le salut par les œuvres et une ambition patrimoniale singulière qui méprise le faste et le goût de l'argent pour l'argent. À la différence du capitaine d'industrie Louis Renault, qui invite les grands de la terre à ses chasses, il est resté un provincial réservé, replié sur son entreprise et sans entregent.

Il a eu ses heures de gloire pendant la Grande Guerre. Dès 1915, il a produit 4 000 obus par jour avec seulement 5 % de rebut ; en 1917, il sortait, en outre, 40 camions par jour. Si les taxis de la Marne étaient des Renault, les camions qui sillonnaient la voie Sacrée pour sauver Verdun étaient des Berliet. En 1918, poussé par le ministre de l'Armement, Loucheur, il a produit en neuf mois 1 070 chars quand il en sortait 1 700 de chez Renault. Et grâce aux commandes d'armements, il a pu installer Vénissieux où le président de la République est venu lui rendre hommage.

Mais il a connu des lendemains de guerre difficiles. En 1921, il devait encore 13,5 millions sur ses bénéfices de guerre. Il avait rêvé d'être Henry Ford : Renault et Citroën lui ont soufflé le marché de la voiture de tourisme. Le camion était son point fort : la vente à bas prix par l'armée de ses stocks de guerre et le bradage des stocks américains ont tari le marché. Il a dû déposer son bilan, capituler devant les banques et il s'est volontairement coupé du monde jusqu'au remboursement du dernier sou. Il n'a recouvré sa liberté de manœuvre qu'en 1929. Deux ans plus tard, la crise le frappait de plein fouet : le volume d'activité de Berliet avait fléchi de 35 % dès 1931. Après quoi, c'est la politique malthusienne de coordination du rail et de la route qui a entravé la production des poids lourds. Il a péniblement retrouvé, en 1938-1939, son volume de production de 1929.

Pendant dix ans, il a mendié des commandes à l'armée : mais Gamelin n'a pas suivi la voie de la motorisation indiquée par Weygand. Berliet était l'homme du moteur à injection à huile lourde dont il avait, en dix ans d'efforts, maîtrisé et perfectionné la technique : l'armée ne veut pas de véhicules à mazout. Il avait misé sur les véhicules à essieu moteur : l'État-Major ne s'intéresse qu'aux engins à chenilles. Il croyait à la guerre tout terrain ; entre 1930 et 1939, il a présenté les prototypes d'une quinzaine de véhicules militaires, sans compter les matériels sahariens ou coloniaux : non pas seulement des automitrailleuses, pour lesquelles la concurrence était serrée, mais une panoplie de véhicules d'accompagnement ou de service, robustes et de conception novatrice — voitures de transport de personnel, véhicules anti-incendie pour les terrains d'aviation, camions radio, camions porte-chars, transporteurs de projecteurs, voitures blindées de commandement, tous matériels qui feront défaut en mai 1940, et jusqu'au camion de défense contre avions qui n'aura d'équivalent dans l'armée allemande qu'en 1942 : de 1932 à 1939, il n'a récolté aucun marché. Il n'a reçu commande que de 3 spécimens de son camion porte-chars, mis au point dès 1934. On lui a préféré les constructeurs de la région parisienne, plus proches du pouvoir et plus dociles aux exigences des directions d'armes : Laffly, constructeur ingénieux, mais sans capacité industrielle, a monopolisé les commandes de tracteurs d'artillerie et Renault celles des chars légers. Sa chance aurait dû être le char des Forges et chantiers de la Méditerranée (F.C.M.), reconnu pour être le mieux adapté aux besoins et dont Vénissieux fournissait le moteur et les organes mécaniques. Mais F.C.M. n'était pas outillé pour les fabrications en grande série et a eu, de surcroît, après une première commande de cent chars, la maladresse de doubler ses prix. La Direction des fabrications d'armement, hostile au moteur à mazout, a renoncé au modèle et reporté ses marchés sur Renault et Hotchkiss. Dans les sept premiers mois de 1939, Berliet reçoit seulement commande de cent camionnettes d'accompagnement pour l'aviation et, *in extremis,* de porte-chars. L'armée ne l'aura soutenu que pour lui faire mettre au point le moteur à gaz de bois, « carburant national » : mais il faudra la pénurie des années d'occupation pour que ses camions à gazogène soient commercialisables.

Quand la guerre éclate, Berliet a sur le cœur dix ans de frustration. Lui, qui s'est imposé comme le champion des poids lourds et le pionnier des véhicules tout terrain, est avant tout, pour l'administration militaire, un producteur potentiel d'obus : car les arsenaux ne pourront pas, cette fois encore, faire face à la demande de guerre ; or, il a été, dès l'automne 1914, le premier industriel à sortir en série de bons obus de 75, il a obtenu les meilleurs rendements pour l'acier employé et il a de l'espace à revendre dans les immenses halls de montage de Vénissieux.

> « Nous avions depuis dix ans un marché en projet relatif à la fabri-cation d'obus, mais le service de l'Armement avait toujours éludé nos demandes de crédits et de matériel », expliquera Marius Berliet[1]. J'ai toujours pensé qu'il y avait là-dessous une manœuvre des constructeurs parisiens.

Au lendemain des accords de Munich, on l'a convoqué rue Saint-Dominique pour sonder ses possibilités. Il a proposé la gamme des engins spéciaux dont il avait fait les prototypes : on lui a parlé obus. Il semble qu'on l'ait invité à plusieurs reprises à dresser un plan de mobilisation de ses usines ; il aurait répondu ne pouvoir l'établir sans connaître les besoins précis de l'armée. Ainsi, les commandes de mobilisation ne lui ont été notifiées qu'à la déclaration de guerre, sans avoir en rien été préparées : elles comportent, outre la fabrication de

---

1. Interrogatoire judiciaire du 11 octobre 1945 (FAMB).

véhicules militaires, la production mensuelle, dans un délai de 4 mois, de 240 000 obus de 75 contre avions — deux fois sa production de 1918 — pour laquelle aucun outillage spécialisé n'a été prévu.

Marius Berliet réprouve ce programme. Il fait valoir[1] qu'il ne dispose que des presses de forgeage conservées en magasin depuis 1918, qu'il faut fabriquer ou acheter les machines nécessaires aux opérations d'usinage, installer 7 000 m² d'ateliers avec des infrastructures importantes, des canalisations, des cheminées, etc., mettre en place des cadres nouveaux et former une main-d'œuvre. Sans refuser, dit-il, d'entreprendre la fabrication, il en souligne les aléas :

> Il est certain que pour le meilleur rendement général des fabrications de guerre, il eût été préférable que chaque fabrication fût centralisée dans des usines spécialisées, telles que celles de Vénissieux (pour les véhicules militaires) et que, notamment, les marchés d'obus fussent attribués aux industries dont les produits (du temps de paix) n'intéressaient pas directement la défense nationale et qui se trouvaient arrêtées ou ralentis du fait de la guerre.

Une raison plus terre à terre, qu'invoquent aussi de nombreux industriels, l'incite à temporiser : le manque de trésorerie. Il y est d'autant plus sensible qu'il n'a pas oublié la dure leçon de son dépôt de bilan. Il s'en explique dans une lettre à son fils Paul, mobilisé :

> Il fallait, pour l'atelier d'obus 20 millions de matériel en plus des (avances) énormes nécessaires pour faire par mois 800 camions, plus 12 porte-chars, plus un nombre impressionnant de pièces détachées. En résumé, il fallait passer de 35 millions par mois de chiffre d'affaires à 100[2].

En clair, il n'entend pas, contrairement à 1914, débourser pour des outillages qui seront inutilisables après la guerre. Peut-on en déduire qu'il réprouve cette guerre ? Il faut rappeler ici son itinéraire politique. Marius Berliet est resté dans le droit fil d'une tradition familiale de paysannerie conservatrice et légitimiste ; il admire Maurras, il lit tous les jours *L'Action française*, il méprise le régime. Il a noté dans ses cahiers des aphorismes cinglants[3] :

> La République est la domination d'un Parti...
> Justice et République sont incompatibles.

ou encore :

> Quand les médiocres sont au pouvoir, ils croient que les systèmes peuvent remplacer l'intelligence et le bon sens.

---

1. *Un peu de lumière sur la fabrication des obus aux usines Berliet pendant la guerre de 1939-1940,* Note de M. Berliet, 7 mars 1947 (FAMB).
2. Lettre à Paul Berliet, 28 octobre 1939 (FAMB). À ce programme s'ajoute dans le courant d'octobre la commande de 500 camions-citernes et de porte-viande.
3. Citations reproduites par SAINT-LOUP, *Marius Berliet l'inflexible*, Paris, Presses de la Cité, 1962, pp. 210 et 212.

1936 l'a ulcéré : c'est chez lui que les grèves ont démarré trois mois avant l'arrivée du Front populaire au pouvoir ; à l'appel d'un meneur communiste envoyé tout exprès, ses ouvriers et ouvrières se sont mis en grève. Il a fermé l'usine et les a matés, au point qu'ils n'ont pas bougé lors de la tentative de grève nationale du 30 novembre 1938, mais cette dure bataille a renforcé son pessimisme :

> La masse est irréductible au raisonnement, à la logique, à la clarté et même à l'évidence. Il est donc parfaitement inutile de compter sur elle.

Il déteste l'État, incapable et oppresseur :

> Les chefs d'entreprise sont actuellement paralysés par les aberrations d'un État qui semble vouloir masquer son impuissance par la prolifération de règlements aussi touffus que contradictoires et décourageants.

Il a tout fait pour défendre sa liberté d'industriel. Pourtant, il est loyaliste. Patriote et anti-Allemand, il l'est aussi, sans aucun doute. Contrairement à Louis Renault, il est méfiant à l'égard d'Hitler. Ses cahiers en témoignent où, depuis les accords de Munich, il a recopié des phrases clés de Maurras et de Bainville[1] :

> C'est l'immoralité politique de l'Allemagne qui lui fait tenir la guerre pour un moyen légitime de se tirer d'embarras.

et encore :

> Il n'y a qu'une Allemagne et cette Allemagne ne croit qu'à la force.

Le seul ornement de sa table de travail est un buste de Clemenceau. Sous l'Occupation, il ne recevra pas un Allemand.

A-t-il, en août-septembre 1939, suivi Maurras, le « nationaliste intégral », dans sa condamnation de la guerre ? Il est clair, en tout cas, qu'il ne croit pas que cette guerre soit une vraie guerre : un mois après le début des hostilités, il n'a rien fait, en dépit des instructions officielles, pour assurer le camouflage des usines, ni la protection du personnel en cas de bombardement ; l'aménagement des postes de secours imposé par l'administration militaire ne sera pas achevé avant la fin d'octobre[2].

Il invoque, pour justifier sa lenteur à installer l'atelier de fabrication d'obus, une communication verbale de l'Inspection des forges de Lyon : celle-ci aurait fait savoir le 20 septembre que Paris envisagerait de supprimer le programme d'obus pour intensifier la production de camions. Il n'en est rien. La réquisition du 30 septembre est la réplique

---

1. *Ibid.*, p. 224.
2. Note de Marius Berliet, 8 mai 1940, et lettre à Paul Berliet du 28 octobre 1939 (FAMB).

de Dautry à son inaction. Le 3 octobre, l'ingénieur général en mission, Carré, s'installe à l'usine de Vénissieux : il vient veiller à l'application de la réquisition et à la mise en route des fabrications. C'est un homme compétent, énergique et courtois ; il présidait depuis deux ans à la restructuration et à la reconversion de l'usine Hotchkiss nationalisée de Levallois. Le 4, constatant qu' « il n'y a à peu près rien de fait ni comme préparation, ni par suite comme exécution », il met en demeure Marius Berliet de dresser, d'ici le dimanche 15, le plan d'organisation détaillé des installations nécessaires à la chaîne d'obus, accompagné de la liste des matériels à acquérir ou à fabriquer et leur coût[1]. Le 21 octobre, l'industriel note que les rapports sont cordiaux et que « tous les services recommencent à marcher malgré les départs de nombreux mobilisés ». Huit jours plus tard, il ajoute que le général Carré s'est vigoureusement attelé à nous faire avoir les fonds nécessaires ; il paraît satisfait du démarrage qu'il constate. Tous les matins, il assiste au rapport que je fais à 9 h et il m'appuie vigoureusement. Il constate que nous sommes ralentis par le manque de métal, mais que nous sommes en mesure de remplir la tâche qui nous est imposée. »

Marius Berliet semble avoir retrouvé son dynamisme, sûr d'avoir repris la situation en main. La réalité est moins rose. Carré a renouvelé l'interdiction de toute activité industrielle autre qu'à l'usage de l'armée, conformément au cahier des charges annexé à l'ordre de réquisition ; « il surveille tous les ateliers pour que rien ne soit fait pour le civil ». Les deux hommes diffèrent d'avis sur les équipements nécessaires : c'est le début d'une longue discorde. Une partie des machines de 1918 est réutilisable, notamment les énormes presses hydrauliques à emboutir que Carré juge désuètes ; Berliet ne veut pas les changer, l'ingénieur général y consent. Mais les tours font défaut. Marius Berliet propose de les fabriquer à Monplaisir, l'usine lyonnaise de ses débuts, comme il l'avait fait vingt-cinq ans plus tôt : les tours « multicutts » qu'il y produirait seraient réutilisables après la guerre pour ses fabrications civiles moyennant une adaptation simple. L'ingénieur général transige : il s'en remet à lui de fabriquer 70 tours pour les opérations initiales d'emboutissage et pour les opérations finales d'ogivage des obus, mais il exige que pour les opérations capitales d'usinage, 24 tours plus précis et à grand débit soient commandés en Amérique. Les tours américains ont seulement le défaut d'être quatre fois plus chers que les tours maison : Berliet répugne à payer la différence.

La tutelle se fait aussitôt plus étroite. Le 1er novembre, le commandant d'artillerie, Maurice Roy, envoyé par Dautry, débarque à Vénis-

---

1. Lettre n° 2 du 4 octobre 1939 de l'ingénieur général Carré, sous timbre du ministère de l'Armement, Inspection des fabrications d'armement (FAMB). « Aux termes de l'ordre de commande qui vous a été donné par l'Inspection des forges de Lyon, le délai de mise en route est de 4 mois, dont il ne reste plus que 3 à courir. La gravité de cette situation ne vous échappera pas ; en tout cas, il est de mon devoir... d'intervenir pour y mettre ordre. »

sieux pour être investi des fonctions de directeur général avec pleins pouvoirs ; Berliet s'incline ; il devra se confiner dans les fonctions de président du conseil d'administration. Mais le clash ne tarde pas : le 14, l'ingénieur général Carré lui enjoint de ne plus mettre les pieds à l'usine de Vénissieux, sauf le dimanche, sous menace de réquisition totale de l'entreprise (ce qui inclurait Monplaisir, l'usine à demi désaffectée où le vieux chef s'est replié) :

> Je quitte l'usine, je suis brutalement mis en demeure de tout abandonner...

Les hostilités ne cesseront plus entre le directeur général de quarante ans qu'est Maurice Roy, polytechnicien, ingénieur du corps des Mines, savant éminent, spécialiste de balistique, de thermodynamique et de mécanique des fluides, professeur à Supaéro et à l'École des ponts, correspondant de l'Institut, mais qui en est à ses premières armes en entreprise[1], et le *self made man* septuagénaire et despotique qui, pendant quarante ans, a fait chaque matin le tour de tous « ses ateliers », qui dirigeait en personne « sa » fonderie et qui sait tout de ce qui a trait à « sa maison ». Nous connaissons les étapes de leur querelle par les cahiers que tient Marius Berliet : ils éclairent le comportement de guerre d'un grand industriel tout à son combat, à son patriotisme d'entreprise et au souci de ses intérêts.

Il critique tout. Il a souvent raison : Maurice Roy, parachuté en terre inconnue, fait des faux pas, d'autant que la moitié des chefs de fabrication est sous les drapeaux. Berliet continue d'assister au comité hebdomadaire de direction : chaque séance est un déballage de griefs. Le 6 décembre, on lui signifie d'avoir à cesser d'y assister pendant trois mois. Sa véhémence n'est pas calmée par l'avis officiel — que lui transmet Maurice Roy — d'un crédit de vingt millions pour installer l'atelier d'obus.

En tant que président du conseil d'administration, il a toujours qualité pour connaître des transformations de ses ateliers, des achats de matériel et approuver les demandes de crédits correspondantes. Il est résolu d'en user :

> Jeudi 7/2... En présence des engagements excessifs, il y aura crise de trésorerie en mars-avril.
>
> Bien prendre position qu'aucune augmentation de capital ne sera acceptée. Aucune combinaison, fusion, etc., ne sera examinée, aucun découvert ne sera demandé aux banques.

Fin janvier, les tours américains ne sont pas arrivés. Il demande qu'on en profite pour annuler la commande et il ne cesse de revenir à la charge,

---

1. M. Roy allait mener après la guerre une carrière industrielle parallèlement à sa carrière scientifique, notamment en qualité de directeur général scientifique de la Société nationale d'étude et de construction de moteurs d'avions (S.N.E.C.M.A., ex-Gnôme et Rhône).

proposant de faire fabriquer sur place les tours nécessaires à l'usinage :
moins performants que les machines américaines, ils permettraient du
moins de sortir des obus au fur et à mesure de leur achèvement. On
rejette la proposition, car « les tours américains sont attendus pour une
date prochaine » et Maurice Roy pense que la guerre durera quatre ou
cinq ans. Berliet vitupère :

> Après la guerre, la moitié de ces 24 tours sera sans emploi, inutile,
> invendable. L'excellente occasion d'en annuler la moitié est perdue. (Le
> tour M.B. coûte 4 fois moins.)

Chaque dépense nouvelle est un morceau de chair qu'on lui arrache.
Le prix de revient de la fonte sortant de sa fonderie était en 1939 de 2,29,
il monte à 3,02 ·

> Gaspillage de sable et de main-d'œuvre. Aucune activité du personnel
> surabondant. 93 000 francs de sable utilisé en mars...

> Les pertes de temps et les gaspillages augmentent dans d'importantes
> proportions. Dans les fonderies, 66 % du travail est fait à l'heure

Il épluche de même les comptes de la fonderie d'acier :

> À pleine production, la main-d'œuvre et les frais généraux sont 10 %
> plus élevés qu'à demi-charge. C'est absolument inadmissible. La gestion
> actuelle est absolument désastreuse.

La crise qu'il annonçait se produit plus tôt qu'il ne l'avait prédite : fin
février, un engorgement total des ateliers arrête tout travail sur les
camions. Il devait en être produit 1 800 dans les trois premiers mois de
1940 : il n'en sortira que 1 000. Le vieux chef, qui a ses hommes dans la
place et qui est tenu quotidiennement informé entre ses visites du
dimanche à l'usine, note avec une satisfaction morose :

> Les esplanades sont encombrées de véhicules commencés et pas ter-
> minés. Mille cent véhicules en détresse ou en cours de montage...

La situation est pire pour les obus. On lui avait donné — au moment
de la réquisition de l'usine — 90 jours pour en produire 240 000 par
mois ; pas un n'est sorti huit mois après l'ouverture des hostilités. 5 tours
Berliet sont installés fin janvier, 30 fin mars, 60 au 10 mai : ils restent
inoccupés en attente des machines américaines.
Le 21 avril 1940, Dautry est venu visiter Vénissieux au pas de course.
Marius Berliet a été tenu ou s'est tenu à l'écart. Dautry, très prévenu
contre lui, admire l'énorme usine. Dans les deux halls vides des
machines, il ne cache pas qu'il préférerait trouver ici « les murs noircis
par la fumée des fours et entendre le grincement des outils de tour sur le

métal ». On l'aurait entendu lancer à son protégé, Maurice Roy, ce propos qui est bien dans sa manière :

> Mon petit Roy, ce n'est pas suffisant d'avoir de beaux yeux bleus[1].

Mais Dautry ne revient pas sur une décision prise. Et d'autant moins que Berliet intensifie la guérilla, cherche à reconquérir les positions perdues, prend des initiatives en sous-main, demande à être mis en contact avec les chefs de service. L'ultime sanction s'abat :

> Ayant fait remarquer des erreurs de technique et de lourdes fautes d'installation, M. Roy, interprétant comme une intervention diminuant son autorité les quelques conseils que j'avais donnés à ce personnel pour lui venir en aide, a provoqué l'intervention du ministre de l'Armement qui m'a fait donner l'ordre, par le colonel de Saint-Paul, de cesser toute présence aux usines pendant les heures de travail[2].

Aux usines signifie cette fois son exclusion non seulement de Vénissieux, mais de Monplaisir. Dans son cahier, il ajoute ces détails humiliants, à la date du 25 mai 1940 :

> Il m'autorise à y aller en dehors des heures de travail, à condition de demander la permission à M. Roy.

> Il me recommande d'inviter le personnel qui m'est attaché à être absolument déférent avec M. Roy et suivre ses ordres avec zèle.

Cependant, la production de camions s'est débloquée. Maurice Roy s'est rallié au schéma d'organisation de Berliet ; au 15 mai, les retards de montage sont rattrapés. Vénissieux produit 40 véhicules par jour, presque autant qu'en 1918 — des véhicules carburant à l'essence, car l'armée ne veut toujours pas de diesel. Mais ce ne sont plus seulement des camions ordinaires : en novembre-décembre 1939, on a demandé aux établissements Berliet de concevoir un matériel spécifique à plate-forme surbaissée capable de remorquer un canon de 75 sur route et qui doit être le « camion de l'armée ». Il en sort 600 en mai-juin 1940. L'entreprise occupe maintenant 8 000 ouvriers.

Et dans les derniers jours de mai, les tours américains arrivent enfin... En hâte, on les installe, on embauche à pleines portes hommes, femmes, jeunes gens, qu'il faut dresser avec un personnel de maîtrise insuffisant. En une douzaine de jours, le personnel de l'atelier d'obus passe de 230 à 1 080. Marius Berliet observe avec aigreur que le démarrage est laborieux. Mais début juin, le premier lot d'obus est à Bourges pour essais. Cent cinquante mille obus sont emboutis d'avance. Vénissieux

---

1. SAINT-LOUP, *o.c.*, pp. 241-243, et *Un peu de lumière sur la fabrication des usines Berliet pendant la guerre de 1939-1940* (FAMB).
2. *Exposé Situation* par M. Berliet, fin mai 1940 (FAMB).

approche enfin de son rythme de guerre, la production pourrait s'élever à 240 000 par mois quand l'arrivée imminente des Allemands suspend toute activité.

La défaite va rendre à Marius Berliet ses pouvoirs. Il griffonne dans son livre de raison :

> 18 juin. Roy quitte l'usine à 6 heures du matin, abandonnant à eux-mêmes tout le personnel.
>
> Ordre de se replier sur Toulouse par ses propres moyens.
>
> Débandade générale. Tous les camions et les voitures disponibles sont pris par le personnel.

3

L'autorité de l'État (II) : *l'affaire Renault*

Qu'un chef d'industrie de premier rang tente de se soustraire à la mobilisation industrielle par conviction pacifiste et dans la perspective de meilleures sources de profit est un fait sans précédent qui aurait été inconcevable en 1914. Ce fut le cas de Louis Renault.

La mise sous contrôle de Louis Renault

Louis Renault est une puissance. Il gouverne la première entreprise industrielle de France, forte d'un chiffre d'affaires voisin de 2,5 milliards — six fois celui de Berliet — et d'une main-d'œuvre qui comptait à Billancourt au 1er août 1939 près de 33 000 personnes. *Self made man* lui aussi, il a construit un empire. Il a accompli des prodiges pendant l'autre guerre. À la fois animateur et maître d'œuvre, chef de groupe de l'industrie d'armement de la région parisienne, il a produit de 1914 à 1918 9 millions d'obus, 500 000 fusils, 9 200 camions, 12 500 moteurs d'avions, 1 435 avions, 1 760 chars d'assaut, 1 350 tracteurs, 920 canons G.P.F. Il a été le premier usineur de chars d'Europe. On n'attendait pas moins de lui dans la nouvelle guerre.

Mais le Louis Renault de 1939 n'est plus celui de 1914. C'est un homme physiquement usé, probablement déjà diminué ; c'est aussi un homme qui ne veut pas la guerre et qui n'y croit pas. Non qu'il soit dépourvu de civisme, mais pour lui, depuis l'époque de Briand, « l'idéal français, c'est la paix ». Il l'a redit à Berlin, lors du salon de l'auto de février 1939 : « Je suis contre la guerre, source de destruction et de désordre [1]. » Hitler l'a assuré de ses bonnes intentions ; lui qui ne lit pas les journaux et qui ignore *Mein Kampf*, la parole du Führer lui suffit. Il est rentré d'Allemagne répétant à tout propos : « Hitler m'a dit (...). »

Ses vues industrielles ont évolué elles aussi depuis 1914 : la Grande

---

1. G. HATRY, *Louis Renault, patron absolu*, p. 352.

Guerre avait été pour lui la formidable opportunité de l'expansion, des profits et du prestige. Il y avait consacré toute son énergie, tous ses moyens ; pendant ce temps Citroën le devançait en montant un bureau d'études qui préparait les automobiles de l'après-guerre et lui soufflait, au lendemain de l'armistice, une grande part du marché. Il ne l'a pas pardonné : il craint que ce ne soient les Américains qui tirent cette fois les marrons du feu.

Depuis 1938, il accumule les rancœurs. Les grèves et l'occupation de ses usines l'ont désarçonné, son pouvoir de « patron absolu » a été battu en brèche et n'a jamais été restauré. La nouvelle guerre, dont il ne comprend pas le sens et qu'il juge absurde, le prive de plus de la moitié de son personnel ouvrier et de son administrateur-délégué, son neveu par alliance François Lehideux, qui a tenu à partir sur le front, ce qu'il considère comme une trahison à son égard. L'administration prétend lui imposer un programme de fabrications gigantesque et fluctuant dont il ignorait tout et lui réclame pour comble 46 millions sur ses bénéfices de 1914-1918. Il a signé plusieurs lettres à Daladier afin de lui dénoncer la pagaille de la mobilisation industrielle et de préciser les conditions techniques nécessaires à une contribution efficace, il n'a pas reçu de réponse. Le climat d'incertitude de la « drôle de guerre » l'angoisse, mais lui donne l'espoir d'un compromis avec Hitler : il redoute d'autant plus de reconvertir ses usines aux armements ; il en retarde l'échéance.

Les fabrications spécifiquement militaires n'absorbent au 1er septembre 1939 guère plus de 14 % des activités de l'entreprise [1]. Reconvertir la production exigerait, avant tout, de réorienter le bureau d'études de Billancourt vers les fabrications d'armement et l'élaboration des outillages appropriés. Louis Renault continue, en octobre 1939, de faire préparer les modèles et les outillages de l'automobile d'après guerre, il y emploie même des affectés spéciaux. Au dire de plusieurs ingénieurs, il n'aurait pas hésité à déclarer devant des ouvriers : « La guerre, je m'en fous ; ce que je veux, ce sont des Primaquatre, des Juvaquatre, des voitures qui paient [2]. » La Juvastella 40 surtout, la nouvelle voiture à freins hydrauliques, lui tient à cœur. Il serait prêt à abandonner aux fabrications de guerre ses usines du Mans, tout juste installées, « et que les militaires y fassent toutes les conneries qu'ils voudront ! » pourvu qu'on lui laisse produire ses autos à Billancourt. Son conseil d'administration ne le suit pas : « Certains membres estiment que ces propos ne pouvaient être que la conséquence d'une activité mentale déficiente [3]. »

1. Les chars représentaient, à la veille de la guerre, 10,7 % de l'ensemble des fabrications Renault, les matériels d'aviation 2,7 % ; il s'y ajoutait des livraisons de voitures et de camions aux forces armées, correspondant à 4,1 % de la production. Note de F. Lehideux (AN 91 AQ/15). Les fabrications civiles représentaient donc les cinq sixièmes de la production.

2. Notes de la Préfecture de police début novembre 1939, A.P.P., dossier BA/327-420 B. La production de chars est tombée en réalité à 2 par semaine contre 3 en juillet.

3. *Ibid.*

Au début de novembre, les informateurs de la Sûreté nationale rapportent que Louis Renault opposerait « des résistances sérieuses à l'intensification de la production intéressant la Défense nationale, c'est-à-dire tracteurs militaires, chars d'assaut, etc. ». C'est ainsi que la production du char B1 de 35 tonnes, qui pouvait, d'après les prévisions techniques, atteindre la cadence d'un toutes les dix heures, ne serait que d'un char par semaine[1].

Dautry reçoit des lettres véridiques ou fantaisistes lui dénonçant la crise ; il est tenu au courant par le nouvel administrateur délégué, René de Peyrecave, qui lève les bras au ciel. Il a reçu plusieurs fois Louis Renault, vainement. Il décide d'agir.

Trancher comme à Vénissieux ferait scandale à Paris. Le 14 novembre, il convoque à Billancourt une réunion plénière de l'état-major de Renault. Il s'y rend, accompagné de son directeur du cabinet technique, Bichelonne, et de Rochette, son assistant pour les fabrications mécaniques. Il a fait revenir, trois jours plus tôt, pour la circonstance, du front de Lorraine le lieutenant François Lehideux, le dauphin de Louis Renault, qu'il a prié de l'escorter à Billancourt. Louis Renault les accueille, entouré de ses chefs de service, une trentaine[2].

Devant cet auditoire, Dautry prend la parole. Il ne mâche pas ses mots. Il rappelle d'abord tout ce qui fait la gloire de Renault. Tout ce que la France doit à ce patron hors série, l'édification de l'entreprise depuis le début du siècle, l'épopée des chars légers de l'autre guerre, et la bataille menée depuis vingt ans pour conquérir des marchés. Puis le ton change : malgré leurs énormes moyens, les usines ne sortent pas grand-chose et semblent achopper sur des difficultés de second ordre : « Je ne reconnais plus le grand Renault. Où est-il ? A-t-il vieilli ? » Lui, Dautry, entend qu'on transforme radicalement les fabrications pour se consacrer uniquement à la production de chars. Et comme Renault l'interrompt pour parler des camions qu'il est outillé pour produire, Dautry réplique qu'il en a commandé 2 000 aux États-Unis, 500 à Fiat en Italie et qu'il en commandera d'autres si besoin est, mais que les chars doivent être construits en France et qu'ils le seront.

Au cours de ce sermon humiliant, il a insisté plusieurs fois « sur la nécessité de ne brimer aucune catégorie d'ouvriers ou de collaborateurs et de mener une politique sociale très humaine et très large ».

Après quoi, le verdict tombe : il importe d'assurer une liaison continue entre Renault et le ministère de l'Armement et de contrôler le progrès des fabrications ; Dautry a chargé de cette mission M. Rochette, coordinateur des fabrications automobiles ; celui-ci aura pour adjoint sur place le lieutenant Lehideux.

---

1. *Ibid.*
2. Sur la réunion du 14 novembre, cf. G. HATRY, pp. 353 et s. ; A. RHODES, pp. 162 et s., et les entretiens de M. François Lehideux avec l'auteur.

François Lehideux, placé en porte à faux, céda, après une résistance honorable, aux objurgations de Dautry (« Il n'y a que vous qui puissiez lui faire accepter ça ! ») et, finalement, à celles de Louis Renault lui-même : le « seigneur de Billancourt », ulcéré, mais pragmatiste, préférait pour « contrôleur » un neveu expérimenté et qui lui devait tout à un étranger.

François Lehideux

Ce jeune homme à la carrière fulgurante que Dautry propulsait au premier rang, il le connaissait bien, au point de l'appeler « mon petit François ». Il était issu d'une lignée de banquiers d'escompte parisiens ; il avait eu le privilège, rare en son temps, d'une expérience internationale qui lui avait valu de découvrir la Chine et l'U.R.S.S. des années 1920 et de s'initier aux affaires dans une banque américaine. Puis il avait épousé une nièce de Louis Renault et il avait conquis l'oncle par son intelligence, sa capacité de travail et son ardeur à réussir et il s'était lui-même pris au jeu de l'aventure Renault. Esprit ouvert, prudemment novateur, et de rapports chaleureux, il avait été très vite frappé par l'archaïsme social et le gigantisme difficilement gouvernable du conglomérat familial et il avait souhaité y porter remède. Il avait affronté les événements de 1936 avec un esprit plus compréhensif et plus souple que Louis Renault. Il avait participé au bouillonnement d'idées qui agitait l'avant-garde de la génération patronale montante à la fin des années trente. Ce qui ne l'avait pas empêché de faire figure de patron de choc et de signer, en novembre 1938, la demande au gouvernement et au Préfet de police de faire évacuer Billancourt par la force, décision qui fait date dans l'histoire des conflits du travail de l'entre-deux-guerres. Depuis les accords de Munich, il avait poussé les fabrications militaires, contre l'avis de Renault.

A-t-il aspiré à supplanter Louis Renault ? On l'a dit ; il s'en est toujours défendu. À prendre, le cas échéant, sa relève ? Sans doute. Quoi qu'il en soit, quand Dautry lui offre, au nom de l'État, le pouvoir chez Renault et qu'il réintègre le bureau qu'il avait quitté pour les armées, il fait de l'effort de guerre son affaire personnelle [1]. Louis

---

1. L'ordre de mission, signé par Dautry à Rochette (et à Lehideux) le 18 novembre 1939, leur prescrit d'assister chaque matin au rapport de fabrication des usines Renault (« Vous pourrez, en mon nom, donner toutes directives sur les ordres de priorité et éventuellement sur l'orientation à donner aux fabrications ») et de veiller « à l'utilisation pleine de toutes les ressources de l'usine ». « Le lieutenant François Lehideux sera plus spécialement chargé de maintenir une liaison permanente avec M. Renault et le personnel de l'usine. » Texte intégral dans G. HATRY, *o.c.*, p. 356. En fait, c'est Lehideux qui préside la réunion quotidienne des chefs de fabrication. À partir du 1er janvier 1940, en accord avec Dautry, il agira comme représentant de la société des usines Renault et non plus comme « contrôleur » délégué par le ministre de l'Armement.

Renault régnera encore, il pourra présider des réunions, signer des lettres, se prononcer sur des choix techniques, il ne gouvernera plus.

Le coup de barre est immédiat. Le 1er décembre, les trois députés Chouffet, Taittinger et Courson, venus enquêter à Billancourt, prennent acte à la fois de l'effondrement de la production consécutif à la mobilisation industrielle manquée et d'un cours nouveau des choses[1] :

> Le ministère de l'Armement fait l'impossible pour redresser les erreurs du passé. Un délégué du ministre assiste chaque matin à une réunion qui groupe tous les chefs responsables de la production aux usines Renault. Nous avons eu l'impression que ces contacts quotidiens avaient créé une ambiance toute nouvelle et que la production s'améliorait de jour en jour.

Dès le mois de janvier 1940, Louis Renault est en droit d'affirmer, dans un des plaidoyers dont il bombarde Dautry, que la reconversion est faite, le programme bien tenu, « bien qu'il fût difficile à remplir », la production de l'usine de Saint-Jean-de-Maurienne doublée[2] :

> Quatre mois pour transformer une usine comme la nôtre, usine de fabrication de série de voitures : j'estime que nous avons fait un très gros effort.

Le démarrage

La production s'accroît, en effet, bien que les effectifs ouvriers au 1er janvier 1940 atteignent à peine 75 % de ceux d'août 1939. Le contrôle général du ministère de la Guerre note qu'entre décembre et janvier elle devrait passer, si les approvisionnements arrivent, de 200 à 300 par mois pour les chenillettes, de 460 à 800 pour les camions, de 275 à 850 pour les voitures sanitaires, pour ne pas parler des blindés : « Il faut saluer un véritable redressement digne d'éloges en faveur de la Défense nationale[3]. » On organise la formation professionnelle des nouveaux personnels : à côté de l'école d'apprentis qui compte 750 élèves, un atelier de formation a accueilli, en décembre, une première fournée de jeunes dont on fait en deux mois des O.S.

Les à-coups ne manquent pas : les fournitures arrivent irrégulièrement, l'arrêt des livraisons de roulements bloque, en avril, la fabrication de chars et de camions pour une semaine. François Lehideux veille au grain. Le 22 avril, il ne craint pas de refuser à l'armée une commande mensuelle de 50 voitures de haut de gamme Vivastella « pour les hautes personnalités militaires » ; il juge néanmoins les résultats assez satisfaisants pour demander à la fabrication d'examiner la possibilité de faire 4 tracteurs agricoles par jour[4].

---

1. Rapport à la Commission de l'armée, *o.c.*, (AN 2W/7).
2. Cité par G. HATRY, *o.c.*, p. 358.
3. SHAT 8N/111.
4. AN 91 AQ/27.

À cette date de fin avril, l'effectif ouvrier est tout juste reconstitué. Les affectés spéciaux sont un peu plus de 4 000 ; près des quatre cinquièmes des « professionnels » et contremaîtres sont revenus mais non pas les O.S. Le personnel ouvrier est composé maintenant pour 46,7 % de femmes et de jeunes, la plupart sans expérience industrielle ; encore les premières ne sont-elles employées que deux semaines sur trois, les seconds ne doivent pas travailler plus de 48 heures par semaine. Le reste du personnel fait au moins 60 heures, le travail de nuit occupe 2 140 machines et 2 730 ouvriers. La production de guerre a presque triplé depuis l'automne : de 159 « unités Renault » en octobre 1939, elle est passée au 15 avril 1940 à 430 « unités Renault », ce qui représente au moins les trois quarts et peut-être l'équivalent de l'ensemble de la production du temps de paix de Billancourt[1]. Pour les camions et les matériels blindés, les sorties atteignent et dépassent souvent les prévisions.

La courbe de la production est spectaculaire[2] :

	Juillet 1939	Septembre 1939	Mars 1940
Moteurs et mécanismes de chars lourds B1	12	10	50
Chars R 35	43	32	75
Chenillettes	—	94	301
Camions de 5 tonnes	—	92	536

À quoi s'ajoutent des fabrications spéciales nouvelles : mines d'infanterie (100 000 par mois), grenades (100 000 par mois), sacs de masques à gaz (180 000), etc.

Plus de 1 000 ouvriers sont employés depuis octobre à la fabrication de machines-outils spéciales[3]. L'usine du Mans, qui a démarré à l'automne 1939, sort 300 carcasses de chenillettes et 50 carters de mécanismes de char B1 par mois, tandis que la filiale lorraine, la Société d'aciers fins de l'Est, a poussé sa production d'aciers spéciaux de 4 000 à 6 500 tonnes[4].

Renault se surpasse pendant les batailles de mai et juin 1940 : 11 heures de travail par jour, dimanches compris, la production de moteurs et mécanismes de chars B réaugmente de 25 % en un mois.

---

1. AN 91 AQ/27.
2. Ces chiffres sont difficiles à interpréter. L' « unité Renault » est la Vivaquatre, fabriquée en 350 heures. Sur cette base, une production de 430 unités Renault équivaut à environ 150 000 heures de travail par jour, alors que le temps de présence quotidienne de l'effectif ouvrier d'avril 1940 semble être de l'ordre de 210 000 heures.
3. G. HATRY, *o.c.*, pp. 358-359.
4. *Ibid.*

les problèmes d'outillage et d'équipement en fonction des prix de revient n'étaient pas étudiés ;

l'effort de recherche et de création se ralentissait et faisait place à un simple travail de copie de l'étranger.

En 1938 encore, les chargés de mission de Guy La Chambre rapportent de leurs enquêtes des révélations consternantes sur la fabrication à la française :

> On a oublié que les prototypes devaient être étudiés en vue d'une production industrielle. On reproduit à l'identique des prototypes conçus par des bureaux d'études qui ignorent tout des contraintes de la fabrication en série : cette ignorance engendre des lacunes des méthodes d'usinage, l'exigence de matières premières inaccessibles en masse, la surabondance des pièces constitutives [1].

Le bombardier Lioré 45, appareil aux magnifiques performances, comprend 20 000 pièces, des centaines d'instruments de bord, des kilomètres de canalisations : « Il est difficile d'imaginer la complication d'un pareil organisme [2] ». Le bombardier Amiot 361 comptera 40 000 pièces. Quand les envoyés ministériels visitent les usines Fokker et Kolhoven aux Pays-Bas et les usines Messerschmitt d'Augsbourg, ils sont frappés de stupeur : il suffit de 6 000 heures pour y faire des avions de chasse légers, avec une main-d'œuvre peu spécialisée et relativement peu d'outillage, contre 14 000 heures en France, dans le meilleur des cas, pour fabriquer un Morane-Saulnier 405, qui comprend 7 000 pièces différentes nécessitant 6 000 outillages spécialisés [3]. Le fuselage du Messerschmitt est fait de deux demi-coques moulées à la presse et assemblées. L'industrie aéronautique française ignore encore l'usage de la presse. « Ce n'est pas seulement une affaire de capacité industrielle et d'outillage », s'exclame l'ingénieur Stéphane Thouvenot, un des meilleurs conseillers techniques de Guy La Chambre, futur directeur des constructions aéronautiques à la Libération, « c'est une mentalité nouvelle à acquérir, celle de la primauté des problèmes industriels sur les problèmes techniques » [4]. Ces phrases sont écrites à l'automne 1938, à quinze jours de la rencontre de Munich et à un an de la guerre. Pour accélérer la production, il conviendrait de la rationaliser et de spécialiser les usines, mais ce n'est pas une petite affaire. Il faut, au lendemain de Munich, toute l'autorité d'Albert Caquot, nouveau président des sociétés nationales, pour imposer aux constructeurs une spécialisation des fabrications à laquelle ils répugnent par souci de prestige, par commodité ou par habitude.

---

1 E. CHADEAU, *o.c.*, pp. 907-908.
2. Témoignage d'Albert Caquot, 10 octobre 1940, AN 496 AP (4 DA/13, Dr. 1).
3. SHAA Z/11606 et Z/11607.
4. *Ibid.*

Marcel Bloch, Paul-Louis Weiller

Deux constructeurs ont focalisé les griefs à l'approche de la guerre : ce sont précisément deux personnalités dont la stature aura le plus fortement marqué le développement de l'industrie aéronautique française au xxᵉ siècle, Marcel Bloch, depuis 1936 administrateur-délégué de la Société nationale du Sud-Ouest, et Paul-Louis Weiller, patron privé de Gnôme et Rhône. On les a accusés d'avoir produit des matériels insuffisants et d'avoir freiné le développement aéronautique, sinon même la production. Marcel Bloch (qui n'était pas encore Marcel Dassault), dénoncé avec une féroce obstination par *Gringoire* comme un fabricant de « cercueils volants », stigmatisé en 1939-1940 par les commissions parlementaires, devenu suspect au cabinet du ministre de l'Air et contraint par celui-ci en février 1940 d'abandonner la direction de la S.N.C.A.S.O., objet en mars d'une enquête de police menée avec un acharnement haineux[1], allait être interné après la défaite par le gouvernement de Vichy, avant d'être déporté par les Allemands, tandis que Weiller, également interné, fut en outre déchu de la nationalité française.

Les accusations à leur encontre ont été nourries de trop de hargne politique et d'envie pour ne pas être accueillies avec circonspection. Tous deux d'ascendance juive, portant tous deux la tare d'entretenir des relations privilégiées avec les milieux politiques radicaux[2], joignant l'un et l'autre à la compétence technique une habileté commerciale qui tranche sur le pas à pas artisanal de tant de constructeurs, ils n'ont pas réussi à se faire pardonner, le premier son indépendance et son faste de vedette du Tout-Paris, le second des commandes attribuées, selon ses ennemis, à la cautèle et au démarchage et qui lui ont valu, dès les années 1935-1936, de partager avec son partenaire Potez près de 60 % des marchés d'avions de guerre. Surtout, leurs profits ont été trop évidents. « Une seule chose est certaine », dit en décembre 1939 un rapporteur du Sénat, « MM. Bloch et Weiller se font une énorme fortune sur le dos de l'État »[3].

---

1. SHAT 9N/362-2.
2. Les campagnes contre les « marchands de canons » étaient venues de l'extrême gauche ; il est caractéristique que la mise au pilori de Marcel Bloch et de P.-L. Weiller ait été le fait de l'extrême droite. Marcel Dassault, interrogé dans ses dernières années sur les raisons de l'acharnement de *Gringoire* contre les avions Bloch, l'attribuait au fait qu'il avait refusé de souscrire les contrats d'insertions publicitaires que sollicitait le directeur de l'hebdomadaire H. de Carbuccia. Quant aux règlements de comptes politiques à l'encontre de P.-L. Weiller, ils prolongeaient un contentieux qui remontait au début du siècle : son père, Lazare Weiller, inventeur et grand homme d'affaires, fondateur des tréfileries du Havre et président de la Compagnie française de T.S.F., avait été député radicalisant de la Charente puis, jusqu'à 1924, sénateur du Bas-Rhin affilié à la gauche démocratique.
3. Sénateur Delthil devant la sous-commission du matériel aérien du Sénat, le 29 décembre 1939 (ARSENAT).

Weiller, qui use et abuse de sa situation dominante sur le marché des moteurs, continue d'accroître avec maestria les profits de Gnôme et Rhône à la faveur de la « drôle de guerre » grâce à des placements financiers à court terme pour lesquels il utilise les avances de l'État[1]. Quant à Marcel Bloch, génie solitaire habile à profiter des circonstances et qui a été au premier rang des bénéficiaires des nationalisations, il semble ignorer la législation sur les bénéfices de guerre. L'ingénieur en chef de l'aéronautique Boutiron le montrera obtenant à l'automne 1939 des avenants en cascade aux marchés de la S.N.C.A.S.O., qui en relèvent le prix de 70 % en quelques semaines avant le moindre commencement d'exécution. Le fait n'est pas en lui-même répréhensible, compte tenu des modalités de passation des marchés de guerre[2]. Ce qui est moins orthodoxe (mais que le ministère a longtemps accepté, sinon encouragé), c'est que Marcel Bloch, patron d'une société nationale, ait pour principal sous-traitant Marcel Bloch, industriel privé, et que celui-ci en profite, en pleine guerre, pour pousser les sociétés dans lesquelles il a des intérêts à exiger les prix les plus élevés[3]. Il est vrai que ces pratiques sont aussi le fait d'autres constructeurs de pointe, du « charmant Potez », pour lequel on est indulgent, ou de Dewoitine, inventeur du meilleur avion de chasse de l'époque, que le gouvernement de Vichy jettera en prison.

En réalité, Marcel Bloch sait faire des avions (il devait le prouver pendant un demi-siècle), tout comme Weiller sait faire des moteurs. On a invoqué l'échec du Bloch 151, appareil insuffisamment étudié et qui remanié pendant cinq ans est sorti seulement en 1938 alors qu'il était périmé ; mais le Bloch 174, bombardier léger dont on attend la sortie pour 1940, est très réussi et les Allemands trouveront le prototype du 175 extraordinaire. Quant à Weiller, si ses moteurs s'usent trop vite, ce dont les fournisseurs nationaux d'aciers fins sont sans doute les premiers responsables, ses ventes de licences à l'Allemagne, à l'Italie, à l'Espagne, à la Hongrie, à la Roumanie, au Portugal, au Japon et à

---

1. Cf. E. CHADEAU, *o.c.*, qui a analysé les comptes et bilans de Gnôme et Rhône de 1930 à 1940, pp. 1019 et s.

2. « C'est ainsi qu'une lettre de commande adressée à Marcel Bloch, directeur général de la S.N.C.A.S.O., lui commandait 665 avions de bombardement au prix unitaire de 1 450 000 F ; sur son insistance, une lettre rectificative du 31 octobre 1939 en relevait le prix à 1 900 000 F, tout en augmentant leur nombre, porté de 665 à 820. Des rectifications ultérieures portaient ces mêmes prix à 2 275 000 F, puis à 2 405 000 F. » Témoignage de l'ingénieur en chef Boutiron, AN 496 AP (4 DA/12, Dr. 3).

La pratique dénoncée par Boutiron correspond aux modalités de passation des marchés mises en vigueur à la déclaration de guerre, l'administration établissant une lettre de commande à un prix provisoire qui fait ensuite l'objet de révision. L'urgence a conduit le ministère de l'Air à accepter, souvent sans discussion, les demandes des constructeurs dont trois — Bloch, Potez et Dewoitine —, tout en étant administrateurs-délégués de leurs sociétés nationales, étaient intéressés sous plusieurs formes aux résultats.

3. Cf. Rapport du sénateur Delthil, *o. c.*, confirmé par le témoignage de l'ingénieur en chef Boutiron, AN 496 AP (4 DA/12, Dr. 3).

l'U.R.S.S., où, à la veille de la Seconde Guerre mondiale, 14 usines fabriquent des moteurs sous licence Gnôme et Rhône, suffisent à attester ses capacités industrielles. Les deux hommes ont pris des engagements inconsidérés, ils ont accumulé les retards, ils n'ont pas été les seuls.

Mais ils jouent plus ostensiblement que d'autres le jeu de la commodité et de l'intérêt, en constructeurs-commerçants d'un type nouveau dont les visées personnelles ne se satisferaient pas d'une entreprise réduite à une fonction d'arsenal. Non seulement ils se refusent, comme bien d'autres, à engager des fabrications ou se gardent d'en accélérer le rythme tant qu'ils n'ont pas de commandes fermes, même aux pires jours de la crise de Munich [1], et renâclent quand on les oblige à rationaliser leurs méthodes, mais ils s'entendent à consolider leur domaine propre. Marcel Bloch a-t-il en outre privilégié la fabrication des appareils sur lesquels il touchait des droits de licence au détriment des autres modèles ? Guy La Chambre semble bien l'avoir cru [2]. Rien ne le prouve.

Gnôme et Rhône, qui fournit plus de 60 % des moteurs de l'armée de l'Air, aurait dû être un des mieux placés dans la course européenne aux moteurs surpuissants de plus de 1 000 CV : Weiller n'a pas pris les devants, fort de la rente de situation que lui assuraient ses moteurs de moyenne puissance. Il n'a pas rattrapé son retard à la déclaration de guerre [3]. Cela ne l'empêche pas de tout mettre en œuvre pour se faire réserver le marché national et de s'opposer aux projets de décentralisation de son usine : il refuse d'endetter Gnôme et Rhône en l'installant au Mans, comme l'exigeaient les autorités, et réclame en contrepartie la commande ferme de 350 moteurs pendant 10 mois pour ce seul site ; l'administration finit par payer l'investissement. L'usine du Mans-Arnage est achevée en juin 1939 : on n'y produira toutefois que des

1. Le 28 septembre 1938, alors que la guerre peut éclater d'un jour à l'autre, Guy La Chambre doit donner des assurances aux constructeurs aussi bien publics que privés : « On assiste, chez les administrateurs de sociétés nationales, dit le ministre, à une manifestation analogue à celle de Weiller qui exige des commandes fermes. Il existe un plan d'armement qui a la certitude d'être exécuté. Il n'y a donc rien à craindre de la part des chefs de ces entreprises et cette assurance devrait leur suffire pour accélérer les cadences... Le Bloch 151 subit cet état d'esprit. La question des crédits ne doit pas être considérée comme un obstacle, car on est assuré d'avoir ceux qui sont nécessaires au moment voulu, dans le cadre du plan » (Comité du matériel du 29 septembre 1938, SHAA IB/4).

2. R. FRANKENSTEIN, *o.c.,* p. 268. Cf. aussi P. ASSOULINE, *Monsieur Dassault,* pp. 122 et 130 à 138.

3. De multiples facteurs externes ont nui à la qualité et au progrès des moteurs dans la période 1936-1940 : médiocre qualité des aciers fournis aux « motoristes » par des entreprises sidérurgiques qui répugnaient à spécialiser leurs fournitures ; inexpérience du ministère de l'Air dont les fiches techniques définissant les spécifications demandées aux moteurs ont toujours été imprécises et ne comportaient pas de spécifications d'endurance en conditions réelles. Cf. E. CHADEAU, *o.c.,* p. 1034. P.-L. Weiller, confiant dans ses succès, a-t-il en outre trop tardé à étoffer son bureau d'études ? C'est plausible.

pièces détachées et des sous-ensembles pour l'usine parisienne où, assure la direction, les facilités de main-d'œuvre et d'outillage sont supérieures[1]. Rapports exaspérants où le noir et le blanc se mêlent : mais Weiller pourra se prévaloir d'avoir « sorti » 583 moteurs, chiffre record, au seul mois de mai 1940, non compris la production des usines travaillant sur ses plans, ce qui porte le total à 1 000. L'affairisme et les avatars des constructeurs ne doivent pas éclipser leurs mérites : les uns comme les autres s'inscrivent dans le tableau contrasté d'un redressement remarquable, bien que trop tardif : la France n'aurait pas été en voie de retrouver en avril-mai 1940 un rythme de production comparable à celui de l'Allemagne sans cette cohorte brillante d'animateurs et d'ingénieurs.

Le ministère de l'Air, carrefour d'influences

Face aux entreprises nationales ou privées, le partenaire décisif est le ministère de l'Air, client, commanditaire, tuteur, compère et finalement patron. De lourdes responsabilités lui incombent : ses flottements illustrent la difficile adaptation de l'État libéral aux réalités industrielles. Un fait paradoxal en témoigne : on a vu à quel point les firmes étaient dépendantes de l'administration ; la dépendance a été réciproque. Dans la relation de symbiose qui associe le ministère et l'industrie, le contexte politico-administratif a été tel que les entrepreneurs se sont trouvés longtemps en mesure d'imposer leurs exigences, leurs commodités et leurs délais ; cette dépendance n'a pas complètement cessé lorsque le pouvoir politique se fut décidé en 1938 à prendre en main l'organisation d'une véritable industrie de guerre et à en assumer les responsabilités et les coûts.

Ce qui jusque-là à manqué le plus au ministère de l'Air, responsable de l'armée de l'air et tuteur de l'industrie aéronautique, sont la capacité et l'autorité d'expertise technique et industrielle.

Créé en 1928, c'est un ministère sans traditions et dépourvu d'intendance, composé de services qui « n'ont pas cessé d'être fondus, dissociés, refondus, démembrés, bouleversés de toutes les manières » sans qu'un secrétaire général en assure la cohérence, en proie aux sollicitations politiciennes et aux pressions de coteries, boycotté par la Marine, peu soutenu par le commandement terrestre, et à l'intérieur duquel l'État-Major et les services techniques sont fréquemment en opposition[2]. On a parlé d'une pétaudière. La fluctuation des structures, la dualité des personnels civils et militaires, les rivalités de clans, la perméabilité aux influences font qu'il n'y a d'unité de décision qu'au niveau du ministre. Il revient à l'État-Major d'indiquer les besoins de

---

1. E. CHADEAU, *o.c.*, pp. 1066-1008.
2. Témoignage de Sordes, 25 janvier 1941, AN 496 AP (4 DA/18, Dr. 4).

l'armée de l'air ; il établit les programmes généraux qui en résultent ; après quoi, les services techniques, composés d'ingénieurs de l'aéronautique, traduisent les programmes généraux d'équipement en spécifications à l'usage des industriels, puis vérifient les performances des matériels. Les services techniques sont ainsi, comme la DFA˙ au ministère de la Guerre, à la charnière entre l'administration et l'industrie ; ils y sont aux prises avec quelques-uns des problèmes les plus difficiles que pose à l'État le développement d'une industrie stratégique.

Or, les ingénieurs de l'aéronautique sont, comme les ingénieurs de l'armement, un corps de création récente. Pierre Cot les a jugés en 1936 incapables de prendre en main les sociétés nationalisées. Les constructeurs assurent qu'ils ont une formation appliquée insuffisante, du moins ceux des premières promotions :

> Après des études théoriques souvent brillantes, ils ont été absorbés par la machine à paperasse qu'est le ministère de l'Air ; ils ignorent, pour la majeure partie d'entre eux, ce que sont les problèmes industriels et les problèmes d'atelier[1].

En réalité, la génération qui monte est brillante[2], mais elle a peine à s'imposer tant aux constructeurs qu'à l'État-Major. De leur côté, l'État-Major et les services qui en relèvent n'ont pas cessé d'interférer dans le détail des choix techniques, tandis que les cabinets ministériels prétendaient trancher de tout. L'État-Major se veut l'interprète d'une doctrine incertaine et qui ne cesse de fluctuer, mais aussi de l'expérience des aviateurs. Ses bureaux sont composés d'as de la dernière guerre dont les prouesses ne garantissent ni l'aptitude à l'innovation ni la compétence industrielle. Albert Caquot leur a attribué une part majeure dans la pagaille de l'aéronautique[3].

> L'État-Major tenait essentiellement à diriger lui-même la définition des appareils par des commissions nombreuses aux officiers sans cesse changeants, de sorte que la question la plus simple ne pouvait être tranchée dans le sens utile au pays. L'histoire de l'avion de bombardement Amiot qui n'était pas encore défini le jour de l'armistice est à ce point de vue tout à fait remarquable...

Les bureaux de l'État-Major bouleversent la définition des avions, imposent pour chaque prototype des adaptations contradictoires et des « versions » multiples, modifient les appareillages prévus,

> demandant un tel nombre d'instruments de contrôle et de vérification, une telle quantité de fils et de canalisations sur les avions que ceux-ci ne

1. Rapport Métral, *o.c.*
2. Elle fournira, après la Libération, certains des meilleurs artisans du renouveau de l'aviation française, les Roos, Thouvenot, Ziegler, etc., directeurs des constructions aéronautiques et présidents de sociétés nationales.
3. Témoignage de Caquot, 7 octobre 1940, AN 496 AP (4 DA/13, Dr. 1).

pouvaient pas avoir la rusticité nécessaire, perdaient beaucoup de leurs qualités et étaient beaucoup plus difficiles à fabriquer.

Le perfectionnisme se traduit, comme au ministère de la Guerre, par une manie d'incessante révision. Entre les repentirs des constructeurs et les exigences des bureaux, « certains modèles d'avions ont connu, au cours de leur existence éphémère, des modifications ayant dépassé le millier »[1]. Le ministère de l'Air, pas plus que la Guerre, n'a eu le contrepoids d'une haute direction technique incontestée, sinon habilitée à arbitrer, et cette carence s'est perpétuée jusqu'à la crise de Munich : trois ou quatre organismes de l'Air ont été en concurrence pour prendre les décisions relatives aux programmes industriels, les « utilisateurs » militaires ayant, en général, le dernier mot sur les « organisateurs », plus d'une fois au grand dam de l'efficacité[2].

Un autre organe a été accusé, surtout par les industriels, d'avoir une action retardatrice : la direction du contrôle[3]. Elle visait les marchés, ce qui lui donnait en pratique un droit de veto. « Tous les hommes qui en faisaient partie étaient des fonctionnaires intègres de haute valeur, mais n'ayant pas le sens du temps », affirmera Caquot ; « le rôle qui leur était assigné par la loi les entraînait nécessairement au freinage qui était leur seule raison d'être ». L'administration de l'Air a buté, plus encore que l'administration de la Guerre, sur le dilemme de la dilapidation et de l'efficacité : à des constructeurs dont certains gonflaient sans vergogne leurs devis, des contrôleurs ont opposé une tactique d'obstruction tantôt justifiée, tantôt abusive, dans bien des cas peu compatible avec l'urgence.

---

1. Propos tenu par l'ingénieur général Dumanois, président de l'Amicale des ingénieurs de l'aéronautique, le 3 mars 1937, devant ses collègues et son ministre. Cité par A. de MONZIE qui ajoute avec un humour amer : « Les États-Majors et les services techniques ont soumis notre construction aéronautique à la danse de Saint-Guy ! (*La Saison des juges*, p. 132).

2. Ce primat des « utilisateurs » (militaires) sur les « organisateurs » contredisait les leçons de la Grande Guerre (cf. E. CHADEAU, *o.c.*, p. 938). Les mêmes causes produisant les mêmes effets, on rappellera que le déclin de la construction aéronautique allemande a commencé lorsque, à la fin de 1941, Goering donna le pas dans la programmation aux officiers d'aviation forts de leur expérience du combat : la conséquence fut, comme dans la France des années trente, la multiplication excessive des modèles et la sophistication abusive des appareillages, source d'engorgement industriel. Cf. Werner BAUMBACH, *Zu spät!, Aufstieg und Untergang der deutschen Luftwaffe*, Munich, Pflaum Verlag, 1949, pp. 64-67.

3. Témoignage de Caquot, AN 496 AP (4 DA/13, Dr. 1). Les procès-verbaux des conseils d'administration de la S.N.C.A.S.O. montrent par exemple la conclusion d'une commande de bombardiers Lioré-Olivier retardée de novembre 1938 à novembre 1939 parce que le contrôle prétendait imposer des prix dont il était prouvé qu'ils étaient inférieurs aux coûts de fabrication (AN 99 AQ/4). De même l'obstination, si souvent justifiée, des contrôleurs a eu un effet néfaste dans la mesure où ils chiffraient les prix de revient à partir de frais généraux fixes, ce qui conduisait les usines à gaspiller la main-d'œuvre et à ne prévoir qu'un outillage limité à l'extrême.

Faire prévaloir une haute direction technique et définir une politique industrielle supposaient de toute façon des tâtonnements, il y fallait une volonté ferme et compétente. L'instabilité politique a longtemps joué en sens contraire. Le ministère de l'Air a eu, de sa création en septembre 1928 à l'effondrement de juin 1940, onze ministres dont 8 différents, sans compter 5 sous-secrétaires d'État ; il a connu 27 chutes ministérielles, soit 27 crises pendant lesquelles toute décision importante a été suspendue. Directeurs et chefs de services se sont succédé à une cadence encore plus rapide : de janvier 1939 à avril 1940, on a vu passer 2 chefs d'État-Major généraux, 5 chefs d'État-Major, 5 directeurs techniques et industriels, 4 directeurs des fabrications, 4 présidents des sociétés nationales [1].

Les changements de personnes ont fréquemment été suivis d'une inflexion des programmes [2].

Enfin des pressions extérieures ont pesé sur les décisions : dénonciation de Pierre Cot et de Marcel Bloch par l'extrême droite ; sollicitations parlementaires, mais aussi campagnes de groupes d'intérêts hétéroclites acharnés à réserver la manne des commandes à l'industrie nationale, alors même que celle-ci est hors d'état de fournir : de 1937 à 1939, les « motoristes » et leurs banquiers, entraînés par Paul-Louis Weiller, la commission de l'Air de la Chambre, actionnée par le populaire aviateur-député Bossoutrot, la C.G.T., la presse communiste font chorus pour empêcher, en accord avec les services techniques de l'Air, que le ministère n'achète des moteurs américains ou ne fasse fabriquer sous licence des moteurs anglais en France. Des oppositions analogues se conjugueront avec celles de l'administration des Finances, quand Guy La Chambre et Daladier décident, à la mobilisation, d'acheter massivement des chasseurs américains pour compenser le retard de l'industrie française [3].

Guy La Chambre et le démarrage industriel

Le mérite de Guy La Chambre, ministre de l'Air de janvier 1938 à mars 1940, aura été de faire prévaloir l'impératif industriel.

---

1. Témoignage de Sordes, AN 496 AP (4 DA 18, Dr. 4).
2. L'ingénieur général Joseph Roos a évoqué la variation des politiques et des méthodes des quatre directeurs généraux qui se sont succédé à l'Air en deux ans. Cf. « La bataille de la production aérienne », *Icare,* novembre 1971, p. 52.
3. Cf. R. FRANKENSTEIN, *o.c.*, pp. 264-265 ; R. FRIDENSON et J. LECUIR, *La France et la Grande-Bretagne face aux problèmes aériens*, pp. 164-165 et 174-177. La presse communiste soutient, en se référant aux propos de P.-L. Weiller, que « si un effort suffisant était fait au point de vue des commandes, les usines pourraient faire face à une fabrication de 1 000 avions par an avec l'équipement en moteurs correspondant », *Le Progrès d'Argenteuil,* 2 décembre 1938 (parmi d'autres). Guy La Chambre a lu après la guerre devant la commission d'enquête parlementaire une étonnante mise en demeure de Bossoutrot contre les projets d'achats d'avions américains, CEP, t. II, pp. 308-309.

Guy La Chambre n'a ni la vigueur de pensée ni l'éclat tranchant de Pierre Cot. C'est un grand bourgeois affable, héritier d'armateurs malouins, fils et petit-fils de parlementaires ; il a la confiance de Daladier dont il est depuis 1932 l'homme lige ; il est bien vu de l'armée et de la Chambre ; il préside chaque semaine, sans compétence technique mais avec conscience et bon sens, le comité du matériel aérien qu'il a institué peu après son arrivée au ministère et il va consacrer pendant deux ans la moitié de son temps aux problèmes de la construction aéronautique, deux ans pendant lesquels il fait à peu près tout ce que peut faire un ministre pour doter le pays d'une force aérienne.

Il se donne les moyens d'agir. En neuf mois, il dote son ministère de l'autorité d'expertise et d'impulsion techniques et industrielles. Il s'entoure d'une équipe de jeunes ingénieurs aux vues hardies ; très vite, il crée au ministère de l'Air un bureau industriel de l'Air. Enfin, un personnage hors série incarne en son nom l'autorité technique à partir de l'automne 1938 : Albert Caquot. Ce polytechnicien de la promotion 1899, cet homme de bureau d'études, est aussi un organisateur et un homme de terrain. Il s'est révélé, dès ses débuts, comme un ingénieur des Ponts et Chaussées sortant de l'ordinaire. Devenu, en 1912, chef d'entreprise, il s'est acquis une réputation mondiale d'ingénieur-constructeur, pionnier des techniques du béton. Son nom est inséparable du môle du Verdon, de la grande forme-écluse de Saint-Nazaire, de multiples barrages depuis Bort-les-Orgues jusqu'à Donzère, comme du pont de la Caille, qui détint le record de portée d'un arc en béton, du pont George-V sur la Clyde à Glasgow ou de la statue géante du Christ qui domine la baie de Rio de Janeiro : il a laissé la marque de ses innovations partout où le génie civil français s'est imposé. Officier affecté à une compagnie d'aérostiers en 1914, il a inventé le ballon captif d'observation à stabilisateur arrière, la « saucisse », adaptation perfectionnée du Drachen allemand qui a été aussitôt fabriquée en grande série en Angleterre, puis en France. Les succès de l'aérostation française ont conduit Clemenceau à lui confier en 1917 les fonctions de directeur technique de l'aviation, ce qui allait l'engager dans la voie, exceptionnelle en France, d'une carrière alternée tour à tour dans l'administration et dans l'industrie. Il a présidé avec succès en 1917 et 1918 à l'essor de la construction aéronautique de guerre [1]. Dix ans plus tard, lorsque a été institué le ministère de l'Air, il a été appelé à en créer la direction générale technique. Il y a mené, de 1928 à 1934, la politique dite des prototypes, politique partielle et coûteuse, mais grâce à laquelle ont émergé trois des constructeurs les plus doués de leur génération, Marcel

---

1. Le 15 février 1919, Clemenceau adressait à Caquot une lettre par laquelle il lui exprimait « la reconnaissance de la France pour avoir donné à notre armée aérienne, grâce à ses qualités d'ingénieur en chef, malgré des difficultés matérielles sans cesse renaissantes, les outils de sa victoire ». Cf. *Hommage à Albert Caquot* par André Pasquet, École nationale des ponts et chaussées, 25 mai 1977.

Bloch, Dewoitine et Potez, et dont l'abandon, sous la pression de lobbies et de parlementaires au pire moment de la crise économique, a eu des effets désastreux. De tout l'entre-deux-guerres, il a laissé le souvenir du seul responsable « d'une politique de l'aviation qui n'ignorât pas l'innovation ou ne la tînt pas entièrement subordonnée à la dialectique simpliste des rapports entre l'État et les fournisseurs aux armées »[1].

Tel est l'homme que Daladier a convoqué en pleine crise de Munich, en septembre 1938, pour le charger, « en service commandé », de la présidence de toutes les sociétés aéronautiques nationalisées : il y apporte, outre le prestige et la compétence, une autorité coléreuse à laquelle aucun constructeur ne résiste.

Ainsi étayée, l'action du nouveau ministre s'inscrit en trois volets : formidable extension des commandes d'avions, prise en charge par l'État des infrastructures et outillages industriels, coordination autoritaire des fabrications[2].

Le 12 mars 1938, Hitler a annexé l'Autriche ; le 15, Guy La Chambre présente un programme dit « plan V », qui va être jusqu'à l'entrée en guerre la charte de la rénovation et du réarmement aériens. Selon le plan V initial (auquel diverses extensions furent ajoutées en mars et juin 1939), l'armée de l'air devait disposer au 1er avril 1941 de 4 739 avions récents, dont 2 617 en ligne. Devant l'aggravation de la situation internationale, Guy La Chambre décide de tout faire pour réaliser le plan en deux ans, c'est-à-dire d'ici au 31 mars 1940 : il croit la guerre certaine et justifie l'urgence de l'action sans mâcher les mots.

> D'après ceux qui croient au diagramme, c'est l'année 1940 qui, par la courbe des armements, la sortie (des pilotes allemands) des écoles, le rythme avec lequel certains de nos voisins réalisent certaines autostrades, serait l'année où ils seraient fin prêts.

Léon Blum, éphémère président du dernier gouvernement du Front populaire en mars-avril 1938, approuve le lancement en quelques jours de commandes massives. Daladier, qui lui succède, fait approuver le 2 mai le financement du plan. Près de 4 milliards de crédits de paiement sont ouverts au titre de l'année en cours : c'est une révolution tant par l'ampleur des crédits que par leur emploi. Pierre Cot a frayé les voies en mettant en place le cadre juridique et les structures et en portant l'accent sur la décentralisation nécessaire, mais la production est inexistante. Guy La Chambre se convainc qu'il ne suffit pas de commander des prototypes et des avions, mais qu'il faut aussi prendre en charge et remodeler l'industrie aéronautique. Un plan d'extension et de décentra-

---

1. E. CHADEAU, *o.c.*, p. 1040.
2. Cette action, que R. Frankenstein a su replacer dans le cadre d'ensemble du financement du réarmement français, a été analysée de façon approfondie par E. CHADEAU qui confirme l'ampleur et la cohérence de l'œuvre accomplie, *o. c.*, pp. 953-980. C'est à lui que sont empruntées les précisions qui suivent.

lisation à base de contrats d'outillage et de démarrage y pourvoira : un programme d'investissement de 2 milliards 219 millions est engagé de mai 1938 à mars 1939, à répartir sur les trois exercices 1938-1940 pour porter effet avant le 1er juillet 1940. Les investissements vont non seulement aux sociétés nationales, mais aux firmes privées de construction et d'accessoires, y compris à celles que la nationalisation a privées dix-huit mois plus tôt de leurs installations. Les mécanismes de financement sont assouplis grâce en particulier à la modification du statut de la Caisse de compensation pour la décentralisation des industries aéronautiques qu'on transforme en une sorte d'office industriel habilité à acquérir le capital fixe. « On n'avait pas vu en France un tel programme depuis la Grande Guerre et jamais un programme où les dépenses d'outillage et de machines fussent aussi élevées », écrit Emmanuel Chadeau [1]. Pour la première fois depuis 1920 l'investissement aéronautique n'était plus incohérent et médiocre ; par un paradoxe, il était limité par la faiblesse du tissu industriel environnant. Des immenses usines sont acquises, édifiées ou étendues. L'État, pour alléger la tâche de l'industrie, crée et gère des ateliers de réparation à Bordeaux, Clermont-Ferrand, Limoges, Alger et Casablanca, étoffe le nouvel arsenal de l'air de Villacoublay, fait centraliser par le Bureau industriel de l'air les achats d'outillage pour le compte de l'industrie et les oriente vers les machines les plus appropriées aux fabrications de grande série : presses hydrauliques à grande puissance ou soudeuses électriques par points.

De son côté, Caquot institue la coordination des fabrications. Pour chaque tranche de programme, il a pouvoir de fixer quelle société nationale ou, à défaut, quelle firme privée en sera chargée. Il planifie les moyens de les faire travailler les unes pour les autres en sous-traitance mutuelle. Il a beau s'indigner du manque d'autonomie des sociétés nationalisées, il s'applique, en tant que leur président commun, à subordonner leurs particularismes aux exigences de l'efficacité collective ; il étudie leur circuit interne de production et leurs cadences et en définit la réorganisation. Il contraint, au printemps 1939, la S.N.C.A.S.O. de Marcel Bloch à limiter ses fabrications à deux modèles. Son intervention la plus spectaculaire, dès le lendemain de sa prise de fonctions, est pour débloquer la construction des chasseurs Morane 405/406, qui est la priorité de 1938, car l'armée de l'air n'a pas un avion de chasse moderne. La société privée Morane-Saulnier, inventeur de l'appareil, est hors d'état de le produire en série. Trois sociétés nationales en ont reçu des commandes importantes, qui portent chacune sur la totalité de l'avion, mais aucun appareil n'est sorti : les outillages ne sont même pas constitués. Le 28 octobre 1938, Caquot confie à la S.N.C.A.S.O. de Marcel Bloch la tâche de maître d'œuvre et il impose la spécialisation des sociétés et des usines selon le principe de la division du

1. E. CHADEAU, *o.c.*, p. 973.

travail : la Société nationale du Centre fera uniquement les ailes (à Bourges), la nationale du Midi uniquement les empennages (à Toulouse), la nationale de l'Ouest les fuselages et le montage (près de Nantes), grâce à une chaîne ultra-moderne financée par l'État ; outre l'économie d'exécution, ce système ramène le temps de fabrication de 13 000 à 8 000 heures et permet de faire des avions tous identiques [1] : les usines nationalisées sortent 550 Morane entre janvier et septembre 1939.

Un espoir et un pari

Ce n'en était pas moins une gageure de vouloir construire une industrie en deux ans. On avait mis la charrue avant les bœufs en 1934-1935. Pierre Cot avait bien vu, après la nationalisation, qu'il fallait « imiter les Anglais et commencer par construire des usines » [2], mais il n'en avait pas demandé les moyens et l'on avait rogné son budget. C'est seulement à l'extrême fin de 1937 qu'il avait préparé les éléments d'un plan aéronautique triennal qui devait être la première ébauche du plan V ; l'opinion publique n'était pas prête ou lui était hostile, le ministère des Finances réticent : il fallut l'Anschluss et les prodromes de la crise tchèque pour faire sauter les verrous.

Telle était encore en 1938 l'ignorance des réalités de la production que son successeur, qui fait figure de novateur, dut lui-même découvrir pas à pas l'étendue, les contraintes et les délais d'une véritable *politique industrielle*. Ainsi les commandes de machines-outils financées par l'État, qui n'avaient été que de 40 millions en 1937, ne sont encore que de 185 millions en 1938 ; c'est seulement en 1939 que les crédits de « mobilisation industrielle » de l'aéronautique deviennent énormes (près de 2,2 milliards), si énormes qu'au 1er octobre 1939, après un mois de guerre, moins de la moitié est consommée ; les grosses commandes d'outillages ne sont lancées qu'à partir du milieu de 1939, au moment où l'accroissement de la demande sur les marchés mondiaux étire au maximum les délais de livraison.

Décalage analogue pour les crédits de décentralisation qui ne sont que de 7 millions en 1938 avant de bondir à 285 millions en 1939. De même qu'on a sous-estimé les délais nécessaires pour construire un prototype ou lancer une fabrication de série, on continue de sous-estimer les délais de création d'une industrie. Même quand l'argent ne manque plus et que

1. Témoignage de Caquot, 10 octobre 1940, AN 496 AP (4 DA/13, Dr. 6). Le temps initial de fabrication du Morane 405 dans les ateliers de son inventeur Morane-Saulnier était de 30 000 heures.
2. « Mais, ajoute Pierre Cot, il faut compter trois ans pour que notre potentiel (industriel) soit ainsi augmenté. C'est donc seulement en 1940 que notre production atteindrait le chiffre de 3 400 avions par an. » Et sur les 11 milliards qu'il réclame, 600 millions seulement sur trois ans sont prévus pour la mobilisation industrielle : lettre au président du Conseil et à Daladier du 6 décembre 1937, AN 496 AP (4 DA/5, Dr. 6).

le ministre active ses services, la force des choses et le temps de réaction des hommes imposent leurs limites.

Plus que les fautes individuelles ou le favoritisme, ce sont la faiblesse initiale des moyens de production, la vulnérabilité politique et l'inexpérience industrielle d'un État libéral contraint de plus en plus impérieusement au dirigisme qui auront retardé le démarrage aéronautique. Ce sont aussi les trop longues illusions du pays, alors que Hitler a tout misé dès 1934-1935 sur l'aviation et ne songe qu'à précipiter la guerre.

À la mobilisation, le passage à la production de série est en cours. Après la période creuse, la France est de nouveau en phase ascendante. Les effectifs de l'industrie aéronautique sont passés de 38 000 en janvier 1938 à 88 000 en janvier 1939 et à 100 000 au 1er septembre. La moyenne mensuelle de production, qui s'est attardée à 30 avions militaires par mois en 1938[1], a atteint une moyenne de 158 sur les huit premiers mois de 1939. Mais l'exécution du plan V est dramatiquement en retard : au 1er septembre 1939, 1 470 avions modernes sont sortis au titre de ce plan et 1 241 ont été pris en compte ; sur ce nombre, 500 seulement équipent des unités en ligne, dont 450 chasseurs, 50 avions de reconnaissance et pas un bombardier[2]. De l'avis des experts, la rénovation de l'aviation de bombardement ne pourra commencer avant la fin du printemps 1940, les livraisons complètes du plan V, il est vrai renforcé, ne sont à attendre qu'en fin 1940 et la production d'ensemble ne pourra se stabiliser à son maximum qu'en 1941.

Le pari fait par Daladier d'une aviation alliée pouvant équilibrer la Luftwaffe en 1940 grâce à l'effort industriel français, aux achats d'avions américains et à l'appui anglais n'est pas irréaliste, il est, pour le moins, hasardeux.

1. 369 avions de guerre ont été réceptionnés par l'armée de l'air en 1937.
2. Rapports Chossat, SHAA 3D/494. C'est-à-dire qu'au lieu des 2 600 avions de première ligne considérés par le plan V initial comme un minimum nécessaire pour équilibrer la Luftwaffe (supposée stabilisée au 1er septembre 1938), l'armée de l'Air n'est en mesure d'en engager au 2 septembre que le cinquième : 500 appareils.

2

Albert Caquot
à la poursuite du temps perdu

Le 16 septembre 1939, concurremment à l'intronisation de Raoul Dautry comme ministre de l'Armement, Albert Caquot est nommé directeur général des services techniques et industriels du ministère de l'Air ; il est doté de pouvoirs inhabituels : il garde la présidence des sociétés nationalisées. Sa nomination confirme l'émergence du pouvoir technique. Dans une période souvent dénoncée comme celle du laisser-aller, il fait figure d'homme fort de l'aéronautique. Son rapide échec n'en est que plus marquant.

Le « plan V de guerre »

Ce qu'il propose est un tour de force. La production a culminé à 240 appareils en août. Le plan V, renforcé en juin, a réévalué les besoins à près de 3 000 avions de première ligne et à 5 156 en « volant de forces », ce qui implique la fourniture de 7 500 avions d'ici à la fin de l'année 1940, non compris les besoins coloniaux ; les objectifs de fabrication retenus, à la fois ambitieux et prudents, sont de 330 à 335 cellules par mois au printemps 1940 et de 750 par mois à partir de septembre 1940, ce qui correspond à la courbe de progression qui fut effectivement suivie jusqu'à la défaite. Caquot proteste ; il soutient qu'il faut aller plus vite et viser plus haut : il préconise une production de 1 600 cellules et 3 500 moteurs par mois[1], à atteindre dès le milieu de 1940.

Les réalistes multiplient les objections. Ce programme, souligne l'ingénieur en chef Roos, un des bons spécialistes du ministère, exigerait 4 500 tonnes de duralumin par mois :

> Nous ne pourrons obtenir plus de 3 000 tonnes de *dural* avant 18 mois. Nous serons obligés d'intervenir auprès du ministre de la Défense nationale

---

1. Car on estime qu'il faut en moyenne 3 moteurs pour un avion.

pour obtenir que toutes les fabrications d'aluminium soient réservées à l'aéronautique[1].

Quant à la main-d'œuvre, il faudrait, d'après Caquot, 200 000 ouvriers. « Il en faudrait 300 000 à 350 000, réplique Roos, alors qu'on est à peine à 100 000. »

Caquot maintient ses objectifs : ils devraient donc conduire à tripler les effectifs et les outillages et à sextupler la production en un an, l'étape de 750 avions par mois devant en tout cas être atteinte d'ici mai 1940. C'est sur ces bases que Guy La Chambre lui a confié — sans trop y croire — la direction générale technique et industrielle.

Caquot réunit aussitôt les constructeurs de moteurs et de cellules avec les dirigeants des industries mécaniques et de l'automobile : un plan est défini, avec division du travail, chacun faisant le groupe de pièces qui correspond le mieux à sa spécialité. Un rapport détaillé sur l'exécution du « plan V de guerre » est remis le 20 septembre 1939 à Guy La Chambre qui donne le feu vert. De son côté, le ministre de l'Armement accorde la priorité absolue à l'aéronautique dans la répartition des métaux et alliages.

> Trois mois après, relate Caquot, aucun marché n'était passé ; le contrôle cherchait sous quelle forme la responsabilité juridique des contrats pourrait être définie ; pendant cet intervalle de temps, la plupart des constructeurs changeaient l'orientation de leurs fabrications.

À la fin de janvier, déçu et amer, il offrit sa démission en faisant valoir que « dans le cadre administratif tel qu'il est organisé par la loi, il est absolument impossible de bien servir son pays »[2]. Il fut remplacé le 15 février ; les programmes de fabrication furent ramenés à des niveaux plus accessibles. Il consentit pourtant à garder la présidence des sociétés nationalisées, ce qui lui laissait un considérable pouvoir d'influence.

Les raisons de son départ étaient à la fois plus complexes et plus simples qu'il n'a voulu le dire. Les lenteurs administratives avaient-elles vraiment découragé les industriels de la mécanique ? C'est possible pour quelques-uns, mais leur potentiel étant limité, on voit mal quel renfort ils auraient pu apporter sans réduire d'autant les fabrications d'armements terrestres. Ce qui est clair en revanche, et qui a exaspéré Caquot, c'est que les services administratifs ont bridé avec obstination des constructeurs auxquels on demandait un immense effort et dont certains en profitaient, on l'a vu, pour multiplier les « abus de droit financiers »[3]. L'administration de l'Air s'est d'autant plus évertuée à l'orthodoxie

---

1. Comités du matériel des 12 et 19 septembre 1939 (SHAA IB/4). Sur le problème de l'aluminium, voir ci-dessus, pp. 92-93.
2. Dépositions des 7 et 10 octobre, AN 496 AP (DA/13, Dr. 1).
3. L'expression est du directeur adjoint des services de contrôle, Sordes, esprit très mesuré.

comptable que l'État assumait dorénavant tous les coûts aéronautiques en préfinançant et les investissements et les commandes. Un régime de prix provisoires avait été instauré pour hâter le démarrage des fabrications, mais ces prix, fixés arbitrairement par l'administration, faisaient peser sur les sociétés, publiques ou privées, une hypothèque d'incertitudes et prêtaient facilement à la contestation. Le dialogue de sourds ne cessa pas de toute la « drôle de guerre ». « Les suspicions arrêtaient les fabrications », affirmait en 1943 Anatole de Monzie, interprète des rancunes des constructeurs toulousains[1], « l'aviation française était dominée, presque annihilée par l'esprit de contentieux, tout se passait et passait en contrôle (...). Le corps des contrôleurs formait une compagnie de procureurs — les procureurs de l'Air ». À quoi l'un de ces « procureurs » pouvait rétorquer qu'il avait eu « l'impression de se trouver en présence d'un monde de profiteurs pour lesquels la guerre " fraîche et joyeuse " a constitué une occasion prématurément terminée de faire fortune »[2].

Les torts semblent avoir été largement partagés[3]. Ces péripéties médiocres, outre qu'elles ont été causes de retards, ont surtout aggravé un climat de tension qui préexistait à la guerre. Elles mettaient en évidence deux types de comportements d'entrepreneurs et deux façons de gouverner le domaine nationalisé. À côté de chefs d'entreprises qui entendaient garder leurs coudées franches dans le cadre de la nationalisation et de la réglementation de guerre, d'autres s'inclinaient devant les exigences de prix ou de fabrication, même abusives, des bureaux, quitte à s'acheminer vers un statut de fait d'ateliers de l'État ; et à l'intérieur même du ministère de l'Air, où Caquot exaltait la capacité d'initiative et d'invention des patrons des sociétés nationales, des services persistaient à juger que les entreprises et les entrepreneurs nationalisés n'ont pas à se soucier des bénéfices et doivent servir l'État plus docilement que les fournisseurs privés.

Le zèle antimunitionnaire a surtout visé dans cette phase les initiatives foisonnantes et les profits personnels copieux des trois constructeurs les plus ardents à se tailler à l'occasion de la guerre un fief industriel en marge de la société nationale qu'ils dirigeaient, Potez, Bloch et Dewoitine : ils bénéficiaient d'un statut exorbitant, fixaient des prix élevés, engageaient des dépenses non avalisées par le ministère, étaient en retard sur leurs délais de livraison et « sortaient », à en croire les rumeurs mal intentionnées, des appareils médiocres. Les services se sont acharnés à les mettre au pas, soutenus par la sous-commission du matériel aérien du Sénat qui multipliait les pressions pour faire réduire

---

1. Cf. A. de MONZIE, *La Saison des juges,* pp. 135-139.
2. Témoignage de Boutiron, AN 496 AP (4 DA/13).
3. À en juger notamment par les incidents qui ont opposé l'administration à la Nationale du Midi que dirige Dewoitine, à des filiales privées de Marcel Bloch, à la Société des trains d'atterrissage Messier.

leurs privilèges. Or ces constructeurs intéressés étaient aussi les plus créatifs du secteur public ; comme dans le cas de Renault ou de Citroën en 1914, leur âpreté au gain était caution de leur dynamisme, aussi Caquot les avait toujours soutenus : sa démission ne fut pas sans rapport avec l'offensive qui s'était intensifiée en coulisse contre Marcel Bloch ; la chute de ce dernier et l'éviction de l'équipe dirigeante de la S.N.C.A.S.O. suivit de 24 heures son propre départ [1].

Malgré l'étendue de ses pouvoirs, Caquot s'était d'autre part trouvé sans recours devant les exigences techniques des aviateurs. À Berlin, Goering pouvait faire taire ceux qui demandaient la multiplication des modèles ; à Paris, le ministre s'interdisait de discuter une demande qui semblait avoir la bénédiction de l'État-Major [2]. Un prototype était-il acceptable, c'était à qui réclamerait des variantes répondant à tous les besoins, d'où des adaptations hasardeuses qui retardaient d'autant la fabrication de série, contrariaient les efforts de rationalisation et aggravaient la dispersion [3]. Alors que les Allemands ne produisaient pour l'ensemble de leurs forces de combat que deux chasseurs, deux chasseurs lourds ou bombardiers de nuit, deux avions de reconnaissance, deux bombardiers et un avion de piqué (Stuka), les forces françaises employèrent simultanément en 1940 (si l'on tient compte des appareils importés) des avions issus de 23 marques, soit 38 modèles en 42 versions, non compris les variantes imposées dans chaque série par les changements d'équipement, d'armement, de moteur ou de détails de construction [4].

1. Le remplacement de Marcel Bloch par un ingénieur en chef de l'État marqua une étape vers une plus grande rigueur financière et comptable ; mais le renouvellement des directions des usines de la S.N.C.A.S.O. survint au moment précis où la Société mettait en place une nouvelle chaîne de fabrication : il contribua à aggraver les délais de sortie du Bloch 174, dont l'armée de l'air avait un besoin urgent.

2. Guy La Chambre avait, tout comme Daladier, une conception restrictive de son rôle de ministre face à l'État-Major. Il l'a exposée en 1947 devant la commission Serre (t. II, p. 311) : « Son rôle n'était pas, en effet, de se faire juge des besoins, dont la compétence ne révélait que de la compétence du commandement, mais seulement de pourvoir à leur satisfaction. » Et, en d'autres termes : « Ce n'est pas moi, ministre, qui suis qualifié pour estimer que, sur l'emploi technique du matériel, l'État-Major se trompe » (*ibid.*).

3. Le cas typique du Bréguet 690 est loin d'être le seul. Le prototype du B 690, disponible au printemps 1938, était un *triplace de chasse* devant accompagner les bombardiers, qui avait été commandé en 123 exemplaires dans le cadre du plan V. « En janvier 1939, Bréguet reçut une commande supplémentaire de 230 exemplaires sous la condition qu'il s'agirait d'un *biplace de bombardement en piqué*. Adapter ce bimoteur de cinq tonnes exigeait de nombreuses modifications, car l'appareil était notoirement inadapté à ce nouvel usage. En janvier 1940, alors que la production avait commencé, il fut en outre décidé d'en faire un *chasseur lourd de nuit*, capable de rivaliser avec le Messerschmitt le plus perfectionné : on remplaça les moteurs Gnôme et Rhône Mistral par des 14 N-25 de 1080 CV tellement surdimensionnés qu'ils gênaient la vue latérale du pilote, et on blinda le fuselage. Cette version trouva elle-même une concurrente avec la commande d'une ultime variante, équipée de deux moteurs Pratt et Whitney. » E. CHADEAU, *o.c.*, pp. 1028-1029.

4. E. CHADEAU, *o.c.*, p. 1029.

Comme, en fin de compte, le succès du plan de Caquot était apparu de plus en plus douteux, on n'a pas de peine à s'expliquer son prompt retrait et sa longue rancœur. Il lui avait manqué l'autorité politique[1] : Dautry n'avait imposé sa personnalité à l'armement que parce qu'il était ministre.

On a reproché à Caquot, comme on l'a reproché à Dautry pour l'Armement, d'avoir été irréaliste et d'avoir sacrifié l'urgence à l'expansion ultérieure. Le reproche contient une parcelle de vérité ; la contrepartie des résultats meilleurs qu'il visait « était nécessairement une diminution de la production pendant la période de réorganisation qui devait intervenir pour passer d'un rythme de 750 à un rythme de 1500 »[2]. Le réquisitoire du procès de Riom, injustement sévère pour Guy La Chambre sans désigner Caquot, a soutenu que

> la hâte apportée à faire construire et sortir des cellules pour faire nombre sur les statistiques avait eu pour résultat qu'il n'était plus fabriqué de pièces de rechange dont l'absence aux armées prolongeait l'indisponibilité de quantités d'appareils[3].

Il reste que Caquot, qui n'avait rien d'un rêveur, a provoqué, en fixant des objectifs de production si élevés, « une immense stimulation » et a entraîné les constructeurs à s'engager sans réserve, par « recrutement massif, notamment de main-d'œuvre féminine, formation adéquate, réquisition, location, achat, construction de surfaces et de machines appropriées »[4]. Sa politique à la fois hâtive et ambitieuse voulait combiner l'urgence avec les besoins d'une guerre longue, qui était bien celle qu'imaginait l'État-Major, comme le confirment les plans de formation des personnels qui prévoyaient un afflux massif de navigants à partir de mars-avril 1941.

Le D 520 et la performance de Dewoitine

Rien n'illustre mieux l'élan donné par Caquot — mais aussi les limites du possible — que les prouesses d'un de ses protégés, le constructeur toulousain Émile Dewoitine, créateur et administrateur délégué de la Société nationale du Midi. Aucun des leaders de la construction aéronautique n'aura mêlé à tel point les lumières et les ombres que ce personnage tumultueux. On ne s'attardera pas sur ses démêlés avec

---

1. Paul Reynaud semble en avoir été conscient, puisqu'en constituant son gouvernement, le 21 mars 1940, il éleva le successeur de Caquot, le colonel Menny, à la dignité de sous-secrétaire d'État.
2. Témoignage de Stéphane Thouvenot, le conseiller technique clairvoyant et compétent de Guy La Chambre, 30 novembre 1940 (SHAA Z/11609-6).
3. Procès de Riom, Réquisitoire, AN 496 AP (4 DA/11, Dr. 4).
4. Rapport Thouvenot (SHAA Z/11609-6).

l'administration qui l'accuse d'avoir indûment prélevé pendant deux ans 2 % de redevances sur le chiffre d'affaires de la S.N.C.A.M.[1]. Sa force est d'être un grand concepteur, ce qui l'a entraîné jusqu'alors à s'intéresser plus aux études, où il excelle, qu'aux fabrications et à se disperser en préparant quatre prototypes d'avions lourds « dont il a obtenu la commande en 1938 grâce à la pression de ses amis toulousains sur le ministère, commandes qui devaient sur le moment restaurer sa trésorerie »[2]. Par suite, le chasseur D 520, sa réussite, qu'on attend pour rénover l'aviation de chasse, n'est vraiment au point qu'en novembre 1939. Avec ses 550 km à l'heure, c'est le seul avion français qui puisse tenir tête aux derniers Messerschmitt.

Caquot assigne à Dewoitine des programmes d'une ampleur énorme :
— le 12 septembre 1939, une cadence mensuelle à atteindre de 100 par mois ;
— le 26 septembre 1939, une cadence de 200 par mois à atteindre en mai ;
— le 10 janvier 1940, une cadence de 300 par mois à partir de septembre[3].

Les marchés sont complétés par des commandes très importantes de pièces de rechange. Ils nécessitent un volume de main-d'œuvre, des surfaces couvertes et un parc de machines sans rapport avec les moyens de la S.N.C.A.M. Dewoitine déploie une activité prodigieuse. Le concepteur se révèle un formidable réalisateur. Au jour de l'entrée en guerre, son personnel compte 1 460 productifs sur lesquels 110 tourneurs et 72 fraiseurs ; la mobilisation lui en ôte le quart. À la mi-décembre, grâce aux affectations spéciales et à l'embauche de 900 Espagnols du camp de Gurs, de repliés d'Alsace-Lorraine, d'apprentis et de femmes, personnel hétérogène qu'il faut encadrer et souvent former, ils sont 2 570. On continue de recruter à raison de 500 par mois, puis 1 000. Au 18 juin 1940, l'effectif total avoisine 10 000 dont 8 000 ouvriers ; il compte un tiers de femmes. Pour les accueillir, seize centres d'hébergement, une garderie d'enfants et une école d'apprentissage ont été créés dans la région de Toulouse. Les surfaces couvertes font défaut. À la mi-novembre 1939, Dewoitine, qui a obtenu par location ou réquisition deux entrepôts, deux ateliers et quatre garages, présente un plan

---

1. Ce contentieux, ouvert en mai-juin 1939, a traîné pendant toute la « drôle de guerre » : il était dû à l'absence de contrat initial précis fixant en 1936-1937 les droits de Dewoitine. Celui-ci soutenait qu'il était habilité à bénéficier des mêmes avantages exorbitants que Marcel Bloch et Potez. Les services de contrôle ne l'entendaient pas ainsi. Le conflit fut à l'origine d'une suite d'aventures rocambolesques et dramatiques qui durèrent toute la fin de la guerre et brisèrent finalement la carrière du constructeur.
2. E. CHADEAU, *o.c.*, pp. 1023 et 1030.
3. Cadence qui, aux termes d'une commande complémentaire du 19 avril 1940, devait être portée à 350 par mois en novembre 1940. Les précisions qui suivent sont empruntées au livre consacré à Dewoitine par Raymond Danel, qui a minutieusement exploré les archives de la S.N.C.A.M.

d'extension de ses usines toulousaines d'un coût de 30 millions. Mois après mois, les bâtiments sortent de terre, l'énorme hall de montage de Saint-Martin-de-Touch est utilisable au lendemain de Noël : le 15 février, jour du remplacement de Caquot, mais avec l'accord de celui-ci, il présente un plan additionnel de travaux de 31 millions comprenant deux hangars d'essais pour deux chaînes de montage, un nouvel atelier de voilures et 16 000 m² d'ateliers. En avril, il lance, toujours avec l'accord de Caquot, un troisième plan d'extension sans attendre l'accord des services financiers qui refuseront d'en payer l'intégralité. En huit mois, il aura étendu de moitié ses surfaces couvertes toulousaines passées de 56 000 à 85 000 m².

Parallèlement, il a installé, à la déclaration de guerre, une partie de son bureau d'études et le gros de l'atelier de prototypes à Bagnère-de-Bigorre. Le ministère lui a demandé, en outre, de décentraliser la moitié de ses fabrications ; à la fin de septembre 1939, il survole une série de sites possibles dans le Sud-Ouest, fixe son choix sur des terrains à exproprier à Ossun, entre Tarbes et Lourdes. Il obtient l'accord de principe de Caquot pour y installer une usine de 20 000 m² et un aérodrome. Il n'a pas compté avec l'évêque de Tarbes qui redoute l'installation d'une usine de guerre aussi près de Lourdes ; l'évêque mobilise le cardinal Verdier, puis le nonce pontifical qui va demander à Daladier l'abandon du projet. Dewoitine, toujours soutenu par Caquot, surmonte les résistances. La hiérarchie catholique finit par lever son veto, les terrains sont expropriés au début de décembre, les travaux commencent le 12 sur les fonds propres de la S.N.C.A.M., qui n'aura pas encore reçu à l'Armistice notification du contrat de démarrage : Ossun, troisième usine construite par Dewoitine, devrait être en état de fonctionner le 1er septembre 1940 avec un aérodrome de 150 ha, une première tranche d'ateliers de montage de 11 000 m², un hangar d'essais de 5 000 m² et 32 bâtiments d'habitation pour 576 personnes.

À la mi-mai, enfin, quand se déploie l'offensive allemande, Dewoitine prend en location la grotte ariégeoise de Bédeillac, profonde d'un kilomètre, pour y abriter 12 000 m² d'ateliers souterrains d'outillage ; les travaux commencent avec l'aide de réfugiés belges et d'internés espagnols ; au 20 juin, la route d'accès est tracée, l'entrée de la galerie est mise à niveau sur 100 mètres de profondeur ; des caisses de matériel arrivent de Toulouse pour installer l'atelier dans la grotte dont les peintures préhistoriques ont été protégées par des grilles.

L'extension du parc de machines-outils donne lieu aux affrontements les plus rudes. Lors de l'entrée en guerre, la S.N.C.A.M. n'a encore que 220 machines-outils ; il lui en faudrait, pour les programmes de Caquot, 575. Au 1er janvier 1940, elle n'en a reçu en renfort que 25. Dewoitine obtient d'aller faire prospecter le marché des machines italien, puis de sous-traiter des pièces usinées en Suisse, qui dépannent la chaîne des D 520. Il poursuit les démarches, harcèle les services, agite des parlementaires. Le 1er juin 1940, alors que sur les 575 machines qu'il souhaite il en a 373, il écrit au sénateur Mahieu[1] :

> Les programmes demandés par l'État-Major seront tenus à condition que nos demandes réitérées soient prises en considération par le ministère de l'Air... Nous sommes toujours en panne de pièces forgées et pièces coulées. Nous avons pris l'initiative de développer un atelier pour parer à la défection des sous-traitants, mais nous n'avons pas été aidés dans cette voie par le ministère. J'insiste à nouveau pour que toutes les mesures nécessaires prises par nous ne soient pas l'objet de discussions sans fin par les services. J'attire votre attention sur la nécessité de nous donner des tours semi-automatiques et non des tours parallèles, les tours semi-automatiques permettant l'emploi de la main-d'œuvre féminine. Les fraiseuses nous sont indispensables en grand nombre, je dirais même en surnombre, étant donné que les pièces qui ne sont pas livrées par les forges sont presque obligatoirement prises dans la masse.

La production a démarré difficilement en décembre : 9 avions ; elle est de 65 appareils en mars 1940, de 136 en mai. Quand l'Armistice immobilise les chaînes de montage toulousaines, 437 D 520 en sont sortis, la cadence vient de passer à 8 par jour, le temps de production est tombé à 8 000 heures et une version améliorée, le D 550, a atteint, lors de son premier vol, la vitesse record de 700 km à l'heure[2].

Mais comble de dérision, les D 520 arrivent trop tard : à l'Armistice, 302 appareils seulement auront été pris en compte par l'armée de l'air, dont les deux tiers en mai et juin. Entre la mise au point des avions, leur transfert au centre de réception, les essais militaires et la prise en charge officielle, il s'est écoulé un temps précieux. Au 10 mai, on n'a encore constitué, avec les premières livraisons, qu'un unique groupe de 24 chasseurs. Pendant la bataille, on bouscule les usages, on fait enlever les appareils à Toulouse par des pilotes détachés des formations, on laisse partir des avions sans pipe d'échappement. Il faut encore le temps de les armer, car on craint des vols d'armes dans les usines, aussi l'armement est centralisé à l'entrepôt de l'air de Chateaudun. Les Dewoitine pourront se prévaloir de plusieurs dizaines de victoires[3]. Mais 200 seulement auront été engagés. Plus de la moitié de la production sera restée inutilisée.

---

1. R. DANEL, *o.c.*, p. 171.
2. Les prouesses de Dewoitine ne lui épargnèrent pas les foudres de Vichy. L'État français avait besoin de boucs émissaires. On ne lui pardonna pas sa propension à puiser dans la caisse, ses complaisances pour la C.G.T. et ses connexions radicales et socialistes.
3. Cf. R. DANEL, *o.c.*, p. 174, et rapports Chossat. En période d'opérations, il faut pour tout avion en formation au moins un avion de remplacement immédiatement disponible. 105 D 520 ont disparu, tant en opérations que par accident ; 176, dont certains incomplètement équipés, ont rallié l'Afrique du Nord avant l'Armistice. Sur le nombre énorme de D 520 inutilisés, cf. le témoignage du général STEHLIN, *Témoignage pour l'histoire*, pp. 367 et s.

3

La force des choses

La tentative de Caquot a achoppé avant tout sur des impossibilités matérielles ; elle exigeait des capacités industrielles qui n'existaient pas ou n'étaient pas disponibles. Comme le constatait le rapporteur Paul Rives à la Chambre, « l'Allemagne n'a qu'à accélérer la marche d'une machine bien montée, alors que ses ennemis doivent d'abord la créer »[1]. Problème obsédant que la France rencontre dans tous les secteurs de l'armement.

Les goulets d'étranglement

Lorsque Caquot prend ses fonctions, les contraintes majeures s'appellent main-d'œuvre, matières premières, outillage, accessoires, pour ne pas parler des prototypes et du niveau de développement technique[2].

Grâce à la priorité que le gouvernement accorde aux fabrications de l'Air, celles-ci souffrent moins des rappels sous les drapeaux que les industries d'armement. La proportion des mobilisés est limitée à 23 % aussi bien chez Gnôme et Rhône qu'à la Nationale du Midi ; au début de septembre, certains appelés de l'aéronautique en instance de départ ont été avisés de rester à leur poste de travail, nonobstant toute instruction contraire ; les mises en affectation spéciale sont accélérées. Il ne semble pas que plus de douze mille ouvriers environ partent réellement dont 8 000 sont rentrés en novembre ; à cette date, le secteur aéronautique a en outre reçu 35 000 recrues, pour la plupart sans qualification, provenant des « compagnies de renforcement » ou de l'embauche

---

1. Commission du budget de la Chambre, sous-commission du matériel aérien, 25 avril 1940 (ARAS).

2. L'argent reste cependant un problème pour les firmes, car les mécanismes d'avances établis au printemps 1939 ne sont même pas rodés avant janvier 1940, de sorte que la plupart des trésoreries restent cahotiques.

directe[1]. Grâce à quoi la chute de production est limitée, en octobre, à 15 % et compensée dès novembre. Les effectifs s'accroissent ensuite de façon fulgurante : de 100 000 à la fin d'août, ils passent à 171 000 au 1er janvier 1940 et à près de 250 000 à la veille de la débâcle, effectif assez large pour permettre un nouvel accroissement de la production, bien qu'insuffisant pour atteindre l'objectif de 1 600 appareils par mois[2].

Mais la pénurie d'ouvriers qualifiés devient plus redoutable à mesure que l'on recrute plus de travailleurs de faible niveau professionnel, car les usines étant généralement dépourvues de machines faciles à conduire et à régler, les O.S. doivent être solidement encadrés et les outillages constamment mis au point. Le 8 janvier, Caquot, tout en appelant les industriels à un effort massif de recrutement féminin, leur recommande d'encadrer trois ou quatre femmes par un ouvrier chef de groupe, étant entendu que « cet ouvrier devra travailler lui aussi »[3]. Le 9 février, l'usine de Bouguenais, une des mieux outillées de France, lance un S.O.S. : « carence presque complète de spécialistes et de main-d'œuvre exercée pour l'exécution des commandes dans le délai imparti » ; elle a un déficit de 100 ajusteurs pour un excédent de 130 ouvriers sans formation professionnelle qu'elle est dans la nécessité d'embaucher. Dans de petites et moyennes entreprises la production est bloquée faute de quelques professionnels ou parce qu'un ingénieur est mobilisé. Le manque de spécialistes retarde démesurément le montage des avions achetés en Amérique : sur 247 appareils débarqués en caisses à Casablanca à partir du 25 décembre 1939, 6 seulement sont équipés et armés à la date du 4 avril[4].

La pénurie de matières premières se fait durement sentir en décembre et janvier. Les stocks de mobilisation, pourtant substantiels, tombent à la cote d'alerte : plus de tungstène disponible, plus de tubes ni de tôles de chrome-molybdène et, fait plus grave, l'Armement est hors d'état de répondre à toutes les demandes de duralumin, dont la production dépend de Péchiney et qui constitue 80 % de la charpente des avions. On ne le livre que par à-coups en décembre. Le 4 janvier, le comptoir d'approvisionnement mis en place par Dautry avise Caudron-Renault qu'on ne servira au 1er février que 40 % de ses besoins ; le 8, Caquot doit prescrire des économies aux industriels : ils ne fabriqueront des pièces en métaux légers « que pour les appareils qui sortent et non pour les appareils à sortir dans deux ou trois mois ; ils devront, par conséquent,

---

1. Cf. Rapport Sordes, AN 496 AP (4 DA/18, Dr. 4).
2. Dès janvier 1940, Caquot avait dû réviser en hausse ses prévisions de main-d'œuvre et évaluait à 410 000 l'effectif nécessaire à terme pour les seules cellules. On estimait couramment en juin 1940 que la sortie mensuelle de 1 600 avions et 3 000 moteurs exigeait un effectif de 500 000 personnes.
3. Compte rendu de la conférence « Production » du 8 janvier 1940 au ministère de l'Air, fait par Asselot, directeur de Caudron (Archives Fernand Picard).
4. Rapport de mission de M. de Courtois, sénateur, présenté le 6 avril 1940 à la sous-commission du personnel (Air), Commission sénatoriale de l'armée (ARSENAT).

consentir pendant un certain temps à ne pas travailler industriellement et mener la fabrication par petites séries »[1]. C'est la négation de tout ce qu'il a prêché. Piètre consolation d'apprendre que l'Allemagne manque tout aussi cruellement de zinc que la France de tungstène et serait prête à livrer en échange de zinc des machines-outils sous couvert de l'Italie[2]! Faute de matières premières, que le ministère de l'Air attribue par priorité à la chaîne des chasseurs Dewoitine, plus modernes, la fin de série des Morane traîne jusqu'au-delà de mars, retardant par là même des fabrications de bombardiers[3]. La pénurie ne s'atténue qu'au printemps grâce aux importations, sans être résorbée pour autant.

En décembre 1939, l'échauffement des moteurs d'avions en service et en fabrication se généralise, multipliant les risques d'avaries. Une des causes d'échauffement est que les moteurs fonctionnaient jusqu'alors à l'huile de ricin en provenance du Maroc et de l'U.R.S.S., bien supérieures aux huiles minérales de l'époque qui moussent en s'échauffant. Or, l'approvisionnement russe est coupé, il faut adapter les moteurs aux huiles minérales, comme l'ont déjà fait les Allemands et les Italiens : mais personne en France ne s'en est préoccupé. On y perd des semaines[4].

Pénurie de machines : on ne sera vraiment équipé pour produire les pièces estampées qu'en juin 1940, après l'arrivée des presses et des pilons commandés à l'étranger. Les usines d'aviation, ne recevant qu'au ralenti de leurs fournisseurs les pièces coulées et matricées (il y en a 200 dans le moindre avion), on les fait sur place, en travaillant le métal dans la masse[5] : le temps consacré au fraisage est ainsi « formidable », le rendement-matière des longerons en duralumin travaillés à la main n'est, en janvier 1940, que de 25 %, soit un déchet de matière première des trois quarts[6]. On a commandé 11 700 machines aux États-Unis pour les industries aéronautiques, dont 6 700 petites machines portatives ; à la date du 5 février, 22 seulement sont livrées, 200 voguent sur l'Océan, on en espère 2 000 en février-mars et 4 000 de fin mars à fin juin, le solde s'échelonnant jusqu'à décembre. En fait, 8 700 seulement auront été livrées au moment de l'Armistice, mais la plupart en mai et pour les trois quarts de petites machines portatives. Il est vrai que la première commande de machines américaines pour les industries de l'air date du

---

1. Conférence de production du 8 janvier 1940, compte rendu par M. Asselot (Archives Fernand Picard). Sur le retard de la production d'aluminium, voir ci-dessus pp. 92-93 et 196-197.
2. Carnets inédits de Fernand Picard.
3. Rapport de mission à l'usine de Bouguenais (S.N.C.A.O.) présenté le 29 février 1940 à la sous-commission du matériel (Air), Commission matériel de l'armée (ARSENAT).
4. Carnets Fernand Picard, 30 décembre 1939.
5. Rapport de mission de Lucien Bossoutrot à la Nationale du Midi, Commission de l'aéronautique de la Chambre, 26 décembre 1939 (ARAS).
6. Ministère de l'Air, conférence de production du 8 janvier 1940 (Archives Fernand Picard).

1er novembre[1]. La montée en puissance de la production aéronautique au niveau de 330 avions par mois ne peut matériellement pas avoir lieu avant le début de 1940, contrairement à l'espoir de Caquot.

D'autres goulets d'étranglement durables proviennent des accessoires, composants des moteurs, hélices, trains d'atterrissage, instruments de bord. Le drame des moteurs Hispano I2 Y, reconnus inadéquats en janvier 1940, s'est compliqué pendant plusieurs mois d'une lamentable affaire de « coussinets », éléments essentiels fabriqués en Amérique et dont pour des raisons compliquées Hispano n'avait pas la licence[2]. Après quoi, c'est Air Équipement, paralysé par le transfert de ses fabrications de Bois-Colombes à Blois, qui interrompt en février ses fournitures de compresseurs. C'est Messier qui a le monopole de fait des trains d'atterrissage escamotables et qui, malgré l'appoint de 600 ouvriers républicains espagnols, ne parvient pas à livrer ; quand Louis Renault, exaspéré, fait mine de copier les trains Messier, il reçoit un mémoire de cette société, prélude à un procès en contrefaçon : moyennant quoi, le 5 avril, Renault a 40 avions Goéland achevés sous bâche sur le terrain d'Issy-les-Moulineaux, en attente de trains d'atterrissage ; ils sont 56 au 5 mai, 70 au 10 juin, qu'on abandonne intacts[3]. Ce sont les 2 fournisseurs d'hélices, Ratier et Chauvières, qui ne suivent pas. À l'automne 1939, on est réduit à munir les avions de renseignements Potez 63, nouvellement produits, d'hélices en bois à pas fixe : conséquence, ils ne peuvent prendre leur envol que de terrains spéciaux, parfois à des kilomètres de leur formation[4]. En attendant des hélices américaines, il arrive que des appareils sortent d'usine sans hélice ; pour hâter leur envoi au centre de réception militaire, on les munit d' « hélices navettes » qui sont détachées à l'arrivée et renvoyées au point de départ[5]. En mars-avril 1940, 10 % au moins des avions livrés ne peuvent pas être déclarés « bons de guerre » dans l'attente d'ultimes équipements[6]. En mai 1940, on manquera de lance-bombes pour deux nouveaux groupes de bombardiers.

1. Rapport Sordes, AN 496 AP (4 DA/18, Dr. 4). Cf. aussi Carnets Fernand Picard, 28 janvier et 5 février 1940.
2. « Nous avons des moteurs quasi finis qui attendent ces coussinets. Pour l'importation de ces coussinets, il faut une autorisation spéciale du ministère du Commerce. Cela demande deux mois. Quand les coussinets arrivent au Havre, il faut les dédouaner. La douane ne sait pas que nous sommes en guerre. Le Commerce non plus. La bureaucratie garde toujours ses droits. Quand les coussinets sont au Havre, entre le moment où ils arrivent et le moment où ils sont dédouanés (Dieu sait avec quelles difficultés !), il faut un mois et demi de paperasses et de formalités » (Rapport Robbe, Commission de l'aéronautique de la Chambre, 12 janvier 1940, ARAS).
3. Carnets inédits de Fernand Picard, 5 avril, 5 mai, 1er juin, 28 juin.
4. Rapport Robbe, *o.c.*
5. Procès de Riom, extraits du réquisitoire (SHAA 3D/493).
6. AN 496 AP (4 DA/6, Dr. 1).

Le bilan industriel

Tant d'accrocs en chaîne, tant d'incidents dramatiques ou ubuesques sont les aléas d'un développement industriel précipité. « La mécanique est moins complaisante que ces messieurs du Contrôle », note l'ingénieur Fernand Picard. « En matière industrielle, il n'y a pas de victoire de la Marne possible [1] ». Pourtant depuis 1938, le ministère de l'Air a prévu des crédits aussi bien pour aider l' « environnement industriel » de l'aéronautique (aluminium, duralumin, alliages légers, aciers spéciaux) que pour équiper les fabricants d'hélices et de trains, mais la majorité des contrats datent de 1939 et, vu les délais d'installation, les entreprises bénéficiaires ne peuvent fonctionner correctement qu'à la fin de l'hiver 1939-1940. On a, de plus, sous-estimé le nombre et les besoins de leurs sous-traitants, comme c'est le cas pour les usines d'armements terrestres, comme c'est aussi d'ailleurs le cas en Allemagne.

D'autres lacunes, mineures mais pénalisantes, attestent que les états-majors militaires n'ont pas assez intensément pensé la guerre, comme si les répugnances pacifistes de la nation les avaient inhibés ou comme si, presque jusqu'au dernier moment, on avait construit des avions pour s'en prévaloir plutôt que pour les engager : on multiplie les écoles de pilotage, mais on n'a pas assez d'avions à double commande ; on n'a sur les avions aucun dispositif de réchauffement des armes : elles s'enrayent par temps de gel ou au-dessus de 5 000 mètres. Quant aux pilotes de reconnaissance, il leur faut un moral de fer pour prendre des risques et chercher à rapporter des photographies des lignes ennemies, alors qu'ils savent que les objectifs de prise de vues, dépourvus de réchauffeurs, se couvrent de glace [2].

Enfin, des îlots de négligence ou de nonchalance contrastent avec la fièvre de production. Les délais entre les sorties d'usine et l'affectation des avions aux armées sont excessifs : formalités trop lourdes, nécessité anormalement fréquente de mises au point, temps perdu pour l'armement, manque de mécaniciens [3], au point que dans la phase des opérations, de nombreux appareils de nouveaux modèles resteront inutilisés, car on ne dispose pas du délai nécessaire pour retirer la ligne des escadrilles engagées afin de les moderniser ; quelques mois de plus, et l'on aurait remédié à beaucoup de grippages. Tout aura concouru

---

1. Carnets inédits de Fernand Picard, 30 décembre 1939.

2. Cf. rapport Robbe du 12 janvier 1940, *o.c.*, exposé du baron de La Grange à la sous-commission de l'armement du Sénat, 14 décembre 1939 (ARSENAT). Cf. aussi général CHRISTIENNE, « L'Industrie aéronautique française 1939-1940 », in *Français et Britanniques dans la drôle de guerre,* pp. 390-402.

3. Au 5 mai 1940, sur 360 bombardiers Lioré 451 sortis d'usine, 108 seulement ont été livrés aux armées et aux écoles. Les autres sont en attente de réception, en cours de réception, en cours de livraison au Centre d'armement de Chateaudun, en aménagement ou en stock à Chateaudun (SHAA 2/11609-6).

pour qu'à l'heure des combats les avions français soient insuffisants en nombre et souvent inférieurs en performances aux appareils ennemis.

La faiblesse de l'aviation, facteur capital de la défaite française, ne doit pas dissimuler l'immense effort industriel accompli. Il culmine en mai, avec 434 avions construits et 503 pris en charge par l'armée de l'air, non comptés les appareils américains [1].

L'Armistice trouve l'industrie aéronautique servie par 250 000 personnes dans des usines modernes couvrant 2,5 millions de m², cependant que 500 000 m² supplémentaires sont en voie d'aménagement ; la valeur du parc de machines installées ou reçues dépasse 4 milliards de francs. Le retard des performances techniques est sur le point d'être rattrapé. Au début d'avril, le ministre de l'Air peut noter avec satisfaction que les fabrications conjuguées de la France et de l'Angleterre contrebalancent largement celles du Reich, ce qui est exact [2] ; mais celui-ci a eu le temps d'accumuler des stocks d'appareils qui lui assurent la supériorité numérique et il en a rodé l'emploi. De 1938 au 20 juin 1940, l'industrie française a produit 3 684 avions modernes. Elle est passée de quelque *330 avions par an* en 1937 à *330 par mois* au premier trimestre 1940. C'est dire qu'en deux ans et demi, dans la frénésie et la pagaille, son expansion a été rigoureusement comparable en rythme à sa croissance de 1914 à 1918 et légèrement plus rapide que celle des autres belligérants de 1939-1945, en d'autres termes marquée par un doublement annuel de la production [3].

Le retard sur l'Allemagne, qui était de trois ans à la fin de 1937, a été réduit à un an. Tout confirme la conclusion du rapport, par ailleurs sans indulgence, fait par le contrôleur général Chossat à la demande du procureur de la Cour de Riom :

> Les efforts réalisés depuis deux ans étaient, sans doute, sur le point de recevoir leur récompense. Quelques mois encore et les lourds sacrifices que le pays s'était imposés pour son aviation allaient donner des résultats tangibles : les matériels mis au point commençaient à sortir à une cadence relativement croissante et les prototypes en essais paraissaient au moins équivalents à ceux qu'on pouvait nous opposer.
> L'industrie française, enfin équipée pour une production vraiment industrielle, aurait, en 1941, donné son plein rendement et montré les magnifiques possibilités de redressement de notre pays.

Daladier et les commandes américaines

Daladier partage avec Guy La Chambre le mérite de cette rénovation tardive. De plus, angoissé par un retard inquiétant, mais qu'il croyait

---

1. Les chiffres ont donné lieu à de nombreuses contestations. J'ai repris ceux du général CHRISTIENNE, *o.c.*, dont la mise au point paraît définitive.

2. Note en date du 9 avril 1940, AN 496 AP (4 DA/6, Dr. 1).

3. Cf. les analyses de l'ingénieur général ROOS, dans *Quinze ans d'aéronautique française*, et celles plus approfondies du général CHRISTIENNE, *o.c.*

partiel et provisoire [1], il n'a pas eu de cesse, à partir de la capitulation de Munich, de combler le déficit de l'armée de l'air grâce à des importations d'Amérique ; pour celles-ci il n'a pas hésité à mettre en jeu toute son autorité politique.

Dès le mois de mai 1938, Guy La Chambre a obtenu de commander 100 chasseurs Curtiss Hawk 75 auxquels se sont ajoutés 20 bombardiers en piqué demandés par la Marine qui seule, dans la France de l'époque, s'intéressait à ce type d'appareils. L'idée première de Guy La Chambre était de former tout au plus quelques unités à l'aide de matériel américain, en attendant le démarrage industriel français et afin d'entraîner les pilotes aux techniques de la chasse moderne.

En octobre 1938, le recours au matériel américain prend une autre tournure. Daladier, dès le lendemain du diktat de Munich, convaincu que la guerre est proche, envoie un émissaire personnel et secret — Jean Monnet — auprès de Roosevelt pour lui poser le problème de l'aide dans toute son ampleur. Le gouvernement français est si anxieux d'obtenir l'appui des États-Unis qu'il est prêt à transférer au Trésor américain 15 % de l'or de la Banque de France en signe de bonne volonté pour effacer le mauvais souvenir des dettes impayées de la Grande Guerre. Roosevelt est bien disposé et les constructeurs américains assurent pouvoir fournir 1 700 avions au cours de l'année 1939, à condition de s'en tenir à un ou deux modèles existants et de recevoir les commandes avant Noël. C'est de France que viennent les obstacles : Paul Reynaud, ministre des Finances depuis peu, répugne aussi bien à amputer les réserves d'or qu'à instituer le contrôle des changes qui permettrait peut-être de mobiliser le milliard de dollars de capitaux français aux États-Unis. Daladier s'obstine, il force l'obstruction de Reynaud et les hésitations de Gamelin [2] et dans les premiers mois de 1939, la mission Monnet-Hoppenot lance une première commande de 115 bombardiers Glenn Martin et de 100 chasseurs Douglas ; une mission permanente laissée sur place passe d'autres contrats ; au 1er septembre 1939, la France a commandé aux États-Unis 785 avions américains avec hélices et moteurs.

Une troisième phase s'ouvre avec la guerre ; dès le lendemain du pacte germano-soviétique, le comité du matériel aérien recommande l'envoi immédiat en Amérique de deux experts, le colonel Jacquin et l'ingénieur

1. Encore à la fin de mars ou au début d'avril 1940, Guy La Chambre, dans une note personnelle qu'il adressait à Daladier peu de jours après avoir quitté le ministère de l'Air, l'assurait que « désormais nous ne craignons plus d'être massacrés dans les airs comme nous étions certains de l'être au début de 1938, comme nous n'étions pas assurés de ne pas l'être au début de 1939 », AN 496 AP (4 DA/6, Dr. 1).

2. Cf. AN 496 AP (4 DA/6, Dr. 2) et Documents Thouvenot, SHAA Z/11 609-606 et AN 496 AP (4 DA/18, Dr.5). Cf. aussi sur ces épisodes J. MONNET, *Mémoires*, pp. 138-147 et pp. 156 et s. Reynaud, au cours de la réunion du Comité permanent de la Défense nationale du 4 décembre 1939, ne consentit à débloquer les crédits nécessaires pour l'achat d'avions américains que moyennant une diminution équivalente du budget de la Guerre.

de l'aéronautique Stéphane Thouvenot, pour prendre la direction de la mission permanente et explorer le marché. Les deux envoyés sont stupéfaits de découvrir la faible capacité des constructeurs américains : elle ne dépassera pas 600 avions par mois en 1940 ; encore faudra-t-il que la France prenne en charge une partie des investissements en outillage. Les commandes qu'ils concluent portent sur 2 065 cellules, 800 moteurs et 8 800 hélices, soit un montant, y compris la reprise des commandes antérieures non livrées, de 337 millions de dollars, dont 14,3 d'investissements.

Enfin, une quatrième négociation, amorcée en décembre 1939, aboutit au printemps 1940 à un plan d'achat franco-anglais pour la deuxième année de guerre dit « plan Jacquin-Pleven » : il comporte l'achat, pour le compte des deux pays, de 4 700 cellules et 7 935 moteurs au prix de 614 millions de dollars, dont 17,5 millions d'investissements, les livraisons devant s'échelonner entre le 1er octobre 1940 et le 30 septembre 1941. Une fois encore l'obstination de Daladier a raison du scepticisme des militaires et des réticences de Paul Reynaud.

À la signature de l'Armistice, 544 avions de guerre américains ont été pris en charge par l'armée de l'air[1]. Les 200 chasseurs Curtiss commandés au printemps 1938 ont été engagés dès le début des hostilités et se sont comportés excellemment. L'entrée en service de quelque 200 bombardiers, très retardée par la loi américaine sur l'embargo, puis par les conditions désastreuses du montage à Casablanca, s'est produite néanmoins à temps pour qu'ils puissent participer tous à la bataille de France.

Les avions du plan Jacquin-Pleven n'arriveront pas, mais après l'armistice de juin 1940, la Grande-Bretagne reprendra en compte 3 000 avions et 6 000 moteurs commandés par la France qui aura ainsi puissamment contribué à la mobilisation en temps utile de l'industrie américaine.

Les livraisons américaines comme les efforts de Caquot étaient venus trop tard. Mais auraient-elles changé la bataille ? On en revient toujours à la question posée par le général Christienne :

> Et si l'on avait démarré plus tôt, et si l'industrie aéronautique avait fourni aux armées des avions en nombre suffisant, le commandement terrestre français aurait-il su, pour autant, gagner la guerre[2] ?

---

1. Rapport Chossat (SHAA 3D/494).
2. Général CHRISTIENNE, « L'industrie aéronautique française », p. 402.

IV

Le front des usines

Patrons, services administratifs, bureaux de la Guerre sont les états-majors de la bataille de la production ; les ouvriers d'usines en sont la piétaille. Le front des usines, c'est eux qui le tiennent : armée du travail isolée par le refus social, suspectée par le pouvoir, ignorée du reste de la nation et sur qui on fait le silence, sauf pour dénoncer le noyautage révolutionnaire dont elle est l'objet et la « cinquième colonne » qu'elle dissimule ; armée silencieuse dont nous connaissons moins précisément les états d'esprit que pendant la Grande Guerre parce qu'elle craint davantage la censure et les mouchards, qu'elle n'a presque pas de représentation syndicale, qu'elle écrit peu, n'use pas du téléphone, parle souvent à voix basse ou use du double langage.

Ce que nous livrent à son sujet les responsables de l'Armement, les patrons et cadres d'entreprises et les abondants rapports de police ou de gendarmerie est ambigu, parfois contradictoire et trop fréquemment biaisé par la hantise du communisme. Une double réalité s'en dégage en tout cas. D'une part, la classe ouvrière est la fraction de la population civile qui a été soumise à l'occasion de la guerre à la plus dure contrainte. D'autre part, les années 1939-1940 ont été pour elle une phase de crise plus pénible que pour toute autre couche de la société. On devine que la crise sociale s'est doublée d'un malaise obscur. Pour le traduire en grands mots, c'est sans doute la place du monde ouvrier dans la nation qui est en cause. Après les déceptions, puis la rupture du Front populaire, le reflux syndical témoignait déjà d'un désarroi. Le pacte germano-soviétique, la sécession communiste, l'apparente collusion du P.C.F. avec l'ennemi, en même temps que la sévère discipline de guerre accentuent le repli sur soi, tandis que quelques avant-gardistes dérivent jusqu'au sabotage.

Ce monde à part des travailleurs des industries de guerre, il faut qu'il ait une puissante unité en dépit des différences professionnelles, régionales et idéologiques pour que la courbe de son moral s'affaisse avec un tel ensemble jusqu'aux premiers jours de mars 1940 — plus nettement que la courbe du moral paysan ou du moral militaire — avant de se redresser au printemps.

Nous connaissons le passé récent de cette main-d'œuvre : l'expérience de 1936-1939 continue d'imprégner ses mentalités, elle commande pour une large part ses réactions ; rien ne peut se comprendre de sa psychologie sans qu'on la relie à ces trois années.

Nous disposons par ailleurs d'assez de faits pour reconstituer ses comportements de guerre.

Partant de là, l'historien s'est efforcé, par un patient jeu de navette, d'étoffer la trame. D'évaluer d'abord la contribution ouvrière à l'armement du pays, les efforts, les défaillances, les faux pas. D'interpréter la façon dont le monde ouvrier exprime, ici ou là, ses sentiments à travers son silence, sous une forme quelquefois symbolique ou par le degré variable d'attention et d'intensité qu'il porte au travail. De déchiffrer enfin la dichotomie mentale, les tiraillements entre le *social* et le *national,* entre le loyalisme, l'apathie et le refus...

1

Les lendemains qui déchantent

> Je suis prêt à me faire tuer pour la défense
> nationale, mais je suis prêt à me faire tuer aussi
> pour les 40 heures.

1936, un tournant dans l'histoire de la conscience ouvrière

Dans l'été 1939, tandis que les nuages s'accumulent une nouvelle fois sur l'Europe, le mouvement ouvrier français est en plein reflux. Trois ans seulement se sont écoulés depuis l'explosion triomphale de 1936, mais ces trois ans ont marqué le bagage mental ouvrier d'une empreinte ineffaçable : brève histoire, aux tonalités affectives contrastées, de l'enthousiasme de 1936 à l'amertume de 1938 et à l'inquiétude de 1939.

1936 : la victoire du Front populaire avait été plus qu'une péripétie politique, elle avait signifié, pour la classe ouvrière, un fait inouï, son accession au pouvoir par le ministère de Léon Blum proclamant la fin de l'exclusion prolétarienne. Divine surprise dont la mémoire collective a gardé un souvenir de kermesse, 1 500 000 travailleurs campant dans les entreprises, allégresse fraternelle, moment de bonheur populaire ! 1936, la plus grande date ouvrière depuis la Commune, renouait pacifiquement avec 1848 et la tradition des révolutions du xixᵉ siècle. Mais parce que 1936 a fait peur, que la rue a refait irruption dans la politique, que les occupations d'usines ont bousculé l'ordre social et paru menacer le droit de propriété, enfin que les ouvriers ont cru trop longtemps que « c'était arrivé », la réaction, sans être sanglante, a été aussi rapide que celle qui avait porté Louis Napoléon à l'Élysée et aussi passionnée que celle qui avait réprimé la Commune.

Ni dans la métallurgie lourde ni dans la chimie, les conditions de travail ne s'étaient sensiblement améliorées depuis 1914. La taylorisation, introduite dans les années 1920 dans l'industrie automobile et les industries mécaniques de pointe, le système Bedaux, en voie d'extension dans les houillères du Nord[1], comptaient pour des moyens d'aggraver l'exploitation ouvrière par le jeu des « cadences infernales » et l'émiettement du travail. Le « bagne Renault », la plus grande réussite du modernisme industriel dans la France de l'entre-deux-guerres, avec ses 35 000 travailleurs de Sèvres et Billancourt, avait été dénoncé comme le modèle et le symbole de l'oppression ouvrière : salaires élevés mais discipline rigide, pas de représentation ouvrière reconnue[2], tyrannie des petits chefs, mouchardage, licenciements pour la moindre infraction, mépris des exigences élémentaires du confort et de l'hygiène, jamais de congés en dehors du repos hebdomadaire et des débauchages saisonniers.

Au-delà des frontières de l'industrie, la bourgeoisie n'avait pas cessé d'opposer au monde ouvrier un refus social dénué de mauvaise conscience tant il lui paraissait naturel : dans ce pays où un million de ruraux sont venus dans les grandes villes dans les années 1920, où l'on ne rénove plus l'habitat et où l'on a cessé de construire depuis la crise, on trouve normal — mis à part quelques chrétiens et quelques industriels paternalistes — que l'ouvrier habite un taudis, un « garni », au mieux une cabane à lapins dans un lotissement de banlieue. « Pourquoi leur donner des salles de bains, ils mettent des pommes de terre dans la baignoire ? » Rien d'étonnant si la baisse du niveau de vie, aggravée en 1935 par la politique de déflation de Pierre Laval, a réveillé les luttes ouvrières, précipitant même les travailleurs protégés des arsenaux de Brest et de Toulon dans des affrontements sanglants[3].

Lorsqu'en 1936 les soupapes ont lâché, la commotion a été générale : « Phénomène de décompression sentimentale ! » notait le technocrate fasciste Coutrot[4]. La nouvelle majorité parlementaire a imposé la fin du droit divin patronal et l'extension des droits syndicaux, la revalorisation des salaires, les congés payés et la semaine de 40 heures. La convention collective est devenue la règle commune qui s'impose au patronat comme au salariat, avec recours à l'arbitrage en cas de conflit.

Dans les entreprises, la griserie d'une victoire sans combat a réactivé

1. Charles Bedaux (1888-1944), ancien ouvrier devenu ingénieur en organisation, avait mis au point un système de mesure du travail qui définissait le temps alloué pour l'exécution de chaque mouvement et de chaque tâche.
2. Les délégués ouvriers institués pendant la Grande Guerre avaient rapidement disparu après 1920, sous la pression patronale. Lorsqu'en 1934 François Lehideux, administrateur délégué de Renault, a suggéré, avec l'accord résigné de Louis Renault, d'instituer des délégués ouvriers dans l'industrie automobile, la suggestion a été rejetée avec horreur par les autres firmes.
3. En août 1935, des manifestations de protestation contre les décrets-lois Laval avaient tourné à l'émeute à Brest, faisant un mort et trente-sept blessés ; à Toulon, des bagarres entre ouvriers de l'Arsenal et le service d'ordre faisaient deux morts et dix-neuf blessés. Cf. sur ces épisodes caractéristiques et peu connus (SHAM 1 BB2/223).
4. Cf. la prise de conscience du mouvement social en 1936 par les patrons, ingénieurs, techniciens : *Le Front populaire et la vie quotidienne* (Actes du colloque de septembre 1986), CRHMSS.

le militantisme et ouvert la voie à l'action collective ; on a usé et abusé de ce droit nouveau, celui de se faire entendre : contestation des décisions patronales, revanche sur les contremaîtres, arrêts parfois « sauvages » de travail, revendications nouvelles quand les hausses des prix épongeaient l'augmentation des salaires. Les patrons ont crié à la chienlit et à la grève perlée, la presse de droite a vilipendé la « paresse ouvrière ». En fait, le rendement horaire n'a, dans l'ensemble, pas diminué, la productivité brute a même pu augmenter entre 1935 et 1937[1] ; le refus des « cadences infernales », limité à de rares secteurs et entreprises dans l'industrie privée, a néanmoins abouti à l'abandon du système Bedaux dans les houillères du Nord et du Centre qui l'avaient adopté et à une baisse sensible des rendements dans au moins une partie de la sidérurgie lorraine et de l'industrie aéronautique.

Dans le secteur industriel de l'État a germé plus nettement qu'ailleurs l'espoir d'un pouvoir ouvrier : dès le lendemain des accords Matignon de juin 1936, les extrémistes des arsenaux terrestres ont réclamé l'épuration de la haute administration du ministère de la Guerre et l'exclusion des « ennemis du Front populaire »[2] ; la révision en hausse d'une partie des *devis-temps* a permis un travail plus détendu. Dans les firmes d'aviation nationalisées où le personnel était désormais représenté aux conseils d'administration, les délégués syndicaux ont court-circuité, voire neutralisé la maîtrise et imposé dans quelques établissements leur contrôle de fait sur l'embauche, ou même influé sur les nominations des chefs d'ateliers et des contremaîtres[3].

On ne comprendrait rien des réactions ultérieures sans tenir pour essentielles ces données nouvelles de la conscience ouvrière que furent l'immense espoir et le formidable bond social suscités par l'avènement

---

1. Cf. J.-Ch. ASSELAIN, « La loi de 40 heures de 1936 », p. 187, et AN 139 AQ2/53. Le rendement horaire demeurait, en 1937, inférieur de 4,2 % à la moyenne de 1935 dans les mines de charbon, de 13 % inférieur aux aciéries d'Homécourt à la moyenne de 1929. La baisse globale de rendement des constructions aéronautiques calculée de façon approximative en fonction du nombre d'avions produits par rapport aux effectifs employés a pu atteindre 11 % dont 4 % imputables aux congés payés ; la baisse du rendement horaire aurait été de l'ordre de 5 % d'après l'évaluation — incertaine — de l'ingénieur de l'aéronautique Roos ; en réalité, dans cette branche, des facteurs multiples se sont conjugués.

2. Ainsi, *Le Travailleur de l'arsenal*, bulletin mensuel du syndicat de l'atelier de construction de l'arsenal de Roanne, définit comme suit ses prétentions dans son numéro de juin 1936 : « Léon Blum a affirmé qu'il fallait faire passer un souffle républicain dans les administrations. Ce souffle doit emporter M. Guinand et ses soutiens à l'Arsenal, tous ennemis du Front populaire (...). Des mesures d'épuration s'imposent, il faut les prendre. Les ouvriers exigeront le remplacement de M. Guinand et de certains directeurs de l'administration de la Guerre. Le pays s'est prononcé. Il faut agir ! » Le contrôleur général Guinand était secrétaire général et responsable des services administratifs du ministère de la Guerre ; il fut remplacé dans l'été 1936 par le contrôleur général Jacomet.

3. Cf., entre autres témoignages, ceux des ingénieurs en chef de l'aéronautique Boutiron et Franck, AN 496 AP (4 DA/12, Dr. 3 et 4 DA/14, Dr. 3).

du Front populaire. Sans prendre en compte, d'autre part, la double mutation qui a transformé en profondeur le monde ouvrier.

Explosion syndicale et « bolchevisation »

Mutation sociologique d'abord : depuis la fin de la Première Guerre mondiale, la composition de la classe ouvrière s'est renouvelée ou plutôt une nouvelle classe ouvrière s'est juxtaposée à l'ancienne. Dans les régions de grande industrie et plus que partout en région parisienne, une couche prolétarienne, faite en majorité de ruraux déracinés et d'immigrés sans tradition syndicale, a peuplé de ses manœuvres et de ses O.S. les nouvelles usines métallurgiques.

Une seconde mutation, psychologique et politique celle-là, est celle qui, en l'espace d'un an, sous le choc des élections et des grèves de 1936, a entraîné la syndicalisation des masses ouvrières et leur « colonisation » par les cadres communistes. La péripétie aura été aussi surprenante et soudaine que la prise en main du mouvement ouvrier de Pétersbourg par les bolcheviks de 1917 ; une pléiade d'excellents analystes en a éclairé — sinon complètement expliqué — les ressorts, de Georges Lefranc à Annie Kriegel, de Michel Collinet à Antoine Prost, de Gérard Noiriel à Stéphane Courtois : quelques chiffres la résument.

Jusqu'à 1936, les adhérents aux syndicats n'atteignaient 5 % que dans de très rares branches industrielles ; les syndicats étaient insignifiants dans l'industrie chimique ; ils n'avaient d'existence dans la mécanique, que dans les petites entreprises ou dans la mécanique de précision. La C.G.T., principale organisation syndicale, ne comptait, au moment de sa réunification en 1935, que 785 000 membres dont les deux tiers provenant de l'ancienne C.G.T. confédérée, et seulement un peu plus d'un tiers issu de la C.G.T.U. communiste. Après les accords Matignon de juin 1936, la ruée des nouveaux adhérents a quintuplé en six mois ses effectifs : ils avoisinaient 4 millions en 1937.

La centrale syndicale chrétienne, la C.F.T.C., a, elle aussi, connu une forte expansion, mais elle n'a pas dépassé 500 000 adhérents ; elle est restée cantonnée à Paris et à Lyon, au Nord et à l'Alsace, et n'est fortement implantée que dans le textile et majoritaire que dans l'habillement où dominent les femmes.

La C.G.T. est devenue une énorme force politique. En même temps, elle s'est transformée : les syndicats des services publics y étaient précédemment majoritaires ; ils ne représentent plus que 20 % de ses membres. En revanche, la Fédération du bâtiment s'est trouvée portée à près de 500 000 adhérents, la Fédération des métaux, devenue le « fer de lance du mouvement ouvrier », de 50 000 à 600 000 ; la chimie a vu ses effectifs multipliés par près de 20[1]. Chez Renault, 80 % du personnel

1. A. Prost, *La C.G.T. à l'époque du Front populaire*, pp. 42 et 49-50.

sont venus à la C.G.T. ; parallèlement, le recrutement communiste, qui s'y limitait, au début de 1936, à 120 membres rayonnant sur 700 communisants, s'est gonflé, en moins d'un an, de 6 000 adhérents répartis en 52 cellules[1].

Car l'émergence communiste est allée de pair avec la ruée syndicale et la primauté des syndicats industriels. Les recherches récentes ont montré que la percée « rouge » n'était pas aussi spontanée qu'on avait pu le croire ; qu'elle avait été préparée depuis le début des années trente par la reprise des luttes ouvrières, avivées par la crise et par la montée du chômage ; que la dégradation des tâches avait, dans un bon nombre d'ateliers, radicalisé les ouvriers qualifiés, chefs de file de la main-d'œuvre, tandis qu'une pléiade de jeunes meneurs parlant haut et fort avait su prendre les devants lors des contestations ; que quelques permanents du P.C.F., devenus de véritables révolutionnaires professionnels, avaient piloté en sous-main la lutte dans les entreprises de pointe ; que, d'autre part, tout un travail obscur d'aide sociale et de défense des mal lotis avait implanté des réseaux de sympathisants dans les banlieues parisiennes ; enfin que la politique de la solidarité antifasciste et de la main tendue aux libéraux et aux catholiques avait été payante, comme les élections municipales de 1935 l'avaient montré. 1936 a précipité le virage politique : non seulement les leaders communistes de la C.G.T. se sont dépensés pour rattraper le mouvement et en prendre la direction, mais, à la base, partout où les vieilles organisations n'avaient pas de cadres capables et nombreux, ce sont les cellules communistes d'entreprises qui ont encadré les masses : elles ont organisé le recrutement syndical et désigné les candidats aux élections de délégués. Une nouvelle génération de cadres syndicaux, faite de jeunes communistes ardents, s'est imposée ; elle a bousculé les vieux sociaux-démocrates ; elle a entraîné à l'action combative les masses malléables des manœuvres et des O.S. sans tradition. Les nouveaux adhérents, portés par le succès des grèves et le mythe de l'unité ouvrière, découvrant, devant les énormes concessions faites par le patronat, que la lutte syndicale était payante, ont « considéré la C.G.T. comme leur interprète auprès du gouvernement et leur représentation au sein du rassemblement populaire »[2].

Par suite, rien que dans la région parisienne, la Fédération des métaux, dont les 10 000 adhérents de mars 1936 se répartissaient presque également entre anciens « confédérés » et « unitaires » communistes, comprenait, six mois plus tard, 200 000 membres qui votaient à 90 % les

1. J.-P. DEPRETTO et S. SCHWEITZER, *Le Communisme à l'usine*, pp. 115 et 215. Ces auteurs précisent que *La Vie ouvrière* a fait état de 29 000 timbres syndicaux placés en septembre 1936 chez Renault, encore que, d'après un témoignage digne de foi, l'effectif syndiqué réel n'ait jamais dépassé 18 500 ouvriers, soit un taux de syndicalisation de 60 %. Même dans ce cas, la progression a été impressionnante. Quant aux adhérents au P.C.F., ils ont atteint le maximum de 7 500 au printemps de 1937.

2. M. COLLINET, *L'Ouvrier français. Esprit du syndicalisme*, pp. 120-123.

thèses communistes. L'Union des syndicats de la région parisienne, forte de 1 200 000 membres, était tenue par des communistes. Tenues par des communistes vingt autres fédérations départementales dont la Loire, la Seine-Inférieure et les Bouches-du-Rhône, et quatre fédérations industrielles des plus puissantes : métaux, chimie, bâtiment, éclairage. Tenu par les communistes, l'hebdomadaire de la C.G.T., *La Vie ouvrière*, dont le tirage aurait atteint 260 000 exemplaires en juin 1937.

En marge, la fraction de la C.G.T. hostile à la « colonisation » communiste s'est groupée autour d'un secrétaire fédéral vigoureux, René Belin, et de l'hebdomadaire socialisant *Syndicats* : elle ne réunit pas le quart des mandats aux congrès. Si elle reste puissante parmi les mineurs (bien que les houillères du Nord et les mines de fer de Lorraine lui échappent), elle ne compte plus, sinon par quelques enclaves, ni dans l'industrie lourde, dans la métallurgie, le bois, le bâtiment, les produits chimiques, ni parmi les cheminots du Midi, du P.L.M. et du P.O. [1].

L'année 1938 et la bataille des 40 heures

1938 a été l'année du retournement de tendance, l'année de la recrudescence des luttes ouvrières. Léon Blum renversé, le Front populaire s'est disloqué : Daladier, qui a pris les commandes en avril 1938, s'appuie sur une majorité du centre et de la droite. Le 30 septembre, il a souscrit au démantèlement de la Tchécoslovaquie en faisant fi de l'alliance soviétique. Et, en fin d'année, deux défaites sonnent le glas des espoirs ouvriers : la République espagnole agonise sous les coups des franquistes, des divisions espagnoles et de l'aviation allemande ; et l'échec de la journée de grève générale du 30 novembre 1938 clôture une année de guérilla sociale. Une large fraction de la classe ouvrière s'était battue pour le maintien des 40 heures : elle va être matée.

La semaine de 40 heures était la réforme la plus populaire de 1936. On peut y voir, avec le recul du temps, un des éléments essentiels de la *révolution culturelle* de 1936, entendue dans le sens où l'on a qualifié de *culturelle* la crise de 1968. Imposée par une pression probablement irrésistible de la base, elle consacrait une inflexion dans la vision séculaire qu'avaient du travail les ouvriers de l'industrie, ce qui incita la bourgeoisie de l'époque à répandre le slogan de la paresse ouvrière [2]. Elle représentait, pour les ouvriers, un progrès décisif vers la fin de

---

1. A. Prost, *La C.G.T. à l'époque du Front populaire*, pp. 147 et s.
2. À propos de la « paresse ouvrière », Marc Bloch, observateur éminent des phénomènes économiques, patriote libéral mais nullement révolutionnaire, martyr de la Résistance en 1944, notait avec quelque malice dans *L'Étrange Défaite* (p. 181) : « Le bourgeois crut s'apercevoir que les masses populaires, dont le labeur était la source profonde de ses gains, travaillaient moins que par le passé, ce qui était vrai, et même moins que lui-même, ce qui n'était peut-être pas aussi exact. »

l'exploitation de l'homme par l'homme, car elle allégeait « la peine des hommes », et elle réalisait de plus le partage du travail. Après des années de soumission à la crise, l'idée s'était implantée qu'il n'existe dans une société qu'un volume fini de travail, que le machinisme permettait de le réduire encore et qu'il convenait en tout cas de le répartir équitablement[1]. Par suite, les 40 heures avaient pris valeur de symbole. Comme l'a dit très bien Antoine Prost, « elles étaient devenues un dogme et une forme de la solidarité ouvrière : *Nous ne travaillerons pas davantage tant que tous les camarades n'auront pas de travail!* »[2]. Marque d'une singulière abnégation de la part de ceux qui, ayant un emploi, s'interdisaient tout gain supplémentaire.

Or, le chômage a persisté. La durée de travail de l'ouvrier à temps plein a été réduite de 2 300 à 1 938 heures par an, sans le résorber. Bien plus, en 1938, une recrudescence mondiale de la crise économique a touché la France : on craint que le chômage ne retrouve son niveau du début de 1936 ; la sidérurgie lorraine a diminué ses effectifs de 10 % entre janvier et septembre ; le chômage partiel surtout s'est étendu : Renault et Matford ont réduit la semaine de travail à 32 heures[3].

Les seules entreprises dont l'activité soit soutenue sont celles qui travaillent pour le réarmement. Paradoxalement, leurs patrons se plaignent de manquer d'ouvriers qualifiés et de ne pouvoir en trouver sur le marché, ce qui rendrait certaines commandes inexécutables dans les délais requis. En 1937 déjà, la cadence de sortie des chars a fléchi plus que proportionnellement à la diminution des temps de travail parce que la production d'acier à blindages a manqué d'ouvriers mouleurs et que dans les usines d'aval, les régleurs et les outilleurs, qui faisaient précédemment 52 heures par semaine, ont été ramenés à 40 heures : toute la chaîne productive en a été ralentie. Au printemps de 1938, c'est l'accroissement de la production d'avions qui a été entravée par manque de spécialistes qualifiés. Léon Blum, lors de son bref retour au pouvoir en mars-avril 1938, a obtenu l'accord des syndicats pour que la durée du travail dans l'aéronautique puisse être portée à 45 heures sans augmenta-

1. « Le nombre d'heures de travail nécessité par la construction d'une automobile aux États-Unis est passé de 1 291 heures en 1904 à 92 en 1929, et 62 en 1936 », faisait, par exemple, valoir, en juin 1938, *Le Travailleur de l'arsenal*, bulletin syndical de l'arsenal de Roanne, qui en tirait la conclusion suivante : « Ce petit aperçu justifie le maintien de la semaine de 40 heures et l'acheminement vers une nouvelle diminution de la journée de travail, quoi qu'en disent les détenteurs des privilèges. » Léon Blum avait développé l'idée à la fin de 1937.
2. A. Prost, *in* R. RÉMOND et J. BOURDIN, *Daladier chef de gouvernement*, p. 104.
3. D'après le rapport de présentation des décrets-lois du 12 novembre 1938, il existe alors 360 000 chômeurs inscrits. « Compte tenu des chômeurs non secourus, on peut évaluer à 600 000 personnes le nombre des personnes sans emploi, soit 5,5 % de la population ouvrière. Si l'on tient compte de 2,50 % environ de chômage partiel, l'on peut affirmer que près de 8 % de la main-d'œuvre disponible est actuellement sans travail » (*Journal officiel*, 13 novembre 1938, p. 12857).

tion du taux de salaire des heures supplémentaires[1]. Mais, en dehors de l'aéronautique, des usines de guerre demandent, elles aussi, à faire usage d'heures supplémentaires ; les ouvriers — ou les syndicats — répondent : embauchez !

Les décrets d'application de la loi des 40 heures autorisent les dérogations dans la limite de deux fois 75 heures par an, en cas de surcharge de travail ou de pénurie de personnel qualifié : l'obstruction ouvrière empêche d'y recourir. Les services de l'Armement se sont efforcés d'obtenir des dirigeants syndicaux l' « autorisation » de faire des heures supplémentaires pour certaines catégories de travaux :

> Il n'y a jamais eu moyen ! (...) Mon collègue de la Marine levait les bras au ciel et disait avec émotion : « Vous nous empêchez de sortir le *Richelieu !* » (...)
> Les représentants des syndicats nous répondaient : « Ce n'est pas possible ! Nous ne serons pas suivis par nos troupes ! » C'est la crainte du chômage qui fait refuser aux masses les heures supplémentaires, on va en profiter pour faire travailler davantage un certain nombre d'ouvriers dont on est satisfait et l'on renverra les autres[2] !

En février 1938, les ouvriers du chantier de Nantes-Penhoët empêchent les « métallos » de Saint-Chamond de faire des heures supplémentaires pour l'achèvement des tourelles du croiseur *Strasbourg*, « afin, semble-t-il, de retarder son départ et les débauchages qui en seraient la conséquence »[3]. À Fives-Lille, l'obstruction se poursuit depuis juin 1937 ; le 18 mai, le syndicat de la métallurgie lilloise la confirme :

> Il ne doit pas être réalisé d'heures supplémentaires dans les ateliers de mécanique et de métallurgie tant que ne sera pas résorbé en grande partie le chômage existant dans la métallurgie lilloise. Le syndicat s'engage à mettre à la disposition des industriels, aux tarifs et conditions conventionnels, des ouvriers qualifiés aptes à pouvoir remplir leur profession dans toutes les spécialités importantes.

Des délégués d'atelier sont les premiers à reconnaître que les candidats à l'embauche ne sont pas qualifiés ; le refus des heures supplémentaires est maintenu ; il le sera jusqu'à fin novembre.

Au cours du printemps et de l'été 1938, quinze grandes entreprises sont empêchées de faire des heures supplémentaires pour la Défense nationale, parmi lesquelles Merlin-Gérin et Marine Homécourt, chargées d'équipements pour le cuirassé *Richelieu,* Holtzer à qui l'amirauté a demandé de hâter la fabrication de torpilles, la Sagem qui doit renoncer

---

1. Accord consacré par les sentences Jacomet des 13 et 16 avril 1938. Voir p. 38.
2. Témoignage du directeur des fabrications d'armement Happich, CEP, pp. 1730-1731.
3. Cet exemple et les suivants sont empruntés aux dossiers de Daladier et notamment aux procès-verbaux du comité de production de la Défense nationale, AN 496 AP (4 DA/4, Dr. 3) et SHAT 2 N/149.

à augmenter la cadence de sortie des éléments de 25 antichars. Le 18 juillet, les établissements de mécanique Jalet, de Nantes, écrivent :

> En ce qui concerne les travaux de défense nationale, nous vous informons que nous sommes dans l'obligation de décliner de nombreuses commandes en raison de l'impossibilité d'exécuter ces travaux sans heures supplémentaires. Or, le personnel refuse de les faire.

Incidemment, les ouvriers de Gnôme et Rhône, premier constructeur de moteurs d'avions, refusent de récupérer le congé du lundi de Pentecôte, le personnel des moteurs Salmson les jours fériés de l'Ascension et du 14 Juillet[1].

En août 1938, la crise tchécoslovaque approche de son paroxysme, la loi sur l'organisation de la nation pour le temps de guerre vient d'être promulguée. Malgré cela, la Fédération des métaux, officiellement saisie au nom de la Défense nationale de cas de travaux importants qui exigent des heures supplémentaires, fait, au bout d'un mois, une réponse dilatoire[2]. L'affaire prend une gravité nationale. Le 21 août, Daladier annonce, dans un discours radiodiffusé, sa volonté de « remettre la France au travail » ; le 30, un décret fixe la procédure d'autorisation de l'usage d'heures supplémentaires pour surcroît momentané de travail[3].

C'est aussitôt une tempête dans les états-majors syndicaux ; le ministre du Travail, Ramadier, maire de Decazeville, démissionne ; la C.G.T. lance une campagne de protestations dans les principales villes de province ; à Paris, le 8 septembre, à trois semaines de la rencontre de Munich, un tract, diffusé à 10 000 exemplaires, invite à participer à un meeting organisé le 13 avec le concours de Hénaff, secrétaire communiste de l'Union des syndicats de la région parisienne, et Racamond, secrétaire général adjoint communiste de la C.G.T. pour « s'élever contre tout aménagement de la semaine de 40 heures »[4] :

---

1. Chambre des députés, sous-commission des fabrications d'armement, 15 septembre 1938 (ARAS).
2. Par arrêté du 5 juillet 1938, Daladier a créé un sous-comité de production chargé « d'enquêter auprès des organisations ouvrières et patronales sur les conditions dans lesquelles l'horaire normal du travail des usines qui travaillent pour la Défense nationale peut être aménagé en vue d'accélérer la sortie du matériel à provenir de ces usines ». Le sous-comité a reçu le 8 juillet Croizat, secrétaire de la Fédération des métaux et député communiste, et lui a remis trois fiches concernant des travaux en cours à la compagnie Sulzer à Saint-Denis, aux Forges et chantiers de la Méditerranée au Havre, et à la Compagnie générale de construction de locomotives à Nantes. Croizat a promis une réponse pour le 15 juillet. La seule réponse connue du sous-comité, au début d'août, a été « une déclaration purement doctrinale de laquelle il résulte, en fait, que la Fédération refuse d'examiner les cas concrets qui lui étaient soumis et de laisser effectuer des heures supplémentaires pour la Défense nationale, tant qu'un certain nombre de mesures générales n'auront pas été réalisées » (modernisation de certaines entreprises et réduction du chômage) (SHAT 6 N/319).
3. *Journal officiel*, 31 août 1938, p. 10312.
4. APP, BA/301.

> Le président du Conseil dans sa déclaration, le Conseil des ministres dans sa décision, ont cédé à la volonté des trusts, du grand patronat, au chantage des banques et des 200 familles.
>
> Les lois sociales obtenues par la volonté de tous en 1936, les conventions collectives, la semaine de 40 heures, les congés payés, sont mis en péril.
>
> Il est indispensable de produire plus, il faut augmenter la journée de travail ! disent ces messieurs.
>
> (...) Nous disons avec force NON. Les ouvriers, employés (...) ne permettront jamais qu'on touche aux lois sociales.

Néanmoins, l'aggravation de la situation internationale rend certains ouvriers plus coopératifs. Dans les petites et moyennes entreprises, les travaux supplémentaires se font sans problèmes, mais dans des entreprises aussi importantes que les Forges et chantiers de la Méditerranée, Holtzer, Saint-Chamond, Fives-Lille et Cail (de Denain) qui fabriquent des canons, des blindages de chars de marine et des tourelles de chars, les personnels refusent encore en octobre 1938 de faire aucune heure supplémentaire. Chez Caudron, filiale aéronautique de Renault, ils entament une grève perlée. En novembre, il est autorisé, pour l'ensemble de l'industrie, 2 500 000 heures supplémentaires dont 500 000 dans la métallurgie et 500 000 au titre de la Défense nationale, correspondant au total au travail de 125 000 ouvriers à 45 heures par semaine, ce qui est un progrès. Mais des obstructions persistent ; la situation reste bloquée à Fives-Lille pour le quinzième mois consécutif [1].

On en est ainsi venu à l'épreuve de force. Le 12 novembre, une série de décrets-lois, tout en confirmant la règle des 40 heures, pose le principe de la semaine de travail de six jours, supprime à peu près tout obstacle à l'emploi d'heures supplémentaires dans l'industrie et limite à 10 % le taux des majorations horaires applicables à leur rémunération jusqu'à 45 heures [2]. Des sanctions sont en outre prévues pour le refus d'heures supplémentaires demandées dans l'intérêt de la Défense nationale. Plusieurs entreprises de la région parisienne se mettent en grève quand les directions veulent appliquer le nouveau régime en faisant travailler le personnel le samedi. Le P.C.F. pousse à la résistance : il entend, en mobilisant les masses, faire pression sur un gouvernement qui prétend restaurer les profits des entreprises et qui pratique l'apaisement à l'égard de l'Allemagne hitlérienne. Il entraîne la C.G.T. à ordonner une journée de grève générale. Daladier, poussé par son nouveau ministre des Finances, Paul Reynaud, veut, de son côté, en finir avec la résistance ouvrière. Entre le 21 et le 24 novembre, il fait évacuer 11 usines occupées, puis, le 26, Renault, qui est le siège de rudes affrontements.

Le 30 novembre 1938, 800 000 ouvriers de l'industrie cessent le travail, dont ceux de la plupart des usines d'armement et d'aéronautique, tant

---

1. AN TR/11096 et SHAT 6 N/319.
2. *Journal officiel*, 13 novembre 1938, pp. 12862 et ss.

privées que nationalisées, de la « banlieue rouge ». La grève générale n'en est pas moins un échec, un échec moindre qu'on ne l'a dit, mais qui, par son retentissement psychologique et par la répression consécutive, met fin à la grande espérance du Front populaire.

Motivations ouvrières et tactique communiste

La crispation ouvrière sur la défense des 40 heures en pleine période de crise internationale, et à moins d'un an de la guerre, peut passer pour une inconséquence politique, alors qu'au même moment l'Allemagne réarme à tour de bras et que ses métallurgistes font, eux, 48 heures par semaine[1] : inconséquence d'autant plus criante, d'autant plus âprement dénoncée que les syndicats communistes et le P.C.F. n'ont cessé de prôner la résistance à l'Allemagne nazie, puis de condamner le diktat de Munich.

Car l' « avant-garde de la classe ouvrière », qui travaille dans la métallurgie, les industries d'armement et les constructions aéronautiques, ne se réclame à peu près plus du pacifisme, comme le faisaient les ouvriers jauressistes de 1913-1914. Depuis l'accord franco-soviétique signé par Laval et Staline en 1935, le P.C.F. s'est rallié à la défense nationale et se veut le champion de la résistance au nazisme. Les correspondances et les bulletins des syndicats d'entreprises attestent qu'ils approuvent le réarmement et sont résolus à y coopérer. Ni eux ni le secrétaire national du Syndicat des métaux, le député communiste Ambroise Croizat, n'ignorent que la production d'armements exige un effort supplémentaire. Cet effort, ils se refusent à le fournir. Il faut, pour éclairer la contradiction, faire la part des illusions et des erreurs d'appréciation, de la méfiance accumulée par une classe réduite de nouveau à la défensive, enfin de la stratégie et de la tactique communiste.

Et d'abord, une triple illusion fausse les jugements.

La première est de croire que les 40 heures sont le remède miracle au chômage : elles ont paru bénéfiques en 1936-1937 en entraînant le recrutement de plus de 100 000 nouveaux travailleurs dans l'industrie et les transports, mais, en 1938, elles ont un effet anti-économique dans la mesure où elles imposent un plafond à la production à un niveau qui est un niveau de crise : l'opinion publique n'en est nullement consciente.

La deuxième illusion est de se figurer que la France dispose, grâce à ses chômeurs, d'une réserve de main-d'œuvre importante. Ce n'est plus

---

1. Malgré la progression des heures supplémentaires, la durée moyenne du travail dans la métallurgie française n'est encore que de 39,5 heures en décembre 1938. Elle varie entre 46 et 49 heures dans la métallurgie allemande. Sources : *Statistique générale de la France* et *Statistisches Jahrbuch für das Deutsche Reich 1939-1940.*

le cas, nous l'avons montré [1]. Mais on l'ignore. C'est seulement au milieu de 1938 que le dépouillement d'une enquête portant sur 178 000 demandeurs d'emploi impose une vérité que personne n'accepte encore : en six ans de crise, l'armée des chômeurs s'est transformée. La majorité d'entre eux est composée d'hommes vieillis, de travailleurs sans qualification ou qui ont perdu leur qualification, de femmes et d'inaptes ; 54 % des chômeurs des 26 spécialités les plus demandées dans la métallurgie ont plus de 50 ans, et 36,6 % plus de 60 ; 6 % au mieux des chômeurs de la métallurgie sont récupérables comme ouvriers qualifiés ; quant aux autres sans travail, mis à part ceux du textile, leur contingent flottant ne diffère pas beaucoup de la marge d'inemployés qui existait à la veille de la guerre de 1914. Malgré la baisse de l'emploi de 1938, le chômage, sur lequel le monde ouvrier s'hypnotise, n'est presque plus un chômage de crise.

La troisième illusion, la plus grave, est de considérer que la France *a le temps*. Cette illusion, presque tout le monde la partage, parce que presque personne ne veut croire à la guerre. Le ministre de la Marine se plaint partout du retard de construction des cuirassés, mais il a affirmé, le 31 mai, à Daladier, contre l'avis des experts, que « des *dérogations particulières et momentanées* s'avéraient indispensables plus encore qu'une augmentation *générale* de la durée du travail » [2]. En octobre 1938, dans l'aéronautique, seule branche habilitée depuis avril, en accord avec les syndicats, à faire travailler 45 heures, Morane se contente de demander 45 heures à 50 % de son personnel ; Potez, à l'usine nationalisée de Meaulte à 70 % ; Marcel Bloch, dans l'usine de Suresnes de la Nationale du Sud-Ouest, à 50 %. Le réarmement est si progressif, le sentiment de l'urgence encore si inégal, même au lendemain de Munich, que Schneider, qui obtient pour le Creusot 12 500 heures supplémentaires dans la première quinzaine d'octobre, n'en réclame pas pour la seconde quinzaine, ou attend un ordre du gouvernement pour en demander ; en ce même mois d'octobre, douze autres grandes sociétés travaillant pour la Guerre, dont Saint-Chamond et Merlin-Gerin, veulent être fixées sur le taux de rémunération des heures supplémentaires avant d'y recourir [3]. On conçoit que les syndicats n'aient pas été plus pressés que ne l'étaient les ministères militaires et les patrons.

Il y a, d'autre part, la méfiance ouvrière. Elle impute au patronat « la responsabilité collective de toute une tradition d'obstruction systématique au progrès social » [4]. Il est clair que beaucoup de patrons veulent revenir sur les « acquis sociaux » de 1936. Non qu'ils soient opposés par

---

1. Cf. ci-dessus, pp. 24-27.
2. Chambre des députés, sous-commission des fabrications d'armement, 20 octobre 1938 (ARAS).
2. SHAT 6N/319.
4. J.-Ch. ASSELAIN, *o.c.*, p. 177.

principe aux 40 heures, mais ils trouvent qu'elles leur coûtent trop cher, surtout lorsqu'ils recourent à des heures supplémentaires, et ils s'estiment ligotés par la réglementation nouvelle. Les nécessités de la Défense nationale ne sont souvent qu'un prétexte pour dénoncer le pouvoir syndical et la « paresse ouvrière »[1]. Les syndicats n'ont pas tort de riposter qu'il y a d'autres freins au réarmement, qui sont l'anarchie des commandes, le manque de coordination des fabrications et l'insuffisance de l'équipement industriel : ce n'est pas à cause des 40 heures que la France a « sorti » seulement 30 avions par mois en 1937. « Les 40 heures ont aggravé les difficultés, elles ne les ont pas créées »[2] et leur influence sur les retards des fabrications de guerre aura été modeste (sauf en ce qui concerne les constructions navales), ne serait-ce que parce que l'accroissement massif des commandes militaires a lieu tardivement, à la fin de 1938 et au début de 1939, quand la contrainte des 40 heures n'existe plus.

En réalité, ni pour les ouvriers ni pour les patrons, le fond du problème n'est là : en 1938, les 40 heures sont devenues un enjeu politique. On ne doute pas, dans la masse ouvrière, que si l'on cède, tous les « acquis sociaux » — congés payés, conventions collectives, comités d'entreprise — ne soient à leur tour menacés. Tout est dans ce mot du secrétaire syndical de l'Atelier national de construction de Lyon lorsque, en avril 1938, un ingénieur général est venu lui demander, au nom de la Direction des fabrications d'armement, de faire travailler certaines équipes 48 heures pour la Défense nationale :

> Je suis prêt à me faire tuer pour la Défense nationale, mais je suis prêt à me faire tuer aussi pour les 40 heures[3].

C'est bien à cause de cet attachement passionnel aux 40 heures que les dirigeants communistes en ont fait leur cheval de bataille.

Depuis l'arrivée au pouvoir de Daladier, ils ont poursuivi à la fois un objectif de politique intérieure — rester le parti de la classe ouvrière, qu'ils sont devenus en 1936 — et un objectif de politique étrangère : empêcher, sans exclure le risque de guerre, le gouvernement français d'abandonner la Tchécoslovaquie, maillon capital des alliances fran-

---

1. Sur les motivations et comportements patronaux, voir le chapitre suivant.
2. Cf. J.-Ch. ASSELAIN, « La Loi des quarante heures de 1936 », dans J. BOUVIER, *La France en mouvement*, pp. 183 et ss. Les 40 heures, les congés payés et les grèves n'ont pas contribué pour plus du tiers au retard des fabrications de blindés de 1936 et 1937, à en juger par les rapports de la direction du contrôle du ministère de la Guerre et les témoignages les plus fiables recueillis à l'instruction du procès de Riom. Les retards des constructions aériennes ont été causés par un ensemble complexe de facteurs analysés plus haut pp. 178-203.
3. Témoignage de l'ingénieur général Laffon, 22 novembre 1940, AN 496 AP (4 DA/ 16, Dr. 1).

çaises en Europe centrale et bastion protecteur de l'U.R.S.S. Ce calcul les a entraînés dans un jeu compliqué. Ils ont voulu exploiter le mécontentement ouvrier pour faire pression sur le gouvernement, en évitant toutefois d'aller trop loin pour ne pas être accusés de saboter la défense nationale, mais ils ont aussi voulu éviter de lâcher trop de lest pour ne pas être doublés sur leur gauche par les fractions pacifistes ou socialistes-révolutionnaires, toujours prêtes à leur reprocher de sacrifier les intérêts ouvriers. Ainsi ont-ils fait alterner l'apparence de la compréhension et l'intransigeance, acceptant à la mi-septembre le principe de dérogation aux 40 heures, puis poussant à la résistance, au lendemain de Munich, les ouvriers prêts à faire des heures supplémentaires, et engageant, en novembre, l'épreuve de force [1].

La reprise en main

La journée du 30 novembre 1938 a été une césure plus importante encore que la rupture du Front populaire, car elle a renvoyé la classe ouvrière à son exclusion d'avant 1936.

L'échec de la grève générale a laissé le champ libre à la revanche des patrons. Daladier, en qualifiant la grève de « politique », appréciation que devait confirmer la cour supérieure d'arbitrage, a fourni à la répression patronale sa base juridique [2] : les patrons ont pu licencier pour rupture de contrat ; une vingtaine de firmes privées, dont Renault, ont prononcé le *lock out* et procédé à un réembauchage sélectif sur nouveaux contrats. Chez Renault, près de 30 000 salariés ont été réintégrés, mais 1 868 ont été exclus, dont 78 délégués du personnel et 765 militants syndicaux [3]. Dans l'ensemble de l'industrie, plus de 10 000 ouvriers ont été durablement licenciés, dont 4 000 dans l'automobile, 4 000 dans la chimie, et peut-être 1 600 dans l'aéronautique. Dans l'Est, le Centre, la Loire-Inférieure, des entreprises se sont concertées

1. Dans une lettre du 16 septembre 1938 au président du Conseil, le secrétaire général de la C.G.T. a exprimé l'avis, conforme aux dernières prises de position communistes, « qu'il est possible d'effectuer dans les services où cela s'impose les dérogations réclamées, sous la réserve que partout et dès qu'il sera possible de trouver la main-d'œuvre nécessaire, ces dérogations ne pourront s'appliquer. Celles-ci seraient provisoires dans les équipes où cela s'impose, en attendant que les services de la main-d'œuvre du ministère du Travail aient pris, concernant l'embauchage aux lieux et places que nous signalons, toutes dispositions pour le retour dans la production des ouvriers nécessaires à celle-ci » (SHAT 6N/319). Cependant, ce sont les délégués syndicaux majoritairement communistes qui, en octobre, ont imposé la cessation du travail en heures supplémentaires dans les usines de guerre où les ouvriers avaient accepté d'en faire *(ibid.)*.

2. Cf. J.-P. Rioux, « La conciliation et l'arbitrage obligatoire des conflits du travail », dans R. Rémond et J. Bourdin, *Daladier chef de gouvernement*, pp. 124-125.

3. G. Hatry, *1938, l'année noire*, chiffres de source syndicale.

pour refuser la réembauche des indésirables[1]. Il est vraisemblable que plusieurs centaines d'exclus sont restés sans travail jusqu'à la mobilisation.

Une répression judiciaire a accompagné la répression patronale : au premier février 1939, 1 731 poursuites avaient été engagées et 806 peines de prison prononcées, dont 103 de plus de deux mois[2]. Tous les meneurs et les exclus sont fichés par la police et l'autorité militaire.

Daladier a eu le souci d'endiguer la revanche patronale. Sorti vainqueur de l'épreuve, il a donné instruction à l'Inspection du travail de laisser infliger des sanctions seulement aux meneurs, de sévir contre les étrangers et d'épargner les pères de familles nombreuses ; son ministre du Travail, Pomaret, s'est flatté d'avoir obtenu l'apaisement chez Citroën et des préfets ont fait pression pour faciliter les réintégrations[3]. Dans les établissements industriels relevant de la Guerre, le nombre des exclus définitifs a été ramené, en février 1939, à 187, dont 178 se sont vu proposer du travail dans d'autres ateliers de l'État[4]. Mais l'amnistie a tardé. « L'ordre règne maintenant dans l'industrie. » C'en est fini des grèves sauvages, des arrêts de travail surprise, et des « autorisations » à demander aux délégués syndicaux. Dans les sociétés nationalisées, les syndicats ne sont plus présents dans les conseils d'administration. La cour suprême d'arbitrage a beau confirmer que la grève fait partie intégrante du contrat de travail, la crainte ou l'intimidation en suppriment pratiquement l'exercice. La *reprise en main* va loin : des patrons n'hésitent plus à licencier sans motif avouable et à entraver l'activité syndicale ; l'arbitraire se réinstalle ici et là dans les ateliers où la revanche des contremaîtres commence. Les incidents entraînent rarement des arrêts de travail. Fait symbolique, le 1er Mai 1939 n'est pas chômé.

La discipline nouvelle s'est accompagnée d'un accroissement de la productivité, plus sensible dans le secteur industriel de l'État et les sociétés nationalisées. C'en est à peu près fini des cadences relâchées parfois imposées par la base. Dans les houillères du Nord et du Centre, on rétablit le système Bedaux là où il existait jusqu'à 1936, avec chronométrage dans la mine. Après le coup de force allemand sur la

1. Ainsi, Penhoët a fait pression sur ses sous-traitants pour les empêcher d'embaucher des meneurs, en invoquant les motifs suivants, révélateurs du climat dans la métallurgie de Nantes-Saint-Nazaire : « Il pourrait être désagréable à certains de nos contremaîtres ou chefs d'atelier de se retrouver à bord des navires (en construction) en présence de ces ouvriers qu'ils ont refusé de réembaucher. Nous ne pouvons en effet demander à notre personnel d'avoir l'abnégation d'oublier les violences dont certains ont été l'objet, les insultes prodiguées à d'autres, les crachats dont plusieurs ont été couverts » (AREMORS, *Le Mouvement ouvrier de 1939 à 1945 à Nantes-Saint-Nazaire*).
2. Déclaration du ministre Marchandeau à la Chambre, 3 février 1939.
3. Denis Peschanski, « Répression », communication au colloque « Le Parti communiste français de la fin de 1938 à la fin de 1941 » (IHTP, 1983).
4. Notes en défense n° 115 et n° 122, de Jacomet, AN 496 AP (4 DA/29).

Bohême, en mars 1939, la course aux armements s'accélère encore et de nouveaux décrets-lois vont bien au-delà des aménagements qui avaient motivé la grève générale : la durée du travail est fixée « en tant que de besoin » à 60 heures dans les établissements travaillant pour la Défense nationale, cette durée pouvant même être dépassée avec autorisation administrative ; toute majoration du taux des heures supplémentaires est supprimée jusqu'à la 45e heure[1]. L'amertume ouvrière est profonde et les protestations ne manquent pas. Mais au printemps de 1939, les 40 heures ne sont plus au centre du débat social, la menace extérieure est trop évidente ; l'argument du *travail à partager* est d'ailleurs moins valable, car la situation de l'emploi s'améliore. La proportion d'ouvriers en chômage partiel s'est réduite de moitié entre décembre et mai (de 16,6 à 8,6 %) dans les entreprises de plus de cent salariés ; 35 % des ouvriers travaillent plus de 40 heures[2]. En juin 1939, la majorité des ouvriers travaillant pour la Marine fait 48 heures par semaine, quelques-uns 54 heures. Daladier semble en voie de réussir, en temps de paix, la mobilisation civile de l'industrie.

La crise ouvrière et le reflux du P.C.F.

L'affrontement du 30 novembre 1938 n'a pas seulement transformé au bénéfice du patronat le rapport des forces sociales, il a précipité une crise interne au monde ouvrier.

La lassitude, jointe à l'impuissance où sont réduits les syndicats, entraîne un dépérissement de la vie syndicale à tous les échelons. Réunions et assemblées sont moins nombreuses et moins suivies à la base, plus de meeting chez Renault, les journaux syndicaux dont les bandes d'expédition ne sont souvent même pas enlevées, des paquets de brochures s'empilent dans les locaux syndicaux[3].

Déjà les effectifs syndicaux se sont tassés en 1938 ; en 1939, c'est une hémorragie. La C.G.T. n'a plus, au printemps 1939, que les deux tiers de ses adhérents de 1937, 2 854 000 au lieu de 4 000 000, selon l'hebdomadaire d'extrême droite *Gringoire,* peut-être seulement 2 500 000 à la veille de la guerre[4]. Le recul est aussi net dans les branches industrielles à forte tradition anarcho-syndicaliste comme le livre que dans la métallurgie, dont les effectifs seraient tombés fin avril 1939 à 415 000. Chez Renault, lors des élections des délégués d'ateliers de décembre

---

1. Décrets du 20 mars 1939, *Journal officiel* du 21 mars, p. 2665, et du 21 avril 1939, *Journal officiel* du 22 avril, p. 5233.
2. AN TR/11096.
3. B. Georges et D. Tintant, *Léon Jouhaux dans le mouvement syndical français,* t. II, p. 249.
4. Le chiffre publié par *Gringoire,* de source inconnue, mais vraisemblablement policière, est plausible. Celui de 2 500 000 est avancé comme hypothèse par A. Prost, *La C.G.T. à l'époque du Front populaire, o.c.,* pp. 47-48.

1938, au lendemain de la grande purge, la C.G.T. est restée largement majoritaire, mais avec seulement 72,06 % des voix exprimées, représentant tout juste 53 % des inscrits : 6 000 ouvriers, soit 26,50 % du corps électoral, se sont abstenus ou ont voté blanc[1]. Les déçus du syndicalisme ont pris leurs distances, apeurés, désillusionnés, ou cabrés contre l'emprise parfois despotique des meneurs communistes.

Car le reflux syndical se double d'un reflux communiste : le P.C.F. a perdu 10 000 membres en 1938, puis près de 40 000, soit 15 % de ses effectifs, entre décembre 1938 et mai 1939. Il a perdu une proportion encore plus importante de sympathisants ; les ventes de *L'Humanité* ont baissé de 70 000 exemplaires ; même dans des usines à dominante communiste, de fortes minorités ne suivent plus. À l'intérieur de la C.G.T., les clivages s'accusent entre communistes et anticommunistes : on s'affronte dans les unions départementales, on s'affronte au congrès fédéral de Nantes, en mai 1939. La résistance de la tendance « Syndicats », qui groupe un cinquième des mandats sous l'égide de René Belin, s'est durcie depuis Munich : ses thèmes sont non seulement l'indépendance syndicale et le pluralisme, mais la paix à tout prix. Cependant, cette minorité anticommuniste, importante dans l'alimentation, l'habillement, parmi les marins et dans l'industrie du sous-sol (à l'exception du Nord et des mines de fer de Lorraine)[2], reste peu influente dans l'industrie de guerre par excellence, la métallurgie. Ici, l'influence communiste, bien qu'en recul, demeure prépondérante, notamment dans la « banlieue rouge » de Paris, au point de nourrir la hantise d'une nouvelle Commune qui obsède certains états-majors politiques, militaires et policiers.

L'accalmie avant la tempête

Ainsi, à la veille de la guerre, le paysage psychologique qu'offre la classe ouvrière est loin d'être homogène ; il s'ordonne en fonction de trois variables : la rancœur sociale, l'acceptation ou le refus de la guerre, l'attitude à l'égard du communisme. Il serait vain de prétendre en donner une image trop précise, car le monde ouvrier n'échappe pas, dans cette phase d'accélération de l'histoire, à la confusion générale des esprits ; il est manifeste, d'autre part, que les déclarations schématisées des responsables syndicaux ne reflètent pas la variété et les fluctuations des sentiments de la base.

Néanmoins, si l'on se cantonne à l'éventail des branches dont dépend l'effort de guerre, c'est-à-dire aux industries métallurgiques et minières et à la chimie, grossies des cheminots et des dockers, soit quelque deux millions et demi de travailleurs qui sont l'avant-garde de l'économie

---

1. D'après G. HATRY, *1938, l'année noire*, o.c.
2. A. PROST, *La C.G.T. à l'époque du Front populaire*, pp. 147 et s.

industrielle moderne, la majorité de ceux-ci semble marquée par une profonde ambiguïté. Socialement ulcérés, tantôt travaillés par des activistes obsédés d'agitation et que hante le rêve millénariste de la révolution, tantôt résignés, ils se raidissent dans la vision manichéenne de la lutte des classes ; ils détestent le capitalisme ; la droite le leur rend bien ; ils le savent ; le fossé social s'est creusé à nouveau.

Mais simultanément, une accalmie intérieure s'est produite. L'amnistie a fini par être votée pour les grévistes et auteurs de violences de novembre 1938. Et surtout, depuis l'annexion de la Bohême par le Reich, en mars 1939, Daladier paraît s'orienter résolument vers la résistance au fascisme et le resserrement des liens avec l'U.R.S.S. Le P.C.F., la direction de la C.G.T., la majorité du monde entier appuient son action extérieure. Quand il parle à la radio, il se fait écouter. De sorte que le loyalisme néo-jacobin prôné par le P.C.F. se combine avec la contestation sociale silencieuse. Les éditoriaux de *La Vie ouvrière* donnent le la :

> *2 mars 1939.* Oui, *La Vie ouvrière* défend la démocratie bourgeoise (...). Nous la défendons contre ceux qui, sous couvert de pacifisme intégral, consciemment ou inconsciemment, réalisent l'Union sacrée contre elle au profit du fascisme et aux dépens de la paix.

> *30 mars 1939.* Si, pour sauver la paix, il est nécessaire de travailler 45, 50, 60 heures par semaine, cela vaut mieux que d'abandonner les chances de paix qui nous restent encore.
> Si (...) l'organisation de la sécurité collective rendait par malheur la guerre inévitable, mieux vaut travailler 40, 50 ou 60 heures, plutôt que de voir demain les forces militaires et civiles de la France succomber sous le poids des forces fascistes parce qu'insuffisamment armées ou soumises à d'insupportables privations. Ce sentiment, qui est au cœur de tous les travailleurs (...), serait violemment heurté s'il était prouvé que certains éléments peuvent librement spéculer sur lui pour transformer les décrets de sacrifices ou d'effort national en une misérable manœuvre réactionnaire, contre les lois sociales, les libertés syndicales ou révolutionnaires...

Sans doute, les sentiments sont-ils mêlés. L'ouvrier communiste n'a rien d'un va-t-en guerre. Plus d'un ouvrier communiste ou communisant de trente à cinquante ans garde même l'empreinte du pacifisme anticapitaliste d'avant 1935 ou de l'antimilitarisme des années vingt. On n'a pas oublié, dans le monde ouvrier, la leçon de Jaurès : « Le capitalisme porte la guerre comme la nuée porte l'orage. » Et l'on n'aime pas l'armée.

Mais le pacifisme syndical, le pacifisme militant est ailleurs : il s'est réfugié sous la bannière de « Syndicats ». Antoine Prost[1] a mis en évidence qu'il s'inspire de deux motivations. Dans le Centre et dans l'Ouest normand, breton ou aquitain, le syndicalisme d'ateliers, le

---

1. A. PROST, *La C.G.T. à l'époque du Front populaire*, pp. 147-161 et notamment p. 150.

pacifisme internationaliste d'avant 1914 restent vivaces, liés parfois à la tradition syndicaliste révolutionnaire : ainsi, dans ces régions, les deux seules opinions syndicales qu'on rencontre sur Munich sont « Munich est un bien » ou « Munich est un moindre mal ». Au contraire, dans le Nord-Pas-de-Calais, le Doubs, la Haute-Saône, la Meuse, Belfort et la Savoie, cette explication ne vaut pas : c'est l'anticommunisme qui est à la racine de l'opposition pacifiste, animée par les leaders de la tendance Syndicats. Ici encore, on se gardera de généraliser : les réactions de la base sont moins simples que leur expression syndicale.

Il reste que, parmi les industries et activités d'importance stratégique, l'esprit de résistance à l'hitlérisme domine à la veille de la guerre, teinté d'amertume sociale. Il est inséparable de la lutte prolétarienne, inséparable aussi, pour les militants et les sympathisants du P.C.F., de la défense de l'U.R.S.S., leur patrie d'élection, ce qui les rend d'autant plus suspects à la droite. À la mi-août 1939, la masse ouvrière, bien qu'animée par des logiques contradictoires et profondément éprise de paix, évolue, comme en 1914, dans la voie de la cohésion nationale.

Le néo-jacobinisme prosoviétique du P.C.F. aura contribué paradoxalement à ce résultat méconnu : les ouvriers de l'armement et de l'aéronautique forment, malgré l'indifférence des uns, le pacifisme individuel de certains autres et les rancœurs anticapitalistes d'un grand nombre, l'un des groupes sociaux les mieux préparés à une guerre qui serait une guerre idéologique en même temps qu'une guerre nationale.

2

Le rejet du syndicalisme de guerre

Le pacte germano-soviétique tombe sur les ouvriers, le 23 août 1939, comme un coup de masse. Dans leur grande majorité, ils se sentent trahis. Trahis plus que quiconque.

L'effondrement communiste

Pendant trois jours, la presse communiste cherche à les entretenir dans l'espoir que le pacte est conciliable avec le maintien de la solidarité franco-soviétique. Pendant huit jours, il se trouve des militants pour distribuer des tracts justifiant le pacte comme une contribution à la paix. « Si Staline a fait ça, c'est qu'il a ses raisons », explique à sa fille le fidèle Dutilleul, un vieux de la vieille, trésorier du parti[1]. Mais il faut avoir la foi du charbonnier pour ne pas douter. Les distributeurs de tracts risquent d'être lynchés. Les réunions d'explications avec les militants sont houleuses. Dans le Pas-de-Calais, Lecœur, secrétaire de la Fédération départementale communiste, est isolé, malmené, accueilli à Nœux-les-Mines par une bordée d'injures : il voit à Auchel, dans un local du parti, le portrait de Thorez couvert de croix gammées[2]; dans le Nord, la combattante de choc Martha Desrumeaux, qui un mois plus tard, organisera le passage de Thorez en Belgique, est prise à partie, une ouvrière lui crache au visage[3]. Un militant de Châtellerault se souvient : « Moi, j'en ai eu le souffle coupé... les autres nous tournaient le dos à la Manu...[4]. » « Je ne pouvais plus parler à personne, raconte un autre, on nous montrait du doigt. »

1. Entretien de l'auteur avec Mme Doussette-Dutilleul, septembre 1983.
2. Cf. A. Lecœur, *Le Partisan,* pp. 105-106.
3. Relaté au colloque sur « Le Parti communiste français de la fin de 1938 à la fin de 1941 » (IHTP, octobre 1983).
4. Cité par Roger Picard, au même colloque de l'IHTP, dans sa communication polycopiée : « Le P.C. dans la Vienne ».

Presse et radio se déchaînent. Les socialistes espèrent quelque temps ramener à eux les déçus du communisme.

Ces réactions se perdent dans le remue-ménage de la mobilisation. Les travailleurs de l'industrie répondent, sans plus d'enthousiasme que les autres Français mais sans hésitation, à l'appel sous les drapeaux. S'il y a, pendant ce mois de septembre 1939, des protestations isolées contre la guerre, elles sont le fait moins d'ouvriers d'usine que d'artisans, d'employés, dans quelques cas de cheminots et d'instituteurs, presque tous socialistes, pivertistes ou libertaires, très rarement communistes.

À la fin de septembre, le monde ouvrier, dispersé par la mobilisation, est privé de beaucoup de ses éléments les plus actifs. Plus de 1 250 000 ouvriers industriels sous les drapeaux, si l'on y inclut les salariés de l'artisanat et les mécaniciens de garage. Plus de la moitié de 1 200 000 métallurgistes sont partis. 13 800 mobilisés chez Renault sur un effectif de 26 000 productifs ; à Saint-Nazaire, 3 000 métallos cégétistes appelés sur 5 000. Les manœuvres et les O.S. surtout sont mobilisés massivement. Également mobilisés la plupart des meneurs de la grève du 30 novembre 1938. Des secteurs non prioritaires comme l'alimentation ou le textile n'ont plus pour main-d'œuvre que des jeunes de moins de 20 ans, des anciens de plus de 48 ans et des femmes.

Dans le monde ouvrier comme dans le reste du pays, la guerre tarit la vie politique à la source. Si de rares cellules et quelques fédérations socialistes subsistent dans un demi-sommeil, les cellules communistes sont vidées de leurs membres ; les non-mobilisés les désertent. À en croire les rapports de police, le Pas-de-Calais, qui a eu près de 7 000 inscrits au P.C.F., ne compte pas, à la mi-septembre, plus de 250 membres « susceptibles d'obéir à des mots d'ordre ». La débandade communiste se précipite quand les Soviétiques entrent en Pologne le 17 septembre. C'est le signal de démissions fracassantes. Ce jour-là, rapporte Étienne Dejonghe, excellent analyste de la situation ouvrière dans le Nord-Pas-de-Calais,

> tandis que Ramette se fait siffler à Arras, 4 élus locaux écrivent à Marcel Cachin un télégramme ainsi conçu : « Depuis invasion Pologne, conséquence pacte Hitler-Staline, attendons vainement votre réprobation. Qu'attendez-vous de pire pour vous désolidariser de cet attentat monstrueux contre le socialisme, contre l'humanité, contre la paix ? »

Les signataires sont quatre maires du bassin houiller, personnalités locales notoires, dont le président du Syndicat des mineurs d'Anzin, qui encourage le mouvement de dissidence en visitant les cités fidèles[1].

Le 26 septembre, le gouvernement prononce la dissolution du P.C.F. : le monde ouvrier l'accueille sans broncher et, en grande partie, l'admet. Le 30 septembre, on apprend la conclusion du second pacte germano-

---

1. É. DEJONGHE, « Les communistes du Nord et du Pas-de-Calais de la fin du Front populaire à mai 1941 », in *Les Communistes français...*, o.c., p. 217.

soviétique qui officialise le nouveau partage de la Pologne : la colère redouble. Le 7 octobre, la presse annonce la désertion de Thorez : elle est mal jugée par beaucoup dans les usines.

En un mois, le P.C.F. s'est aligné sur Moscou ; il va payer chèrement sa volte-face. Il aura perdu non seulement 27 de ses députés sur 73, 27 % de ses élus locaux dans la région parisienne, 45 % en province, mais aussi par lassitude, par dégoût, par peur ou par désespoir, « la masse des militants venus à lui de 1935 et 1937 sur des bases idéologiques rudimentaires et que l'on n'a pas formés »[1]. Aux effets de la mobilisation et à la désintégration spontanée s'ajoutent la confusion et la paralysie qu'entraînent la dissolution du parti, de ses filiales, de ses municipalités, de ses relais, ainsi que la vague successive d'arrestations dont le total aura dépassé, à la fin de mai 1940, 5 500, tandis qu'il était opéré 15 000 perquisitions. Seule une minorité militante résistera au choc ; une minorité moindre encore persévérera dans l'action.

La rupture du mouvement ouvrier et la C.G.T. nouvelle

La C.G.T. réunissait, on l'a vu, depuis sa réunification en 1936, toutes les tendances ouvrières, communistes et non communistes, dans l'action syndicale. L'antagonisme sur les problèmes de la paix et de la guerre est tel, le reniement par les communistes des intérêts nationaux et des principes de la morale internationale passe pour si intolérable que l'unité n'a plus de sens. Aussi, la direction de la C.G.T, avec Léon Jouhaux, entreprend d'épurer la centrale des « moscoutaires » opiniâtres ; elle espère regrouper le monde ouvrier en dehors d'eux et développer un néo-syndicalisme libéré du communisme. Cet espoir sera déçu, et l'on assiste à ce fait étonnant, symbolique du désarroi ouvrier et d'une fissure dans la cohésion nationale qui semble à certains observateurs plus inquiétante que la sécession communiste : le rejet de la C.G.T. épurée est aussi radical, dans le monde ouvrier, que le rejet du P.C.F.

Le phénomène mérite que l'on s'y arrête. Le 18 septembre, le lendemain de l'entrée des troupes soviétiques en Pologne, le bureau confédéral de la C.G.T. a condamné « l'aide apportée au gouvernement agresseur et destructeur de toutes les libertés » et proclamé :

> qu'il n'y a plus de collaboration possible avec ceux qui n'ont pas voulu ou pas pu condamner une telle attitude, brimant les principes de solidarité humaine qui sont l'honneur de notre mouvement ouvrier.

Officiellement, « la condamnation est tournée contre l'U.R.S.S. et le pacte germano-soviétique et non contre les communistes auxquels on

---

1. J.-P. AZÉMA, A. PROST, J.-P. RIOUX, *Le P.C.F. des années sombres*, p. 19.

laisse la possibilité de se rallier »[1]. Dans la pratique, il ne s'agira de rien de moins que d'exclure les récalcitrants et de reconstruire une C.G.T. sans communistes : opération délicate qui va être marquée par des affrontements, syndicat par syndicat et ville par ville. Là où les communistes étaient naguère majoritaires et où les dirigeants refusent d'abjurer, la C.G.T. crée une organisation syndicale nouvelle : l'ancien syndicat est considéré comme s'étant mis hors de la confédération et le gouvernement le dissout comme filiale communiste. À Anzin, cœur du pays noir, sont ainsi dissous les syndicats locaux des métallos, des dockers, des cheminots, des industries chimiques et l'union locale des syndicats, tandis qu'arrestations et perquisitions se multiplient ; à Marseille, plus de 140 syndicats sont dissous sur 177. L'opération est plus délicate encore quand il s'agit de dissoudre, puis de reconstituer une organisation nationale telle que la Fédération des métaux, tenue en main par le député communiste Ambroise Croizat, qui s'accroche dans les locaux de la rue La Fayette et multiplie jusqu'à la fin de novembre les circulaires aux unions et syndicats adhérents : il faudra près de quatre mois pour en venir à bout.

En janvier 1940, la direction de la C.G.T. a fait place nette et peut tenir son premier comité confédéral national depuis la guerre. La rupture du mouvement syndical est consommée. Le ministre de l'Intérieur se félicitera, en mars, que 620 syndicats et fédérations syndicales aient été dissous (dont 321 dans la région parisienne)[2].

Les ambiguïtés du néo-syndicalisme devant la guerre

Mais le changement des responsables entraîne dans la centrale un infléchissement doctrinal qui ne va pas sans de multiples ambiguïtés. Léon Jouhaux, secrétaire général de la C.G.T. depuis 1909, assure la continuité. Depuis 1936, il s'évertuait à tenir la balance égale entre communistes et non-communistes. Il incarne maintenant la volonté de soutien à l'effort de guerre et s'est assuré la majorité au bureau. Or, autour de lui, les hommes qui prennent les commandes des fédérations et des unions arrachées aux communistes et qui sont majoritaires à la commission administrative de la C.G.T. ont été, en général, munichois. Ce sont pour la plupart d'anciens responsables réformistes ou des fonctionnaires syndicaux de la vieille génération qui avaient commencé à militer avant 1914 et qui ont été éliminés en 1936-1937 par le nouveau syndicalisme de masse. Ceux-là sont d'autant plus farouchement anti-communistes qu'ils ont des revanches à prendre. Parmi eux, René Belin tient la vedette. Ce leader solidement trempé et d'une force dialectique

---

1. L'observation est de G. LEFRANC, universitaire étroitement lié au mouvement syndical, *Les Expériences syndicales de 1930 à 1950,* p. 23.
2. Albert SARRAUT au Sénat, JOD Sénat, 19 mars 1940, pp. 263 et s.

entraînante est une des plus vigoureuses personnalités de la gauche réformiste. Le gouvernement de Vichy en fera un secrétaire d'État au Travail : c'est lui qui élaborera la Charte du travail de 1941. En 1939-1940, il prône un « syndicalisme constructif » résolument non marxiste et ne cache pas sa réticence devant la guerre.

Sans doute, ces nouveaux chefs de file se démarquent-ils des pacifistes intégraux : ils admettent que si l'on devait lutter contre la guerre tant qu'elle n'était pas là, il ne faut rien faire maintenant qui puisse affaiblir la défense nationale. Mais tandis que certains appuient sans réserve la mobilisation contre l'Allemagne nazie, attitude qu'ils confirmeront dans la Résistance, d'autres ne se résignent à la guerre qu'à contrecœur, par tactique. Le retournement du P.C.F. contre la guerre, suivi de sa mise hors la loi, les a contraints à un retournement inverse qui en fait des « bellicistes-malgré-eux », des « pacifistes bellicistes » comme les raille *L'Humanité* clandestine [1]. Certains s'en expliquent franchement ; c'est le cas de Dumoulin, pacifiste de 14-18, signataire du tract « Paix immédiate » du 13 septembre 1939, qui tient en main l'Union départementale des syndicats du Nord, et dont les partisans contrôlent maintenant aussi le syndicat des mineurs du Pas-de-Calais [2] :

> Si je reprends mes positions d'il y a vingt ans pour me dresser contre la guerre actuelle, si j'exprime les mêmes avis que j'ai exprimés en septembre 1938 et que j'avais renouvelés en août 1939, je me trouve du même coup mêlé aux communistes qui prêchent la paix suivant la position de l'Allemagne hitlérienne et en fonction des hypothèques que l'U.R.S.S. a prélevées en Pologne, dans les pays Baltes et en Finlande.
>
> Mon pacifisme, par conséquent, me conduira en prison en compagnie de ceux que l'on accuse de servir des puissances étrangères hostiles à la France et à l'Angleterre.
>
> N'hésitons pas à dire que cette position est impraticable. Par là même, les idées (...) que nous aurions aimé continuer à défendre sont contrariées par les faits et les événements.

D'autres sont moins explicites. Belin et ses amis considèrent la guerre comme doublement catastrophique parce que les classes laborieuses en feront les frais et parce qu'une défaite allemande amènerait le communisme sur le Rhin. Ils gardent l'espoir d'un accommodement avec l'Allemagne, ils en attendent l'occasion. Ils disposent, grâce à l'hebdomadaire *Syndicats* du plus important organe syndical depuis l'interdiction de *La Vie ouvrière* : comme tant de responsables politiques de l'époque, ils y pratiquent le double langage, non pas par manque de loyalisme — rien ne permet de les accuser —, mais parce qu'ils sont des hommes anxieux et parfois déchirés. Ainsi, est-ce du bout des lèvres

---

1. Sur la création et la diffusion de *L'Humanité* clandestine, voir plus loin, pp. 270 et s.
2. *Syndicats*, 28 décembre 1939.

qu'ils y soutiennent l'effort de guerre. Le soutiennent-ils même ? *Syndicats* n'en parle pas.

Le conseiller du travail auprès de l'ambassade britannique à Paris en rend compte à son gouvernement : « Beaucoup de responsables à la C.G.T. estiment qu'il n'appartient pas aux syndicats de s'occuper de la poursuite de la guerre, même si aucune fraction importante n'oserait s'y opposer[1]. »

Le 21 mars 1940, à quelques heures de la chute de Daladier, Belin abat son jeu en donnant à l'hebdomadaire *Syndicats* un article dont on ne sait pas s'il faut y voir une mise en garde ou une mise en demeure, mais qui est en tout cas un appel à la paix :

> On se bat, qu'est-ce que cela veut dire ?
> (...) Pour nous, travailleurs, cela veut dire que nous devons fabriquer le maximum d'armes et de munitions et aller jusqu'à la limite extrême des efforts et des sacrifices, tout en réclamant que chaque catégorie sociale aille à la même limite extrême des efforts et des sacrifices...
> (...) Du moins, peut-on dire son sentiment à propos d'une hypothèse qui n'est pas invraisemblable : s'il y a offre de paix ou proposition de paix, je ne pense pas qu'il puisse être question de tout repousser d'avance, en bloc.
> On fait la guerre, soit ; mais si l'occasion se présente de faire une paix réelle, on doit faire la paix[2].

Le pacifisme larvé de *Syndicats* influence-t-il le milieu ouvrier ? Assez peu, semble-t-il. C'est un pacifisme d'état-major et un pacifisme qui est tenu de se camoufler. Le manque d'esprit de guerre des nouveaux leaders explique pour une part la faible contribution syndicale à l'effort de défense nationale, bien moindre qu'en Grande-Bretagne : la direction du mouvement ouvrier est molle, comme est molle la direction de l'armée ou la direction du gouvernement. Elle l'est surtout au niveau des unions départementales.

Dans les usines, on comprend aussi mal ces palinodies que les palinodies communistes. On apprécie peu les règlements de compte des caciques. On ne fait pas confiance à des dirigeants syndicaux qui sont des revenants ou qui passent pour des stipendiés. Ce qu'on retient, c'est que la direction de la C.G.T. joue le jeu d'une médiocre « union sacrée » dont on craint d'être les dupes.

Car la C.G.T., sitôt la rupture consacrée avec les communistes, a mis entre parenthèses la lutte de classes. La doctrine de la « collaboration de classes » était jusqu'alors le monopole du groupe Belin. Jouhaux, conscient que l'effort de guerre exige une trêve sociale et sans doute satisfait de couper l'herbe sous le pied de son jeune rival, prend les

---

1. PRO, Foreign Office, 371/24308/5232, p. 145 ; « Note on Mass Trends in France », 19 janvier 1940.
2. « Les questions de la guerre et de la paix. Raisonnons froidement de toutes choses », *Syndicats*, n° 177, 21 mars 1940.

devants en signant, au début d'octobre, à la demande de Dautry, ce qu'on appela l' « accord Majestic »[1].

Il s'agit d'une déclaration tendant à développer, dans tous les établissements et usines qui concourent aux fabrications d'armement, « la collaboration confiante qui s'est établie, dès les premiers jours, entre le ministre, les patrons, les cadres et les ouvriers ». Elle rappelle que l'effort d'armement exige « l'accord unanime et profond des cœurs et des efforts ». Cette guerre doit avoir pour objectif de promouvoir le progrès social et humain. Aussi, les signataires — syndicalistes et patronaux — s'accordent-ils sur une double devise inspirée du socialiste Albert Thomas, ministre de l'Armement de la Grande Guerre : « Si tu veux la liberté dans la victoire, travaille pour la justice » et « Si tu veux la liberté dans la justice, travaille pour la victoire ! ». Moyennant quoi, ils reconnaissent (et c'est là l'essentiel) que

> la réalisation d'un tel programme, qui engage l'avenir, ne peut laisser place, ni aujourd'hui ni demain, à la poursuite d'intérêts égoïstes et à la lutte de classes, mais exige un rassemblement définitif pour une étroite et complète solidarité.

Un nouvel accord national plus ambitieux sera conclu le 24 mai 1940 entre la C.G.T. et la Confédération générale du patronat : cet accord de paix sociale, signé sous le coup des premières défaites, devrait étendre la collaboration, sur le plan national et régional, « à toutes les forces productrices » et « réaliser immédiatement, dans la pleine confiance, l'application de l'institution des délégués du personnel ».

La direction de la C.G.T. peut se féliciter d'être associée à la discussion au sommet des problèmes sociaux de la mobilisation industrielle : durée du travail, salaires, travail des femmes et des jeunes, hygiène[2]. Jouhaux se prévaut qu'elle ait obtenu, à l'automne 1939, le maintien en vigueur des conventions collectives, au printemps 1940

---

1. Du nom de l'hôtel Majestic, siège du ministère de l'Armement, où fut signé l'accord le 7 octobre 1939 (AN 307 AP/22). La déclaration n'engage que ses signataires, Léon Jouhaux et Lambert-Ribot, délégués ouvrier et patronal au BIT, Chevalme, secrétaire de la Fédération des métaux, et Lenté, président de l'Union (patronale) des industries métallurgiques et minières ; Dautry a contresigné.

2. Sur le plan des institutions, la « collaboration » a deux principaux instruments officiels, la Commission permanente des problèmes de la main-d'œuvre, qui siège au ministère du Travail et où Belin dirige la délégation ouvrière, et le Comité paritaire de la métallurgie, composé à parts égales de représentants du patronat et du Syndicat des métaux. Plus concrètement efficace est la réunion d'étude des questions sociales de l'armement, qui se réunit chaque lundi chez Dautry et à laquelle participent les leaders cégétistes Bothereau et Froideval ; Froideval est d'ailleurs mobilisé au cabinet de Dautry et Bothereau entre en mars au cabinet du ministre du Travail. Accessoirement, au commissariat à l'Information, les cégétistes sont largement représentés au Comité de l'information ouvrière qui publie un bulletin périodique d'informations. La collaboration est plus incertaine sur le plan régional : il n'y a guère de Comité paritaire départemental de l'armement fonctionnant bien que dans le Nord.

ingénieur et d'un officier du B.C.R. régional ; elles vérifient les sécurités de toute espèce, à commencer par l'organisation de la lutte contre l'incendie, le vol ou les agents ennemis, mais elles passent aussi en revue l'esprit du personnel, les risques de menées antinationales et les affectations spéciales nécessaires ou abusives, elles s'assurent des liaisons avec la police et l'autorité militaire et créent des informateurs. 452 établissements ou usines sont ainsi inspectés et un nombre plus important est visité par les officiers de sécurité des fabrications. À la mi-février 1940, le service de sécurité de l'Armement a fiché, dans les seuls établissements de l'État, 705 suspects, demandé 463 sanctions et en a obtenu 425 dont 385 radiations d'affectés spéciaux, sur un effectif de 185 000 travailleurs. À la date de l'armistice, il aura fiché 18 000 ouvriers.

Une répression très inégalement répartie

C'est en fait aux entreprises qu'incombe, pour l'essentiel, le contrôle des ouvriers. Elles l'exercent de façon très inégalement répressive. Parmi les responsables patronaux, en effet, une conception pragmatique coexiste avec une conception politique de la sécurité. Le ministre de l'Armement, Dautry, qui défend la conception pragmatique, répète que les ouvriers communistes sont trop nombreux pour qu'on puisse se passer d'eux. Il connaît bien les cheminots, chez qui la poussée communiste n'a pas altéré la conscience professionnelle, aussi fait-il confiance aux travailleurs. Il recommande de « frapper fort et juste » les provocateurs et les trublions, mais se refuse à sévir pour délit d'opinion[1], ce qui fera dire à des sénateurs qu'il ne croit pas à la propagande communiste[2]. Son point de vue est aussi celui du ministre des Travaux publics, Monzie, c'est celui des trois patrons modernistes des sociétés nationales d'aéronautique Marcel Bloch, Dewoitine et Potez, qu'on accuse, pour cette raison, d'avoir des complaisances pour les communistes, c'est celui de directeurs ou d'ingénieurs qui ont su maintenir le contact avec leur personnel et des chefs de fabrication qui hésitent toujours à se priver de bons spécialistes. Quand des tracts sont distribués en novembre 1939 dans une moyenne entreprise d'Issy-les-Moulineaux, la direction préfère ne pas sévir et convoquer les anciens délégués communistes pour les mettre en garde : l'incident ne se renouvellera pas. Chez Coder et à la General Motors, les directions, qui ont leur personnel bien en main, répugnent à faire appel aux autorités, les services de l'Armement s'en plaignent :

Les industriels ne parlent que s'ils sont absolument obligés de le faire. Dans les cas graves de février (propagande de freinage) qui ont abouti à

---

1. Lettre à Daladier, 12 mars 1940 (AN 307 AP/107).
2. Commission de la Marine du sénat, 7 février (ARSENAT).

deux radiations, j'ai eu toutes les peines du monde à obtenir les renseignements. On est réticent, on ne veut surtout pas écrire[1].

Aux mines de La Grand-Combe, quand la direction générale parisienne veut saquer les délégués ouvriers communistes, qui ont répudié le pacte de Moscou, mais restent suspects de « mentalité extrémiste », le directeur local s'y refuse : il fait valoir que la production est satisfaisante, que « les chefs d'industrie sont faits pour mener leurs affaires sans se mêler de politique » et que « s'ils s'en mêlent, ils dresseront tous les mineurs contre eux »[2]. Même certains commissaires de police sont peu enclins à poursuivre les bons ouvriers sur la seule imputation de communisme, on le constate à Nancy, à Moulins, à Saint-Étienne et jusque dans quelques localités de la banlieue de Paris. L'acharnement à débusquer le « coco » n'est donc pas général, même si la tendance dure prévaut, spécialement en région parisienne.

La rigueur bute d'autre part sur la différence de statut des personnels. En effet, à côté des affectés spéciaux, qu'on peut renvoyer sous les drapeaux à la moindre incartade, les personnels non mobilisables travaillant pour la Défense nationale (jeunes, personnels âgés, femmes, coloniaux) ont le statut de requis civils. Ce sont les plus nombreux : ils sont dans les usines d'armement 950 000 en mars 1940 au regard de 450 000 affectés spéciaux et autour de 1 200 000 en juin pour 635 000 affectés spéciaux. Or, ils échappent dans une large mesure aux sanctions et les patrons sont parfois impuissants devant eux. Ils encourent bien une amende ou une peine de prison pouvant aller de six jours à cinq ans s'ils changent d'établissement sans y être autorisés, mais l'administration est embarrassée pour mettre en œuvre des sanctions, car la répartition des compétences en la matière entre tribunaux civils et militaires n'a pas été précisée. Une minorité en profite pour chercher à se faire licencier afin de se recaser dans une entreprise payant mieux[3]. C'est aussi parmi eux que des groupes agités sont le plus tentés de revendiquer et de manifester.

En décembre 1939, une grève d'une journée des dockers de Saint-Nazaire (qui n'avaient même pas été requis) ne peut que malaisément donner lieu à sanctions[4], tout comme en avril la grève la plus importante

---

1. AN 2W/160.
2. Lettre du 3 février 1940 (AN 90 AQ/130).
3. De nombreux requis cherchent à se faire employer ailleurs. Arrestation du requis L. (Citroën-Clichy) qui depuis un mois travaillait au ralenti parce que le travail ne lui plaisait pas, a même refusé de travailler pour se faire licencier. Le requis N., tourneur, 37 journées d'absence de septembre à fin janvier ; son dernier refus de travailler : parce qu'on a déplacé son tour ; il veut en fait travailler ailleurs avec un salaire plus élevé. X., requis de dix-neuf ans, se présente en disant : « Je viens chercher mon quatrième avertissement. » (Arrêté.) « N., affecté à Caen, refuse pour ne pas quitter sa concubine » (Rapport de la légion de gendarmerie de Paris, 1re quinzaine de février, AN 2W/57).
4. Sur cinquante grévistes, on en mobilise trois et l'on incarcère un quatrième qui avait été libéré de la maison d'arrêt à la mobilisation (AN F 60/640).

de la période, celle des ouvrières du textile du Mans. 200 requis
marocains affectés aux mines du bassin de Saint-Étienne peuvent
s'enfuir et regagner pour la plupart leur pays avant que des sanctions ne
soient prononcées[1] ; c'est aussi le cas de la moitié des requis nord-
africains employés comme chauffeurs de hauts fourneaux aux Aciéries
de France à Rouen[2] ; entre le 1er mars et le 31 mai, 169 ouvriers nord-
africains requis aux Aciéries de Rombas disparaissent sans être davantage inquiétés. C'est seulement au printemps de 1940 que s'étend la
pratique des sanctions-amendes sur salaires et que la justice commence à
sévir contre les requis.

Les radiations d'affectation spéciale

C'est donc une fraction limitée de la main-d'œuvre ouvrière que
touchent les mesures de rigueur. Le total des condamnations prononcées
par les tribunaux civils ou militaires pour des infractions commises dans
le cadre du travail est incertain et n'a pas dépassé 2 000 ; les internements
administratifs d'ouvriers sont moins nombreux. Ces chiffres sont
modestes en comparaison du nombre des radiations d'affectations
spéciales. Le nombre des radiés est de l'ordre de 4 000 par mois de
novembre 1939 à janvier 1940[3] ; il bondit à 9 000 par mois de février à
avril pour atteindre un total cumulé de 34 000 au 10 avril et probablement d'une quarantaine de mille au 10 mai, soit 3,5 % de l'effectif global
des affectés spéciaux. Compte tenu de la moindre proportion de radiés
dans les chemins de fer, les P.T.T. et les services publics, on doit pouvoir
tabler sur un taux de radiation voisin de 5 % dans la métallurgie et les
industries mécaniques, ce qui est considérable.

Les toutes premières radiations ont lieu dès septembre 1939 : les
directions d'entreprises se refusent à récupérer comme affectés spéciaux
des ouvriers qu'elles ont licenciés pour indiscipline ou faits de grève en
1936-1938 ; ainsi sur un millier d'affectés spéciaux mobilisés à la
poudrerie d'Oissel près de Rouen, Kuhlmann rejette de but en blanc
quarante indésirables ; dans la Seine, Renault et Gnôme et Rhône font
de même.

La deuxième vague de radiations est plus ample. À partir de la mi-
octobre, quand se font entendre les premières récriminations de

---

1. M. LUIRARD, *La Région stéphanoise...*, p. 259.
2. J. TOUTÉE, *Étude sur la main-d'œuvre de l'Armement* (AN 307 AP/22). On a
sélectionné des ouvriers algériens et surtout marocains pour faire les travaux à haute
température, car les ouvriers français « ne tiennent pas le four ». Ils sont d'autre part
soumis, notamment dans la métallurgie de l'Est, à un régime si rigoureux d'amendes sur
salaires qu'il les empêche souvent d'envoyer de l'argent à leurs familles. D'où ce
mouvement de fuite.
3. 13 220 radiations sont prononcées entre le 2 septembre 1939 et le 31 janvier 1940 (AN
2W/57).

caractère social et qu'apparaissent les premiers tracts communistes contre la guerre tandis que la production stagne ou s'effondre, les industriels marquent leur volonté d'étouffer la contestation dans l'œuf : l'épuration des fortes têtes et des meneurs commence par fournées en région parisienne dans le sillage de la dissolution du P.C.F. L'aéronautique prend les devants : à Puteaux, Morane, nationalisé, demande l'exclusion de dix-neuf extrémistes et la nouvelle direction de la Lorraine (S.N.C.M.) d'une cinquantaine à Argenteuil ; le 9 novembre, des freinages et des détériorations de matériel ayant été signalés chez Bréguet, à Aubervilliers, le commissaire local réclame l'éloignement immédiat de vingt-quatre ouvriers, dont l'ancien secrétaire de cellule ; le 10, à Villejuif, douze ouvriers d'un même atelier reçoivent dans la nuit leur ordre de rappel. L'état-major de la région prononce d'un coup quatre cents radiations en Seine-et-Oise.

> Cette mesure de radiation immédiate par mesure disciplinaire s'imposait pour mettre un terme à l'attitude de trop d'individus de cette catégorie résolus à ne travailler qu'à leur gré[1].

Peu après, la saisie du fichier du Syndicat de la métallurgie, à Paris, rue d'Angoulême, donne l'occasion à la police de frapper un grand coup. Les jours suivants, c'est la firme d'automobile et d'aviation Voisin qui se plaint de freinage systématique et demande la radiation de trente meneurs connus par une dénonciation et qui

> tout en ne se livrant à aucune démonstration ouverte, n'en sont pas moins à l'origine d'une propagande sournoise visant à compromettre l'activité de l'usine.

C'est la Société nationale de constructions aéronautiques du Nord (S.N.C.A.N.) qui fait radier à Sartrouville, pour leur activité politique ou leur mauvaise volonté au travail, vingt-cinq ouvriers dont vingt-trois auront rejoint leur corps avant la fin de novembre. Sont sanctionnés enfin, ici et là, des isolés qui déclarent ne pas vouloir travailler plus de 40 heures puisqu'ils ne sont payés que pour ce temps et qui parfois prêchent l'exemple, comme ce maçon qui, à la poudrerie du Bouchet, ne pose que 2 m^2 de ciment lissé par jour au lieu de 10 ou 12.

La vague de radiations de novembre est largement politique, elle vise à débarrasser la masse ouvrière de ses « brebis galeuses » et à lui inspirer une « sagesse salutaire ». Les directions d'entreprises et la police se félicitent des résultats : à la S.N.C.A.N. d'Argenteuil, les rendements redeviennent normaux et à la Lorraine le nombre des malades diminue. Le directeur de la Radiotechnique de Courbevoie met toutefois la police en garde contre les excès de zèle : la remise d'ordres de rappel à

---

1. Rapport du premier bureau de l'État-Major du 1er décembre 1930 (SHAT 7N/2481).

plusieurs ouvriers le même jour a produit un effet trop marqué, mieux vaudrait les échelonner. En fait, les purges voyantes et massives demandées par les directions d'entreprises se perpétueront surtout dans les sociétés nationalisées de la région parisienne qui avaient réintégré la plupart des meneurs des grèves de 1938 et dans des établissements connus pour leur personnel difficile ou à forte densité communiste ; c'est le cas à la Lorraine (S.N.C.M.), entreprise hors du commun où l'on atteindra cinq cents radiations, exclusions ou internements, soit 12 % de l'effectif, et chez Farman nationalisé à Billancourt, où il semble que le total ait avoisiné deux cents ; en province, la Manufacture nationale d'armes de Saint-Étienne figure, elle aussi, en bon rang dans l'épuration avec deux cents renvois de communistes ou présumés communistes[1].

La crainte d'une cinquième colonne communiste et les épurations de précaution

C'est dans les quatre premiers mois de 1940 que les radiations sont les plus nombreuses. L'excitation qui entoure la guerre de Finlande donne une dimension nouvelle à l'épuration des usines. La presse « nationale » et le Parlement s'en mêlent, il ne s'agit plus seulement d'assurer l'ordre et la discipline dans l'entreprise, il faut démanteler la « cinquième colonne communiste » dans ses retranchements. L'hebdomadaire anti-communiste *Gringoire,* que des policiers renseignent, dénonce les entreprises les plus contaminées. Une enquête du Contrôle général de l'armée, provoquée par le sénateur Rambaud, a révélé que des individus fichés comme « propagandistes révolutionnaires » ou inscrits au carnet B continuaient de bénéficier d'affectations spéciales. Lors de la séance du Sénat réuni le 16 avril 1940 en comité secret, Rambaud dénonce les sabotages et « un élément d'ordre général et d'autant plus redoutable, le freinage du travail dans les usines ».

> Le colonel FABRY. — Une autre mobilisation s'est faite par des gens qui échappent à la mobilisation militaire : 5 000 ou 6 000...
> M. Édouard DALADIER. — Même pas, 4 000...
> Le colonel FABRY. — 5 000 peut-être, mais qui sont des cadres... Si nous avions eu le premier jour une bataille..., ils auraient alimenté le défaitisme, la révolte, préparé la révolution, exécuté des attentats[2]...

Cette exaspération de l'anticommunisme se traduit de deux manières au niveau des entreprises. L'épuration ne se limite plus aux fournées « pour l'exemple » ou à l'exclusion des propagandistes pris sur le fait,

---

1. M. LUIRARD, *o.c.*, p. 235.
2. Comité secret, Sénat, 16 avril 1940, *Journal officiel*, pp. 39 et s.

elle prend davantage la forme de radiations individuelles demandées par les entreprises à *titre de précaution* :

> Le réserviste Alphonse D. était utilisé depuis cinq ans comme ouvrier spécialiste du caoutchouc chez Thomson Houston. Il est demeuré après le 1er septembre comme affecté spécial du temps de paix demandé par l'industriel. Il était connu comme meneur communiste avant-guerre et la direction a jugé bon de demander sa radiation par mesure de sécurité.
> Avis : radiation définitive. 5 janvier 1940.

Des cas sont plus embarrassants et la décision dépend alors de l'humeur de l'officier contrôleur :

> Le réserviste G., fraiseur-outilleur chez Babcok et Wilcox de 1930 à 1938, licencié pour faits de grève le 30 novembre 1938, repris le 7 décembre. Syndicaliste très agissant. Parti à la mobilisation, a demandé et obtenu son affectation spéciale. Par prudence, l'usine a demandé sa radiation. C'est un ouvrier remarquable.
> Avis de l'inspection des Forges : nouvelle affectation à une autre usine de la région parisienne [1].

Les « précautions » que prennent certaines firmes vont de pair avec un durcissement de l'action administrative. Daladier, harcelé par les activistes de la Commission de l'armée du Sénat, a envoyé des instructions secrètes permettant aux autorités locales d'intervenir beaucoup plus librement et « d'agir vite et fort ».

> La radiation par mesure disciplinaire *ne sera pas subordonnée à la demande de l'employeur,* elle *n'exigera plus un fait actuel de propagande ou de provocation* à des troubles à l'intérieur de l'établissement. Elle constituera *une mesure de défense de précaution* à l'égard d'individus dont le passé est tel que la sécurité du pays exige qu'ils soient mis hors d'état de nuire [2].

Préfectures, polices et B.C.R., ainsi aiguillonnés, font du zèle. On recherche pour les radier ou les interner, les « P.R. » (c'est-à-dire les individus fichés comme propagandistes-révolutionnaires) demeurés ou revenus en usine, ainsi que les anciens responsables du P.C.F. L'étiquette « communiste » est extensive : des ouvriers sont radiés parce que « sympathisants », parce qu'ils ont participé aux grèves de 1938 ou même de 1936 ou qu'ils auraient été vus avec un brassard rouge. Certains le sont pour une démarche mal interprétée, sur un soupçon qui se révélera parfois injustifié, ou même par erreur, du fait d'une homonymie. L'effet dissuasif est tel que les ouvriers osent de moins en moins se proposer pour les fonctions de délégués. Le député de Saint-Étienne,

---

1. AN 2W/60.
2. Rapport de M. Rambaud à la Commission de l'armée du Sénat, 6 mars 1940 (ARSENAT).

Pétrus Faure, peut dénoncer le cas de radiés auxquels on ne peut reprocher que leur manque de révérence à l'égard de leur patron et des arrestations inexplicables comme celle d'un militant d'action catholique ou d'un militant de la tendance « Syndicats » hostile aux Unitaires[1]. L'arbitraire en matière d'internements administratifs est assez voyant pour que Dautry tente d'y donner un coup d'arrêt ; il écrit le 12 mars à Daladier :

> Il n'est pas de jour où je ne sois saisi de protestations concernant quelque communiste repenti, quelque anticommuniste fervent, quelque syndicaliste apolitique que des renseignements datant d'il y a dix ans ou simplement erronés ont conduit dans un camp de concentration et qu'il est impossible d'en faire sortir.
>
> Ces erreurs font le plus détestable effet sur la classe ouvrière et je crois qu'il faut tout faire pour les éviter.
>
> Il n'est pas question de retirer à l'autorité militaire ou à l'autorité préfectorale les pouvoirs qui leur appartiennent.
>
> Il n'en reste pas moins que les patrons et les ouvriers sont plus qualifiés que quiconque pour avoir une idée exacte sur le comportement de tel ou tel ouvrier et que leurs avis seraient l'élément d'instruction le plus précieux. D'autre part, je crois désirable d'entourer les mesures graves qu'il convient de prendre de garanties efficaces.
>
> Je propose donc la constitution auprès du préfet d'un organisme consultatif chargé d'émettre un avis sur les demandes d'éloignement et qui devrait comprendre, sous la présidence d'un magistrat, un représentant des services de police, un représentant de l'autorité militaire, un ou deux patrons et un ou deux ouvriers ou employés[2].

La suggestion ne sera pas retenue.

Sous l'étiquette de la « répression », de larges zones d'incertitude

La fréquence des sanctions politiques ne doit pourtant pas fausser la perspective. Toutes les sanctions ne sont pas des sanctions politiques et tous les indésirables ne sont pas des martyrs, il s'en faut même, semble-t-il, de beaucoup. Le répertoire des décisions de radiation prises en mars-avril 1940 par la direction des Forges du district de Paris fait apparaître pour motifs, dans 75 à 85 % des cas, l'insuffisance dans le travail, des fautes professionnelles, des négligences répétées ou l'insubordination[3]. Il est clair qu'il y a de mauvais ouvriers, qu'il y en a d'insupportables et que la procédure de guerre permet de régler leur compte à peu de frais. Tel professionnel d'une entreprise de forge a déclaré en parlant de ses contremaîtres : « J'en ai assez de travailler avec des c... pareils » ; tel autre a insulté le chef comptable et le chef du

---

1. Cf. M. LUIRARD, *o.c.*, pp. 234-237.
2. AN 307/AP/107.
3. AN 2W/60.

contentieux et s'est battu dans l'atelier avec un chef d'équipe : autant de motifs de radiation. Les cas de violences ou de travail défectueux dus à l'alcoolisme sont nombreux, la gendarmerie parisienne cite quinze cas pour trente sanctions mentionnées en une quinzaine. Nombreux surtout sont les ouvriers renvoyés sous les drapeaux pour mauvaise volonté au travail, irrégularité ou absences injustifiées, y compris ceux qui ont pris un samedi ou un dimanche sans prévenir et qui refusent de s'en expliquer, ou celui qui déclare ingénument : « Moi, je travaille en amateur » ou « Je travaille bien assez pour le prix qu'on me paie. » Rien de plus incertain que leurs motivations :

> Le réserviste R., ouvrier professionnel de la Société d'optique profes-sionnelle et de mécanique de haute précision, s'est absenté fréquemment depuis avril 1939 et à plusieurs reprises depuis le 1er septembre ; montre peu d'activité dans le travail et bavarde fréquemment.
> *Décision* : radiation définitive. 4 janvier 1940.

ou :

> Le réserviste G., affecté spécial à la société La Fournaise : 4 absences injustifiées dont l'une a duré une semaine. Il a reçu 3 avertissements.
> *Décision* : radiation définitive [1].

La rigueur des entreprises à l'égard de ces irréguliers est très inégale : tel patron patiente jusqu'à la 35e absence avant de faire radier un spécialiste rare. S'il arrive qu'on soit tolérant pour les bons profession-nels qui font leur mauvaise tête, on l'est beaucoup moins pour les mauvais esprits invétérés, le distinguo n'étant pas toujours clair ; c'est alors le sous-directeur de l'Armement ou le commissionnaire division-naire qui tranche, selon son humeur.

> Édouard D., classe 18, entré à la T.C.R.P. comme manœuvre spécialiste en 1920 : le 27 janvier 1940, sans en donner la raison, refuse d'aller travailler dans un atelier nouvellement installé. N'a pas voulu céder aux objurgations du chef d'atelier. Montrait depuis quelque temps dans son travail une mauvaise volonté persistante. Licencié le 1er mars 1940.
> *Avis du service technique de l'Armement* : à renvoyer en province, à moins que les R.G. n'aient sur lui des renseignements défavorables. Dans ce cas, je proposerai la radiation.

Radié, l'ouvrier fantaisiste qui profite de son affectation spéciale pour travailler au noir dans son atelier personnel, radiée l'équipe de nuit surprise à dormir, radiés ceux qui s'obstinent à fumer dans une fabrique de produits inflammables, radié celui qui a laissé geler les moteurs de deux camions pour avoir négligé de les vidanger. De la grande masse des ouvriers irréguliers et consciencieux se détache une proportion non

---

1. Tous les exemples précédents sont tirés des dossiers AN 2W/59 et 2W/60.

négligeable de rouspéteurs, de partisans du moindre effort et de je-m'en-fichistes qui ne prennent pas leur travail au sérieux à moins que ce ne soit la guerre qu'ils refusent de prendre au sérieux. Sont-ils dans les usines plus nombreux qu'ailleurs ? Ils y sont en tout cas plus repérables.

Quelle est la relation entre le manque d'assiduité et le mécontentement social ou politique ? Il est vrai que des conduites symboliques peuvent être aussi révélatrices que les oppositions déclarées.

Dans ce contexte de militantisme réduit et de forte contrainte, c'est, en fin de compte, à la lumière des comportements qu'on peut apprécier l'impact global des attitudes mentales : comportements négatifs à l'égard de la cohésion nationale — sabotages, arrêts de travail, absentéisme, manifestations diverses de rejet ; comportements positifs, mesurés par le degré de participation à l'effort d'armement.

6

Le petit Rambaud
ou le dossier des sabotages

Ont-ils saboté la production de guerre, ces ouvriers communistes ou pacifistes ?

Le P.C.F., inspirateur de sabotage ?

Si on laisse de côté les dénonciations aussi frénétiques qu'incertaines faites en 1940 devant les commissions parlementaires et au cours de séances de comités secrets, le premier accusateur public a été Daladier. Il a entrouvert le dossier des sabotages par deux fois, en juillet 1946, à la Chambre, lors du débat qu'avaient engagé les communistes pour obtenir son invalidation, puis en 1947, devant le comité d'enquête parlementaire sur les événements survenus en France de 1933 à 1945. Les faits qu'il a rapportés dans les deux cas sont les mêmes :

> Il y a eu aussi des sabotages. Il y a eu le sabotage des moteurs d'avion aux usines Farman, à Boulogne-Billancourt, dans des conditions vraiment affreuses [1].
>
> Des moteurs d'avion ont été sabotés de telle manière que l'explosion s'est produite, mais heureusement le plus souvent dans les usines. Elle aurait pu se produire en plein vol.
>
> À la poudrerie de Sorgues, les machines les plus modernes, destinées à la fabrication des poudres, ont été sabotées, des pierres de grosses dimensions ayant été introduites dans certains éléments de ces machines.
>
> Des stocks d'obus étaient également rebutés sur le front parce qu'ils n'éclataient pas. On a pratiqué également un sabotage de la production des balles antitanks. On a rendu inutilisables un certain nombre de tourelles dans les fortifications de la région de Boulay [2].

---

1. Assemblée nationale constituante, séance du 18 juillet 1946, JOD, 19 juillet, p. 2863.
2. Déposition de Daladier devant la commission Serre, CEP, pp. 68-69.

Daladier a ajouté que le directeur du cabinet du ministre de l'Air de 1940, Devinat, se souvenait d'avoir porté le 19 mai au ministre de l'Intérieur Mandel 117 dossiers ayant trait à des faits commis dans les entreprises aéronautiques de la région parisienne [1].

Les accusations de Daladier seraient plus convaincantes si elles étaient solidement étayées et si elles ne comportaient pas, en ce qui concerne l'affaire de Boulay, une sérieuse distorsion des faits [2]. Elles ont été précisées et aggravées en 1951 par un témoignage à charge terrible, celui du journaliste et historien Angelo Tasca, auteur, sous le pseudonyme de Rossi, d'un livre réquisitoire sur *Les Communistes français pendant la drôle de guerre,* pour la rédaction duquel il avait eu accès à de nombreux documents de police. Tasca, personnalité hors du commun, dirigeant du Parti communiste italien dans les années 1920, devenu en 1928 membre du secrétariat de l'Internationale communiste à Moscou avant d'être exclu en 1929, s'était réfugié en France où il tint à partir de 1934 la rubrique de politique étrangère du quotidien socialiste *Le Populaire.* Observateur minutieux de la vie politique pendant la « drôle de guerre » puis à Vichy, chroniqueur intarissable et pénétrant qu'animait la passion antistalinienne, mais qui, d'abord, s'appliquait à collecter et à laisser parler les documents, c'est lui qui a révélé à l'opinion publique les écrits communistes clandestins de 1939-1940 et la campagne du P.C.F. pour la paix immédiate. En ce qui concerne les sabotages, il affirmait par exemple ce qui suit :

> Aux usines Renault, les sabotages ont été incessants, presque quotidiens. Ils ont pris les formes les plus variées : sabotage des installations électriques « forces motrice » — réservoirs de carburants vidés dans les égouts — tentatives d'incendie — Bris de machines-outils et d'outillage — pièces loupées, en quantité considérable — sable et potée d'émeri dans les paliers et graisseurs — déréglage et bris des appareils de contrôle — destruction de plans et dessins — vols de pièces, outillages, matériaux divers, anormalement nombreux. Ces multiples manipulations tendaient à frapper la production à la source, dans les installations et l'outillage dont la production dépendait. D'autres agissaient sur les véhicules en fabrication, notamment sur les chars B1. On a relevé, à l'époque, maints procédés de sabotage sur les organes de transmission : utilisation systématique de pièces loupées — écrous de serrage non goupillés — écrous, boulons, ferrailles diverses placés dans les boîtes de vitesse et mécaniques de transmission — tubulures d'huile écrasées au marteau ; dans les moteurs, en plus des procédés sus-indiqués : limailles et potée d'émeri dans les carters — traits de scie constituant une amorce de rupture aux tubulures d'huile et essence, devant déterminer le sectionnement après plusieurs heures de marche. Le sabotage des tanks ainsi pratiqué alerta vers la fin 1939 l'autorité militaire. De nombreux chars Renault tombèrent en panne

---

1. Une lettre de Devinat confirmant le fait en date du 28 mai 1947 figure dans les archives de Daladier : AN 496 AP (3 DA/II Dr. 3).

2. Quelques soldats et un sous-officier du génie, arrêtés pour distribution de tracts dans le grand ouvrage de Michelsberg, aux abords de Boulay-Moselle, près de Thionville, furent accusés d'avoir en outre projeté de neutraliser ou saboter ce fort. Voir plus loin, p. 496.

souvent entre les lignes ; ainsi le char était anéanti par l'ennemi et l'équipage fait prisonnier. Des spécialistes de l'armée firent des essais dans un centre d'entraînement et purent constater, sur des tanks à peine sortis de l'usine, que ces pannes étaient dues au sabotage par le sectionnement de cinq fils sur six reliant les charbons de la dynamo aux accumulateurs, ce qui empêchait la recharge normale [1].

En sens contraire, la défense, c'est-à-dire l'historiographie communiste, n'a cessé d'invoquer les dépositions faites devant la Commission d'enquête parlementaire par un haut fonctionnaire de la Guerre, l'ingénieur général Martignon, qui avait été en 1939 directeur des fabrications d'armement, puis en 1940 secrétaire général technique de l'armement : il a affirmé que « pendant cette période, il n'y a jamais eu de sabotage dans les établissements militaires » et son ministre de l'époque, Dautry, ne l'a pas démenti. Seules les archives des tribunaux militaires et celles des arsenaux et établissements industriels de l'État permettraient de se prononcer avec une absolue certitude. Les premières ne pourront être consultées qu'au siècle prochain, les secondes restent en majeure partie inaccessibles.

La contradiction s'éclaire néanmoins si l'on se rapporte aux dossiers accessibles. Il est indéniable qu'il y a eu des malfaçons — elles ont même été assez nombreuses. Il est indéniable qu'il y a eu des actes de sabotage. Les uns et les autres ont été sur le moment largement surestimés [2] ; ils ont été en réalité de faible importance, à de rares exceptions près, et en tous les cas, sans effet sur la production et sur l'armement.

Faut-il donc tenir pour nuls et non avenus les rapports de police ou des gendarmeries qui, chaque quinzaine ou chaque mois, répertoriaient sous la rubrique « Sabotage » de multiples incidents dénoncés comme portant atteinte à la discipline intérieure ou à l'ordre public par les bureaux du personnel et les officiers de sécurité des entreprises ? Le directeur des fabrications de l'industrie de 1939-1940, le préfet Surleau s'en est expliqué nettement :

> Les officiers de sécurité ont dressé de nombreux rapports signalant des faits de cette nature (sabotages ou freinages) ; mais on a souvent mis de prime abord au compte de la mauvaise volonté ou de la malveillance ce qui était le fruit de défectuosités de la matière, d'erreurs d'exécution, de

1. Ces détails seraient tirés d'un rapport de l'époque, indique A. Rossi, rapport utilisé aussi dans l'article d'un ancien inspecteur de la Sûreté nationale, paru dans la revue *Europe-Amérique* de Bruxelles, n° 199, 7 avril 1949.

2. C'est ce qui ressort des témoignages recueillis dès 1940-1941 par les magistrats instructeurs de la cour de justice de Riom auprès de trois hauts responsables de la production de guerre et de la sécurité industrielle dont les propos ne peuvent être suspectés de complaisance : le contrôleur général Jugnet, secrétaire général du ministère de l'Armement dont relevait en 1939-1940 le service de sécurité de l'Armement, le préfet Surleau, directeur des Fabrications de l'industrie et le trésorier général Jeaubreau, alors responsable au ministère de l'Intérieur de l'organisation des services de protection des usines : AN 2W/43 (Surleau) et 2W 66 (Jugnet et Jeaubreau).

FABRICATIONS pour la DÉFENSE NATIONALE

AVIS AU PERSONNEL

A côté des efforts et de l'activité déployés depuis le début de la guerre par l'immense majorité du personnel de la Maison BERLIET et que nous apprécions, des fautes constatées dans le travail nous obligent à rappeler que chacun doit fournir son plein effort pour assurer la production exigée d'urgence par la Défense Nationale.

Nous n'ignorons pas que, pour certains et en raison de leur âge et de leur santé, cinq mois d'un travail soutenu pendant soixante heures par semaine, peuvent entraîner quelque fléchissement, mais ceux-là surmonteront les défaillances passagères en ne perdant pas de vue qu'ils travaillent à fournir à nos Armées un matériel indispensable pour économiser des vies précieuses entre toutes.

Pour les autres, qui sont moins éprouvés par un labeur intense et prolongé, nulle défaillance ne serait excusable. Qu'ils soient affectés spéciaux ou requis, c'est sans réserve qu'ils doivent se consacrer à leur tâche, infiniment moins dure que celle réservée aux Combattants.

Toutefois, si malgré les avertissements réitérés de leurs Chefs, quelques-uns négligeaient leur devoir et se rendaient coupables de fautes répétées :

— Soit contre la discipline et telles qu'absence injustifiée ou non autorisée, nonchalance, flânerie, retard à la mise au travail ou cessation avant l'heure, etc...

— Soit contre les règles du travail et telles que loups systématiques, négligences dans la surveillance ou l'entretien des machines, insuffisance de production, coulages fréquents, etc...

Ces fautes recevraient les justes sanctions qu'elles appellent.

La négligence volontaire des précautions contre les accidents du travail constitue elle-même une faute particulièrement grave et assimilable, dans certains cas, à une véritable désertion.

L'attention de tous doit être attirée spécialement sur le coulage, qui marque l'infériorité d'un ouvrier par rapport à la production moyenne de ses camarades.

Lorsque le coulage provient d'une déficience physique, il appelle l'application de l'article 19, paragraphe B, de la Convention Collective prévoyant que « le salaire minimum pourra ne pas s'appliquer aux ouvriers atteints d'infériorité physique notoire et capables de n'effectuer qu'une partie du travail exigé d'un ouvrier valide. » Cette disposition sera appliquée, après avertissement, à tout cas le justifiant.

Lorsque le coulage provient de mauvaise volonté persistant malgré un avertissement il justifie la mise à pied sans interruption de travail avec retenue de la moitié du salaire pendant la durée de la mise à pied, retenue versée au Fonds de Solidarité Nationale et qui peut atteindre le demi-salaire de quatre journées de travail par quinzaine. Suivant la gravité de la faute, cette mise à pied peut donc varier de 1 heure à 4 jours par quinzaine.

Si cette sanction est jugée insuffisante, les fautes graves ou répétées appellent des sanctions plus sévères, savoir :

— Pour les affectés spéciaux, la radiation de l'affectation spéciale et le renvoi au Corps d'origine

— Pour le personnel en état de réquisition, le recours à l'Inspection du Travail pour demander l'application de l'article 31 de la loi du 2 juillet 1938 et d'après lequel : « Quiconque n'obéit pas à un ordre régulier de réquisition ou abandonne le service public, établissement ou entreprise soumis à la réquisition, auquel il est personnellement requis, est passible d'une peine de 6 jours à 5 années d'emprisonnement. Quiconque refuse une prestation requise est passible d'une amende qui ne peut être inférieure à cinq cents francs et qui peut s'élever au double de la prestation. »

Nous voulons croire que le rappel de ces justes sévérités suffira à éviter le renouvellement des fautes isolées qui ont été enregistrées et que, parmi le personnel des Usines BERLIET, nul ne nous mettra dans l'obligation d'y recourir.

C'est, en effet, sur la conscience professionnelle et le dévouement, vertus traditionnelles et toujours vivantes en France, que nous comptons pour l'accomplissement de notre commune tâche au service du Pays.

Vénissieux, le 19 Février 1940

Le Directeur Général
Maurice ROY

Mise en garde contre le « coulage » affichée aux usines Berliet. Source : FAMB.

défauts de commandement ou de manque d'organisation. Il était d'ailleurs inévitable que la mise en route d'un énorme programme de fabrications de guerre, exécutées par une majorité d'ouvriers non qualifiés dirigés par des cadres trop souvent improvisés, s'accompagne de tâtonnements et d'erreurs.

Sabotages imaginaires et malfaçons accidentelles

C'est aux faits qu'il faut se rapporter. Les faits sont là. Sur cinquante dossiers de sabotages présumés qui proviennent de la Sûreté nationale, les enquêteurs ont dû conclure dans une bonne moitié des cas à des accidents ou à des négligences commises sans intention de nuire et sans motivation politique [1].

Trois affaires sont typiques, car elles ont passé sur le moment pour très graves et elles ont alimenté le mythe du complot intérieur.

En octobre et novembre 1939, à l'usine d'État S.A.G.E.M. de Montluçon, les tubes de 58 canons de 25 sont reconnus, après achèvement, présenter des défauts graves qui nécessitent leur mise au rebut : les premiers rapports de police concluent au sabotage. Le ministère de l'Armement envoie sur place des ingénieurs ; ils font calibrer les tubes, ils en font scier plusieurs. En quelques instants, toute la ville sait que des sabotages ont été commis. La rumeur remonte aux commissions parlementaires. Finalement, il est procédé à une enquête métallographique qui conduit à recueillir les avis non seulement de spécialistes militaires, mais « de hautes compétences du Comité des forges ». Le 24 novembre, les enquêteurs doivent conclure, avec preuves à l'appui, que les défauts relevés proviennent de défectuosités du métal.

Le 7 février 1940, le directeur de la D.S.T. est avisé que des sabotages répétés ont été commis sur les avions militaires stationnés à Orly. Les dégâts sont de modestes proportions, ils n'en sont pas moins troublants : trois incidents ont eu lieu à bord d'appareils de l'École de l'air stationnés sous le même hangar : en novembre, une durite a été arrachée sur une conduite d'huile, les 26 et 31 janvier, une canalisation d'essence a été dévissée. L'enquête établit que

> ces actes ne pouvaient être causes d'accident car les appareils doivent faire un point fixe de vingt minutes avant de s'envoler, la fuite d'huile ou d'essence devait donc forcément être décelée.

Les enquêteurs en déduisent

> que l'individu qui s'est rendu coupable de ces sabotages ne les a pas accomplis dans une intention criminelle, mais soit par esprit de vengeance, soit par esprit d'obstruction.

---

1. Tous les faits mentionnés dans les pages suivantes sont tirés, sauf indication contraire, des dossiers AN F 7/14830 et 14831.

Ils signalent toutefois

> que le colonel Durand a fait connaître qu'il avait été informé de la formation, sur l'aérodrome même d'Orly, d'une cellule communiste comprenant cent cinquante membres environ, ayant des ramifications à Évreux et à Chartres.

Cette dernière assertion fait rebondir l'affaire ; les plus hautes autorités de la police sont alertées au sujet des « actes de sabotage commis sur la base d'Orly et qui auraient pour origine les activités d'éléments communistes ».

Là encore, l'affaire remonte jusqu'aux couloirs de la Chambre où l'on incrimine la faiblesse coupable des hauts fonctionnaires de l'Air. Le contrôleur général de la D.S.T., chef de la police de l'Air, renchérit :

> Il n'est pas douteux que sur les terrains d'aviation, les ouvriers civils et militaires sont l'objet d'une *propagande* intense de la part du P.C.F. et un peu partout (Orly, Villacoublay, Étampes) les cellules se reconstituent... *Les effets de cette propagande peuvent être, au moment opportun, catastrophiques pour la Défense nationale.*

Une nouvelle enquête est ouverte, le directeur général de la Sûreté la suit personnellement. Elle prouve, après un mois d'investigations

1. qu'il y a eu une faute professionnelle d'un officier mécanicien qui a débranché une durite à la suite d'un « défaut de brassage du moteur » et n'a pas osé en rendre compte, ce qui lui vaut à retardement huit jours d'arrêt ;

2. qu'il y a eu négligence et incompétence dans le montage des canalisations d'essence par des mécaniciens insuffisamment encadrés et incompétents (l'un d'eux était comptable), tous défauts d'organisation et de contrôle que le commandement local a rapidement corrigés ;

3. qu'il n'y a de cellule communiste ni à Orly (où le secrétaire de l'ancienne cellule s'est publiquement désolidarisé du P.C.F. et où il subsiste tout au plus un très petit nombre de sympathisants isolés) ni à Villacoublay où « la situation politique et morale est satisfaisante ».

Au même moment, une troisième affaire, celle des ateliers de munitions de Ris-Orangis, secoue également les autorités. Une malfaçon importante y a été décelée dans la fabrication des obus : elle est estimée à 49 % pour certains lots. L'enquête révèle très vite que les malfaçons sont dues

1. à l'inexpérience de certains ouvriers ;

2. à la négligence de certains tourneurs ou ouvriers spécialisés ;

3. enfin, au manque de discipline dans les ateliers, car le service de surveillance de l'ensemble de l'établissement laisse beaucoup à désirer [1].

Dautry se rend sur place, accompagné de Surleau : ils trouvent une usine « mal adaptée au travail de guerre et mal organisée ».

1. SHAT 9N/362.

J'ai pu me rendre compte, dans ce cas particulier, écrit Surleau, de la tendance instinctive de l'industriel et des officiers de contrôle à imputer à un sabotage des défectuosités dues à d'autres causes et dont les uns et les autres portaient la responsabilité [1]...

Encore des faits : parmi les autres incidents ou sinistres importants qui ont conduit à dénoncer des sabotages, la grave explosion survenue à la poudrerie de Saint-Chamas résulte des défauts de la technique de fabrication ; l'incendie qui éclate dans la principale fabrique française de masques à gaz est due à la surveillance insuffisante des matières inflammables ; les perforations multiples de masques à gaz constatées à l'usine de Noisy-le-Roi tiennent au défaut d'une machine ; le malfaçonnage des fusées d'obus découvert dans une usine des environs de Paris et qui, par l'omission d'une pièce essentielle, a pour effet d'empêcher l'explosion des obus, n'est rien de plus qu'une vengeance d'une ouvrière envers un contremaître qu'elle a voulu déconsidérer.

Fausses alertes de même les sabotages suspectés ou dénoncés aux ateliers de chars S.O.M.U.A. de Vénissieux (dont pourtant Gamelin est officiellement avisé), aux cartoucheries de Toulon et du Mans, à l'Épaillage de Sedan, ou chez Bardet, important sous-traitant de mitrailleuses Hotchkiss : tous se ramènent soit à une erreur de réglage, soit aux craintes qu'inspire la présence dans l'établissement de quelques ouvriers, généralement excellents, mais réputés (souvent à juste titre) communistes.

Les lettres anonymes de dénonciation abondent et les imaginations travaillent. À l'usine aéronautique de la S.N.C.A.S.E. (ex-Lioré-Olivier) de Villacoublay, le chef du personnel est averti le 9 mars 1940 par un de ses hommes de confiance que des actes de sabotage doivent être déclenchés sur des avions terminés ou en cours de montage au moyen d'explosifs à retardement, « disposés dans de petites boîtes ayant l'aspect de boîtes d'allumettes ou de paquets de cigarettes » ; trois affectés spéciaux sont signalés comme communistes et « susceptibles de se livrer à de tels agissements ». L'enquête, menée dans le secret, révèle que deux de ces trois hommes ont été sympathisants communistes et qu'il y a dans l'usine un ajusteur communiste. Rien ne se produit. Deux fois, en décembre 1939 et au printemps 1940, les autorités civiles et militaires sont alertées par la Sûreté qui a, elle-même, été informée « de bonne source » de destructions prévues dans des usines à une date déterminée. On prend des précautions. Fausse alerte chaque fois [2].

Les sabotages certains

Les actes de sabotages certains sont rares parce qu'il en est qui sont passés inaperçus, parce que la preuve de la malveillance est difficile à

1. AN 2W/43.
2. SHAT 9N/318.

établir, parce que les chefs de fabrication répugnent, dans des cas douteux, à jouer aux dénonciateurs. Enfin, parce que toute une série de causes contribue aux malfaçons accidentelles comme elle contribue à la médiocrité des rendements.

Même en faisant la part de ces facteurs d'incertitude, les cas jugés assez sérieux pour être pris en compte au niveau national par l'Inspection générale de la police administrative dans son rapport sur les quatre premiers mois de guerre, se réduisent à sept : un tube de canon de 25 détérioré à l'acide, des pièces terminées entreposées dans un hangar chez Bréguet, qui ont été endommagées à coups de marteau, la nourrice d'un avion d'essai partiellement vidée à Villacoublay, trois machines mises hors d'usage par l'introduction ici d'un boulon, là d'un marteau ou d'une barre d'acier. « Il s'agit, conclut l'Inspection générale de la police administrative, d'actes isolés et relativement peu importants [1]. » Une seule affaire grave et sur laquelle nous reviendrons : le sabotage de dynamos de chars chez Renault.

Le nombre de sabotages certains ou probables s'accroît en février et en mars 1940, probablement en relation avec la poussée du mécontentement ouvrier et avec l'intensification de la propagande communiste contre l'aide militaire à la Finlande : la direction de la police d'État de Seine-et-Oise, qui a dans son ressort la plus forte concentration communiste de France, signale six cas pour le mois de février. Ici encore, il s'agit d'actes isolés dont aucun ne prête à conséquence, mis à part l'étrange affaire de la S.N.C.M. d'Argenteuil [2].

En province, on relève parmi les sabotages certains, de février à avril 1940, celui des usines Prenat à Givors où un manœuvre, pris en flagrant délit, a mis un morceau de bielle dans un circuit de pyrite, risquant de provoquer pour trois millions de francs de dégâts (absence à peu près certaine de mobile politique, « malveillance ou sottise ») ; la détérioration d'un moteur Diesel à la retorderie de Moyenmoutier (Vosges) par un jeune communiste de dix-huit ans qui est arrêté (« négligence ou

---

1. Cf. Rapport du Contrôle général des services de police administrative du 15 décembre 1939 (AN 2W/56) et rapports bimensuels de la légion de gendarmerie de la région de Paris (AN 2W/57). « Il y a lieu de retenir, en outre, que des actes de vandalisme (coussins crevés, panneaux détériorés, courroies de cuir coupées) ont été constatés dans les cars servant au transport de Villacoublay et de Morane. Ce dernier trait est significatif du mauvais esprit qui règne dans certains milieux ouvriers », note le Contrôle général de la police administrative.

2. Une presse bloquée et un foyer automatique déréglé aux ateliers Bernard de Maisons-Laffitte (« la malveillance n'apparaît pas formelle ») ; un cubilot mal alimenté en combustible qui produit de ce fait une matière première défectueuse pour le coulage des obus à la Compagnie nationale des radiateurs d'Aulnay-sous-Bois (malveillance ou négligence) et dans la même entreprise, un graisseur técalémique obturé avec de l'étain ; à la poudrerie de Sevran, un tamis obturé aurait pu provoquer un accident très grave (malveillance ou négligence) ; dans une autre entreprise, des limailles d'acier et des graviers ont été insérés dans le trou de graissage d'une cisailleuse (malveillance) (SHAT 9N/362).

malveillance ») ; la manœuvre à contresens, deux jours de suite, aux hauts fourneaux de Thionville, de la commande hydraulique d'un convertisseur afin de le faire basculer ; dans la même entreprise, les 21 février et 4 mars, l'insertion de morceaux de métal dans le carter d'un pont roulant (200 F et 1 000 F de dégâts) ; le sabotage d'un tour précieux à l'Atelier des turbines de la Loire à Saint-Étienne et un court-circuit volontaire, le 25 avril 1940, sur le *Jean-Bart* en construction à Saint-Nazaire [1].

Les sabotages industriels, certains ou plausibles, consistent, pour la grande majorité d'entre eux, en l'introduction d'un corps étranger dans une machine-outil ou dans un bain de fusion. D'après les témoignages recueillis à l'occasion du procès de Riom [2],

> aucun accident de ce genre n'a atteint des machines essentielles. On peut dire qu'on ne fut jamais placé par sabotage devant l'indisponibilité de telles machines.

Dans la marine marchande, un cas marquant : celui du vapeur *Providence* qui assure le service Marseille-Le Caire et transporte, outre ses passagers, un renfort de 1 500 militaires pour l'armée du Levant : le 11 février 1940, une de ses machines est sérieusement endommagée par mélange à la graisse de poudre émeri et d'un abrasif. Le coupable est arrêté sur intervention d'une délégation de l'équipage qui entend sauver un innocent injustement accusé. Le lien paraît évident avec les rumeurs d'intervention franco-britannique contre l'U.R.S.S. au Caucase. Deux commissaires en civil embarqués sur le bateau ont entendu quelques soldats déclarer

> qu'ils refuseraient, le cas échéant, de se battre contre les Russes et que, s'ils arrivaient sur le front du Caucase, ils fraterniseraient avec leurs camarades russes. Alors, disaient-ils, il n'y aura plus ni guerre ni fusils [3].

Dans la marine de guerre, l'affaire la plus singulière est celle du bâtiment *Tessa,* sur lequel, le 19 février — encore en février — la culasse d'un canon de 75 est dévissée et jetée à la mer à Port-Vendres ; en revanche, il n'y a eu jusqu'alors aucun cas de sabotage dans les arsenaux navals.

Tout compte fait, à côté de plusieurs centaines d'actes individuels

---

1. AN F7/14830 et 14831. Des faits plus nombreux, attribués souvent au mécontentement ou au désir de vengeance contre un cadre, sont si mineurs qu'ils ne sont même pas recensés : ainsi, signale-t-on localement, en décembre 1939, que dans une usine de textile de l'Ariège, un ouvrier communiste, furieux du prélèvement de 40 % sur les heures supplémentaires, a laissé passer une première fois un cardet à main, une seconde une clef anglaise, entre les rouleaux d'une machine à carder (AN TR/11 091).
2. Par exemple : la déposition à l'instruction du procès de Riom du contrôleur général Tugnet (AN 2W/66).
3. SHM I BB2/223.

ponctuels, dénoncés à tort ou à raison à la police et dont, quand ils étaient avérés, les mobiles étaient loin d'être toujours idéologiques, on relève deux affaires de sabotage industriel concerté de matériel de guerre et deux seulement, à notre connaissance, les deux seules dont on trouve trace dans les dossiers du procès de Riom.

La première de ces affaires, plus symbolique que grave, est celle de moteurs de chars de combat chez Renault. Rossi, qui l'a révélée en 1951, a fait état, on l'a vu, de « nombreux chars *tombés en panne souvent entre les lignes ; ainsi le char était anéanti et l'équipage fait prisonnier* ». Le dossier d'enquête de la Sûreté nationale ne mentionne pas ces incidents dramatiques qui relèvent vraisemblablement de la légende [1]. Il relate que le 29 décembre 1939, la direction de Renault a été avisée de la découverte de moteurs sabotés sur des tanks à l'exercice au camp de Satory. Le ministre a prescrit une enquête. Celle-ci a établi que les malfaçons ont dû s'étaler de septembre à octobre 1939 et ont porté sur seize moteurs de chars lourds B1 *bis* de 300 CV : sur chacun, trois ou quatre fils électriques ont été arrachés au voisinage de la dynamo, ce qui empêche la recharge normale des batteries. Le sabotage ne peut provenir que des ateliers 297 ou 353 de Billancourt. Les coupables n'ont pas été identifiés.

L'affaire des moteurs Farman

L'affaire la plus dramatique de la guerre reste celle des moteurs d'avions de la société Farman nationalisée, à Boulogne-Billancourt. Nous en connaissons aujourd'hui les détails.

Le 8 mai 1940, la direction de la Société nationale des constructions aéronautiques du Centre (S.N.C.A.C., ex-Farman) alerte le commissariat de police de Boulogne : des sabotages viennent d'être constatés sur des moteurs d'avions Gnôme et Rhône en finition dans ses ateliers. Le premier sabotage a été repéré le 27 avril sur un moteur livré par la Société ; il apparaît que deux ou trois moteurs ont été sabotés dans la semaine. « Le fil de laiton servant de frein au raccord d'arrivée d'essence au carburateur a été sectionné. » La direction de la S.N.C.A.C. explique que

> ce sabotage a pour effet de permettre à l'écrou, libéré de son freinage, de se desserrer. L'essence fuyant tombe sur le tuyau d'échappement rougi, alors que l'appareil est en vol et inévitablement l'explosion se produit.

On découvre finalement qu'une vingtaine de moteurs ont été sabotés. L'enquête aboutit très vite grâce à un concours de circonstances singulier : un jeune ouvrier de Farman a déclaré, au cours de ses

1. AN F7/14 830.

conversations, avoir participé à une collecte faite en faveur d'un aviateur décédé des suites d'un sabotage. On saura qu'il a donné cinq francs, l'équivalent d'une heure de salaire. On recherche ce jeune homme au cœur sensible. On l'identifie : il s'appelle Roger Rambaud, il a dix-sept ans et demi, il est ajusteur dans un atelier voisin de l'atelier des moteurs sabotés ; les renseignements recueillis sur lui et ses proches les représentent comme « des militants communistes notoires, ayant des fréquentations douteuses ». La police l'interpelle le 11 mai, il passe aux aveux. Oui, il a saboté une vingtaine de moteurs, une quinzaine en mars, quatre ou cinq autres dans la dernière semaine d'avril. Il a l'habitude de se réunir après le travail avec trois camarades de son âge à Versailles au domicile de son frère aîné Marcel, qui y occupe une loge de concierge : c'est ce frère qui l'a poussé à agir.

Marcel Rambaud, l'aîné des deux frères, est un ajusteur de vingt-trois ans, mobilisé au 503e régiment de chars à Versailles. Comme il a quartier libre tous les soirs, il rentre dîner et coucher chez lui. Sa femme confesse aux policiers « qu'il voudrait bien que la guerre finisse, car il n'a pas envie de se faire casser la gueule ! ». Des témoins rapportent qu'il a l'habitude de dire que « l'action contre les communistes n'est pas juste et que pour arrêter la guerre, il faut freiner la production » ; « que cette guerre est faite par les ouvriers et qu'il faut qu'un coup dur éclate et que personne ne veuille fabriquer le matériel de guerre ». On interroge deux de ses anciens camarades de travail ; ils le dépeignent comme un « mauvais ouvrier, travaillant peu et sans amour-propre dans le travail ». On interroge ses copains du camp de Satory : l'un d'eux, également communiste, raconte :

> Il incitait tous les camarades à faire du mauvais travail. Il nous conseillait ouvertement de saboter le travail. Il critiquait l'armée. Il disait qu'il fallait ralentir la production, mais qu'il fallait faire cela discrètement... que moins il y aurait de matériel, moins on se battrait.

Un autre confirme :

> Rambaud et moi avions convenu de travailler le moins possible... que nous n'effectuerions que la moitié du travail que les civils *(sic)*.

Marcel Rambaud ne nie pas. Il a retrouvé, en effet, des camarades communistes au 503e :

> Je me suis mis en rapport avec eux et nous nous sommes entendus pour faire du mauvais travail. B. sabotait les pièces. C'était aux Grandes Écuries à Versailles. Nous étions chargés de l'ajustage des freins de canon. Nous placions volontairement des rivets d'une façon défectueuse et nous ajustions mal le frein. B. disait : « Plus nous travaillons mal, mieux ça ira ! »
> D. m'a parlé qu'il montait des tourelles sur des chars et il ajoutait : « Je m'en fiche du travail ; comme ça va, ça va. »

D. faisait pareil et s'appliquait à provoquer des pannes de moteur. Il ne goupillait pas les boulons de certaines pièces.
C. faisait pareil, lui montait d'une façon défectueuse les boîtes de vitesse.

Mais quant au sabotage des moteurs d'avions, l'instigateur serait, d'après lui, un voisin, un menuisier habitant la même maison que les Rambaud et qui est mobilisé au 3ᵉ génie à Versailles, Léon Lebeau. Ce Léon Lebeau a trente-trois ans. Il est de la génération antimilitariste du P.C.F. Engagé dans la Marine, il a été condamné en 1928 à seize mois de prison pour désertion à l'intérieur, en 1930 à un an pour refus d'obéissance, en 1930 encore à cinq ans pour outrage à l'armée et à agents de l'autorité. Il a été inscrit au P.C.F. de 1936 à 1939. Il nie, mais tout l'accable. C'est lui qui a eu l'idée de sectionner le frein d'écrou du raccord d'essence. Il a demandé au petit Rambaud de s'en charger. Il lui a fait un croquis. Rambaud l'aîné l'a appuyé, il a dit à son cadet : « Mon vieux, essaie ce système-là, ça doit faire quelque chose de bien ! » Trois jeunes camarades de Roger Rambaud étaient présents, deux plombiers et un apprenti ébéniste-garçon de courses, tous trois âgés de dix-sept ans et demi : ils confirment. Roger Rambaud renouvelle son aveu :

> Je savais qu'il s'agissait de sabotage, mais je n'ai pas su exactement quelles seraient les suites de cette fuite d'essence. Chaque jour, je me déplaçais pour chercher des rivets dans un atelier voisin, je traversais l'atelier des moteurs. De temps en temps, je sectionnais un fil de freinage à l'aide d'une pince universelle...

Maurice Lebeau lui demandait souvent s'il s'acquittait de la mission qu'il lui avait confiée, il répondait que oui. Ses trois copains, qui étaient au courant, mais ne l'ont jamais incité, lui posaient aussi la question...

Le petit Rambaud avait-il causé mort d'hommes ? Le député nationaliste des Basses-Pyrénées, Jean-Louis Tixier-Vignancour, n'a pas craint de parler d'assassinat. Daladier ne semble pas y avoir cru.

Quoi qu'il en soit, les faits étaient assez accablants pour que, le 16 mai, les deux frères Rambaud, Léon Lebeau et les trois camarades de Roger, accusés « d'avoir, en sabotant des moteurs d'aviation, participé sciemment à une entreprise de démoralisation ayant pour but de nuire à la défense nationale » (ce qui est une bien singulière incrimination), soient mis à la disposition de l'autorité militaire.

L'heure est grave, les Allemands ont percé à Sedan. Paul Reynaud a besoin de faire des exemples : pour les trahisons, pour les négligences coupables, « un seul châtiment, la mort ! ». On précipite le procès. Le 27 mai 1940, le 3ᵉ tribunal militaire de Paris condamne à la peine de mort, du chef de trahison, Roger et Marcel Rambaud, Léon Lebeau et l'ébéniste-garçon de courses et inflige vingt ans de travaux forcés aux deux autres jeunes comparses. Le tribunal militaire de cassation rejeta, le 29 mai, les pourvois. Le président de la République Lebrun accorda la grâce au seul apprenti ébéniste de dix-sept ans. Le 22 juin 1940, quelques heures avant la signature de l'armistice franco-allemand, le petit Roger Rambaud fut passé par les armes en même temps que son frère Marcel et que Léon Lebeau, victime expiatoire des ambiguïtés et des palinodies de son parti et de l'aberration de ses proches[1].

Responsabilités et conscience ouvrière

L'affaire Rambaud reste un cas unique dans les annales de la « drôle de guerre » : les millions de drames humains qui l'ont suivi, le silence soigneusement entretenu par le P.C.F. ont laissé dans l'ombre cet exemple affreux de déviation nationale ; le petit Rambaud avec son halo de religiosité prolétarienne, s'il n'avait pas été entraîné à se tromper d'ennemi, aurait pu être trois ans plus tard un franc-tireur héroïque.

Impossible à propos d'un tel cas de ne pas mettre en jeu les responsabilités du P.C.F. Le dossier a beau prouver, contrairement à la thèse de Rossi, que les sabotages commis chez Farman n'étaient pas l'œuvre d'un réseau et n'avaient pas été télécommandés, la campagne assortie de menaces contre la « guerre impérialiste » et contre l'intervention alliée en Finlande justifiait toutes les initiatives de la base — et tous les dérapages. Lebeau et Rambaud avaient-ils eu connaissance des tracts recommandant le sabotage des matériels destinés à la Finlande ? Rien ne l'indique, bien que le parquet semble avoir tenté d'établir un lien entre les deux affaires lors du procès des diffuseurs de tracts[2] ; Roger Rambaud a d'ailleurs continué à saboter des moteurs en avril, six semaines après la fin de la guerre de Finlande. Quel qu'ait été le calcul de la direction communiste, la voie qu'elle avait choisie pour défendre la patrie soviétique était extraordinairement périlleuse : l'étonnant est que les sabotages concertés aient été aussi rares et les victimes de cette propagande aussi peu nombreuses.

Pour le gouvernement et les industriels, cette relative innocuité de l'action subversive était due à la rigueur de la discipline de guerre : la

---

1. Les précisions sur l'affaire Rambaud sont empruntées au dossier d'enquête conservé dans les papiers de Daladier : AN 496 AP (3 DA/11, Dr. 3). Le récit qu'a donné Rossi s'en écarte par de nombreux détails. Cf. *o.c.*, p. 241 et s.

2. Le militant Robert Blache et les membres du « réseau du métropolitain » responsables de la diffusion du tract « Daladier, Chamberlain, Mussolini, Franco et Pie XII », qui recommandait *d'empêcher, retarder, rendre inutilisables les fabrications de guerre*, furent appelés à comparaître le 6 juin 1940 devant le 3e tribunal militaire de Paris, qui avait condamné le 27 mai les Rambaud. Ce n'est sans doute pas un hasard si l'acte d'accusation, qui retenait contre Blache et dix de ses affidés le crime d'atteinte à la sûreté extérieure de l'État, motivait cette incrimination par le fait d'avoir « provoqué à détruire ou à détériorer les appareils de navigation aérienne, du matériel, des fournitures, des constructions ou des installations susceptibles d'être employés pour la Défense nationale, et à pratiquer sciemment, soit après, soit avant leur achèvement, des malfaçons de nature à les empêcher de fonctionner ou à provoquer un accident » (précisions qui ne figuraient pas dans le tract incriminé) (AN 2W/57).

« guérilla communiste » dans les usines pouvait « reprendre immédiatement son efficacité si les autorités ne continuaient pas à faire preuve d'énergie »[1]. C'était trop simplifier les choses. Nul doute que si la direction communiste avait voulu inciter au sabotage, les atteintes à la production auraient été autrement nombreuses et voyantes.

Il faut admettre que le caractère ponctuel de l'action subversive a tenu, pour une part, à la prudence des consignes auxquelles est revenu le P.C.F., une fois refermée la parenthèse finlandaise, même si le ton de sa propagande restait aussi violent[2]. Il a tenu aussi à la conscience professionnelle des ouvriers. « L'esprit général de la main-d'œuvre était transformé et était meilleur qu'avant la guerre », a cru pouvoir affirmer le coordinateur de la sécurité industrielle Jeaubreau à l'instruction du procès des responsables de la défaite : « À Lyon, par exemple, ajoutait-il, il a suffi de l'internement de 70 meneurs pour transformer radicalement l'esprit de la population ouvrière[3]. » C'est ce que confirment des ingénieurs qui ont vécu cette époque ou, dans le cas de Renault, un grand patron tel que François Lehideux[4].

1. Note du ministère de l'Armement, 4 mars 1940 (AN 2W/66).
2. Au point qu'un des responsables du ministère de l'Intérieur les mieux placés pour en juger, Jeaubreau, chef du service central de protection des usines, s'est déclaré convaincu, à l'instruction du procès de Riom, que le P.C.F. avait donné des instructions en sous-main pour interdire les sabotages (AN 2W/66).
3. AN 2W/66.
4. Entretien avec l'auteur.

7

À la S.N.C.M. d'Argenteuil

Les avatars de la S.N.C.M. d'Argenteuil sont un cas extraordinaire dans l'industrie de guerre française, celui d'une entreprise nationalisée qui a échappé à tout contrôle. Mais il arrive que les cas aberrants soient d'autant plus révélateurs.

La S.N.C.M. ou Société nationale de construction de moteurs est depuis 1937 la raison sociale de l'ex-Société des moteurs et automobiles Lorraine, le seul constructeur de moteurs d'avions qui ait été nationalisé par le gouvernement du Front populaire. La « Lorraine », dont l'origine se rattachait à la firme alsacienne De Dietrich installée en 1907 à Argenteuil, y avait fabriqué depuis 1915 des moteurs d'aviation qui avaient été, avec ceux de Gnôme et Rhône et d'Hispano-Suiza, parmi les plus renommés de l'entre-deux-guerres. Elle avait connu des heures de gloire, grâce à un ingénieur de renom, Auguste Barbarou, qui avait conçu jusqu'à 1930 tous les moteurs des avions de grands raids, ceux de Vuillemin, de Pelletier d'Oisy, de Nungesser et Coli. Mais elle avait périclité et sa nationalisation, décrétée en mai 1937, avait été la bienvenue.

« La plus mauvaise entreprise de la région parisienne »

À la mobilisation, la S.N.C.M. a un effectif de près de 4 000 personnes. Elle a continué de produire des moteurs d'avions de sa conception, mais qui sont de trop faible puissance pour équiper des avions de guerre. Elle doit exécuter par priorité une commande de cinquante moteurs par mois, sous licence de Gnôme et Rhône pour l'armée de l'air. Elle fabrique des moteurs marins Diesel ou à essence pour la marine, des tracteurs et des véhicules tout terrain ; elle assure en sous-traitance le montage de chenillettes ; son important atelier de chaudronnerie a reçu en outre de l'Armement des commandes de bombes à ailettes, d'affûts de canons et de caisses à munitions. Elle est devenue une sorte d'arsenal à tout faire.

Le ministère de l'Air compte assez peu sur elle, tant ses performances techniques et ses rendements sont médiocres. D'autre part, elle n'a pas bonne presse, car elle est un des bastions de la forteresse communiste d'Argenteuil, localité dont Gabriel Péri est député depuis 1932 et où le P.C.F. a recueilli 66 % des voix au premier tour du scrutin cantonal de 1937. Le deuxième bureau de l'Air affirme que « la cellule de la S.N.C.M. est le seul élément organisé de l'usine », que la maîtrise a perdu toute autorité et que la direction débordée laisse faire.

Un nouveau directeur général, nommé en septembre 1939, rend compte le 5 octobre que

> dans l'établissement, plus de 2 000 communistes, dont 8 conseillers municipaux d'Argenteuil, sur 3 800 personnes, peuvent encore imposer à leurs collègues, par la crainte, leur volonté. Il faut donc éliminer par des suppressions d'affectations spéciales les plus mauvais, c'est-à-dire environ 150 personnes.

Le 8 octobre, les ouvriers de l'atelier de rectification chantent *L'Internationale* ; dans les jours suivants, on trouve dans l'usine des tracts déjà aperçus dans d'autres entreprises, mais qui sont tirés à la ronéo et non pas simplement dactylographiés comme ailleurs. Ils affirment la solidarité avec le parti et avec l'U.R.S.S. Le directeur général demande « qu'une garde militaire assez importante soit rapidement mise en place ». Le 20 octobre, la police d'État de Seine-et-Oise signale neuf ouvriers à renvoyer de toute urgence pour leur activité révolutionnaire[1].

Ces diverses informations sont prises si au sérieux par le général commandant la région aérienne que celui-ci alerte à son tour l'autorité supérieure en dramatisant encore les faits[2] :

> Là comme ailleurs, le premier objectif des révolutionnaires semble être de se procurer l'armement nécessaire à leur action. Il y aurait lieu, soit de placer les sections de mitrailleuses de défense en dehors de l'usine, soit (...) de prévoir une surveillance efficace de ce matériel par du personnel militaire strictement trié.
> Ci-joint une liste d'individus particulièrement dangereux à éliminer dans les plus courts délais (...) ; il vous sera transmis dans quelques jours une liste complémentaire des ouvriers ou employés à mettre immédiatement hors d'état de nuire en cas d'émeute ou de grève.

Au cours des semaines suivantes, le secrétaire général, le chef du personnel et le chef de la comptabilité sont remplacés, 53 affectés

---

1. AN 496 AP (3 DA/12, Dr. 3).
2. Rapports mensuels de la direction de la police d'État de Seine-et-Oise sur la situation dans les usines travaillant pour la Défense nationale : AD Yvelines, Communistes, dossiers CAB, et SHAT 9N/362.

spéciaux sont remis à la disposition de l'autorité militaire dont 32 pour propagande communiste, 49 requis civils sont mutés dont 19 pour propagande communiste.

Cependant, le premier numéro de *L'Humanité* clandestine, daté du 26 octobre, peut faire état de la résistance ouvrière à la S.N.C.M. Début novembre est découvert un tract virulent portant la signature du parti : « Contre la fascisation du pays ! À bas la guerre des mouchards de la Cité de Londres ! Vive le P.C.F. ! » Une partie du personnel signe une pétition contre le prélèvement de 15 % sur les salaires.

La gendarmerie et la police d'État continuent à dénoncer la S.N.C.M. comme la plus mauvaise entreprise du département. Le rapport mensuel de police du 2 décembre 1939 sur la situation des usines de guerre de Seine-et-Oise affirme que

> les licenciements du mois dernier des communistes les plus remuants ont paru salutaires à l'ensemble du personnel qui a paru montrer moins de mauvaise volonté, mais la production ne s'est pas améliorée, elle est toujours déficitaire.

Le rapport du 2 janvier n'est pas plus réconfortant :

> Si, dans la majorité des usines d'Argenteuil, le rendement est en progrès, il n'en est pas de même à la S.N.C.M. où il est toujours déficitaire. Les militants de l'ex-parti communiste, qui y sont toujours nombreux, entretiennent cet esprit favorable à la sous-production. On estime qu'à l'atelier de montage, qui occupe près de 400 ouvriers, le rendement ne dépasse pas celui d'une moyenne de 30 heures par semaine pour chaque ouvrier.

Pourtant, la S.N.C.M. peut se targuer d'avoir produit en décembre le nombre record de 51 moteurs Gnôme et Rhône ; mais il apparaît vite que cet exploit est artificiel : toutes les pièces usinées de l'usine ont été rassemblées au montage afin de clore honorablement le bilan de l'année et de parer à un besoin pressant de fonds. En janvier 1940, la production tombe à 21 moteurs, alors que les deux tiers de l'outillage sont ultra-modernes et permettraient, sous réserve que l'approvisionnement soit assuré (ce qui n'est pas toujours le cas), de monter 150 moteurs par mois [1].

Les choses tournent mal fin janvier. C'est d'abord une affaire d'affectations spéciales frauduleuses : 160 ouvriers en âge d'être mobilisés, reconnus pour être des spécialistes indispensables, ont été maintenus à la S.N.C.M. en qualité d'affectés spéciaux. Les listes ont été établies par le chef du personnel à l'embauche et par le secrétaire du directeur général. Comme l'autorité militaire s'opposait à la mise en affectation spéciale des manœuvres et des O.S., ils ont attribué à 86 d'entre eux une spécialité que la plupart n'ont jamais pratiquée et sont

---

1. SHAT 9N/362.

incapables d'exercer — fraiseurs, ajusteurs, tourneurs, décolleteurs. En revanche, ils n'ont pas demandé la mise en affectation spéciale d'ouvriers professionnels socialistes.

Le gouvernement, harcelé par les commissions parlementaires, a une bonne occasion de faire un exemple. Le chef d'embauche, tenu pour communiste, est expédié au camp d'internement militaire de Saint-Benoît, le secrétaire de la direction est radié de l'affectation spéciale et l'on envisage de les déférer à la justice militaire[1]. Dès le 6 février, on en fait des gorges chaudes dans les couloirs de la Chambre[2] ; trois mois plus tard, *l'incident* sera dénoncé au conseil municipal de Paris comme l'exemple type des criminelles opérations de la cinquième colonne communiste[3].

La cascade des malfaçons

Parallèlement, la gendarmerie de Saint-Germain et la police d'Argenteuil ont été avisés dans la seconde quinzaine de janvier de malfaçons découvertes dans l'usine ; la direction reconnaît que dix porte-hélice doivent être mis au rebut. Le 2 février est délivré un ordre d'informer contre X et complices pour actes sciemment accomplis de nature à nuire à la défense nationale. L'enquête dure six semaines. Elle met au jour une cascade de révélations qui éclairent le fonctionnement de la S.N.C.M. d'un jour singulier.

Il faut ici entrer dans le détail des fabrications. Le porte-hélice est une pièce capitale du moteur dont l'usinage est difficile et dont la vérification doit être rigoureuse, car pour qu'il fonctionne bien, son montage sur l'avion ne doit permettre aucun jeu. Les porte-hélice sont pourvus d'un perçage intérieur ; les plans établis par Gnôme et Rhône précisent la profondeur de perçage avec une marge de tolérance minime : un quart de millimètre en plus ou en moins.

Le 16 janvier 1940, le contremaître Prosper a signalé que deux arbres qu'il a vérifiés ne sont pas conformes aux plans : le perçage est trop profond de plus d'un quart de centimètre, soit douze fois la marge de tolérance. La découverte a été fortuite, Prosper n'appartient pas à la section d'usinage des arbres porte-hélice. Il a vu ses camarades dans l'embarras, car ils n'avaient pas d'instrument approprié permettant de mesurer l'exactitude de l'alésage : pour le vérifier, il a eu l'idée de perfectionner un « calibre », utilisé pour d'autres contrôles : la malfaçon est aussitôt apparue.

1. Rapport du directeur de la police d'État de Seine-et-Oise du 6 mars 1940, AD/ Yvelines, dossiers CAB.
2. Marcel Déat en fait état à cette date dans son journal intime.
3. Notamment par le conseiller George Prade, dont le zèle patriotique s'accommodera, les années suivantes, de curieuses complaisances : cf. *Bulletin municipal officiel de la Ville de Paris,* 5 mai 1940.

On s'est aperçu, le 23 janvier, de la malfaçon de cinq autres arbres porte-hélice ; la découverte a été plus fortuite encore, car ces pièces étaient enregistrées comme ayant été vérifiées. L'enquête révèle que les vérificateurs se sont contentés d'apposer leur poinçon sur les fiches de circulation et sur les bons de travail sans contrôler les pièces. Interrogés, ils justifient leur « négligence » par leur surcharge de travail et par l'absence de « calibre » pour contrôler l'opération. Ni le directeur de la fabrication, ni le chef du service de la fabrication, ni le chef du service de la vérification ne soupçonnaient que les ateliers n'étaient pas dotés de cet appareil de contrôle qu'ils jugent eux-mêmes indispensables ; aucun d'eux ne s'est donné la peine de suivre attentivement l'usinage d'une pièce capitale des moteurs. Cette carence explique que la malfaçon des arbres usinés entre le 20 et le 22 décembre ait seulement été découverte un mois plus tard et par hasard.

À ces négligences s'ajoute l'indifférence coupable d'un ouvrier qui, ayant fait par erreur une malfaçon sur le premier des arbres d'hélice qu'il usinait, reconnaît avoir persisté dans son erreur sur toute la série de pièces qu'il avait à fileter, soit huit arbres : on le renvoie aux armées pour avoir « fait preuve d'une insouciance effleurant l'intention criminelle ».

Ce qui résulte, en fin de compte, de l'enquête judiciaire est que les arbres malfaçonnés ne sont pas au nombre de 10, comme il a été déclaré au juge d'instruction, mais de 41, chacun d'une valeur commerciale de 10 000 francs ; 18 ont été retrouvés par la police d'Argenteuil dans le parc à ferraille de l'usine, prêts à être emportés par un brocanteur qui les achète au poids. Les enquêteurs découvrent, par la même occasion, au parc à ferraille pour plus d'un million de francs de pièces rebutées, dont un lot de 167 cames valant 3 000 francs pièce et un lot de 371 cylindres d'un coût de 1 000 francs pièce. Ils apprennent, incidemment — sans qu'aucun chef de service de l'usine ou qu'aucun ouvrier ou contremaître préposé à cette fabrication les en ait avisés — que 250 carters de moteurs coûtant de 50 000 à 60 000 francs pièce, ont été également malfaçonnés. Du coup, l'enquête rebondit.

L'histoire de cette dernière malfaçon est aussi lamentable que celle des porte-hélice et mérite également d'être relatée. Les descriptifs et dessins fournis par Gnôme et Rhône prévoyaient que la face arrière des carters-moteurs devait être percée d'un trou de 16 mm, à une distance de l'axe de 29 mm : au lieu d'un trou, on a foré sur 250 carters deux trous symétriques, ce qui les rend inutilisables. Les plans fournis au service de fabrication aussi bien qu'au service de vérification sont des copies des originaux qui ont été faites au bureau d'études de la S.N.C.M. : le dessinateur y a porté deux évidements au lieu d'un. Son chef de service déclare « qu'il est capable de faire du *bon travail quand il lui plaît,* mais que son inattention est des plus grandes ». Personne n'a révisé ses dessins. Le service de vérification, qui assure le contrôle des pièces, devait, conformément aux consignes générales en vigueur, le faire à l'aide des plans originaux : il ne l'a pas fait. Le rapport d'enquête souligne qu'un des deux vérificateurs est « un communiste connu, presque illettré ». « Il est paradoxal, ajoute le rapport, que son chef de service l'ait proposé à la vérification, ce qui l'oblige à lire des dessins de pièces dont il n'est pas certain qu'il les comprenne. »

On constate aussi que la S.N.C.M. emploie des ouvriers italiens, polonais, hongrois, qui savent mal le français et peuvent ne pas avoir saisi les instructions qu'on leur a données : personne ne s'est assuré qu'ils les comprenaient.

D'autres cas de « négligence habituelle » sont à l'origine de malfaçons de moindre gravité ou de retards « pouvant être assimilés à des freinages ». Si, par exemple, les sous-traitants de la S.N.C.M. lui livrent les pièces nécessaires à la fabrication avec des retards anormaux, c'est pour beaucoup en raison du fait que le bureau d'études ne leur fournit jamais en temps utile le détail technique des dossiers de commande. De tels manquements avaient déjà été signalés à plusieurs reprises par des ouvriers eux-mêmes dans des rapports ou des lettres ouvertes adressés à la direction en mars 1938 et en mai 1939.

Les conclusions de l'enquête

Les conclusions de l'enquête sont accablantes[1].

La production nettement insuffisante de la S.N.C.M., puisqu'elle devait être de 150 moteurs au moins par mois, résulte d'une sorte de négligence concertée et *constatée* de la majeure partie du personnel de la S.N.C.M..

Ce personnel n'est pas en majorité communiste, mais travaille généralement avec une mentalité qui est le fait des communistes.

Par ailleurs, il est prouvé que des machines neuves ne sont pas encore installées pour diverses raisons que le bon sens ne peut admettre dans les circonstances actuelles, et que des ouvriers ne recevant pas la part de travail qui devrait leur revenir chaque jour, demandent des « bons d'attente » pour justifier leur salaire.

Or, s'il est vrai que des malfaçons ont pu être commises aussi souvent par les ouvriers, ceux-ci ne l'ont pu que grâce à la négligence coupable de leurs divers chefs de fabrication dont l'autorité ne s'est aucunement fait sentir, en quelque occasion que ce soit, et qui par là même ont démontré leur inaptitude au commandement.

Les nombreuses erreurs commises dans les gammes, la défection d'appareils de mesure, les machines neuves inemployées, les méthodes désastreuses du travail en série consistant à fabriquer un certain nombre de pièces sans vérifier la première (pièce type), sans suivre sérieusement les autres, ont sur les ouvriers le plus déplorable effet et leur laissent croire au défaut complet d'organisation, de compétence et d'autorité, leur *laissant l'impression de l'inutilité de leur effort*. Or, l'organisation de la production, le contrôle, le commandement reviennent à la maîtrise, à la Direction technique.

Il est à remarquer que beaucoup de techniciens et chefs de service de la S.N.C.M. sont dépourvus de diplôme. S'il est vrai qu'un diplôme ne certifie

1. AD/Yvelines.

pas toujours des capacités techniques en rapport avec le diplôme obtenu, il n'en est pas moins vrai qu'un diplôme couronne également des capacités techniques dûment acquises.

En conclusion, et sans tenir compte de luttes d'intérêt possibles au-dessus du champ de mes investigations, la production déficiente de la S.N.C.M. n'est due que pour une partie seulement à l'état d'esprit des ouvriers. La somme d'erreurs, dont cette production déficiente est l'aboutissement certain, n'a pu être possible que par la négligence habituelle et coupable de nombreux chefs de service, qui ne semblent pas comprendre les responsabilités qui sont attachées à leurs fonctions de chefs et de techniciens. Ils acceptent pourtant ces responsabilités lorsqu'ils perçoivent leurs salaires, souvent élevés.

Comment la Direction du personnel aurait-elle pu améliorer cette situation en présence des éléments directeurs de production marquant tant de faiblesses ?

Quelle solution aurait pu être proposée avant cette enquête, sachant que ni l'un ni l'autre des directeurs généraux ne veulent prendre fermement position et déposer plainte entre mes mains ?

Reste à éclairer les causes d'un laisser-aller si patent. Il faut pour cela remonter plus haut que la conjoncture de guerre, car les errements de la S.N.C.M. auxquels la sécession communiste donne un aspect dramatique, sont l'aboutissant de dix ans de gâchis industriel et de luttes ouvrières sans issue.

L'entreprise était en déconfiture lorsqu'elle fut nationalisée, c'est d'ailleurs pour cela qu'elle le fut. La « Lorraine », dépourvue de surface financière et en déclin dès 1927, n'avait survécu que par le talent de son ingénieur en chef Barbarou ; les commandes de l'État s'étaient raréfiées, une suite de gestions désastreuses s'était soldée par une faillite retentissante. Le général Denain, ministre de l'Air de 1934, avait alors incité deux jeunes avionneurs entreprenants, Marcel Bloch et Potez, à racheter les actifs pour éviter un scandale et ils s'y étaient prêtés, mais ils étaient orientés uniquement vers la production de cellules et ils s'étaient fort peu souciés de pousser la production des moteurs, de sorte qu'au milieu de 1936 les matériels aéronautiques ne comptaient plus que pour 50 % (en heures de travail) des commandes.

Pierre Cot, ministre de l'Air du gouvernement du Front populaire n'avait pas prévu de nationaliser la « Lorraine ». Il s'y décida *in extremis* et faute de mieux[1] : la firme était à l'abandon et pratiquement sous contrôle ouvrier. Les actionnaires se dégagèrent avec empressement tout en gardant la propriété du sol et des murs[2]. Barbarou,

---

1. La nationalisation de la S.N.C.M. fit l'objet d'un décret paru le 11 mai 1937 au *Journal officiel*, mais antidaté du 30 mars, la loi de nationalisation d'août 1936 ayant fixé au 31 mars 1937 la date limite des décrets d'application.

2. Les machines, le mobilier et les stocks avaient été évalués à 40 millions en 1937. La valeur définitive d'indemnisation fut fixée en 1940, après trois ans de contentieux, à 148 936 000 francs, intérêts moratoires compris, soit le tiers de la valeur d'indemnisation totale du secteur aéronautique nationalisé. Marcel Bloch et Potez n'avaient investi en 1934-1935 dans l'affaire, achat compris, que 27,5 millions ! Cf. E. CHADEAU, *o.c.*, pp. 940-944.

vieilli et mécontent, se retira : la capacité d'invention disparut avec lui. Il fallait à la S.N.C.M. un patron de forte carrure et de prestige technique incontesté. Le gouvernement désigna comme administrateur-délégué un homme de grand mérite, Claude Bonnier, héros de la Grande Guerre, spécialiste des moteurs à explosion, ingénieur des mines, docteur ès sciences, commandant mécanicien de réserve, qui avait fait un passage dans l'industrie des pétroles avant de devenir chef de cabinet de Marcel Déat au ministère de l'Air et auquel on confia une mission impossible tant sur le plan de la production que sur celui de la gestion des personnels [1].

La Société nationalisée avait commencé son existence le 1er juin 1937 avec pour toute encaisse deux mille francs avancés par un administrateur. Deux ans plus tard, elle pataugeait encore dans un marasme que la Commission de l'aéronautique de la Chambre retraçait avec sévérité [2] :

1. L'État a nationalisé, pour en faire une usine de moteurs d'aviation, une affaire à la veille de la faillite, vétuste, mal outillée, mal entretenue.
Il l'a reprise telle quelle, avec les charges du moment, assumant, sans transition ni vérification, les responsabilités et les défaillances du carnet de commandes.
a) À la date du présent rapport, il n'a pas encore pu sortir des difficultés juridiques et techniques de la procédure de nationalisation. Il ignore donc encore quel sera le coût final de l'opération.
b) Travaillant dans l'inconnu, il a dû, tardivement, avancer ou investir des sommes dont le total dépasse 150 millions à une société pour laquelle il n'a fait aucun effort ni de capital ni de commandes. Jusqu'à présent, il l'a fait travailler dans les pires conditions de rendement financier et technique, faisant preuve d'une incohérence totale de plan, d'une diversité incroyable de commandes dont les séries minuscules, trop tardivement ordonnées, sont d'un très lourd prix de revient.
c) Il n'a pas su lui faire construire ce pour quoi il l'a créée, puisque le chiffre d'affaires des moteurs d'aviation représente à peine un septième du chiffre d'affaires général et qu'aucune amélioration n'a encore, de sa part, été apportée à cet état de choses. À titre d'exemple, rappelons que la

---

1. Claude Bonnier (1897-1944), engagé volontaire à dix-sept ans et demi, lieutenant en 1918, quatre fois cité et chevalier de la Légion d'honneur, reçu 1er en 1920 à l'École des mines, docteur ès sciences à vingt-huit ans, avait passé trois ans au laboratoire Le Chatelier à la Sorbonne avant d'être affecté à la demande de l'ingénieur général Dumanoir au laboratoire des moteurs à explosion de Bellevue, puis était entré dans l'industrie. Dans les années trente, néo-socialiste comme son beau-père le député et ministre Renaudel, il avait vainement tenté de constituer des équipes techniques néo-socialistes dans l'industrie et, après son passage, dans les premiers mois de 1936, au cabinet de Marcel Déat, avait publié avec ce dernier un ouvrage intitulé *Pour une politique de l'Air.* Il quitta la S.N.C.M. pour rejoindre son poste dans l'armée de l'air le 2 septembre 1939. Patriote et résistant, il rallia la France Libre à Londres en 1943 et rentra clandestinement en France en novembre comme délégué militaire régional pour la région Sud-Ouest (pseudonyme Hypoténuse). Il fut arrêté par la Gestapo en avril 1944 et se suicida dans sa prison. Le nom de Claude Bonnier a été donné à la route nationale de Saintes à Angoulême près de laquelle il avait atterri clandestinement pour sa dernière mission.
2. Commission de l'aéronautique de la Chambre, rapport de M. de Clermont-Tonnerre, *La S.N.C.M. d'Argenteuil*, juin 1939 (ARAS).

première série commandée fut de 78 moteurs et qu'elle sera terminée fin juin 1939 seulement ; pour la seconde série de 190 moteurs, commandés en juin 1937, le marché n'a été passé qu'en mars 1939. Une troisième série de 300 moteurs a été commandée en janvier 1939 sans qu'aucun document ait été fourni. Le constructeur intéressé mit tant de temps à livrer la liasse de documents que la S.N.C.M. décida de la reconstituer elle-même. Ce fut un travail inutile de cinq mois.

Aujourd'hui enfin, un marché ouvert de 50 moteurs par mois, indispensable pour assurer la marche de la Société à partir de décembre 1939, annoncé téléphoniquement, n'arrive pas à se transformer en un marché ferme. En juin 1939, il ne peut être commencé d'approvisionnement, car on n'a pu avoir aucune précision sur le type du moteur que l'on aura à fabriquer ! (...) L'État n'a su ni prévoir, ni commander, ni utiliser.

Les dessous d'une crise

La S.N.C.M. a pourtant produit. La direction s'est acharnée, pour maintenir l'emploi, à diversifier de plus en plus les fabrications : elle sort, à la veille de la guerre, « un matériel hétéroclite » qui paraît en rapport avec les sommes investies et les matières premières fournies, comme avec le travail rendu. Il n'en est pas moins choquant que la seule usine nationale de construction de moteurs d'aviation, créée et équipée par l'État qui vient *in extremis* de renouveler son outillage, ait gaspillé pendant deux ans son potentiel technique et ne fournisse, à trois mois de la guerre, aucun moteur d'avion de guerre.

D'où les objurgations de Gabriel Péri : « Il faut améliorer l'outillage ! Il faut passer des commandes en grande série ! Il faut simplifier les formalités administratives[1] ! »

D'où la démoralisation des personnels d'une entreprise galvaudée, décriée, en difficulté avec le ministère de l'Air qui lui reproche de coûter trop cher, de se disperser en travaillant pour vingt-six modèles différents d'avions et d'avoir des rendements médiocres[2]. Comment pourraient-ils ne pas l'être, puisqu'elle n'a plus de bureau d'étude de qualité, plus d'outillage, du moins jusqu'à 1939, et pas de trésorie ? D'où enfin, la protestation ouvrière acharnée contre le retour partiel à la semaine de 45 heures, puis contre les appels à la semaine de 60 heures, alors que la Société n'est jamais sûre de pouvoir maintenir l'emploi et qu'au début de 1939 encore des chômeurs font queue aux portes de l'usine pour demander de l'embauche.

1. Article publié par Péri dans *Le Progrès* d'Argenteuil le 17 février 1938, après une visite à la S.N.C.M. en compagnie de l'aviateur-député Bossoutrot : « La non-utilisation des effectifs a été due pendant longtemps au manque de crédits. Les lenteurs ont été dues pour beaucoup au retard à passer des commandes, au manque de coordination et à l'absence de plan d'ensemble, ainsi qu'aux modifications constantes apportées aux appareils en cours de fabrication (...). » Toutes observations amplement justifiées.
2. E. CHADEAU, *o.c.*, p. 959, d'après le rapport Thouvenot du 15 décembre 1938.

Ainsi, la crise industrielle n'a cessé de se doubler d'une crise sociale inévitablement politisée. La nouvelle direction de 1937 s'est efforcée de ne pas bureaucratiser l'entreprise et a misé sur la coopération ouvrière ; elle s'est refusée à toute discrimination partisane à l'égard du personnel ; elle a développé un système de formation lié à un mécanisme de promotion interne si exclusif qu'il a eu pour contrepartie de limiter au minimum le recrutement externe de cadres techniques diplômés. Elle a eu surtout la hardiesse — ou la faiblesse — d'admettre une sorte de pouvoir ouvrier, cas unique parmi les firmes nationalisées de l'époque. De juin 1937 à novembre 1938, en effet, le comité d'organisation de la S.N.C.M., principale cellule de pilotage de la production, a été un comité mixte, composé d'une part du directeur général, du secrétaire général et du directeur de la fabrication, d'autre part, de délégués ouvriers, à l'exclusion du chef des fabrications et des chefs de sections ou d'ateliers. Le revers de la médaille a été que

> la maîtrise, éliminée de ces discussions hebdomadaires, s'est effacée et a été considérée comme responsable, pendant une quinzaine de mois, du manque d'organisation et de rendement de l'usine. Manquant d'autorité, elle est restée indifférente à toute idée de redressement[1].

Tout semble s'être passé comme si le pouvoir syndical, sans assumer la responsabilité d'une véritable gestion ouvrière et sans avancer de projet articulé de réforme de l'établissement, s'était satisfait de traiter d'égal à égal avec la direction, tout en soustrayant les ouvriers à l'autorité d'une maîtrise à laquelle il substituait celle des délégués syndicaux.

À en croire la Sûreté nationale, ces délégués, tous communistes et flanqués de suppléants actifs, consacraient, en 1938, à leur fonction la totalité de leur temps et non les dix heures par mois réglementaires, faisaient de leur journée ce qu'ils voulaient, dans leur bureau comme dans les ateliers, et tranchaient des affaires de l'entreprise autant que des questions syndicales. Les chefs d'équipes et une partie des nouveaux contremaîtres auraient été nommés par eux.

Le premier semestre de 1937 avait vu, d'autre part, le nombre des adhérents au P.C.F. tripler et les cellules passer de deux à huit dans une entreprise de 2 900 personnes. Cette base très forte était pourvue d'un encadrement de choc où se distinguaient dix élus municipaux dont huit d'Argenteuil, un conseiller prud'homal et deux secrétaires de cellules de Houilles et de Sartrouville. Aussi le personnel de la « Lorraine » nationalisée prit-il, en avril 1938, la tête de la grève de la métallurgie de la région parisienne dans le canton d'Argenteuil, puis, le 30 novembre 1938, fit de nouveau grève, cadres compris. Il fut licencié en totalité, mais réintégré et, d'après la police, le service d'embauche de l'usine, solidement noyauté, aurait récupéré de surcroît, certains ouvriers

---

1. SHAT 9 N/362.

indésirables ailleurs, dont un meneur de la grève de novembre 1938 chez Renault, recruté, affirma-t-on, au salaire de 6 500 F par mois comme chef de section. Cependant, le comité mixte de production ne survécut pas à la grève du 30 novembre et la représentation ouvrière se retira du conseil d'administration, ce qui n'empêcha pas le pouvoir syndical de garder son emprise sur la base.

Ainsi, la S.N.C.M. a abordé la guerre dans un entremêlement de crises. Crise de qualification, par le départ d'une partie des ingénieurs et l'effondrement du bureau d'études. Crise industrielle, même si l'afflux tardif des commandes militaires lui ouvrait l'espoir d'une remise à flot. Crise de commandement, entre une direction débordée, des chefs de service et de section découragés, complaisants ou jouant la politique du pire et une maîtrise sans autorité. Crise de confiance ouvrière enfin, aggravée par les déboires de 1938-1939.

Cette situation de crise, le noyau dur des communistes orthodoxes était d'autant mieux placé pour l'exploiter qu'il a échappé aux licenciements de la fin de 1938 comme presque partout dans le secteur public et qu'il a été relativement peu touché par la mobilisation. Il englobe une fraction de la maîtrise et s'appuie sur un contingent d'ouvriers professionnels qui atteint pour certaines spécialités le tiers de l'effectif. L'accroissement du nombre des tracts clandestins en mars 1940 témoigne de sa combativité : des tracts sont placés dans les poches des vêtements des ouvriers dans les vestiaires, des papillons sont collés dans les vestiaires et les W.-C. ; l'apparition, fin mars, de plusieurs exemplaires de la « Lettre aux soldats », tract imprimé en Belgique, prouve une étroite liaison avec la direction clandestine du P.C.F. Enfin la découverte, le 2 mars, d'un tract d'un caractère unique en France, préconisant un front commun des ouvriers de toutes tendances contre la guerre impérialiste, atteste que le personnel compte aussi des minorités de socialistes révolutionnaires et libertaires, qui sont connus comme les plus ardemment pacifistes [1].

Cependant, il n'y a à la S.N.C.M. ni sabotages concertés ni contestation déclarée, refus de travail ou grèves. Est-ce l'effet de consignes de prudence venues du parti ? De la conviction des responsables que la situation n'est pas révolutionnaire ? Ou de la crainte du gendarme ? Faut-il y voir une réticence de la masse ouvrière à s'engager dans une action ouverte contre la guerre ? Peut-on écarter l'hypothèse que, même dans l'usine la plus politisée de France, une partie du personnel n'oublie pas la propagande jacobine à laquelle il a été associé pendant quatre ans sous l'influence de Gabriel Péri et comprend mal le pacte germano-

---

1. Ce tract porte le titre : « Nouveau départ-Organe des groupes d'éducation et d'action révolutionnaire, 15 janvier, n° 1 » et se termine ainsi : « Solidarité avec les militants de toutes les tendances du mouvement ouvrier (P.C.F., P.S.O.P., P.O.I., Anars, etc.) qui luttent contre la guerre impérialiste » (SHAT 9N/362-2).

soviétique et la volte-face du P.C.F. [1] ? La S.N.C.M. apparaît moins comme un foyer révolutionnaire prêt à s'embraser que comme un de ces îlots de non-participation et de je m'en-fichisme dont la France est parsemée — celui-ci délibérément entretenu — où se manifeste, en dehors de l'hostilité raisonnée des groupes militants à la « guerre impérialiste », une semi-adhésion conditionnelle, restrictive, mêlée de mécontentement social et du sentiment du discrédit de l'usine et qui s'expliquerait, en fin de compte, autant par la pression communiste que par le fait, obscurément ressenti par beaucoup de Français, que cette guerre n'est — à supposer que ce soit vraiment une guerre — ni une guerre nationale ni une guerre idéologique. Mais aussi une de ces zones dans lesquelles l'esprit d'abandon ou l'incapacité des cadres a laissé libre cours à l'inertie.

Le redressement industriel

Car le redressement industriel accompli à la S.N.C.M. entre mars et mai 1940 n'aurait pas pu atteindre une telle ampleur dans un délai aussi bref s'il s'était heurté à un refus de la masse ouvrière. La rigueur de la répression ne suffit pas à l'expliquer.

Dès le dépôt des premiers procès-verbaux d'enquête, la réorganisation industrielle et l'épuration sont menées de front. Le 19 mars, la direction se décide à porter plainte pour sabotage. Le 3 avril, l'officier du deuxième bureau de l'Air en mission de contrôle à la S.N.C.M. recommande, de son côté, le limogeage du directeur général et des responsables de la fabrication et du bureau d'études. Mais déjà Dautry est intervenu et a placé un homme à poigne à la direction du personnel. Celui-ci fait des coupes sombres : il allège les bureaux pléthoriques, s'emploie à remplacer ceux des cadres qui ont perdu leur autorité, entreprend une élimination sévère des éléments non qualifiés ou des « P.R. » (« propagandistes révolutionnaires ») et, en contrepartie, accroît les effectifs féminins.

La relance des fabrications est difficile car la S.N.C.M., comme toutes les usines de pointe, manque de professionnels de haute qualification, en particulier de rectifieurs. Un tiers de ceux qui étaient en fonctions, considérés comme « P.R. », ont été envoyés au camp d'internement

---

1. Pendant la crise de Munich, le personnel de la S.N.C.M. a voté des motions hyperpatriotiques : « Détruire comme un chiffon de papier le traité qui lie notre pays au peuple libre et pacifiste de la Tchécoslovaquie, c'est déshonorer notre peuple, le couvrir de honte, l'isoler et ainsi faciliter la tâche guerrière contre notre propre territoire prévue par Hitler » (*Le Progrès d'Argenteuil*, 21 septembre 1938). En 1939, Argenteuil et la S.N.C.M. se sont associés à la célébration de la mort du colonel Raynal, le défenseur du fort de Douaumont en 1916, devenu chef de file de l'Association républicaine des anciens combattants (Archives municipales d'Argenteuil).

militaire de Saint-Benoît ; leur effectif, de 99 à la mobilisation, est tombé à 64 au 15 mars. Les nouvelles réductions de personnel font passer l'effectif producteur total de 2 211 au 4 mars à 1 759 au 4 avril. Il manque à cette date 50 rectifieurs, 50 ajusteurs, 50 tourneurs et 50 fraiseurs ; de sorte que les professionnels travaillant sur machines-outils sont astreints à 66 et 69 heures de travail par semaine, avec équipes de nuit. Ce n'est pas assez pour pallier l'insuffisance de l'encadrement ni l'effet de dix ans d'abandon. Le 13 avril 1940, un goupe de contremaîtres de la S.N.C.M. se présente au Palais du Luxembourg et demande à être reçu par le président de la Commission de l'Air, Paul Bénazet. Ce qu'ils viennent lui dire, Bénazet le rapporte trois jours plus tard devant le Sénat réuni en comité secret [1] :

> Ils m'ont dit : « Va-t-on finir par nous protéger ? Nous voulons travailler. Nous sommes menacés gravement si nous faisons plus qu'on nous demande de faire. »
> Quant aux sabotages, aux malfaçons, ils m'ont donné des exemples frappants. Voici ce qui m'a été dit sur cette usine :
> « Désordre, aucun rendement, mauvaise organisation des ateliers. Beaucoup de pièces sabotées et loupées. Un vilebrequin d'une valeur de 30 000 F est commencé avec un mauvais acier non contrôlé. En cours d'exécution, le chef d'atelier signale que l'acier est mauvais, on continue le travail et on rebute la pièce dès qu'elle est finie. On ne contrôle qu'à ce moment.
> On a acheté des machines-outils, 435 machines capables de faire en quelques minutes ce qu'on faisait en trois ou quatre heures, mais on n'en tire pas le rendement prévu. Des agents prennent les machines, ils y vont de tout leur cœur, mais ils s'en vont en permission et, quand ils reviennent, tout est chamboulé. Aucun plan pour placer méthodiquement les machines. On monte une machine, on vous la fait démonter. D'où vient le désordre ? Il est à la tête, il se répercute sur les ouvriers. »

Les progrès sont néanmoins spectaculaires : la production de moteurs Gnôme et Rhône passe de 25 en mars à 65 en avril.

Au début de mai, la mission conjointe de contrôle de l'Armement et de l'Air rend compte que l'épuration se poursuit :

> Les exemples faits ont porté leurs fruits et une amélioration de l'état d'esprit général a été constatée.

Du point de vue technique, il y a lieu d'être optimiste :

> L'ensemble du matériel permet une bonne fabrication, la question épineuse est celle des fournitures des sous-traitants, plus particulièrement pour les pistons d'aluminium et les culbuteurs.

Le grand effort de redressement est confirmé en mai : la S.N.C.M. « sort » dans le mois 100 moteurs Gnôme et Rhône.

---

1. JOD, Comité secret du Sénat, 16 avril 1940, p. 53.

8

L'effort de guerre :
refus et consentement

L'affaire Rambaud et la dérive de la S.N.C.M. sont à la fois des cas
particuliers et des cas extrêmes : à l'échelle de la nation, l'influence
communiste a eu peu d'effets sur le fonctionnement et la production
industriels. La propagande écrite du P.C.F. n'a été intense qu'en région
parisienne sans jamais y avoir les moyens d'une propagande de masse.
La propagande chuchotée a pu fournir des arguments ou servir de
catalyseur aux récriminations, elle a été hors d'état de susciter des
actions collectives. Pendant les huit mois et demi de la « drôle de
guerre », rien qui ressemble, même de loin, à la flambée des grèves de la
Loire de 1917. La discipline industrielle et le contrôle policier ont à coup
sûr bridé la contestation, mais si la pression collective avait été forte, ce
n'est pas la menace des sanctions qui l'aurait contenue.

Cependant la rétraction ouvrière ne se manifeste pas seulement par le
rejet du nouveau syndicalisme, par des « mutismes délibérés »[1] ou par la
grogne générale contre les prélèvements et la vie chère, elle s'exprime
aussi dans le degré de participation à l'effort de guerre. L'apport de
travail du monde ouvrier aura été immense en volume, mais d'une
intensité inégale : le consentement ou la soumission s'accompagnent
dans le travail de comportements obliques qui reflètent l'ambiguïté des
états d'esprit.

La grève impraticable ou la fin de l'activisme ?

Comme l'écrit Rossi, expert en léninisme, c'est le mouvement gréviste
qui est pour les communistes le « baromètre le plus sûr où s'inscrirait la
pression populaire contre la guerre. Retranchés dans les usines, ils

---

1. Rapport de l'ingénieur militaire directeur de l'atelier d'État de Puteaux, dont on
soulignera le curieux lapsus : *mutineries plus ou moins délibérées* » pour « mutismes »
(13 novembre 1939, AN 307 AP/110).

espèrent faire de la grève la forme dominante de leur action. Toute grève, tout mouvement de protestation ouverte dans l'usine sont annoncés et exaltés » ; leur presse clandestine est en quête des moindres indices de troubles[1]. La récolte est mince : il s'agit tout au plus de rares arrêts de travail dont aucun ne dépasse une heure. En octobre, à Aubervilliers, les ouvriers des « Petites Voitures » auraient quitté l'usine à 18 h au lieu de 19 h, « se refusant démonstrativement à accomplir l'heure supplémentaire que la direction voulait les contraindre à effectuer », rapporte *L'Humanité*, et des ouvrières des Compteurs de Montrouge auraient débrayé vingt minutes pour protester contre la retenue de 15 % : incidents minimes, dont le commandement de la gendarmerie de la région de Paris conteste même la réalité[2].

En fait, si l'horaire de 60 heures et bien davantage la retenue des salaires de la 41e à la 45e heure ont soulevé de nombreuses protestations, les choses sont rarement allées plus loin. À Toulouse, à la mi-octobre, des ouvriers ont refusé de faire plus de 40 heures par semaine ; aux aciéries de Firminy, les métallos ont menacé de faire grève : tout est partout rentré dans l'ordre après explications de l'inspecteur du Travail[3]. Le seul exemple connu de refus persistant semble avoir été celui de la Société industrielle de l'Angevinière qui, au Mans, fabrique des masques à gaz : le 23 octobre, 250 des 1 500 ouvriers et ouvrières requis arrêtent le travail et occupent les locaux ; ils protestent contre la retenue sur les heures supplémentaires et dénoncent la modicité des salaires féminins, inférieurs à ceux d'une usine analogue de la ville. Ici encore, on finit par reprendre le travail après intervention de l'inspecteur du Travail[4]. Le décret du 10 novembre 1939 qui supprime « les 45 heures pour le prix de 40 » met d'ailleurs fin à toute velléité des ouvriers de refuser collectivement de faire plus de 40 heures.

L'activisme est si ralenti que lorsqu'en 1941 la Cour suprême de Riom fait établir l'inventaire des troubles sociaux de 1936 à 1940, département par département, aucun préfet ne mentionnera la moindre grève survenue après le 1er septembre 1939[5]. En fouillant les archives, on parvient avec peine à dresser un catalogue d'une quinzaine d'arrêts collectifs du travail[6]. Ils sont pour la plupart de caractère social et

1. A. ROSSI, *o.c.*, pp. 266-267.
2. Rapport du commandant de la IIe légion de gendarmerie de la région de Paris pour la première quinzaine de novembre 1939 (AN 2W/57). Les vingt minutes de débrayage des Compteurs de Montrouge sont néanmoins mentionnés trois fois par la presse clandestine communiste : *L'Humanité*, 26 octobre 1939 ; *La Vie ouvrière*, numéro imprimé de février 1940 ; *La Vie ouvrière*, n° 1055, février 1940.
3. Sur Firminy, cf. M. LUIRARD, *o.c.*, p. 275 ; sur Toulouse, AN TR/11091.
4. Cf. Rapport Toutée à Dautry (AN 307 AP/22) et AD de la Sarthe, Vt 642/384.
5. AN 2W/59.
6. Le 17 décembre 1939, 50 dockers de Saint-Nazaire, qui ne sont ni affectés spéciaux ni requis, cessent le travail sous un motif futile, en réalité afin de manifester leur mécontentement de travailler un dimanche (AN F60/640) ; le 19 janvier 1940, grève du personnel d'une sucrerie de la Brie pour raisons salariales (AN 2W/59) ; le 22 janvier, une

revendicatif, sans connotation politique, n'entraînant que des effectifs minimes et d'une durée qui ne dépasse en aucun cas la journée. Ils sont exceptionnels dans les usines d'armement : à l'usine Citroën de Clichy, on a enregistré à la date du 10 avril 1940 trois refus de travailler sur un personnel de 4 700 personnes. En huit mois de « drôle de guerre », on trouve mention d'un seul cas d'enfreinte à la discipline collective du travail au Creusot et de deux cas chez Renault[1]. Les arrêts de travail le 1er Mai sont très rares et limités. Une seule grève politique de quelque ampleur — presque aussitôt réduite, d'ailleurs — retient l'attention, celle qui éclate le 8 mai 1940 à l'usine d'aviation Capra, dans la « banlieue rouge » de Paris : elle marque le point extrême de la capacité de mobilisation communiste, encore que les causes immédiates du mouvement n'aient rien de politique. La Capra, entreprise spécialisée dans la fabrication des coques d'avions, emploie à La Courneuve 2 300 personnes. Le 6 mai, la direction renvoie un vieil ouvrier qui s'est endormi dans l'atelier, complètement ivre, affirmaient les contremaîtres, malade, soutiennent les ouvriers. L'incident donne lieu, à la sortie du travail, à une altercation entre plusieurs camarades de l'ouvrier licencié et un chef d'équipe qui sort un pistolet de sa poche, ce qui lui vaut de passer la journée du 7 mai au poste de police et d'être inculpé de port d'arme prohibée. Le 8 au matin, une délégation de deux ouvriers de l'atelier des coques va demander à la direction la mutation du chef

---

ouvrière de la fabrique de chaussures militaires René Fauchard, en conflit avec son patron, qui a refusé à tort de lui verser l'allocation familiale, rejoint la manufacture à 15 h au lieu de 14 h, entraînant dans ce geste d'insubordination une dizaine de jeunes ouvriers non encore mobilisables. Motif déclaré : l'insuffisance de salaires (AN F 60/640). Trois jours plus tard, 5 ouvriers arrêtent le travail à Saint-Dizier et le lundi 30 janvier à Montbéliard, 80 ouvriers refusent de reprendre le travail. « La propagande communiste qui ne se dévoile pas se fait tout de même », explique l'inspecteur divisionnaire du Travail de Dijon à l'inspecteur de Mâcon. « Il faut qu'on fasse bien attention au personnel ouvrier : si l'on ne renforce pas le contrôle des inspecteurs adjoints, il y aura des incidents » (interception téléphonique, AN F7/14924). Le 2 février, à la poudrerie de Sevran, le personnel d'un atelier employant une douzaine de femmes et 3 hommes dont un affecté spécial et 2 ouvriers militaires, abandonnent le travail 30 minutes avant l'heure prescrite en prétextant un moment de fatigue, en réalité pour protester contre les nouveaux prélèvements (SHAT 9N/362) ; le 5 février, grève de 120 ouvriers d'une usine de conserves du Finistère, auxquels leur patron refuse toute augmentation. Aucun n'étant requis, le procureur conclut qu'il n'y a pas infraction (AN F60/640). Le 17, une équipe de 8 requis employés à décharger de la viande aux entrepôts réquisitionnés de la STEF à Toulon cesse le travail de 14 à 15 h parce qu'on leur a refusé un acompte sur leur quinzaine (AN, *ibid.*). Le 31 mars à Argenteuil, 17 ouvriers de l'atelier des tuyaux Palladium refusent de travailler le dimanche. Ce genre de refus n'est pas rare : surtout dans les entreprises qui ne sont pas réquisitionnées, ce qui est ici le cas : le parquet décide de poursuivre pour entrave à la liberté du travail (SHAT 9N/362).

1. Au Creusot, le 8 mai, 5 ouvriers abandonnent leur poste et refusent de reprendre le travail. Chez Renault, en février, un groupe de très jeunes ouvriers se concerte pour ne pas venir travailler un dimanche ; en mars, un atelier proteste ouvertement contre la radiation de l'affectation spéciale de quelques camarades.

d'équipe. Devant le refus du directeur, l'atelier des coques, entraîné par un meneur, refuse à 13 h de travailler ; l'atelier voisin mis au courant se déclare solidaire, soit pour les deux ateliers un effectif de 700 hommes. Des contremaîtres essayent de faire reprendre le travail, mais « se heurtent à une volonté bien arrêtée » : ils annoncent alors « que ceux qui veulent travailler travaillent, que les autres s'en aillent » ; les ouvriers restent sur le tas. Les 25 soldats de garde de l'usine sont hors d'état de faire évacuer les lieux. La direction ordonne de fermer les portes, isole les autres ateliers qui sont dans l'ignorance de ces événements et appelle la police ; celle-ci est sur les lieux à 13 h 20. Bien que la majorité des ouvriers reprenne le travail ou se déclare prête à le reprendre, la police et les gardes mobiles font évacuer les deux ateliers. Beaucoup d'ouvriers — on a parlé de 250 — sont interpellés : 38 arrestations faites le jour même ou le lendemain sont maintenues [1]. *L'Humanité* clandestine en date du 17 mai rend compte de l'incident sous le titre : « Les soldats fraternisent avec les ouvriers en lutte. »

Une lettre, écrite par l'un des meneurs présumés et saisie lors d'une perquisition, marque sans équivoque le caractère du mouvement :

> Je n'ai pas travaillé cet après-midi. Nous avons fait une grève sur le tas pour un copain et ce n'est pas fini, car nous ne voulons pas céder. La police et les gardes mobiles nous tenaient compagnie, mais pour une grève, c'est une grève. C'est la première fois depuis la guerre que j'en vois une comme celle-là.

Elle est, en effet, unique [2]. Faut-il y voir un début de radicalisation des noyaux durs communistes ? C'est plausible bien que le printemps de 1940 semble marqué en sens contraire, par une certaine adaptation du milieu ouvrier aux conditions nées de la guerre.

---

1. Les 38 grévistes arrêtés, dont 18 étaient encore emprisonnés, les uns à la Santé, les autres en zone libre, furent jugés le 3 février 1941 par le tribunal militaire de Périgueux, presque tous par défaut. Le tribunal prononça deux condamnations et acquitta les 36 autres inculpés à la minorité de faveur. Cf. AN 2W/57.

2. Mis à part l'arrêt de travail de la Capra, les seules actions collectives notables sont le fait de Nord-Africains d'une part, de travailleurs militaires et notamment de ceux qui sont affectés aux poudreries de l'autre. En février 1939, les O.S. marocains de l'aciérie de Rueil-Malmaison refusent de travailler plus de 9 heures par jour, à l'instigation d'un des leurs qui a été un délégué ouvrier très engagé en 1938-1939. Plus étonnante, bien qu'elle reste épisodique, est la triple désertion collective d'ouvriers maghrébins des hauts fourneaux de Rouen, de l'aciérie de Rombas et des mines du bassin de Saint-Étienne. L'agitation dans les poudreries et les ateliers de chargement a été marquée par des grèves perlées, des actes d'indiscipline, un arrêt de travail de 72 hommes pendant une journée à la poudrerie du Bouchet, des pétitions collectives aux conseillers généraux et aux députés ; elle a culminé le 12 mai par une manifestation de 4 000 travailleurs militaires de la poudrerie d'Angoulême qui ont réclamé leur retour dans leurs foyers. Cette agitation a toutefois peu à voir avec l'action ouvrière : les travailleurs militaires sont des mobilisés des classes anciennes, ruraux ou travailleurs des professions du secondaire pour la plupart, dont la psychologie et les motifs de mécontentement sont différents.

L'absentéisme, forme d'action ouvrière

La réticence dans le travail, là où elle existe, est silencieuse. Mis à part le laisser-aller et la négligence dont la S.N.C.M. d'Argenteuil offre l'exemple extrême dans une sorte de connivence, elle prend deux formes : l'absentéisme et le freinage.

Une vague d'absentéisme industriel commence à la mi-décembre 1939 ; elle se prolonge jusqu'à mars. Elle coïncide avec les dures contraintes de l'hiver et avec le fléchissement général du moral. La fatigue, une épidémie de grippe, les difficultés de transport l'expliquent pour une part.

Les femmes surtout n'en peuvent plus. C'est la période où le contrôle postal relève dans les correspondances ouvrières des accents de révolte[1] :

> On nous crève de travail, on nous mène comme des bêtes sauvages et quand on a besoin d'un jour et demi, on vous le refuse. Comme salauds, il n'y a pas plus, mais j'ai eu au moins la satisfaction de leur dire tout ce que j'avais sur le cœur.
> Enfin, bref, ils m'ont fait reprendre le travail car il y a tellement de boulot qu'ils n'ont pas tenu à mettre quelqu'un au courant, faute de temps.

Dès la fin de décembre, le taux d'absence atteint 10 % chez Renault, soit deux fois plus qu'à la même époque les années précédentes, il s'élève à 15 % en février, il dépasse même 20 % dans certains ateliers, là où il plafonnait les autres hivers à 7 % ; il est vrai que Renault a recruté 5 000 femmes qui bénéficieront en mars seulement d'horaires allégés[2]. Mais sur l'ensemble de la région parisienne, le taux d'absence n'est pas inférieur à 12 % pendant les mois de janvier et février, avec des pointes les dimanches travaillés. Il est de 14 % la semaine du Nouvel An à la Société lorraine des aciéries de Rombas. *La Vie ouvrière* signale avec satisfaction que « dans une usine d'aviation du Centre, sur 3 000 ouvriers, la direction enregistre une moyenne de 400 manquants par jour, blessés, malades ou simplement absents »[3]. C'est une proportion courante jusqu'au printemps.

À Aniche, dans le Nord, le taux d'absence des mineurs de fond était en 1938 et jusqu'à la déclaration de guerre de 9,2 % ; il est de 10,9 % de septembre à décembre 1939 et s'élève à la moyenne quotidienne de 13,9 % sur les quatre premiers mois de janvier à avril 1940 ; il retombera à 7,9 % au début de l'Occupation, à partir de juillet[4].

1. Lettre d'une ouvrière de Villeurbanne, fin décembre 1939 (AN BB 30/1706).
2. AN 91 AQ/15 et 2W/16. C'est seulement au printemps que Renault allège par roulements les horaires des ouvrières.
3. *La Vie ouvrière*, journal clandestin communiste, n° 1055, février 1940.
4. Compagnie des mines d'Aniche, rapports de marche de l'exploitation (1938, 1939, 1940) et dossier DD 32/7049 Aniche, enquête allemande sur les mines (1937-1943). Archives de Lewarde.

À Decazeville, dans la semaine précédant Noël, les absents sont de
16 à 17 % à la mine, de 13 à 14 % aux hauts fourneaux, 12 % aux
ateliers, 50 % parmi les mineurs sarrois réfugiés, qui ont des raisons
particulières de mécontentement ; ces taux se maintiennent ou s'élèvent
encore en janvier et dans la première quinzaine de février et sont
dépassés les jours de foire, où l'on enregistre le plus grand nombre
d'absents[1].

Beaucoup de directions contestent que le surmenage et le froid
suffisent à justifier un tel absentéisme. L'administrateur délégué d'Anzin
rend compte que les nombreuses absences de février sont dues « pour
partie » — c'est-à-dire « pour partie seulement » — à l'épidémie de
grippe[2]. À Rombas, on juge sans indulgence les manquants : « Ce sont
des paresseux. Ils se reposent deux ou trois jours. On ne leur met
pourtant pas d'amendes à chaque fois. C'est dégoûtant, indigne des
Français[3]. » Les patrons de la région parisienne s'entendent avec
l'autorité militaire pour imposer des contrôles : on exige des défaillants
un certificat médical, puis on soupçonne des médecins et des dispen-
saires de délivrer des certificats de complaisance, on soumet les affectés
spéciaux à une contre-visite d'un médecin militaire. Des entreprises
voudraient étendre les contre-visites aux requis, « dont certains ont
tendance à cesser leur travail pour des maladies plus ou moins réelles » ;
les médecins militaires faisant défaut, on envisage d'assermenter des
médecins civils pour assurer les contre-visites[4]. Et l'on radie de
l'affectation spéciale des récidivistes de l'absence du dimanche.

Le fait est que les causes d'absence ne sont pas uniquement physiques : l'absentéisme de surmenage se combine avec un absentéisme de
défense ou de précaution (on s'arrête avant de risquer de tomber
malade). Mais avec ou sans pression communiste[5], l'absentéisme est
aussi une forme d'action ouvrière, conséquence de l'absence de structures réellement revendicatives : « On se débrouille par soi-même
puisqu'il n'y a pas de changement possible par l'action collective[6]. »
L'absentéisme de la « drôle de guerre » a, pour une part limitée, mais
certaine, le sens d'une protestation, ou du moins d'une affirmation des
droits de l'individu devant une contrainte ressentie comme excessive.

Ainsi, en région parisienne, la poussée d'absentéisme, qui a commencé quinze jours avant les grands froids, précède, à la façon d'une
grève larvée, la mise en vigueur, au 1er janvier 1940, des prélèvements

1. AN 10 AQ/256.
2. AN 49 AQ/6 (microfilm 109 Mi/6).
3. Interception téléphonique du 5 janvier 1940 (AN F7/14 924).
4. AN 91 AQ/15 et rapports de la police d'État de Seine-et-Oise (SHAT 9N/362).
5. En plusieurs endroits, des anciens délégués communistes ont été arrêtés pour avoir
incité leurs camarades à ne pas travailler le dimanche.
6. Comme l'observe, à l'occasion de cas plus récents, Pierre DUBOIS : « L'absentéisme
ouvrier dans l'industrie », *Revue française des affaires sociales*, n° 2/77, avril-juin 1977,
p. 16 et ss.

accrus sur les salaires. L'absentéisme des mineurs est, au contraire, leur mode spécifique de réticence. Il atteindra sous l'Occupation, à partir de 1941, des taux encore plus élevés. Il est, pour une forte proportion, le fait de mineurs âgés, évidemment plus fatigables, mais surtout qui tolèrent mal d'avoir été maintenus ou rappelés à la mine par voie de réquisition au-delà de l'âge de la retraite, sans compensation financière [1] : ils se ménagent.

L'absentéisme peut être simplement « une reprise de possession du temps par l'ouvrier qui en est dépossédé habituellement ».

Au Havre, le lundi de Pentecôte 13 mai, jour où les Allemands percent le front à Sedan, on compte à l'atelier Schneider d'obus de 105 81 travailleurs militaires absents sur 481, dont 31 sans permission ou sans excuse médicale, à quoi s'ajoute l'absence de nombreuses ouvrières :

> Les premières communions étaient le 12 mai, jour de Pentecôte, les ouvrières ayant l'habitude de fêter cette fête le lendemain, elles ont été profondément indisposées par le refus qui leur a été opposé d'une permission ce jour-là et se sont absentées sans permission [2].

L'ouvrier est convaincu de n'avoir pas beaucoup à risquer ni à perdre en manquant un jour ou deux. Le cas extrême est celui des dockers marseillais qui semblent travailler quand il leur chante ou quand ils ont besoin d'argent. L'absentéisme a, en tout cas, ses limites qui sont celles des ressources des familles. Il est, d'autre part, saisonnier : il revient à des taux plus normaux au printemps, quand le moral remonte. Dans les houillères du Centre, il se réduit au minimum en avril, lorsqu'une prime d'assiduité minière de trois francs par jour est attribuée et qu'un régime plus généreux d'allocations familiales entre en vigueur.

Les freinages, mythe ou réalité

Plus que l'absentéisme, resté inaperçu de l'opinion publique, en dehors du monde industriel, la police, les états-majors et la Commission de l'armée du Sénat incriminent les freinages à la production où ils voient un des signes les plus pernicieux de l'esprit révolutionnaire. Entre octobre 1939 et février 1940, la Sûreté et la gendarmerie font état de freinages occasionnels ou systématiques dans une douzaine de grandes entreprises métallurgiques ou mécaniques de Paris et de sa proche banlieue, principalement dans le secteur de l'aéronautique nationali-

---

1. Les mineurs retraités, renvoyés à la mine, touchent le salaire de mineur, mais voient le paiement de leur retraite suspendu.
2. Communication du procureur de la République et du député-maire du Havre (AN 307AP/110).

sée[1]. « Les freinages se font sentir dès qu'on dépasse les 40 heures »,
affirme le directeur de la police de Seine-et-Oise, à l'automne 1939 :
« tantôt des régleurs retarderaient la mise en marche des machines,
laissant les ouvriers d'exécution trop longtemps inoccupés, tantôt un ou
deux ouvriers ici et là s'emploieraient à ralentir des chaînes »[2].

Des exemples qui ne sont pas rares prouvent en outre que, dans les
usines, on n'aime nulle part l'ouvrier « trop avantageux au travail » ; il
arrive qu'on occasionne des pannes à sa machine. Le préfet de Seine-et-
Marne rend compte d'un curieux incident survenu le 1er décembre 1939
aux usines Delattre et Frouard, qui viennent de monter un atelier de
tournage d'obus[3] : un jeune noyauteur de seize ans y a été pris à partie,
sans raison apparente, en pleine usine, par un de ses camarades de dix-
sept ans qui l'a frappé violemment au visage et l'a jeté à terre où il aurait
continué à le rouer de coups sans l'intervention d'un contremaître.
L'agresseur, interrogé par le commissaire spécial de Melun sur ses
motifs, s'en est expliqué en ces termes :

> Je reconnais avoir exercé des violences sur Magne. J'ai été poussé à ceci
> par de nombreux camarades qui me disaient : « Vas-y, casse-lui la
> gueule ! » Tout le monde, même les femmes qui travaillaient dans mon
> atelier, en voulaient à Magne qui, mettant trop de zèle à son travail,
> fabriquait trop d'obus, obligeant les autres, en quelque sorte, à produire
> davantage.
> À la sortie de l'usine, toutes les femmes travaillant dans mon atelier et un
> grand nombre de mes camarades m'ont donné raison d'avoir corrigé Magne
> qui se rendait antipathique en raison du trop de zèle qu'il mettait à produire
> des obus, en trop grande quantité à notre sens.

Le recours aux voies de fait pour imposer une cadence ralentie est
exceptionnel, les pressions et les menaces ne le sont pas. Pourtant,
Dautry n'hésitera pas à dénoncer ce qu'il appelle le « mythe des
freinages ». Et il est vrai que dans la Seine, le panorama des fabrications
brossé, à la date du 12 mars 1940, par les ingénieurs de l'Armement, est
« rassurant » et contraste avec le tableau que la police d'État dresse du
département voisin de la Seine-et-Oise : les directions de Peugeot, de
Hotchkiss, de la Licorne, tout en soulignant que les ouvriers acceptent
de mauvais gré les heures supplémentaires au-delà de la 60e, et plus
difficilement encore si elles tombent le dimanche, affirment qu' « ils

---

1. Dans la Seine, aux automobiles Citroën et Voisin ; en Seine-et-Oise, aux pompes
Guinard et aux avions Marcel Bloch à Saint-Cloud, dans des établissements d'État tels que
les ateliers de Rueil-Malmaison et de Satory, à l'arsenal de Villacoublay, mais surtout dans
le secteur de l'aéronautique nationalisée, que ce soit à la « Lorraine » (S.N.C.M.)
d'Argenteuil sous les formes que l'on sait, ou dans trois des principales sociétés de cellules,
la S.N.C.A.N. à Sartrouville, la S.N.C.A.S.O. à Suresnes, la S.N.C.A.S.E. à Villacoublay.
2. SHAT 9N/362.
3. AN 2W/56.

comprennent leurs devoirs » ; l'état d'esprit est qualifié de très bon chez Latil, Saurer, Willeme, de bon chez Laffly, S.O.M.U.A., Delahaye et Citroën-Clichy, toutes entreprises qui fabriquent des véhicules militaires et des blindés ; en mars, les rapports des ingénieurs de l'Armement pour le district de Lille font état d'une production marchant à plein rendement et sans cahots : tableau qui s'accorderait mal avec des freinages entravant la production. Plusieurs patrons marquent explicitement qu'ils sont satisfaits des rendements :

> Aucun signe de lassitude au travail. La seule chose qui commence à se murmurer, c'est qu'on nous avait promis que la vie n'augmenterait pas en nous maintenant nos salaires de septembre et c'est le contraire qui se produit ; si cela continue à monter comme ça, d'ici peu, on ne pourra plus y arriver. Tout cela dit sur un ton amical et non agressif. (Taulette et Fils, 12 mars 1940.)

> Le travail s'est poursuivi courant février à 60 heures par semaine ; l'atelier où s'usinent les carters de chars a travaillé tous les dimanches. Les ouvriers ont accepté sans récriminations ce surcroît de travail.
> La mentalité est très bonne, la plupart des ouvriers travaillent avec beaucoup d'ardeur.
> Nous avons dû nous séparer de trois ouvriers qui semblaient obéir à une même consigne, faisaient preuve de grande négligence dans le travail, se livraient à des malfaçons inhabituelles, répondaient grossièrement aux contremaîtres. Ils étaient connus comme militants de l'ancien P.C.F. Leur départ a fait le meilleur effet[1]. (Société de constructions mécaniques de Stains.)

On retrouve ici la même différence de perspective qu'à l'égard des sabotages : les responsables de la production semblent négliger les freinages, alors que les chefs de personnel, les officiers de sécurité et les polices, tout à leur vision ponctuelle de la discipline, en verraient partout[2].

L'un des témoins les mieux informés est ici encore le directeur des fabrications dans l'industrie, Surleau. Il a exposé, lors de l'instruction du procès de Riom, que si les cas de freinage avaient été fréquents, « les effets de la propagande sur les cadences d'exécution avaient été limités »[3] ; des tentatives caractérisées furent signalées au service de

---

1. AN 2W/60.
2. L'incertitude sur la réalité et l'ampleur des freinages tient pour une partie au fait qu'ils sont un mode d'action clandestin, donc difficile à prouver. Des freinages dénoncés sont souvent imaginaires. Beaucoup de directions qui constatent des ralentissements avouent être incapables d'évaluer les retards imputables à la mauvaise volonté, à l'inexpérience, au manque d'encadrement, ou aux à-coups des approvisionnements. Même lorsque des freinages sont patents, leurs effets sur la production restent incertains, car les entreprises sont souvent hors d'état, pendant les premiers mois de la guerre, de déterminer, puis de contrôler valablement les cadences, en raison de la mise en route désordonnée des fabrications.
3. Témoignage confirmé par celui du Contrôleur général de l'armée, Jugnet, dont relevaient les services de sécurité de l'Armement (AN 2W/66).

sécurité de l'Armement grâce surtout aux informateurs placés parmi les ouvriers : elles purent ainsi être rapidement étouffées et leurs auteurs déférés à la justice. Un tract contenant des directives pour réduire le débit des usines fut découvert :

> Il précisait surtout des mesures secondaires ne pouvant éveiller l'attention sur leurs auteurs : absence de zèle, observation stricte des consignes et règlements d'ateliers, erreurs ou omissions pouvant paraître involontaires[1].

L'analyse des faits aujourd'hui connus corrobore le témoignage de Surleau. Les tentatives politiques de freinage traduisant une volonté de lutte contre la guerre sont restées étroitement circonscrites. Les dossiers de poursuites judiciaires pour freinage politique que la cour de Riom a archivés se réfèrent à des cas individuels sans incidences sérieuses.

Ce qui, en revanche, entraîne plus de monde, ce sont des ralentissements de protestation visant des objectifs immédiats et correspondant à des réactions d'humeur largement spontanées : on a enregistré, surtout en banlieue parisienne et dans le Nord, une première vague de ralentissements en octobre-novembre 1939, lors de l'application des « 45 heures pour le prix de 40 », comme si des ouvriers avaient souhaité n'en donner à l'État et aux patrons que pour leur argent[2] ; une deuxième vague, de la mi-décembre 1939 ou du début de janvier à la mi-février (ou au début de mars) 1940, semble concomittante avec les mécontentements — et la poussée d'absentéisme — de l'hiver.

D'une façon plus générale, l'accroissement de la production n'est pas proportionnel à l'accroissement du temps de travail. La fatigue y est pour beaucoup et il aurait été déraisonnable de croire que le rendement serait le même sur 10 heures que sur 8 ; toutefois, dans certains secteurs ou parmi certaines catégories de travailleurs, l'effort est en outre délibérément limité.

Les bons rendements des mineurs et des cheminots

Toute comparaison de rendement avec 1914-1918 est impossible, car même dans le cas de produits identiques, comme les explosifs et la plupart des munitions, les techniques ont évolué en vingt ans ; et si l'on se réfère aux années trente, il n'est pas simple de déterminer à quels niveaux des rendements cessent d'être « normaux » pour devenir « anormaux ».

Deux ensembles de secteurs font deviner des comportements très contrastés, les mines et les chemins de fer, d'une part, où les rendements

---

1. Témoignage de Jugnet (AN 2W/66).
2. Voir ci-dessus, pp. 250-254.

sont remarquables, en dépit de légères fluctuations, contrairement à ce que le fort absentéisme minier pourrait faire croire ; le secteur industriel d'État, d'autre part, où ils sont souvent très médiocres.

Les mines sont une des branches industrielles dont l'activité, quantifiée journellement, peut être évaluée de la façon la plus probante. À Blanzy, fief minier du parti socialiste, la production a augmenté de 30 % en 1939-1940 par rapport à 1938-1939, grâce à l'accroissement du nombre de jours ouvrés (+ 23 %) et à l'allongement de la durée quotidienne du travail (+ 12 %)[1]. Le passage de l'horaire quotidien au fond de 7 h 45 à 8 h 45 en septembre 1939 s'est traduit par un accroissement de l'extraction journalière par homme de 728 à 782 kg, soit de 7,4 %. Ce surplus de production est acquis au prix d'un fléchissement du rendement horaire moyen de l'ordre de 5,5 à 6 %, mais la direction ne s'en plaint pas : un rendement de 94 à 95 % sur 8 h 45 au lieu d'un rendement de 100 % sur 7 h 45 est un bon score.

À Decazeville, autre terroir de tradition socialiste qui ne s'est jamais distingué par sa docilité et où la grève a été totale le 30 novembre 1938, ceux qui sont présents travaillent d'arrache-pied après une tendance très nette à la limitation de la production en octobre et un fléchissement hivernal ; la mine atteint au début de mars 1940 des rendements qu'on n'avait jamais connus depuis des années : 1 500 tonnes par jour ; elle produit 1 600 tonnes en avril et atteint le 8 mai un maximum de 1 682 tonnes, que les ingénieurs envisagent aussitôt de porter à 1 820 tonnes[2].

Dans les houillères du Nord-Pas-de-Calais, les rendements de fond sont les meilleurs depuis 1936 ; ils culminent au dernier trimestre de 1939 en augmentation de 13,3 % sur le quatrième trimestre de 1938 et de 9,3 % sur le troisième trimestre de 1939. Ils fléchissent légèrement en 1940 (de 1 % au premier trimestre, puis de 2 % en avril et au début de mai). Encore ce fléchissement n'est-il pas général : si le président du Conseil d'administration d'Anzin souligne « des variations de rendement » en mars et avril[3] — ce qui est manifestement un euphémisme —, la progression se maintient aux mines d'Aniche : déjà les rendements au fond, calculés en moyenne annuelle, y avaient augmenté de 3 % de 1938 à 1939 et n'étaient plus qu'à 1,4 % au-dessous des maxima de 1935 ; ils s'élèvent encore de novembre 1939 au printemps de 1940, oscillant autour de 1,5 tonne par ouvrier et par poste fond, pour culminer en avril[4].

---

1. AN 92 AQ/27.
2. Rapports au Conseil d'administration (AN 110 AQ/256 à 259).
3. AN 49 AQ/6 (109 Mi/6).
4. Rapports de l'ingénieur en chef des mines sur la situation de l'industrie minérale dans le département du Nord, 1930-1940 ; rapports de l'ingénieur en chef des mines sur la situation de l'industrie minérale dans le département du Pas-de-Calais, 1930-1940 ; Cie des mines d'Aniche, rapports sur la marche de l'exploitation, 1938-1939 (DD 32, n° 7046) ; dossiers des mines d'Aniche, enquête sur les conditions actuelles de la production et du rendement dans le bassin, 1937-1943 (Archives de Lewarde).

Les bons résultats des charbonnages du Nord et du Pas-de-Calais pendant le premier semestre de 1939 avaient été dus au resserrement de la discipline et au retour, dans certaines mines, au système Bedaux d'organisation du travail et plus généralement du chronométrage ; ceux de la « drôle de guerre » le sont à l'allongement des horaires, au maintien au fond d'un personnel de maîtrise et de surveillance étoffé (1 pour 32 ouvriers), mais aussi à l'effort soutenu de la main-d'œuvre. On peut soutenir que la base ouvrière, qui avait reconquis sous le Front populaire la maîtrise de sa production, a été contrainte de s'incliner devant le retour à la rationalisation taylorienne. L'inexistence du freinage est néanmoins significative, car trois ans plus tôt, les mineurs surexploités avaient spontanément limité leurs cadences même quand leurs organisations leur demandaient un surcroît d'effort [1]. Les excellents rendements d'Aniche en avril 1940 (comme ceux de Decazeville) indiquent qu'ils ne sont pas figés dans une hostilité crispée. La production mensuelle des houillères du Nord-Pas-de-Calais aura retrouvé à la faveur de la guerre ses niveaux records de 1930 [2].

Autre exemple de conscience professionnelle, celui des chemins de fer. Si la police dénonce « une fermentation » dans les ateliers S.N.C.F. de la région parisienne ou du Nord et quelques distributions de tracts dans des dépôts, la masse des personnels de la voie, de la traction et des installations fixes se dépense sans compter [3].

Le 25 août 1939, l'État-Major a déclenché le dispositif de « Sûreté » et le 27 la mise en place de la *couverture* : ces mesures ont provoqué le transport en 48 heures de 1 100 000 réservistes entre leur lieu de résidence et les centres mobilisateurs, au moment même où les lignes du P.L.M. du Midi et de l'Ouest étaient surchargées par le retour des vacanciers. Après quoi, le décret de mobilisation entraîne, à partir du 2 septembre, le rappel de 1 500 000 réservistes. Parallèlement, l'évacuation des populations civiles bat son plein : 492 000 départs d'Austerlitz, davantage de la gare de Lyon ; l'évacuation de 365 000 Alsaciens-Lorrains mobilise 304 trains vers le Sud-Ouest. L'organisation et les personnels font face sans à-coups.

En 1914, on avait eu recours à 4 900 trains pour assurer la couverture et la mobilisation : en 1939, il faut 7 410 trains pour mettre en place le dispositif complet des forces armées ; en sens inverse, roulent 1 330 trains de repliement ; soit en 35 jours, 8 740 trains supplémentaires pour ces seules missions. Ces transports, d'une ampleur sans précédent, se font avec une régularité et une sécurité remarquables, bien qu'avec un personnel réduit : on déplore en tout deux accidents graves.

---

1. Cf. Aimée MOUTET, « La rationalisation dans les mines du Nord », *Le Mouvement social*, n° 56.

2. Il est encore moins question de freinage dans les mines de fer lorraines où le maître mineur est resté un professionnel qui a une haute idée de ses responsabilités. Cf. S. BONNET, *L'Homme de fer, passim*.

3. Cf. « La S.N.C.F. de septembre 1939 à juin 1940 » (Archives IHTP).

Pendant toute la « drôle de guerre », le trafic doit être assuré malgré l'immobilisation de près du quart des wagons accaparés par l'autorité militaire. Si l'on réduit les transports de voyageurs civils (leurs parcours journaliers moyens ne sont plus, en décembre 1939, que les deux tiers de ceux de mai), les transports de matériel et de marchandises ne cessent de progresser du fait de la carence des transports routiers et du démarrage des industries de guerre : de décembre à mars, le nombre des wagons chargés augmente de 10 % et, ce qui est plus astreignant, le tonnage kilométrique s'accroît de 40 % par rapport à l'année précédente. La S.N.C.F. crée des gares de permissionnaires, double des lignes et des raccordements, étend les triages, améliore les dessertes portuaires, accélère la rotation des wagons. Et elle accroît les obligations de service [1].

À partir du 10 mai, la campagne de Belgique et du Nord soumet les cheminots à plus rude épreuve encore. Le rappel des permissionnaires nécessite 600 trains ; 400 trains de troupes et 40 % de matériel sont mis en route vers la Belgique à partir du 10 mai au soir, souvent sous des bombardements violents, tandis qu'en sens inverse l'évacuation des réfugiés mobilise du 10 au 20 mai 456 trains sur la seule région du Nord. Le 18 mai, 624 trains, soit plus de 22 000 wagons, circulent à la fois pour alimenter le front en voie de constitution sur l'Aisne et la Somme. Les trois cents coupures de voies ferrées des dix premiers jours sont réparées en moins de 24 heures, presque toutes en moins de 6 heures. On ne signale pas de défaillances, on constate, au contraire, beaucoup de sang-froid et de dévouement.

Les chemins de fer et leur personnel sont un des atouts de la France en guerre.

Le travail décontracté des Nationales d'aéronautique

À l'opposé des mines et des chemins de fer, le secteur industriel de l'État offre l'exemple des moindres rendements et de cadences souvent relâchées. La synthèse faite en avril 1940 des rapports des missions de contrôle envoyées dans une quarantaine d'usines d'aviation conclut à la fois à la « persistance d'une organisation communiste clandestine », qui rendrait « les véritables meneurs, camouflés en ouvriers consciencieux, travailleurs et disciplinés, difficiles à repérer », et à « un freinage de la production favorisé par la nonchalance de la presque totalité des ouvriers et le manque d'autorité des cadres ».

> Dans certains ateliers, l'impression est celle d'un travail ordonné, mais nonchalant ; dans d'autres, c'est le laisser-aller complet. Nulle part, on n'a

---

1. Le ministre des Travaux publics, Anatole de MONZIE, qui ne se paie pas de mots, peut écrire dans ses carnets le 14 mars 1940 : « Je nourris ma dette de gratitude envers ces hommes du rail, de la mine et de la batellerie, qui dédient leur surmenage en offrande à la patrie » (*Ci-devant*, p. 201).

l'impression de travail intense qu'on s'attendrait à trouver chez les privilégiés qui travaillent au profit des combattants[1].

Cette affirmation est difficilement contestable, sans qu'il y ait besoin d'invoquer aucune espèce de complot clandestin. Depuis au moins 1935, l'inorganisation de la plupart des firmes aéronautiques a permis aux ouvriers d'y aménager leurs cadences.

Les firmes nationalisées en 1937 étaient, au moment de cette nationalisation, dans une situation si précaire que leurs directions avaient eu plus souvent tendance à étaler le travail qu'à le hâter. Puis la première phase de la nationalisation — jusqu'à novembre 1938 — avait vu s'imposer l'influence des délégués ouvriers qui avaient pris le pas sur la maîtrise. À en croire l'ingénieur de l'aéronautique Franck, nommé dans l'été 1938 directeur des fabrications de l'Air[2], « en bien des endroits, les délégués limitaient alors la tâche que devaient faire les ouvriers à un maximum que ceux-ci ne devaient pas dépasser sous menace de sanctions (...) À cette époque le travail était encore lamentable dans certaines usines : usine de la Nationale du Sud-Ouest (S.N.C.A.S.O.) à Châteauroux, où l'on voyait les ouvriers reprendre leur outil ou jeter leur cigarette au moment où l'on entrait dans l'atelier ».

Une « reprise en main » a eu lieu après la grève du 30 novembre 1938, mais il semble bien que les trois leaders les plus imaginatifs et les plus dynamiques du secteur nationalisé, Marcel Bloch (Dassault), Dewoitine et Potez, certains, au demeurant, que l'État paierait les factures en tout état de cause, aient jugé plus expédient de maintenir le dialogue avec les syndicats et d'entretenir un climat relativement détendu plutôt que d'imposer des rendements rigoureux. L'ingénieur en chef de l'aéronautique Boutiron, très critique à l'égard des nationalisations et très hostile à Marcel Bloch, a décrit dans ces termes le laxisme qui aurait été toléré jusque dans les premiers mois de guerre dans les ateliers bordelais de la S.N.C.A.S.O.[3] :

> Il y avait une sorte d'entente tacite, de consentement mutuel, en vertu duquel chacun respectait la tranquillité du voisin ou de l'inférieur (...). La bienveillance et la tolérance réciproques régnaient ainsi d'un bout à l'autre de l'échelle (...). Chacun, dans ces conditions, faisait le travail qu'il voulait. Le rendement général était donc extrêmement faible et le prix des fabrications de plus en plus coûteux.
>
> Il faut d'ailleurs rendre cette justice à tous que le travail était bien fait, généralement soigné, sauf par les débutants inexpérimentés. La conscience professionnelle n'était pas morte : elle n'était défaillante que sur le chapitre du rendement.

---

1. Témoignage à Riom du général Picard, ancien chef d'état-major de l'Air : AN 496/AP (4 DA 17, Dr. 3).
2. Témoignage de l'ingénieur en chef Pierre Franck : AN 496/AP (4 DA/14, Dr. 3).
3. Témoignage de l'ingénieur en chef Boutiron : AN 496/AP (4 DA/12, Dr. 3).

Si impressionnistes et passionnés que soient certains témoignages, les éléments concordants ne permettent plus de douter qu'il ait subsisté pendant la « drôle de guerre », dans l'aéronautique nationalisée, à côté de centres de haute productivité comme l'usine nantaise de Bouguenais, des zones de moindre effort, sinon d'inertie, où, indépendamment même d'influences communistes, s'est manifestée la propension d'une fraction de la main-d'œuvre à faire prévaloir ou à perpétuer ses normes, dans l'ignorance ou le mépris de tout souci d'urgence.

Les cadences de Roanne

Il en a été de même dans au moins une partie des arsenaux terrestres et des anciens établissements industriels de l'État. Ils nous sont connus surtout par l'exemple de Roanne, qui s'illustra par le plus grave échec industriel de la « drôle de guerre »[1]. L'immense arsenal de Roanne, créé à grands frais à partir de 1916 par le ministre socialiste de l'Armement Albert Thomas, qui avait voulu en faire un établissement modèle dans la paix comme dans la guerre, avait été réduit à la portion congrue au lendemain de l'armistice de 1918 jusqu'à n'occuper plus que 1 100 ouvriers constamment sous-employés ; il avait vivoté vingt ans avec un encadrement démoralisé, sans voir renouveler ses équipements. Le personnel passait pour difficile parce qu'il avait participé en décembre 1917 aux grèves du bassin de la Loire contre la guerre. Le syndicat cégétiste était dominé par une petite équipe de militants communistes, mais comprenait parmi ses adhérents une forte minorité socialiste révolutionnaire teintée de pacifisme. Le 30 novembre 1938, quatre ateliers groupant 35 % des 1 800 ouvriers de l'époque y avaient fait la grève des bras croisés. Cependant, au début d'octobre 1939, le syndicat exclut les membres communistes de son bureau[2]. À partir de la mobilisation, l'arsenal recrute de tous côtés pour porter l'effectif, dès la fin de novembre 1939, à 10 000, l'objectif ultime étant de 18 000. Or, non seulement la production ne démarre pas — on a vu pourquoi[3] — mais les rendements ouvriers stagnent désespérément : trop peu d'ingénieurs, des contremaîtres insuffisants et sous-payés, pas de régleurs de machines ni d'outilleurs, des O.S. novices, tout ce monde est pris dans une véritable organisation du travail au ralenti.

Le freinage est à l'arsenal un héritage de temps de paix. Pour compenser la faiblesse des salaires horaires, la direction a admis, depuis

1. Cf. Rapport du Contrôle général de l'armée, notamment du 5 février 1939 (SHAT 8N/116) ; Rapports et témoignages de Caudron : AN 2W/40 et 496/AP (4 DA/13, Dr. 2) ; Archives Dautry, AN 307 AP/110 et 307AP/137.
2. Sur les péripéties de cette exclusion, cf. A. ROCHE, *Des Roannais dans la Résistance 1939-1945.*
3. Cf. Iʳᵉ partie, chap. 5, pp. 79-82.

des années, que les « devis », c'est-à-dire l'évaluation des temps nécessaires pour faire un travail, soient majorés artificiellement afin de permettre aux ouvriers faisant le travail le plus rapidement de toucher un boni. Depuis des années, il existe une entente entre les ouvriers tendant, pour chaque travail, à assurer à tous un boni moyen de 20 à 30 %, « boni à atteindre, mais à ne pas dépasser pour ne pas risquer de provoquer une diminution du devis qui mettrait en difficulté les ouvriers les moins habiles »[1]. Ainsi s'est développée une forme anti-économique de la solidarité ouvrière. « Sur la pression du personnel, la maîtrise a pris l'habitude d'assurer à chacun le même boni », calculé non pas selon le travail réalisé, mais selon le grade administratif des intéressés. « Il en a toujours été ainsi », note un contrôleur de l'armée. Il en est résulté « un état d'ankylose léthargique volontaire et organisée de toute la main-d'œuvre ». On s'en est accommodé jusqu'à la guerre. « Aller au pas de l'arsenal » signifiait ne pas se presser. Cet état de fait conduit les ouvriers à statut et les syndicats à pratiquer, lors des embauchages massifs de l'automne 1939, une politique à la fois corporatiste et malthusienne tolérée par les directions, qu'un enquêteur spécialiste d'organisation et de méthode résume de la façon suivante :

1. Maintenir tous les privilèges accordés aux ouvriers d'arsenaux concernant le recrutement (...).
2. Maintenir, d'une façon systématique, les différences de salaires entre anciens et nouveaux ouvriers et éviter, par tous les moyens possibles, la montée des rendements individuels. Pour arriver à ce résultat, on n'hésite pas à expliquer aux femmes et aux ouvriers travaillant normalement, qu'ils ne doivent produire que pour la paye qu'on leur donne.
Au cours de notre visite, une ouvrière qui avait sa machine arrêtée nous a avoué qu'on lui avait dit que, ne gagnant que 4,65 F l'heure, elle devait tourner proportionnellement moins d'obus qu'un ouvrier qui gagne 6,25 F. Comme lesdits ouvriers travaillent au ralenti, elle n'avait d'autre moyen que d'arrêter son travail une bonne partie du temps.
3. Faire affecter les femmes aux travaux les plus durs. À Roanne, les femmes travaillent sur de vieux tours exigeant un travail pénible de montage, tandis que les hommes sont sur des tours pneumatiques qui leur laissent des temps de repos quatre fois plus importants que les temps de travail. (...)
5. Au cours des chronométrages (qui sont généralement faits par des sympathisants qui ignorent les éléments du métier), les ouvriers titulaires modifient et prolongent les opérations et réussissent ainsi à faire établir des devis qui sont deux fois plus élevés que nécessaire.

Les confirmations pointillistes abondent. En février 1940, un soldat d'une compagnie de renforcement affecté à Roanne écrit dans une lettre arrêtée par la censure :

1. De même, à l'atelier d'artillerie de Puteaux, une entente entre les ouvriers avait imposé qu'il n'y ait pas de boni de plus de 20 à 25 %. « Les ouvriers habiles étaient tenus de prolonger leurs tâches d'exécution jusqu'au niveau de l'ouvrier moyen sinon médiocre. » Ainsi, les ingénieurs ont signalé des cas fréquents de machines tournant à vide (commission Serre, rapport général, t. II, p. 226).

Comme c'est l'armée ici, c'est aussi la salade et je t'assure que les ouvriers sont loin de se fouler le pied au travail ; pour un oui, pour un non, ils arrêtent leur machine et causent avec nous facilement une demi-heure.

D'autres notent que les seuls ouvriers qui travaillent plus vite sont de nouvelles recrues que l'on n'a pas eu le temps de mettre au pas, ou qui s'obstinent à vouloir toucher la prime maximale.

En mars, un technicien s'adresse directement au ministre :

> Pour le moral de la Loire, il faut effacer la tache que présente l'aimable anarchie de l'arsenal, animé du fameux système D, hélas trop insuffisant dans la mécanique moderne.
> Écœuré de ce que j'ai vu, je me suis fait porter volontaire dans une unité combattante.

Le freinage institutionnalisé de Roanne est avant tout professionnel ; il vise à maintenir les privilèges d'une élite ouvrière sous le regard d'une maîtrise qui n'intervient pas. S'il exprime une opposition à un système de production routinier ou une prise de distance à l'égard de la guerre, c'est de surcroît[1] : « Ne t'en fais pas, tu as tout ton temps ! » La phrase, enregistrée à Roanne comme à la Manufacture nationale d'armes de Saint-Étienne, illustre un état d'esprit[2]. Mais il n'est pas question ici de se permettre des malfaçons comme à la S.N.C.M. : la qualité d'ouvrier de l'arsenal implique des responsabilités, le personnel en est conscient. Le principal enquêteur « organisation et méthode » délégué par l'Armement, quoique très sévère pour le syndicat local, témoignera à l'instruction du procès de Riom, de la valeur de cette main-d'œuvre :

> On a incriminé l'esprit révolutionnaire des ouvriers pour expliquer les déficiences constatées ; je dois dire que les quelques satisfactions que j'ai pu avoir pendant les huit mois de guerre viennent de ces ouvriers. Chaque fois qu'ils ont été commandés par des hommes connaissant leur métier, les ouvriers français ont donné la preuve qu'ils étaient les meilleurs ouvriers du monde et que leur patriotisme était au-dessus de tout éloge[3].

1. Les résultats récents de la recherche psychosociologique concordent avec nos conclusions sur Roanne : « Le freinage peut ne viser aucun but précis, mais simplement vouloir signifier une orientation globale : marquer une opposition au système de production. Toutefois cette expressivité est donnée en sus : le freinage vise toujours des objectifs immédiats. Buts économiques... buts organisationnels... buts professionnels... rapports à la santé et au corps... rapports à l'encadrement... rapports au groupe de travail... » (Pierre DUBOIS, « Les enjeux des comportements ouvriers de freinage », communication au Congrès mondial de sociologie d'Upsal, 1978).
2. Cf. cet extrait d'une lettre d'un ouvrier qualifié de la Manufacture nationale d'armes de Saint-Étienne : « Il y a deux mois, des calibres furent établis pour forger la culasse du fusil modèle 36. Lorsque lesdits calibres furent terminés, un dessin qui avait été envoyé à la manufacture Ménard d'armes et de cycles pour étude de prix d'usinage revint modifié, à juste titre du reste. Il a fallu recommencer tout. " Ne vous en faites pas, a dit le contremaître à l'ouvrier, vous avez votre temps. " (Jusqu'ici on a forgé ces pièces dans la masse, forger ces pièces à l'usinage reviendrait de 30 à 40 % meilleur marché). Quand les calibres furent terminés, ils sont restés trois semaines pendus à un clou » (AN 307 AP/110).
3. Témoignage de Caudron : AN 496 AP (4 DA/13, Dr. 2).

Toute extrapolation est impossible, vu la diversité des situations. Le freinage n'est en tout cas pas le privilège des établissements de l'État, même s'il y a trouvé un climat favorable.

Trois traits ressortent de cette enquête :

1. Le freinage apparaît comme un phénomène d'inspiration complexe. La protestation qu'il exprime ne fait souvent que prolonger le refus des « cadences infernales », fréquent dans les années 1936-1938, ou tendre à perpétuer des « acquis sociaux » quelquefois abusifs ; il arrive aussi qu'il constitue, au même titre que l'absentéisme, une des formes de la difficile adaptation — ou de la résistance larvée — à la semaine de 60 heures et au sous-paiement des heures supplémentaires. Il est probable qu'il n'aurait pas pris des formes extrêmes, là où les conditions le favorisaient, s'il n'avait été sous-tendu par le désir de répliquer à l'exclusion sociale accrue dont les ouvriers en guerre sont l'objet. Aux foyers assez nettement circonscrits de freinage caractérisé s'ajoutent des zones plus largement réparties de quasi-freinage, c'est-à-dire de si faible zèle qu'il s'y apparente. Ainsi le phénomène est-il largement social et typiquement ouvriériste, même si des communistes ou des « gauchistes » l'ont parfois encouragé et poussé à l'extrême.

2. Dans la mesure où il entraîne une participation réduite à l'effort de guerre, il faut admettre cependant qu'il a, même sous ses formes atténuées, un sens ou une connotation politique. La tendance au moindre effort, qu'elle soit individuelle ou concertée, peut traduire, de la part de militants, leur rejet de la guerre, mais elle révèle plus simplement chez beaucoup d'autres le manque de conviction, le fait qu'à l'instar de tant de Français d'autres catégories sociales, « ils n'y croient pas », ou du moins pas assez pour faire abstraction de leurs intérêts personnels ou catégoriels.

3. Sur le plan de l'efficacité, les faits confirment l'optimisme de Dautry et de Surleau : le freinage, nullement mythique, fréquent, significatif, n'aura été qu'un facteur marginal de sous-productivité des armements. Inégalement réparti selon les régions et les branches industrielles, il est resté une forme d'action minoritaire, rare dans des entreprises privées fortement organisées et encadrées comme Renault, dont la direction ne s'est jamais plainte des rendements[1].

Un immense effort, une adhésion mitigée

Le monde ouvrier en guerre mêle ainsi de façon subtile le consentement et le refus ; tous les degrés de l'adhésion s'y sont conjugués avec

---

1. Il est caractéristique que les industriels appelés à témoigner à l'instruction du procès de Riom n'aient pas incriminé l'insuffisance des rendements de leurs personnels pendant la « drôle de guerre », alors qu'ils n'ont pas tari de critiques sur les comportements ouvriers de la période 1936-1938.

des formes variées de réticence. Le fait essentiel est que, malgré sa rétraction, la classe ouvrière s'est montrée loyaliste — même si ce fut dans certains cas par force — et que sa contribution a été immense : aucune fraction de la population civile, si ce n'est les agriculteurs privés de leur main-d'œuvre, et aucune fraction des forces armées, mis à part la troupe de certaines unités d'élite, n'aura été soumise à des exigences comparables, n'aura travaillé autant ni si continûment. Cet effort a été accompli sans fortes motivations, souvent avec une remarquable conscience professionnelle, souvent sans ardeur et quelquefois sans zèle, au point de faire entrevoir de larges zones de laisser-aller ou de repli égoïste comme on en observe dans toutes les strates de la société de l'époque ; il s'est poursuivi cependant sans résistance ouverte et moyennant des résistances occultes limitées, en dépit des mécontentements.

Consentements tempérés, adhésions réticentes : refus partiels plus symboliques qu'efficaces. On touche ici au cœur des ambiguïtés de la conscience ouvrière devant la guerre. Dans cette période, comme Étienne Dejonghe l'a montré en étudiant les populations du Nord[1], le *national* et le *social* s'opposent. Sans doute ce dualisme est-il plus sensible dans une région frontière qui a subi l'occupation de 1914 à 1918 et où le *national* prime plus spontanément qu'ailleurs ; mais il semble bien que le *national* prime également sur la vision internationaliste d'une Europe dominée par la lutte des classes. Le monde ouvrier français est dans l'ensemble antihitlérien, ce qui ne l'empêche pas de nourrir une méfiance largement répandue pour l'Angleterre et la Cité de Londres. Il supporte mal l'idée d'une collusion de l'U.R.S.S. avec l'Allemagne nazie, c'est une des raisons du peu de succès de la propagande du P.C.F. alors pourtant que beaucoup d'ouvriers sont perméables à la critique sociale que développent ses militants. Des communistes engagés eux-mêmes n'échappent pas à l'ambiguïté de leur propre propagande dans la mesure où elle conteste la justification de l'effort de guerre : plus d'un reste fidèle à la logique antifasciste en même temps qu'aux slogans traditionnels qui veulent qu'un bon communiste soit un bon ouvrier. La contradiction ne se dénouera qu'en 1941, lorsque l'U.R.S.S. se retrouvera dans la guerre.

Ce constat invite à s'interroger sur le patriotisme ouvrier. On se bornera à deux remarques.

La persistance de l'imprégnation patriotique transparaît dans la désapprobation gênée ou scandalisée qui, en dehors des cercles de « moscoutaires », aurait accueilli dans les usines la désertion de Maurice Thorez, à en croire des témoins, ingénieurs et ouvriers peu suspects de passion anticommuniste.

---

1. É. Dejonghe, « Les communistes du Nord et du Pas-de-Calais de la fin du Front populaire à 1941 », dans J.-P. AZÉMA, A. PROST, J.-P. RIOUX, *Les Communistes français de Munich à Châteaubriant*, *o.c.*, p. 224.

Plus probant est « l'admirable élan qui jeta les ouvriers au travail lorsque, le 10 mai étant venu, ils eurent enfin, comme tous les Français — mais trop tard comme presque tous les Français —, compris »[1].

1. La phrase est empruntée à la conclusion d'une étude rédigée pour Dautry par le conseiller d'État Jean Toutée, responsable des problèmes sociaux et du travail au ministère de l'Armement (AN 307AP/22).

9

Le sursaut de mai

Pour l'industrie comme pour les armées, l'offensive allemande de mai 1940 change la guerre : il faut produire au maximum pour combler les manques puis pour compenser la perte de la Belgique, du Nord et des armées volatilisées.

Un front qui ne fléchit pas

Le 10 mai, avant la fin de la matinée, Dautry téléphone aux États-Unis pour demander 150 000 tonnes d'acier par mois en remplacement de l'acier belge ; dès l'après-midi, il saisit le comité du *shipping* de Londres, pour en obtenir le transport dans les 48 heures. La réponse américaine arrive le 19, inespérée : les États-Unis fourniront 170 000 tonnes d'acier en juin, 500 000 tonnes en juillet.

Le 23 mai, Londres promet, de son côté, 150 000 tonnes d'acier pour juin, au lieu de 50 000 prévues, et 250 000 tonnes pour juillet.

Le 4 juin, la mission envoyée par l'Armement le 18 mai aux États-Unis s'assure la livraison de 250 000 obus de 75 au bout de six semaines, de 2 000 000 par mois au bout de trois mois, ainsi que la cession de 1 000 canons de 75, de 1 000 000 d'obus et de 10 000 mitrailleuses prélevées sur les stocks de l'armée.

Simultanément, on a donné l'ordre de sauver tout ce qui peut l'être de l'industrie des régions envahies. On évacue de Belgique l'appareillage, les plans des pièces, les descriptions de procédés et 5 trains de matières premières d'un groupe chimique ayant un équipement difficile à reconstituer pour la production de chlorydrine d'éthylène et de glycol. Les usines Cail, à Denain, produisent 50 % des blindages de chars S.O.M.U.A., 24 % des blindages de chars Hotchkiss, 40 % des tourelles de tous les chars. Denain reçoit 200 bombes le 13 mai. Ordre d'évacuer est téléphoné le 16. Sans attendre l'arrivée de 200 camions envoyés de Paris, ouvriers et soldats chargent sur un train, sous des bombardements constants, dans une région où le trafic ferroviaire est stoppé, 80 carcasses de S.O.M.U.A., 250 tourelles de chars et des tubes lance-torpilles. Le train déraille, tout tombera aux mains de l'ennemi[1].

Un mois d'angoisse où surgit le spectre de la défaite, où sévit par bouffées la peur du parachutiste et de la cinquième colonne, où *Le Matin* et *Gringoire* dénoncent imperturbablement le péril rouge, où la poigne de Mandel s'abat enfin sur les « ennemis de l'intérieur » ; un mois qui, dans ses débuts, a été marqué par des symptômes de subversion, avec l'amorce de grève de l'usine Capra à La Courneuve, le 8 mai, la manifestation contre la guerre des travailleurs militaires de la poudrerie d'Angoulême le 10, et le sabotage des usines Farman suivi de l'arrestation du petit Rambaud et de ses complices le 12.

Cependant, à partir du 15 mai, le monde ouvrier étonne par sa docilité ; passé le 20, la police ne signale plus d'agitation communiste dans les usines : tout au plus quelques graffiti pacifistes chez Citroën. Le P.C.F. a-t-il fait savoir dans les usines que la guerre était maintenant une guerre nationale ? Rien ne l'indique. Le 17 encore, *L'Humanité* clandestine réclame « un gouvernement de paix s'appuyant sur les masses populaires », et, le 24, elle dénonce les responsables du désastre et les nouveaux ministres, ces « malfaiteurs qui dominent le pays » et qui, si on les laisse faire, « l'entraîneront vers de nouvelles et plus terribles catastrophes ». Est-ce le risque d'être envoyé au front qui assagit les ouvriers indociles ? Sûrement. Mais il semble surtout que les masses ouvrières ressentent leur solidarité avec ceux qui se battent ou qu'elles perçoivent, comme en 1918, qu'il n'est pas de leur intérêt que l'Allemagne gagne la guerre[2].

Un mois de combat pendant lequel, à l'arrière, le « système D » s'efforce de court-circuiter les « routines-freins » et où l'énergie cherche à galvaniser les nonchalants. La bureaucratie militaire reste aussi lente, l'administration des finances aussi tatillonne, l'administration des postes aussi consciencieuse. La population est dans l'attente, égoïste ou généreuse, tantôt accueillant les réfugiés, tantôt les exploitant. Un ingénieur de l'armement rapporte d'une tournée dans les usines de guerre du Centre-Ouest des impressions curieusement contrastées[3] :

> *Tulle.* J'ai trouvé le chef de détachement (de l'armement) en pleine crise de papier, occupé nuit et jour à répondre aux demandes de renseignements pleuvant sur lui de tous les côtés. Brave type mal dégourdi et abandonné. Son chef de bureau venait de partir en instance de démobilisation (employé de banque, classe 1912).
>
> *La Marque.* J'ai eu une conversation avec le directeur de cette importante usine qui m'a signalé surtout l'absence totale de D.C.A. à Tulle et le manque total de la région à ce sujet. Quelques vieilles mitrailleuses

---

1. AN 307 AP/89 A.
2. Cf. J.-J. BECKER, *Les Français de la Grande Guerre*, pp. 280-281.
3. Rapport confidentiel à M. le ministre de l'Armement (AN 307 AP/107).

pratiquement inutilisables constituent toute la défense, tant pour la Manufacture d'armes que pour La Marque et la ville occupant entre elles deux vallées resserrées et très vulnérables. La répercussion morale sur le personnel, augmentée par les alertes et la propagande communiste — qui aurait le champ assez libre — est déplorable.

Montluçon. Dimanche aussi férié qu'un autre. Impossible de trouver un mécanicien ou un garage pour une petite réparation urgente. La foule est tranquille aux terrasses des cafés. Elle voit des réfugiés en voitures de tourisme. Elle comprend mal et ne réagit pas du tout.

Bourges. M. Billant, qui charge 8 000 obus de 25 par jour et s'outille pour en charger 10 000 de plus, me montre une lettre de son percepteur en date du 15 mai, qui lui réclame 460 000 francs sur les bénéfices de guerre 1914-1918. Il perd son temps à rediscuter des querelles fiscales qui se sont développées sur vingt ans. Qu'il ait eu tort ou raison, il a soixante-dix ans et charge des obus : qu'on lui fiche la paix !

Partout des plaintes, le plus souvent justifiées et qui se ramènent à ceci : pas de coordination dans les efforts, d'où perte énorme de temps, de substance et de moral. Les mêmes renseignements demandés de dix côtés différents et sous des formes différentes (par exemple les statistiques journalières)... Par ces méthodes, on organise l'embouteillage.

Chacun note et déplore ces erreurs, mais personne n'agit pour les redresser. Ataxie générale sur ce point : faiblesse des dirigeants, résignation des cadres (« Nous ne sommes qu'un grain de sable dans cette énorme machinerie, donc tenons-nous tranquilles ! ») et insouciance de la foule.

L'auteur du rapport conclut en soulignant « la faiblesse des directions locales, l'hypertrophie du centre : il manque toujours trois ou quatre inspections régionales fortement menées ». Il en fait le schéma et demande à aller « conduire un char d'assaut, ce qui peut être actuellement plus utile que de moudre du vent... ».

Un immense effort productif

Cependant, sur le front des usines — front que l'opinion publique et les journaux ignorent — on travaille comme on n'a jamais travaillé depuis le temps de la bataille de Verdun.

L'effort imposé aux ouvriers est gigantesque. La journée de travail est portée à onze heures dans les usines d'armement, à douze dans l'aéronautique, à raison de sept jours par semaine ; en compensation, le gouvernement se décide à supprimer le prélèvement sur les heures supplémentaires au-delà de la 60e heure. La direction de la S.N.C.A.S.O. (ex-usines Marcel Bloch) de Villacoublay renâcle : impossible d'exiger plus de onze heures par jour d'un personnel surmené et que les autocars ramassent à 6 h du matin aux portes de Paris et y déchargent à 8 h du soir : sur injonction ministérielle, la S.N.C.A.S.O. passe, le 23 mai, aux douze heures quotidiennes [1].

Chez Renault, les « équipes doublées » travaillent dix heures pendant

1. SHAT 39 N/362.

AVIS Nº 497

Comme suite aux instructions du Ministère de l'Armement, le Personnel des Usines est informé que les horaires de travail sont modifiés comme suit à dater du <u>Dimanche 26 courant au soir</u> :

ÉQUIPE NORMALE : 7 heures à 12 heures
                                    13   —   à 19 heures

Jusqu'à nouvel ordre cet horaire s'appliquera 7 jours par semaine, c'est-à-dire Dimanche compris.

ÉQUIPES DOUBLÉES :

ÉQUIPE DE JOUR   { 7 heures à 12 heures
                                    13 heures à 19 heures 30

ÉQUIPE DE NUIT   { 19 heures 30 à 24 heures
                                    24 heures 30 à 6 heures

Les changements d'équipe se feront chaque semaine :

L'équipe de nuit terminera son travail le Dimanche matin à 6 heures et reprendra le Lundi matin à 7 heures.

L'équipe de jour terminera son travail le Samedi soir à 19 heures 30 et le reprendra le Dimanche soir à 19 h. 30.

La demi-heure de casse-croûte sera payée aux équipes de nuit.

Ce nouveau régime de travail est applicable à tou'e la maîtrise et à tous les collaborateurs des ateliers ainsi qu'à tous les services travaillant avec les ateliers.

En ce qui concerne l'horaire de travail des femmes travaillant par roulement le changement d'équipe se fera même la semaine ou effectivement elles ne travailleront pas, exemple :

Iʳᵉ semaine : JOUR   3ᵐᵉ semaine : JOUR (mais repos)
2ᵐᵉ semaine : NUIT   4ᵐᵉ semaine : NUIT
                    et ainsi de suite.

Les exceptions à ces règles seront communiquées aux intéressés par les Chefs de Service et de Département.

LA DIRECTION.

Chez Renault, fin mai 1940, la journée de onze heures et demie six jours par semaine (AN 31 AQ/15).

leur semaine de nuit, onze heures trente quotidiennes pendant leur semaine de jour[1] : on est revenu au régime de 1916. Plus de repos hebdomadaire : les usines de guerre fonctionnent à plein les dimanches 19 et 26 mai ; le 19, les absents dans le département de la Seine ne dépassent pas 0,5 %, ostensiblement malades ou exténués, surtout des femmes, taux minime, sans précédent depuis l'entrée en guerre. Sur un effectif cumulé de 20 000 salariés industriels, dont ceux de Citroën-Javel et Citroën-Clichy, 7 au total déclarent explicitement ne pas vouloir ou « ne pas avoir envie de travailler le dimanche » et sont sanctionnés. Les ouvriers ne sont autorisés à souffler qu'après vingt jours, le dimanche 2 juin. « Jusqu'au 10 mai, ils n'ont rien foutu », commente le chef du bureau de l'armement du ministère de la Guerre ; « depuis le 10 mai, ils ont compris ; maintenant, ils travaillent trop, on a peur qu'ils se crèvent ! »[2]. À la S.N.C.M. d'Argenteuil, où l'on a battu les records du je-m'en-fichisme, on produit 100 moteurs d'avions en mai contre 25 en mars.

Le rendement de la deuxième quinzaine de mai est qualifié de « formidable »[3]. Toutes les courbes de production sont en forte hausse. Elles exagèrent la tendance car elles prennent en compte des rattrapages ; l'accroissement des fabrications aéronautiques est dû, pour une large part, à une montée en charge des chaînes qui était antérieurement programmée. Mais les résultats sont là. Gnôme et Rhône et les usines utilisant ses plans atteignent, en mai, le record de 1 000 moteurs d'avions fabriqués contre 225 en septembre et 370 en décembre[4], ce qui n'empêche pas la maison mère du boulevard Kellermann de faire passer en outre sa production de motocyclettes militaires de mai de 10 à 25 par jour. L'industrie aéronautique aura « sorti » pendant le mois autant de chasseurs que les Allemands.

L'état communiqué à Paul Reynaud des matériels terrestres produits du 10 mai au 27 au soir a été conservé[5] : il mentionne 299 canons de 25 (dont 282 de D.C.A.), 96 canons de 75 (dont 36 de D.C.A.), 117 canons antichars de 47 (autant que pendant tout avril), 43 chars S.O.M.U.A., 227 chars légers (soit deux fois plus que pendant le meilleur mois) et 50 chars lourds B1 *bis,* alors qu'on a prévu pour ces derniers une production de 36 en juin et de 50 en juillet.

Le commentaire adressé au chef du gouvernement souligne que :

l'augmentation des heures de travail, l'exaltation patriotique ont porté les cadences à un taux qui n'avait encore jamais été atteint ; la fabrication des 25 anti-aériens s'est élevée de 10 à 20 par jour, celle des munitions de ce matériel de 10 000 à 20 000.

1. AN 91 AQ/15.
2. Cf. général LAFFARGUE, *Justice pour ceux de 1940 !,* pp. 222-223.
3. Général ROTON, *Années cruciales,* p. 46.
4. Gnôme, *Gnôme et Rhône, S.N.E.C.M.A., des moteurs rotatifs aux turboréacteurs,* S.N.E.C.M.A., 1986.
5. AN 307 AP/22.

En ce qui concerne les chars, la fabrication ira en croissant, sauf pour les S.O.M.U.A. dont la chaîne est durablement touchée par la perte de la métallurgie du Nord.

Le satisfecit exigerait quelques nuances : pour les chars, les sorties effectives des chaînes ne dépassent pas, sur l'ensemble de mai, les excellents scores de mars [1] : le complément vient de l'achèvement ou de la mise au point de matériels en attente. Mais grâce à ces énormes livraisons et aux matériels de réserve, l'État-Major aura réussi à mettre sur pied, entre le 10 mai et le 15 juin, de nouvelles unités blindées groupant 476 chars dont 152 B1 *bis* [2].

Dans un pays bousculé par l'invasion, la production se sera accrue d'un mois sur l'autre de 9 % pour les antichars de 25 et les mitrailleuses, de 11 % pour les fusils-mitrailleurs, de 22 % pour les mitrailleuses anti-aériennes de 20, les canons de D.C.A. de 25 et les chenillettes, de 28 % pour les canons de 47 de chars et les 75 anti-aériens, de 76 % pour les canons de 37 nouveau modèle [3]. Il n'est pas sûr que le rythme de travail se soit accéléré, mais quand on demande aux ouvriers un coup de collier, ils le donnent.

Citroën, sérieusement bombardé le 3 juin, déblaie ses décombres et se remet au travail. Les usines Renault se surpassent. De 4 moteurs de chars par jour en mai, elles atteignent 5 le 1er juin. Le 4, l'Armement leur demande 120 supports de mitrailleuses pour le lendemain matin ; la fabrication est aussitôt mise en route, livrée à l'heure dite, et François Lehideux fait poursuivre la production au rythme de 50 à l'heure jusqu'à concurrence de 2 000 : ce n'est, chez Renault, qu'une fabrication parmi d'autres [4].

L'urgence pousse à des improvisations qu'on aurait souhaitées moins tardives. Certaines sont dérisoires. Autour du 20 mai, Dautry convoque en séance extraordinaire le comité exécutif de l'Institut de la recherche appliquée à la défense nationale « en vue de rechercher le moyen d'arrêter les chars ennemis » [5]. « Il s'agit, explique-t-il, de trouver, et ce dans la soirée même (...), un procédé comparable à ceux qu'ont mis en œuvre les *dynamiteros* dans la guerre d'Espagne et les soldats finlandais contre les chars russes... »

1. Il faut, en effet, comme pour les avions, distinguer plus soigneusement que pour tout autre mois les chiffres de matériels *sortis* et de matériels *expédiés*, ces derniers prenant en compte des engins déjà produits et en attente de finition ou d'armement. Ainsi, pour 293 chars sortis *en mai* (d'après Happich), et peut-être seulement 245 (chiffres Dautry), les usines ont pu en expédier déjà 513 ; de même pour 350 chenillettes effectivement fabriquées, elles en ont livré 509 (cf. commission Serre, *o.c.*, p. 1755).

2. AN 496 AP (4 DA/20, Dr. 5).

3. D'après les chiffres du service statistique de l'armement, juin 1940, annexe à la déposition de Dautry, AN 496 AP (4 DA/16, Dr. 5).

4. AN 91 AQ/21.

5. SHAT 2N/140.

Sur la recommandation du comité, le ministère de l'Armement lance aussitôt la fabrication de pétards explosifs dont la distribution commencera le 6 juin.

Improvisation plus efficace, celle des canons automoteurs. La guerre de mouvement prouve combien ils seraient utiles : le malheur est qu'il n'y en a pas en fabrication. Le général Picquendar, directeur de l'artillerie, et le colonel Rinderknech, chef de la section Armement de l'État-Major de l'armée, en ont découvert, le 17 mai, un prototype facile à produire, en attente de commandes depuis des mois aux usines Laffly : il consiste en un canon de 47 porté par un tracteur tout terrain à six roues motrices, avec une protection de tôles d'acier. Ce « chasseur de chars » improvisé sort à partir du 24 mai à raison de cinq tous les deux jours. Les mécaniciens de Laffly apprennent aux conducteurs à manipuler l'engin. La première batterie engagée détruit, à l'est d'Amiens, du 5 au 7 juin, 18 blindés ennemis [1]. Le 9 juin, la Marine livre à l'Armement 75 canons de 75, 32 canons de 76 japonais et 75 canons de 37 pour qu'on en fasse des automoteurs de fortune [2].

La production dans la débâcle

Malgré les difficultés d'approvisionnement, l'industrie reste, dans la première décade de juin, le secteur le plus solide du front de défense. Les ateliers poursuivent le montage des matériels à mesure qu'ils reçoivent les pièces et les livrent aussitôt terminés. Il ne dépend pas d'eux qu'ils soient utilisés. Le 10 juin, à Bourges, l'armée n'a pas encore pris possession des nombreux canons de 47 achevés depuis plusieurs semaines, ni l'armée de l'air à Toulouse des avions Dewoitine qui s'entassent. Quantité d'armements tomberont intacts aux mains des Allemands : sur le terrain d'Issy-les-Moulineaux, 70 avions Goéland sans train d'atterrissage, que le ministère de l'Air n'a pas cru devoir donner l'ordre de détruire [3], au camp de Cercotte, 1 500 camions Renault dont l'armée n'a pas voulu prendre possession parce qu'ils manquent d'un avertisseur sonore à l'arrière [4], et bien d'autres..., pour ne pas parler des 600 blindés neufs (?) capturés à Gien par l'armée allemande [5].

Dautry s'est replié dans la nuit du 10 au 11 juin au sud de la Loire, après avoir ordonné de déménager le maximum de machines et de faire

1. DE LOMBARÈS, RENAULD, BOUSSARIE et GUILLAUME-LABARTHE, *Histoire de l'artillerie*, Paris, Lavauzelle, 1984, p. 309 ; P. LE GOYET, *Le Mystère Gamelin*, pp. 92-93.
2. AN 307 AP/107.
3. F. PICARD, Carnets inédits, pp. 88-89.
4. Entretien avec François Lehideux.
5. La capture de « 600 chars neufs » au dépôt de Gien, le 18 juin 1940, est attestée par le compte rendu d'activité du groupement von Kleist et par un communiqué de l'armée allemande. Mais le général Keller, inspecteur des chars, a affirmé, au procès de Riom, qu'il s'agissait de chars en réparation fraîchement repeints.

partir, même à bicyclette, les affectés spéciaux. L'abandon de Paris n'abat pas son énergie. Il fait les 11 et 12 juin la tournée des usines du Centre et dresse le bilan des ressources. Gnôme et Rhône a réussi à évacuer une grande partie de ses machines — dont on a perdu trace. Beaucoup d'ouvriers et la plupart des cadres industriels ont pris la route, obéissant aux ordres ou cédant à la peur : on commence à les récupérer au sud de la Loire. Dans le désarroi général, beaucoup dépend de l'exemple donné, de la fermeté des ordres. Les établissements d'armement de Bourges sont en pleine production, de même que la puissante usine de guerre de la S.A.G.E.M. à Montluçon. À Salbris, où l'on a tant lanterné, on bat des records de vitesse pour monter les chars. Cadres et ouvriers « étaient prêts à tout », dira Dautry :

> La France était maintenant au travail. La défaite ne l'avait pas abattue. Elle s'était au contraire ressaisie et travaillait magnifiquement (...). Le pays, au tréfonds de son âme était sain et capable, si on le lui demandait, de renouveler les grandes heures de la Révolution, celles des mauvais jours de 1914, de 1916 et de 1918[1].

Pas un cas d'insubordination signalé, même à l'approche des Allemands, quand les directions sont à la hauteur. Quelques-unes s'effondrent : on l'a vu déjà dans le Nord. À la Nationale de constructions aéronautiques du Centre, les dirigeants sont partis le 17 juin, sans prévenir les services : le personnel trouve porte close ; à lui de se débrouiller[2] !

Mais à l'arsenal de Roanne, dont le personnel a paru si indifférent au rendement, il suffit que le directeur, le colonel Longis, décide de sauver le maximum de matériel et d'approvisionnements, malgré les conseils qu'il a reçus d'en haut « de tout laisser en plan » : le 17 juin, il peut évacuer par la voie ferrée 210 tonnes de cobalt, nickel, ferro-chrome et ferro-vanadium ainsi que tous les avant-trains achevés de canons de 25 ; le 18, il fait charger 59 wagons contenant 271 tonnes d'aciers spéciaux et de métaux rares, 48 000 obus, 4 wagons de canons de 25 et ne se replie que douze heures avant l'arrivée des Allemands, en emmenant tous les éléments militaires. Les ouvriers de l'arsenal, que l'autorité militaire accusera d'avoir accueilli l'ennemi avec des drapeaux blancs, ne se sont pas dérobés[3].

À Brest, de même, les ouvriers de l'arsenal ont travaillé jusqu'à la dernière minute pour réparer, achever, mettre en mesure de s'échapper les bâtiments de la flotte : 83 bâtiments de guerre partent en effet.

À Saint-Nazaire, la Marine, acharnée à sauver le cuirassé *Jean-Bart* en construction, peut compter sur le dévouement ouvrier. Le premier allumage des chaudières n'avait pas été envisagé avant la seconde

---

1. CEP, pp. 1968-1971.
2. F. PICARD, *Carnets inédits*.
3. AN 307 AP/110.

quinzaine de juillet ; il a lieu les 12, 13 et 16 juin ; l'appareil à gouverner est essayé le 16 ; le réseau téléphonique intérieur fonctionne pour la première fois le 18.

Une seule des tourelles de 380 sera à demi achevée et c'est dans l'après-midi du 18 que l'on installera fiévreusement une partie de l'artillerie contre-avions, livrée le 15 par la fonderie de Ruelle. À 3 h 30 du matin, le 19, par une passe qui devrait être draguée à la cote − 5,20 m et avoir 70 m de large, mais dont la cote n'est que de − 3,50 m, la largeur de 45 m, parce que, là aussi, le temps a fait défaut, le *Jean-Bart* s'éloigne enfin à toute petite vitesse [1].

1. H. AMOUROUX, *Le Peuple du désastre*, pp. 474-475.

ments d'indifférence ou d'abandon, alors que, vingt ans plus tôt, les « poilus » de 1914 avaient donné l'exemple d'une si formidable cohésion. Tout s'est passé en 1940 comme s'il y avait eu deux armées dans l'armée française.

Les contrastes sont aussi saisissants lorsqu'on analyse par phases la succession des états d'esprit et des comportements.

On savait que l'inaction de la « drôle de guerre » avait entraîné un fléchissement du moral militaire dans l'hiver 1939-1940 ; Daladier s'en était inquiété au point de rechercher à toute force un théâtre d'opérations périphériques, convaincu que les Français sauraient témoigner dans l'action des « vertus de la race ». On peut suivre les signes de cette dégradation et retracer la courbe du moral militaire comme celle du moral civil : excellent après la mobilisation, bien meilleur qu'on ne l'a souvent dit, il aurait permis d'engager des opérations énergiques sur le front du Nord-Est pendant que le gros des forces allemandes était engagé en Pologne ; il s'est affaissé dans l'immobilisme pour atteindre son niveau le plus bas en février 1940, avant de remonter vigoureusement de la mi-mars à mai, malgré la persistance de facteurs de vulnérabilité qui furent sous-estimés : beaucoup de militaires et non des moindres, pris au piège de l'insouciance, continuèrent à croire à une victoire sans combat.

Mais c'est la courbe du moral et des comportements pendant la phase des opérations qui est la plus révélatrice : elle fait apparaître une extraordinaire flambée entre deux dépressions.

Pendant la douzaine de jours qui suivit les premiers engagements, approximativement du 14 au 24 mai 1940, la nouveauté des bombardements aériens, l'absence d'aviation alliée, l'irruption des blindés allemands, puis le désarroi de la retraite de Belgique et l'encerclement ont entraîné, dans près de la moitié des unités engagées, une baisse verticale du moral ou un désarroi concomitants avec la désarticulation du commandement, qui ont laissé en état de choc, du 15 au 19 mai, sur l'Oise et l'Aisne, quelque 70 000 rescapés des armées du Nord, momentanément hors d'état de combattre.

En revanche, l'analyse menée jour par jour au niveau des combattants met en lumière l'ampleur et la vigueur méconnues du sursaut national de la fin de mai et du début de juin 1940, une fois le territoire envahi. Le même raidissement dans la résistance s'était produit au lendemain du Sedan de 1870, mais il a été occulté ici par la rapidité des événements. Le moral et l'acharnement des troupes engagées sur la Somme et sur l'Aisne pour la « bataille d'arrêt », du 28 mai au 10 juin 1940, rappellent ceux de la bataille de la Marne de 1914. Les lettres des soldats de la division de Gaulle ont d'incroyables accents à la Déroulède. On a trop facilement oublié l'opiniâtreté de la lutte et l'énorme proportion des pertes au cours de cette bataille de la dernière chance.

La résistance de cette douzaine de jours est rétrospectivement d'autant plus poignante qu'elle était vaine. Les combattants se sont accrochés à l'espoir de renouveler le « miracle de la Marne ». L'emploi des armes étant ce qu'il était et compte tenu de la disproportion des forces, la bataille de France était perdue avant d'être engagée, comme le général Weygand l'annonçait dès le 24 mai 1940. Paul Reynaud n'a pas eu tort d'affirmer que la France, en résistant un mois de plus, avait sans doute « sauvé l'Europe ».

La chute, quand les Allemands eurent percé le front reconstitué de la Somme et de l'Aisne, n'a été que plus brutale. L'image d'une débâcle suffit à peine à l'exprimer. Après l'ordre général de retraite donné le 12 juin, la majeure partie des troupes ne s'est plus battue, alors même que des unités irréductibles soutenaient des combats sans espoir et que tout officier résolu trouvait jusqu'au bout des soldats pour s'exposer avec lui. La dernière semaine, celle du 17 juin, a vu, à côté d'impressionnants et coûteux faits d'armes isolés, la pire démission que puisse connaître une armée. Le maréchal Pétain y a tragiquement contribué.

*

Comment expliquer de si formidables contrastes suivis d'un tel effondrement mental ? Comment comprendre que les Français de Verdun se soient retrouvés les Français de Sedan ?

Plusieurs éléments d'explication sont clairs, alors que d'autres restent obscurs.

Avant tout, un choc, la *surprise morale*. Le premier feu qui, pour beaucoup de soldats, fut le seul, toujours inimaginable, les a projetés sans moyens de défense suffisants dans une guerre d'une nature et d'une violence totalement imprévues. L'affolement a provoqué des débandades, comme en août 1914 l'incroyable densité des tirs fusants d'artillerie et des barrages de mitrailleuses ennemis[1]. Mais contrairement à 1914, l'inégale vitesse de déplacement des deux armées interdisait à la plus lente de se rétablir dans la retraite : ainsi les soldats de 1940, mis à part les meilleures unités, ont à peine eu le temps d'apprendre le métier de la guerre. De sorte que le degré différent de formation, selon les unités et les cadres, a entraîné d'énormes disparités dans l'attitude des troupes.

Les dispositions d'esprit devant la guerre différaient d'autre part de celles de 1914, pour des raisons dont certaines, vraisemblablement les plus décisives, étaient beaucoup moins indignes et beaucoup plus simples qu'on ne l'a dit couramment.

Le 1er août 1914, le lieutenant de réserve Alain-Fournier, fils d'instituteur, auteur remarqué du *Grand Meaulnes* — qui devait tomber à l'ennemi un mois plus tard — écrivait aux siens : « Je pars content » et le 4 août : « Belle et grande et juste guerre. Je ne sais pourquoi, je sens profondément qu'on sera vainqueurs[2]. »

---

1. Cf. Pierre MIQUEL, *La Grande Guerre*, Paris, Fayard, 1983, pp. 106-107 et 133.
2. ALAIN-FOURNIER, *Lettres à sa famille*, Paris, Fayard, 1986, pp. 533 et 535.

Ces propos auraient été inconcevables en septembre 1939, même dans la bouche des plus ardents. Les Français avaient appris depuis 1914 qu'il n'y a pas de guerre fraîche et joyeuse. Et ni la nécessité de se battre ni l'espoir de vaincre n'étaient aussi évidents, ils l'ont d'ailleurs été de moins en moins à mesure que le temps a passé. Car la guerre n'a pas été perçue par tous les Français de 1939-1940 comme une guerre *nationale*. Parce que la France avait pris l'initiative de déclarer la guerre alors qu'elle n'était pas attaquée, qu'elle ne paraissait même pas immédiatement menacée, que l'armée adverse restait l'arme au pied et que Hitler claironnait qu'il ne souhaitait rien d'autre que la paix, il était presque inévitable que la guerre contre l'Allemagne nazie, l'une des plus justifiées de l'histoire, apparaisse à certains combattants comme une guerre sans nécessité et comme une guerre préventive. Ce fait psychologique négatif a été, je l'ai dit déjà et je le répète, capital.

Or, cette guerre n'a pas été non plus une guerre *idéologique*, ou ne l'a été que faiblement, pour des raisons que j'ai également montrées. « Les démocraties, pour se battre, doivent avoir la conviction de défendre une cause sinon sacrée, du moins moralement pure », disait Raymond Aron. Les Français de 1939-1940 n'ont pas tous eu viscéralement cette conviction. Quand l'offensive allemande déferla, en mai 1940, après huit mois de piétinement et de gâchis, le cœur, chez plus d'un, n'y était qu'à moitié. Comment en aurait-il été autrement ?

La certitude de vaincre était en outre moindre qu'en 1914. Les militaires de 1939-1940 mesuraient la puissance allemande et se l'exagéraient volontiers, ils avaient vu Hitler ne faire qu'une bouchée de quatre pays d'Europe centrale, puis de la Norvège, ils avaient conscience, privés d'alliés à l'Est, de n'avoir à compter que sur eux-mêmes. Le moindre paysan, dans les moments où il croyait que la « vraie guerre » se déciderait à éclater, savait que *ce serait dur,* comme les généraux Gamelin et Georges se l'étaient dit tristement le premier jour. J'ai toujours trouvé quelque chose de pathétique à cette lucidité résignée du simple soldat, ancré en même temps dans sa confiance en la « magnifique armée française » et en la ligne Maginot.

On peut admettre aujourd'hui que cette confiance affirmée et si largement répandue allait de pair chez certains de nos combattants avec une image vacillante de la France et avec une image effrayante de l'Allemagne. Les images incertaines qu'ils se faisaient de la France, après dix ans d'échecs et huit mois de *guerre immobile*, étaient-elles véridiques ou factices, spontanées ou inspirées ? Ont-elles eu un effet débilitant ? Les réponses ne peuvent être qu'ambiguës. Le fait même de devoir faire la guerre consacrait en tout cas un échec. L'analyse interne des correspondances et de certains rapports de chefs d'unités prouve en outre à quel point la crainte ou l'admiration secrète de l'adversaire a été courante à tous les niveaux chez des hommes d'origines variées et dépourvus de sympathies pour le nazisme. De multiples raisons peuvent expliquer cette crainte révérentielle dont la moindre n'est pas — si subalterne qu'elle puisse paraître — la vision des sombres masses humaines casquées défilant au pas de l'oie, dont les actualités cinématographiques nous avaient abreuvés. Le double mythe de « Radio Stuttgart, qui sait tout » et de « l'ennemi qui est parmi nous » en a été le symptôme épisodique le plus évident : il y a eu là une psychologie souterraine dont le commandement n'a pas su ou n'a pas voulu prendre conscience. Les affabulations démoralisantes véhiculées par la voie des rumeurs ont — accessoirement et épisodiquement — contribué à l'ascendant que les troupes allemandes ont pris sur les nôtres dès le troisième mois de guerre ; elles ont été un facteur d' « impressionnabilité » même pour des unités excellentes, comme on l'a vu pendant les deux journées de combats malheureux au Luxembourg que j'ai, pour cette raison, relatées en détail. Durant les deux ou trois semaines cruciales de mai 1940, la hantise d'une cinquième colonne imaginaire a plus d'une fois précipité le reflux de petites unités, avant que le maelström ne les emporte. Il est temps de tordre le cou au mythe de la cinquième colonne, ou du moins de le ramener à ce qu'il fut : un fantasme.

Est-ce assez pour expliquer la disparité des attitudes, les zones de désinvolture, les abandons de poste prématurés et la démission des derniers jours — autant de souvenirs de honte pour quelques-uns des témoins ? Les mobilisés de 1939 n'avaient pas abandonné leur bagage mental en même temps que leurs habits civils. Il est vrai que, dans le creuset des armées, ils s'étaient étonnamment détachés des contingences de l'arrière, dépolitisés, uniformisés ; les facteurs intellectuels et passionnels qui avaient nourri les affrontements partisans de 1936-1938 subsistaient mais atténués, émoussés, on serait tenté de dire décolorés par les mois de morne attente et de vie collective. Les habitudes mentales antérieures, les rancunes politiques, les antagonismes de classe se sont-ils ensuite définitivement estompés au combat ou doit-on y voir, au contraire, des ferments de moindre résistance ? Des différences de comportements n'ont-elles pas répondu à des différences d'idéologie ? Pour être clair, une fraction de l'armée n'a-t-elle pas été minée par le pacifisme ? Et s'il en a été ainsi, par quelles variantes du pacifisme, celle des instituteurs socialistes, celle des paysans qui répugnaient à nourrir de nouvelles hécatombes ? Est-il vrai que des unités ont été contaminées par la subversion, comme la rumeur s'en est répandue jusqu'aux plus hauts niveaux de l'État-Major et de l'État ? En sens inverse, le souci de l'ordre, la haine de classe, la crainte du communisme que certains « nationaux » voyaient partout, auraient-ils été assez forts pour entraîner une perversion du nationalisme capable d'annihiler la volonté de se battre chez certains cadres ? Tout cela a été dit, chacune de ces accusations continue d'être soutenue. Faut-il même remonter plus loin, invoquer un affaissement de la conscience nationale dans l'entre-deux-guerres, comme les généraux de la défaite l'ont affirmé ? Ou, au contraire, l'essentiel n'est-il pas ce remarquable loyalisme qui rassembla les hommes pour la « bataille d'arrêt » ?

J'ai voulu y voir de près. J'ai tenté de récrire *autrement* l'histoire militaire de 1940 : non pas au niveau de la stratégie et des ordres d'opération, mais au niveau du vécu des hommes qui étaient sur le terrain, à commencer par les plus modestes. J'ai cherché comment ils s'étaient conduits, ce qu'on pouvait savoir de la réalité de leur moral et de leurs pensées ; j'ai voulu saisir en quoi ces comportements et ces états d'esprit pouvaient se raccorder, s'expliquer les uns par les autres et quelle avait pu être la part des facteurs psychologiques, sinon dans une défaite qui était probablement déjà inéluctable au 10 mai 1940, du moins dans l'allure et la tonalité de cette défaite. Bref, le *comment* et, si possible, le *pourquoi*.

Dans le *no man's land* qui sépare la psychologie individuelle ou collective de l'action, l'historien avance en tâtonnant.

Les matériaux dont il dispose sont abondants et imprécis, parcellaires et d'une véracité incertaine. Peu de données chiffrées sur ce « moral » qui fut l'objet de tant d'attentions ; notre État-Major n'avait pas découvert la technique des sondages d'opinion publique [1] : cette lacune risque de rendre hasardeuses des conclusions tranchées. Des comptages ont bien été pratiqués sur les correspondances par les soins du 2e Bureau, mais ils restaient trop rudimentaires pour être appropriés aux conditions de la « drôle de guerre ». Nous ne possédons, par ailleurs, qu'en faible nombre un type de documents auquel les historiens de la Grande Guerre ont eu toute facilité pour recourir, je pense aux journaux intimes détaillés et minutieux ou aux correspondances suivies, dus à de bons observateurs de la réalité humaine. Les deux journaux les plus remarquables qui aient été publiés sont les *Carnets de la drôle de guerre* de Jean-Paul Sartre et le *Journal de guerre* de Georges Sadoul : mais ils reflètent dans les deux cas les réactions d'un personnel non combattant de recrutement exclusivement parisien, c'est-à-dire de populations militaires marginales. J'ai eu accès à une douzaine de journaux de guerre inédits, mais rédigés *a posteriori*. Le témoignage vécu le plus pénétrant, le plus bouleversant reste *L'Étrange Défaite* de Marc Bloch dont pas une page, après cinquante ans, n'appelle une réserve [2]. J'ai compulsé près de cent cinquante Mémoires de généraux, livres et articles historiques. J'ai surtout recouru à trois sources peu explorées jusqu'ici : aux extraits et synthèses de correspondances établis par le contrôle postal (celui-ci

---

1. La technique des sondages, appliquée systématiquement aux États-Unis, notamment par l'institut Gallup depuis 1935 et utilisée dès 1939 par le gouvernement britannique, n'avait pas retenu l'attention des services officiels français, malgré les premières et remarquables expérimentations du jeune sociologue Jean Stoetzel, et semble être restée ignorée du 2e Bureau. Voir t. I, p. 275.

2. S'il est un patronage sous lequel l'auteur souhaiterait placer ce livre, c'est bien sous celui de Marc Bloch, professeur à la Sorbonne, pionnier de l'histoire économique et sociale, officier durant les deux guerres mondiales, délégué de Franc-Tireur au directoire régional des Mouvements unis de Résistance à Lyon, fusillé par les Allemands en 1944, exemple de probité intellectuelle et modèle de civisme.

voyait passer plusieurs centaines de milliers de lettres de militaires par semaine et en analysait plusieurs dizaines de milliers) ; aux rapports sur l'état d'esprit de la troupe que rédigèrent, dans l'hiver 1939-1940, des colonels et chefs de bataillon de régiments d'infanterie ; enfin, pour les six semaines de combats, aux « journaux de marche et d'opérations » des petites unités (régiments, bataillons, compagnies), voire aux comptes rendus de chefs de section, en privilégiant ceux qui ont été rédigés au jour le jour. J'ai eu l'occasion de questionner, au lendemain de la défaite, puis de nouveau pour écrire ce livre, des dizaines d'anciens de 39-40.

Peu de documents demandent à être utilisés avec autant de prudence que les témoignages individuels enregistrés ou rédigés après coup. La passion politique en a biaisé quelques-uns, en particulier certaines dépositions faites en 1941-1942 au procès de Riom. Si les acteurs sont souvent prompts à incriminer les autres, inversement, chacun, surtout dans les petites unités, a eu la tentation de donner la meilleure image de lui-même et de son groupe, de ses camarades et de ses hommes. C'est le cas des journaux de marche et d'opérations qui ont été reconstitués en 1941 et 1942, notamment dans des camps d'Allemagne par des officiers prisonniers. Même aujourd'hui, la blessure secrète est encore si sensible, la pudeur ou l'esprit de corps restent si profonds que bien des survivants sont tentés d'enjoliver leur expérience et de chercher des boucs émissaires : les instituteurs répugnent toujours à croire que certains d'entre eux aient pu flancher ; l'historiographe de l'aviation continue de revendiquer pour celle-ci des victoires qu'elle n'a pas remportées, comme si notre armée de l'air avait eu besoin de ce surcroît d'honneur.

I

Le prologue

1

Du côté de l'État-Major

Bazaine n'était pas seulement un politicien, c'était aussi un homme usé.

Marc BLOCH, *L'Étrange Défaite.*

Achtung Panzer !

Le 1er janvier 1936, une revue militaire allemande, la *Militärwissenschaftliche Rundschau,* publiait une longue étude d'un technicien des troupes motorisées, le colonel Guderian ; elle n'échappa pas à l'État-Major français. L'auteur en reprit peu après les éléments dans un livre au titre provocant : *Achtung Panzer ! (Attention, blindés !)* qui fut plus remarqué encore. Le colonel Guderian, considérant que l'Allemagne avait, depuis 1919, pris dix-sept ans de retard en matière d'armements sur les « nations libres », conviait la nation allemande à combler au plus vite ce retard ; elle le pouvait, expliquait-il, maintenant que « par l'acte héroïque de son Führer, elle était de nouveau un État souverain ». L'essai culminait sur cette impressionnante « anticipation »[1] :

> Une nuit, les portes des hangars à avions et à chars d'assaut s'ouvriront, les moteurs seront mis en marche, les escadres s'ébranleront. Grâce à une première attaque lancée par surprise, on pourra s'emparer en partie d'importantes régions industrielles ou minières et en partie les détruire par des attaques aériennes, les éliminant ainsi de la production guerrière ; de même, on paralysera l'action du gouvernement et de l'état-major ennemi et on détruira ses voies de communication. Suivant l'éloignement des points attaqués, la promptitude et l'efficacité de la résistance opposée par l'assailli, ce coup de main stratégique permettra de pénétrer plus ou moins profondément au cœur du pays ennemi.

---

1. Texte traduit et publié par l'écrivain d'Action française, Henri MASSIS, dans un article d'août 1936 intitulé : « Pour l'anniversaire de la guerre de 1914 », in *La Guerre de trente ans, destin d'un âge, 1909-1939,* Paris, Plon, janvier 1940, pp. 255-257.

La première vague d'avions et de chars d'assaut sera suivie par des divisions d'infanterie transportées en camions ; ces troupes seront débarquées à la frontière de la zone conquise qu'elles occuperont, afin de permettre aux unités mobiles de porter un nouveau coup. Les colonnes de camions vides se hâteront de venir chercher à l'arrière un nouveau chargement.

Entre-temps, l'assaillant mobilisera son armée de masse. Il peut choisir à son gré le moment et le point où il portera le grand coup suivant. Pour cela, il amènera à pied d'œuvre les pièces lourdes qui lui permettront d'attaquer et de percer. Il tâchera d'augmenter l'effet de surprise de son attaque en concentrant ses chars d'assaut et en faisant intervenir dans la bataille ses forces aériennes. Les unités blindées, une fois leur premier objectif atteint, ne s'y arrêteront pas pour permettre à l'artillerie de changer de position ou pour attendre la cavalerie ; elles essaieront, au contraire, d'utiliser jusqu'au bout leur vitesse et leur rayon d'action pour percer complètement la zone de défense ennemie. D'autres engagements suivront immédiatement ceux-ci, afin d'entamer les fronts de défense ennemis et de porter l'attaque en profondeur. Les forces aériennes se jetteront sur les réserves que l'assailli s'efforcera d'amener et les empêcheront d'entrer en ligne (...).

Le colonel Guderian concluait en rendant à nouveau hommage au geste libérateur du Führer qui, en rétablissant en 1935 la souveraineté militaire du Reich, avait « ouvert les écluses derrière lesquelles étaient immobilisés depuis la guerre, la puissance créatrice et l'appétit de développement de la jeune armée motorisée allemande » :

Ce qui a été médité pendant de longues années d'application, dans les conditions les plus difficiles et avec les moyens les plus modestes, peut se réaliser désormais librement pour nous. Les prototypes de toile et de fer-blanc sont devenus de robustes engins d'acier. En très peu de temps, les vingt-quatre modestes compagnies motorisées de la défunte armée de cent mille hommes ont forgé, avec une haute puissance technique et une activité infatigable, dans l'enthousiasme d'une tâche magnifique depuis longtemps désirée, l'armure la plus récente de l'armée allemande.

Dès cette date, le 2ᵉ Bureau français signalait que le Reich disposait en effet de trois divisions blindées. Deux mois plus tard, le 7 mars 1936, Hitler remilitarisait la Rhénanie et, le 24 août, il instituait en Allemagne le service militaire de deux ans. Le 13 mai 1940, l'auteur de l'article annonciateur perçait, à la tête de ses chars, le front français à Sedan.

Le mystère Gamelin [1]

On n'a pas fini de s'interroger sur l'aveuglement ou l'inconséquence de nos chefs militaires si clairement avertis. Les gouvernements de la France s'en sont remis plus d'une fois dans l'histoire à des généraux incapables ; jamais le prix à payer n'a été aussi lourd.

1. P. Le Goyet, *Le Mystère Gamelin*, pp. 34 et ss.

Pourtant, les hommes de qualité ne manquaient pas dans le haut commandement.

Le chef auquel étaient confiées les responsabilités suprêmes était le général Maurice Gamelin dont une propagande orchestrée avait fait un personnage réputé. Fils et petit-fils d'officiers généraux, ce bon élève, deux fois lauréat du concours général des lycées et collèges, major de Saint-Cyr, avait été tenu dès ses premières affectations pour un des officiers les plus brillants de l'armée. À partir de la Grande Guerre, il a bénéficié du prestige de Joffre : membre du 3e Bureau du généralissime de 1914, c'est lui, dit-on, qui a rédigé les ordres de la bataille de la Marne. Général à quarante-quatre ans, commandant de division dont on a remarqué le talent d'organisateur et le coup d'œil tactique en 1917 et 1918, il a eu une carrière rapide, mais qui l'a tenu ensuite presque constamment à l'écart de la troupe « devant laquelle il se sentait mal à l'aise »[1]. On s'accorde à voir en lui un homme d'une grande intelligence, « de plus grande intelligence peut-être que les autres chefs militaires. Ses exposés lucides et précis sont des modèles : Blum, tout en le jugeant " intelligent et borné ", ne cache pas son admiration. Gamelin domine la plupart de ses interlocuteurs, notamment au Conseil suprême franco-britannique »[2]. Il a le goût des idées générales et de la grande stratégie et se considérerait volontiers comme un philosophe de l'action. Sa rapidité d'adaptation et sa souplesse de caractère lui valent la faveur des politiques. Son érudition, sa courtoisie, la bonne chère de sa table en font un commensal apprécié. Les grands emplois qu'il a occupés — commandant supérieur des forces du Levant (1925-1927), chef de la mission militaire au Brésil (1927), chef d'état-major de l'armée (1931), négociateur à la conférence du désarmement (1932) — l'ont rompu aux finesses de la diplomatie et de la tactique parlementaire : manœuvrier et prudent, il y excelle.

Il y a cependant un manque chez cet homme si doué. Le haut commissaire de France en Syrie et au Liban Henry de Jouvenel a été le premier à déceler en lui, pendant les opérations de 1926-1927 contre les Druzes, un homme de cabinet plutôt qu'un meneur d'hommes. En 1935, Weygand a argué de son manque de caractère pour s'opposer à ce que Gamelin lui succède comme vice-président du Conseil supérieur de la guerre et commandant en chef désigné. Le gouvernement Flandin a passé outre par commodité[3]. De bons observateurs noteront dans les années suivantes « son souci primordial de ne pas se compromettre et, partant, de se ménager, à toutes éventualités, des alibis et des portes de sortie ». Sa propension aux vastes considérations politiques et aux grandes combinaisons stratégiques irait de pair, ajoutent certains, avec

1. J. MINART, *P.C. Vincennes,* t. I, p. 74.
2. PERTINAX, *Les Fossoyeurs,* t. I, pp. 47 et ss.
3. Le ministre de la Guerre du gouvernement Flandin était le général Maurin, le ministre des Affaires étrangères, Pierre Laval.

des appréciations erronées sur les événements et sur leur évolution probable[1]. Plus grave est le fait qu'il ne commande pas, tout le monde en conviendra après coup. Il n'est ni un grand organisateur ni un arbitre tranchant dans le vif. Habile, trop habile à « nuancer les formules, à doser les courants favorables, sa conciliation perpétuelle conduit à l'impéritie »[2]. Il fuit la décision et n'aime pas dire non. « Il pense bien, décide difficilement, ne s'impose jamais », dit son chef du service de renseignements, le colonel Rivet[3]. Jules Romains, qui l'a pratiqué, a porté sur lui un jugement terrible : « Il est de ceux chez qui la liaison se fait mal entre la puissance intellectuelle et la puissance d'agir. _Il ne voulait pas ce qu'il pensait._ Ce qui est rare, ajoutait-il, c'est qu'un rêveur de ce type puisse devenir général en chef des armées de la France et des armées alliées[4]. »

Cumulant la vice-présidence du Conseil supérieur de la guerre et l'Inspection générale des armées avec la fonction de chef d'État-Major général qu'il exerçait depuis 1931, Gamelin a assumé « les deux fonctions dont Joffre avait disposé à l'ouverture de la Grande Guerre, mais qu'à la paix le gouvernement avait séparées pour ne pas mettre trop de puissance dans une même main »[5]. Il a été, de 1935 à 1940, l'homme clé de la politique militaire de la France[6].

Son pouvoir est d'autant moins contesté que Daladier lui laisse carte blanche, malgré l'agacement que lui inspirent ses faux-fuyants. On l'a flanqué de deux coadjuteurs, le général Colson et le général Georges : il les tient soigneusement en lisière.

Colson n'est pas dérangeant : il coiffe les bureaux de l'État-Major, il connaît bien l'administration générale et tous les rouages de la rue Saint-Dominique, il est partisan de la fortification et s'intéresse peu à l'offensive. Il n'est pas homme à renouveler les idées, ni les méthodes[7].

Georges pourrait lui faire ombrage. Ce solide fumeur de pipe, que l'on dit fils de gendarme, n'a rien d'un intrigant. Il a gravi les échelons au mérite dans l'ombre de Foch, puis de Pétain. On reconnaît son bon sens. Il a l'estime de l'armée, de Reynaud et de Churchill. Pourtant son expérience relève du mythe : grièvement blessé en 1914, il a passé la plus grande partie de la guerre en état-major ou en liaison ; à la différence de Gamelin, il n'a exercé aucun commandement important au feu. Il a été poussé en avant parce que Weygand voulait barrer la route à Gamelin et parce qu'il entretenait d'excellentes relations avec les Anglais.

Certains voient en lui toutes les qualités d'un grand chef d'état-major

1. L. NOËL, _La guerre a commencé quatre ans plus tôt,_ p. 160.
2. J. MINART, _o.c._
3. Rapporté par P. PAILLOLE, _Services spéciaux, 1935-1945,_ p. 156.
4. Jules ROMAINS, dans _Candide,_ 8 janvier 1941.
5. Cl. PAILLAT, _Le Désastre de 1940,_ p. 185.
6. P. LE GOYET, _o.c.,_ p. 11.
7. _Ibid.,_ pp. 54-55 et 67-68.

mais jugent qu'il manque lui aussi de la volonté de commander[1]. Il traîne de plus le handicap de nouvelles et graves blessures reçues en 1934, lors de l'attentat à Marseille qui a coûté la vie au roi Alexandre de Yougoslavie. Gamelin l'a toujours tenu à l'écart et l'a peu employé, avant de se décharger sur lui de ses propres responsabilités à la déclaration de guerre en lui abandonnant le commandement sur le front du Nord-Est. Daladier est également prévenu contre ce soldat honnête ; en quatre ans, il ne l'a reçu que deux fois, l'une avant Munich, la seconde au début de septembre 1939.

Le Conseil supérieur de la guerre pourrait avoir un rôle important. Gamelin le réunit peu et Daladier le préside une seule fois entre 1936 et 1939. Ainsi le contact entre le gouvernement et le commandement n'est assuré que par Gamelin et aucune concertation suivie n'associe les généraux désignés pour commander les armées aux décisions qui engagent l'avenir militaire[2].

Deux chefs à forte carrure favoriseraient la modernisation et se sont engagés avec force dans le débat sur l'arme blindée, les généraux Billotte et Héring. Billotte, personnage impérieux qu'une vieille rivalité oppose à Gamelin, troisième homme dans la hiérarchie des commandements de l'armée de terre (il commande en 1940 le groupe d'armées qui fera mouvement en Belgique), a eu trop peu voix au chapitre depuis le départ à la retraite de Weygand. Quant au polytechnicien Héring, ancien commandant de l'École de guerre, tempérament ardent, il a toujours poussé si loin la détestation des politiciens qu'on ne souhaite guère le mettre en avant, ni même lui donner raison.

Les autres membres du Conseil supérieur sont de bons divisionnaires ou des techniciens : Giraud, baroudeur, ne croit qu'à l'infanterie « reine des batailles », voit dans l'aviation un moyen de reconnaissance et dans la nouvelle armée allemande « une armée d'énergumènes »[3] ; Condé, remarquable inspecteur de l'artillerie, sort peu de sa spécialité ; Prételat, qui a confié à tout venant que la France ne pouvait pas faire la guerre parce qu'elle n'était pas prête, non seulement n'a pas démissionné ni mis en garde le général en chef ou le ministre, mais il a accepté le 2 septembre 1939 le commandement du groupe d'armées de Lorraine. Un poste clé est celui de major général des armées dont la tâche de coordination est primordiale : il est assumé successivement par deux

---

1. Colonel de BARDIES, *La Campagne 39-40*, p. 16.
2. Les réunions du Conseil supérieur de la guerre, tenues en l'absence du ministre, c'est-à-dire sous la présidence de Gamelin, ne comportent ni vote ni procès-verbal. Seul fonctionne à peu près régulièrement, entre novembre 1935 et la déclaration de guerre, le Comité permanent de la Défense nationale. Il comprend, s'il se réunit à la demande des autorités militaires, les chefs de l'armée, de la marine et de l'aviation et des éléments de leurs états-majors ; s'il est convoqué par le gouvernement, outre les précédents, le président du Conseil, les ministres militaires et le ministre des Affaires étrangères.
3. Témoignage du général Fourquet (SHAA, Archives orales).

hommes d'état-major qui sont des organisateurs de premier ordre, le général Bineau jusqu'à la fin de 1939, le général Doumenc en 1940.

L'âge et la doctrine

Dans cet aréopage docile ou sans pouvoirs, les hommes de caractère sont rares. Ce sont de plus des hommes âgés. Au 10 mai, Gamelin a près de soixante-huit ans, huit de plus que son homologue allemand Brauchitsch et cinq de plus que Joffre en 1914. Personne n'y trouve à redire, car Foch a gagné l'autre guerre à soixante-sept ans et Clemenceau à soixante-dix-sept ans ! Mais à l'usure de l'âge s'ajoute secrètement chez Gamelin celle de la maladie. De plus, tout le commandement autour de lui est âgé. Il s'en rend si bien compte qu'il a fait ramener en décembre 1939 les limites d'âge à soixante-cinq ans pour les commandements d'armée, à soixante-trois ans pour les commandants de corps d'armée, à soixante-deux ans pour les généraux commandant une division [1].

Sept généraux ont été admis en janvier 1940 au cadre de réserve, dont Dufieux, incarnation du conservatisme ; les divisionnaires de plus de soixante-deux ans ont tous été remplacés avant la fin d'avril, ce qui pour Gamelin est l'essentiel. Mais les remplacements n'ont pas été entrepris avec toute la vigueur nécessaire [2]. Et les grands chefs sont intouchables. Georges, Billotte, Prételat, de même que Héring sont prolongés, à l'exemple de Gamelin, au-delà des soixante-cinq ans réglementaires ; pas un commandant d'armée n'a moins de soixante ans, sauf Frère et Huntziger.

L'écart moyen d'âge entre les responsables militaires français et allemands est de huit à dix ans. Deux épurations successives ont contribué à rajeunir l'État-Major de la Wehrmacht : en 1919, puis sous Hitler. Les généraux d'armée, à l'exception de Brauchitsch, Rundstedt et Leeb, ont cinquante-cinq ans ; les deux cerveaux qui ont conçu l'un l'arme blindée allemande, l'autre l'offensive à l'ouest (contre l'avis de la hiérarchie, d'ailleurs), Manstein et Guderian, ont cinquante-deux ans ; du côté français, de Gaulle, Juin, Delestraint, de Lattre, récemment promus sont leurs quasi-contemporains et commandent des divisions en 1940, mais ils peuvent difficilement prétendre à des premiers rôles. Et derrière eux, l'âge moyen des colonels est de huit à dix ans plus élevé que dans la Wehrmacht [3]. Le commandement supérieur français ne manque pas d'énergie ; il a peu d'allant.

---

1. SHAT 27 N/12.
2. Entre le 3 septembre et le 10 mai, 32 divisions d'infanterie dont la plupart des divisions de formation de série « B » ont changé de commandant, mais dans onze cas, il y a eu mutation ou promotion à un emploi plus important.
3. L'âge moyen des colonels d'infanterie français est en septembre 1939 de cinquante-cinq ans et demi, celui des commandants de régiments d'infanterie de cinquante-quatre ans et demi. Cf. colonel H. DUTAILLY, *Revue historique des armées*, n° 4, 1979, p. 244.

Le plus grave est ailleurs : ce commandement, si brillant soit-il — et il l'est —, en est resté aux opérations de 1918, revues et améliorées. N'ayant pas eu, comme l'État-Major allemand, à repenser la guerre pour reconstruire une armée, il s'est figé dans un dogmatisme étroit. Un fossé s'est creusé entre lui, l'enseignement supérieur de la guerre et la guerre telle qu'on peut la faire. L'École de guerre, dispensatrice de la *doctrine*, a propagé « un conformisme qui n'était d'ailleurs que le reflet des mentalités de la collectivité nationale ». Elle n'a conçu la préparation à un conflit qu'à travers la préparation d'un champ de bataille fortifié ; elle a ignoré les possibilités du char et généralement sous-estimé les chances du mouvement[1] ; elle s'est refusée si obstinément à admettre que la bataille aérienne pût devenir une réalité qu'elle n'a jamais institué de cours sur l'arme aérienne. En tout cela, elle répercutait les vues d'un État-Major hanté par le souci d'éviter le retour des hécatombes de 1914-1918 et paralysé — surtout depuis la retraite de Weygand — par les vues divergentes des bureaux et des armes.

Gamelin a consacré l'immobilisme[2]. Il aura laissé durant des années cruciales la stagnation se perpétuer dans l'armée.

L'entre-deux-guerres a été pour la France, malgré sa victoire et en partie à cause d'elle, une période de crise militaire : crise de recrutement, crise de moyens et crise intellectuelle. Parce que le pays entendait que la guerre de 1914 soit « la der des der », parce qu'il n'y avait plus d'Alsace-Lorraine à récupérer ni d'empire à étendre, l'armée de la victoire, mal aimée de tout un secteur de l'opinion, orgueilleuse et frustrée, repliée sur elle-même, a vécu l'entre-deux-guerres dans un univers intellectuel rétréci ; elle n'a manifesté ni la curiosité d'esprit ni le goût des nouveautés de la guerre qui avaient distingué la génération précédente. Aucun stimulant n'est venu du sommet.

Pourtant les années Weygand, de 1931 à 1935 surtout, ont été fécondes sur le plan de l'innovation technique : tous les principaux prototypes d'armes modernes étaient au point ou du moins existaient en 1935, on l'a vu[3] ; un effort d'investissement considérable a ensuite été

---

1. Malgré les leçons plus modernistes de certains enseignants tels que le général René Altmayer, professeur de tactique générale de 1933 à 1935, qui considérait « la guerre de mouvement comme le but et le terme des travaux de l'École ». Mais, dans l'ensemble, écrit le maréchal Juin, « on en était resté à la rigidité des fronts continus, aux manœuvres compassées et aux objectifs sans portée » (École supérieure de guerre, *Centenaire de l'École, 1876-1976*, p. 23).
2. Gamelin a-t-il vraiment approuvé en 1932 l'assertion de l'amiral Durand-Viel, chef d'État-major de la marine, pour qui « la suppression de l'aéronautique de bombardement serait sans influence sur la conduite des opérations sur terre et sur mer » ? (général Christienne, « La résistance au changement dans l'armée française, II », *Stratégie et défense*, n° 5, 1980). A-t-il signé en 1936 une circulaire interdisant tout débat sur la constitution d'unités blindées comme l'affirme le général Beaufre (*Le Drame de 1940*, p. 67). Ces imputations, même fondées, tendraient à donner de lui une image caricaturale qui s'accorde mal avec la complexité du personnage.
3. Cf. ci-dessus « Un armement en mal de doctrine », pp. 53-63.

fait à partir de 1937; parallèlement, des solutions neuves ont été imaginées, tant par l'État-Major de l'armée, en vue de réorganiser la division et le régiment d'infanterie, que par le général Condé et l'inspection de l'artillerie pour doter cette arme d'une aviation d'observation, par le général Héring, le général Velpry, le colonel de Gaulle (ce dernier dès 1934) pour définir un modèle efficace de division blindée, par Daladier lui-même pour l'organisation défensive des agglomérations. Aucun de ces projets n'a abouti. Le souci de Gamelin de tout concilier, son manque d'autorité sur les féodaux de l'État-Major, le laisser faire de Daladier ont eu pour résultat que sur aucun de ces sujets une décision n'a été prise.

Il en a été de même de la doctrine. En apparence, l'armée française possède une doctrine car elle s'est dotée en 1936 d'une instruction sur l'emploi tactique des grandes unités. Les textes pèchent par contradiction et par omission. L'énoncé de principes adaptés à la guerre future est contredit par les modalités d'application, qui utilisent les recettes de la guerre passée. Il y a omission, parce que l'instruction ne traite que peu ou pas du tout du combat blindé, des franchissements, du combat dans les agglomérations. Ces contradictions font qu'il peut y avoir deux lectures de l'instruction, l'une en fonction du passé, l'autre orientée vers l'avenir, et par conséquent deux doctrines. Ces omissions et les faux-fuyants de Gamelin entretiennent des zones d'ombre tout en favorisant le développement de chapelles ayant chacune leur doctrine. Il n'existe pas à la déclaration de guerre de doctrine précise sur le combat antichar, ni sur les franchissements, ni sur la participation de l'aviation à la bataille, mais il coexiste quatre doctrines de l'emploi des chars[1]. Cette situation engendre des incohérences, des gaspillages, des manquements à la discipline; elle limitera nécessairement l'efficacité de l'armée. Elle prouve une absence de volonté militaire qu'aucune volonté politique n'a cherché à pallier.

« On ne rattrape pas en temps de guerre les retards de pensée du temps de paix », enseignait l'Allemand Bernhardi. Même à partir de septembre 1939, le commandement français s'y sera à peine essayé, prisonnier qu'il est de sa doctrine incertaine et de ses soucis d'intendance. Comment la masse des cadres imaginerait-elle mieux la nouvelle guerre que les instructions de l'État-Major? L'étroitesse de conception et d'imagination se répercute à leur échelon : elle bride des qualités dignes d'un meilleur emploi.

À partir de septembre 1939, la direction militaire de la guerre incombe à Gamelin. Il cumule des responsabilités multiples, celles de conseiller militaire du gouvernement et de commandant en chef des forces armées, double charge écrasante dont il n'exerce réellement aucune. Enfermé dans une casemate voûtée du château de Vincennes, ses fenêtres donnant sur le fossé où fut exécuté le duc d'Enghien, entouré d'un petit

---

1. Colonel H. Dutailly, *Les Problèmes de l'armée de terre française...*, p. 174.

groupe de fidèles « qui s'appliquent à penser »[1], il ne communique avec l'extérieur que par un médiocre téléphone et par des motocyclistes. Isolement, détachement...

La direction générale de la guerre et la direction militaire de la guerre devraient s'appuyer sur deux organes collégiaux, un organe collectif d'étude, de programmation et de coordination, politico-militaire, le Conseil supérieur de la Défense nationale et un organe politique, le Comité de guerre[2] : on a eu vite fait de reconnaître que ces structures étaient « trop lourdes et incapables de satisfaire aux conditions de rapidité de décision, puis d'exécution nécessaires »[3]. Beaucoup de grandes décisions sont prises dans des réunions informelles, parfois sans procès-verbal, ou dans des tête-à-tête épisodiques Daladier-Gamelin.

Le commandement proprement dit des armées souffre plus encore de mauvaises structures : Gamelin a imposé entre Georges et lui une répartition des rôles qui « lui assure tous les avantages en cas de succès et aucun inconvénient en cas d'échec »[4]. Les responsabilités des deux commandants en chef sont imbriquées, tandis que leurs états-majors sont dispersés et que les 1er et 2e bureaux sont dédoublés. L'enchevêtrement des pouvoirs a été confirmé en décembre 1939 par un arbitrage de Daladier ; le maréchal Pétain est intervenu en janvier 1940 auprès du général Georges pour le supplier de s'y résigner :

> Je vous demande instamment de ne quitter votre poste à aucun prix, au risque d'avaler quelques couleuvres. Qu'on le veuille ou non, il faudra modifier l'organisation du commandement (...)[5].

À tous les niveaux, on doit négocier les décisions, à moins qu'on ne se renvoie la balle. Après l'armistice russo-finlandais, le 15 mars 1940, le

---

1. J. DARIDAN, *Le Chemin de la défaite, 1938-1940*, p. 150.
2. Le Comité de guerre, apparu à la mobilisation, prend la place du Comité permanent de la Défense nationale. Il utilise le secrétariat du Conseil supérieur. D'après l'article 40 de la loi du 11 juillet 1938 (Organisation de la nation en temps de guerre, *Journal officiel*, 13 juillet 1938, p. 8385), il assure l'unité de la direction militaire de la guerre et la coordination des opérations dans le cadre des décisions du gouvernement.
   L'autorité de Gamelin en tant que chef d'état-major de la Défense nationale n'ayant pu prévaloir, le Comité de guerre, flanqué du secrétariat du Conseil supérieur, est, en France, ce qui se rapproche le plus de la direction de la Wehrmacht. Mais un corps délibérant ne peut pas tenir facilement le rôle d'un organe de commandement. D'ailleurs, Daladier n'a pas confiance dans le secrétaire général du Conseil supérieur (et du Comité de guerre), le général Jamet.
   Le Comité de guerre ne siégera régulièrement que sous Reynaud, en avril et mai 1940. Sous Daladier, il n'est convoqué que deux fois, le 8 septembre 1939 et le 11 mars 1940. Il réunit, sous la présidence du président de la République, le président du Conseil et le maréchal Pétain, les commandants en chef de l'armée, de la marine et de l'aviation, les trois ministres militaires, le ministre des Colonies ainsi que le chef d'état-major des Colonies.
3. SHAT 5N/578.
4. P. LE GOYET, *o.c.*, p. 250.
5. Cité par É. du RÉAU, « Haut commandement et pouvoir politique », dans *Les Armées françaises pendant la Seconde Guerre mondiale*, p. 79.

colonel de Villelume, conseiller militaire du Quai d'Orsay, cherche à faire décider si on laissera aux Finlandais l'armement encore en mer, ou si on le ramènera en France :

> En l'absence du général Colson, je vois son chef de cabinet, le lieutenant-colonel Lanquetot. Il me renvoie au général de Charry, premier sous-chef d'état-major de l'armée. Charry me renvoie au général Granboulan, aide-major au G.Q.G. Granboulan me renvoie au général Koeltz. Le général Koeltz me renvoie à Gamelin. Celui-ci étant aux obsèques du général Limasset, je m'adresse à [son collaborateur, le colonel] Petibon... qui me renvoie à Daladier[1].

Il en va de même pour des décisions d'une tout autre importance. De tels risques de confusion illustrent la mauvaise articulation des pouvoirs entre le gouvernement et le commandement : l'un et l'autre en portent la responsabilité, comme ils partagent la responsabilité des réformes avortées et des compromis bancals. Quelles qu'aient pu être les erreurs du général Gamelin en matière d'organisation, de tactique et de stratégie, elles n'ont été aussi lourdes de conséquences qu'en raison de la faiblesse ou de la tolérance des gouvernants qui s'en sont remis si longtemps à lui :

> Les chefs de gouvernement, n'ayant pas le courage de signifier aux militaires leur volonté d'agir, se sont contentés de les consulter et ont facilement trouvé dans leurs objections techniques une excuse à leurs indécisions[2].

Ce fut le cas pour Sarraut et Flandin en 1936 lors de la remilitarisation de la Rhénanie. C'est le cas pour Daladier. Ce n'est pas lui qui a nommé Gamelin, mais il l'a laissé en place, il a prorogé ses pouvoirs, il n'a cessé de le couvrir et de le défendre. Pourtant il s'est irrité plus d'une fois de sa passivité et de ses dérobades. Dès lors qu'il connaissait son inefficacité, il s'en faisait le complice. Étrange timidité d'un ministre tout-puissant devant un général toujours déférent : en matière militaire, Daladier est resté le sergent d'infanterie qu'il était en 1914 et qui respectait son capitaine.

---

1. P. DE VILLELUME, *Journal d'une défaite, août 1939-juin 1940*, p. 26.
2. André LATREILLE, *La Seconde Guerre mondiale, Essai d'analyse*, Paris, Hachette, 1966.

2

La mécanisation manquée : histoire et psychologie d'une erreur

De l'impuissance de la France à se doter de l'arme blindée, le général Gamelin porte la responsabilité décisive avec le ministre qui l'a maintenu en place. Il serait toutefois simpliste de ramener cette erreur au seul aveuglement d'un chef isolé. Il serait tout aussi simpliste d'occulter le long débat stérile qui divisa pendant des années l'État-Major pour s'en tenir à la seule image d'Épinal du colonel de Gaulle bravant les forces coalisées de l'obscurantisme.

L'échec final a été si coûteux qu'il convient d'en rappeler la préhistoire.

Une longue querelle

La mécanisation de l'armée et l'emploi des chars ont donné lieu à une véritable querelle des anciens et des modernes qui s'était amorcée dès le début des années 1930 ; elle a opposé en sourdine, au sein de l'État-Major, une poignée de spécialistes au cénacle des généraux vainqueurs de 1918. L'idée d'un corps de combat blindé servant de force d'intervention à l'armée française avait été avancée dès 1921 par le général Estienne, le « père glorieux des tanks » de la Grande Guerre. Jusqu'à 1933, bien qu'étant à la retraite, il avait multiplié les efforts pour doter la France d'un char de combat plus lourd que tous les engins existants, qui permettrait de fonder cette force d'intervention.

Parallèlement, l'inspection des chars, créée au sein de la direction de l'infanterie, se manifestait avec constance.

En 1930, le général Segonne, inspecteur des chars, écrivait qu'il était grand temps de rénover des matériels rendus désuets par les progrès de la technique.

En 1932, le général Bezu, inspecteur des chars, demandait qu'on veuille bien consentir, après avoir enterré vingt milliards en fortifications (évaluation qu'il surestimait largement), à dépenser deux milliards et demi pour construire des matériels de chars.

En 1936, le général Velpry , inspecteur des chars, arrachait la mise en fabrication du char lourd, le « char B », bloquée depuis un an, et demandait « si l'on pensait que la défense de la France serait mieux assurée par un cuirassé de plus ou par la réalisation du programme de chars », qu'il jugeait indispensable.

En 1939, le général Martin, inspecteur des chars, mettant en doute la valeur de la ligne Maginot, réclamait la masse de chars nécessaires à la construction de grandes unités cuirassées [1].

Le problème des chars recouvrait, en réalité, dans cette période, deux questions distinctes : fallait-il en doter massivement l'armée française ? Dans l'affirmative, quels types de chars construire et, surtout, quel usage en faire ?

Daladier et Gamelin auront beau jeu de soutenir que l'inspection de chars mit peu d'énergie à faire prévaloir un nouvel emploi des chars, tel que le général Estienne l'avait défini et tel que Guderian le prônait en Allemagne, qui supposait leur regroupement dans le cadre de grandes unités de choc constituant une « arme blindée autonome ». La question du rôle et de l'emploi des chars était cependant posée depuis des années sur la place publique, grâce à un officier supérieur qui fut le champion le plus clairvoyant et le plus opiniâtre de l'arme blindée, le colonel de Gaulle. Dès 1934, il avait préconisé dans un livre peu orthodoxe, *Vers l'armée de métier,* la constitution d'une force d'intervention de six divisions cuirassées servies par un personnel spécialisé, un personnel « de métier » par opposition au personnel conscrit [2]. Le modèle de la division blindée qu'il proposait, forte de cinq cents blindés, était comparable au modèle adopté pour la Panzerdivision de 1935.

Il avait ensuite cherché des porte-voix politiques. On sait ce que fut son association avec Paul Reynaud, étoile montante de la droite libérale. Reynaud, éclairé et stimulé par lui, demanda le 1er mars 1935 devant la Chambre la création d'un corps blindé, puis déposa une proposition de loi à cet effet. Pendant cinq ans, les deux hommes allaient poursuivre la vaine croisade.

Il faut lire les *Lettres, notes et carnets* du colonel de Gaulle pour mesurer son acharnement et sa prescience. Il ne s'exprime pas seulement en tacticien, comme les inspecteurs de chars, mais en stratège aux larges vues politiques. Hitler remilitarise-t-il la Rhénanie le 7 mars 1936, il y voit la confirmation de la justesse de ses vues : « Le 7 mars, nous l'avons nous-mêmes provoqué et vraiment, c'est trop bête », écrit-il à Reynaud [3] : dès lors que le gouvernement français s'était publiquement refusé — en 1935 — à doter l'armée d'un outil d'intervention, « Hitler

---

1. AN 496 AP (4 DA/15, Dr. 4).

2. Le colonel de Gaulle notera avec mélancolie en 1936 que Guderian se réfère à lui : cf. *Lettres, notes et carnets, 1918-1940,* t. II, p. 415.

3. Lettre à Reynaud, 15 octobre 1937, *ibid.,* p. 454.

était tout à fait fixé. Il pourrait, un an plus tard, passer le Rhin avec la certitude que nous ne bougerions pas ». Et d'ajouter :

> N'est-il pas évident qu'une pareille politique militaire non seulement suivie, mais vantée, étalée, proclamée, nous condamne par avance à perdre la partie diplomatique à Bruxelles (c'est fait), à Belgrade (c'est en cours), à Varsovie, à Prague ?

Son expérience nouvelle de commandant d'un régiment de chars renforce sa conviction [1] :

> Voyant les choses par le bas, je constate ceci : le char moderne est un fait énorme. Il faut le voir évoluer, tirer, écraser, parmi les gens à pied, à cheval, en voiture, pour comprendre que son apparition est une révolution dans la forme et l'art de la guerre. Toute la tactique, toute la stratégie, tout l'armement tournent désormais autour de lui. Nous devons avoir des chars. Mais ces chars nouveaux, il faut les organiser de manière à les employer par concentration, ainsi que le recommandent le bon sens, l'expérience et jusqu'aux règlements (...).

En juillet 1939, la note suivante qu'il adresse à Reynaud synthétise ce que devrait être la doctrine nouvelle [2] :

> En trente ans, l'avion, le cuirassé ont changé toutes les données de la guerre et en sont devenus les moyens principaux.
> Il fallait huit jours à une troupe à pied pour gagner Paris en partant de la frontière belge. Un char Christie y met trois heures. Un avion Morane, vingt-cinq minutes.
> Pour amener et servir au combat deux canons et deux mitrailleuses, il fallait soixante hommes et trente chevaux que le moindre mouvement sous le feu condamnait à une mort immédiate. Ces deux canons et ces deux mitrailleuses, un seul char, monté par cinq hommes, les conduit à 30 km à l'heure, sous dix centimètres d'acier, à bout portant de leur objectif (...).
> Il n'y a pas de ligne Maginot ou Siegfried, ni de barrage antiaérien, ni d'étendues maritimes qui puissent arrêter à coup sûr les raids terribles des corps cuirassés, des escadres de bombardement ou des flottes rapides.
> D'où plusieurs conséquences :
> D'abord, la vulnérabilité de chaque État est accrue à l'extrême. En particulier la France (...) est exposée à chaque instant dans toute sa profondeur.
> Ensuite, aucun pays ne peut combattre seul (...) Il faut à chacun un « espace vital » stratégique (...) L'interdépendance stratégique des États apparaît avec le même caractère impérieux que leur interdépendance économique. Pour personne, il n'y a plus d'isolement possible, splendide ou non.

L'emploi des chars ou la conversion difficile

Il serait faux de prétendre que les « modernes » n'aient pas été entendus : Daladier a fait créer pour la cavalerie une, puis finalement

---

1. *Ibid.*, p. 447.
2. Général DE GAULLE, *Lettres, notes et carnets, juin 1940-juillet 1941*, pp. 441-442.

trois divisions légères mécaniques destinées aux opérations de découverte et de couverture et qui, une fois dotées des excellents chars S.O.M.U.A., sont assez puissamment armées pour mener des opérations, sinon de rupture, du moins d'exploitation. De plus, à partir de 1936, les chars que demandaient les « modernes » ont été construits et nos ressources en blindés égaleront en 1940 celles de l'adversaire. Mais les « modernes » n'ont pas été écoutés quant à la manière d'employer ces engins nombreux : il serait plus exact de dire que, parmi ces « modernes », de Gaulle s'est retrouvé presque seul.

L'immobilisme de Gamelin étonne d'autant plus qu'il contredit certaines de ses propres analyses. Gamelin voit clairement que la ligne Maginot n'est pas un système fermé, il sait que les plans allemands prévoient, comme en 1914, une offensive par la Belgique et peut-être par la Hollande ; il s'inquiète de la rapidité avec laquelle progresseraient les forces ennemies immédiatement opérationnelles ; il note lucidement, le 17 mars 1939, que, outre le déséquilibre existant entre les grandes unités allemandes et françaises au profit du Reich, « le facteur *temps* présente des dangers autrement graves dont il est nécessaire de mesurer les conséquences »[1]. Il pourrait en déduire la nécessité d'une masse de manœuvre mobile. Mais la doctrine ne le prévoit pas. Et la *doctrine* est défendue par le gros des généraux d'armée. Le 15 mars 1935 déjà, le général Maurin, ministre de la Guerre du gouvernement Flandin, qui passait pour un esprit remarquable, a déclaré à la Chambre en réponse à Paul Reynaud :

> Comment peut-on croire que nous songions encore à l'offensive, quand nous avons dépensé des milliards pour établir une barrière fortifiée ? Serions-nous assez fous pour aller, en avant de cette barrière, à je ne sais quelle aventure ?

Le rapport introductif à l'Instruction sur l'emploi des grandes unités, qui a été rédigé en 1936 sous l'autorité du général Georges, a confirmé l'attachement au passé :

> La Commission a admis que le corps de doctrine objectivement fixé au lendemain de la Victoire par des chefs éminents, venant d'exercer des commandements élevés, devait demeurer la charte de l'emploi tactique de nos grandes unités[2].

Toute la stratégie reste fondée sur la défensive, suivant des fronts continus que tiendra l'infanterie, le rôle assigné aux chars étant seulement d'accompagner les fantassins en les précédant par bonds, pour faciliter leur éventuelle progression.

Nous imaginons mal à quel point la notion de « guerre mécanique »

---

1. Cl. PAILLAT, *Le Désastre de 1940*, I, *La Répétition générale*, p. 383.
2. Commission Serre, *o.c.*, p. 357.

impliquait, dans les années 1930, une révolution mentale. Les premiers novateurs qui avaient entrepris de moderniser la cavalerie s'étaient heurtés à des résistances acharnées[1]. Quand Daladier a pris, sur la suggestion de Weygand, la décision de transformer une première division de cavalerie en division légère mécanique, le général Brécard, ex-inspecteur général de la cavalerie, a protesté avec vigueur :

> Il s'agit de dangereuses utopies. Une nation qui ne possède pas d'essence commet une erreur, sinon une faute, en faisant reposer sa tactique sur des formations uniquement automobiles (...) Un pays qui possède [des races] de chevaux merveilleuses commettrait une faute par la réduction progressive de sa cavalerie[2].

Le général Weygand et Daladier avaient tenu bon. Weygand en était même venu en 1935 à l'idée de motoriser progressivement l'infanterie. Mais imaginer la *guerre éclair* supposait une conversion d'esprit plus radicale. Les expériences de la guerre d'Espagne contribuèrent au conservatisme général : les blindés légers de l'Axe échouèrent devant Madrid et furent massacrés en mars 1937 à Guadalajara. On en tira — et non pas seulement en France — des enseignements hâtifs. « Le caractère particulier de la guerre d'Espagne fut mal interprété » peut-on lire dans *L'Histoire de la guerre* publiée par le gouvernement soviétique :

> C'est ainsi qu'on arriva à la conclusion que l'emploi de grandes unités de chars était un principe erroné, bien que nous ayons été les premiers à appliquer cette tactique[3].

Même en Allemagne, les novateurs restèrent rares. Le chef d'État-Major allemand de 1938, Beck, croyait à la « défense retardatrice » ou à l' « attaque défensive » et freina tant qu'il le put la révolution mécanique. Son successeur Halder ne se montra pas plus inventif ; le règlement d'infanterie publié sous son égide en janvier 1940 affirmait encore que « l'infanterie est l'arme principale et que toutes les autres armes lui sont subordonnées »[4]. Même après les succès des Panzers en Pologne, Halder ne croyait pas que l'emploi de chars puisse être efficace à l'ouest contre une armée puissante et une défensive organisée. C'est Hitler qui, après avoir imposé la constitution du Panzerkorps, en imposa l'emploi ; mais Hitler n'était pas un professionnel et Hitler était un joueur.

Deux facteurs complémentaires inclinaient à la prudence du côté français.

---

1. Cf. L. MYZYROWICZ, *Autopsie d'une défaite...*, pp. 152-164.
2. J. DARIDAN, *o.c.*, p. 59. Le même général, faisant preuve d'une belle suite dans les idées, publiait le 22 février 1940 dans *Candide* un article intitulé : « Le moteur n'est pas tout » (titre sur 2 colonnes où l'on relève cette phrase qui en résume la thèse : « Ce n'est un secret pour personne que de révéler qu'il y a en France une crise du cheval militaire »).
3. Cf. Robert ROTHSCHILD, *Les Chemins de Munich*, Paris, Perrin, 1988, pp. 344-345.
4. *Ibid.*

Le premier s'appelait Pétain. Bien que Gamelin n'eût pas été formé à son école, il n'était pas d'un tempérament à s'opposer à lui.

« Le plus illustre des Français » reste en 1939, à quatre-vingt-trois ans, la plus haute autorité militaire du pays. Il a orienté toute la politique militaire de l'entre-deux-guerres. Maintenu en activité jusqu'à soixante-quinze ans, inspecteur général de l'armée et commandant en chef désigné en cas de conflit jusqu'à 1931, ministre de la Guerre en 1934, c'est lui qui a parrainé et, dit-on, dessiné la ligne Maginot ; c'est lui surtout qui n'a cessé d'inspirer la doctrine dans laquelle il s'est pétrifié. Il a affirmé, dans une instruction de 1921 : « La défensive est une situation meilleure que l'offensive, car le feu tue. » Il n'a pas varié. Il est membre à vie du Conseil supérieur de la guerre et du Comité permanent de la Défense nationale. Ses écrits font toujours autorité, ainsi la préface qu'il donne en 1939 au livre du général Chauvineau, *Une invasion est-elle encore possible ?* dans lequel ce dernier affirme que les « grandes unités cuirassées appartiennent au domaine du rêve ». Le maréchal est moins catégorique, mais tout aussi rassurant :

> Couverte par des fronts continus, la Nation a le temps de s'armer, pour résister d'abord, passer à l'attaque ensuite. Cette perspective n'a rien de réjouissant pour nos agresseurs éventuels. Elle est le meilleur gage de succès.

Pétain, en effet, ne croit pas aux offensives motorisées. Et c'est seulement de façon incidente et *in extremis* qu'il admet, en cette veille de guerre, que des divisions cuirassées puissent contribuer à arrêter des divisions cuirassées. Pour lui, le barrage mortel qui s'oppose au passage des chars existe : c'est l'obstacle des mines associé au feu des armes antichars. Encore faudrait-il en posséder en quantités suffisantes.

Le conservatisme officiel s'accorde en outre avec le contexte politique et psychologique français. On a pu dire qu'il y prenait appui :

> Exsangue et ruinée, la France s'est ruée d'instinct vers un semi-pacifisme défensif (...). La ligne Maginot était plus populaire que les divisions blindées. Faute d'un pouvoir exécutif conscient, l'État-Major, non stimulé, s'est endormi dans le perfectionnisme du détail tactique. Et le pouvoir exécutif est resté inconscient parce que l'opinion publique, et sa traduction parlementaire, se sentaient parfaitement satisfaites des vues défensives préconisées par l'illustre vainqueur de Verdun[1].

La liaison établie par le colonel de Gaulle et Paul Reynaud entre *corps blindé* et *armée de métier* a, de plus, hérissé une large fraction des milieux politiques à commencer par Daladier. Les gouvernements du Front populaire de 1936-1938 n'ont le goût ni des opérations offensives

---

1. Général MERGLEN, *Les Forces allemandes sur le front de l'Ouest en 1939*, pp. 155-156, qui se réfère lui-même, à ce propos, à différents écrivains militaires dont le général TOURNOUX (*Défense des frontières, haut commandement, gouvernement, 1918-1919*).

ni de l'armée de métier. La malléabilité de Gamelin ne pouvait que l'incliner à composer avec le conformisme ambiant.

Mais à partir de 1938, plus aucun frein politique n'entravait les réformes : sous Daladier président du Conseil, le chef d'État-Major général a les mains libres. Seulement Gamelin a au moins autant le souci de ménager les coteries militaires que l'opinion publique. Car il y a, dans ces années, au sein du commandement, trois parties prenantes en matière de chars et trois doctrines d'emploi, non comprise celle du colonel de Gaulle. Il y a les chars de l'infanterie, il y a les chars et blindés de la cavalerie, il y a enfin les « chars de combat », qui devraient être utilisés dans le cadre d'unités spécifiques. Quand Gamelin a décidé, en 1936, de lancer d'énormes programmes de fabrication de chars, il n'a pas jugé nécessaire d'arbitrer entre l'inspection des chars, qui réclamait des engins lourds dans la proportion d'un pour trois, et les traditionalistes, pour qui suffisaient des chars légers qu'ils entendaient utiliser comme en 1918. Les chars légers étaient à la mobilisation dix fois plus nombreux que les chars de combat. Tout s'est passé comme si l'on avait répugné à faire violence à la direction de l'infanterie qui, appuyée par l'État-Major de l'armée, avait réglementairement les chars dans sa mouvance. À l'infanterie, donc, la masse des bataillons de chars légers d'accompagnement : elle les gardera jusqu'au bout, émiettés dans les unités. À la cavalerie, les chars moyens S.O.M.U.A., chargés, dans le cadre de trois divisions légères mécaniques, d'opérations de couverture, d'exploitation du succès et de poursuite. Restaient en suspens les chars de combat, les magnifiques B1 et B1 *bis,* encore peu nombreux, dont aucune armée étrangère ne possédait l'équivalent et dont l'emploi était encore incertain à la déclaration de guerre.

On y avait réfléchi, pourtant. Et on en avait débattu !

L'inspection des chars avait étudié en 1936 des premiers projets de division cuirassée, auxquels le cabinet de Daladier avait été associé, regroupant des chars de combat et des chars légers. En décembre 1937, Gamelin, pour éviter le reproche d'être hostile aux nouveautés, a proposé au Conseil supérieur de la guerre l'étude d'une autre formule d'éventuelle division cuirassée, celle-ci ne comprenant que des chars de combat. Le général Martin, inspecteur des chars de combat, a réuni une équipe enthousiaste, établi un programme complet, expérimenté et présenté un projet de règlement intitulé « Notice provisoire à l'usage de la division cuirassée ». De tout cela rien n'est sorti [1]. Le général Héring a eu beau souligner, au lendemain de Munich, que, « dans l'état présent des structures militaires », les chars livrés à eux-mêmes ne peuvent pas s'aventurer à plus de 1 500 ou 2 000 mètres en avant de la ligne de combat et qu'il faut donc créer des « groupements mécaniques de combat » autonomes [2] ; il a eu beau plaider, le 2 décembre 1938, devant le Conseil

---

1. Sur ces débats, cf. colonel H. DUTAILLY, *o.c.,* pp. 147-159.
2. Rapport d'inspection du général Héring du 26 novembre 1938, AN 496 AP (4 DA/15, Dr. 3).

supérieur de la guerre, « en dehors de toute considération d'arme », que la France ne devait pas avoir deux types de divisions blindées, les divisions légères mécaniques de la cavalerie et une ou des divisions cuirassées relevant du haut commandement, mais un modèle unique de divisions blindées articulées en groupements interarmes[1], il a fait contre lui l'unanimité des particularismes. Le général Billotte, approuvé par Héring, a eu beau faire approuver, à cette même séance, le principe de la création de deux divisions cuirassées, on lui a opposé qu'au rythme de fabrication des chars B1 *bis,* elles ne pourraient pas être opérationnelles avant 1941 et on en est resté là. En fait, la doctrine, implicitement approuvée par Gamelin, reste celle qu'incarne le très conservateur inspecteur général de l'infanterie et des chars, le général Dufieux : « Le char est le moyen de compenser, vis-à-vis de l'ennemi, l'infériorité numérique de l'infanterie[2]. »

Au début de la guerre, l'armée française possède quelque 1 800 chars légers éparpillés pour la plupart dans l'infanterie. Mais le seul élément blindé maintenu à la disposition du commandement comme « force de rupture » se limite aux 162 chars de combat existants, groupés en quatre bataillons dont Gamelin prévoit qu'ils devraient, avec un appui d'infanterie portée et d'artillerie tractée, former en 1940 une division cuirassée. L'instruction préparée en 1938 par le général Martin dort dans des tiroirs : les exécutants n'en auront pour la plupart connaissance qu'à partir de février 1940. Aucune décision n'a été prise. À l'exception des généraux Héring et Billotte et « peut-être, mais seulement sur le plan des principes, de Gamelin », le haut commandement « ne conçoit pas le parti qu'il pourrait tirer de forces mécanisées »[3].

Cependant, on sait que Hitler dispose de dix Panzerdivisions, dont on s'exagère d'ailleurs la force, la campagne de Pologne démontre l'efficacité des chars agissant par masses en coopération avec l'aviation, les chefs de nos missions militaire et aérienne donnent l'alerte : on n'en tient pas compte ou on n'y croit pas. Le 2e Bureau conclut avec scepticisme que

> les procédés de combat employés en Pologne répondent à une situation particulière (très grands fronts, disproportion des forces, absence de frontières fortifiées continues, supériorité des moyens techniques, etc.).
> Sur le front occidental, les opérations revêtiront sans doute un autre aspect. Néanmoins pour de multiples raisons (fidélité traditionnelle du commandement allemand à certaines stratégies et tactiques, identité des moyens, réflexes acquis par la troupe, etc.), il se peut que, sur quelques

---

1. L'organisation préconisée par le général Héring préfigurait celle des divisions blindées américaines de 1942-1945. Lors du Conseil supérieur du 2 décembre 1938, Héring a exigé — procédure inhabituelle — qu'une note rédigée par lui et précisant sa position soit annexée au procès-verbal de séance.
2. Déclaration du général Dufieux du 19 mai 1938.
3. H. DUTAILLY, *o.c.,* p. 159.

parties de ce front tout au moins, les méthodes de Pologne soient de nouveau appliquées. Leur connaissance doit permettre de préparer en temps utile les réponses appropriées[1].

Le mémorandum du colonel de Gaulle ou l'avertissement inutile

Une ultime mise en garde vient pourtant en ces moments critiques. Le 11 novembre 1939, le colonel de Gaulle, commandant des chars de la Vᵉ armée, a adressé par la voie hiérarchique au chef des armées un mémorandum intitulé : *L'Avènement de la force mécanique* qui est une mise en garde et un manifeste. Le 26 janvier 1940, il en communique le texte à quatre-vingts personnalités civiles et militaires :

> Si l'ennemi, écrivait-il, n'a pas su constituer déjà une force mécanique suffisante pour briser nos lignes de défense, tout commande de penser qu'il y travaille. Les succès éclatants qu'il a remportés en Pologne grâce aux moteurs combattants ne l'encouragent que trop à pousser largement et à fond dans la voie nouvelle (...)
> Pour briser la force mécanique, seule la force mécanique possède une efficacité certaine. La contre-attaque massive d'escadres aériennes et terrestres, dirigées contre un adversaire plus ou moins dissocié par le franchissement des ouvrages, voilà donc l'indispensable recours de la défense moderne (...)

De ces prémisses découlait un avertissement solennel :

> À aucun prix, le peuple français ne doit céder à l'illusion que l'immobilité militaire actuelle serait conforme au caractère de la guerre en cours. C'est le contraire qui est vrai. Le moteur confère aux moyens de destruction modernes une puissance, une vitesse, un rayon d'action tels que le conflit présent sera, tôt ou tard, marqué par des mouvements, des surprises, des irruptions, des poursuites, dont l'ampleur et la rapidité dépasseront infiniment celles des plus fulgurants événements du passé (...)

De Gaulle adjurait en conséquence les responsables de créer sans délai un ensemble de divisions mécaniques à base de chars, d'infanterie portée et d'artillerie tractée, divisions constituées « en vue de l'autonomie » et regroupées en « corps terrestres », en même temps que seraient créées, en l'air, des divisions d'assaut :

> La lutte dans laquelle nous sommes engagés implique une réforme profonde de notre système militaire. L'activité étant la condition de la victoire et la force mécanique constituant désormais, dans l'ensemble des moyens, l'élément actif, c'est cette force qu'il faut, avant tout, créer, organiser, employer[2].

1. G.Q.G., État-Major général, 2ᵉ Bureau, nᵒ 1152-2/FT. Note secrète, *Campagne de Pologne*, octobre 1939 : AN 496 AP (4 DA).
2. Charles DE GAULLE, *Trois études*, Paris, Berger-Levrault, 1945, pp. 71-101.

Ces pages superbes portaient assez de force de conviction pour ouvrir les yeux de Léon Blum : « C'est alors, dit-il, que je compris tout. Il fallait organiser à tout prix, et sans autre délai, l'armée mécanique[1]. » Mais Daladier ne prit pas la peine de les lire et elles émurent peu la hiérarchie militaire. Le général Georges nota sur le Mémoire : « Intéressant mais la reconstruction n'est pas à la hauteur de la critique. Faire étudier. » Le 3e Bureau de l'État-Major étudia et conclut que l'expérience polonaise ne rendait pas nécessaire de réviser l'organisation des blindés ; l'inspection des chars renchérit ; le verdict du général Dufieux tomba le 3 décembre : « J'estime que les conclusions du colonel de Gaulle sont à rejeter. »

Si un grand pas fut fait *in extremis* vers l'organisation d'une force blindée autonome, ce fut grâce au général Billotte. Il commandait le 1er groupe d'armées sur la frontière belge. Le 6 décembre 1939, il écrivit à Gamelin et à Georges que « pour conserver une supériorité certaine dans le cas où la bataille débuterait, en Belgique, par un rush des divisions blindées allemandes », il lui paraissait « nécessaire d'augmenter le nombre de nos grandes unités mécaniques »[2] ; il demandait, en conséquence, que, au lieu de l'unique division de chars lourds prévue, on constitue à bref délai trois divisions cuirassées jumelant chars lourds et chars légers renforcés par des éléments d'artillerie. C'était revenir à un modèle envisagé dès 1936 et approuvé alors par Daladier, mais celui-ci n'avait rien fait, depuis trois ans, pour l'imposer. Billotte enleva la décision à une réunion du G.Q.G., le 17 décembre. Sur ces bases, trois divisions cuirassées furent formées en janvier, février et avril 1940[3]. Elles étaient loin d'avoir la puissance proposée par de Gaulle et leur mode d'emploi restait incertain. Au moment de l'attaque allemande, elles étaient entièrement constituées, mais seules les deux premières étaient à peu près instruites. Une quatrième fut improvisée en pleine bataille. Employées en ordre dispersé, elles eurent à faire face à la ruée de dix Panzerdivisions fortes de quelque 2 700 chars. Dans son rapport n° 356/1 du 5 juillet 1940, le général Keller, inspecteur des chars, mort en déportation, pouvait écrire[4] :

> À son premier jour, l'attaque allemande [du 10 mai 1940] trouvait en face d'elle 40 bataillons de chars éparpillés, à raison de 3 ou 4 par armée, de la mer du Nord jusqu'à la Suisse et 4 divisions cuirassées de formation récente à peine instruites.
>
> Bien plus, dans chaque armée, les bataillons de chars étaient répartis compagnie par compagnie, voire section par section, dans les missions de hasard et de crise.

1. Cité par J. LACOUTURE, *Léon Blum*, p. 300.
2. Note sur l'emploi des chars. AN 496 AP (4 DA/7, Dr.1).
3. La décision de création est du 16 janvier 1940 pour les deux premières, du 20 mars pour la troisième.
4. FNSP (4 DA/15, Dr.4). Le général Keller, si critique après coup à l'égard du commandement, avait désapprouvé en décembre 1939 les recommandations du colonel de Gaulle.

2 000 chars, cela pouvait à la rigueur constituer des paquets appréciables de 200 chars. Ils ne furent, pour remédier à des insuffisances de l'infanterie, qu'une poussière de chars dispersés à tous les vents, écrasés en détail à 3 contre 20 ou 30 et condamnés partout, sous le nombre, à une mort sans profit.

1 200 chars percés ou incendiés, 30 % des équipages anéantis, sont le témoignage que les exécutants ne furent pour rien dans l'erreur commise.

Un tel emploi porte en soi sa condamnation...[1].

Le commandement, ne croyant pas à la « guerre mécanique », n'avait rien fait, par ailleurs, pour préparer le fantassin à la défense antichar (dont Gamelin, pourtant, avait reconnu dans l'abstrait la nécessité) : il ne l'avait pas armé en conséquence, il ne s'était même pas soucié d'intégrer le char à l'image que la troupe se faisait de la guerre. Ainsi la masse des combattants ne s'était jamais représenté celle-ci autrement que comme une guerre de tranchées ou une défense de la ligne Maginot. C'était les vouer à l'affolement dès l'apparition d'un blindé adverse.

---

1. Mais le général Keller, comme Daladier le lui a rappelé au procès de Riom, n'avait rien fait pour hâter la formation de divisions cuirassées, ni pour faire prévaloir un emploi différent de l'arme blindée.

3

Les limites de la ressource humaine

L'armée française « foudroyée par la force mécanique » : la cause première de sa défaite est bien là. Face à l'avance fulgurante des éléments mécaniques, elle ne put miser ni sur le *temps* ni sur l'*espace*, comme elle l'avait fait en 1914 et comme l'armée russe le fit en 1941. Or, elle ne pouvait pas compter non plus sur le *nombre*, ce qui aurait dû être une raison de plus pour l'État-Major de la doter d'une haute capacité technique.

Pourtant l'effort de mobilisation de l'automne 1940 a été énorme : la levée en masse a appelé sous les drapeaux les hommes jusqu'à l'âge de quarante-huit ans (alors qu'en Allemagne la limite a été fixée à quarante-six ans). Le total de nos forces armées (aviation et marine comprises) s'est élevé aux alentours de 5 000 000 d'hommes dont 4 736 000 pour l'armée de terre, soit le quart de la population masculine globale ; plus d'un métropolitain de vingt à quarante-cinq ans sur deux a été mobilisé.

L'armée française semble ainsi, comme l'armée allemande, une armée de masse. C'est plus une apparence qu'une réalité [1]. À l'automne 1939, les colonies, l'Afrique du Nord et le Levant absorbent près de 600 000 hommes, ce qui ramène l'effectif terrestre métropolitain légèrement au-dessous de 4 200 000 hommes ; un tiers de cet effectif est composé de territoriaux âgés de quarante ans et plus, que l'on considère comme hors d'état d'être versés dans des unités combattantes et dont les plus anciens et les plus chargés de famille seront assez vite renvoyés dans leurs foyers. L'armée de campagne proprement dite est ainsi limitée à 2 700 000 hommes ; elle ne dépassera pas ce chiffre, les nouveaux appelés

---

1. H. DUTAILLY, « Faiblesses et potentialités de l'armée française » dans *Les Armées françaises pendant la Seconde Guerre mondiale, o.c.*, pp. 24 et ss., remarquable synthèse à laquelle sont empruntés la plupart des chiffres relatifs à la mobilisation. Cf. aussi, Charles CHAPON, « L'armée de terre française le 3 septembre 1939 et le 10 mai 1940 », *Revue historique des armées*, nº 4, 1979, pp. 164 et ss.

(environ 400 000 entre septembre 1939 et avril 1940) équilibrant à peine les démobilisations d'affectés spéciaux. L'armée de campagne allemande, au contraire, qui compte 2 730 000 hommes en septembre 1939, atteindra 3 300 000 hommes en mai 1940.

L'armée française est en outre moins jeune que l'armée allemande, non pas en âge moyen (car la Wehrmacht n'a pas hésité à intégrer des hommes de quarante ans et plus dans son armée de campagne), mais par la proportion beaucoup plus faible des jeunes soldats. Les vingt à vingt-sept ans sont presque moitié plus nombreux du côté allemand : 1 500 000 seulement dans les rangs français au 10 mai 1940, non comprise la classe 1939 qui n'est que partiellement instruite, contre 2 300 000 sur les 3 300 000 d'hommes de l'armée de campagne allemande de mai 1940. Ces 2 300 000 jeunes Allemands, qui avaient de quinze à vingt ans lors de l'arrivée au pouvoir de Hitler, composeront sa force de choc victorieuse. La raison de cet écart est claire : une classe d'âge française, avant même l'annexion de l'Autriche et des Sudètes au Reich, était moitié moins nombreuse qu'une classe d'âge allemande. Il en résulte qu'aux trente-sept divisions d'active françaises, dont trois divisions légères mécaniques et trois divisions cuirassées (la troisième tout juste formée), font pendant cinquante-sept divisions d'active chez l'adversaire (dont ses dix Panzer-divisions). Les difficultés d'effectifs, aggravées par la dispersion des fronts, obligent le commandement français à recourir aux classes anciennes de très médiocre valeur militaire pour tenir des secteurs qui se révéleront vitaux, comme celui de Sedan. Que ce soit pour constituer sa force de travail ou son armée, la nation a atteint la limite de ses ressources humaines. L'heure de vérité de la mobilisation révèle — plus dangereusement qu'en 1914, en raison de l'effondrement de l'allié polonais — qu'elle n'est plus démographiquement une grande puissance.

L'opinion s'hypnotise sur le réservoir colonial ; la presse a glorifié, depuis la crise de Munich, « la plus grande France de 110 millions d'habitants » : c'est une illusion. Même à terme, la rigueur de l'hiver européen ne permet pas d'acclimater des renforts illimités d'Africains. L'empire, qui est pour la France un atout stratégique et économique, est une cause de dispersion militaire, malgré la valeur des combattants que fournissent l'Algérie, le Maroc, l'Afrique noire et même Madagascar. L'armée française compte vingt et une divisions nord-africaines, mais neuf seulement sont en France le 10 mai 1940. Les effectifs retenus à cette date loin du front du Nord-Est, que ce soit pour assurer la défense des possessions d'outre-mer ou pour monter la garde au Levant, à quoi l'on peut ajouter les forces immobilisées face à l'Italie sur le front des Alpes, représentent l'équivalent de vingt-trois divisions, pour près de moitié de composition européenne, dont quelque 15 000 officiers.

À la date du 10 mai 1940, les deux camps disposent chacun entre le Jura et la mer du Nord d'environ 2 500 000 hommes, sur lesquels près de 2 000 000 de combattants.

Les grandes unités dites de campagne relevant du général Georges, commandant sur le front du Nord-Est, sont au nombre de 89, dont 10 divisions britanniques et une division polonaise ; il s'y ajoute les troupes de forteresse, qui représentent la valeur de 13 divisions ; le total équivaut à 102 divisions. Le commandement espère y adjoindre l'armée belge (22 divisions qui, à en croire certains membres de l'État-Major[1], n'en constituent réellement que 12) et les forces hollandaises (12 divisions qui n'ont ni équipement moderne ni entraînement). Le commandement allemand a, de son côté, réuni à l'Ouest 135 divisions dont 90 dans son dispositif de bataille ; il en maintient plus de 10 en Pologne et face à l'Union soviétique, 8 en Norvège et au Danemark.

La répartition des effectifs est toutefois très différente dans les deux camps. Le commandement français a eu le souci de « saturer l'espace », comme on dit alors : il a garni d'un rideau de troupes relativement dense les 750 km de frontière qui courent de Dunkerque à Bâle. On prévoyait que la ligne Maginot, en « saturant l'espace » d'ouvrages et d'obstacles, devait dégager des effectifs permettant d'augmenter la masse de manœuvre : le principe n'a pas été respecté. Par suite, les réserves générales à la disposition du G.Q.G. se limitent à 21 divisions (18 divisions d'infanterie, 3 divisions cuirassées), soit à peine le quart des forces de campagne, ce qui est une proportion très faible ; de plus, leur répartition géographique fait qu'elles ne sont pas à pied d'œuvre pour une bataille à livrer en Belgique et cinq de ces divisions sont immobilisées dans l'Est par crainte d'une offensive ennemie par la Suisse. Aussi la marge de manœuvre dont dispose le général Georges est étroite[2]. On s'explique qu'au septième jour de la bataille, le 16 mai, quand Churchill demande au général Gamelin[3] :

« — Où sont les réserves stratégiques ? Où est la masse de manœuvre ? »

celui-ci réponde :

« — Il n'y en a aucune. »

L'État-Major allemand, au contraire, qui a tout misé sur la violence de son offensive, a conservé des réserves qui s'élèvent à 45 divisions, soit la moitié des forces de campagne engagées ; sans doute ces réserves sont-elles composées en majorité de troupes de valeur combative très médiocre, âgées de quarante ans ou plus et ayant fait la guerre de 1914-1918. Il reste que l'Allemagne est en mesure de recourir à d'importants effectifs d'appoint. La France ne l'est pas. La bataille de la Somme et de l'Aisne, au début de juin 1940, sera livrée à deux contre trois, sans plus aucune réserve à laquelle faire appel.

---

1. C'est ce qu'affirme le général ROTON, chef d'état-major en 1939-1940 du général Georges, dans *Années cruciales,* publié en 1947 avec une préface du général Georges, pp. 124 et ss.

2. Cf. général ROTON, *o.c.,* pp. 124 et ss., et A. GOLAZ, « L'armée allemande de 1935 à 1945 d'après les sources allemandes », *Revue historique des armées,* 1957, n° 3.

3. W. CHURCHILL, *La Deuxième Guerre mondiale,* t. II/1, p. 49.

Au 10 mai, cependant, les forces opposées peuvent passer pour sensiblement égales et dotées, sauf pour l'aviation, d'une « honorable égalité » d'armements, selon la formule de Gamelin. Chacune a ses points forts et ses faiblesses. Si les effectifs sont à l'avantage des Allemands, l'artillerie française peut aligner 10 170 canons[1] en face de 7 300 chez l'adversaire ; les moyens en blindés, si l'on ne tient compte que du nombre, sont légèrement à l'avantage des Alliés. Ce n'est pas seulement pour impressionner l'adversaire que le général Gamelin a proclamé le 1er avril 1939 au congrès des officiers de réserve tenu à Nancy : « L'armée française est plus belle qu'elle ne l'a jamais été » et le général Weygand, en juillet, à Strasbourg : « L'armée française a une valeur plus grande qu'à aucun moment de son histoire. » Mais les chars légers sont trop faiblement armés, l'artillerie est en grande partie hippomobile (l'armée à l'approche de la guerre dépensait quatre à cinq fois plus en fourrages qu'en carburant[2]), et le déficit en armes de D.C.A. et en antichars reste élevé.

En fait, Gamelin a pris un pari en entrant en guerre, car, en dépit d'un effort d'armement intense, ni l'armée de terre ni l'aviation ne peuvent être équipées pour de grandes opérations avant 1941. Mais Hitler a pris lui aussi un pari : douze classes n'ont reçu aucune formation militaire du fait de la suppression du service obligatoire jusqu'à 1935 ; l'armée allemande est loin d'être entièrement moderne, elle dispose de 120 000 camions, mais elle emploie encore 180 000 chevaux[3] ; seul le corps blindé est entièrement motorisé. Et la France a la ligne Maginot.

*

L'armée française n'est donc une armée nouvelle ni par son armement ni par sa tactique, c'est l'armée de 1918 revue et améliorée ; ce n'est pas non plus une armée nouvelle par son recrutement. Sa composition socio-professionnelle a pourtant évolué. Elle n'est plus au même degré que pendant la Grande Guerre une armée de paysans. Les agriculteurs doivent y compter pour 31 à 36 %, les ouvriers d'industrie (y compris les industries extractives, non compris le bâtiment) pour près de 25 % et les agents du tertiaire, employés et fonctionnaires, pour à peu près autant[4].

Métallos, électriciens, mécaniciens de garage (ceux-ci, catégorie nouvelle, vraisemblablement au nombre de plusieurs dizaines de milliers) ont été affectés en plus forte proportion dans les « armes

1. Auxquels il convient d'ajouter les 1 250 canons du corps expéditionnaire anglais, mais compte non tenu des antichars, beaucoup plus nombreux du côté allemand.
2. J. DOISE et M. VAÏSSE, *Diplomatie et outil militaire*, p. 341.
3. H. MICHEL, *La Défaite de la France*, p. 76.
4. Évaluations incertaines, qui correspondent toutefois au recensement professionnel des prisonniers de guerre à la date du 25 mai 1943, cité par Y. DURAND, *La Captivité*, p. 23.

savantes » (artillerie, divisions mécanisées et blindées, train, transmissions) où l'on ne se plaint pas d'eux. On a pris soin de diluer les autres personnels industriels (ainsi que les Parisiens, jugés plus raisonneurs, plus rouspéteurs et peut-être moins fiables) dans les différents régiments d'infanterie et de cavalerie, de sorte que seuls de rares régiments régionaux comprennent une assez forte concentration ouvrière. Un régiment de Paris, comme le 13e chasseurs à cheval, mêle des employés et des ouvriers parisiens à des dockers de Cherbourg et à un fort contingent de paysans normands : ses officiers jugent l'amalgame excellent. La grande masse des régiments d'infanterie restent des régiments à dominante non plus paysanne, mais largement rurale, dont le comportement est encore, aux yeux des cadres, celui de ruraux, globalement dévoués et dociles.

Le commandement n'a cessé d'être attentif au moral de l'armée ; il a suivi avec inquiétude l'évolution idéologique de la gauche dans l'entre-deux-guerres. L'antimilitarisme narquois style *Canard enchaîné* n'a jamais été qu'un phénomène sporadique peu sensible chez les recrues, mais la minorité montante des jeunes militants communistes a manifesté de 1925 à 1935 un antimilitarisme parfois virulent, notamment à l'époque où *L'Humanité* avait une rubrique périodique des « gueules de vache » ; l'action draconienne du commandement et l'interdiction de lire les publications du P.C.F. dans les casernes ont empêché toute propagande et rendu le noyautage difficile. Depuis 1936, les recrues communistes ont été des soldats modèles. Les centres mobilisateurs ont toutefois reçu des consignes strictes tendant à disperser les militants connus : c'est le cas pour une partie des meneurs de la grève du 30 novembre 1938.

La poussée pacifiste relayée par les instituteurs a inquiété davantage, surtout depuis la fin des années 1920, époque où les élèves-maîtres des écoles normales ont boudé plus massivement les cours de préparation militaire, même dans les départements bretons. Le commandement continue de mal mesurer l'imprégnation pacifiste. Il en tient compte pourtant dans la mesure où il est pénétré de l'idée que les mobilisés sont marqués, comme toute la nation, par le souvenir des hécatombes de 1914-1918, que personne ne souhaite voir renouveler. Il a constaté en outre depuis 1934 parmi le contingent — sans bien se l'expliquer — un manque d'allant devenu assez visible pour que, lors de grandes manœuvres en 1935, l'attaché militaire allemand se soit permis de demander insidieusement : « L'infanterie française ne saurait donc plus attaquer [1] ? » La mobilisation de 1938 a été marquée par beaucoup de laisser-aller, des retards de mobilisés, des scènes d'ivresse, tandis qu'un bon nombre d'officiers de réserve se révélaient inaptes au commandement [2].

1. GAMELIN, *o.c.*, t. III, p. 455.
2. Mais l'armée allemande manque de cadres et compte des soldats récalcitrants. Il y a eu des cas d'indiscipline pendant la campagne de Pologne. Cf. général HALDER, *Kriegstagebuch*, 5 novembre 1939, ou VON MANSTEIN, *Victoires perdues*, p. 56.

En revanche, les signes encourageants ne manquent pas : la désertion de la carrière militaire est enrayée, les candidats à la préparation militaire sont nombreux, les taux d'officiers et de sous-officiers inscrits aux cours de perfectionnement honorables. Enfin, l'évolution de l'opinion publique depuis la crise des Sudètes semble prouver que les Français *ont compris*. La mobilisation d'août-septembre 1939 a été dans l'ensemble une réussite technique, ce qui n'a pas été le cas en Allemagne, on le sait aujourd'hui.

Les déficiences humaines les plus sérieuses ont trait à la formation tactique, à l'instruction et à l'entraînement, le commandement le sait, sans en mesurer encore toute la portée : l'armée de septembre 1939 est mentalement prête à faire la guerre à la façon de 1918, seuls ses meilleurs éléments sont en mesure de s'adapter très vite à une forme de guerre nouvelle, que personne ou presque n'imagine.

4

Guerre des occasions perdues, guerre des opérations manquées

De l'inaction volontaire à l'inaction forcée

Guerre des occasions perdues, cette « drôle de guerre »[1] ?

Occasion manquée dès les premières semaines de guerre, l'immobilisme où l'on confine notre armée, tandis que les Allemands, bientôt secondés par les Russes, écrasent la Pologne. Pourtant Gamelin s'était engagé au mois de mai 1939 envers le ministre de la guerre polonais à attaquer la ligne Siegfried avec « les gros de ses forces » à partir du dix-septième jour de la mobilisation. La réalité est que Gamelin *avait besoin que la guerre commence à l'est* pour faire « sa concentration » dans la tranquillité[2], mais il n'avait jamais envisagé d'opérations de grande envergure pour « soulager la Pologne ». Les offensives françaises de la Warndt et de la Bliess, les 7 et 8 septembre, se limitèrent à une avance de quelques kilomètres sur un front de vingt-cinq, opération locale qui permit d'occuper sans véritable résistance une vingtaine de villages du *no man's land* et que suivit, le 16 octobre, le reflux sur les positions de départ sans attendre la contre-attaque ennemie.

Or, septembre 1939 aura été le seul moment où l'armée française eut la triple supériorité du nombre, de la valeur militaire et de l'armement. Elle disposait avant la fin du mois, sur le front du Nord et du Nord-Est, de 84 divisions avec des chars et de l'artillerie lourde ; en face d'elle, « à l'abri des fortifications de la ligne Siegfried seulement terminées dans les zones d'effort principal, ne se trouvaient que 34 divisions deux tiers, renforcées au 10 septembre par 9 autres divisions »[3]. Aux 1 600 canons

---

1. *La Guerre des occasions perdues* est le titre d'un ouvrage du colonel GOUTARD, publié en 1956 avec une lettre d'approbation chaleureuse du général de Gaulle.
2. Cf. t. I, Prologue, chap. 1, p. 31. « Nous avons surtout besoin de faire notre concentration dans la tranquillité » dit le général en chef au Comité de guerre restreint du 7 septembre 1939 à Vincennes, AN 496/AP(3 DA/I, Dr.1).
3. H. A. JACOBSEN, *Fall Gelb...*, p. 2.

français massés le long de la Sarre et du Palatinat (non comprises les artilleries divisionnaires), l'adversaire ne pouvait en opposer que 300 et tous ses chars étaient rassemblés contre la Pologne [1].

Le haut commandement français connaissait le rapport des forces, mais il ne semble pas avoir mesuré à quel point le facteur qualité jouait aussi en sa faveur. C'est ce qu'a montré un remarquable analyste français, le général Merglen, qui s'est livré à une étude approfondie des archives militaires allemandes. Hitler s'était lancé dans la guerre en passant sur deux énormes lacunes de la Wehrmacht : il lui fallait rattraper l'instruction militaire des classes qui, de 1919 à 1936, n'avaient pas été astreintes au service obligatoire et surtout former en masse des officiers et sous-officiers. C'est pourquoi, s'il disposait au début de la guerre de divisions de valeur formées de jeunes entièrement instruits, encadrés par des anciens de la Reichwehr, le reste de son armée était composé de soldats âgés aux cadres improvisés ou vieillis. En septembre 1939, la masse active, motorisée, blindée, soutenue par l'aviation était à l'est ; les unités allemandes proches du front français étaient constituées en majorité de vétérans de la Grande Guerre, médiocrement équipés et dépourvus d'appui aérien. Le général Westphal, qui avait été officier des opérations d'une de ces divisions de formation, a affirmé dans un livre publié en 1950, que plus de trente d'entre elles n'étaient, à la mi-septembre 1939, « aucunement aptes au combat » [2] :

> Elles devaient monter en ligne pour *figurer une occupation du front de l'Ouest*. Ce n'était qu'une figuration, qu'un geste symbolique. Cette représentation symbolique dura jusqu'à ce que la masse de l'armée active du temps de paix revienne de Pologne, donc jusqu'au mois d'octobre. Sur tout le front allemand de l'Ouest, il n'y avait, en septembre 1939, pas un seul char. Les dotations en munitions suffisaient, tout compris, pour trois jours de combat. Le commandement de l'armée de terre n'avait, à l'intérieur, aucune réserve prête au combat.

Les journaux de marche et les historiques de ces unités, que Merglen a méthodiquement analysés, confirment ce jugement.

Les généraux Keitel et Jodl ont rappelé au procès de Nuremberg quelles avaient été leurs inquiétudes : à les en croire, si l'armée française avait attaqué en force comme ils s'y attendaient, elle aurait pu pénétrer profondément en territoire allemand.

> Personne ne pouvait supposer que les puissances occidentales abandonneraient aussi lamentablement la Pologne à qui elles avaient donné leur garantie,

---

1. Général HALDER, *Kriegstagebuch*, t. I, 21 août 1939.

2. WESTPHAL, *Heer in Fesseln*, pp. 109 et ss., cité par A. MERGLEN, *Les Forces allemandes sur le front de l'Ouest*, p. 100. Ainsi lit-on dans l'historique de la 216e division d'artillerie allemande : « L'instruction était plus que minable lorsque la division fut appelée sous les armes fin août ; armement et équipement, en particulier dans l'infanterie, étaient insuffisants (...) On reconnut que jusqu'à nouvel ordre, la division n'était pas en mesure d'affronter des efforts de quelque importance, encore moins un engagement de combat » (pp. 98-99).

devait ajouter le général von Manstein, l'auteur du plan stratégique allemand de mai 1940[1].

Le haut commandement français a-t-il laissé échapper une chance unique ? Celle au moins de démontrer qu'il était capable d'agir ? Une offensive, même contre un adversaire aussi médiocre, n'était pas exempte de risques sur le terrain difficile d'entre Rhin et Moselle ; le général Merglen note, en revanche, qu'une armée animée d'un esprit offensif aurait pu sans grandes difficultés franchir le Rhin et pousser en Allemagne du Sud. Mais le commandement n'avait pas prévu de matériel de franchissement. De toute façon, et c'est là l'essentiel, l'offensive n'était pas dans l'esprit du général Gamelin, de ses généraux, ni du gouvernement.

Gamelin a, comme toujours, justifié son inaction par des raisons techniques : le général Condé, expert en artillerie et commandant de la IIIe armée sur ce front, jugeait impossible de rien faire contre les défenses de la ligne Siegfried à moins de rassembler 3 000 bouches à feu ; on n'aurait pas pu réaliser une telle concentration avant le 30 septembre. Les raisons de passivité furent en réalité beaucoup plus politiques et liées à tout un climat psychologique. Gamelin a agi en parfaite communion d'idées avec la grande majorité des chefs militaires français, avec Daladier et aussi avec les Anglais[2]. Il se souvenait de l'offensive coûteuse d'août 1914 en Lorraine. Il tenait à éviter le risque d'un échec, ou même d'un succès provisoire coûteux qui aurait soulevé des clameurs[3]. Quand le cabinet Daladier objecte que le maintien du front polonais « est pour nous capital et paraît valoir quelques sacrifices dans la limite permise par notre propre sécurité », ou que « l'écroulement de la Pologne laissée sans assistance serait un défaut » *(sic)*, il lui oppose la logique de sa stratégie à long terme :

> *Question polonaise* : nous ne pouvons pas apporter à la Pologne une aide directe rapide ; nous devons par ailleurs ménager nos moyens en vue d'une guerre longue.

La raison fondamentale de Gamelin est bien là : elle est dans l'idée que le commandement et le gouvernement français se font de la guerre. Gamelin en a défini la stratégie générale à l'automne 1936[4] : Français et Britanniques ont approuvé cette stratégie au printemps 1939 en tombant d'accord sur la nécessité d'une longue phase défensive initiale[5] :

---

1. MANSTEIN, *Victoires perdues*, p. 52.
2. Comme le souligne très justement H. MICHEL, *La Défaite de la France*, p. 62.
3. Daladier l'incitait à agir, mais aurait été le premier à lui reprocher des pertes élevées. Dès le 25 septembre, Daladier disait (à en croire son entourage) que si on avait écouté le général Georges, qui passait pour partisan d'opérations plus énergiques, « on serait allé à la boucherie » (P. DE VILLELUME, *Journal d'une défaite*, p. 43).
4. Élisabeth DU RÉAU, « Haut commandement et pouvoir politique », *Les Armées françaises pendant la Seconde Guerre mondiale*, pp. 72-73.
5. Note conjointe franco-britannique du 14 avril 1939, *ibid.*, p. 70, et cf. J.-B. DUROSELLE, *La Décadence...*, p. 464.

L'Allemagne et l'Italie mettent leurs chances de succès dans une guerre courte. La France et l'Angleterre sont au contraire en situation de voir leur potentiel de guerre s'augmenter de mois en mois à condition qu'elles soient en mesure de protéger (...) leur industrie de guerre et leurs communications maritimes.

Devant l'effort initial italo-allemand, elles devront d'abord tenir, puis généralement durer, jusqu'au moment où il leur sera possible de passer à la contre-offensive.

Une guerre prévue pour durer quatre ou cinq ans ne justifie pas qu'on risque un coup de dés dans les premiers jours : « Quel que soit le sort réservé à la Pologne, ce serait une faute de briser prématurément notre instrument de guerre[1]. »

Ce que les stratèges civils et militaires n'ont pas prévu, ce sont les effets désastreux d'une telle inertie. Leur passivité au moment le plus favorable crée une situation nouvelle dans la mesure où personne désormais, ni en France ni en Allemagne, ne peut croire qu'ils décideront jamais de grandes opérations. Privés de leur seul allié à l'est, la Pologne, coincés par la ligne Siegfried et le Rhin, ils se retrouvent condamnés à l'immobilisme. Hitler s'interdit, de son côté, aucune incursion en territoire français : le tête-à-tête peut s'éterniser.

À la recherche d'un théâtre d'opérations

Daladier, dans un premier temps, s'accommoda de l'attentisme. Les avatars de la mobilisation industrielle le préoccupaient ; il était soucieux de gagner le printemps 1941 sans encombre, dans l'espoir de renforts britanniques et d'avions plus nombreux. Le blocus tenait lieu de stratégie. « Je fais le gros dos », expliquait-il[2]. Mais dès la fin de 1939, le blocus révéla ses lacunes : l'Italie servait de relais d'approvisionnement au Reich ; l'U.R.S.S., prise dans l'engrenage du pacte germano-soviétique, allait le ravitailler activement.

Pour rendre le blocus plus efficace en même temps que la guerre plus crédible, on s'évertua à imaginer une « stratégie périphérique » qui devint vite hasardeuse. Gamelin et Georges étaient tous deux convaincus qu'un second front pourrait surgir des Balkans et que l'issue victorieuse de la guerre en dépendait ; dans cette perspective, on gardait en réserve 40 000 hommes en Syrie et au Liban sous les ordres de Weygand. Mais Gamelin avait beau rêver de Salonique, les occasions d'intervenir manquaient dans les Balkans[3]. On chercha ailleurs. Des

1. Note signée Gamelin, 8 septembre 1939, AN 496 AP (3 DA/1, Dr.1).
2. É.-J. BOIS, *Le Malheur de la France*, p. 75.
3. Des isolés, comme le général de Gaulle, suggérèrent d'adresser un ultimatum à l'Italie et d'exiger d'elle des gages — ou de les prendre. Mais on voulait croire que la sœur latine finirait par rejoindre d'elle-même, comme en 1915, le camp allié.

initiatives vinrent des politiques. L'idée fut d'étrangler l'Allemagne en s'attaquant à ses sources de ravitaillement. Sur les vingt-deux millions de tonnes de minerai de fer que l'Allemagne importait en 1938, le blocus l'en avait privée déjà de la moitié et neuf des onze millions de tonnes qui lui restaient accessibles venaient des mines de la Laponie suédoise. Une autre faiblesse de l'économie allemande était son déficit en pétrole que les livraisons soviétiques du Caucase risquaient maintenant de combler. Daladier vit dans l'arrêt de l'exportation du fer suédois et du pétrole caucasien un double impératif. Il voulut le traduire en actes, malgré la prudence des Anglais et les réticences de Gamelin. D'où des projets compliqués qui conduisirent la France et l'Angleterre à deux doigts de se trouver engagées dans des hostilités contre l'Union soviétique.

Faute de pouvoir intercepter en mer Noire les pétroliers russes, on étudia les moyens d'aller anéantir les puits de pétrole du Caucase. Le colonel de Villelume, officier de liaison entre le Quai d'Orsay et l'État-Major avant de devenir chef du cabinet militaire de Reynaud, en poussa l'idée, en accord, semble-t-il, avec le secrétaire général des Affaires étrangères, Alexis Léger. Gamelin, suivant sa méthode, ne s'opposa pas au projet, tout en le jugeant inexécutable. En février 1940, un général en retraite qui avait séjourné en U.R.S.S. confirma que l'objectif de Bakou était vulnérable à des raids d'avions partis d'Irak et préconisa de confier des destructions aux Tartares de Transcaucasie *(sic)* [1]. Des esprits affolés d'antisoviétisme ou combinant des calculs tortueux propagèrent même que, dans l'état de décomposition où était l'Armée rouge, l' « armée Weygand », appuyée par les Turcs, se saisirait sans mal des pays du Caucase. Il ne s'agissait encore que de projets en l'air. Reynaud, sitôt devenu président du Conseil et tout à ses rêves d'action, retint l'idée de raids aériens sur Bakou ; il présenta le projet à Londres le 28 mars devant le Conseil suprême interallié ; il subordonna même l'acceptation par la France du plan « Royal Marine » (un projet de Churchill qui consistait à larguer des mines flottantes dans le Rhin) à l'acceptation par les Britanniques du bombardement de Bakou : « Le sol était imbibé de pétrole à tel point qu'un incendie se propagerait immédiatement dans toute la zone voisine et qu'il faudrait des mois pour l'éteindre et des années pour reprendre l'exploitation [2]. » Chamberlain refusa de s'engager, mais Reynaud n'en démordit pas. Au milieu d'avril, recevant Weygand de passage à Paris, il l'interrogea sur les délais de l'opération qu'il voulait réduire à quinze jours [3]. C'est seulement au Conseil suprême des 22 et 23 avril que le rêve caucasien fut dissipé, les Britanniques ayant fait savoir qu'ils ne disposaient pas des quarante-huit bombardiers Blenheim nécessaires.

1. P. DE VILLELUME, *o.c.*, p. 199.
2. Fr. BÉDARIDA, *La Stratégie secrète de la drôle de guerre*, p. 329 ; J.-B. DUROSELLE, *o.c.*, p. 119.
3. J. DARIDAN, *Le Chemin de la défaite*, p. 199.

Couper « la route du fer »

Les projets scandinaves eurent plus de consistance et furent poussés plus loin. Il faut ici parler non pas d'occasions manquées, mais d'entreprises conçues avec légèreté et conduites avec imprévoyance.

Dans un premier temps, c'est l'agression soviétique contre la Finlande qui fournit le motif d'intervention. On ne reviendra pas en détail sur cet épisode qui enfiévra et empoisonna pendant trois mois la vie politique française. Daladier s'enfiévra, on l'a vu, pour la Finlande[1]. Il lui fit expédier des armes. Tout le mois de janvier 1940, Gamelin et Darlan eurent à étudier, à sa demande, un projet visant à secourir les Finlandais par Petsamo, port finlandais du Grand Nord dont les Soviétiques s'étaient saisis aux premiers jours de la guerre. L'opération aurait été un défi à l'Armée rouge ; elle exigeait une énorme somme de performances techniques à accomplir dans les pires conditions climatiques, mais elle devait amener des forces alliées à proximité des mines de fer de la Laponie suédoise dont elles auraient pu, le cas échéant, se saisir.

Les Anglais qualifièrent le projet d'inepte et y substituèrent leurs propres propositions. Daladier les fit siennes. Il s'agissait cette fois de couper la route du fer suédois en débarquant un corps expéditionnaire à Narvik, port de la Norvège du Nord où le minerai de fer suédois était embarqué en hiver. On protégerait l'opération en débarquant quelques bataillons dans les autres ports norvégiens, Bergen, Tronjheim et Stavanger, on se saisirait des mines suédoises, reliées à Narvik par 350 kilomètres de chemin de fer à voie étroite et l'on ferait, sans trop savoir comment, la jonction avec les Finlandais. L'exécution était prévue pour la fin de mars, sous commandement britannique ; la France devait fournir la brigade du général Béthouart. Les préparatifs de l'expédition étaient très avancés, quand la Finlande, à bout de forces, fit sa paix avec Moscou le 12 mars sans avoir appelé les Alliés. La dangereuse entreprise avortait *in extremis,* contrairement aux espoirs de Daladier. Cet échec lui coûta le pouvoir.

Son successeur Paul Reynaud se retrouva aux prises avec les mêmes questions : où se battre ? Comment faire surgir un front ? Ou, du moins, comment sortir de l'immobilisme ?

L'idée de couper la route du fer restait valable. Depuis le début de la guerre, Churchill insistait pour qu'on renforce le blocus en posant des champs de mines dans les eaux norvégiennes, que les Allemands utilisaient abusivement. Chamberlain reprit l'idée au Conseil suprême du 28 mars, en même temps qu'un autre projet, également churchillien, qui était de miner les eaux du Rhin. Du côté français, on redoutait que le minage du Rhin n'expose la France à des représailles, mais Reynaud se

1. Cf. t. I, les chapitres « Le rêve finlandais », « Ceux que Jupiter veut perdre » et « Vive la Finlande, Messieurs ! », pp. 216-234 et 360-373.

déclara d'accord pour l'opération norvégienne. Après avoir averti solennellement les gouvernements d'Oslo et de Stockholm, on commencerait le minage les 4 et 5 avril. D'ultimes désaccords firent reporter le début des mouillages au 8 avril. Le 9 au matin, coup de théâtre : les Allemands occupaient le Danemark et s'emparaient par surprise d'Oslo et de tous les ports norvégiens.

La soudaineté fulgurante de la riposte allemande stupéfia. On affirma que seule la complicité de nazis norvégiens en avait permis le succès. Le mythe de la cinquième colonne en fut partout renforcé. En réalité, dès le mois de novembre 1939, l'amiral Raeder avait recommandé l'occupation des ports norvégiens. Hitler avait fait étudier le projet depuis décembre, avait arrêté les détails de l'opération le 3 mars et les premiers transports de matériel militaire et d'artillerie avaient quitté les ports allemands le 3 avril[1]. Les Alliés, en décidant de miner les eaux norvégiennes, n'avaient prévu aucune contre-mesure pour le cas d'une réaction allemande : les troupes réunies pour l'expédition sur Narvik avaient été dispersées, la division Audet, prête à embarquer le 1er mars avait été renvoyée dans ses cantonnements du Jura. Seule dans l'immédiat, la marine britannique pouvait intervenir : elle le fit en portant des coups sévères aux vaisseaux allemands d'escorte.

On espéra pendant quinze jours pouvoir sauver la Norvège. Le retard initial des Alliés fut aggravé par leurs hésitations, leurs divergences de vues et leurs contrordres. L'improvisation générale, le mauvais vouloir de Gamelin, l'insuffisance du matériel réuni, l'absence d'aviation et de D.C.A. alliée en Norvège alors que les Allemands avaient occupé les aérodromes ou en avaient installé, tous se coalisa pour que les forces expéditionnaires fussent rapidement contraintes de se rembarquer. La Norvège, à l'exception de l'extrême Nord, était perdue dès la fin d'avril malgré le courage de ses défenseurs. Le seul succès de la campagne terrestre fut, le 28 mai, la prise de Narvik, où les Français se distinguèrent. Satisfaction sans lendemain, car vu la tournure des événements de France, on évacua à son tour Narvik le 8 juin.

Le gâchis franco-britannique aurait pu ne pas aboutir à un tel fiasco. L'échec n'était pourtant pas vital ; il fut partiellement compensé par le ralliement de la flotte de commerce norvégienne et les coups portés à la marine de guerre allemande qui rendirent problématique par la suite tout débarquement ennemi en Angleterre. Mais huit mois de parlotes et de mirages n'avaient pas rompu l'immobilisme. La série des échecs, ininterrompue depuis 1936, se poursuivait. Sur le seul théâtre d'opérations périphérique qui avait été ouvert, Hitler avait devancé les Alliés. Et ceux-ci n'avaient pas osé profiter du coup de force allemand sur la Norvège pour prendre position les premiers en Belgique, comme l'avait proposé l'amiral Darlan, ce qui aurait été autrement important.

---

1. Cf. Fr. KERSAUDY, *1940. La Guerre du fer*, pp. 61-65.

5

Les chemins de la Belgique

Fallait-il entrer en Belgique à la rencontre des Allemands le 10 mai 1940 ? Fallait-il s'y aventurer aussi loin qu'on le fit ? Ou, puisqu'on s'y était décidé, n'aurait-on pas dû y prendre position plus tôt ?

La Belgique était le champ de bataille vraisemblable : elle seule offrait une base de départ à de grandes opérations, aux Allemands vers Paris, aux Alliés vers la Ruhr. C'est bien pour cela que Gamelin répugnait à disperser ses forces dans des entreprises « périphériques ». Et c'est en effet de Belgique que les armées s'affrontèrent. On mesure une fois de plus le drame d'une diplomatie et d'une stratégie enfermées dans leurs contradictions.

La neutralité belge et l'avertissement prophétique

Le gouvernement belge avait renoncé en 1936 aux accords militaires qui l'unissaient depuis 1920 à la France pour s'enfermer dans une neutralité armée. On en avait conçu à Paris une grande amertume. Ce choix, recommandé par le roi Léopold dans une déclaration du 14 octobre 1936, était la conséquence directe de la montée en force hitlérienne et de l'inertie française devant la remilitarisation de la Rhénanie. La Belgique « loyale et fidèle » du roi chevalier, la sœur d'armes privilégiée s'affirmait résolue à faire respecter son indépendance par les armes, mais elle s'était dégagée de l'alliance française [1]. Des considérations de politique intérieure avaient pesé sur la décision : la Belgique ne pouvait faire face à la menace allemande qu'en mettant en place une couverture permanente, ce qui nécessitait une approbation du Parlement, impossible à obtenir si l'engagement n'était pas pris de ne

---

1. Cf. Jean VANWELKENHUYZEN, « 1936 : neutre rimait-il avec pleutre ? », *Revue générale*, Bruxelles, n° 4, avril 1989, p. 37 et ss.

verser le sang belge que pour défendre des intérêts belges. Cet engagement lui-même avait eu pour effet de mettre fin au printemps 1937 aux contacts entre États-Majors belge et français. Gamelin en a tiré les conséquences : jusqu'à 1939, sa position affichée est catégorique [1] :

> Impossibilité pour la France de venir au secours de la Belgique si celle-ci ne réclame pas ce secours *avant* l'ouverture des hostilités. Un secours improvisé, qui nous amènerait à jeter des divisions dans la fournaise, le général ne l'acceptera jamais. Si l'opinion l'exige, comme le lui a dit Blum, il passera la main à un autre.

Cette attitude eût impliqué de prolonger la ligne Maginot jusqu'à la mer : on s'était abstenu jusque-là de le faire, dans l'idée que la Belgique était le complément naturel et comme une annexe du territoire français. On se borna à partir de 1936 à développer sur la frontière franco-belge une « ossature de champ de bataille », la priorité d'investissement étant donnée à la construction de blindés, d'une aviation moderne et à l'extension de la flotte de guerre [2]. En réalité, bien que la France se fût engagée à respecter la neutralité belge, aucun responsable français n'abandonnait l'idée que l'alliance ressusciterait en temps de guerre. Ainsi l'instruction secrète de Gamelin en date du 24 août 1937, qui devait être à la base de toutes nos décisions successives, prévoyait avant tout « d'assurer sans esprit de repli l'intégrité du territoire national » de Longuyon à Dunkerque, mais elle spécifiait également de se porter sur l'Escaut dès que nous serions autorisés à pénétrer en Belgique [3].

À la mobilisation, Gamelin juge nécessaire de soumettre par écrit à Daladier ses vues sur le problème belge. Le gouvernement français a confirmé l'avant-veille à Bruxelles qu'il respecterait la neutralité belge. L'exposé de Gamelin, en date du 1er septembre 1939, reste un des documents les plus singuliers de la « drôle de guerre » [4] :

> Certes, je comprends le point de vue auquel s'est arrêté le gouvernement français (...) : garantie de leur neutralité, garantie que nous ne pénétrerions sur leur territoire qu'appelés par eux, la France ne pouvait pas, du point de vue moral, avoir une autre attitude. Et elle ne peut que respecter ses engagements.
>
> Il n'est pas moins nécessaire de se rendre compte que l'attitude actuelle joue entièrement en faveur de l'Allemagne (...).
>
> L'utilisation de la Belgique nous donnerait en aviation des bases favorables (...). C'est uniquement par cette voie que nous pourrions

---

1. Déclaration datant du printemps 1937, reproduite par le général de VILLELUME : « Mes souvenirs sur les origines de l'affaire de Belgique 1939-1940 », CEP, p. 2769.

2. Il semble que Daladier ait également craint des réactions défavorables de la population, si l'on construisait des fortifications dans une zone d'habitat dense.

3. Colonel GOUTARD, *o.c.*, pp. 143-144.

4. Auswärtiges Amt, *Les Documents secrets de l'État-Major général français*, Berlin, 1941, n° 6, pp. 21-22.

apporter un secours puissant, certainement efficace et relativement rapide à la Pologne, car, ne fût-ce qu'en étendant notre front d'attaque, nous retiendrions des forces plus nombreuses.

L'analyse se termine par cette mise en garde prophétique :

> Par contre, si les Belges ne nous appelaient qu'au moment où ils seraient attaqués par les Allemands, nul doute qu'ils n'aient pas les moyens (en nombre et en puissance) de défendre efficacement leur front avant qu'il ne soit enfoncé et nous aurions à courir tous les aléas d'une bataille de rencontre, avec la difficulté de soutenir des armées en retraite : tâche difficile avec les moyens motorisés et l'aviation modernes.

Le généralissime entend-il ainsi mettre l'affaire belge au cœur de la réflexion politique des Alliés et exiger comme un impératif militaire l'entrée préventive en Belgique ? Il n'en est rien. Comme si souvent chez lui, la lettre comporte deux niveaux de lecture ; elle a un objectif immédiat : elle vise à justifier l'impossibilité où il prétendra être de rien faire pour aider les Polonais : on ne pourrait les aider utilement qu'en Belgique ; le respect de la neutralité belge l'interdit ; qu'on ne lui reproche pas ensuite de n'avoir rien fait !

Les risques d'une bataille de rencontre n'en sont pas moins clairement énoncés. Or, c'est bien à une bataille de rencontre que Gamelin se précipita en mai 1940.

Comment expliquer ce cheminement ?

L'État-Major partagé

Les consignes initiales du commandant en chef, au cours du premier mois de guerre, sont d'une totale prudence[1] :

> En cas de violation de la Belgique et à moins d'ordres contraires du haut commandement de notre armée, nos armées attendront l'ennemi sur les positions organisées.

Les forces alliées ne doivent se porter en Belgique que si elles sont appelées en temps utile, c'est-à-dire à la condition d'être assurées de faire mouvement en toute sécurité et d'être installées sur les nouvelles positions avant que ne se produise l'attaque allemande.

Le revirement se fit par engagements progressifs entre la fin de septembre et la mi-novembre.

Gamelin rapporte qu'à la deuxième réunion du Conseil suprême franco-britannique qui eut lieu le 22 septembre, Daladier et Chamberlain furent d'accord pour lui demander de se porter en avant en Belgique en arguant que « nous devions le faire dans l'intérêt de nos deux

---

1. Instructions du général GEORGES, 29 septembre 1939 (CEP, p. 535).

gouvernements »[1]. Il y posa, affirme-t-il dans ses Mémoires, deux conditions qui lui paraissaient « d'abord indispensables » :

1. que l'armée belge fût mobilisée (elle l'était déjà) et qu'elle le demeurât,

2. qu'elle établisse un dispositif lui permettant de recevoir l'attaque allemande, c'est-à-dire en mettant d'une part en œuvre des inondations et des fortifications de campagne afin de couvrir Bruxelles et d'autre part en mettant en place un obstacle antichar dans la trouée qui sépare la Meuse de la Dyle[2].

Le gouvernement belge, pressenti, se refusa à engager aucune conversation d'état-major avec les Alliés. Un mois plus tard, le 30 octobre, Daladier, interrogé par le ministre des Affaires étrangères Spaak sur les intentions françaises, confirma que la France n'interviendrait qu'à la demande des Belges ; il ajouta toutefois cette précision, qui infléchissait déjà la position antérieure[3] :

> Le général Gamelin m'a prévenu qu'il se porterait de *toute façon* en avant, mais l'amplitude de son mouvement dépendra essentiellement des délais que lui réserveront les conditions d'appel des forces françaises et le degré de la préparation technique effectuée d'un commun accord.

La question à cette date n'est donc plus de savoir si l'on entrera en Belgique en cas d'attaque allemande, mais jusqu'où l'on ira. Les choses se précipitent en novembre. Tout semble indiquer une attaque allemande imminente qui était en effet préparée ; la Hollande paraît en particulier menacée. Les Belges sont dans les transes. Les chefs militaires français, puis français et britanniques discutent du 8 au 14 novembre de la meilleure riposte. Trois solutions s'offrent :

— Porter, à l'appel éventuel du gouvernement belge, nos lignes de la lisière des départements du Nord et du Pas-de-Calais sur l'Escaut belge, en abandonnant d'entrée de jeu les deux tiers du territoire belge avec Bruxelles.

— Faire pivoter nos défenses sur toute la longueur de la frontière franco-belge pour les aligner sur la Meuse jusqu'à Namur et le long de la Dyle vers Anvers, solution qui entraînerait l'abandon préalable d'un tiers de la Belgique avec le bassin de Liège.

— Peut-on enfin, comme le souhaitent les Belges, pousser jusqu'à la ligne avancée qu'ils ont organisée et fortifiée face à l'Allemagne, c'est-à-dire jusqu'au canal Albert ?

La troisième hypothèse est *a priori* exclue. Gamelin a déjà fait savoir au chef d'état-major belge que « la progression se ferait à la vitesse des

1. GAMELIN, *Servir*, t. III, p. 138.
2. CEP, p. 536. Ces propos ne sont pas confirmés par le compte rendu de la réunion publié par François BÉDARIDA, *La Stratégie secrète de la drôle de guerre*, pp. 132-133.
3. Cité par J.-B. DUROSELLE, *L'Abîme...*, p. 80.

unités à pied »[1], ce qui rend peu vraisemblable qu'on puisse gagner à temps le canal Albert.

Sur les deux autres hypothèses, l'État-Major est partagé.

Le général Georges, craignant une réaction rapide des Allemands et conscient de la faiblesse de l'aviation alliée, estime dangereux de s'aventurer plus loin que l'Escaut, de Gand à Anvers. Tout au plus, pourrait-on assurer la couverture du dispositif en poussant à l'est de l'Escaut des éléments de cavalerie vers la Meuse, de Givet à Namur[2]. Le général Georges n'a jamais varié dans sa position à ce sujet.

Le général Blanchard, commandant de la Ire armée qui devrait faire mouvement en Belgique, est plus formel encore : selon lui, il ne faut pas aller à la Meuse. Il ne participe pas à la conférence décisive du 14 novembre 1939 à La Ferté-sous-Jouarre, mais il a rédigé en prévision de celle-ci une lettre catégorique, dont Gamelin assure n'avoir eu connaissance qu'après la guerre[3]. Il affirme qu'

> il est impossible d'être en place [sur la Meuse] avant le jour J 8. On n'arrive d'ailleurs à ce résultat qu'en serrant le problème et les calculs au maximum, d'une manière théorique. On peut être en place si rien ne vient modifier un horaire dangereusement serré. Mais à cette date, aucune organisation défensive n'aura pu, à proprement parler, être faite (...). Jusqu'au jour où nous serons arrivés (...), nous serons dans *l'impossibilité de nous battre*.

Le général Blanchard donne comme

> absolument indispensable qu'au moment du déclenchement de l'affaire nous ayons la certitude absolue de ne pas rencontrer l'ennemi au moins avant huit jours. Sans cela, c'est la bataille de rencontre livrée dans les pires conditions.

Le général Gamelin et le général Billotte, commandant du groupe d'armées du Nord, voient en revanche les avantages d'un front allié sur la Meuse belge et sur la Dyle, en dépit de la large trouée qui sépare les deux cours d'eau[4]. C'est l'avis qu'avaient exprimé, à la fin des années 1920, le général Debeney, alors chef d'état-major, puis en 1930, le maréchal Pétain. La ligne de la Meuse ne comporte aucune fortification, mais la vallée constitue un large fossé antichar, dominé à l'ouest par une rive élevée qui devrait être plus facile à défendre que la frontière franco-belge ou que l'Escaut. La ligne de la Meuse et de la Dyle présente en outre un triple avantage : assurer un large glacis protecteur aux concentrations industrielles du Nord de la France, raccourcir le front de

1. J. Vanwelkenhuyzen, *Neutralité armée...*, p. 56.
2. Gamelin, *Servir*, t. III, pp. 142-143.
3. Texte dans la *Revue historique de l'armée*, janvier 1946.
4. Gamelin, *Servir*, t. I, p. 85.

70 kilomètres entre la ligne Maginot et la mer du Nord, offrir les meilleures chances de récupérer l'armée belge.

C'est dans ce sens que Gamelin conclut le 14 novembre. Il ne lui appartient pas de trancher, mais son avis va être décisif. Des raisons politiques l'ont manifestement influencé. Il se rend compte de l'effet désastreux qu'aurait sur l'opinion publique l'abandon des deux tiers de la Belgique survenant après l'abandon de la Pologne. Londres estime vital de tenir les bouches de l'Escaut et a fait pression pour que la ligne d'arrêt soit le plus loin possible vers l'est : Daladier n'a pas douté que le généralissime ait voulu donner ce gage aux Britanniques[1] dont il attend anxieusement qu'ils renforcent le maigre corps expéditionnaire en France. Un autre fait a joué. Des conversations militaires secrètes ont été engagées avec le général Van Overstraeten, chef de l'État-Major belge agissant sur ordres directs du roi. Gamelin aurait eu l'assurance, confirmée le 13 novembre au nom du roi et du ministre de la Guerre, que Bruxelles acceptait les deux conditions qu'il avait posées : maintien de la mobilisation belge au niveau de vingt-deux divisions et mise en place de défenses de campagne.

> Je me suis retourné vers les gouvernements français et britannique et j'ai déclaré : « *J'accepte maintenant de me porter en avant. Je pense qu'au point de vue militaire, nous y trouverons également divers avantages*[2]. »

Comment se prend une décision politique ?

Le 15 novembre, Gamelin signe en conséquence l'instruction prescrivant, en cas d'attaque allemande, de se porter sur la Meuse[3]. La décision est entérinée lors du Conseil suprême interallié du 17 novembre. Daladier s'y déclare d'accord avec Chamberlain pour estimer nécessaire

> qu'un effort considérable, il serait presque tenté de dire désespéré, soit accompli pour empêcher l'occupation de la Belgique : celle-ci serait un désastre (...) Il est décidé à ne pas agir avant d'avoir reçu un appel. Le moment où sera reçu cet appel aura une très grande importance (...) Si l'appel a lieu à temps, ces forces s'installeront sur la ligne Anvers-Namur [autrement dit sur la Meuse et la Dyle]. Tous les plans nécessaires à cet effet sont établis (...)

1. J. Daridan, *o.c.*, p. 153.
2. CEP, p. 536. Aucun document ne confirme ces assurances. De l'avis de Jean Vanwelkenhuyzen, expert en la matière, les choses semblent s'être passées comme suit. Gamelin a commencé par s'interroger sur la détermination des Belges à s'opposer à une invasion allemande. Les renseignements qu'il a reçus de Belgique l'ont partiellement rassuré. Les questions qui lui ont été posées par Bruxelles à l'occasion de l'alerte de novembre lui ont confirmé la résolution des Belges de se battre le cas échéant.
3. Texte dans Gamelin, *o.c.*, t. I, pp. 82-83.

En suite de quoi, le Conseil suprême adopte sans discussion la résolution suivante :

> Étant donné l'importance qu'il y a à maintenir les forces allemandes aussi à l'est que possible, il est essentiel de s'efforcer par tous les moyens de tenir la ligne Anvers-Namur dans l'éventualité de l'occupation de la Belgique par les Allemands [1].

Gamelin pourra s'estimer justifié dans ce choix, puisque la décision qu'il jugeait deux ans plus tôt inacceptable, les deux gouvernements l'assument : il n'en est plus que l'exécutant. Malgré une précaution de style (« si l'appel a lieu à temps »), les instructions militaires prévoient désormais que l'avance en Belgique se fera d'un seul bond vers la Meuse, de Givet à Namur. La ligne de bataille est fixée.

François Bédarida, historien clairvoyant des relations franco-britanniques, a souligné judicieusement ce qu'il y a de paradoxal dans la séance du Conseil suprême du 17 novembre 1939 : on y discute à n'en plus finir d'une question qui en réalité ne se posera pas (en cas d'invasion de la Belgique, faut-il bombarder la Ruhr ?), mais « le plan capital, d'où peut (et va) dépendre le sort de la guerre est à peine mentionné et n'est à aucun moment discuté. Ainsi, il se trouve entériné en quelque sorte par prétérition. Voilà donc les Alliés irrémédiablement engagés à livrer une bataille de rencontre en Belgique » [2].

Le paradoxe est plus grand encore si l'on songe que, pendant huit mois de « drôle de guerre », jamais la décision de courir à la Meuse belge, qui pourtant divisait l'État-Major et que le général Georges ne cessait de contester en privé, n'a donné lieu à une discussion complète et contradictoire du gouvernement français. De même, de novembre à la fin de mars 1940, ni les conditions de l'avance en Belgique ni le degré de préparation et de coopération des Belges n'ont été une seule fois sérieusement discutés par le Conseil suprême, plus occupé par les éventuels fronts « périphériques » ; c'est encore sans préparation et sans discussion que les politiques décident, au Conseil suprême des 28 mars et 23 avril, qu'on se portera, même sans appel de Bruxelles, sur la ligne Namur-Dyle si les Allemands entrent en Belgique. C'est de même sans discussion, ni au niveau militaire ni au niveau politique, que Gamelin décide, en complément à la manœuvre Dyle, de « donner la main » aux Hollandais en envoyant la VIIe armée avec Giraud jusqu'à Bréda.

---

1. J.-B. Duroselle, *L'Abîme...*, p. 132.
2. Fr. Bédarida, *o.c.*, p. 181.

L'appel préventif n'aura pas lieu

La manœuvre une fois décidée, encore fallait-il que tout concoure à sa meilleure (ou à sa moins mauvaise) exécution. Il fallait avant tout arriver à temps. Paris espéra jusqu'au bout que Bruxelles consentirait à faire appel préventivement aux forces alliées. Le gouvernement belge, déchiré, toujours confiant dans la « magnifique armée française » mais craignant la foudre, ne put jamais s'y résoudre. Le ministre des Affaires étrangères belge, Paul-Henri Spaak, devait confesser — après coup — l'échec de la politique de neutralité armée[1].

> Moi aussi, j'ai cru que l'indépendance et toutes les formules que l'on peut inventer pour camoufler la neutralité sauveraient mon pays (...) L'expérience a montré que je m'étais trompé, que je m'étais nourri d'illusions[2] (...)

On pensa obtenir le libre passage à l'occasion de l'alerte de janvier 1940 qui fut chaude : comme en novembre précédent, Hitler ajourna *in extremis* son offensive en raison du temps. Gamelin avait fait avancer ses troupes jusqu'à la frontière, que le chef d'État-Major belge avait fait débarrasser de toutes les chicanes : en dépit d'une intervention comminatoire de Daladier, le gouvernement de Bruxelles maintint son refus et rétablit les obstacles sur les voies d'accès.

Une dernière occasion s'offrit le 9 avril 1940 : les Allemands avaient dans la nuit occupé le Danemark et débarqué à Oslo ; Darlan proposa au Comité de guerre l'entrée immédiate en Belgique, Gamelin fit chorus ; Georges se rangea à l'avis de Gamelin[3]. Paul Reynaud, d'abord hostile, vota finalement la proposition. Le légalisme toutefois l'emporta : le Comité subordonna le mouvement à l'accord belge.

Le Conseil suprême interallié se réunissait l'après-midi à Londres : il convint d'une démarche à Bruxelles « en insistant avec fermeté pour que les Alliés soient invités à pénétrer sans tarder sur le territoire belge avant qu'une attaque allemande ne se produise ». La démarche eut lieu le lendemain ; le moins qu'on puisse en dire est qu'elle n'avait pas été bien étudiée ; la demande d'entrée préventive en Belgique ne proposait pas de dépasser l'alignement Anvers-Wavre-Namur, ce qui impliquait que l'autre partie du territoire serait froidement abandonnée aux Allemands. Spaak, au bord des larmes, refusa une fois de plus et, comme Gamelin avait une fois encore poussé ses troupes jusqu'à la frontière, Bruxelles dépêcha symboliquement une division vers le sud[4]. Entre les craintes des

---

1. Il faut en outre se souvenir de l'engagement pris par le gouvernement belge envers la nation de n'entrer en guerre que pour défendre la cause de la Belgique.
2. J. VANWELKENHUYZEN, *o.c.*, p. 152.
3. Cf. J. DARIDAN, *o.c.*, p. 192, et CEP, p. 2762.
4. J.-B. DUROSELLE, *o.c.*, p. 132.

Belges et le respect de la morale internationale, on s'en tint au *statu quo*. Ce fut selon le général de Boissieu la plus malencontreuse des occasions perdues : les Allemands, souligne-t-il, pris dans l'engrenage norvégien, auraient été en situation beaucoup moins favorable pour agir qu'un mois plus tard, le combat eût été moins inégal, les divisions françaises de réserve auraient peut-être été regroupées plus tôt en position centrale et les quinze pour cent ou plus de permissionnaires qui manquaient le 10 mai auraient été dans leurs unités [1].

La déception de Gembloux et le planning bousculé

Une deuxième condition — et celle-ci, dans l'esprit de Gamelin, avait été un préalable — était que les Belges tiennent leurs engagements. L'effort belge fut remarquable, mais incomplet. La mobilisation, qui a été maintenue, avec appel de 46 % des hommes de vingt à quarante ans porte en mai 1940 l'effectif à plus de 600 000 hommes ; l'armée doit disposer de vingt-deux divisions, sans doute très incomplètes en raison du taux élevé de permissions, au lieu de six en temps de paix. Un ensemble de fortifications a fait de Liège un môle puissant face au seuil d'Aix-la-Chapelle. Les voies d'eau du Nord et du Nord-Est du pays sont défendues par des pièces sous béton, la ligne du canal Albert est jalonnée de casemates tous les 600 à 700 mètres, articulées à un système de fortifications de campagne. De même le secteur de la Dyle, d'Anvers à Louvain et Wavre, est très solide avec 25 redoutes et 350 casemates, cet ensemble étant lui-même protégé par des obstacles et des champs de rails antichars. Mais rien n'a été fait sur la Meuse de Dinant à Namur, contrairement à ce que Gamelin avait « suggéré » [2]. Enfin dans la trouée d'entre Dyle et Meuse, le réseau de défense a été entrepris tardivement sur un tracé qui a été modifié sept fois et il présente des lacunes béantes [3] : cela, les chefs militaires français chargés de défendre la position ne le soupçonnent pas ; or, c'est précisément là, selon les prévisions du général Gamelin, que les corps de combat doivent s'affronter et qu'auront lieu en effet des combats acharnés.

Comment a-t-on pu arriver au jour de l'offensive en ignorant le point faible des défenses belges ? Il faut se représenter le mécanisme étrange des relations militaires franco-belges durant la « drôle de guerre ». Elles sont secrètes. À Bruxelles, on ne veut donner au voisin allemand aucun prétexte à intervention ; aussi s'est-on refusé à toute conversation d'état-major, même après les dangereuses alertes de novembre 1939 et de janvier 1940. Des conversations intermittentes et à bâtons rompus se

---

1. Général de Boissieu, *Pour combattre avec de Gaulle*, pp. 21-22.
2. Le chef d'état-major belge n'avait pris aucun engagement à ce sujet.
3. J. Vanwelkenhuyzen, pp. 135-137.

sont poursuivies depuis novembre 1939 par la voie des attachés militaires ; Gamelin a en outre obtenu qu'un officier de son état-major, le lieutenant-colonel Hautcœur, assure une liaison directe entre lui-même, le roi de Belgique et le chef d'état-major Van Overstraeten[1]. Par cette voie, il a envoyé, de novembre à mars, six notes non signées intitulées « Suggestions » à son homologue belge. Celui-ci, par prudence, a laissé ces notes sans réponse, ce qui ne signifie pas qu'il n'en ait pas tenu compte. Les grandes lignes d'une manœuvre commune ont ainsi été dessinées, mais le détail n'en est pas fixé et l'organisation du haut commandement interallié reste en suspens. Dans l'Ardenne, « chacun mènera sa propre manœuvre, mais chacun est au courant de celle de l'autre, du moins à l'échelon le plus élevé »[2]. On se fait confiance mais on se plaint de chaque côté des réserves de l'autre. On ignore à Paris le détail des plans de défense sur le canal Albert ; à Bruxelles, on gardera jusqu'au bout un espoir que les Alliés pousseront au-delà de Namur. Les troupes alliées entreront en Belgique sans que des reconnaissances systématiques aient été faites quant aux possibilités de ravitaillement en carburant[3]. Cette alliance, qui n'ose pas s'avouer, laisse place à bien des imprécisions, sans que, de part et d'autre, on s'en inquiète. Il faut ajouter que les renseignements communiqués au général Gamelin, à titre personnel et secret, souvent sous forme orale, ne sont pas toujours (ou pas toujours exactement) retransmis au général Georges. Ainsi pour ce qui est des défenses de la trouée de Gembloux, on ne voit pas si notre mission militaire à Bruxelles ou notre S.R. en Belgique ont omis d'en vérifier l'avancement ou s'il y a eu défaut de transmission.

Quoi qu'il en soit, quand le général Prioux, commandant du corps de cavalerie, arrivera en avant-garde sur la trouée de Gembloux, quelle ne sera pas sa déception[4] :

> Le 11 mai au matin, je passe à Gembloux et je traverse la future position de l'armée. Premier étonnement : presque pas de travaux autour du bourg, qui est cependant un des points essentiels de la position : ni tranchées sérieuses, ni fils de fer... presque rien ! En continuant à huit ou neuf kilomètres à l'est, j'arrive à des éléments de barrage Cointet[5] apportés depuis quelques jours, mais ils ne forment pas une ligne, encore moins un obstacle, car ils sont semés un peu partout sur le terrain. Je suis consterné de penser que l'armée, qui compte trouver ici une position organisée, aura d'abord à faire des reconnaissances, puis à remuer la terre. Jamais l'ennemi ne lui en laissera le temps !

L'ennemi lui en laissera d'autant moins le temps que, s'étant emparé par surprise de deux ponts sur le canal Albert, il aura, en vingt-quatre

1. GAMELIN, *o.c.*, t. III, p. 147.
2. J. VANWELKENHUYZEN, pp. 146-147.
3. M. BLOCH, *L'Étrange Défaite*, p. 28.
4. Général PRIOUX, *Souvenirs de guerre...*, p. 62.
5. Barrage antichar composé de sortes de hérissons de fer.

heures, enfoncé la ligne de défense belge. Ce qui amène le général Prioux à demander qu'on renonce à la manœuvre Dyle.

La manœuvre reposait sur deux bases qui viennent de s'effondrer : la valeur de la position de Gembloux et la capacité de résistance de l'Armée belge. Si l'on agit sans tarder, avant ce soir, on peut arrêter l'exécution de la manœuvre Dyle et revenir à la manœuvre Escaut. En effet, seules les trois divisions d'infanterie motorisées de la Ire armée sont en mouvement ; les divisions de type normal n'ont pas franchi la frontière. On peut les y maintenir.

C'est dans cet esprit qu'il adresse à 15 heures un message sans ambiguïté au général Billotte, commandant le groupe d'armées et au G.Q.G. :

Seule la manœuvre Escaut peut être jouée, étant entendu que le corps de cavalerie poursuivrait son action retardatrice [1].

Il se heurte à une fin de non-recevoir. La machine est lancée. On se bornera à hâter la marche des unités.

Ce n'est pourtant pas de Gembloux que vint la catastrophe : la bravoure du corps de cavalerie, le sacrifice de la 1re division marocaine, le courage et l'efficacité de l'artillerie y brisèrent jusqu'au 15 mai au soir les assauts allemands.

Le drame, c'est sur la Meuse qu'il se produisit.

La course à la Meuse belge, de Givet à Namur, se fit avec une certaine lenteur, en majeure partie de nuit, mais dans les délais prévus. Les dispositions prises « devaient aboutir à une mise en place totale des troupes, installées et en possession de tous leurs moyens, pour le jour J, c'est-à-dire le 14 mai » [2]. On avait calculé que, compte tenu de la résistance belge et de l'action de l'aviation, les Allemands ne pourraient y entamer une action en force avant le 15 mai.

Ils étaient sur la Meuse belge le 12 au soir, pour la franchir le 13. Ils étaient, le 12 au soir aussi, à Sedan, d'où allait partir le gigantesque coup de faux qui trancha en une semaine les armées alliées en Belgique.

La curieuse affaire de Méchelen

L'idée de pousser les armées alliées sur la Meuse et la Dyle était-elle vouée *a priori* à l'échec ? Les prophètes du passé en discutent encore. Vu

---

1. PRIOUX, *o.c.*, p. 64. Les arguments que fait valoir le général Prioux ne sont cependant pas ceux-là : « En raison de méthodes d'attaque par aviation de bombardement extrêmement nombreuses et nullement inquiétées par notre chasse, il semble difficile de couvrir l'installation de l'armée jusqu'à J6 sur la position Gembloux-Wavre. Il est en effet impossible, faute de chasse, de garantir qu'une irruption brutale de l'ennemi n'atteindra pas rapidement un point de cette position. »

2. Général A. DOUMENC, *Histoire de la IXe armée*, p. 74.

les circonstances, ce fut sans aucun doute une occasion manquée de n'avoir pas suivi le prudent avis du général Prioux dans l'après-midi du 11 mai.

Sedan fut la catastrophe. Ce qui la rendit irrémédiable, c'est que le plan ne permettait aucun infléchissement, ne comportait aucun moyen de recours pour parer à l'imprévu.

Sans doute l'attaque en force à travers l'Ardenne était-elle imprévisible. Pourtant l'État-Major belge en avait eu, mieux que le nôtre, une intuition. Un avertissement était même venu de Bruxelles. L'épisode est beaucoup plus qu'un fait divers de 2ᵉ Bureau. Il exige de revenir en arrière.

Dans la matinée du 10 janvier 1940, un avion de la Luftwaffe fait un atterrissage forcé en Belgique, à Méchelen-sur-Meuse. Les deux officiers d'équipage expliquent qu'ils ont perdu leur direction dans le brouillard qui couvre la vallée du Rhin. L'un d'eux, un commandant parachutiste, est porteur de papiers confidentiels ; il tente par deux fois de les brûler ; il manque d'y réussir la seconde fois : tandis qu'on l'interroge, il s'en saisit brusquement et les jette dans un poêle allumé, mais un officier belge se précipite et les retire aux trois quarts brulés des flammes. Ce qu'il en reste est suffisamment explicite : ce sont des instructions à l'adresse du commandant de la 2ᵉ escadre aérienne de la Luftwaffe au sujet d'une offensive que l'armée allemande doit entreprendre à partir de la Moselle en direction de la mer du Nord à travers la Belgique et le Luxembourg[1]

L'authenticité des documents ne fait pas de doute. Le chef d'état-major et le roi sont informés le 11 janvier au matin ; le roi juge l'affaire si importante qu'il estime nécessaire d'aviser immédiatement le général Gamelin, les autorités militaires britanniques et l'état-major néerlandais. À 17 h 15, le chef d'état-major belge convoque le colonel Hautcœur, représentant personnel de Gamelin et lui remet, après les lui avoir lus, deux feuillets autographes où il a résumé ce qui lui paraît l'essentiel des documents ; il précise qu'il lui fait cette communication de la part du roi pour le général Gamelin et lui seul. Dans les jours suivants, les mouvements et concentrations de troupes allemandes viennent confirmer à la fois l'imminence de la menace et la véracité des documents.

Mais l'affaire va plus loin et le général Gamelin s'est soigneusement gardé d'en jamais souffler mot. Le haut commandement belge et en premier lieu le roi Léopold ont cru pouvoir déduire des indices dont ils disposaient que l'offensive allemande, outre l'occupation de la Hollande, devait comporter deux attaques principales, l'une en direction de Bruxelles, l'autre de Saint-Vith vers Chimay, à travers les Ardennes. Ils

1. Cf. J. VANWELKENHUYZEN, *o.c.*, pp. 80-82 et *Belgium and the European Conflict*, p. 14-15 et appendice n° 13, dans Belgian Ministry of Foreign Affairs, *The Official Account of What Happened in 1939-1940*, Londres, 1941.

n'ont pas soupçonné que l'effort principal allemand porterait de ce côté, encore moins qu'il serait dirigé sur Sedan (et ils ne pouvaient en avoir le soupçon, car à cette date Hitler n'avait pas encore opté pour la manœuvre sur Sedan), mais ils ont vu un péril dont le Général Gamelin ne semblait pas se douter. Le chef d'État-Major belge peut-il avoir l'air de donner des leçons au généralissime français ? Après avoir longuement hésité il se résout « à une démarche qui attire l'attention de Vincennes sur le secteur Mézières-Carignan ». Il prie l'attaché militaire belge en France, le général Delvoie — lors d'un de ses passages à Bruxelles — d'aller voir Gamelin pour lui confier sa conviction que les Allemands exerceront un gros effort sur l'axe Bastogne-Mézières ; il s'inquiète des bruits selon lesquels les défenses françaises dans les Ardennes seraient sommaires ; il suggère au général Delvoie de se rendre en personne dans ce secteur critique.

L'avertissement ne fut pas entendu. Le général Delvoie ne fut pas autorisé à se rendre en Ardenne. Il reçut les plus fermes assurances sur la solidité des défenses dans ce secteur, des assurances comparables à celles qui devaient être données aux députés en mission, Pierre Taittinger et de Framond, également inquiets pour les Ardennes[1] :

> Établie patiemment dès le temps de paix, adaptée parfaitement au terrain, échelonnée sur une profondeur de plus en plus grande, couverte et étayée depuis la mobilisation, la position fortifiée qui défend le territoire français est à même, en toutes ses fractions, de recevoir le choc de l'ennemi.
> La position qui s'étend de Charleville à la Moselle a bénéficié de l'attention particulière du haut commandement. Exceptionnellement solide en ses parties les plus découvertes, adossée ailleurs à des obstacles naturels importants, difficile à investir, soutenue par des places anciennes dont l'une a fait ses preuves au cours de l'autre guerre, elle est à même, le cas échéant, d'assurer un pivot aux manœuvres qui la prendront pour base[2].

Rarement la suffisance d'un État-Major aura trouvé plus mauvais emploi.

Un coup de dés sans réserves stratégiques

Il reste que le général Gamelin, en prenant le parti de la « manœuvre Dyle », a tout misé sans se laisser de possibilité de recours. Il a même, peu de temps avant l'échéance, doublé la mise.

Le 12 mars 1940, il a en effet décidé, on l'a vu, d'élargir l'opération belge à la Hollande. Considérant que le sud de la Hollande était dégarni

---

1. Voir plus loin pp. 569-570, la réponse préparée par le général Huntziger aux deux parlementaires en mission.
2. J. VANWELKENHUYZEN, *o.c.*, pp. 120-122.

et que la liaison entre Belges et Hollandais risquait d'être coupée si la Hollande était envahie, il a prévu que la VIIe armée, commandée par le général Giraud, devrait pousser le plus vite possible le long de la mer du Nord, dépasser Anvers, assurer la sécurité des bouches de l'Escaut et « donner la main » aux Hollandais à Bréda. Le général Georges, qui n'a pas été consulté, réagit aussitôt ; il note sur le projet :

> C'est le type même de l'aventure ! Si l'ennemi masque la Belgique, il peut manœuvrer ailleurs ! Donc ne pas engager nos disponibilités dans cette affaire ! Écarter le rêve !

Déjà auparavant, il avait recommandé de ne pas engager nos réserves en Belgique et en Hollande :

> En cas d'attaque ennemie en force se déclenchant au centre, nous pourrions être démunis des moyens nécessaires à la riposte.

Le général Giraud, qui est connu pour son allant, considère la « variante Bréda » comme aventurée. C'est aussi le sentiment du général Billotte. Le 14 avril, le général Georges insiste pour que l'opération soit contremandée et que l'armée Giraud soit rendue aux réserves générales. Le commandant en chef maintient sa décision : « Il lui paraît impossible d'abandonner systématiquement la Hollande à l'Allemagne[1]. » « Je vous fais confiance ainsi qu'au général Giraud pour réaliser au mieux des circonstances cette manœuvre. »

Or, cette manœuvre prive les forces alliées de leur seule armée de réserve.

C'est le manque de réserves stratégiques, aggravé par la répartition géographique de ces réserves, qui rendra toute riposte si difficile après le coup de Sedan. Alors que les ressources humaines de l'alliance sont limitées, la « variante Bréda » distrait des réserves sept excellentes divisions dont une division légère mécanique. Le souci de ne pas dégarnir le « front de contact » fait par ailleurs qu'on a maintenu sur la ligne Maginot une densité de troupes qui n'y seront jamais utilisées : une division par 9 kilomètres de front entre Montmédy et le Rhin ; mais de 15 à 25 kilomètres de front par division de campagne entre Sedan et Dinant. Le dispositif est fort là où il est permis de faire des économies et faible là où les Allemands surgissent en force. Qui pis est, sur le maigre volant des vingt et une divisions de réserve générale (dix-sept seulement en réalité, du fait de la menace italienne), la plupart sont à l'est de Rethel, hors d'état d'être regroupées rapidement vers le centre du front[2].

De sorte que le général en chef n'a presque aucune marge pour parer à l'imprévu. Non seulement, la manœuvre Dyle et sa « variante Bréda »

---

1. GOUTARD, *o.c.*, pp. 146-147 ; J. VANWELKENHUYZEN, p. 150 ; GAMELIN, *o.c.*, t. I, p. 98.
2. GOUTARD, *o.c.*, pp. 146-151.

Carte 1. Le plan de l'avance alliée au 10 mai 1940

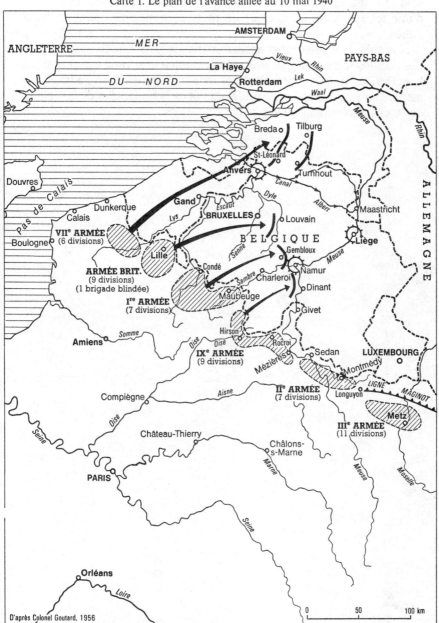

Position prévue pour la manœuvre Escaut

sont aventurées, mais le commandement ne s'est pas donné les moyens d'une telle audace. Le manque de réserves stratégiques sera fatal aux Alliés.

Nos soldats allaient être engagés dans les pires conditions. Près du tiers de nos forces, bientôt pris au piège, allait être voué à la retraite, à l'encerclement, à des combats désordonnés et finalement à l'anéantissement, sans rétablissement possible, du fait de la brutalité et de la rapidité de la manœuvre des Panzers.

II

Le moral dans l'armée
(septembre 1939-mai 1940)

1

« *Travaillez en paix, ils veillent...* »
À l'écoute du contrôle postal

« *Le moral est excellent* »

> Le moral est bon, si bon même que je me demande s'il l'a jamais été à ce point en 1914.

Qui s'exprime ainsi ? Le correspondant du *Temps* aux armées dans une lettre du 27 octobre 1939[1]. La même semaine, Daladier et Gamelin reçoivent du 2e bureau de l'État-Major la synthèse des rapports du contrôle postal : c'est le baromètre officiel qui enregistrera la courbe de l'état d'esprit de la troupe jusque vers le 10 juin 1940. En cette fin d'octobre 1939, ses conclusions sont tout aussi optimistes[2] :

> Le moral de l'Armée, dans l'ensemble, apparaît *magnifique*, avec une confiance quasi unanime dans les chefs, dans la ligne Maginot, dans notre matériel, la foi en la victoire finale et la résolution d'aller jusqu'au bout pour « ne pas remettre ça » à brève échéance.

Quoi qu'on ait pu prétendre par la suite, les témoignages contemporains sont concordants : cette armée de ruraux (ils comptent pour 80 % dans l'infanterie) accepte la guerre « sans enthousiasme, mais sans réticence, avec confiance et bonne volonté »[3]. « Tous ces hommes qui

---

1. Jacques BOULENGER, *Quelque part sur le front, images de la présente guerre*, Paris, Calmann-Lévy, 1940, p. 60.
2. SHAT 27 N/69, contrôle postal, 22 octobre 1939. Pour chaque gare régulatrice aux armées, une commission de contrôle lit au minimum 20 % des lettres postées par les militaires ; elle arrête ou censure et signale les lettres suspectes et fait des rapports quotidiens, hebdomadaires et mensuels sur l'état d'esprit. Elle vérifie, en outre, à tour de rôle, le moral de chaque unité grâce à des sondages d'un, deux ou trois jours sur le courrier de chaque division ou régiment. De ces analyses, une section du 2e Bureau tire des synthèses interarmées. Plusieurs centaines de milliers de lettres sont ainsi passées au crible chaque mois.
3. Francis AMBRIÈRE, *Les Grandes Vacances, 1939-1945*, Paris, Éditions de la Nouvelle France, 1946, p. 64. Appréciation de 1945, mais conforme à de multiples témoignages de 1939.

sont partis avec moi étaient gonflés à bloc », se rappellera Jean-Paul Sartre [1].

L'étonnement qu'ils ont éprouvé devant les casernes lépreuses et la pagaille des dépôts laisse place à la bonne humeur. Les déchirements des départs sont vite oubliés dans la chaleur de la vie collective ; la douceur de l'été finissant donne même aux premiers jours de guerre une saveur de grandes vacances. Dans les villages évacués du Nord-Est où « vaches, cochons, chèvres, poules, canards errent dans les rues et entrent dans les maisons », des soldats s'offrent de pantagruéliques repas, « font dans chaque maison la popote individuelle, les bouteilles sortent des caves, les conserves de mirabelles, les bouteilles d'eau-de-vie... » [2].

La guerre n'en est pas moins prise au sérieux et dans ce grand rassemblement viril émerge ce que Bertrand de Jouvenel, pourtant munichois convaincu, n'hésite pas à appeler une « conscience guerrière collective ». On s'attendait à d'intenses bombardements, à de l'action : on reste prêt à y faire face. Bien sûr, le calme plat, l'abandon de la Pologne sont difficiles à comprendre : dans le secteur de Sarreguemines, le premier coup de canon est tiré au huitième jour de guerre.

Les correspondances de novembre continuent de marquer une résolution inimaginable au printemps précédent. Le contrôle postal de Lyon note qu'

> après deux mois de guerre, le courage, la crânerie même et le sentiment du devoir sont les épithètes qui résument, sans exagération, les impressions [3].

Et il énumère les composantes de cet excellent moral, à commencer par la volonté raisonnée des combattants :

> Par moments, je crois encore à la paix, mais une paix sans la déconfiture allemande, serait-ce une paix ? Non, un armistice [9 octobre].

La confiance, celle en particulier des artilleurs, du génie et des régiments de forteresse est « totale » :

> Nous sommes tous décidés à en finir avec les Fritz qui prendront quelque chose quand ils attaqueront ici, car il y a une artillerie formidable, du 75 au 420 [début novembre] ;

l'entrain règne dans les unités motorisées, chez les cavaliers et les aviateurs :

---

1. J.-P. SARTRE, *Carnets de la drôle de guerre*, 28 novembre 1939, p. 64.
2. F. PICARD, Journal inédit.
3. Les citations de lettres reproduites dans ce chapitre et le suivant sont extraites soit des dossiers des commissions de contrôle postal des régions militaires (AN, BB 30/1706, 2W/54 et 2W/57), soit des rapports ou synthèses sur le moral conservés par le Service historique de l'armée (G.Q.G., 2e Bureau, Contrôle postal, 27 N/69 et 70).

Nous sommes en état d'alerte, prêts à bondir sur nos motos secourir nos amis belges. Le moral est épatant, bien qu'au début on nous a emmerdés avec des revues de cantonnement et tout le tralala, pire que des bleus [début novembre].

L'assurance de la victoire est largement répandue :

Personne ne peut plus douter de notre supériorité écrasante et de notre victoire [28 novembre] ;

Les hommes se sentent les plus forts, ils veulent vaincre. Hitler sait trop bien ce que cette folie coûterait, mais il sera bien obligé d'y venir pour forcer le blocus qui l'étrangle [*id.*].

Quelques-uns plastronnent :

Ici, les avions boches passent. On ne se dérange même plus. C'est une habitude, et les jours qu'ils ne viennent pas, ça nous manque [2ᵉ quinzaine de novembre].

Même si l'esprit des combattants est autre qu'en 1914 (il l'est aussi dans la Wehrmacht), même si la haine envers le peuple allemand est étonnamment rare, la volonté de résistance n'est pas un vain mot : le vœu de Nouvel An le plus fréquent est : « La paix, mais pas à n'importe quel prix. »

Certes, les voix dissonantes ne manquent pas à partir de novembre ; elles semblent encore peu nombreuses et expriment partout les trois ou quatre mêmes griefs : on se plaint de la pluie, de la boue et du froid (« Aujourd'hui il gèle, sept ou huit ont les pieds gelés, je t'assure que ce n'est pas drôle ») ; de l'incompréhension de l'arrière et de l'inégalité des sorts (« Quand je pense que ce sont toujours les mêmes qui sont là ! ») ; ou de l'inaction : (« Nous ne sommes pas en guerre, puisque nous ne nous battons pas. Je commence à en avoir marre. Je préférerais cent fois la bagarre, au moins je saurais pourquoi je suis ici et j'aurais moins le temps de penser. »)

Mais tout cela est sans acrimonie. Le contrôle postal ne signale aucune contestation, aucune velléité révolutionnaire, aucune propagande anti-patriotique. Il y a aussi peu de manifestations d'antimilitarisme que de militarisme, comme si l'un et l'autre étaient presque des survivances. Un tel degré d'acceptation ne répond pas à l'image d'un pays « entré à reculons dans la guerre » et qui veut à tout prix la paix.

Quand on fait le compte des déserteurs et des insoumis, il se révèle minime, comme en 1914 et contrairement à ce qui s'est passé en 1938. Le nombre des désertions signalées par les formations des armées est de 310 en octobre, de 230 en novembre et de 180 en décembre, dont 20 % de bataillonnaires ; pour la plupart, elles ne proviennent pas des formations engagées : ce sont pour 98 % des désertions à l'intérieur et, dans bien des cas, des « absences illégales » plus que de véritables désertions, car beaucoup des hommes portés déserteurs rejoignent d'eux-mêmes leur unité. Au 1er janvier 1940, 2 340 avis de recherches d'insoumis ont été lancés pour 4 millions de nouveaux mobilisés[1]. La rumeur d'un exode massif de réfractaires du Pays basque vers l'Espagne n'est qu'une des légendes dont se repaissent les salons défaitistes parisiens.

La vie politique touche peu les unités combattantes ; il est rare qu'elle y provoque des tensions et les commentaires que relève le contrôle postal vont de plus en plus dans le sens de l'apolitisme :

> Tu vois, mon vieux, où mène la bêtise des hommes, où mène la politique.
> Voilà le résultat des dernières années de la lutte des classes ou, si tu
> préfères, des partis.

> C'est à nous de payer les erreurs de ceux qui ont gâché la victoire.
> Pourquoi faut-il qu'en France, pour être unis, le danger doive venir de
> l'extérieur ? [décembre 1939]

Daladier ne fait que traduire les rapports qui lui sont adressés quand il affirme, le 20 décembre 1939, devant la Commission de l'armée de la Chambre : « Le moral de notre armée est excellent[2]. »

C'est pourtant à la mi-décembre qu'apparaissent des signes avant-coureurs d'un changement. Le 18, le 2e Bureau fait un rapport de mise en garde qui signale une « véritable démoralisation » dans certaines unités de l'arrière[3]. Fin janvier, l'érosion du moral est assez perceptible pour que le colonel de Gaulle en fasse état dans le mémorandum qu'il adresse à quatre-vingts personnalités civiles et militaires. Un mois plus tard, on s'interroge dans les couloirs du parlement, puis en comité secret, sur les effets et les méfaits de la « guerre des nerfs ». Daladier oppose aux interpellateurs une envolée sans réplique[4] :

> Je vous dis que les soldats de 1939 valent les soldats de 1914 (...) Si la
> patrie était menacée, croyez-vous que nous soyons un peuple de lâches et
> de capitulards ?

Mais lui qui, en effet, ne doute pas des soldats français, sait maintenant que, depuis décembre, une partie d'entre eux cède à l'abattement : c'est une raison de plus pour lui d'engager des opérations périphériques capables de donner à la nation un nouvel élan.

---

1. Même si ce chiffre est inférieur à la réalité (comme il pourrait résulter des enquêtes de contrôle général suscitées par la Commission de l'armée du Sénat), il ne semble pas que la minoration puisse excéder quelques centaines d'hommes.
2. ARAS.
3. SHAT 02 P/320 : « *Moral très inégal* : suivant les unités, suivant la position qu'elles occupent au front, à l'arrière ou à l'intérieur, l'état d'esprit est bon ou médiocre. Parfois, il est franchement mauvais (pionniers et bataillons régionaux) (...). Le moral du front demeure très élevé. »
4. JOD, Comité secret du Sénat, 14 mars 1940.

Les pieds dans l'eau

Cet hiver sans combats a mis les hommes à rude épreuve. Sur le front de la Sarre, ils ont enduré depuis le 11 septembre la pluie persistante qui les a fait patauger jusqu'au mollet dans la boue et a obligé des guetteurs à vider à la gamelle l'eau qui remplit leur trou. Puis le froid, plus rigoureux et plus précoce que partout ailleurs en France, a commencé le 12 décembre pour durer jusqu'au 22 février. De l'Ardenne à l'Alsace, il gèle sans interruption du 13 décembre au 4 février et à nouveau du 9 au 16 avec des *minima* de − 15 à − 24° pendant une grande partie de janvier, puis à nouveau de − 13 du 14 au 18 février. Rien qu'en février, sept jours de tempête, quatre jours de neige, neuf jours de brouillard.

Or, la troupe est très inégalement armée contre le froid. L'habillement a été déficient à la mobilisation. Du fait des crédits trop longtemps limités de l'Intendance, qui a épuisé une partie de ses stocks dès avant la crise de Munich, puis par l'effet des routines et du formalisme bureaucratique, qui ont retardé les fabrications de masse jusqu'à mai 1939, il manque encore au 1er novembre 2 000 000 de paires de chaussures et 1 500 000 couvertures ou couvre-pieds. « Si les hommes en ligne ont en général une tenue convenable, ils n'ont pas de rechange : quand leurs vêtements sont mouillés, ils sont obligés de les laisser sécher sur leur dos ou de se dévêtir à peu près complètement[1]. » Les dernières unités formées n'ont pas un équipement d'hiver complet et utilisent tout l'automne des treillis de toile sous lesquels les hommes portent leurs vêtements civils[2].

À la mi-novembre, les députés en mission à la Ve et à la VIIe armée n'ont « pas rencontré de militaires ayant à leur disposition une seconde couverture »[3]. Même en montagne, à l'armée des Alpes, ici une division entière, là un bataillon de chasseurs alpins n'ont qu'une couverture par homme.

Au 1er janvier 1940, malgré le gigantesque effort que l'Intendance impose à l'industrie, le G.Q.G. avoue un déficit à combler de 700 000 paires de brodequins, 200 000 culottes, 650 000 couvertures, 150 000 toiles de tente.

Encore certains soldats considérés comme « habillés » portent-ils, tels les élèves officiers de réserve de Saint-Cyr, des tenues bleu horizon

---

1. AN 2W/7, Rapport Burtin et Tranchand au nom de la Commission de l'armée de la Chambre des députés, 15-20 novembre 1939.
2. La 55e D.I. qui sera enfoncée à Sedan, division tardivement formée à Orléans, a embarqué des hommes pour la zone des armées en vêtements civils sous la capote. Les stocks étant épuisés, elle a détourné, en gare des Aubrais, un wagon d'effets militaires affrété pour une autre destination. Fin septembre, stationnée sur les Hauts de Meuse, elle a récupéré dans les combles des casernements de Verdun tous les effets utilisables : vieux équipements, culottes de velours, jusqu'à des képis d'artilleurs d'avant 1914 (AN 2W/54).
3. AN 2W/7, Rapport Chouffet, Taittinger et Froment.

délavées et rapiécées, aux bandes molletières effrangées, usées par des promotions successives de troufions et peu faites pour inspirer la fierté de l'uniforme : il leur faut beaucoup de placidité pour ne pas ressentir comme une dérision les notes du haut commandement enjoignant « de réagir vigoureusement contre le laisser-aller dans le port de tenues même usagées ou incomplètes ».

Localement, on assiste à des épisodes cocasses, commentés en général sur un ton goguenard : au groupe de chasse III/3, des hommes échangent leurs chaussures pour monter la garde ; au groupement d'aviation 21, mais aussi bien à la 55ᵉ division d'infanterie, ils se prêtent des uniformes pour partir en permission. Épisodes lamentables aussi : un équipage a dû emprunter des effets de vol aux formations voisines avant de partir pour une mission de guerre dont il n'est pas revenu[1].

Un nouvel uniforme kaki, prévu en 1935 à la demande de l'infanterie et du génie, devait faire de l'armée française « la mieux habillée du monde » ; il n'a encore été produit qu'en petites séries ; il ne comporte plus de veste, mais un tricot : dès les premiers froids, les unités ainsi équipées découvrent que la vareuse est irremplaçable ; il faut y revenir, lancer des fabrications supplémentaires qui exigent quatre mois. En attendant, on réclame en vain des canadiennes pour les guetteurs. Et dans toute la France, les femmes tricotent pour leurs soldats.

Les chaussures sont plus encore une obsession :

> Des brodequins, vite !

insistent les députés Ponsard, Rotinat et Thiébau, fin octobre, au retour de la zone Verdun-Metz :

> C'est un cri d'alarme qui monte et grandit de l'arrière à l'avant. Les hommes sont partis en campagne avec une seule paire de brodequins : ils ne l'ont pas quittée ; et depuis un mois, ils sont dans l'eau. Aucun moyen de réparation. Avant un mois, nos hommes seront sans chaussures... Le 20 octobre, la 18ᵉ division en a reçu 500, il lui en fallait 10 000[2].

Les chaussures distribuées à l'automne s'imbibent comme du papier buvard au point qu'on enseigne aux élèves officiers de Saint-Cyr à graisser et masser le cuir pour le rendre imperméable.

Tout le mois de novembre, les correspondances de la zone des armées parlent chaussures, sans acrimonie :

> [D'un soldat à sa femme] Mes orteils ne vont pas tarder à percer la semelle. Il faut attendre, le magasin n'en possédant pas de rechange. C'était sans doute de la bonne marchandise pour être usée au bout de deux mois à peine ! [10 novembre, IIIᵉ armée]

---

1. P. BUFFOTOT, *Le Moral dans l'armée de l'air française*, SHAT. Cf. aussi l'intervention de Robbe, *Journal officiel*, Chambre des députés, Comité secret du 9 février 1940, p. 3.
2. Rapport à la Commission de l'armée (ARAS).

[D'un soldat à sa femme] Je me suis acheté une paire de sabots, car les souliers n'en peuvent plus... Nous avons les pieds trempés [11 novembre, VIIIᵉ armée].

Quelques soldats portent les souliers civils avec lesquels ils sont arrivés au dépôt à la mobilisation : on les leur rembourse seulement en décembre, c'est ce qu'ils trouvent le plus abusif. Jean-Paul Sartre porte jusqu'à février les chaussures de ski de Simone de Beauvoir : luxe de nanti, car tout l'hiver, un bon quart de l'armée française a froid aux pieds. Il faudra attendre le 1ᵉʳ avril 1940 pour que toutes les troupes en ligne aient enfin une paire de souliers de rechange[1].

Le gîte laisse tout autant à désirer : sur le front de Lorraine, des unités se sont installées dans des maisons évacuées ; ailleurs, les abris ne sont pas étanches. « Couchage impossible parfois », note le colonel qui commande le 63ᵉ R.I. en Lorraine. « L'absence de tôle ondulée et de carton goudronné a fait mauvais effet. Les abris en terre et rondins laissaient passer l'eau, et faute de pouvoir allumer du feu dans les cagnas inondées, les hommes étaient dans l'humidité perpétuelle » (20 décembre 1939)[2]. L'inconfort et le surpeuplement de bien des cantonnements dépourvus du strict nécessaire, sans feu, sans hygiène, sont source de récriminations. Même à l'arrière, dans les zones d'étapes, les unités n'ont pas de bois pour faire des baraquements ; les éléments de construction préfabriqués n'existent pas. « De la paille en plus grande quantité améliorerait le bien-être, élèverait encore le moral », demande modestement, en janvier 1940, un chef de bataillon[3].

Pourtant, ces incommodités, si durement ressenties, suscitent peu de remous : « C'est la guerre ! » Elles paraissent oubliées dès les beaux jours. Une infanterie de ruraux a su les endurer. Si les opérations s'étaient prolongées sur le sol français, on n'y aurait plus pensé, sinon comme à des difficultés de mise en train. Elles ont profondément influencé l'humeur hivernale ; elles n'ont pas été par elles-mêmes un facteur durable de démoralisation, même si elles ont parfois laissé des doutes sur la capacité d'organisation et le degré de préparation du commandement.

Le soldat trouve une compensation dans la nourriture et la boisson, objets de toute la sollicitude du commandement et clés premières du moral. La ration quotidienne aux armées est de :
— 600 g de pain ;
— 400 ou 450 g de viande, dans certaines unités 500 g ;
— 32 g de sucre ;
— 32 g de café (24 seulement à l'arrière) ;
— 60 g de riz ou de légumes secs ;

1. Entre-temps, le déficit reconnu est remonté à 500 000 pour les vareuses, à 600 000 pour les culottes et à 700 000 pour les toiles de tente.
2. SHAT 34 N 83/9.
3. *Ibid.*

— 60 g de lard ou de graisse ;
— 120 g de confiture.

On sait que le combattant d'en face n'a droit qu'à 150 g de viande par jour, que son ordinaire est à base de pain noir et de pommes de terre et n'est arrosé ni de vin ni de bière.

Le soldat apprécie, mais il est exigeant ; autour du 1er octobre 1939, les arrivages de légumes ont du retard : il se plaint de manger trop de riz. Les autorités et les familles font l'impossible pour que le dîner de réveillon des mobilisés soit un vrai repas de fête. Tout compte fait, jusqu'à mai 1940, sur le total des allusions à l'alimentation, les lettres des armées contiennent rarement plus de 8 % de plaintes.

Et le ravitaillement en vin est la grande réussite de l'Intendance. La ration réglementaire est d'un demi-litre par jour ; elle est complétée par la fourniture gratuite d'un troisième quart de litre, généralisée à partir du 1er janvier 1940. En fait, les unités de l'avant et les formations en bivouac perçoivent le litre quotidien dès novembre 1939. On rouspète parce que le pinard est trop acide ou trop léger, parce qu'on le croit additionné de bromure destiné à endormir les appétits virils, ou parce que les buveurs de gros rouge cantonnés en Alsace n'apprécient pas le petit vin blanc local. Dans l'ensemble, on n'a pas à se plaindre sur ce chapitre. « Un quart de vin en plus améliore le moral. » L'armée, à qui mieux mieux, puise du courage dans le vin.

La grande dépression de février 1940

Les changements perceptibles dans le moral à partir de la mi-décembre tiennent moins au froid ou aux cantonnements rudimentaires qu'à un mal plus subtil.

Des intellectucls en analysent avec lucidité les premiers effets[1] :

> On se lève vers 8 h, on travaille un peu à des blockhaus et des arrangements de cabanes, on va chercher la soupe (le soir, en pleine nuit, c'est une drôle de corvée).

> Ça n'est pas du tout tragique, c'est moche, mais ce qu'il y a surtout, c'est qu'on n'arrive jamais à s'indigner vraiment (...) On ne sent vraiment rien (...). Je ne suis jamais triste et jamais fatigué (...), je suis simplement vide et abruti...

C'est au retour des premières permissions de détente, à la fin de décembre et janvier, que résonne un ton nouveau qui est moins celui du cafard qu'une longue lamentation et qui ira crescendo jusqu'à fin

---

1. J.-P. SARTRE, *Carnets de la drôle de guerre,* pp. 200-201. Lettre de son ami Bost, 22 décembre 1939.

février : comme si dix jours de plongée dans la vie civile, en révélant aux mobilisés la coupure entre la France de l'avant et celle de l'arrière, leur avaient inspiré le besoin de se faire plaindre[1] ·

[2e quinzaine de janvier] Moral déplorable. S'il fallait passer quatre ou cinq hivers, j'aimerais autant être mort.

[2 février 1940, soldat du 606 pionniers] Il faut que ça finisse ou que ça barde, mais je crois que personne ne veut faire barder, et ils ont bien raison, cela n'avancerait à rien de faire tuer des hommes.

[14 février 1940, Titi aux armées à Henriette] Ceux qui couchent dans un lit, qui gagnent de bonnes journées feraient bien de penser à ceux qui passent des nuits pareilles dehors ou qui restent allongés pour toujours. J'espère qu'au retour tout cela se paiera.

[20 février 1940. G. de V. aux armées] Mon Loulou chéri. Rien de nouveau ici. Je m'y ennuie mortellement. On ne fait absolument rien d'autre que d'attendre... Attendre quoi ? Oh ! on commence à en avoir sérieusement assez de cette vie d'imbéciles. Oh ! vite que ça finisse...

[20 février 1940. Robert R. aux armées] Cher copain, Me voici arrivé dans cette triste vie. Le métier est toujours de plus en plus triste. Le commandant de compagnie est de plus en plus vache. Tâche moyen de ne plus revenir car tu aurais pas fini dans [sic] chier...

Il s'agit d'une véritable poussée dépressive ; elle dure autant que l'hiver[2]. Elle n'empêche à aucun moment les commissions de contrôle postal de juger globalement bon le moral aux armées. C'est qu'elle est limitée, beaucoup moins répandue que parmi les militaires de l'intérieur et qu'elle comporte manifestement une part de psychodrame, sinon de simulacre : tels qui se présentaient en héros à l'automne se posent en victimes et jouent aux misérables. Elle atteste cependant chez certains une lassitude de la guerre accompagnée de récriminations souvent acerbes qui font descendre la courbe du moral militaire — comme celle du moral civil — à son point le plus bas entre le 20 février et le 10 mars.

C'est alors que l'inquiétude pour le sort des familles s'aggrave, que la grogne contre les « trente-cinq francs par jour des soldats anglais »

---

1. Des colonels signalent la « profonde amertume » des rentrants : ils ont été considérés comme « des maladroits n'ayant pu éviter une telle situation » ; ils rapportent une « impression de doute sur la raison d'être de la guerre que certains leur ont représentée comme voulue par les Anglais et pour laquelle la France serait seule à fournir le matériel humain ». « L'intérieur ne présente pas un spectacle édifiant : le luxe, la course au gain... » (Rapports du colonel Psalmon du 104e R.I. et du colonel Couturier du 65e, parmi beaucoup d'autres analogues : SHAT 34 N 91/10 et 34 N 114/8).
2. On sait depuis la guerre du Viêt-nam que ce type de « réactions nostalgiques » est « un syndrome courant des guerres à faible intensité de combat, qui s'observe notamment parmi les troupes non combattantes. Cf. Claude BARROIS, David MARLOWE, Louis CROCQ, Walter REED, Franklin JONES, « Psychiatrie des guerres à faible intensité de combat », Congrès international de psychiatrie, Vienne, 1983.

s'accentue, que le mythe de « Radio-Stuttgart-qui-sait-tout » s'accrédite et que l'alcoolisation atteint son degré maximal. C'est alors aussi que le pacifisme fait résurgence et qu'apparaît dans le courrier des militaires les plus loquaces ou les plus politisés un petit nombre de lettres nettement contestataires, à travers lesquelles trois ou quatre courants de pensée, étrangers les uns aux autres, se rejoignent dans une commune réticence.

Des minorités réticentes

À droite, la dérision de la guerre va de pair avec la rancune antidémocratique :

> (...) Après quatre mois de couillonnades diverses, toujours membre actif du 298ᵉ R.I. et pas plus fier pour ça (...) je serai riche d'ici peu tellement je m'embête. Moral à − 15°, lui aussi. J'avais espéré passer dans l'armée anglaise. J'avais oublié que, sachant trop peu d'anglais, j'étais en outre dans cette bonne vieille république des camarades où l'on n'arrive à rien si l'on ne montre pas du doigt la cicatrice chère aux fils de Yacob.

> Je suis ravi d'être encore fonctionnaire, puisque tous les cucus du monde rentrent chez eux en affectation spéciale, sauf les paysans et les fonctionnaires. Guerre des poires ! [janvier 1940]

Symétriquement perce la rancœur du communiste qui se plie à la règle commune, mais n'en pense pas moins :

> Ils font plutôt la guerre au communisme. Ils ont mis des agents secrets dans les compagnies pour repérer les gars qui discutent un peu, mais ils sont encore trop bêtes et le font trop voir qu'ils veulent embêter le populo. Mais ça finira mal [janvier 1940].

L'antimilitarisme anarchisant qui affleure dans quelques lettres d'étudiants et de jeunes intellectuels témoigne de leur répugnance à l'enrégimentement :

> (...) Tu voudrais peut-être mes impressions sur l'armée de l'air. Laisse-moi te dire d'abord que c'est toujours l'armée et que pour moi ce mot est le plus barbare de la langue française. L'armée est le royaume de l'automatisme, la chose la plus ignoble qui soit sortie du cerveau des hommes.

> (...) Je te souhaite surtout de te faire bien grand et bien maigre de façon à couper à ce fameux métier [René A. élève officier à l'École de Mérignac, janvier 1940].

Parallèlement enfin, s'exprime le pacifisme catholique et surtout socialisant à base morale, qui ne se rencontrait auparavant que dans des lettres de civils. D'un secrétaire d'état-major :

> Tu connais mes opinions sur le meurtre collectif, elles n'ont pas changé. Je ferai la guerre comme tous, mais ne serai jamais convaincu de sa nécessité [janvier 1940].

Plus explicites encore ces confidences adressées à son inspecteur primaire par un jeune instituteur languedocien qui a tenu à rester soldat de 2e classe :

> C'est dur, cette école d'un genre spécial, quand l'esprit s'y refuse. À ce petit instituteur de campagne, qui s'était efforcé d'inculquer à ses élèves l'amour de la paix, « on lui donna un fusil ». Il accepta, ne pouvant faire autrement. Il était seul. Ses guides, Giono, Margueritte, Challaye étaient traqués ou en prison. Il se rangea dans le troupeau, promettant de faire comme les autres, d'être un bon soldat, mais jurant que s'il se tire de la grande tragédie, il demandera des comptes à certains [décembre 1939].

« *Il accepte, mais l'esprit s'y refuse... Il se promet d'être un bon soldat...* » Nul n'aura mieux traduit le malaise de certaines consciences tourmentées : des instituteurs pacifistes, mais aussi des militants communistes et des lecteurs patriotes de *Gringoire,* se soumettent à la guerre tout en restant, dans bien des cas, divisés en eux-mêmes, ou réticents.

On voit ainsi poindre dans l'armée des minorités de pensée aux caractéristiques socioculturelles et sociopolitiques typées et d'origine surtout urbaine : elles paraissent trop dispersées pour compromettre la cohésion devant la guerre. Elles ne se manifestent qu'épisodiquement dans les correspondances ou affleurent dans des équipes très étroites de camarades. En tout cas, la soumission est la règle admise. Rien ne permet de présumer que ces hommes ne soient pas loyaux ; simplement, le cœur n'y est pas : c'est en eux-mêmes qu'ils portent leur part de contradictions et d'incertitudes et l'on devine qu'ils les assument avec une capacité d'engagement non seulement inégale, mais fluctuante, tour à tour avec assurance, apathie ou tristesse, et certains d'entre eux avec des poussées d'une angoisse presque schizophrénique. Une partie de l'armée accepte la guerre tout en la refusant.

D'autres minorités, en revanche, affirment leur résolution en face de l'Allemagne ; ces minorités très engagées semblent, à en juger par les courriers, moins nombreuses que les premières.

Le courant antihitlérien est plus limité qu'on ne l'imaginerait ; on est hostile au personnage et aux méthodes d'Hitler plus qu'au nazisme dont on ne sait pas grand-chose.

> Ce monstre sanguinaire ne sait plus à quel diable se vouer. Quel monstre !

> Si on le tenait, on lui ferait passer un mauvais quart d'heure !

> Ce cochon d'Hitler, quel bandit !

> Si nous n'arrêtons pas ce fléau, il faut s'attendre à subir le même sort que les autres.

Le simple patriotisme qui s'exprime sur un ton de courage tranquille est rare :

Chère Maman,
Sans être accusé de vanité, je peux te conseiller d'être fière d'avoir un fils dans la chasse, car c'est l'élite de l'aviation qu'on y place : question de résistance et d'habileté ; 7 seulement sur 20 que nous étions à Bourges ont été classés [décembre 1939].

On distingue de même — rarement aussi — des franges de tradition soit jacobine (étudiants démocrates ou instituteurs « blumistes »), soit conservatrice qui gardent l'espoir de voir la France enfin soulevée par un grand élan. Et ici et là résonnent les accents d'un nationalisme traditionnel qu'on aurait pu croire d'une autre époque.
Début mars. D'un officier :

Comme elle est sage, ma petite fille, d'avoir porté la vieille voiture de poupée à la ferraille [1]. Au moral et même au figuré, tu fais ton devoir de petite Française. Hitler s'est trompé et les enfants de chez nous, par leurs sacrifices, sauveront la France.

Deuxième semaine d'avril. D'un soldat alsacien, 22e régiment d'infanterie de forteresse, Haguenau :

C'est assez triste que nous devons passer notre vie ici pour la patrie, mais courage ! Et ne désespère pas, jusqu'au moment où nous remonterons fiers chez nous, derrière le drapeau tricolore.

Une tonalité manque curieusement dans le panorama des correspondances sélectionnées par le contrôle postal, c'est l'indignation ou la consternation patriotiques qui pourtant font vibrer certains esprits des plus nobles. Des journaux intimes, des poèmes et des lettres connus depuis la guerre en portent témoignage : les réactions ne diffèrent pas sensiblement, qu'elles émanent du capitaine socialiste Pierre Brossolette, de l'aviateur Pierre Massenet, futur préfet de la Libération, de l'abbé Pasteau, ami de François Mauriac, ou même, certains jours, du communiste Georges Sadoul. Il y a là une petite constellation d'hommes dispersés sur l'éventail politique qui répugnent aux flonflons héroïques, mais qu'anime de la même manière la conscience des valeurs incarnées par la France et qui s'irritent ou se désespèrent de l'inertie des pouvoirs, de la bureaucratie militaire, de la veulerie des uns, de la saoulerie des autres : avec chez les uns et chez les autres, l'honneur de témoigner.
Le chef de section qui, le 12 décembre 1939, écrit :

Je ne crois plus que cette guerre, malgré ses souffrances, ses sacrifices, toute l'immense générosité dont elle fut l'occasion, parvienne à rien changer, car elle a permis davantage encore d'égoïsme, de paresse, de basse ignominie, sous toutes les formes possibles !,

1. En réponse à la collecte organisée par Dautry sur le thème : « Avec votre ferraille, nous forgeons l'acier victorieux. »

cet officier de troupe est en même temps de ceux qui affirment qu'on ne peut pas hésiter à « prendre parti si vraiment une telle question est posée, non pas devant la vie d'une partie seulement de l'humanité, mais devant la conscience de tout homme pensant ». Il donnera sa vie sans hésiter le 12 juin 1940, devant Longwy [1].

Les diverses tendances que le contrôle postal met ainsi en lumière, répétons-le, semblent les unes et les autres très minoritaires. Il est difficile d'apprécier leurs forces respectives. Le gros de la troupe semble apathique. Les indications chiffrées les plus claires datent du milieu de mars, dans la décade qui suit la paix russo-finlandaise et voit la chute de Daladier ; elles ont trait à la venue en Europe de l'envoyé spécial de Roosevelt, Sumner Welles, en qui beaucoup de Français veulent voir un messager de paix ; son voyage coïncide avec une rumeur de miracle qui circule dans l'armée du Nord : la fontaine de Sainte-Odile s'est remise à couler en février, « ce qui n'arrive que trois mois avant la fin d'une grande catastrophe ». Parmi les militaires qui commentent ces perspectives, les *deux tiers* les accueillent avec espoir (« beaucoup espèrent que tout s'arrangera sans savoir quand ni comment, sans approfondir ») ; *un tiers,* au contraire, est convaincu que tout arrangement avec Hitler ne sera qu'un armistice qui placera la France en position plus risquée lors de l'inévitable affrontement. Mais on ne trouve de tels commentaires que dans 5 % au plus des lettres et, pour beaucoup d'unités, dans 2,5 ou 3 % seulement : les censeurs se gardent d'en tirer des conclusions.

Au 2ᵉ Bureau, on est un moment impressionné par cette « poussée d'espérance confuse qui s'est répandue soudain », cette « croyance à la cessation générale des hostilités par une sorte de contagion de paix » ; on communique au commandement une lettre singulière : « Il souffle comme un vent de folie, la guerre finira bientôt... » À la réflexion, on ne veut pourtant y voir qu'une fluctuation sans conséquence : « Il s'agit au fond d'un état d'esprit irraisonné, fragile et temporaire. Beaucoup ont réfléchi et n'ont trouvé dans les circonstances aucun élément permettant d'aboutir à des conditions de paix satisfaisantes. Ils souhaitent un redressement de la situation et voient dans l'avantage indirect remporté par l'ennemi « des raisons de taper encore plus fort ».

Même si jusqu'à la mi-avril, « un trop grand nombre de correspondants reste perméable à des racontars plus ou moins pacifistes », les censeurs et le 2ᵉ Bureau sont d'accord pour juger le moral solide.

---

1. Il faut savoir gré à Pierre ORDIONI d'avoir publié dans son livre *Le Pouvoir militaire en France de Charles VII à Charles de Gaulle,* Paris, Albatros, 1981, pp. 413-428, des extraits de lettres qui sont parmi les plus représentatives de ce courant de pensée, écrites par l'avocat Marc Leroy-Beaulieu, le prêtre sous-lieutenant Rémy Pasteau, le navigateur André Ropiteau, tous trois tués au combat.

L'obsession égalitaire

N'est-ce pas pourtant le subconscient de la masse des mobilisés que dévoilait le contrôle postal lui-même quand il signalait avec insistance, de janvier à avril 1940, deux réactions caractéristiques : l'obsession égalitaire et une certaine indifférence à la discipline, à quoi s'ajoute, à partir des beaux jours, une curieuse atonie de la troupe ?

L'obsession égalitaire est un des phénomènes français les plus singuliers de la « drôle de guerre ». « Le souci de chacun, notent les censeurs, semble être de comparer son sort à celui du voisin. » L'envie prend figure de maladie nationale. Dès les retours des permissions de détente, à Noël 1939, dans les trains qui remontent aux armées, l'indignation fuse contre les « jeunots de l'arrière ». Elle retombe vite, plus vite que parmi les épouses laissées au pays, mais d'autres griefs la relaient ; une vague de réclamations passe : les uns se plaignent que les fonctionnaires touchent intégralement leur traitement et eux « 0,70 F et l'allocation militaire ». D'autres qu'un sergent de carrière touche 1 300 francs par mois, alors que l'adjudant de réserve a trois francs par jour.

L'affectation spéciale des ouvriers en usine, exploitée par diverses propagandes, prend, surtout aux yeux des paysans âgés, les proportions d'une affaire d'État[1]. L'émotion s'apaise au début de mars, quand le gouvernement s'engage à démobiliser les cultivateurs des vieilles classes et institue un régime d'affectation contrôlée à la terre. Mais alors, à l'approche du printemps, c'est l'inégalité devant les permissions agricoles qui devient « le point névralgique du courrier », car on n'en accorde pas dans la zone des armées et les paysans mobilisés sont malades des semailles :

> Ceux de l'intérieur vont avoir des permissions agricoles et nous, ceinture, c'est ça l'égalité. Quand je pense à ça, je suis fou.

> Pour les permissions agricoles, il n'y a rien à faire ici. C'est malheureux de voir qu'il y a tant d'injustices. On se demande comment notre moral tient à tous.

La même hargne égalitaire se tourne contre les Anglais :

> Il rentre méchant, jaloux, dégoûté et scandalisé. Il a vu là-bas ces fameux Anglais qui, paraît-il, font la guerre à nos côtés. En réalité, ils sont une armée de jeunes de 18 à 20 ans qui gagnent au titre militaire, nourris, logés, etc. 37,50 F *par jour,* ce qui n'est pas mal. Ils sont dans les batteries de D.C.A. qui attendent tranquillement les avions allemands qui n'arrivent jamais... Alors, ma foi, ils font la bombe [janvier 1940].

---

1. L' « embusquage » des ouvriers dans l'industrie et de la bourgeoisie dans les bureaux avait déjà été en 1917 une des causes du mécontentement des soldats d'origine rurale. Cf. Guy PÉDRONCINI, *Les Mutineries de 1917,* p. 295.

Pour un observateur pacifiste tel que Jean-Paul Sartre, ces réactions traduisent une attitude « de détaillants du mécontentement », incapables de se révolter et qui « ballottent d'un grief à l'autre, qui se fuient dans le grief »[1].

Il est clair qu'il y a une part de fronde dans ces défoulements ambigus. Des officiers du contrôle postal en donnent une interprétation plus optimiste et qui est également exacte : c'est l'absence d'un péril national ressenti comme tel qui fait paraître irritantes les petites inégalités et les contraintes nées de la guerre : les notations de Sartre prouvent en tout cas combien la rouspétance égalitariste s'efface aisément devant la soumission au milieu et les ordres d'en haut.

Un relâchement de la discipline

Il n'y a pas moins d'ambiguïté dans un certain laisser-aller de la discipline, manifeste surtout dans des unités d'infanterie mal encadrées (à l'exclusion presque totale des corps d'active) et qui suscitera rétrospectivement tant d'indignation à Vichy. Le commandement s'en agace et parfois s'en irrite plus qu'il ne s'en inquiète : indifférence aux signes extérieurs du respect, où des réservistes parisiens ou âgés voient un formalisme de caserne, visites abusives d'épouses ou de « fiancées » dans la zone des armées, retours tardifs des permissions de détente (beaucoup plus rares, il est vrai, une fois l'hiver passé), permissions de fin de semaine prises sans autorisation (le cas est fréquent lorsqu'une troupe est cantonnée dans sa région de recrutement, en particulier dans le Nord), chahuts dans des gares au départ et plus rarement au retour des permissionnaires (incidents moins graves d'ailleurs qu'ils ne l'avaient été en 1917 et largement imputables à l'ivresse)[2]. L'anticaporalisme est fréquent dans les unités de réserve, le sous-off « peau-de-vache », s'il est de surcroît incompétent, a la vie dure. Les injures et voies de fait sur la personne d'officiers, au contraire, demeurent rarissimes.

---

1. J.-P. SARTRE, *o.c.*, 23 décembre 1939, p. 204.
2. Le 5 décembre 1939, le major général des armées signale à tous les commandants de grandes unités que « les permissionnaires arrivant à Paris ou traversant la capitale se distinguent fréquemment par leur mauvaise tenue, ne saluent pas et causent des scandales dans les lieux publics. Le gouvernement militaire de Paris fait connaître qu'à l'avenir tout permissionnaire signalé pour ces infractions sera immédiatement renvoyé à son corps, sans préjudice des sanctions disciplinaires qui lui seront appliquées » (SHAT 27 N/13 G.Q.G.). En février, le général Billotte fait vérifier dans tous les hôtels de Lille les titres de séjour des voyageuses et refouler toutes celles qui sont en situation irrégulière *(ibid.)*. À Saverne, dans la première semaine de mars, à la suite d'instructions visant à « assurer la discipline et la sûreté de la place », 108 militaires font l'objet de punitions, dont 2 officiers, pour défaut de salut, tenue irrégulière ou incorrecte, circulation sans ordre de mission (SHAT 29 N/18). Incidents à propos desquels on conclut le plus souvent comme en 1917 qu'il s'agit d'un « énervement du moral bien plutôt que d'une volonté réfléchie d'indiscipline ». Cf. G. PÉDRONCINI, *o.c.*, p. 178.

De temps à autre, par à-coups, des punitions sévères s'abattent, pour l'exemple. Cependant, ni le contrôle postal ni le 2e Bureau ne dramatisent, considérant que ces entorses à la discipline « sont commises sans intention coupable, simplement pour faire ce qui plaît », ce qui est, « à vrai dire la seule ombre au tableau »[1].

Le commandement paraît s'inquiéter davantage des indiscrétions :

> Le besoin de renseigner sur ce qu'on fait, avec tous les détails possibles est une véritable maladie

Un incident symptomatique, bien que localisé, s'est produit le deuxième dimanche de guerre, le 12 septembre : ce jour-là, les postes de contrôle routier à l'entrée de la zone des armées en Champagne, de Saint-Richaumont à Givry-en-Argonne, ont refoulé 888 autos venant de la zone de l'intérieur, mais ont dû en laisser passer 1 737 munies de titres réguliers : cet afflux s'expliquait par le fait que de très nombreux militaires s'étaient empressés de donner à leurs proches le lieu exact de stationnement de leur formation, tandis que les gendarmeries et les mairies délivraient les laisser-passer pour les motifs les plus futiles[2].

Petit scandale aussitôt étouffé et qui ne se reproduit pas ; mais les indiscrétions, elles, se poursuivent : indiscrétions ouvertes, indiscrétions déguisées au moyen de lettres majuscules, soulignées, pointées, inscriptions clandestines à l'intérieur des enveloppes, dans la bordure gommée des cartes-lettres ; courrier timbré et posté dans les boîtes aux lettres civiles, quitte à ne pas profiter de la franchise postale, mais dans l'espoir d'échapper à la censure[3].

En novembre, les indiscrétions liées au déplacement d'unités ont pris « des proportions si inquiétantes — 40 %, 50 %, 60 % et parfois 80 % des lettres lues par les commissions de contrôle — » que le commandement réagit énergiquement, inflige des ajournements et des suppressions de permissions et ramène le taux des indiscrétions à moins de 5 %. Daladier, alerté, signe le 16 janvier 1940 une instruction véhémente[4] :

> Du côté allemand, les indiscrétions sont nulles, tandis que du nôtre, elles représentent une somme de renseignements d'une richesse, d'une exactitude et d'une précision telles que le travail du S.R. ennemi en est extrêmement facilité et même entièrement accompli.

Les indiscrétions reprennent de plus belle au printemps : début avril, le courrier de la 1re division légère mécanique, unité d'élite et modèle de discipline, révèle, au surlendemain d'un déplacement et pour une seule journée, 13 % d'indiscrétions. Le taux sera double et parfois triple dans certaines unités à la fin de mai, en pleine guerre de mouvement.

1. Commission de contrôle XA, rapports des 1er mars et 15 avril 1940, AN 2W/57.
2. SHAT 29 N/47.
3. AN 2W/57.
4. SHAT 7N/25.

« Des excès regrettables »

De tous les manquements à la discipline, le plus étrange est le pillage de villages évacués d'Alsace et de Lorraine. Il a commencé dès les premières semaines de guerre. Les unités de relève le découvrent en novembre :

> Nous sommes descendus au bled et avons visité trois ou quatre maisons. Eh ! Dieu c'était inouï à voir. Jamais une bande de malfaiteurs n'aurait pu piller une maison comme l'ont fait les régiments qui ont passé. Impossible à décrire [15 novembre].

> Toutes les maisons sont au pillage. Tout est cassé et détérioré : alors chacun emporte un souvenir [novembre].

En fait, les ravages sont plus localisés que ne le croient les populations évacuées et les parlementaires alsaciens et lorrains [1] ; ils n'en sont pas moins scandaleux :

> Glaces des armoires brisées, meubles fendus à coups de baïonnette, linge pillé — celui qu'on n'a pas pu emporter est déchiré (...) L'argenterie a disparu. Dans les caves, les types ont bu ce qu'ils pouvaient et puis, quand ils n'ont plus pu, ils sont partis en laissant les robinets des tonneaux ouverts [2].

Les soldats ont commencé par chercher les vins et les alcools, puis, quand le froid est venu, les écharpes, les lainages et les couvertures ; de là à céder à la tentation de profiter de biens voués de toute façon à la destruction, il n'y avait qu'un pas : pour se chauffer, on a brûlé des meubles, des escaliers de bois. Cela même n'explique pas la véritable *Schadenfreude* avec laquelle des hommes qui sont « des Français comme les autres » se sont acharnés à souiller et à détruire, comme pour prendre une revanche sur le sort. Un tel manque de sens civique accompagné d'une telle frénésie destructrice scandalise pourtant beaucoup de soldats, de même que la tolérance des officiers qui ne s'y sont pas opposés. Car partout où l'autorité militaire a fait mettre des scellés sur les maisons ou sur certaines pièces et organisé la surveillance, partout où quelques habitants autorisés à rester sur place ont été désignés pour veiller aux biens abandonnés, l'ordre a été respecté. Il faut dire que le commandement n'avait pas donné d'instructions en temps utile et qu'une fois

---

1. MM. Paul Léon, Saint-Venant et Burrus, députés, ont été invités, lors d'une mission dans le Haut-Rhin, à visiter quinze villages de leur choix ; ils ont constaté que si les prélèvements de nourriture, de boisson et de literie étaient fréquents, il y avait rarement plus d'une maison pillée dans un village et que certaines localités étaient intactes. Il n'en est pas de même dans le Bas-Rhin et la Moselle (SHAT 27N/12).

2. J.-P. SARTRE, *o.c.*, 21 décembre 1939, p. 192.

informé, il ne s'est pas indigné ; quand Daladier, alerté en novembre, a exigé des explications, Gamelin n'a réagi que faiblement ; et si des sanctions ont été prises, il n'a cru devoir leur donner aucune publicité [1].

En 1914-1918 déjà, le commandement était indulgent au pillage.

Passé décembre, on ne signale plus que des cas isolés, imputables presque toujours aux mêmes unités, en particulier à l'infanterie coloniale. Des soldats du 109e portent témoignage à la mi-février, quand ils relèvent, dans le secteur de Teting-Saint-Avold, le 44e R.I.C. :

> C'est une désolation. Les églises n'ont pas été épargnées. J'entre dans un bijou de maison. Sur la porte, on lit : « Qui que vous soyez, respectez la bibliothèque d'un savant. » Tout gît par terre, déchiré, souillé. Ailleurs : « Buvez, mangez. Par pitié, ne détruisez pas mes meubles et mes souvenirs. » Plus un meuble ne reste, tout a été cassé. Quelle humiliation pour nous Français ! Que font donc nos officiers, si zélés pour des âneries [2] ?

La deuxième grande vague de pillage aura lieu pendant la retraite en mai-juin 1940.

La crise de « l'intérieur »

Le manque de flamme ou le laisser-aller de l'avant sont peu de choses à côté de l'avachissement fréquent parmi les troupes de « l'intérieur ». À partir de décembre 1939, le moral est qualifié de « médiocre » ou de « mauvais » dans plusieurs dépôts ; il en est de même dans quelques régiments régionaux, des unités de pionniers et des unités de travailleurs : ce sont les seules formations de l'armée française à propos desquelles il arrive que l'on parle de « mauvais esprit ».

La première alerte est donnée le 2 décembre 1939, quand l'État-Major transmet à Daladier les impressions du général Dosse, inspecteur général des troupes de l'intérieur, de retour d'une tournée dans les régions :

> (...) L'absence de commandement (...) se manifeste très souvent par un manque de tenue des hommes et des cantonnements, une insuffisance quasi totale d'instruction et une oisiveté dangereuse à tous égards.
>
> Semblable situation apparaît très grave, de nature même à apporter un préjudice très sensible au moral de l'intérieur, des troupes d'abord, de la population ensuite [3] (...)

Ces pronostics pessimistes sont rapidement confirmés au point qu'on peut parler, en 1940, d'une crise des forces armées de l'intérieur. Pour

---

1. Sa préoccupation principale est d'obtenir un communiqué du gouvernement garantissant aux populations évacuées que l'État prendra en charge la réparation des dommages... (SHAT 27 N/12).
2. SHAT 29 N/69.
3. SHAT 5 N/61.

l'État-Major, les raisons en sont simples : là où l'armée entretenait auparavant 500 000 hommes casernés, placés sous les ordres de trente généraux de division, de commandants d'infanterie divisionnaire, d'artillerie divisionnaire et encadrés par des officiers de carrière, l'armature du commandement territorial a été démantelée : des commandants de région dont dépendent 100 000 rationnaires n'ont pas un général pour les commander ; sur 35 000 officiers d'active, 5 000 seulement, pour la plupart âgés, ont été maintenus à l'intérieur, les 30 000 autres sont aux armées ; 35 000 officiers de réserve sont venus prendre la relève, mais ce transfert de compétence massif est un semi-échec : dans bien des cas, la greffe n'a pas pris. Or, l'effectif sous les drapeaux à l'intérieur a plus que doublé : de sorte que les troupes sont gérées, mais ne sont pas commandées.

Le problème de base est donc moins celui du moral que celui de l'encadrement : pour y faire face, l'État-Major va jusqu'à recommander de ramener à l'intérieur des généraux des armées, si impopulaire que doive être la mesure. Le problème de l'utilisation rationnelle des ressources en hommes est sous-jacent : alors que la France manque partout désespérément de bras, on a surestimé les besoins en hommes de l'armée à « l'intérieur ».

Des facteurs multiples accentuent la démoralisation. C'est à « l'intérieur » que sont rassemblés la plupart des hommes des classes âgées (on a mobilisé jusqu'à quarante-neuf ans), que l'encadrement est le plus lâche (12,5 % de cadres d'active) et le fossé le plus marqué entre officiers, sous-officiers et soldats. C'est là que l'esprit de guerre est le plus faible. Régions et dépôts sont en proie à l'incurie paperassière sous le contrôle intermittent d'officiers bureaucrates doublés d'officiers amateurs. La majorité des mobilisés de l'intérieur, qui ont plus de trente-cinq ans, sont mal habillés, mal équipés et ne sont employés qu'à des corvées. Beaucoup sont abandonnés à des sous-officiers improvisés qui, pour peu qu'ils se haussent du col, s'attirent des bordées de « tu nous fais chier ». Des centaines de milliers d'hommes vivent dans le gâchis ; les heures de quartier libre du soir sont funèbres. Pendant la grande dépression de février, les correspondances — surtout celles des soldats instruits et des gradés — font alterner les plaintes et l'amertume. La gendarmerie énumère dans ses rapports les signes extérieurs défavorables :

> Salue qui veut et qui il veut en dehors de ses propres chefs ; les officiers de réserve sont trop souvent donnés en spectacle à la terrasse des cafés ; la population a l'impression assez justifiée qu'ils sont rarement avec leur troupe ; beaucoup ne rendent pas le salut[1] [Haute-Savoie].

Ce laisser-aller, que l'opinion exagère, ne peut pas entretenir la confiance. L'étonnant est que les réactions de la troupe soient si

---

1. Rapport de la légion de gendarmerie de Lyon (AD/Rhône, 4M/4/539).

localisées et si discrètes. Des protestations n'éclatent que lorsque Dautry, en février 1940, fait affecter plusieurs milliers de vétérans aux usines et aux poudreries où ils trouvent les pires conditions de vie et de travail. Ils crient au scandale :

> Quelle récompense d'avoir payé de sa personne en 14. Je n'ose te dire le sort qui nous est réservé... Tous mes copains sont indignés. C'est honteux, parqués dans un baraquement sans lumière, sans couverture, nourris dans un taudis sans nom. Menu : cheval, macaroni et un morceau de fromage du pays... auvergnat ! Pauvres combattants de 14, pauvres bougres relégués comme indésirables, *je n'ai jamais vu ça même en pleine guerre en ligne !* Alors que des crevés comme M. gagnent trois mille francs par mois chez Bréguet ! [27 février 1940]

Sur 700 « fascicules bleus » affectés à l'atelier de mélinite de Gravanche, à Clermont-Ferrand, 600 écrivent alors des lettres de protestation à leurs élus[1]. C'est trop pour eux de faire une seconde fois la guerre.

Le piège de la « drôle de guerre »

« Manque de ressort » et « manque de flamme » à l'avant, écœurement à l'arrière, les raisons profondes de ce fléchissement d'une partie de l'armée sont claires : l'hiver sinistre et glacial n'est, on l'a vu, qu'un révélateur ou un prétexte, l'absence de commandement à l'intérieur qu'une circonstance aggravante. La cause à laquelle on revient toujours est que le gouvernement, pris dans ses contradictions et manœuvré par l'ennemi, n'a su faire de cette guerre ni une guerre idéologique ni une guerre nationale. La répugnance de la majorité parlementaire à l'idée d'une croisade contre les dictatures, l'ignorance des réalités allemandes, la crainte de choquer Mussolini, la fièvre anticommuniste enfin font que la note dominante n'est pas à l'antifascisme. Mais la guerre n'est pas davantage une guerre nationale puisque la Pologne semble définitivement enterrée, que la France n'est pas menacée et que Hitler ne demande qu'à faire la paix, pourvu qu'on lui laisse ses conquêtes, ce que Radio Stuttgart répète tous les soirs.

Par suite, les raisons de la guerre, si légitimes soient-elles, deviennent incertaines et ses buts indistincts. Le sénateur de l'Oise Reibel voit juste quand il lance à Daladier[2] :

> Vous ne pouvez pas empêcher que nos hommes souffrent d'être mobilisés et, en même temps, de ne pas sentir clairement pourquoi ils sont mobilisés.

1. Une seule manifestation comparable laisse une trace dans la zone des armées : il s'agit d'une compagnie militaire de renforcement stationnée à Douai et composée d'hommes de quarante-cinq ans, de recrutement local, que Dautry a ordonné d'envoyer en usine à Bergerac.
2. JOD, Comités secrets du Sénat, 14 mars 1940.

Sur vingt élèves-officiers de réserve interrogés en janvier 1940 à Saint-Cyr sur leurs raisons de faire la guerre, deux seulement donnent une réponse explicite :

Pour qu'il y ait une morale internationale,

répond un étudiant en ethnographie.

Parce que je veux casser du Boche, je ne peux pas les blairer,

explique un jeune administrateur adjoint des colonies.

C'est cette incertitude qui contribue, en février-mars, aux résurgences pacifistes, même si celles-ci ne se manifestent que sporadiquement, par des réticences. Témoin cet incident minime, à Saint-Cyr encore : un « amphi » réunit en assemblée générale les élèves-officiers de réserve qui doivent choisir, dans une atmosphère de chahut bon enfant, le nom de leur promotion. Le colonel Groussard, commandant de l'École fait proposer : « Les fils de Quatorze. » Une voix perce le tumulte : « Pourquoi pas " Vingt ans après " ? » Une autre voix riposte : « Pourquoi pas *Les Misérables* ? » Le chahut redouble.

Le pacifisme reste, semble-t-il, beaucoup moins perceptible et certainement beaucoup plus limité que l'*esprit pacifique,* qui est un trait commun à la grande masse des mobilisés : « C'est moche, la guerre, c'est con d'avoir à la faire, surtout quand on se demande pourquoi. »

La seconde cause d'érosion du moral, plus évidente celle-ci, est l'immobilisme de la « drôle de guerre », aggravé par l'inaction trop fréquente de la troupe.

Le colonel de Gaulle l'évoque sans ambages dans son mémorandum du 26 janvier 1940 :

Cinq millions de Français, jeunes et actifs, se trouvent depuis de longs mois — et pour combien de mois encore ? — militairement inutilisés dans des cantonnements ou des dépôts (...) Pour dire vrai, certains mobilisés nient déjà que sous les armes ils fassent œuvre utile ; beaucoup se demandent s'il y a proportion entre l'avantage que comporte leur présence sous les drapeaux et l'inconvénient qui résulte de leur déracinement. Tous sont la proie de l'ennui.

« Les tiendrez-vous un an, deux ans, trois ans sous les drapeaux ? », demande Caillaux à Daladier [1].

Mais ce dernier peut-il avouer que la France est hors d'état d'engager de grandes opérations avant 1941 ? Il mise sur une guerre longue : en attendant, une armée aux effectifs énormes conçue pour la défensive de 1914-1918 est engluée jusqu'à l'absurde dans une guerre sans combats. Le long du Rhin, Gamelin a interdit, par crainte de représailles,

---

1. JOD, Comité secret du Sénat, 14 mars 1940, p. 27.

d'attaquer les objectifs ennemis : « Une salve paraît un invraisemblable et inexplicable incident. » De part et d'autre, des soldats se font un jeu de pêcher à la ligne et de laver leur linge. En décembre, le général Garchery comprend qu'il faut réagir : il ordonne de tirer sur les Allemands qui franchiraient à la nage la ligne médiane du fleuve... Les Allemands installent des haut-parleurs. On raconte, à l'armée d'Alsace, qu' « un soir, un Allemand s'en est servi pour crier avec l'accent de Belleville : " Vous vous faites chier, camarades Français. Eh bien, nous aussi[1] ! " »

Ainsi, même après l'occupation de la Norvège, beaucoup de soldats sont persuadés que « la guerre n'aura pas lieu » : tant il leur paraît clair que « les adversaires sont animés du souci de ne pas la faire ». Quelques-uns, notamment des communistes, vont jusqu'à parler de connivence. Le vocabulaire reflète ce scepticisme. « Il y croit », dit-on avec un clin d'œil du voisin qui fait du zèle. « Moi, j'ai compris ! », répliquent des esprits forts qui n'ont rien compris, si ce n'est que la guerre est un immense truquage où chacun doit se débrouiller en attendant une victoire sans combat ou un arrangement négocié sur le dos des peuples. Des chefs de corps eux-mêmes ne croient pas à des opérations en France en 1940 : le tonus de leur unité s'en ressent. L'inactivité fréquente de la troupe pendant les mois d'hiver aggrave le sentiment de son inutilité. Des réactions d'impatience sont inévitables : « Vivement que tout ça finisse, car il nous emmerde bien avec tout leur bazard *(sic)*. » « Pourquoi ne pas nous renvoyer chez nous puisqu'on ne fout rien et qu'il n'y a rien à foutre ! »

Georges Sadoul[2], chroniqueur communiste minutieux, rapporte des propos significatifs, même s'ils émanent de groupes étroits de soldats parisiens dépourvus d'encadrement et appartenant à une arme tenue pour subsidiaire, les transmissions :

> Le 24 février, à une représentation du théâtre aux armées, un petit comique boniment :
> — Je peux vous jouer *La Tosca, La Traviata, Werther :* que préférez-vous ?
> Quelqu'un crie :
> — La classe !

Le 1ᵉʳ mars, dans le camion qui les ramène d'une manœuvre sans intérêt, ses camarades entonnent en chœur :

> C'est la classe, la classe, la classe
> C'est la classe qu'il nous faut !

Daladier est constamment à l'écoute de la troupe. Il ne doute pas de sa bonne volonté, qui est réelle ; cependant, il s'inquiète. Il est pris lui-même au piège de la « drôle de guerre ». Comme Mandel le confie, au début de janvier 1940, au chef de la mission militaire britannique, il

---

1. G. SADOUL, *Journal de guerre...*, pp. 88-89.
2. *Ibid.*, p. 88.

faudrait un abcès de fixation pour répondre à la question que se posent les soldats : « Qu'est-ce que nous fichons ? » Le théâtre d'opérations finlandais lui semble « providentiel » [1]. Pour soutenir le moral et rallier une majorité parlementaire qui s'effiloche, Daladier sera bientôt prêt à tout — y compris à engager des opérations « périphériques » contre l'U.R.S.S.

ANNEXE

*Comment un général commandant d'armée
se représente l'évolution
des « principaux sujets d'affaiblissement
du moral » dans son armée
(SHAT 27 N/69)*

Ce graphique (p. 448), communiqué en mars 1940 au Grand État-Major par le général Condé, commandant de la IIIe armée en position sur la frontière de la Lorraine, résume l'évolution des principaux sujets d'affaiblissement du moral relevés dans son armée par le contrôle postal :

— jusqu'à la fin de 1939, les retards du courrier, le retard du premier tour des permissions, la nourriture ;

— après les premières permissions de détente, les traitements des fonctionnaires mobilisés, la jalousie envers les Anglais, l'incompréhension de l'arrière envers l'avant ;

— pendant les grands froids, les insuffisances de l'habillement et le manque de couvertures.

Seuls ont subsisté en mars, écrit le général Condé, les griefs persistants et d'ailleurs importants, à savoir :

— « *l'incompréhension de l'arrière à l'égard de l'avant*. Aigreur à l'égard des affectés spéciaux et des " fascicules bleus ". Grief actuellement en palier ;

— *les soucis concernant la situation matérielle des familles des mobilisés* (retard de certaines allocations, hausse brutale du coût de la vie). »

Griefs en progression :

— « le sentiment d'inaction et l'ennui qui en résulte, point d'affaiblissement du moral observé constamment depuis le début de la guerre et actuellement en palier ;

— *le retard au paiement de l'indemnité de combat*, sujet de préoccupation moins grave que les précédents, en palier. »

1. PRO War Office, 208/619, lettre du général Howard Wyse citée par D.C. WATT, « The British Image of French Military Morale, 1939-1940 : An Intelligence Failure », communication au colloque *Français et Britanniques en mai et juin 1940*, IHTP, Londres, décembre 1983.

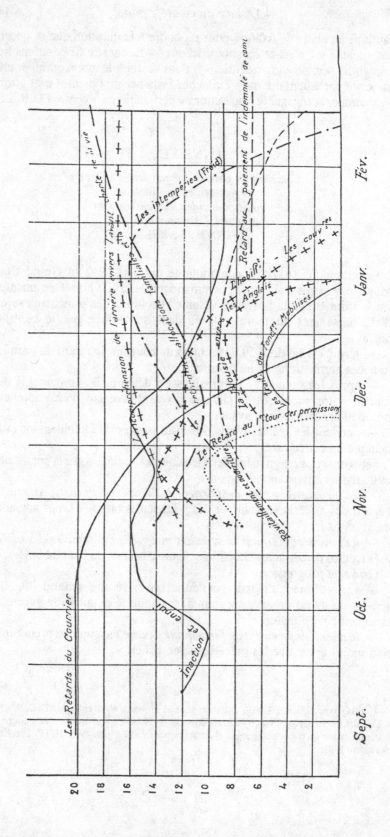

menée par le 2ᵉ bureau d'armée qui peut, au besoin, détacher auprès de l'unité contaminée un inspecteur de la Sûreté, en même temps que les suspects sont signalés au contrôle postal.

Des militaires non P.R. peuvent être provisoirement soumis à la surveillance prévue pour les P.R., mais seul le général d'armée peut en décider ; sans aller jusque-là, les chefs de corps peuvent adresser par la voie hiérarchique une demande de surveillance de correspondance ou une demande d'enquête sur des « suspects », c'est-à-dire des éléments « considérés comme douteux » du point de vue national.

Enfin, toute désignation à un poste de confiance tel que secrétaire ou téléphoniste doit, comme c'était déjà la règle en temps de paix, donner lieu à une enquête sur le militaire proposé.

Cette réglementation minutieuse, fixée en 1937, a été précisée entre septembre 1939 et mai 1940 par une quinzaine de circulaires du ministre ou de l'État-Major général et autant de notes de service de chaque général d'armée. Elle montre dans quel réseau étroit d'observation est enserrée l'activité des communistes fichés aux armées, comme d'ailleurs celle de militants du pacifisme, des autonomistes et de quelques germanophiles notoires ou de très rares sympathisants nazis repérés.

La réalité au niveau de la troupe

En fait, le contrôle est incomparablement moins ample et plus lâche qu'on ne l'imagine. Et cela pour deux raisons.

La première est que le nombre des militaires fichés comme P.R. est limité. Les listes ont été établies à une époque où le parti communiste était légalement autorisé. Jamais le commandement n'avait envisagé de tenir pour suspects toute une catégorie de soldats : seuls devaient être fichés des activistes confirmés et cela sur la base de faits patents et prouvés. C'est dans cet esprit que le commandant Jacquot, responsable du 3ᵉ bureau P.R. auprès de Daladier jusqu'à la guerre avant d'occuper jusqu'à mars 1940 la fonction d'officier P.R. au Quartier général, a fait réviser, après Munich, les listes de P.R. : persuadé qu'un contrôle ne peut être efficace que s'il est clairement circonscrit et tenant compte du ralliement du P.C.F. à la politique de défense nationale, il a donné instruction de radier quantité d'individus dont on pouvait penser qu'ils avaient perdu toute activité révolutionnaire, en particulier, semble-t-il, la plupart des communistes des classes 1925 et plus anciennes, à l'exception des condamnés pour menées antimilitaristes.

Pendant les quatre premiers mois de guerre, les circulaires qu'il fait signer par le général Bineau, major général des armées, à l'adresse des généraux d'armées, traduisent la même pondération sélective. Autant il faut sévir vite et fort s'il y a lieu, autant il importe de ne pas multiplier les inscriptions sans preuves : prévention, dépistage et sanction de tout acte nuisible à la défense nationale, oui, mais en dehors de toute répression indiscriminée ou *a priori*.

Les directives ministérielles d'octobre 1939 seront encore rappelées en mars-avril 1940 :

> Seuls les militaires ayant commis un ou plusieurs actes *nettement définis* de propagande révolutionnaire ou antinationale doivent faire l'objet, *après sanction*, d'une demande d'inscription sur les listes spéciales P.R.

Les bévues de l'administration militaire renforcent la prudence du cabinet de Daladier : les listes ont été établies sur des renseignements parfois douteux ; des erreurs ont été faites ; des communistes fichés P.R. condamnent maintenant le rapprochement germano-soviétique. Par ailleurs, certains officiers, hantés par la psychose du complot communiste, réclament des inscriptions de P.R. sur des présomptions hasardeuses, tandis que se multiplient, surtout dans la zone de l'intérieur, les dénonciations volontairement fantaisistes émanant de communistes, suivant une tactique de diversion approuvée par la direction clandestine du P.C.F. : c'est assez pour submerger les services spéciaux et le contrôle postal aux armées et pour dérouter les services de sécurité et la police des régions militaires. Aussi le 3e bureau P.R. fait-il signer, le 9 mars 1940, par Daladier, une bien curieuse mise en garde :

> Il est vraisemblable qu'un certain nombre de ces dénonciations constitue un des procédés de la propagande germano-soviétique (...)
> Il est indispensable de n'accueillir qu'avec circonspection les renseignements de tout ordre qui peuvent vous parvenir et qui sont souvent anciens et douteux et de ne leur donner suite qu'après avoir préalablement et soigneusement contrôlé leur valeur.

Il en résulte que le total des militaires ajoutés à la liste initiale des P.R. entre février et mai 1940 ne dépasse pas 700 [1]. La très grande majorité des quelque 40 000 affectés spéciaux renvoyés sous les drapeaux et des quelques centaines de « marins indisciplinés », reversés dans l'armée de terre, n'est pas fichée comme P.R.

Le nombre des P.R. et, plus généralement, des militaires fichés pour motifs politiques reste donc faible. Pour l'ensemble de l'armée de terre, il ne dépasse normalement pas 30 par régiment. Dans la division où le capitaine Prenant, professeur à la Sorbonne et « biologiste marxiste », est chargé pendant quatre mois — par inadvertance ! — de la responsabilité du 2e bureau, on compte une quarantaine de P.R. Le répertoire des fichés de la IIe armée a été conservé : toutes catégories réunies (P.R., suspects et « douteux »), il contient moins de 750 noms ; sur ce nombre,

---

1. Daladier a prononcé entre le 1er septembre 1939 et le 9 avril 1940 527 inscriptions dont 319 militants communistes, 125 trotskistes, socialistes-révolutionnaires et libertaires considérés par le bureau P.R. comme les plus dangereux et 65 défaitistes ou propagandistes de l'objection de conscience.

31 militaires numérotés de 1 à 31 et qualifiés de « clients » dont on peut penser qu'ils ont un dossier sortant de l'ordinaire, 293 P.R., dont une dizaine n'a pas rejoint et dont l'un a déserté en Suisse, et 79 rayés, soit qu'ils aient été mutés, déférés au Tribunal militaire ou envoyés en section de discipline, soit, au contraire, qu'ils aient été relevés de l'inscription pour conduite méritoire ou loyalisme confirmé. Parmi les 293 P.R. ne figure aucun officier : un aspirant cassé est inscrit pour avoir chanté *L'Internationale*[1]. Tout compte fait, le total des communistes et assimilés qui sont fichés en tant que tels à la IIe armée en mai 1940 doit être de l'ordre de 550 : c'est relativement très peu.

Dans ces conditions, la plupart des communistes sous les drapeaux restent inaperçus s'ils savent être discrets.

Une seconde raison contribue à limiter la rigueur et l'ampleur du contrôle : c'est l'état d'esprit de nombreux officiers subalternes et de la troupe, à quoi il faut ajouter — paradoxalement — les vues du général Gamelin et de ses principaux généraux.

Officiers subalternes et soldats ont, avec les communistes aux armées, des contacts d'homme à homme. Ils lisent peu la presse et sont moins sensibles que les civils au grand déchaînement anticommuniste. Sévères pour le P.C.F. et ignorant d'ailleurs en général ses prises de position exactes, ils voient en face d'eux des militants ou sympathisants qui portent le même uniforme qu'eux, se plient aux mêmes devoirs, discutent avec des arguments dont certains les touchent et qui ne semblent ni des rebelles ni des agents de l'étranger. Au printemps 1940, la fraternité d'armes, ou du moins la camaraderie militaire, est devenue aux armées une réalité ; dans les petites unités, le mouchard est rare. La plupart des lieutenants et capitaines de réserve, les uns par souvenir du Front populaire (ainsi certains instituteurs), d'autres par horreur de la délation ou par respect humain sont naturellement portés à faire confiance à leurs hommes, sans distinction d'opinion[2].

Au sommet de la hiérarchie militaire, en outre, Gamelin et la plupart de ses généraux d'armées, bien que sévères pour le P.C.F., font confiance à l'image du soldat français qu'ils ont rapportée de la guerre de 1914. Au surplus, ayant pris les précautions qu'ils jugent suffisantes, ils

---

1. Outre les P.R. sont fichés 104 suspects, au nombre desquels un médecin-lieutenant, 3 lieutenants dont un chef de casemate et « un militaire qui a eu des rapports avec des soldats allemands » (sans doute à l'occasion d'une patrouille, sans qu'il se soit agi d'une fraternisation caractérisée). Il s'y ajoute enfin 224 « douteux », fichés sans qualification particulière, qui sont loin d'être uniquement des politiques.

2. Le lieutenant Stoetzel, sociologue d'avenir, se refuse à retirer à un militant communiste la responsabilité d'un des fusils-mitrailleurs de sa section, comme le demande son chef de bataillon. Quand A. Lecœur, au sortir de six mois de prison, rejoint son unité d'infanterie de forteresse — formation interdite aux P.R. — son capitaine l'accueille par ces mots : « Ici, nous ne faisons pas de distinction entre les soldats. Je ne veux pas savoir ce que vous avez fait. Si vous vous conduisez comme les autres, vous serez traité comme les autres. Sinon, je serai obligé de sévir. Et avec d'autant plus de sévérité que je vous aurai prévenu. »

ont des raisons de ne pas exagérer la gravité du danger communiste dans l'armée.

Ainsi, l'armée, en qui les politiques voient pour la plupart — et avec raison — le meilleur instrument de neutralisation des communistes, joue aussi jusqu'à un certain point pour eux un rôle protecteur[1]. Du fait de sa capacité de brassage humain et de sa force d'inertie, elle est un des milieux sociaux où leur intégration est la plus facile et malgré l'anticommunisme des cadres de carrière et la crainte, largement répandue dans les 2es bureaux, d'un complot ou d'une trahison, c'est aux armées que la réaction de rejet à leur égard est la plus faible.

Les compagnies d'indésirables

Quelques mesures d'exception sont prises pourtant, mais ce n'est pas le commandement qui en a l'initiative : elles font suite à une enquête du Contrôle général et visent à donner une satisfaction à la Commission de l'armée du Sénat[2]. Le 22 décembre 1939, une dépêche ministérielle signée Colson prescrit aux régions militaires de constituer des « compagnies spéciales de passage » où l'on rassemblera, lors de leur incorporation, les appelés ou rappelés particulièrement dangereux et certains affectés spéciaux radiés, en attendant leur envoi dans une unité. Deux compagnies spéciales de passage sont aussitôt formées dans la région de Paris, l'une à la batterie de l'Yvette pour les repris de justice, l'autre à la ferme Saint-Benoît, près de Rambouillet, pour les politiques.

L'affectation de réservistes ayant encouru de graves condamnations de droit commun à un « groupe spécial » n'est pas une innovation, elle résulte d'une loi de 1928 ; en revanche, la ségrégation de militaires selon des critères politiques est sans précédent sous la IIIe République et elle rompt avec le principe de la dissémination. La mesure sera désapprouvée par le commandant Jacquot, du cabinet Gamelin, et par Dautry : « C'était vouloir une académie de chambardement ! » écrira ce dernier.

De fait, des incidents ont lieu à la ferme Saint-Benoît. Les hommes, maintenus dans l'inactivité, y sont traités sans ménagement par les gardes mobiles qui les encadrent ; ils sont cependant considérés comme des militaires : les premières semaines, ils sont libres à 17 h et bénéficient de permissions de vingt-quatre heures. Cette troupe sélectionnée s'organise, proteste, garde des contacts politiques et bientôt est parée de l'auréole des martyrs par les camarades de l'extérieur.

---

1. Tels militants qui, restés civils, auraient été incarcérés ne sont pas inquiétés dans la liberté surveillée de l'armée : c'est le cas des députés communistes mobilisés. Cogniot s'étonne dans ses Mémoires de n'avoir pas été cassé de son grade de capitaine de réserve (*Parti pris...*, p. 46) : c'est un genre de mesure que le règlement ne prévoyait qu'en cas de faute grave, suivant une procédure codifiée, et que le commandement ne semble pas avoir jamais envisagé de prendre envers quiconque exerçait normalement ses fonctions d'officier.

2. Cf. t. I, « Fuite en avant et solitude », pp. 175-188.

Le général Héring se dépense durant trois mois pour qu'on mette fin à ce régime hybride : il voudrait qu'on transfère les camps dans le Sud algérien. Il arrache une décision — qui n'est à ses yeux qu'une demi-mesure — dans les derniers jours du gouvernement Daladier. On éloignera les compagnies spéciales de passage, sans les envoyer en Algérie, et l'on créera un statut particulier des militaires dangereux. Les 22 et 23 mars 1940, deux circulaires signées du général Colson prescrivent la création de neuf « compagnies spéciales de travailleurs exclus » pour les repris de justice et de trois « compagnies spéciales de travailleurs indésirables » pour les politiques[1].

Les « compagnies de travailleurs exclus », qui regroupent 1 843 hommes, sont rattachées au dépôt d'Oléron et mises à la disposition du ministre de l'Air pour l'aménagement des bases aériennes.

Dans les « compagnies de travailleurs indésirables » sont versés les mobilisés de la ferme Saint-Benoît et des autres compagnies spéciales des régions : soit un peu plus de 600 hommes, tous propagandistes et suspects politiques ou affectés spéciaux radiés, qu'on n'enverra pas aux armées[2].

La décision marque une profonde innovation dans le statut des communistes sous les drapeaux ; elle ne s'applique toutefois qu'à une minorité de nouveaux mobilisés, convaincus de propagande antinationale ou réputés dangereux : soit environ 2 % des affectés spéciaux radiés. La situation des mobilisés intégrés antérieurement à des unités n'est en rien modifiée.

L'encadrement des indésirables est « soigneusement choisi » ; il est par compagnie de deux officiers, dix sous-officiers, dont huit gardes mobiles, et dix caporaux. Les trois compagnies sont rattachées à la 64e division du général de Saint-Vincent qui garde la frontière des Alpes, à hauteur de Barcelonnette ; constituées en un groupement qui a son état-major au village de Savines (Basses-Alpes), elles sont dispersées à 1 100 mètres d'altitude, dans les sites inhospitaliers et peu accessibles du camp de Pontis, du camp des Demoiselles et de Saint-Vincent-les-Forts, en surplomb de 300 mètres sur le confluent de la Durance et de l'Ubaye.

Leur statut — militaire et semi-concentrationnaire — est proche de celui qui avait été défini pour les premières compagnies de travailleurs républicains espagnols, au printemps de 1939. Ils travaillent durement et la discipline est stricte. « Nous avons été employés comme des bagnards à des travaux de terrassement sur des routes », rapporte l'un d'eux. Mais ils restent des soldats.

Seulement, après l'armistice, ils ne seront pas démobilisés ; ils seront transférés aux camps de la Chartreuse de Prémol et de Luitel pour

---

1. SHAT 34 N/375. Cf. aussi le témoignage de Charles FRECHARD, « Les compagnies spéciales de travailleurs indésirables durant la drôle de guerre », *Notre musée*, n° 41, décembre 1970, Association pour la création d'un musée de la Résistance.
2. La création de trois nouvelles compagnies de travailleurs indésirables a été décidée entre le 18 avril et le 10 mai 1940 : elles semblent n'avoir existé que sur le papier.

améliorer la route d'Uriage à Chamrousse ; on les regroupera en deux compagnies, puis en une seule ; 44 d'entre eux déserteront en août et septembre 1940.

Le 30 octobre 1940, la compagnie subsistante de travailleurs indésirables sera dissoute et les 463 hommes de son effectif, considérés comme des internés, seront versés au centre de séjour surveillé de Fort-Barraux.

Les soldats communistes aux armées

L'attitude d'un très grand nombre de communistes aux armées justifie la confiance ou la tolérance dont ils jouissent. En septembre 1939, sur la lancée de l'antifascisme qui avait été la ligne du parti, ils ont obéi, on l'a vu, aux ordres de mobilisation. Les cas d'incitations à ne pas rejoindre ou de provocations à la désobéissance ont été rares et ont été le plus souvent le fait de pacifistes socialisants ou anarchisants.

Après la désertion de Thorez et le virage du parti, les cadres communistes mobilisés continuent de répondre normalement aux ordres de mobilisation ; ils resteront dans leur unité, même s'ils ont des prétextes ou des facilités pour disparaître tels Lecœur, arrêté le jour de son incorporation et bientôt condamné à six mois de prison, ou Sampaix, secrétaire général de *L'Humanité* et corédacteur de *L'Humanité* clandestine qui, appelé en décembre 1939, répond à l'appel pour être aussitôt expédié en qualité d'indésirable à la compagnie spéciale de passage de la ferme Saint-Benoît : députés-soldats ou militants-soldats, les plus imbus de leurs responsabilités entendent témoigner, chacun à son poste. En dehors de Thorez, le seul communiste de marque qui, mobilisé, passera à l'illégalité est Raymond Guyot, secrétaire de l'Internationale communiste des jeunes en 1935 et député de Sceaux.

Présents au corps, les responsables communistes se montrent généralement disciplinés, soucieux d'échapper aux provocations et attentifs à ne pas être pris en défaut dans le service. Ils souffrent souvent de leur isolement et de leur impuissance et cherchent avidement à se retrouver entre camarades.

Isolement et impuissance

En effet, condamnés par la grande masse de la nation et fidèles à une dissidence à laquelle les rattache la solidarité prolétarienne et prosoviétique (ou la foi du charbonnier), les plus orthodoxes se trouvent rejetés dans un ghetto mental en même temps qu'ils sont physiquement dispersés.

La densité ouvrière — et communiste — n'est forte que dans peu d'unités : dans certains régiments régionaux de l'Île-de-France ou du Nord, où le recrutement urbain atteint 70 %, et dans quelques formations de spécialistes (batteries d'artillerie lourde, sections de réparation du train). Ailleurs, les communistes sont dilués dans la masse.

Ils y sont, en outre, le plus souvent coupés de leur milieu et soumis à un contrôle postal minutieux. Encore dans la « zone de l'intérieur » l'isolement est-il moindre : un tiers de l'effectif y est caserné dans les villes, la liberté de circulation est maintenue, des permissions régionales de fin de semaine s'ajoutent aux permissions de détente, des épouses viennent en visite. Les militants gardent sans trop de peine la « liaison ».

Dans la zone des armées, au contraire, même des cadres sont coupés de tout : le capitaine Cogniot, député communiste, est isolé ; Pierre Hervé, qui a été secrétaire national des étudiants communistes jusqu'à l'été 1938, aura, en un an de guerre, un seul contact avec le « centre », à l'occasion d'une permission où une rencontre de hasard le mettra sur la piste des *Cahiers du bolchevisme*.

Des contacts avec la population des zones de cantonnement existent : ils ne mènent le plus souvent pas loin[1]. Pourtant des sections d'états-majors se méfient, celui de la IXe armée soupçonne des relations entre des soldats et des « communistes notoires » de Guise et d'Hirson ; des colonels zélés recrutent des « moutons » pour sanctionner de telles relations ; les perquisitions que le général Corap ordonne chez des habitants des Ardennes ne permettent de conclure ni à la persistance d'une action militante ni à une collusion avec la troupe. Dans des cafés proches de la gare de Lille, des cheminots tiennent à des soldats des propos peu orthodoxes ; en Lorraine, des convoyeurs de trains de minerai de fer déclarent au service en gare à Audun-le-Roman, à Longuyon, à Écuviez : « Ce minerai est envoyé aux Allemands par les capitalistes qui ne font pas la guerre et il est destiné à faire des obus qui vous sont destinés[2]. »

Contacts ponctuels ou vite interrompus par la rotation des régiments et qui ne laissent entrevoir ni organisation ni filières de propagande.

Les publications clandestines du P.C.F. peuvent-elles compenser cette dispersion ? Elles contribuent à une convergence de pensée entre responsables. Mais leur impact aux armées est extrêmement faible : les tirages des feuilles polycopiées sont limités ; leur transmission n'est ni facile ni sans risques : des permissionnaires porteurs de matériel clandestin sont arrêtés à la gare de l'Est lors de contrôles des musettes. Le député de Saint-Denis, Fernand Grenier, caserné à Laval, raconte avec quelles précautions il a rapporté de ses permissions à Paris, à l'automne 1939, des exemplaires de *L'Humanité* cousus sous les écussons

---

1. « Pendant le séjour au pays minier de Ludelange-Tressange, nous nous arrangions pour dîner ensemble dans des familles de mineurs immigrés ; nous apportions de l'argent et des provisions ; nous pouvions converser sans danger. Nous nous communiquions nos informations et nos réflexions... Mais peut-on considérer comme activité militante ces entretiens entre communistes... » (Témoignage de Pierre Hervé à l'auteur, 1983).
2. AN 2 W/66.

de sa capote[1]. Raymond Dallidet, tout proche de la direction clandestine, se souvient de même :

> Je repartais toujours de permission avec du matériel d'agitation et aussi avec les *Cahiers du bolchevisme,* que je remettais individuellement à deux ou trois soldats à la recherche d'une explication des causes de cette guerre.

Quant aux envois par poste, qui ont commencé à la mi-novembre 1939[2], ils restent peu nombreux. Les seules zones d'expédition sont la région parisienne et le Nord. Malgré les astuces et l'énergie déployées, la diffusion est artisanale ; les familles craignent de se compromettre par leurs envois. Des lettres manuscrites de propagande signées d'un nom de fantaisie sont envoyées à des soldats[3]. C'est dans les colis que les tracts passent le plus facilement le barrage de la censure : Danièle Casanova et quelques « jeunes filles de France » vont dans les magasins Prisunic glisser des tracts dans les chaussettes kaki que des épouses et des marraines de guerre achèteront pour leurs soldats. À la réception, bien des destinataires apportent les feuilles délictueuses à leurs officiers.

Tout cela reste très limité. Quand le 2e bureau de la IIe armée signale une recrudescence de tracts envoyés à des militants, il fait état, pour une période de dix-neuf jours, de cinq envois interceptés contenant au total sept feuilles clandestines. Quant à la fabrication locale de tracts destinés à la troupe, elle demeure rarissime. En fait, de nombreux soldats communistes n'ont jamais vu de publication clandestine et ignorent sans doute qu'il en existe, comme l'immense majorité des mobilisés.

Ainsi, contrairement à ce qui se passe dans les usines, il n'y a pas de noyaux durs de communistes aux armées ; il n'y a que des soldats communistes plus ou moins isolés, vivant chacun à sa façon l'expérience de la guerre. À leur dispersion et aux contrôles, qui rendaient toute activité révolutionnaire difficile, s'ajoute leur décalage psychologique fréquent par rapport aux consignes du parti. Ce décalage n'est pas dû seulement à l'absence d'information, mais à un trouble certain des esprits. Qui est communiste ? Et qu'est-ce que c'est que d' « être communiste aux armées » ?

Un nombre appréciable, mais impossible à préciser, de soldats communistes n'a pas digéré le pacte germano-soviétique ; manifestement beaucoup ne savent pas que les deux slogans de base de la propagande du P.C.F. sont : « Lutte contre la guerre impérialiste » et « Paix

---

1. « Les quatre exemplaires parvenus à Laval par cette voie étaient lus d'abord par les camarades et transmis ensuite à d'autres camarades et à des sympathisants sûrs, pour les faire circuler autour d'eux. Certains numéros ont même été recopiés à la main pour accroître la diffusion » (F. GRENIER, *Journal de la drôle de guerre...,* p. 74).

2. À la VIIe armée, les premières interceptions sont signalées les 17 et 18 novembre 1939.

3. On en connaît trois modèles, cités ou reproduits par A. ROSSI, *Les Communistes pendant la drôle de guerre,* pl. XXV et XXVI.

immédiate ». S'ils les connaissent, ils ont souvent peine à les accepter : même le fidèle Cogniot comprend mal que son parti puisse proclamer que cette guerre n'a pas d'aspects justes, ni de portée antifasciste. Pour autant qu'on puisse en juger, le concept de « lutte contre la guerre impérialiste » n'est pas intégré à la conscience de la plupart des militaires communistes [1].

Dans la confusion de l'époque, « être communiste aux armées » consiste d'abord, semble-t-il, en une solidarité sentimentale. Le fait que le commandement ne mette pas les soldats en situation d'avoir à choisir entre la fidélité de principe au parti et le loyalisme envers l'armée facilite les choses, pour tout le monde, dans l'ambiguïté.

Finalement, on entrevoit à travers les témoignages et les journaux de guerre deux tendances et deux comportements extrêmes : certains, parmi les plus fidèles au parti, sont mus par un antifascisme auquel ils subordonnent toute autre considération ; l'ennemi numéro un, c'est Hitler et ils n'en connaissent pas d'autre, si critiques soient-ils envers Daladier et sa conduite de la guerre. On note, en particulier, cette attitude chez des anciens de la guerre d'Espagne.

À l'autre extrémité, on aperçoit ceux qui suivent aveuglément la « ligne » du parti ou qui, plus simplement, se laissent aller à la pente naturelle d'un groupe opprimé : ceux-là qui, dans les soirées désœuvrées des cantonnements, expliquent, discutent, mais aussi critiquent, récriminent, condamnent et qui, rejoignant les consignes de *L'Humanité* et du *Trait d'union,* se font les catalyseurs des refus, des lassitudes et des colères, jouant, à l'égal des pacifistes les plus convaincus, un rôle dont il ne semble pas qu'ils perçoivent combien il est démobilisateur. Ayant accepté ou étant obligés de servir, comme le font les pacifistes, ils peuvent difficilement échapper à l'ambiguïté dramatique à laquelle les condamne la ligne du parti : comment accepter de mourir pour une cause que l'on dénonce comme injuste, dans une « guerre infâme » dont on souhaite la fin immédiate ? Certains feront de leur mieux pour sauver leur peau.

Selon toute apparence, c'est à ce niveau de l' « homme communiste » que se situe l'essentiel de l' « action communiste » et de la survie communiste aux armées : elle contribue à la démoralisation ; elle ne s'élève pas à la révolte, même si certains parlent de « régler un jour les comptes ». À aucun moment, le contrôle postal ne perçoit à travers les correspondances une vague d'indignation ou de refus liée à l'argumentation communiste. On ne peut pas, pour autant, sous-estimer le poids des réticences et du mécontentement des 35 000 ou 40 000 affectés spéciaux radiés et remis à la disposition de l'autorité militaire.

---

1. Fait significatif, les deux expressions de « guerre impérialiste » et de « paix immédiate » ne sont presque jamais citées par le contrôle postal (qui pourtant fait bonne mesure à l'expression des sentiments pacifistes).

Peut-on parler de subversion ?

L'analyse des documents des 2es bureaux confirme l'extrême faiblesse de l'action subversive aux armées. Les communistes n'y sont pas dangereux, quoi que prétendent les obsédés du complot, parce qu'ils n'ont ni les moyens ni bien souvent la volonté de se manifester plus ouvertement ; ils ne sont pas dangereux, par ailleurs, parce que rien n'indique qu'ils doivent, dans l'ensemble, être au feu de moins bons soldats que les autres.

Les agissements subversifs sérieux sont peu fréquents. Les chants séditieux prenant l'allure d'une manifestation publique ou nombreuse sont un test pour le commandement comme pour le P.C.F. Or, dans toute l'armée de l'air, le seul cas répertorié est celui de soldats de la 253e compagnie d'aérostiers qui, le 14 février 1940, chantent *L'Internationale* dans leur cantonnement et au foyer du soldat[1]. Les archives des armées du Nord et du Nord-Est n'ont pas gardé trace de plus de quatre cas analogues qui aient été jugés dignes de remonter à leur 2e bureau. Il faut tenir compte des manifestations non dénoncées, ou qui ont eu lieu en dehors de la présence de gradés, et des incidents que les colonels ou les généraux commandants de division règlent à leur niveau : ils semblent eux-mêmes beaucoup plus anodins que certains communistes bien renseignés ne se plaisent à le croire[2].

C'est surtout dans les gares, lors de départs en permission que des incidents se produisent, le plus souvent dans la pénombre : cris, chahut, bousculades ou manque de respect à un officier. Ils portent davantage la marque de l'anti-adjudantisme, si caractéristique du temps, que de l'esprit révolutionnaire et la boisson y a souvent sa part.

L'incident inhabituel qui se produit à la gare de l'Est le 23 février 1940 et auquel *L'Humanité* consacre un numéro spécial[3] nous est connu par le

---

1. P. Buffotot, *Le Moral dans l'armée de l'air, 1939-1940*, SHAA.
2. SHAT 29 N/47. On connaît par des dénonciations le genre de propos tenus par les communistes défaitistes les plus frustes : « Vivement que les Boches et que les Russes arrivent pour qu'il n'y ait plus de riches. » « Si je vais au front, je fusillerai tous les officiers et tous ceux qui ont des sardines sur les bras. » Les cas sont rares, les poursuites très peu nombreuses (SHAT 9 N/360).
3. Numéro spécial de *L'Humanité* : « Les soldats contre la guerre », mars 1940 : « Qui pourra douter de l'importance considérable d'une telle manifestation ? (...) Ils étaient des centaines, de formations militaires différentes : à peu près tous participèrent à la manifestation (...) Le silence officiel, le mutisme de la presse asservie n'empêchent pas le cri des permissionnaires de la gare de l'Est de retentir sur tous les points du front. Nous pouvons même prédire qu'il traversera les mers et que son retentissement sera énorme dans l'armée d'Orient (...) À bas la guerre ! À bas le gouvernement ! Les soviets partout ! Thorez au pouvoir ! (...) Les impérialistes ont engagé la guerre pour leurs intérêts sordides. Les permissionnaires de la gare de l'Est leur rappellent qu'une autre guerre est engagée : celle des peuples secouant leurs chaînes, portant en eux les espérances de l'humanité tout entière contre leurs oppresseurs. »

procès-verbal du commissariat de gare : comme l'avant-dernier wagon d'un train de permissionnaires partant pour Fismes atteint le bout du quai, des cris et des chants en sortent, un officier de service saute dans le wagon et relève les noms. La manifestation s'est limitée à deux compartiments, l'un a chanté *L'Internationale,* par la portière de l'autre, on a crié : « Les soviets partout [1] ! »

Épisodes sporadiques et de faible portée où l'on ne perçoit qu'exceptionnellement une ferveur ou une fureur révolutionnaire.

Sur les trois cas les plus sérieux d'activité subversive connus dans la zone des armées, deux sont le fait de militants isolés : un militant communiste, caporal dans une formation sanitaire divisionnaire de la VIIe armée, essaie de regrouper dans les unités voisines les anciens membres du P.C.F. ; l'affaire, décelée par le contrôle postal, aboutit à un nombre important d'arrestations [2].

L'affaire Jugault est comparable. Secrétaire de la Section des techniciens et employés des métaux de la région parisienne, il a été nommé, sans enquête préalable, secrétaire de la compagnie hors rang du dépôt 201 dans les Vosges. Il se trouve ainsi au cœur de l'organe administratif d'un dépôt et de sa compagnie de passage. Il en profite pour faire placer dans presque tous les bureaux — au fichier, au bureau du personnel, à l'infirmerie, etc. — des camarades du parti.

> Certaines fiches portant P.R. ont été modifiées par nos soins. Par l'intermédiaire d'un autre camarade travaillant au bureau du major, nous avons pu faire en sorte que des camarades ne soient pas envoyés en renfort et puissent continuer leur travail de militant au sein des compagnies d'instruction ou de passage.
>
> Nous avons monté notre organisation politique : nous avons confectionné des papillons en lettres-bâtons, dont les mots d'ordre étaient dirigés contre la guerre impérialiste, contre l'augmentation de la vie, contre le sort malheureux des femmes des mobilisés. Nous collions ces papillons dans les W.-C. et partout où cela nous était possible. Nous diffusions également *L'Huma* et les tracts que nous apportions de nos permissions de détente.
>
> 150 exemplaires du *Journal* étaient diffusés gratuitement aux soldats. Cette diffusion était faite par nos soins, après que certains articles aient été entourés de crayon rouge ou bleu pour souligner les contradictions évidentes. Au préalable, je discutais de ces articles avec des camarades chargés de la propagande qui se dispersaient dans les chambres et y portaient la discussion. Ce travail nous a permis d'avoir une forte sympathie autour de nous et de créer un fort courant contre l'injustice.
>
> Vers les premiers jours d'avril 40 parvenait au dépôt une circulaire secrète indiquant qu'il fallait envoyer un grand nombre d'hommes dans l'aviation. J'ai engagé les principaux responsables à s'inscrire comme volontaires dès la notification.

---

1. AN F 7/14 809. *Le Trait d'union* (n° 3) de mars signale un incident analogue la même semaine à la gare du Nord : « Un permissionnaire crie à la portière " À bas la guerre ! " Et tous les gars de reprendre en chœur : " À bas la guerre ! " »
2. AN 2 W/57.

Arrêté, Jugault devait être condamné, au printemps 1941, à cinq ans de prison.

L'affaire considérée comme la plus grave, qualifiée de trahison et sur laquelle le secret a été maintenu jusqu'à aujourd'hui, est celle dite du secteur fortifié de Thionville (ou du secteur de Boulay).

Le 13 avril 1940, à l'ouvrage A-22, un tract communiste est découvert dans un livre. C'est la preuve, en vain cherchée jusque-là, d'une activité secrète exercée depuis plusieurs mois. Un sergent du génie, ingénieur des arts et métiers dans la vie civile, et plusieurs artilleurs et soldats d'infanterie de forteresse sont arrêtés. L'enquête établit que des tracts communistes, reçus ou rapportés de Paris, de Châlons-sur-Marne et de Saint-Nazaire, ont été à plusieurs reprises « détenus en vue de distribution » et communiqués à des tiers dans les ouvrages fortifiés A-21 et A-22. Elle conclut en outre que quatre des militaires incriminés, dont l'ingénieur, « n'auraient tendu à rien moins qu'à annihiler ou détruire » l'un de ces forts, le puissant ouvrage d'artillerie du Michelsberg ou A-22. L'instigateur du projet criminel serait un instituteur parisien rencontré — vraisemblablement à l'occasion d'une permission — en février. Cette date donne à penser que le sabotage évoqué aurait pu être en relation avec la campagne menée par le parti communiste contre l'intervention militaire en Finlande. Mais le crime de trahison, dont s'émut l'État-Major, n'avait eu aucun commencement d'exécution ; l'importance de l'ouvrage, qui comportait cinq blocs de combat et trois puissantes tourelles, et ses conditions d'occupation par un équipage de 500 hommes étroitement solidaires et faciles à contrôler, rendaient d'ailleurs l'accusation peu plausible [1].

C'est en réalité à l'arrière, dans la zone de l'intérieur, qu'on note les seuls signes d'agitation collective où l'incitation communiste soit patente. Même ici, les foyers sont peu nombreux. L'intraitable sénateur Rambaud, bien renseigné par le Contrôle général, ne peut mentionner que deux tentatives étroitement localisées d'agitation révolutionnaire dans de petites unités de techniciens militaires de l'Isère et de l'Ain [2].

L'état d'esprit des R.R.T. — ou régiments régionaux de travailleurs et de protection — attire un moment l'attention des autorités de la région de Paris : les 220e, 221e et 223e R.R.T. passent pour travaillés par la propagande communiste. Cantonnés sur l'Ourcq et sur l'Oise, ils sont composés pour un tiers de Parisiens, un tiers de banlieusards des

---

1. L'affaire trouva son épilogue judiciaire le 16 juillet 1941 devant le tribunal militaire permanent d'Alger qui condamna deux des militaires arrêtés pour détention de tracts à deux ans de prison, les deux militants civils qui les leur avaient fournis à cinq ans de prison, et infligea des peines de cinq ans de prison par défaut à neuf autres personnes (quatre militaires, dont l'ingénieur qui semble avoir été localement le chef de file de l'opération, et quatre civils). L'acte d'accusation n'avait pas retenu le crime de trahison, « les circonstances » (dont peut-être la fuite des principaux inculpés) « n'ayant pas permis d'établir ce crime ».

2. JOD, Comité secret du Sénat, 1939-1940, Séance du 16 avril 1940, p. 49.

faubourgs Nord de la capitale et un tiers de paysans briards, tous hommes de trente-cinq et plus souvent de quarante ans, affectés sans matériel à des travaux exténuants de terrassement et de bétonnage, sans uniforme pendant plusieurs mois, chaussés de souliers Richelieu de réquisition, encadrés, dans au moins deux des régiments, par une majorité d'officiers de rebut, que leurs hommes terrifient et qui doivent pour la plupart être mutés après quelques semaines. Les mécontentements sont sérieux, des militants communistes les avivent. Pour s'en débarrasser, on envoie le 221e en novembre 1939, à la VIIe armée, dans le Nord, le 220e, en février 1940, à la IXe, dans les Ardennes : ils n'y poseront plus de problèmes. Il ne reste sur place qu'un « bataillon indiscipliné » du 223e R.R.T., où un tract communiste — d'ailleurs bien prudent — est distribué dans la nuit du 6 mars[1].

Les limites de l'influence communiste apparaissent plus clairement encore dans les compagnies dites de renforcement, qui sont les foyers les plus intenses de mécontentement militaire. Ces compagnies, que Dautry fait affecter aux arsenaux et aux poudreries, sont composées des mobilisés les plus âgés — artisans et employés de bureau de quarante à quarante-neuf ans dont beaucoup ont fait la Grande Guerre ; leurs conditions psychologiques et matérielles de travail sont lamentables : ils crient, envoient à Paris des pétitions, ameutent leurs députés. Or, en aucun cas, sauf à Angoulême, le ferment communiste ne joue et la revendication ne prend, même en sourdine, ni même, semble-t-il, en coulisse, une tonalité politique.

Tout corrobore la conclusion du principal officier P.R. de 1938 à 1940, le commandant Jacquot :

> Les unités soi-disant troublées par des menées révolutionnaires étaient presque toujours des unités mal commandées et abandonnées à elles-mêmes (...). La propagande révolutionnaire dans l'armée n'a été qu'un facteur de peu d'importance, qui n'en aurait eu aucune si tous les cadres avaient eu, au moment voulu, l'énergie nécessaire.

Tout confirme, de même, les jugements de Gamelin en réponse aux tenants du « complot communiste »[2] :

> Je crois pouvoir affirmer que, grâce à la vigilance du commandement toutes les tentatives de propagande ont été arrêtées à temps. S'il y eut quelques actes d'indiscipline sporadiques et isolés, dominés sans retard, nous ne connûmes rien qui pût se comparer, même de loin, aux manifestations de 1913 contre la loi de trois ans et encore moins aux graves mutineries de 1917 ou à celles de la flotte de la Mer noire.

---

1. SHAT 34 N/373. Louis Aragon, affecté de septembre à décembre 1939 à l'un de ces régiments, en a laissé un tableau peu reluisant dans *Les Communistes* et des notations narquoises dans les premiers poèmes du *Crève-Cœur*.
2. Mémoire du général Gamelin du 20 mai 1942 : « Les menées communistes et l'armée » (AN 2 W/68).

5

Les cadres de la nation armée

Dans cette armée loyaliste aux motifs incertains, c'est finalement des cadres et surtout des petits chefs que dépend la cohésion de la troupe. À défaut d'un élan national ou révolutionnaire, leur influence est essentielle : elle transforme une troupe consentante, mais souvent passive, en une *unité* capable d'agir et où l'imprégnation pacifiste et les relents de l'égoïsme se diluent ; que les chefs au contraire soient défaillants, la cohésion se limite à la camaraderie d'armes et à une reconnaissance distante de la subordination hiérarchique.

Cette valorisation du lien personnel et du rôle du « chef », propre à satisfaire les éléments les plus traditionnels de l'armée, amplifie les responsabilités des cadres : elle exige d'eux à la fois compétence et conviction.

Or, la crise militaire qui s'est ouverte dès le début des années 1920 continue de faire sentir ses effets directs ou indirects sur l'ensemble de la hiérarchie : crise professionnelle et de vocation à l'origine, elle s'est doublée d'une crise intellectuelle. Elle a mitigé les compétences ; on a pu se demander par ailleurs si des poussées idéologiques n'avaient pas mitigé l'esprit combatif.

Le corps des officiers

Les cadres, ce sont avant tout les officiers d'active. Ils peuvent se réclamer d'une grande tradition. On leur a répété que leur armée était la meilleure du monde avec l'armée allemande. Ils ont conscience d'être les mainteneurs d'une nation qui les a méconnus mais qui a besoin d'eux. Leur société close et frugale les a entretenus dans le culte de l'honneur et la soumission au devoir. Ils sont les piliers d'une institution qui reste puissante. Cependant, ils portent, eux aussi, encore qu'à des degrés inégaux, le triple poids de la Grande Guerre, du vieillissement et d'une atonie intellectuelle venue du sommet et peu propice aux adaptations.

En mai 1940, ils sont 35 000 en métropole dans l'armée de terre, dont 30 000 aux armées ; 43 % appartiennent à l'infanterie. La répartition par grades, fixée en décembre 1939, compte : 940 colonels ; 1 606 lieutenants-colonels ; 4 729 commandants ; 13 441 capitaines ; 11 982 lieutenants et sous-lieutenants [1].

L'effectif n'est pas inférieur à celui de 1914 et il est d'un quart supérieur à celui des officiers de l'armée active allemande. Mais la situation a curieusement changé en vingt-cinq ans.

Tout d'abord, la composition du corps des officiers n'est plus la même. L'hémorragie de la Grande Guerre, puis la crise des vocations des années vingt et les démissions, notamment celles de nombreux polytechniciens, enfin la limitation du recrutement qui s'est poursuivie jusqu'en 1934, ont eu pour effet que les officiers sortis des grandes écoles, Polytechnique et Saint-Cyr, sont moins de 36 % alors qu'ils comptaient pour 52 % en 1913. Depuis 1930, l'afflux des candidats à Saint-Cyr a prouvé que la désaffection pour la carrière militaire n'était pas durable, mais il n'a pas suffi à rétablir le dosage antérieur. En 1940, la majorité des officiers est soit issue des écoles de sous-officiers élèves-officiers, soit sortie du rang [2].

L'apport des écoles de sous-officiers élèves-officiers telles que Saint-Maixent est de qualité. Le niveau moyen à l'entrée y est supérieur à ce qu'il était vingt-cinq ans plus tôt. Les Saint-Maixentais viennent pour un tiers de familles militaires ou « paramilitaires » au sens large, pour un tiers de milieux de bourgeoisie provinciale, surtout petite et moyenne, avec un fort contingent d'instituteurs [3]. Certains d'entre eux ont vu dans l'accès à la carrière d'officier par la voie « semi-directe » un moyen de promotion sociale ; beaucoup avaient cependant une vocation militaire affirmée. Ils ont les uns et les autres acquis les capacités d'officiers et le commandement leur reconnaît de solides qualités professionnelles. Mais eux-mêmes ne forment plus que 30 % du corps des officiers d'active au lieu de 42 % à la veille de la Grande Guerre.

---

1. Soit un effectif réglementaire de 32 698 officiers à titre définitif, non compris les généraux, les officiers servant à titre étranger ou indigène et les officiers de gendarmerie. L'effectif réel a atteint 35 000 en avril 1940, compte tenu des nominations anticipées, des admissions supplémentaires dans les écoles et de la réintégration de cadres en disponibilité. Les généraux sont 329 dont 269 pour les troupes métropolitaines et 60 pour les troupes coloniales, non compris les intendants généraux (45), médecins généraux (42), pharmaciens généraux (2), vétérinaires généraux (1) (SHAT 7 N/2472).

2. Ces chiffres et une grande partie de ceux qui suivent sont empruntés à l'ouvrage publié sous la direction de R. GIRARDET avec le concours de J.-P. THOMAS, *La Crise militaire française*, pp. 15 et ss.

3. La proportion d'instituteurs passe de 6,75 % en 1920-1921 à 13 %, soit 25 par an dans les dernières promotions de l'entre-deux-guerres : cf. Archives du musée de l'École de Saint-Maixent.

Les héros fatigués

Ce qui est nouveau par rapport à 1914 est avant tout la place des officiers sortis du rang qui sont 24,3 % au lieu de 4 %. C'est d'autre part l'apparition d'une catégorie nouvelle, celle des officiers de réserve intégrés dans le cadre des officiers d'active : ils forment 9,3 % de l'effectif global. Les deux tiers d'entre eux ont choisi de rester dans l'armée après s'être distingués en 1914-1918. Les officiers de réserve intégrés constituaient en 1938 29,5 % de l'effectif des commandants d'infanterie et 1,2 % des colonels.

Cette ouverture du corps a eu des effets qui ne sont pas tous bénéfiques. Elle le rapproche de ce qu'il était avant 1870, à une époque où le recrutement indirect fournissait 60 % de son effectif. On rappellera avec Raoul Girardet que c'est à la prépondérance des anciens sous-officiers dans le milieu militaire que les analystes de la fin du XIXe siècle avaient attribué dans une large mesure « l'atonie intellectuelle de la " vieille armée ", sa lourdeur, son traditionalisme étroit, ses faibles facultés d'adaptation et de transformation »[1].

Si différente que soit la situation de 1939-1940, elle comporte un trait analogue : le conformisme en matière de tactique a pour cautions, au niveau des petites unités, les capitaines et commandants anciens. Les officiers sortis du rang et les officiers de réserve intégrés après 1918 sont souvent du nombre, en particulier ceux pour qui l'armée du temps de paix a été un moyen de pantoufler. Déjà tout au long des années 1930, les capitaines anciens, qui avaient été les sous-lieutenants et les lieutenants de 1918, ont fait peser d'un tel poids sur leurs cadets le rabâchage des récits et des recettes de la Grande Guerre, aggravé par leur satisfaction d'eux-mêmes, qu'on les surnommait dans certaines garnisons les « V.C. » — les vieux c..s. Sans doute y avait-il pour une part dans ce dédain une revanche de l'esprit de caste. Beaucoup sont, en 1939-1940, chefs de bataillon. On redécouvrira au feu que les « V.C. » gardent parfois une dignité et une ténacité qui forcent le respect, à l'image du héros d'Armand Lanoux, *Le Commandant Watrin*. Cependant, un bon nombre d'entre eux, héros vieillis souvent sortis du rang, sont devenus inaptes à faire campagne ou ont atteint leur niveau d'incompétence. Ceux qui ont été longtemps éloignés de la troupe ignorent les règlements récents et ont perdu la pratique du commandement sur le terrain. Il arrive plus simplement que ce soient des hommes fatigués. Depuis la mobilisation, des divisionnaires comme le général Bridoux s'en sont débarrassés avec brutalité[2]. Ailleurs, on attend

---

1. R. GIRARDET et J.-P. THOMAS, *o.c.*, p. 16.
2. Avec des attendus qui en disent souvent long : « *4 novembre 1939* : le capitaine B. est inapte à faire campagne. Mais aussi son attitude, pendant le séjour de son bataillon aux avant-postes, a montré qu'il n'avait plus les hauts sentiments militaires dont il avait fait

l'épreuve du feu pour les juger. Pour eux comme pour les généraux, la sélection au combat reste à faire. Ils y montreront une capacité et une énergie très inégales. Braves ou éteints, vigoureux ou podagres, il leur est en tout cas difficile de voir la guerre autrement qu'avec leurs yeux de 1918.

Ainsi se distinguent parmi les cadres d'active des niveaux d'aptitude et d'inaptitude assez communément en relation avec l'ancienneté dans le grade. L'armée, comme le reste de la société, est, à tous les échelons, bridée par son passé.

En regard des officiers âgés ou qui s'adapteront avec peine, trois niveaux de compétence font la valeur du corps.

En premier lieu, le niveau des jeunes lieutenants-colonels ou colonels inscrits sur les listes d'aptitude et des jeunes officiers généraux ; la sélection a été faite dans l'ensemble avec discernement, bien que certaines promotions passent pour politiques ; la suite de la guerre prouvera qu'ils constituent un réservoir de chefs capables d'assurer la relève. Juin, Béthouart, de Lattre, Delestraint, de Gaulle ont eu leurs étoiles en 1939 ou en 1940. D'autres, inconnus du public, ne leur sont pas inégaux. Buisson, par exemple, dont la carrière sera brisée par cinq ans de captivité, est un instituteur savoyard, lieutenant de réserve qui s'est découvert une vocation de guerrier pendant la Grande Guerre : trois fois blessé, cité, capitaine à vingt-sept ans, il a eu la plus brillante réussite d'officier intégré après la victoire dans l'armée active. Très vite breveté d'État-Major, tour à tour officier observateur en avion, sous-chef puis chef du 3e bureau de l'État-Major, colonel de chars, il s'est imposé dans l'hiver 1939-1940 à la tête de l'infanterie de la 3e D.I.M. Il assumera le 16 mai le commandement de la 3e division cuirassée à l'abandon et, promu général sur le champ de bataille à cinquante ans, il conduira avec honneur, en juin, le deuxième groupement blindé dans les durs combats de l'Aisne, contre-attaquant jusqu'à lutter char contre char.

Le renouvellement des générations pourrait se faire : « Le corps des officiers possède des hommes capables de conduire dans une guerre moderne leurs troupes à la victoire ; en 1940, la situation ne le permet pas [1]. »

---

preuve dans le passé et dont témoignent ses citations. » « *8 octobre 1939* : Capitaine R. : 30 jours d'arrêt. Tenue honteuse de sa compagnie : hommes débraillés, circulant sans casque et sans masque, ne saluant pas. À la prochaine observation, sera relevé de son commandement », etc. (SHAT 32 N/209). Il n'en va pas autrement dans l'armée allemande, comme en témoigne par exemple l'historique de la 216e division (division de 3e série) : « Il y eut de curieuses scènes dues à l'âge trop élevé de plus d'un commandant de compagnie ou de batterie (...). L'incapacité de maints cadres se révéla nettement. Ils causaient plus de tort qu'ils ne rendaient de services et une soixantaine d'officiers furent mis en route vers le dépôt de l'arrière après le bref ordre oral du commandant de la division : " *Faites vos valises !* " » (JENNER, *Die 216/272 ID*, p. 15, cité par A. MERGLEN, *Les Forces armées sur le front de l'Ouest...*, p. 99).

1. Colonel H. DUTAILLY, *Faiblesses et potentiel de l'armée de terre, 1939-1940, o. c.*, p. 30.

Un deuxième niveau, le plus homogène, est celui des jeunes lieutenants et capitaines d'active, sortis des écoles, surtout dans les années 1930[1] : ils sont « gonflés » et qualifiés, mais en dehors de la cavalerie et des chars, peu avertis des nouvelles formes de la guerre. Il y a néanmoins là une dizaine de milliers de jeunes officiers qui font l'ossature de la troupe, qui seront l'honneur de l'armée et dont — curieusement — les historiens de la guerre ne parlent jamais.

À leurs côtés enfin, les sous-officiers d'active, quand ils ne sont pas encroûtés dans une vie de petits employés, ce qui est souvent le cas, forment un noyau dur d'instructeurs et de baroudeurs consciencieux. On les juge imbus d'eux-mêmes et ombrageux ; mais ils ont contribué à ce que la mobilisation se déroule sans trop d'à-coups à l'échelon de la troupe ; plus d'un se fera tuer sans faiblir à la tête d'une section.

Si qualifiés soient-ils, tous ces cadres, dont beaucoup sont excellents, ont en commun une faiblesse qu'eux-mêmes ne soupçonnent pas : on ne leur a pas appris que la guerre, c'est l'imprévu.

Officiers de réserve...

Des forces et des faiblesses analogues coexistent parmi les cadres de réserve, tant officiers que sous-officiers.

L'armée de terre compte à la mobilisation 80 000 officiers de réserve, capital humain d'autant plus appréciable que le IIIe Reich a peine à combler son déficit d'officiers après quinze ans d'interruption du service militaire obligatoire. 35 000 sont affectés à l'intérieur : ce sont en principe les plus âgés, les plus chargés de famille ou les moins aptes ; près de 45 000 autres servent aux armées, où la proportion globale de trois officiers de réserve pour deux de carrière passe pour très satisfaisante.

Le revers de la médaille est que les éléments jeunes font défaut ; ils sont trop peu nombreux au regard de l'effectif des officiers anciens combattants, qui ont 42 ans et plus. Gamelin a dû maintenir des limites d'âge élevées (55 ans pour les sous-lieutenants et lieutenants, 59 pour les capitaines, 61 pour les commandants), tout en ordonnant le renvoi progressif à l'intérieur des lieutenants d'active et de réserve de 54 ans, des capitaines de 57 et des incapables. Avant le 10 mai 1940, 1 500 officiers de réserve âgés, pères de cinq enfants ou inaptes, ont ainsi quitté la zone des armées et 5 700 ont été renvoyés dans leurs foyers. L'expérience prouvera que, pour beaucoup de cadres de réserve, c'est trop d'avoir à faire une seconde fois la guerre vingt ans après comme officier de troupe. Or les générations de l'entre-deux-guerres ne suffisent

---

1. Les promotions des années 1920 ont eu un recrutement plus inégal en qualité : le nombre de candidats de Saint-Cyr avait fléchi au point de ne plus permettre une sélection sévère. Quant aux polytechniciens restés dans l'artillerie, ils sont souvent de ceux qui n'ont pas pu pantoufler dans l'industrie.

pas à assurer la relève, en dépit des cours de préparation militaire. On a lancé à la mobilisation un plan de formation colossal qui doit donner près de 30 000 aspirants et, d'ici à la fin de 1940, 1 500 sous-lieutenants d'active : il devrait permettre une véritable transfusion de sang à l'échelon des chefs de section et, par voie de conséquence, un rajeunissement général. Mais au 10 mai 1940, la première promotion formée en quatre mois, encore sans expérience, commence à peine à être répartie dans les unités [1].

Un second handicap est qu'une partie des officiers de réserve arrive au 10 mai 1940 sans vraie préparation à la guerre — ou sans autre préparation que d'avoir fait l'autre guerre. On a poursuivi un énorme effort, accru encore depuis 1937, pour les perfectionner : les résultats sont variables [2]. Ils étaient, à la veille de la guerre, « peu réconfortants » [3].

La situation diffère selon les unités et les armes. Les officiers de réserve appartiennent, dans le génie et l'artillerie, à une élite d'ingénieurs et d'architectes, souvent entraînés de surcroît à diriger des équipes. L'État-Major le sait si bien qu'il n'a pas hésité, pour pallier la désertion des polytechniciens, à leur offrir depuis 1930 des possibilités de passage dans l'active jusqu'à concurrence de 150 intégrations certaines années [4]. L'artillerie, grâce à ses réservistes qualifiés autant qu'à l'effectif considérable des 5 750 officiers de carrière, sera supérieure non seulement en quantité, mais en efficacité, à celle des Allemands.

Les compétences sont plus inégales dans l'infanterie. Des chefs de premier ordre s'y sont révélés et, dans les unités les mieux entraînées, on

1. SHAT 5 N/584.
2. Les écoles de perfectionnement pour officiers de réserve créées à la fin des années 1920 ont eu « un succès inespéré » : un tiers des officiers y étaient assidus, ce taux élevé étant lié pour une bonne part à l'attribution de la « carte de surclassement » qui permettait aux inscrits de voyager en première classe en payant le prix de la troisième. Mais l'instruction des écoles, surtout livresque, ne développait pas la pratique du commandement. La loi du 14 mars 1939 avait rendu la fréquentation obligatoire à compter d'octobre 1939. À l'approche de la guerre, on a multiplié les périodes de réserve : plus de 15 000 officiers y ont été appelés en 1936 et autant en 1937. L'efficacité a été médiocre en raison du manque d'instructeurs.
3. L'expression est du général Héring qui, dans son rapport d'inspection du 28 novembre 1938, écrivait : « La mobilisation de septembre dernier a confirmé cette appréciation. De nombreux officiers de réserve se sont montrés incapables de mobiliser, de déplacer, de faire vivre et d'administrer les unités qui leur étaient confiées. Ce n'est que par une intervention constante des cadres actifs que l'ordre et la discipline ont pu être assurés à peu près correctement. » Il estimait urgent qu'on en revienne à « des méthodes sûres et pratiques de formation des cadres, à savoir formation dans les corps de troupe au cours de périodes *obligatoires* annuelles ou bisannuelles et enseignement pratique comportant l'exercice effectif du commandement, l'emploi des armes, la discipline de marche, de cantonnement et de combat, les opérations de mobilisation d'une unité et la pratique de vie journalière d'une unité » : AN 496/AP (4 DA/15, Dr. 3).
4. De sorte que 22 % des lieutenants du génie et 17,4 % des lieutenants d'artillerie sont d'anciens officiers de réserve. Cf. R. GIRARDET, *o.c.*, p. 67.

tient les meilleurs officiers de réserve pour interchangeables avec les officiers d'active. D'autres sont moins motivés, comme s'ils n'avaient souhaité leurs galons que pour bénéficier du surclassement en chemin de fer sans croire qu'ils auraient jamais à se battre ; mais surtout beaucoup ne sont pas entraînés à la responsabilité d'une troupe sur le terrain. Moins de 25 % ont suivi des cours de perfectionnement[1]. Et l'on retrouve ici le problème des divisions de série « B » qui forment, on l'a vu, le quart de l'infanterie avec un encadrement sacrifié.

Le commandement n'a pas cru devoir tirer les leçons de l'été 1914 où les divisions de réserve françaises, plus faiblement encadrées, ont été surclassées par les divisions de réserve allemandes : dans bien des régiments, les cadres d'active se limitent au colonel et à un ou deux chefs de bataillon, qui sont loin d'être toujours choisis parmi les meilleurs[2]. Un effort particulier d'adaptation tactique et de formation technique aurait été nécessaire depuis la mobilisation : on n'a pas su le faire[3]. On en reste à l'*Aide-mémoire du chef de section et du commandant de compagnie* de 1936, qui ignore la défense contre blindés et contre-avions. Les prescriptions minutieuses édictées par Gamelin portent plus sur la formation des spécialistes et l'utilisation des matériels que sur l'entraînement tactique[4]. En fait, la moitié sinon les deux tiers des officiers des divisions « B » jouent depuis la mobilisation un rôle de surveillants de chantier ; plus d'un s'y est laissé aller à la passivité et à la morosité[5]. Leurs capacités techniques ne s'y sont pas améliorées. C'est dire que la majorité d'entre eux, en attendant de s'aguerrir, seront surtout aptes à des missions d'appoint comme la défense des secteurs de la Meuse, présumée sans histoire.

---

1. Alors que les taux d'assiduité étaient de 36 à 40 % dans l'artillerie, le génie et la cavalerie. Le général Niessel, président de l'Association nationale des officiers de réserve, s'en est inquiété en 1938 : « Les fantassins, dont 75 % ne viennent pas aux écoles, seront-ils aptes à conduire leur troupe au feu ? » (SHAT 7 N/4008).

2. L'étude comparative des cadres de carrière affectés aux régiments d'active et de réserve reste à faire : elle suppose un accès aux dossiers individuels qui n'est pas encore possible.

3. Dans les divisions de série « B », la formation des artilleurs elle-même laisse à désirer parfois. L'État-major s'inquiète en mars 1940 de découvrir que « la moitié des commandants de batterie n'ont jamais rempli un tableau de centralisation de tir et qu'un grand nombre de commandants de groupe ne sait rien du fonctionnement d'un poste central de tir ». Passé les premiers flottements, les artilleurs s'adapteront néanmoins vite.

4. Note sur l'organisation de l'instruction pendant l'hiver de 1939-1940 en date du 16 novembre 1939 : général GAMELIN, *Servir*, t. III, p. 492 et ss.

5. Dès le mois de novembre 1938, un article donné par un groupe de jeunes officiers d'active de la ligne Maginot à la revue *Frères d'armes* avait retenu l'attention de Gamelin et du cabinet de Daladier. Il montrait à quel point la conversion des régiments de la frontière en unités de terrassement et l'amoindrissement de leur mission d'instructeurs étaient démoralisants pour les officiers subalternes, un an avant le début de la guerre.

... et sous-officiers en porte à faux

Ce qui frappe davantage les chefs de corps est la faible capacité des sous-officiers de réserve. On a découvert à l'automne 1939 qu'ils sont un des maillons faibles de l'armée. Ils ont souvent reçu leurs galons à la fin de leur service actif, ou par fournées après la mobilisation pour combler le manque de petits cadres. Un sur cinq seulement avait suivi des cours de perfectionnement.

« Ils sont de bonne volonté, mais complètement dépourvus de commandement et de pratique », déclarent les colonels[1] ; des officiers iront jusqu'à les taxer de « nullité militaire » : un accident ou un changement de routine les embarrasse ; sur les chantiers, le métreur ou le cimentier professionnel les éclipsent[2] ; la plupart, n'ayant ni autorité ni prestige, ne cherchent pas à s'imposer à des hommes qui supportent mal le caporalisme. « Ils répugnent à faire acte de chef », rend compte un colonel d'infanterie suivant lequel

> cet état d'esprit résulte du sentiment qu'ils ont de leur inexpérience et surtout du fait qu'ils ont été, souvent à leur insu, imbus des idées propagées depuis vingt ans par la presse, le cinéma et le monde politique : égalité entre le Chef et l'ouvrier, goût du bien-être, amoindrissement de l'autorité[3].

Il est vrai que l'esprit a évolué depuis 1914 : l'autorité, pour s'imposer, exige de plus en plus la capacité. Ils en manquent souvent. C'est un des effets les plus sérieux du service militaire d'un an, le plus sérieux peut-être, car apparemment sans remède.

Des sous-officiers de réserve ont-ils été, de surcroît, des relais de la contestation ? On l'a dit :

> Leur principal souci était leur popote et leur installation personnelle.
> D'un esprit critique très développé, ils semblaient croire que leur rôle était non de seconder l'officier, mais de s'interposer entre lui et la troupe pour éviter à cette dernière les effets de la soi-disant « tyrannie du chef ». Le sous-officier se considérait comme le médiateur chargé de présenter les réclamations de ceux qu'il appelait « ses camarades » : toujours du côté de la troupe, jamais du côté du chef[4] !

---

1. Rapport du lieutenant-colonel Regnault, chef d'État-major de la 71e D.I. (AN 2W/54). Cf. presque dans les mêmes termes le rapport du général Boucher, commandant la 5e D.I.M. (SHAT 32 N/14), parmi de très nombreux autres témoignages.
2. Cf. J. VIDALENC, « Les divisions de série " B " de l'armée française pendant la campagne de France 1939-1940 », *Revue historique des armées*, 1980/4, pp. 106-126.
3. Rapport du colonel commandant le 77e R.I. (SHAT 34 N/91-10). Il est difficile de préciser l'origine socioprofessionnelle et le niveau culturel des sous-officiers de réserve de l'infanterie.
4. Témoignages sur le 14e R.I.F. (AN 2W/54).

Ce tableau, brossé après la défaite, est poussé au noir ; les sous-officiers seront alors des boucs émissaires plus commodes que les généraux. En fait, aux armées, les tensions, sans être exceptionnelles, sont loin d'être courantes et tiennent tout autant aux dédains de certains officiers. À coup sûr, le sous-officier narquois, lecteur du *Canard enchaîné*, a existé. On retiendra surtout que, pareils aux caporaux et aux sergents de 1870 peints par Zola dans *La Débâcle*, beaucoup de sous-officiers de réserve improvisés, coincés entre des officiers parfois lointains et des soldats prompts à grogner, se trouvent en porte à faux, comme les contremaîtres dans certaines usines. Ils « suivent leur troupe, inertes », et se contentent d'un rôle passif de porte-galons [1] : un relais essentiel de cohésion des petites unités fait défaut, notamment dans l'infanterie.

Gamelin ne s'en inquiète pas, considérant que le manque de sous-officiers est encore plus grand dans l'armée allemande, ce qui est numériquement exact [2].

Ce potentiel considérable et ces insuffisances cumulées donnent la mesure de ce qu'il faut bien appeler le problème des cadres. Indépendamment de la crise de la doctrine, l'impréparation et le vieillissement sont pernicieux dans la mesure où la troupe a plus que jamais besoin de chefs capables de l'entraîner. Le commandement est conscient de ces difficultés quoiqu'il les sous-estime. Il compte sur le temps pour les résorber : en matière de formation des hommes comme en matière de production des matériels, c'est seulement au début de 1941 que l'effort de guerre devrait porter tous ses fruits.

---

1. Rapports sur le 125ᵉ R.I. (SHAT 34 N/91-10).
2. Les autres généraux ne paraissent pas s'en être souciés beaucoup plus. Le général Laure, commandant le 9ᵉ corps, recevant les rapports sur le comportement des régiments en secteur opérationnel qui soulignent, en particulier, la faiblesse des sous-officiers de réserve, se borne à faire le commentaire suivant : « Les présentes observations faciliteront les réflexions de chacun et permettront à toutes les bonnes volontés, qui ne manquent pas, de rendre à notre Armée les magnifiques vertus guerrières qui sont dans sa tradition de tous les temps » (SHAT 34 N/114-118).

6

Vouloir se battre

Le problème des cadres se limite-t-il à cela ?

Soyons clair : depuis cinquante ans, une même question revient : *le commandement et les cadres de 1940 voulaient-ils se battre ?*

Question irritante sous cette forme, non seulement parce qu'elle transgresse un tabou, mais parce que ceux qui la posent semblent ignorer que les six semaines de combats de 1940 ont été marqués par un holocauste des jeunes cadres d'active comparable à celui des six premières semaines de la guerre de 1914 ; question simpliste, car, on l'a vu, même le corps des officiers d'active ne constitue pas un milieu homogène qui se prête à des conclusions globales ; question qu'on ne peut néanmoins esquiver si l'on songe aux officiers embusqués, aux défaillances individuelles, ou à l'aveu cynique d'un leader du défaitisme tel que le chef de bataillon de réserve Marcel Déat, superbe officier de troupe de 1914-1918, qui tient en 1940 à « être kakifié », mais n'entend pas « donner sa peau à la patrie »[1].

Qu'il y ait des facteurs de moindre résistance psychologique au niveau des officiers est certain. Mais lesquels ? Et dans quelles proportions agissent-ils ? On a incriminé au temps du gouvernement de Vichy le pacifisme des instituteurs, après la Libération les tendances fascistes et l'anticommunisme d'une partie des cadres. Soulevons le voile.

Les instituteurs officiers

Les réactions des instituteurs mobilisés sont de celles que nous connaissons le mieux[2]. Elles interdisent tout jugement simpliste.

---

1. M. DÉAT, *Journal de guerre*, 24 mai 1940.

2. En particulier grâce à la remarquable enquête inédite de Jacques Girault, maître de conférences à l'université de Paris-I, menée dans le cadre du Centre de recherches sur l'histoire des mouvements sociaux et du syndicalisme. Grâce aussi à l'enquête que l'aide du colonel Dutailly m'a permis d'organiser auprès des instituteurs anciens combattants du département de la Haute-Marne. Pendant la guerre même, certains instituteurs ont été des épistoliers abondants, dont le contrôle postal nous a conservé des correspondances typiques.

Les instituteurs fournissent, avec les professeurs des lycées et collèges, couramment 15 à 20 % des officiers de certains régiments d'infanterie de formation de série « A » et exceptionnellement jusqu'à 40 % dans quelques régiments de série « B »[1]. Ils sont pour la plupart marqués par le socialisme jauressien et ne s'en cachent pas. Mais s'ils sont officiers, c'est qu'ils appartiennent à ces minorités d'élèves-maîtres qui ont accepté de suivre dès le temps de paix les cours de préparation militaire, la « P.M.S. », comme on dit alors, ou qui, une fois appelés, se sont inscrits à un peloton de préparation.

La plupart l'ont fait à la fois par civisme et par désir de promotion, quelques-uns aussi dans l'idée que l'armée a besoin d'officiers républicains. Les motifs d'adhésion ont parfois été plus mêlés : dans les années 1920 à 1927, d'après les témoignages des survivants, un bon tiers des inscrits s'y sont surtout décidés pour bénéficier, à la faveur des cours de P.M.S., de sorties du jeudi, à une époque où le régime disciplinaire des écoles normales restait draconien. Une promotion — 1922 — s'est même inscrite massivement à la P.M.S. pour ne subir qu'un an de service militaire au lieu d'un an et demi : les « malgré eux » de cette promotion restent pour la plupart en 1940 hostiles à la guerre ; ils semblent toutefois ne pas atteindre 3 % du total des instituteurs officiers.

Quels qu'ils soient, les instituteurs n'ont jamais conçu le devoir de défense nationale que dans le cadre d'une « guerre juste ».

Aucun doute sur la justification de la guerre pour le groupe des socialistes antimunichois lecteurs de *La Lumière* qui, dans les instances de leur Syndicat national, prônaient la résistance à l'hitlérisme, mais il est douteux qu'ils constituent, en septembre 1939, la majorité des instituteurs officiers. À leurs côtés, quelques communistes ou compagnons de route des communistes se demandent, sans dévier en général de leur « bellicisme », quelle guerre on leur fait faire. Encore moins d'hésitations parmi les instituteurs de l'Est, patriotes avant tout.

D'autres sont moins convaincus que cette guerre soit entièrement juste. Le fait qu'elle ait été déclarée par la France leur laisse des scrupules : ils auraient souhaité une France « innocente », et de préférence en situation de victime. Pourtant ceux-là mêmes ont évolué.

Ce que l'on sait des comportements des instituteurs aux armées durant la « drôle de guerre » jusqu'à mai 1940, bien que fragmentaire, est à leur éloge ; les témoignages concordent : leur idéal de paix et de fraternité va de pair avec un esprit civique qui peut se comparer à celui des officiers de carrière et qui se double d'antifascisme. L'officier instituteur est consciencieux, voire zélé ; il l'est d'autant plus qu'il ne veut pas être confondu avec les communistes maintenant hostiles à la « guerre impérialiste ». Il se prend au jeu de sa mission d'éducateur en uniforme ;

---

1. Ainsi sur 80 officiers, le 343ᵉ R.I., formé à Lodève, compte à la mobilisation 35 instituteurs, âgés pour la plupart de 34 à 42 ans (SHAT 34 N/179). C'est une proportion exceptionnellement élevée.

il lui arrive même d'être exemplaire au point de susciter l'incompréhension de son milieu[1]. « Comment, moi qui hais la guerre, moi qui ai signé tous les appels du genre " Plus jamais ça ", suis-je devenu un bon officier ? », se demande, sans pouvoir répondre à la question, l'instituteur lieutenant qu'Armand Lanoux a campé dans son roman *Le Commandant Watrin* : lui qui refusait à porter une arme, parce qu'il n'acceptait pas l'idée de tuer, a été volontaire pour commander un corps franc[2] ! De telles réactions, de tels propos ne sont pas inventés.

En mai et juin 1940, le premier feu a été un révélateur. Il faut admettre que certains instituteurs ont alors été « moins bons sur le terrain que pour la théorie »[3] ou n'ont pas su dominer leur sensibilité pacifiste. Tel chef de section loyaliste qui, au fond de lui, réprouvait les guerres a pu tenir une position défensive, son alchimie mentale ambiguë le prédisposait mal à prendre sous le feu des initiatives ou des risques ; plus d'un a été déboussolé ou paralysé. Beaucoup d'autres, en revanche, ont été des chefs avisés, de sang-froid et qui ont porté l'esprit de sacrifice aussi loin que leurs aînés de 1914-1918[4] : on ne s'étonnera pas de retrouver des instituteurs officiers issus des trois tendances antimunichoises (socialistes minoritaires de la tendance École libératrice, compagnons de route du P.C.F., socialistes patriotes de l'Est) à l'avant-garde des combattants de la Résistance.

Tout compte fait, la trace la plus nette du pacifisme enseignant n'est pas dans la conduite des instituteurs officiers, bien qu'elle ait été beaucoup moins homogène qu'en 1914-1918, elle est dans le fait que la majorité des instituteurs mobilisés — et avec eux un contingent de professeurs agrégés sortis des écoles normales supérieures — *ne sont pas*

---

1. Comme en témoignent les correspondances. Telle enseignante pacifiste se désole du fossé que la guerre a créé entre elle et son mari, également enseignant : « René ne peut me comprendre et je n'ai aucune raison d'ajouter cette douleur à sa peine de combattant. Pas un seul instant il n'a compris, je crois, sa part de responsabilité dans ce qui se passe. Il fait son devoir tout tranquillement n'ayant pour fin qu'une certaine joie intérieure. » Ailleurs, ce sont des soldats qui ne reconnaissent plus leur instituteur : « Quand vous en voyez qui, il y a un an, vous prêchaient l'antimilitarisme, qui aujourd'hui sont les plus fayots, on ne dirait pas des réservistes, tels que Chevalayre, instituteur à Brassac, secrétaire de la section socialiste de Brassac. Heureusement qu'il y a ici pas mal de mineurs de là-bas : il a chié dans leurs bottes, ils ne sont pas contents de lui » (AN BB 30/1706).
2. A. LANOUX, *o.c.*, p. 34.
3. À en croire par exemple Raymond TRIBOULET, *Un gaulliste de la IVe*, Paris, Plon, 1985, p. 39. Mais l'appréciation peut s'appliquer à bien d'autres qu'aux instituteurs.
4. Tels Marcel Vichard, chef du maquis de Corcieux, lieutenant-colonel en 1944, Cordesse, instituteur du causse de Sauveterre, préfet communisant de la Lozère à la Libération, ou Édouard Fosse, directeur d'école à Limay (dans le département actuel des Yvelines), gréviste le 30 novembre 1938, qui rejoint en 1943 les Forces françaises libres par l'Espagne et finit la guerre avec le grade de colonel, commandant le bataillon de marche du Tchad. Le beau livre publié sous la direction de P. ROTHIOT, *Cent cinquante ans au service du peuple*, t. II, montre admirablement ce qu'ont été le patriotisme et l'esprit civique des enseignants vosgiens « qui crurent que la sauvegarde de la Patrie et de la Liberté était au prix de leur sacrifice ».

des officiers et se retrouvent, comme ils l'ont voulu, à l'écart des responsabilités de commandement[1].

Anticommunisme et déviation du nationalisme

Pour les commentateurs et historiens communistes, les défaillances viendraient d'ailleurs, car ils ne doutent pas qu'il y ait eu défaillance, voire trahison : la défaite, largement imputable au commandement et aux cadres issus de la bourgeoisie, résulterait en grande partie de leur refus avoué ou inavoué de se battre, qui serait dû lui-même à leur anticommunisme. Roger Bourderon et Germaine Willard ont repris l'explication en compte en 1982, dans des termes, il est vrai, moins péremptoires qu'auparavant :

> La « sclérose mentale »... diagnostic exact, mais incomplet. Pour conduire une guerre, encore faut-il vouloir la faire. Pour combien d'officiers jusqu'aux grades les plus élevés, ayant pour le fascisme « les yeux de Chimène », l'armée a-t-elle pour mission première la lutte contre le communisme[2] ?

La méfiance ou l'hostilité déclarée de la majorité des officiers à l'égard du communisme est certaine. Elle s'accompagne dans l'hiver 1939-1940 d'une forte poussée d'antisoviétisme à l'occasion de la guerre de Finlande. Un incident singulier en illustre la virulence dans certains états-majors.

Le 16 mars 1940, trois jours après l'annonce de l'armistice russo-finlandais, un officier de liaison britannique auprès du 3e corps d'armée du général de La Laurencie, qui est en position devant la frontière belge, alerte un de ses amis du War Office. La chute de la Finlande, lui explique-t-il, a été pour l'armée française un choc d'autant plus pénible qu'on y a vu une preuve de l'inconséquence du gouvernement ; il va plus loin[3] :

---

1. De même des « archicubes » des années 1920, qui seront pourtant aussi résolument antifascistes que J.-P. Sartre ou aussi lucidement attentifs au péril hitlérien que Raymond Aron, sont simples soldats dans une section météo. La proportion relativement faible d'instituteurs ayant suivi la P.M.S. ou les pelotons d'élèves-officiers est contestée par certains historiographes de l'enseignement primaire. Pour les départements pour lesquels les renseignements peuvent être recoupés, elle dépasse rarement 20 % des promotions d'instituteurs... Les instituteurs sous-officiers sont plus nombreux, mais dans une proportion que je n'ai pas été en mesure de préciser. À en juger par les réponses de l'enquête de Jacques Girault, il semblerait qu'ils se soient souvent satisfaits de rester en position subordonnée. Les instituteurs officiers servent presque uniquement dans l'infanterie.
2. R. BOURDERON et G. WILLARD, *La France dans la tourmente 1939-1940*, p. 49.
3. Cité par l'historien britannique D. C. Watt au colloque IHTP de 1983 sur la France et l'Angleterre en 1940, d'après PRO War Office, 208.619.

La saine méfiance qu'éprouvent les militaires (je parle des officiers) pour les hommes politiques est beaucoup plus forte que chez nous. Elle leur est congénitale, mais elle s'est encore aggravée sous le régime du Front populaire, car ils ont cru sincèrement, et peut-être à juste titre, avoir sauvé la France. Elle vient encore de s'intensifier (...).

Ils ont le sentiment qu'ils ont perdu un front sur lequel la Russie aurait pu être saignée à blanc et que si notre gouvernement continue d'employer les mêmes méthodes, ils perdront aussi, à l'autre aile, le front du Caucase. Ils voudraient voir former un petit comité de guerre constitué de quatre hommes, deux Anglais et deux Français, le général Weygand et Winston étant les deux qui sont mentionnés avec le plus de faveur... C'est une affaire qui pourrait conduire à une situation dangereuse et qui, si l'armée prenait le pouvoir, équivaudrait à une révolution...

Le War Office demande aussitôt des éclaircissements à sa mission militaire en France. L'affaire est discutée le 27 mars en réunion plénière des officiers de liaison britanniques auprès de la Ire armée. Le 4 avril, la mission britannique fait savoir à Londres que « les perspectives suggérées ne sont pas confirmées par les autres officiers de liaison et que l'officier auteur de la lettre a quitté la réunion en proie à une certaine confusion ». Un mois plus tard, la fièvre est retombée et l'on ne parlera plus de diversion militaire contre l'U.R.S.S.

L'anticommunisme larvé et la méfiance sociale n'ont cependant pas disparu, ils s'expriment encore çà et là, parfois avec véhémence, contre les « traîtres de l'arrière », mais ni les correspondances, ni les témoignages, ni les comportements, ni nos souvenirs, ne dénotent nulle part chez les officiers de troupe la préoccupation de maintenir l'ordre plutôt que de se battre. La crainte, si explicite parmi certains stratèges en chambre parisiens, de voir la guerre déboucher sur une révolution communiste en France ou en Allemagne affleure très rarement. Rien ne permet de penser qu'elle soit assez répandue ni assez aiguë pour inspirer des comportements délibérés de refus ou pour prendre le pas sur le loyalisme anti-allemand. D'ailleurs, les sympathies qu'ont bien des officiers pour les fascismes latins ne se reportent pas sur l'Allemagne nazie[1] : la complaisance pour l'Allemagne hitlérienne est exceptionnelle, surtout depuis le pacte germano-soviétique, bien moins fréquente qu'un autre sentiment répandu aussi dans la troupe et qui est la crainte vaguement admirative, la fascination anxieuse de la puissance allemande.

L'interprétation par l'anticommunisme force une réalité plus complexe ; elle méconnaît deux traits de la psychologie militaire : la persistance des valeurs de discipline, d'honneur et d'attachement à la terre parmi les cadres d'active les plus traditionalistes, mais aussi chez

1. Il faut rappeler qu'un nombre non négligeable d'officiers conservateurs condamnent dans le national-socialisme son *socialisme* qui en fait, à leurs yeux, l'allié logique du communisme. C'est le cas de Weygand ou du colonel de Villelume, proche collaborateur de Reynaud, comme de nombreux officiers de troupe.

certains des plus fascisants, et la méfiance que les catholiques militants éprouvent pour le nazisme, où ils voient un socialisme matérialiste et antibourgeois aussi détestable que le bolchevisme.

Ainsi des unités connues pour l'intensité d'anticommunisme de leurs cadres sont souvent aussi parmi les plus combatives. La cavalerie, « la plus réactionnaire des armes », a, en mai et juin 1940, une conduite qui fait d'elle « le réconfort du commandement » [1]. Les officiers aviateurs imputent le manque d'avions aux grèves fomentées par les communistes et les accidents en vol à des sabotages : cela ne les empêche pas d'avoir pour premier souci de voler et de se battre, ce qu'ils font bravement.

Le général de La Laurencie, commandant du 3e corps, est un champion intransigeant de l'anticommunisme et son état-major est peuplé d'officiers d'Action française qui passent, on l'a vu, par un paroxysme antisoviétique et antigouvernemental à l'annonce de la capitulation de la Finlande. Rien pourtant n'autorise à penser qu'ils soient moins résolus à se battre s'ils sont commandés énergiquement, que tant d'officiers de cavalerie de 1914-1918 qui vitupéraient la « Gueuse » : le 3e corps s'est remarquablement comporté en mai et juin 1940 et le général de La Laurencie, chef, il est vrai, hors du commun, a donné des preuves de sa pugnacité jusqu'après la demande d'armistice.

Ces exemples ne valent pas preuve, mais ils sont loin d'être isolés ; ils attestent que, du moins dans le corps de bataille, la hargne anticommuniste (ou antidémocratique), là où elle existe, n'entame pas la vigueur combative. Les officiers des unités de choc et des armes nouvelles, qu'ils soient d'active ou de réserve, sont une sélection et, pour beaucoup, une sélection de volontaires : pour eux, la fidélité au devoir va de soi.

De même, au niveau du commandement, le général Héring peut dénoncer les ouvriers parisiens comme des agents de l'ennemi, Weygand, nourri des souvenirs de la Commune de 1871, peut agiter l'épouvantail révolutionnaire au moment de la débâcle pour hâter la demande d'armistice, on ne voit pas que la conduite de la bataille en ait été affectée, aussi longtemps que subsista un espoir de tenir : dans la phase de débâcle, ce fut sans doute différent.

Si la fixation anticommuniste (ou antisoviétique) a pu avoir des effets pernicieux, c'est de façon beaucoup plus indirecte, dans la mesure où elle a contribué depuis 1936 à *sous-motiver* certains « nationaux » : une partie des classes dirigeantes et, par voie de conséquence, une partie des cadres de la nation armée n'a pas su ou n'a pas voulu, par refus de toute convergence avec le Front populaire, percevoir la nature dominatrice et esclavagiste de l'hitlérisme ni reconnaître la mission historique qu'assumait la France. Pour beaucoup de conservateurs mais aussi de « modérés », le nazisme reste une affaire intérieure allemande qui ne les concerne pas. Comme d'autre part, jusqu'au 20 mai 1940, le territoire

---

1. Le mot est du général Dufieux dans le rapport d'enquête qu'il a fait pour Weygand sur le désastre de la IXe armée.

n'est pas menacé, leur nationalisme n'a qu'une charge passionnelle limitée. Ainsi, peu d'officiers anticommunistes ont des raisons claires de « ne pas vouloir se battre », mais jusqu'à l'invasion, certains officiers, comme bien des soldats, manquent de fortes raisons de le vouloir.

Les officiers à claire motivation idéologique se limitent à des groupes de pensée circonscrits : à droite, un noyau traditionaliste proportionnellement plus important dans l'armée que dans la société civile, pour partie teinté d'Action française, pour partie adepte de Reynaud et de Kerillis, et un carré d'officiers Croix-de-Feu ou anciens des Jeunesses patriotes ; à ces « nationaux » font pendant au centre et à gauche un noyau de chrétiens sociaux et un carré de fonctionnaires et d'enseignants jacobins ou socialistes « durs », teintés d'humanisme antinazi. Autour d'eux s'étend un marais d'officiers bien-pensants aux situations assises et aux convictions molles, apparemment plus souvent centristes qu'extrémistes et plus flandinistes que maurrassiens, qui se contentent de suivre. Cet engagement idéologique et affectif inégal est une des raisons qui font que l'officier d'infanterie moyen des régiments de réserve moyens manque souvent de flamme [1] : plus que l'esprit de connivence avec l'hitlérisme — inexistant — ou que l'obsession contre-révolutionnaire — sporadique —, sa faible motivation devant la guerre, lorsqu'elle n'est pas compensée par un haut degré de qualification ou de conscience professionnelle, contribue au train routinier de bien des unités et s'accommode de leur passivité.

Une vulnérabilité psychologique

Ce « manque de flamme », si saisissant dans une partie de l'infanterie aux yeux des jeunes officiers qui sortent des écoles, a plusieurs composantes, en dehors du vieillissement, qui est un facteur capital.

La première est que certains cadres, et non pas seulement des nationalistes déviants ni des socialistes munichois, n'ont pas le sentiment de se battre pour une cause sacrée dans une guerre nécessaire. Hitler a agi trop vite et trop perfidement, la maturation de l'esprit de guerre a été trop brusque, puis l'engourdissement de la « drôle de guerre » trop profond. Le fait que la guerre ait été déclarée *par* la France, comme en 1870, et non *à* la France comme en 1914, est, sans doute plus que dans la troupe, un sérieux handicap mental.

La seconde est l'absence d'une image exaltante de la France après dix ans de stagnation et de fiascos. Le malaise qu'éprouvaient beaucoup de cadres de carrière dans les années précédant la guerre (et qui ne tenait pas aux seuls affrontements de la période du Front populaire) n'est pas totalement dissipé. Officiers et sous-officiers d'active d'âge élevé et moyen sont une catégorie sociale insatisfaite dont la situation matérielle

---

1. Des généraux s'en étonnent, comme Boucher, de la IXe armée : cf. SHAT 32 N/14.

et morale n'a cessé de se dégrader, au point que certains se sont sentis déclassés[1]. Ils comprennent mal les changements qui ont accentué la transformation d'une société rurale en une société plus industrielle et plus urbanisée, plus soucieuse de l'argent, plus indifférente aux hiérarchies traditionnelles, n'ayant plus pour eux la même considération et qu'eux-mêmes n'estiment pas. La guerre leur apporte une justification. Si patriotes soient-ils, il est douteux qu'ils y apportent tous l'élan qu'a en Allemagne une classe montante, adulée par une nation en expansion.

Il y a plus. Vue à travers un bon nombre de ses officiers, qu'ils soient de carrière ou de réserve, de droite ou de gauche, la France n'aime pas ce qu'elle a été pendant l'entre-deux-guerres. « Nous n'avons plus la foi dans le cœur et les moelles et nul d'entre nous n'est prêt à mourir sans regrets », écrit un aspirant patriote tourmenté. Il arrive que des conversations de popotes, lorsqu'elles prennent un tour politique, ce qui est rare, laissent percer l'amertume ou l'angoisse devant une décadence qu'aucune volonté jusqu'à Daladier — et encore ! — n'a pu arrêter. Plus d'un la juge irrémédiable, certains s'en indignent, d'autres s'en accommodent, de rares extrémistes détestent la « chienlit démocratique » responsable de cette décadence et ne souhaitent pas mourir pour elle. Plus couramment, l'obscure conscience de ne plus appartenir à une grande puissance, les ratés voyants de la machine militaire, l'abandon de la Pologne, les échecs de Finlande et de Norvège, font douter — par éclipses — de pouvoir jamais l'emporter sur le Goliath germanique. On ne comprendrait qu'à moitié l'esprit de 1940 si l'on ne tenait pas compte, chez certains cadres, de ces bouffées de pessimisme ou même de défaitisme larvé : elles traduisent, plutôt que la faillite ou la trahison d'une classe, la conscience plus ou moins claire d'appartenir à une nation biologiquement, économiquement et politiquement épuisée. « Nous avons fait l'autre guerre debout, nous faisons celle-ci à genoux, nous ferons la prochaine couchés », disait mon chef de bataillon (qui, à la mi-

---

1. Le commandement a signalé à plusieurs reprises le phénomène au gouvernement. Le terme de « déclassés » est employé dans les rapports sur l'état d'esprit de l'armée pour 1938 (Région de Paris, SHAT 9 N/356 et 5 N/584) : « État d'esprit excellent. Ils ont fait preuve pendant la crise de Munich d'un loyalisme et d'une conscience professionnelle absolus. Cette attitude doit être soulignée, car elle contraste avec les nombreux sujets de préoccupation qui accablent journellement les officiers. Surchargés de travail, ne jouissant pas dans la société de la situation matérielle qu'ils seraient en droit d'espérer, ils vivent péniblement en se repliant de plus en plus en eux-mêmes. Aussi, tout en continuant de servir avec la même foi et la même ardeur, une certaine amertume se fait-elle jour parmi eux. » Les commandants de grandes unités et les chefs de corps ont été unanimes à le souligner. Le commandement de la 4ᵉ brigade mécanique s'exprimait en ces termes : « L'inquiétude est dans tous les esprits, inquiétude digne et silencieuse qui voudrait être dissimulée. L'officier souffre de la situation matérielle et morale qui lui est faite et à laquelle personne ne paraît s'intéresser. Dans la société actuelle, il a le sentiment d'être un " déclassé " » (Rapport du 3 février 1939). Le déphasage psychologique de la société militaire par rapport à la société civile a été très justement mis en évidence par le colonel H. DUTAILLY : *Les Problèmes de l'armée de terre française*, o.c., pp. 285-290.

juin 1940 se retrouva « sans savoir comment » à Marmande, tandis que ses hommes étaient embarqués pour la Poméranie). Ces tendances dépressives et ce manque de confiance dans leur pays ont concouru plus que l'anticommunisme, les sympathies profascistes ou l' « esprit de jouissance », à un relâchement des énergies. Il s'y ajoute que des cadres de tous bords gardent des réactions d'affectivité pacifiste, à commencer par des anciens de la Grande Guerre : de vieux officiers d'active dont l'attitude est exemplaire ressentent avec force, comme les ruraux qu'ils commandent, qu'il faut « épargner le précieux sang français » et qu'on ne peut imposer à la troupe des sacrifices sans limites au-delà de ce qu'exige l'honneur militaire.

Aux armées cependant, les tendances à l'abattement s'avouent peu ou sont noyées dans la chaleur collective. Une très faible minorité souhaite, avec moins de pudeur qu'autrefois, se soustraire à la guerre[1] ; dans leur immense majorité, les officiers, comme la troupe, sont loyalistes et consentants, ils font confiance au commandement, à la ligne Maginot, à la force militaire du pays. À l'heure du danger, le sursaut patriotique devrait balayer les réticences.

Ainsi se retrouve, dès le niveau des cadres, la dualité qui distingue les régiments. Le tonus des cadres, remarquablement élevé dans les unités de choc, en particulier parmi les jeunes officiers, donne à celles-ci une puissante cohésion. En dehors de ces unités, qui sont le fer de lance de l'armée, des facteurs techniques, organisationnels, psychologiques — et l'âge — se conjuguent pour entretenir des îlots d'inertie, parfois même des zones de passivité de l'encadrement, notamment là où l'aptitude professionnelle fait défaut[2]. On a compris seulement après coup que c'étaient aussi des zones de vulnérabilité.

Le fléchissement de l'intérieur

Car, jusqu'au 10 mai 1940, les carences visibles sont surtout celles de l' « intérieur ». On y est loin de la guerre. On n'y fait pas la guerre. L'organisation militaire des régions relève, on l'a vu, de cadres d'active très peu nombreux et presque tous âgés, tandis que la gestion et l'animation des effectifs sont délégués aux officiers et sous-officiers de réserve mobilisés. Les deux cinquièmes des officiers de réserve sont affectés à cette tâche : ils ne sont pas encadrés ; ils encadrent peu. Ils s'en plaignent et parfois ils s'en moquent. Leurs capacités d'instructeurs sont faibles. Beaucoup sont englués dans le climat de l'arrière et ne croient

1. Les demandes de renvoi « à l'intérieur », d'affectations dans des états-majors ou d'affectations spéciales passent pour plus nombreuses et plus hardies qu'en 1914-1918. Elles émanent surtout d'officiers de réserve âgés.
2. Mais l'idée est répandue, parmi les officiers d'infanterie vétérans de 14-18, que se battre est une affaire simple, qui s'apprend le moment venu sur le tas, en se battant.

pas à la réalité de la guerre. Ceux que l'ingénieur patriote Fernand Picard côtoie en novembre 1939 au mess de Brive, « tous notables de la région, un dentiste de Mauriac, un avocat d'Aurillac, un huissier de Saint-Flour, tous propriétaires terriens par héritage, espèrent que les événements remettront en place tous les abus que le Front populaire a entraînés : congés payés, 40 heures, Office du blé », et se préoccupent surtout de leurs propres affaires. Après cinq heures du soir et les dimanches, ils sont aussi désœuvrés que leurs hommes et cherchent trop visiblement à meubler le temps, surtout les célibataires qui ne savent que faire de leur solde. Quelques-uns sont venus avec leur voiture personnelle ou ont des façons d'emprunter les voitures de service pour leurs sorties qui font gronder les soldats et dauber les civils. Certains ont des allures d'écoliers dissipés. « Les officiers font la noce et les états-majors du papier », prétend Mandel.

En réalité, la désinvolture est moindre qu'on ne le dit : les enquêtes demandées par les commissions parlementaires sur l'usage des voitures militaires prouvent que les abus sont peu nombreux. Les jeunes cadres sortis des écoles, et qui attendent d'être envoyés aux armées, se dépensent sans compter ; une grande somme de dévouement se déploie dans le vide. Mais l'ensemble des officiers de l'arrière, âgés et parmi lesquels se distinguent des lots de bureaucrates étroits, d'incompétents ou d'inconscients, n'a souvent que peu de prise sur des mobilisés constamment dispersés et faiblement employés.

De loin en loin, des mots trahissent l'absence d'esprit de guerre. Ici, c'est un officier de réserve, abondamment décoré en 1914-1918, qui accueillant un nouvel aspirant, lui dit : « Jeune homme, connaissez-vous les deux commandements de l'armée : ne fais jamais toi-même ce que tu peux faire faire par un autre ; ne fais jamais le même jour ce que tu peux remettre au lendemain. » Ou c'est le colonel commandant le Fort-Vieux de Vincennes qui lance à un jeune universitaire, sous-lieutenant frais émoulu : « Ne soyez pas aussi pressé d'aller au front[1] ! » Boutades ? Souvent. Il y a de l'affectation dans cette volonté affirmée de ne pas être dupes à la « drôle de guerre ». En attendant, chacun prend son temps.

Le manque de conviction d'une minorité voyante, où les officiers de réserve dominent, contribue au relâchement de la troupe et au scepticisme de l'opinion.

Les conséquences militaires étant faibles, le commandement s'y résigne ; il veille seulement à ce que les écoles d'élèves-officiers soient dotées d'excellents instructeurs, ce qui est le cas.

*

De la mer du Nord au Jura, l'armée française aligne près de 2 500 000 hommes : c'est la force terrestre la plus considérable du monde avec

---

1. Témoignage de Philippe Mantoux.

celles de l'Allemagne et de l'U.R.S.S.[1]; ses officiers et sous-officiers sont nombreux. Ils ont souvent plus de courage que de détermination. Autour d'un noyau solide d'officiers de carrière souvent excellents et d'une jeune génération ardente, sauront-ils se transformer du jour au lendemain en entraîneurs d'hommes alors que la sélection des meilleurs et l'éviction des chefs inaptes ou vieillis reste à faire, qu'une fraction importante des cadres d'infanterie reste mal préparée, que la machine est si lourde et se grippe si souvent, enfin que l'esprit n'est pas toujours à la hauteur du formidable défi que la France a relevé?

Au 10 mai 1940, le commandement n'a pas de raisons de douter que les cadres des armées soient prêts à se battre de leur mieux.

En face d'eux, l'armée allemande a aussi ses faiblesses, avec ses cadres subalternes trop peu nombreux et le moral médiocre de ses divisions de réserve.

---

1. Pour ne pas parler de la Chine.

7

« À l'épreuve du feu, ils tiendront... »

Le redressement du printemps 1940

Finalement, est-il bon, est-il mauvais, ce moral des armées ?

Depuis les beaux jours, le contrôle postal a constaté un redressement manifeste. La grogne envers les soldats anglais s'est apaisée, la deuxième série des permissions de détente ne suscite plus autant d'aigreur contre les planqués. Les récriminations liées à l'obsession des semailles se raréfient ; si la limitation des permissions agricoles provoque encore des mouvements d'humeur, on ne pense finalement qu'à s'accommoder au mieux de la vie quotidienne et le lien de camaraderie est renforcé. (« Tu ne peux pas t'imaginer notre fraternité ! »)

Cette armée est moins politisée que jamais : à la fois parce qu'elle est en majorité rurale, qu'elle ne lit pas les journaux, écoute peu la radio et subit la puissance d'amalgame et la force d'inertie de la vie militaire ; certainement aussi par l'effet d'une lassitude désabusée à l'égard des discordes partisanes qui est typique de l' « esprit combattant » et qui contribue à la popularité de Daladier avant de faciliter le regroupement autour de Pétain. La lettre du front que publie *La Nouvelle Revue française* de mai est véridique :

> Ici, la guerre a incontestablement brisé la division traditionnelle de la France en deux blocs opposés. Pour les hommes de l'avant, les classifications politiques ne signifient plus rien.

La placidité n'est souvent que de la passivité. Le contrôle postal note, en s'en réjouissant, que l'invasion de la Norvège par les Allemands a fait « sortir la troupe de sa torpeur » : on s'est indigné contre les Allemands, ces « monstres » ; on s'est enthousiasmé pour le succès maritime des Britanniques. « L'état d'alerte a réveillé le patriotisme latent et la combativité assoupie », rapporte le 2e Bureau. Y a-t-il vraiment lieu de tirer une telle conclusion quand 7,50 % des correspondances mentionnent les combats de Norvège (ce qui passe pour considérable) et quand les trois quarts de ces mentions ont surtout trait à la suppression des permissions et à l'espoir « exprimé un peu plaintivement de leur rétablissement prochain ? »[1].

Cependant, la lassitude de la guerre ne s'exprime plus ; le 23 avril, le contrôle postal a relevé avec satisfaction 5 % d'expressions optimistes dans le courrier de la 21e division stationnée autour de Hazebrouck et a souligné « les dispositions fermes de la troupe et son aptitude à supporter les épreuves ; 13 lettres seulement sur 5 854 expriment l'ennui et un peu de cafard ».

Ce résidu de cafard lui-même prend dans bien des cas la forme de l'impatience :

> Vivement que ça se tasse ou que ça cogne, car ça n'est pas drôle de rester dans l'incertitude [avril 1940].

Il faut avoir l'esprit non conformiste de Jean Zay pour se demander si la nostalgie de la bataille n'est pas un vertige aussi redoutable que la nostalgie de la paix[2].

Le commandement, pour sa part, a toutes les raisons d'être confiant. Même si, durant la première décade de mai, le courrier a retrouvé sa « neutralité antérieure » aux événements de Norvège (« commentaires sur la vie quotidienne, les affaires de famille et surtout la reprise des permissions »), ce qui importe est que, lors de tous les sondages sur les correspondances faits entre le 25 avril et le 10 mai auprès des unités du Nord et du Nord-Est, le moral est qualifié d'*excellent*, de *très bon* ou de *bon*.

> Si certains cas, fort rares, ont dû être signalés à toutes fins utiles à Monsieur le Général commandant la VIIe armée, il ne s'agit que d'individus isolés et non de foyers dangereux, écrit le président de la commission de contrôle X.A.[3].

Le 30 avril, le 2e Bureau adresse aux généraux Georges et Doumenc une note de synthèse des rapports du contrôle postal résolument optimiste :

> Le moral sort de la crise de [Norvège renforcé], stabilisé, bonifié en quelque sorte ; il n'est plus question nulle part d'armistice bâclé, de « paix blanche » ; on sent bien que l'armée retrouvera, le moment venu, toute sa combativité et tout son élan.

---

1. En sens inverse, le 2e Bureau ne souligne pas à quel point la troupe a été impressionnée par le coup d'audace allemand en Norvège et par la formidable efficacité attribuée en la circonstance à la cinquième colonne nazie.
2. JOD, Comités secrets de la Chambre, 19 avril 1940.
3. La commission X.A. est chargée du contrôle postal des trois armées du Nord.

Les renseignements sur des unités telles que les deux divisions qui allaient être balayées moins de quinze jours plus tard à Sedan sont tout sauf inquiétants. Un sondage fait le 23 avril sur les correspondances de la 55e D.I. a donné les résultats suivants :

> Plaintes : 34.
> Satisfaction : 546.
> Commentaire : certains hommes souffrent de l'inactivité.

Le 30 avril, le 2e Bureau confirme que le moral est « bon dans l'ensemble » à la 55e division.

Quant à la 71e, qui allait s'effondrer sans combattre, la synthèse du 2e Bureau en date du 30 avril la classe sous la rubrique « Moral maintenu » avec les attendus suivants :

> La suspension des permissions, les fatigues physiques des marches de nuit dans certaines unités (246e R.I.), des cantonnements non encore au point, paraissent avoir affecté légèrement un moral encore bon (momentanément moins bon au 246e R.I.)[1]...

Les deux tiers de l'effectif du 246e allaient se débander les 14 et 15 mai.

Une fantastique erreur des services de renseignement?

Pour qui connaît la suite, de telles appréciations sont de prime abord confondantes. Elles jettent le doute sur l'ensemble des activités du contrôle postal et plus encore sur les interprétations qu'en a tirées le 2e Bureau. L'historien britannique D. C. Watt ne les connaissait pas quand il soupçonnait « une faillite du renseignement aussi spectaculaire en mai 1940 au sujet du moral français que celles du commandement soviétique en juin 1941 ou des Américains à Pearl Harbor[2]. »

L'imputation est grave, elle alourdit si dramatiquement le poids des erreurs et des imprévisions stratégiques qu'il faut s'y arrêter. Il ne fait pas de doute que le 2e Bureau a péché par insuffisance à la fois dans la méthode de collecte des renseignements et dans leur analyse.

Aucune étude systématique du moral de l'armée ne paraît avoir été entreprise pendant la « drôle de guerre », mis à part une enquête prescrite par Gamelin en décembre 1939 et qui a donné lieu à une série de rapports des commandants d'unités. La connaissance permanente du

---

1. Le 14 avril, le contrôle postal avait signalé qu'il y aurait, semblait-il, « quelques éléments à surveiller au 246e » (SHAT 27 N/69).
2. D. C. WATT, « The British Image of French Military Morale », *o.c.* Watt a étudié les rapports constamment euphoriques que les officiers de liaison britanniques auprès des armées françaises et du Grand État-Major adressaient à Londres. Son impression est que ces rapports auraient été le produit d'une véritable intoxication, due à la contagion des illusions qu'entretenaient le commandement et les 2es bureaux français.

moral est, en fait, fondée, on l'a vu, sur l'analyse des correspondances.

Or, le mécanisme du contrôle postal est resté celui de 1917. Il brasse une gigantesque documentation : mais il témoigne, ici comme ailleurs, de la routine des états-majors. La technique des sondages d'opinions, déjà utilisée aux États-Unis et en Grande-Bretagne, est ignorée. La conception du *moral* est simpliste : les grilles d'analyse distribuées dans l'hiver aux commissions de l'armée de terre n'ont d'autre objet que de dénombrer, dans les lettres contrôlées, les expressions de « satisfaction » et de « mécontentement », ou « d'optimisme » et de « pessimisme » se rapportant à cinq rubriques permanentes : « Moral », « Nourriture », « Rapports avec la population », « Cantonnement », « Service postal », ainsi que les « Indiscrétions ». On y a ajouté, en avril, les thèmes : « Événements de Norvège » et « Permissions agricoles », puis fin mai, « Pertes ». Les contrôleurs accompagnent ces chiffrages rudimentaires d'interprétations souvent pénétrantes, mais impressionnistes : la psychologie sociale leur est étrangère, la critique interne des correspondances aussi. Ainsi, devant une armée d'hommes peu entraînés à l'expression écrite qui ronchonnent tout l'hiver, puis qui, dans le calme plat du printemps 1940, n'ont rien à signaler, le contrôle postal ne cherche pas à explorer le *non-dit* : dès lors, l'attachement patriotique de la troupe, son degré d'engagement, le dévouement des officiers, la persistance de l'imprégnation pacifiste ou l'esprit de sacrifice échappent en grande partie à l'analyse.

Il y a plus : la 2e section du 2e Bureau, responsable de la connaissance du moral, présente sous le jour le plus optimiste, en particulier de mars à mai 1940, les analyses réconfortantes, mais plus neutres, des censeurs particuliers : comme si elle était dominée dans ses jugements par l'image idéalisée des poilus de 14-18 que Daladier s'entend à perpétuer[1], ou comme si elle se complaisait à voir l'armée telle que le souhaite le commandement[2].

La conclusion s'impose : le 2e Bureau n'a pas mieux éclairé le commandement sur les risques de défaillances qu'il ne l'a alerté sur la stratégie allemande : la surprise sera totale sur tous les plans.

Peut-on dire pourtant que les synthèses émanant du 2e Bureau faussent le sens des données collectées ? Elles ne le faussent pas, elles le forcent. Pour comprendre la logique qui a conduit à des appréciations si étonnantes, il faut reprendre les documents de base, qu'il s'agisse des extraits de lettres de militaires ou des analyses des contrôleurs au niveau

---

1. « On grinchait, on grognait, on critiquait. Parfois on injuriait certains chefs. Mais on marchait et on se battait parce qu'on était des soldats français » (JOD, Comité secret du Sénat, 14 mars 1940).

2. La hiérarchie a réagi de même, à moins qu'à chaque niveau les chefs n'aient craint de mettre en lumière des insuffisances qui auraient pu leur être imputées. Gamelin n'a pas eu tort de rappeler, au cours de l'instruction du procès de Riom, qu'aucun de ses généraux ne l'alerta jamais sur un danger moral potentiel.

des unités, en les éclairant par la connaissance que nous avons des comportements ultérieurs. Trois faits principaux en ressortent.

Le premier est le bon vouloir qui se manifeste dans la très grande majorité des correspondances ; le rétablissement des permissions, le 26 avril, salué par une explosion de joie, ne suffit pas à expliquer ces « bonnes dispositions ». À coup sûr, on ne sent pas vibrer dans la troupe — pas plus que dans les usines — la « force révolutionnaire » telle que la définit Péguy, qui consiste essentiellement *à vouloir que ça aille bien et à en faire plus que son compte.* Et l'on ne peut pas oublier que, deux mois plus tôt, la levée de boucliers des agriculteurs mobilisés contre les affectations spéciales des ouvriers a paru marquer les limites du patriotisme paysan. En sens inverse, on n'y perçoit rien qui rende plausible l'existence aux armées, à la veille du 10 mai 1940, de zones tant soit peu importantes d'opposition à la guerre ou d'insoumission mentale : des centaines de rapports d'officiers et de journaux de marche et d'opérations confirment qu'il en existe peu, si même il en existe. Cette armée est disposée à faire ce qu'on lui demandera.

Deux armées dans l'armée ?

Le second fait, perceptible seulement en filigrane, est la ligne de démarcation qui sépare deux séries d'unités « bien disposées », celles dont le contrôle postal qualifie le moral d' « excellent », « très bon », ou « franchement bon », et celles qu'il juge seulement « bonnes dans l'ensemble » (laissons de côté les régiments ou équivalents de régiments tenus pour « ternes », « mélangés », voire « médiocres » : leur total ne dépasse pas la quinzaine).

La distinction entre les deux catégories d'unités, si peu explicite dans les textes, apparaît capitale *a posteriori* : car les premières de ces unités seront dans une large proportion parmi celles qui se sont battues avec acharnement en mai et juin, tandis que les secondes sont assez couramment de celles qui ont flanché.

Parmi les unités au moral « excellent », « très bon » ou « franchement bon », le 2e Bureau range avant tout — comme on pouvait s'y attendre — des éléments d'active, à commencer par les formations blindées et les groupes de reconnaissance, soit presque toute la cavalerie, la plupart des divisions d'infanterie d'active et, notamment, d'infanterie coloniale et d'infanterie motorisée (à l'exception, en particulier, de la 5e D.I.M. qui allait en effet se comporter médiocrement sur la Meuse), la moitié des troupes de forteresse, enfin l'aviation de chasse.

Les unités dont le moral est jugé seulement « bon dans l'ensemble » comprennent de l'infanterie (surtout des divisions dites de formation et plus particulièrement de série « B ») ainsi qu'une fraction de l'artillerie lourde ; il s'y ajoute divers éléments de la zone des armées qui ne font pas partie des « troupes de la mêlée » mais appartiennent au train, aux transmissions, aux secrétariats, aux services, aux étapes et le plus souvent aux arrières, ainsi qu'une partie des « rampants » de l'aviation [1].

La répartition des unités dans l'une ou l'autre catégorie sera globalement justifiée par les faits ; ce que le 2e Bureau n'a pas mentionné parce qu'il ne l'a pas soupçonné, c'est que les formations au moral simplement « bon dans l'ensemble » ne sont en général préparées ni sur le plan psychologique ni sur le plan technique à l'épreuve qu'elles devront affronter. L'omission s'explique : faute d'avoir prévu la stratégie de l'adversaire et les zones d'impact de son offensive, on ne s'est pas demandé comment les unités les moins entraînées ni celles qu'on avait abandonnées à un « laisser-aller toléré » réagiraient sous le coup d'opérations éclair que l'on n'imaginait même pas.

Ainsi le moral des armées françaises au début de mai 1940 est incontestablement bon si l'on entend par ce terme leur attitude générale devant la guerre et, en ce sens, les rapports du contrôle postal sont véridiques ; il est très inégal — mais on ne s'en apercevra qu'après coup — s'il implique l'aptitude à supporter le pire. L'analyse comparative des unités prouve que cette dernière aptitude, tout en étant influencée par les antécédents psychologiques et politiques (au premier rang desquels figure l'imprégnation pacifiste), aura dépendu beaucoup plus de l'âge des soldats, de l'arme et de la formation auxquelles ils appartiennent, de leur entraînement et par-dessus tout de leur encadrement : comment comparer un régiment de série « B » qui a stagné tout l'hiver sur la Meuse sans que la plupart de ses hommes aient tiré un coup de fusil depuis leur service actif et celui du 26e R.I., par exemple, solidement encadré par des officiers sélectionnés, constamment entraîné, doué d'esprit de corps et d'émulation, qui fait partie de la fameuse « division de fer » de Nancy, et dont aucun soldat fait prisonnier ne consent à laisser diffuser un message en son nom par Radio-Stuttgart, parce que le colonel l'a par avance interdit [2] ?

Autant les divisions de choc sont sûres, autant les divisions de réservistes de série « B », qui forment près du quart de l'infanterie française, sont, avec les éléments des arrières, la partie la plus faible de l'armée [3] : non pas que leur recrutement social diffère de celui des grandes unités d'active ou que le degré de politisation y soit sensiblement

---

1. Tous éléments parmi lesquels les mobilisés de recrutement urbain sont nombreux ou prédominants.

2. Général U. LISS, *Westfront 1939-1940*, t. I, pp. 45-49.

3. Les divisions d'infanterie sont classées en :
— divisions d'active comprenant 26 % de cadres d'active et 40 % d'hommes de troupes de l'active, ces dernières constituées surtout de jeunes appelés ;
— divisions de série A, comportant 18 % de cadres d'active et 2,5 % de troupes de l'active renforcés de réservistes de classes jeunes et moyennes ;
— divisions de série B, formées de réservistes de classes moyennes et dont tous les cadres régimentaires à l'exclusion du colonel et éventuellement des chefs de bataillon appartenaient à la réserve : elles n'étaient pas destinées à être engagées immédiatement.

plus élevé, mais elles cumulent le double handicap de l'âge (associé à une proportion élevée de pères de famille) et celui d'un encadrement qui n'est pas composé de professionnels ; leur entraînement et leur instruction sont médiocres ; leur faible cohésion, que les départs répétés de soldats en usines ont encore aggravée, n'est pas pour leur donner du tonus.

De sorte que sous le bon esprit et l'optimisme de surface, les aptitudes à la fois techniques et mentales à se battre sont si contrastées qu'il semblerait qu'il y ait *deux armées dans l'armée.*

Cette hétérogénéité, soulignons-le, n'est pas particulière à l'armée française. On a souvent mis en regard, au lendemain de la défaite, la ferveur d'héroïsme de la Wehrmacht. C'est oublier que celle-ci se compose réglementairement de deux armées, l'armée de campagne, qui va mener l'action en France, et l'armée de réserve : or le contraste est tout aussi marqué, du côté allemand, entre les unités d'active, très jeunes, pleines d'allant et de capacité, aguerries en Pologne, et les formations âgées au moral médiocre, pauvrement équipées et mal encadrées ; même dans l'armée de campagne, un million d'hommes, redisons-le, sont des vétérans de l'autre guerre, dépourvus d'entrain.

Les jeunes hitlériens des formations d'assaut et des unités motorisées sont certainement les troupes les plus ardentes de toutes les armées de l'époque, elles ont impressionné tous leurs adversaires et plus encore les civils français qui les ont vu défiler victorieusement ; ce serait un singulier aveuglement de sous-estimer de ce fait la capacité combative de l'élite de l'armée française et tout autant de fermer les yeux sur l'extrême disponibilité du reste des troupes, lorsqu'elles sont encadrées et commandées.

L'ascendant de l'adversaire et le mythe de Radio-Stuttgart

Un dernier signe notable transparaît dans les documents du contrôle postal, c'est l'ascendant pris par l'ennemi, du moins par éclipses. Il s'est manifesté sur le terrain dès la fin de l'automne 1939 : le général Gamelin et le général Georges s'en sont inquiétés de façon fugitive. On en a de nombreux témoignages lorsque les Allemands débarquent par surprise en Norvège, en avril 1940. Même des militaires parmi les plus « gonflés » sont impressionnés et admiratifs, tel ce jeune sous-lieutenant de réserve juif du 36e d'infanterie qui écrit le 14 avril :

> Inutile de te dire avec quelle passion je suis les événements de Norvège, à la fois émerveillé du culot de nos adversaires et persuadé qu'ils ont commis une grosse faute. Plus je les trouve épatants, plus ça me donne envie de leur rentrer dedans.

La réaction du soldat moyen est moins tonique : « Ils sont diablement fortiches, les vaches ! »

Un phénomène épisodique singulier illustre la révérence générale-ment inavouée, à la fois admirative et craintive, que beaucoup de militaires portent à l'ennemi, c'est la propagation du mythe de Radio Stuttgart. Elle a semé l'inquiétude dans une quinzaine de villes de France, elle suscite également le trouble et le doute dans des secteurs limités, mais finalement assez nombreux des armées.

Car l'énorme effort de propagande que les Allemands déploient vise les militaires autant que les civils. En dehors des émissions de Radio Stuttgart, Goebbels a lancé en décembre 1939 deux postes pseudo-clandestins qui sont supposés émettre de France, « Radio Humanité » et « La Voix de la paix ». Radio Humanité est notamment diffusé par un poste émetteur mobile émettant sur grandes ondes, appareillage sans équivalent en Europe, qui a été installé à Schopfheim, au sud du pays de Bade, à hauteur de Mulhouse, et qui est utilisé comme « émetteur de combat », chargé de démoraliser les troupes d'Alsace et de Lorraine.

Par ailleurs, les forces armées allemandes disposent de six compagnies de propagande engagées sur le front de l'Ouest. Chacune est composée de deux sections de reportage et d'une section d'action psychologique. Elles ont pour mission de persuader les soldats français que l'Allemagne ne veut pas faire la guerre à la France et ne bougera pas, aussi longtemps que l'armée française n'attaquera pas [1]. Elles déploient le long du Rhin et du front de Lorraine des panneaux géants affichant des slogans pacifistes et ont mis en batterie des haut-parleurs que peuvent entendre les avant-postes français. Elles font preuve de beaucoup d'imagination. Cette propagande locale a impressionné les troupes au contact, elle est largement connue et commentée dans nos armées de l'Est. Le 27 février 1940, une directive de la section de propagande sur le front de l'Ouest de l'État-Major de la Wehrmacht constate le « fléchissement » qui s'est produit dans le moral français et prescrit d'intensifier la propagande en vue de « faire fléchir l'esprit combatif de l'armée française » [2] :

> Les soucis domestiques, les intempéries, le régime des soldes et autres considérations analogues ont fait naître ces derniers temps ici et là dans l'armée française de la mauvaise humeur, de la morosité et des doutes sur la nécessité de la guerre.
>
> Il s'agit maintenant, alors qu'une grande partie de l'armée française est dans des cantonnements de repos et, par suite, particulièrement accessible à la démoralisation, de renforcer ces tendances et d'influencer ainsi dès maintenant le comportement des troupes françaises en prévision des opérations militaires à venir.

C'est en effet le moment où les soldats français ont été le plus sensibles à la propagande ennemie, par le biais d'un curieux phénomène d'auto-intoxication.

---

1. O. BUCHBENDER et R. HAUSCHILD, *Geheimsender gegen Frankreich*, Bonn, Verlag Mikler, pp. 22 et 29-36.
2. *Ibid.*, p. 27.

Les compagnies allemandes de propagande du front de Lorraine utilisent systématiquement les renseignements donnés par des prisonniers français : ainsi leurs haut-parleurs peuvent-ils souhaiter la bienvenue à l'unité française du secteur en la désignant par son numéro, ce qui stupéfie nos soldats. Ces « révélations » ponctuelles ont répandu dans la zone des armées la conviction que Radio Stuttgart sait tout et dispose par conséquent d'agents secrets partout.

Pourtant l'écoute des émissions allemandes a dû rester étroitement limitée ; les rumeurs liées à ces émissions n'en provoquent pas moins un étonnement et parfois des inquiétudes comparables à ceux qui troublent la population de l' « intérieur ». L'effet en est probablement moins aigu, mais plus étendu. Dans plus de cent régiments, des officiers et des soldats ont été convaincus, sur la foi de rumeurs, que Radio Stuttgart était renseigné sur tous les déplacements de leur unité, au point de les annoncer avant même qu'ils n'aient lieu. Dans la seule semaine du 2 au 8 février 1940, de telles rumeurs touchent des éléments de sept divisions réparties dans les cinq premières armées, sans d'ailleurs que le 2ᵉ Bureau s'en inquiète. Beaucoup de militaires répercutent ces bruits dans les lettres à leurs familles, dans des termes qui ne varient guère [1] :

> (...) Stuttgart s'intéresse beaucoup à nous. Il nous suit partout. Hier encore, il a cité nos cantonnements et nous appelle les « sans-culottes ». Il est vraiment bien renseigné : les culottes des hommes sont dans un piteux état... [17ᵉ R.A.D., 52ᵉ D.I., IVᵉ armée].
>
> (...) Ferdonnet ne manque pas de toupet. Aujourd'hui, il a annoncé par Radio Stuttgart que notre division ferait la relève le 8 février. Tu parles s'ils sont bien renseignés, les moineaux d'en face » [10ᵉ B.C.A., 35ᵉ D.I., Vᵉ armée].
>
> (...) Ces jours derniers, le traître de Stuttgart nous a honorés de son attention en disant que le 213ᵉ allait bientôt quitter Sedan. Il paraît bien renseigné, car il a fait ses adieux au 147ᵉ qui était avec nous et qui, en effet, est parti hier... [213ᵉ R.I., 55ᵉ D.I., IIᵉ armée].

Tous ces récits sont de pure invention : Radio Stuttgart n'a rien dit de semblable et en serait bien incapable ; mais la conviction est assez solidement ancrée pour qu'un demi-siècle plus tard les survivants de ces unités y croient toujours. Une telle complaisance des affabulateurs pour le jeu ennemi, une crédulité si répandue n'ont pas toujours été innocentes ; elles n'ont pas été non plus inoffensives. Même si les faits sont amplifiés parfois dans les correspondances par le désir de certains soldats de se rendre intéressants, ils dénotent une vulnérabilité psychologique ; ils auront contribué, parallèlement aux campagnes d'une presse de provocation, à entretenir la hantise de la cinquième colonne.

Les rumeurs relatives à Radio Stuttgart ont cessé au début d'avril sans que le commandement y ait été pour grand-chose et l'on peut y voir un signe du renouveau de confiance des armées. La crainte révérentielle de

---

1. SHAT 27 N/69.

l'efficacité et du machiavélisme allemands n'en reste pas moins sous-jacente, même dans d'excellentes unités. Elle est ravivée en avril par l'occupation foudroyante d'Oslo qui, à en croire la presse et la radio françaises, n'a réussi que grâce à la cinquième colonne allemande en Norvège. L'ennemi pourrait bien être aussi parmi nous...

Une image du fantassin français

Ce sont, en fin de compte, les commandants de régiments qui nous donnent — en termes concordants — la meilleure image des fantassins moyens de régiments moyens. Ils ont assez de recul par rapport à leurs hommes pour ne pas céder à la complaisance et ils en sont assez proches pour avoir d'eux une connaissance directe. Leurs appréciations sont plus révélatrices de la réalité humaine que celles du contrôle postal[1].

Du colonel commandant le 125e R.I., le 4 janvier 1940[2] :

> En grande majorité cultivateurs et profondément attachés à la terre, ils sont prêts à défendre âprement le sol français. Ils paraissent plus aptes à des actions défensives, d'ailleurs poussées jusqu'au sacrifice total.
> Poussés à la bonté, ils n'ont pas réalisé le degré de dureté et de violence qu'exigerait d'eux le déclenchement d'une guerre totale.
> Ils estiment que leur bonne volonté, qui est évidente, devrait suffire à satisfaire leurs chefs. Les sanctions les stupéfient.
> Aucune division politique.

Du colonel commandant le 140e R.I.A., le 2 janvier 1940[3] :

> La guerre est une chose encore lointaine et ils ne se rendent pas compte de sa réalité.
> a. Vivant dans une ambiance de temps de paix, ils ont des préoccupations de temps de paix. Ils voudraient que leur vie soit celle d'une garnison de temps de paix : ils se préoccupent donc de leur nourriture, de leur habillement, de leur logement, de leur chauffage.
> b. Ils n'ont pas compris que la France était en danger et que si la guerre n'avait pas éclaté, elle nous aurait été imposée dans deux ou trois ans dans des circonstances plus dangereuses pour nous.

Du lieutenant-colonel commandant le 77e R.I., le 4 janvier 1940[4] :

> Bon moral. Pas du tout expansifs, ils donnent l'impression d'être peu enthousiastes et de subir cette guerre... Mais ils sont fidèles, résignés, comme tout bon cultivateur, à la bonne et à la mauvaise fortune et on doit tenir pour certain qu'ils tiendront et feront honneur au régiment.

---

1. Cf. aussi la fiche d'appréciation sur les divisions ayant été en ligne (29 N/220).
2. SHAT 34 N/126/5.
3. SHAT 34 N/147/10.
4. SHAT 34 N/91/10.

De janvier à mai 1940, les appréciations des chefs d'unités ne changeront pas, sinon pour marquer l'installation progressive de la troupe dans la paix-guerre.

En bref, trois éléments caractérisent les attitudes mentales telles qu'ils les perçoivent :

1. le manque d'entrain, une inaction plutôt passive ;
2. une réaction profonde contre les affectations spéciales : ils ne remarquent que leur situation, comparée à celle du voisin ;
3. une acceptation et une abnégation complètes en ce qui concerne les sacrifices qui leur sont demandés [1].

Comment, à l'épreuve du feu, l'abnégation se combinera-t-elle avec le manque d'entrain, et la passivité avec l'esprit de sacrifice ? Grave question et, finalement, la seule qui importe ! Quelques rares officiers se la sont posée en observant des fantassins en secteur opérationnel.

L'expérience des secteurs opérationnels

Quand le colonel Buisson et le colonel Tauréo montent en ligne en décembre 1939 sur le front de Lorraine [2], à quelques dizaines de kilomètres l'un de l'autre, les patrouilles allemandes ont l'initiative des opérations ; elles sont pourvues d'équipements et d'armes appropriés à leur mission ; il arrive que des chiens dressés les accompagnent ; leur audace va croissant.

Dans ses visites quotidiennes aux avant-postes, le colonel Buisson recueille des dizaines de récits impressionnants. Les patrouilleurs allemands, lui apprend-on, portent des boutons phosphorescents ; ils avancent en file indienne, chaque homme ayant dans le dos une lampe à peine visible, qui guide le suivant ; pour chercher les réseaux barbelés ou éviter les mines, ils ont des lampes sourdes, ou des lampes fixées au bout de longues perches ; leurs chiens portent des chaussons et ont une lampe électrique fixée au cou [3].

Ils montent dans les arbres, à dix ou vingt mètres des postes et arrosent ceux-ci de tirs de mitrailleuses ; ils ont mis en action un fusil mitrailleur qui, pendant des heures, à quelques dizaines de mètres d'un

---

1. SHAT 34 N/91-10.
2. SHAT 34 N/126-5 et 32N/14 et 15. Le colonel Buisson, qui commande l'infanterie de la 3e division d'infanterie motorisée, est responsable du groupement de couverture du secteur H, près de Forbach. Le colonel Tauréo, commandant le 125e R.I., est en ligne plus à l'est. Le témoignage du colonel Buisson mérite d'autant plus la considération qu'il émane d'une des personnalités militaires les plus représentatives que révèlent les événements de 1939-1940. Voir ci-dessus chap. 5, « Les cadres de la nation armée » p. 501.
3. Les lettres interceptées par le contrôle postal font état de ces précisions (SHAT 27 N/69).

poste, a tiré des milliers de balles et ils ont lancé un nombre incalculable de grenades : pourtant, il n'y a pas eu un blessé français. Chaque soir, ils viennent cisailler les réseaux de barbelés : ils s'infiltrent partout de nuit, vont dans les villages, à un ou deux kilomètres derrière les avant-postes français, entrent dans les maisons, ouvrent des volets fermés, déplacent des meubles, posent des pièges, accrochent avec des cordes ou du fil de fer un pied de table avec une chaise voisine : toute ficelle est suspecte ; quand ils rencontrent un guetteur, ils crient : « Ne tirez pas, camarades ! »

Un officier raconte qu'un poste, attaqué toute la nuit, a entendu au matin les Allemands dire en français : « En voilà assez pour aujourd'hui, nous reviendrons demain ! »

En huit jours, le colonel Buisson a la preuve que ces récits impressionnants sont des fables, « contées de très bonne foi » : l'hallucination collective a créé de toutes pièces une tactique ennemie imaginaire. Les avant-postes ennemis représentés comme tout proches (« aux premières maisons », « aux lisières du bois ») sont, en réalité, éloignés de plusieurs kilomètres.

> En huit jours, l'ennemi disparut, ou presque, comme par enchantement à tel point qu'il fallut ensuite, de jour et de nuit, aller le chercher chez lui, à deux ou trois kilomètres en avant de nos premières lignes.

Les deux colonels acquièrent, indépendamment l'un de l'autre, une expérience analogue de la troupe en ligne. L'isolement, surtout de nuit, est devenu une hantise des soldats ; leur impressionnabilité n'a en soi rien d'étonnant : on ne leur a pas enseigné comment s'organiser pour résister, « même encerclés » ; ils se mettent à tirer au fusil-mitrailleur, sans raison, pour se réconforter, au risque de se faire repérer. La création de groupes francs leur a fait croire que seuls ceux-ci devaient assumer les reconnaissances. « Un commandant du quartier de Theding à qui je prescrivais de faire une simple patrouille, m'a aussitôt demandé un groupe franc pour l'exécuter. »

Quand les deux colonels quittent chacun son secteur, au début de janvier 1940, ils rendent compte en termes analogues de comportements qui sont pour eux une énigme : des hommes, anxieux la nuit, aux avant-postes, et prompts à s'alarmer, sont d'autre part insouciants devant le danger potentiel. Des gradés isolés se promènent, de jour, sur des crêtes ou entre des points d'appui, en pleine vue des observatoires de l'ennemi. « Ce dernier, vexé de tant d'impertinence, envoie quelques coups de semonce, comme pour dire : " Vraiment, vous exagérez ! " Rassemblements massifs et voyants en première ligne, rues de villages encombrées de véhicules non camouflés ni abrités, lumières dans la nuit, phares de voitures allumés sur des routes à l'extrême avant (neuf fois sur dix, ce sont des voitures de service ou de commandement : mais il tombe si peu d'obus !). » « Il a fallu arriver à des sanctions pour obtenir l'échelonne-

ment des colonnes sur route et l'extinction des lumières [1]. » Aucun souci
ni aucun sens du camouflage, au point que, dans le secteur H de
Forbach, l'aviation d'observation française rend compte que tous les
emplacements de batterie et même d'armes d'infanterie sont visibles sur
ses photos.

Le rapport d'opérations du colonel Buisson se termine sur une mise en
garde :

> « Cette guerre est une vaste rigolade », écrivait un soldat à sa famille. Ce
> n'est pas vrai, puisqu'aux avant-postes on se bat, on souffre et on pleure
> des morts ; mais, passé cette ligne avancée, le risque est si minime qu'on
> trouve partout l'insouciance du promeneur méridional.
>
> Nous la paierons très cher si, à tous les échelons, on ne réagit pas
> sévèrement (...)
>
> Il faut que les divisions en ligne ne se contentent pas de vivre sans
> histoire.

Vivre sans histoire, les paysans et ruraux fantassins de 1940 s'en
contenteraient sûrement [2]. Peut-on dire qu'ils soient, même en cela, si
différents de leurs aînés ? Ils ne sont pas de ceux en qui, selon le mot du
maréchal Pétain, « l'esprit de jouissance l'emportait sur l'esprit de
sacrifice ». S'ils sont des pacifiques, s'ils n'ont pas l'ambition de
l'héroïsme, ils font dans l'ensemble confiance à leur gouvernement et ne
songent pas à éluder le devoir d'obéissance.

« Nous sommes là parce qu'il fallait en finir, mais cela n'a rien de
drôle ! » Leur adhésion est au mieux de raison et se prolonge par inertie ;
leurs motivations sont incertaines, non pas par incivisme, mais par l'effet
d'un piège de l'histoire qu'ils ne sont pas sûrs de comprendre. Ils ne
supportent pas de perdre leur temps. Ils sont inégalement préparés à se
battre, mais ils y sont disposés si cette guerre devient sérieuse, qu'on leur
apprenne à la faire et qu'on leur en donne l'exemple. Ils y seraient sans
doute plus incités s'ils sentaient autour d'eux, à tous les échelons, un
grand souffle d'énergie. Ils seront en tout cas ce que les cadres feront
d'eux. Malgré le laisser-aller, la crédulité craintive ou les rouspétances
des uns ou des autres, la grande majorité des commandants de régiments
voient en eux, même dans les unités de série « B », des hommes de
bonne volonté : c'est pourquoi ils leur font confiance : « À l'épreuve du
feu, ils tiendront. »

Ni Daladier ni Gamelin, pour leur part, n'ont ignoré les facteurs de
vulnérabilité du moral. S'ils les ont sous-estimés eux aussi, sur la foi de

---

1. Interrogé sur la façon dont les patrouilles allemandes s'y prenaient pour pénétrer
dans les lignes françaises, un prisonnier répond : « Nous passons là où nous ne voyons pas
briller de cigarettes » (SHAT, Archives privées, 1K/178).

2. « Ils songent aux impôts qu'ils doivent payer, aux privations que leurs enfants et
leurs femmes devront supporter sans qu'ils puissent venir à leur secours, car leurs prêts et
leurs allocations sont totalement insuffisants... Ils songent à leur terre... » (lieutenant-
colonel Mazoyer, commandant le 77e R.I., SHAT 34 N/ 91.10).

tant de rapports optimistes, ils n'ont pas douté qu'à l'heure du danger un sursaut national soulèverait la troupe. Ce qu'ils n'ont pas imaginé mieux que le 2e Bureau ou que les chefs d'unités, c'est que, sous le choc des blindés et des Stukas, cette armée de fantassins n'aurait ni les moyens ni même le temps de se ressaisir.

C'est en outre que, dans une guerre mobile où n'existe plus le coude à coude des tranchées pour river les hommes les uns aux autres, ceux qui ne savent pas pourquoi on leur demande de se battre, ceux qui contestent secrètement la guerre (il y en a), ceux qui sont fatigués, ceux qui ne veulent pas mourir auraient tant de facilités pour se dérober.

8

Tels que l'ennemi les voit

C'est pour beaucoup sur la surprise que mise l'État-Major allemand : car il a une haute idée de l'armée française et il mesure les risques qu'il se prépare à courir. Cependant son jugement sur elle a évolué curieusement depuis la déclaration de guerre, en se précisant et en se nuançant dans un sens moins favorable à l'adversaire. Il est sur certains points plus pertinent que les vues du commandement français lui-même.

L'État-Major de la Wehrmacht dispose d'un tableau évaluatif de l'armée française dont la version initiale a été rédigée par l'Abwehr[1] en avril 1939. Cette première synthèse prenait note de l'effort intense et planifié d'organisation, d'armement et de formation qui était en cours en France et donnait du soldat français une image conforme à celle que les Allemands avaient rapportée de la dernière guerre : celle d'un combattant courageux et adaptable, parfois impatient de la discipline et changeant, mais capable de ténacité et, somme toute, excellent, surtout dans la défensive.

Le rapport de l'Abwehr passait en revue les différents éléments de la hiérarchie. Les sous-officiers de carrière anciens étaient définis comme des formateurs de qualité qui donnaient une solide armature aux petites unités qu'ils encadraient, tandis que les sous-officiers fraîchement émoulus et surtout les sous-officiers de réserve manquaient souvent de compétence, de tenue et d'autorité : toutes observations que le commandement français avait faites ou allait faire. De même on ne doutait pas que

> dans l'ensemble, le corps des officiers doive être à la hauteur des exigences de la guerre (...). Assurément, il n'est pas homogène, mais il est hors de question que les antagonismes sociaux et politiques aient quelque influence sur lui en temps de guerre.

---

1. Les principaux éléments de ce chapitre sont empruntés à l'ouvrage du général U. Liss (à l'époque chef de section Ic de l'Abwehr) : *Westfront 1939-1940*, notamment t. I, pp. 45-49 et 96-99.

Ce qui était reconnaître que la cohésion française était plus forte qu'il n'y paraissait.

En revanche, une faiblesse avait retenu l'attention des observateurs allemands : c'était la tendance à la routine et au manque d'initiative.

> L'état-major français est remarquable du point de vue technique. C'est un organisme fermé sur lui-même, fort de son unité de formation, de conception et de langage. Lors des voyages d'état-major, des exercices de cadres et des manœuvres, les cadres supérieurs n'avaient naguère presque jamais le choix de libres décisions. Ces dernières années, les généraux en chef Weygand et Gamelin se sont efforcés de donner au commandement une plus grande liberté de mouvement ; le succès de ces enseignements n'apparaît pas encore.
>
> La faible autonomie des cadres réduit la capacité de l'officier moyen à agir par lui-même. Toutefois cette faiblesse est reconnue et l'on s'efforce d'y remédier par de nombreux stages et des débats animés dans des revues spécialisées.

À la mi-octobre 1939, une nouvelle version du mémorandum sur « L'Armée française en temps de guerre » complète et rectifie de façon très significative l'évaluation faite au printemps précédent. Les nouvelles appréciations sont fondées sur trois séries de données : les informations provenant des services de renseignements, les conclusions tirées de six premières semaines d'opérations, enfin les communications par radio du ministère français de la Guerre, que les Allemands ont pu capter et décrypter[1]. Ce tableau d'évaluation ne sera plus modifié jusqu'au 10 mai 1940.

Voici donc comment l'état-major de la Wehrmacht perçoit l'armée française :

1. Le combattant

> Le comportement du soldat français est largement influencé par son état d'esprit. Faute d'un but de guerre clair et compréhensible, il fera son devoir avec courage, mais sans enthousiasme et sans esprit offensif. Des pertes

---

1. Le 3 septembre 1939, le ministère de la Guerre a modifié son chiffre. Pour ce faire, il a étendu à tout le territoire le procédé de chiffrement très particulier qu'il utilisait depuis plusieurs années pour ses communications par radio avec une des régions militaires limitrophes de l'Italie. Or, les services secrets allemands avaient réussi à décrypter ce chiffre dès le milieu de 1938. Toutes les quatre semaines, la clef en fut ensuite changée, mais le mode de chiffrement restant le même, il suffisait aux Allemands de quelques jours pour le trouver. Ils réussirent ainsi peu à peu à intercepter tout le trafic radio de la rue Saint-Dominique avec les groupes d'armées, les armées, les régions militaires, les commandements d'Afrique du Nord et de Syrie et disposèrent de renseignements aussi importants que l'articulation et la composition des armées et groupes d'armées, la constitution des divisions légères de cavalerie ou les retards de livraison des canons antichars de 25. C'est seulement le 10 mai 1940 que l'État-Major français mit en service un nouveau chiffre qui ne put être décrypté ; mais compte tenu du succès rapide de l'offensive allemande, le secret du chiffre français n'avait plus qu'une importance accessoire. Cf. U. Liss, *o. c.*, pp. 96-97, et E. Huttenhaim, « Succès et échecs allemands des services allemands du chiffre au cours de la Seconde Guerre mondiale », RHDGM, n° 133, janvier 1984, p. 71.

lourdes et inutiles peuvent dans ce cas ébranler le moral et la structure interne de la troupe ; on doit s'attendre à ce que le commandement en tienne compte et soit prêt à réagir de façon draconienne. En revanche, le soldat français, une fois sa conviction acquise, est prompt à l'enthousiasme et capable d'accomplir des prouesses. Il combattra toujours avec passion et acharnement pour la défense de son pays.

Le soldat français est physiquement tenace ; il est intelligent et adroit. La défensive lui convient mieux que l'offensive. Il est particulièrement habile à utiliser le terrain et à se camoufler ; il est habitué à exécuter tous les mouvements de nuit. L'image qu'il peut donner, souvent très défectueuse au regard des conceptions allemandes, ne doit pas conduire à des conclusions erronées sur sa valeur profonde.

Le Français a toujours peine à s'habituer à une discipline inconditionnelle ; un ravitaillement irrégulier et mauvais peut influencer fortement son état d'esprit.

2. Le commandement

Le commandement préférera toujours la sécurité de ses opérations tactiques à la perspective d'arracher des succès par des manœuvres rapides et hardies. Cette attitude prudente a dû être renforcée par l'impression que lui ont causée les succès allemands en Pologne. Elle a pour conséquences :
— le principe de ne faire faire, même loin de l'ennemi, les marches que de nuit ;
— une conduite hésitante, partout où la sécurité n'est pas assurée par un front continu ;
— le besoin d'engager des moyens puissants, notamment en artillerie et en blindés, pour soutenir toute attaque ;
— la règle consistant à ne se fixer que des objectifs d'attaque rapprochés, tout objectif conquis devant être mis, à mesure, en état de défense ;
— une sensibilité notable aux attaques de flanc ;
— une grande prudence dans l'engagement au combat de toute *nouvelle* unité, et en particulier d'unités nouvellement formées.

3. Évaluations des différentes armes

L'infanterie française est experte dans l'utilisation du terrain tant dans l'attaque que dans la défense. Les fantassins s'entendent à progresser sans se faire voir, par bonds ou en rampant, jusqu'à portée de grenade. Ils sont également habiles et prompts à s'enterrer et à se camoufler à chaque halte. La précision de tir de leurs armes individuelles et automatiques est jugée mauvaise par notre infanterie, leur tir est presque toujours trop haut (au niveau des arbres). Dans les combats en avant des lignes qui ont eu lieu jusqu'ici, l'infanterie française a manifesté une capacité offensive limitée et s'est révélée particulièrement sensible aux contre-attaques lancées même par de faibles unités. Ces observations ne peuvent cependant être généralisées, car elles sont en rapport avec les réticences de la majorité du peuple français en ce début de la guerre.

Les forces blindées françaises sont étroitement associées à l'infanterie quant à leur organisation et à leur tactique. Il est rare qu'une attaque française ne soit pas soutenue par des blindés. Dans chaque cas, ils ne précèdent l'infanterie que par bonds de faible amplitude. Au cours des engagements, des véhicules blindés isolés collaborent immédiatement avec les bataillons d'infanterie. Ils ont alors tendance à se tenir hors de portée efficace des canons antichars et soutiennent la progression et l'attaque en position de lisière, derrière des hauteurs.

L'artillerie française se distingue par son feu rapide, mobile et bien ajusté. Elle le règle presque toujours en tirant des fusants hauts (grenades ou shrapnells, ces derniers vraisemblablement résidus des stocks de l'autre guerre) et passe très vite aux tirs d'efficacité. Les concentrations de feu de plusieurs batteries ou groupes sur une même zone suivent très rapidement. Les aviateurs d'observation de l'artillerie sont très efficaces, ne se montrent que peu de temps et dirigent très vite les tirs. À l'occasion, des pièces ou des sections isolées d'artillerie divisionnaire sont poussées loin vers l'avant, pour attaquer des objectifs ponctuels ou remplacer les bouches à feu d'infanterie qui font défaut. L'efficacité des canons de campagne français par coup tiré est sensiblement moindre que celle de nos 1 F.H. Des munitions remontant à 1915-1918 étant encore employées, il est relativement fréquent que des obus n'éclatent pas.

Malgré ces retouches au tableau antérieur, l'armée française reste aux yeux de l'État-Major allemand un adversaire respectable, appuyé sur l'obstacle infranchissable de la ligne Maginot, doté d'une artillerie de moitié plus nombreuse que l'artillerie allemande et d'une aviation qu'il surestime considérablement, du moins pour ce qui est des bombardiers : aussi des chefs militaires aussi importants que Keitel et Brauchitsch n'hésitent-ils pas, en octobre et novembre 1939, à s'opposer vivement à Hitler en affirmant que la Werhmacht ne sera pas en mesure de prendre l'offensive avant le printemps[1].

Deux constatations donnent néanmoins aux généraux allemands un sentiment croissant de supériorité : le premier est la passivité de Gamelin pendant la campagne de Pologne, incompréhensible à leurs yeux, alors que le gros des forces de la Wehrmacht et la totalité de ses blindés étaient engagés loin du front français; ils en concluent que la France ne prendra jamais l'offensive, à supposer même qu'elle ne recherche pas une paix sans combat. Hitler est confirmé dans sa certitude : « Ce qui compte, c'est la volonté de vaincre. »

La seconde cause d'étonnement des généraux allemands est le comportement très inégal de l'infanterie française. S'ils ont été surpris par le retrait — sur ordre — des troupes françaises des secteurs de la Warndt et de la Bliess au début d'octobre 1939, ils ne s'attendaient pas à faire à cette occasion un nombre relativement élevé de prisonniers et un butin appréciable. Les mois suivants confirment que, dans les engagements de patrouilles et d'avant-postes, les Français ont généralement moins de mordant que les Allemands et laissent deux à trois fois plus de prisonniers. Détail non négligeable, au 1er janvier 1940, trente-quatre officiers français auront été capturés alors que sept officiers allemands seulement se seront laissé prendre. Le moral des prisonniers français est inégal : la plupart acceptent facilement de laisser enregistrer leurs propos pour Radio Stuttgart.

Les intuitions d'Hitler sur l'état de moindre résistance de la France en sont renforcées : il a dit au général Halder le 27 septembre 1939[2] :

1. Cf. Maréchal von MANSTEIN, *Victoires perdues*, p. 56.
2. Général HALDER, *Kriegstagebuch*, t. I.

> Dans l'histoire, nous avons toujours battu les Français quand l'Allemagne était unie... Leurs prétendues forces ! Ils n'ont aucun apprentissage de la guerre de mouvement... ! Une division allemande vaut beaucoup plus d'une division française ! Les Français ne vaudront pas les Polonais !

Il est convaincu plus que jamais que la France est un pays décadent, diminué, il le répète le 10 octobre :

> Les Français n'utiliseront pas leurs divisions de forteresse pour attaquer... Les forces ennemies sont limitées. Les Français ne peuvent pas remplacer leurs pertes, il leur est plus facile de recompléter leur matériel que leurs effectifs... Et la question de la responsabilité d'une nouvelle saignée ! Et l'opposition pacifiste ! Il y a une dégradation du peuple français qu'il ne peut plus surmonter.

Il revient maintes fois sur la capacité comparée des deux infanteries :

> L'infanterie française n'est pas aussi solide que la nôtre.

Ses conclusions rejoignent celles des militaires et des diplomates allemands qui notent « la faible volonté de guerre de la France et de l'Angleterre »[1].

Au printemps 1940 enfin, l'état-major de la Wehrmacht a une nouvelle et plus solide raison d'optimisme. Quelle que soit la valeur des troupes françaises, quelle que puisse être la rapidité de réflexe du commandement français (elle fut bien moindre que ne s'y attendaient les Allemands), tout le dispositif mis en place et apparemment figé par Gamelin favorise au maximum l'offensive allemande et la stratégie du « coup de faux vers la Manche » ; la localisation à la fin d'avril 1940 de 82 des 96 divisions franco-anglaises identifiées sur le front du Nord-Est assure au plan Manstein les meilleures chances de succès. L'historien d'aujourd'hui constate en effet qu'à cette date :

> le secteur central de l'armée française (...) reste faible, tandis que le premier groupe d'armées, dans le Nord, avec ses nombreuses divisions d'active, est fort et le deuxième groupe d'armées, le long de la ligne Maginot, plus fort encore. Le front moyen d'une division entre le Rhin et Montmédy est de 9 km, mais entre Sedan et Dinant, il devait s'étirer sur 15 à 25 km.

Or, c'est précisément au centre, entre Sedan et Dinant, que la Wehrmacht cherchera la rupture.

Ce n'est pas tout. les derniers rapports allemands concluent que :

> la répartition présumée des réserves d'armée donne d'autre part l'impression que l'adversaire, en cas de percée allemande sur la Meuse, ne

---

1. *Weizsäcker Papiere, 1933-1950*, Francfort-sur-le-Main et Berlin, Propyläen Verlag et Ullstein, 1974.

disposera, de ce côté, d'aucune masse de manœuvre opérationnelle importante[1].

Ces conclusions du service de renseignements allemand, les commandants de grandes unités de la Wehrmacht les connaissent quand le signal de l'offensive leur est donné... Ils sauront en tirer parti.

1. U. LISS, *o. c.*, p. 144.

III

La surprise

« Nous sommes partis parce que les Allemands
étaient là » : j'ai entendu plusieurs fois ces mots en
mai et juin derniers. Traduisez : là où nous ne les
attendions point, où rien ne nous avait permis de
supposer que nous devions les attendre. En sorte
que certaines défaillances, qui, je le crains, ne sont
guère niables, ont eu leur principale origine dans le
battement trop lent auquel on avait dressé les
cerveaux. Nos soldats ont été vaincus, ils se sont, en
quelque mesure, beaucoup trop facilement laissé
vaincre, avant tout parce que nous pensions en
retard.

Marc BLOCH

1

« *Fraîche et joyeuse* »

Je n'oublierai jamais l'illusion tragique
Le cortège les cris la foule et le soleil
Les chars chargés d'amour les dons de la Belgique
(...) Et ceux qui vont mourir debout dans les
    tourelles
Entourés de lilas par un peuple grisé.

ARAGON, *Le Crève-Cœur.*

Le 10 mai 1940, à 4 h 45 du matin, les forces allemandes envahissent la Belgique, la Hollande et le Luxembourg. Entre 7 h 30 et 11 h, les avant-gardes françaises pénètrent à leur tour à leur rencontre en Belgique et au Luxembourg. Réaction remarquablement rapide pour qui se souvient de 1914 : mais décalage de temps préjudiciable dans le cadre de la guerre éclair, et qui conduit l'historien belge Vanwelkenhuyzen à se demander « si quelque chose a décidément bien marché, en mai 1940, dans le camp des adversaires de Hitler »[1] : mais personne dans le camp allié n'en mesure sur le moment l'importance.

Les heures perdues

Le fait est que, pour le commandement comme pour le gouvernement français, la surprise est totale. Le gouvernement est en crise depuis le 9 au matin ; quoique la nouvelle demeure secrète, il est démissionnaire : la tension a atteint son paroxysme entre Reynaud, qui veut remplacer Gamelin, et Daladier qui s'y oppose. Des indications parvenues aux

---

1. Jean VANWELKENHUYZEN, « La surprise du 10 mai », *Le Monde,* 11 mai 1977. Cf. aussi la correspondance du général Navarre et du colonel Paillole publiée en réponse à cet article, dans *Le Monde* du 7 août 1977 sous le titre : « Le service renseignements en mai 1940 ».

services de renseignements ont fait état d'une menace d'offensive allemande pour le 8, puis pour le 10 mai. Mais deux fois déjà pendant la « drôle de guerre », le 12 novembre, puis à la mi-janvier, les troupes alliées ont été mises en alerte sans que rien se passe : les 2es bureaux ont reçu si souvent des renseignements démentis par les faits qu'eux-mêmes ont fini par y voir des feintes, ou des manœuvres de guerre des nerfs. Pourtant, le centre d'écoute et de décryptement de Gretz-Amainvilliers, muni de la prodigieuse machine Enigma, a révélé la préparation d'attaques aériennes contre les terrains d'aviation français[1] : le général Vuillemin a mis, le 8, les forces aériennes en état d'alerte, tandis que, de son côté, l'état-major hollandais a rappelé ses permissionnaires. Mais Gamelin n'a pas cru avoir de raisons de bouger. Il est vrai que, le long de la frontière franco-allemande, rien ne se préparait. Le 7 mai, puis à nouveau le 9, le colonel allemand Oster, de l'Abwehr, proche collaborateur de l'amiral Canaris, a prévenu l'attaché militaire hollandais à Berlin de l'imminence de l'attaque et le S.R. français en a été avisé[2]. Les permissions ont suivi leur cours, plusieurs généraux ont pris leur semaine de « détente ».

Le 9 au soir, en Belgique et en Hollande, on a perçu tant de signes alarmants que les états-majors ont passé la nuit blanche. L'ordre d'alerte générale a été donné à Bruxelles et à La Haye entre 1 h 15 et 1 h 30 ; à Luxembourg, les premiers ordres de vigilance ont été lancés à 0 h 30, l'alerte générale a été donnée à 2 h 50, l'ordre de bloquer définitivement les barrières et portes d'accès au pays à 3 h 15, cependant que la grande-duchesse et son mari quittaient la capitale en direction de la frontière française. Les ordres de destruction dans la zone frontière sont lancés en Belgique à 3 h 45, en Hollande à 4 h[3]. En France, rien.

Pourquoi ?

Le ministre de France à Luxembourg, Tripier, a téléphoné avant une heure du matin au Quai d'Orsay pour signaler les inquiétudes du gouvernement local, puis ç'a été le tour de l'ambassadeur à Bruxelles, Bargeton ; à 1 h 30, l'attaché militaire en Belgique a appelé pour confirmer que la situation semblait grave : on a aussitôt averti le cabinet Gamelin. Mais ensuite, pendant près de deux heures, celui-ci n'a rien reçu. Pourtant, entre 2 h 20 et 2 h 30, trois télégrammes en chiffre téléphonés par Bargeton insistant sur le remue-ménage allemand à la frontière sont arrivés au Quai d'Orsay : en raison sans doute des délais de déchiffrement, ils ne sont répercutés qu'avec retard sur Vincennes. C'est à partir de 3 h 15 que les informations dénoncent les préparatifs

---

1. P. PAILLOLE, *Services spéciaux 1935-1945*, p. 188.
2. Le colonel Oster, chef de la section administrative de l'Abwehr, faisait partie du petit groupe des officiers supérieurs qui estimaient que Hitler conduisait l'Allemagne à sa perte. Il fut pendu par les S.S. en même temps que l'amiral Canaris au camp de Flessenburg, le 9 avril 1945.
3. E. Y. MELCHERS, *Kriegsschauplatz Luxemburg...*, p. 253.

allemands avec une fréquence et une intensité croissantes[1]. À 3 h 51, le poste d'alerte français au Luxembourg signale des incidents sanglants à la frontière germano-luxembourgeoise[2] et l'interruption des communications téléphoniques entre Luxembourg et l'Allemagne. Ni Gamelin ni le G.Q.G. ne réagissent encore. À la IIIᵉ armée, voisine du Luxembourg, le chef adjoint du 2ᵉ Bureau, informé heure par heure des événements du grand-duché, pourrait faire déclencher l'alerte sur ce front : en l'absence de son supérieur, en permission, il ne bouge pas non plus avant 4 h 45.

Les chefs des services des renseignements auront beau jeu de faire valoir qu'ils ont signalé en temps utile le déplacement d'unités allemandes du nord au sud et les préparatifs faits pour le franchissement de la Moselle, mais que l'État-Major n'a pas su interpréter ces renseignements. Quant à la date exacte de l'offensive, il leur était difficile de la prédire car les Allemands ont eu le choix du jour de l'attaque et l'ordre du mouvement n'a été confirmé aux troupes qu'à la dernière minute.

Il reste, et c'est là le plus grave, que personne, du côté français, ni au S.R. ni ailleurs, n'a la moindre prémonition du plan stratégique allemand[3]. Personne ne sait que les divisions blindées de Guderian, stationnées depuis trois mois à 40 km en arrière de la frontière luxembourgeoise, se sont ébranlées vers l'ouest le 9 mai, à partir de 17 h ; personne ne soupçonnera de toute la journée du 10 mai qu'elles s'échelonnent sur plus de 120 kilomètres avec leurs 13 000 véhicules dont 520 chars et automitrailleuses, en direction de la Meuse et Sedan.

Il reste aussi que personne ne juge bon de donner l'ordre d'alerte avant 5 h 05 ; il parvient aux divisions proches de la frontière entre 5 h 15 et 5 h 30, quatre heures plus tard qu'en Hollande et en Belgique, au moment même où l'aviation allemande bombarde Calais et Dunkerque et où les sirènes hurlent sur Paris.

On avait prévu trois phases successives d'alerte : en raison de la surprise et du retard, on doit escamoter la première et la deuxième alerte. « Le fait a de l'importance dans une opération dont tous les détails avaient été réglés minutieusement et devaient se dérouler selon un véritable mécanisme d'horlogerie », devait expliquer le général Véron, sous-chef d'état-major de la IXᵉ armée. « La première et la deuxième alerte n'ayant pas eu lieu, il a fallu rechercher des unités qui étaient parties en manœuvres : d'où perte de temps ; la répercussion s'est fait sentir à tous les niveaux[4]. »

Encore l'alerte n'implique-t-elle pas l'ordre de mouvement : car le

---

1. SHAT 27N/10 et J. Minart, *P.C. Vincennes...*, t. II, pp. 99-100.

2. H. Koch-Kent, *10 Mai 1940 au Luxembourg...*, pp. 66-67, d'après Archen, lieutenant-colonel, *Missions secrètes au Luxembourg*, Paris, Éditions France Empire, 1969.

3. Le colonel Rivet, chef du S.R., avait averti le commandement deux mois plus tôt. Mais il ne semble pas que ses services aient apporté ensuite d'éléments de confirmation.

4. Commission Serre, p. 1287.

gouvernement a décidé en mars que l'ordre d'entrer en Belgique ne doit être donné qu'à la demande de Bruxelles. C'est seulement à 6 h 30 que Gamelin, averti enfin de l'appel du gouvernement belge[1], téléphone à Georges pour lui donner le feu vert :

« Alors, c'est la manœuvre Dyle ? lui demande Georges.

— Puisque les Belges nous appellent, voyez-vous que nous puissions faire autre chose, répond le général en chef[2]. »

L'ordre de mouvement atteint les divisions autour de 7 h. Les éléments de découverte se présentent à la frontière du Luxembourg entre 7 h 15 et 9 h 30, les avant-gardes de la 4e division légère de cavalerie entrent en Belgique à 9 h 30, les deux divisions légères mécaniques du général Prioux seulement à partir de 10 h, la 1re division de cavalerie à 11 h. Seul le général Giraud pousse très vite — trop vite dira-t-on — vers la Hollande. En fin de journée, les services allemands de renseignements s'étonneront — et se féliciteront — de la faible pénétration française[3] : le commandement français ne perçoit pas le prix du temps. Le gros des forces alliées, pour échapper aux bombardements, a reçu instructions de ne s'ébranler qu'à la nuit et arrivera exténué sur les positions prévues, juste à temps pour subir le choc ennemi. Une partie fait route à pied.

Mais Gamelin tient enfin la manœuvre qu'il attendait. Il ne semble plus se soucier des craintes qu'il exprimait huit mois plus tôt devant la perspective d'une bataille de rencontre. Il a confiance. On le voit arpenter le couloir voisin de son bureau en chantonnant d'un air martial.

Les beaux jours de mai

Par ce vendredi rayonnant, avant-veille de la Pentecôte, les troupes françaises qui entrent en Belgique sont, elles aussi, confiantes et pleines d'allant. Dans des unités d'infanterie, hier en proie à l'engourdissement et où dominait l'attente des permissions, le tonus s'élève soudain. « Un réveil », « un coup de fouet », notent les observateurs. La satisfaction d'entrer dans une période plus active se mue en enthousiasme à mesure qu'on avance : l'accueil de la population belge, l'espoir de voir la guerre se terminer au plus vite, la confiance dans le succès prochain balaient toutes les appréhensions. Pendant trois jours, la guerre est « fraîche et joyeuse ».

---

1. Le ministre belge des Affaires étrangères, en entendant peu après 5 h l'alerte et la D.C.A. sur Bruxelles, a voulu faire communiquer son appel à l'aide au gouvernement français. Impossible de joindre l'ambassade belge à Paris : les téléphonistes de la poste centrale de Bruxelles s'étaient réfugiés dans les abris. (E. Y. MELCHERS, *o.c.*, pp. 411 et 55).
2. GAMELIN, *Servir*, t. III, p. 389.
3. Général U. LISS, *o.c.*, p. 148.

Un sous-officier du génie de la 2e D.L.M. (Division légère mécanique) se souvient [1] :

> Nous avons franchi la frontière un peu après Onnaing. Au premier village, une foule immense de Belges nous attendait. Des centaines de poitrines criaient « Vive la France » et on nous jetait des fleurs, des bonbons, des cigarettes. Quand Le Floch, le chauffeur de la voiture, voyait un groupe de bras levés, il freinait et recueillait les cadeaux. Le plus souvent il disait aux donateurs de les faire passer aux camarades se trouvant dans l'arrière du camion. Cette journée en Belgique semblait une fête. Une fête à laquelle le soleil aurait décidé de participer, car je ne me souviens pas d'avoir vu une lumière aussi délicieuse. Les Belges nous disaient : « Maintenant que vous êtes là, il nous semble que la guerre est terminée. » Nous acceptions les compliments avec un air modeste, mais satisfait. Je n'étais pas le dernier à être fier d'être le Soldat français, celui qui rouspète toujours mais qui est invincible. Ma figure comme celle des copains, semblait dire : « Vous allez voir ça ! » Qui pouvait résister !

Toutes les correspondances traduisent la même exaltation : « Moral excellent, pas de notes pessimistes [2]. » Les 3 255 lettres de Bretons et de Vendéens de la 21e D.I. contrôlées les 11, 12 et 13 mai donnent le ton : ils sont partis d'Hazebrouck « pour tendre la main aux Hollandais », ils suivent la radio avec passion, ils approuvent toutes les mesures qui respirent l'énergie :

> Ces sentiments se font jour dans les régiments d'infanterie avec une ardeur plus passionnée, dans les unités d'artillerie et autres avec un calme plus réfléchi. Dans l'ensemble, la division paraît prête à affronter avec résolution l'épreuve qu'elle envisage à bref délai [3].
>
> Si vous saviez comme je suis confiant, comme je suis plein d'espoir [fantassin du 65e R.I., lettre à des amis].
> (...) Cette fois, c'est la guerre, la vraie, mais tant mieux car au moins on voit le bout de cette façon [*Id.*, lettre à sa femme].
> (...) Il fallait s'y attendre à ce dernier coup dur, vu le blocus, enfin moi je ne m'en fais pas, au contraire, car de cette façon on verra la fin plus vite [*Id.*].
> (...) Le moral est très bon, à côté de moi les copains font leur baluchon en chantant [*Id.*].
> (...) Tout le monde ici est remonté à bloc. L'émotion passée, je crois que les Bretons ont du cœur au ventre. Je ne suis pas fayot, les autres non plus, mais nous abattrons de leur viande avant de laisser la nôtre. Ici on n'est pas du pays du soleil [*Id.*].
> (...) Je sais bien que le bon pain est mangé. J'ai été autrefois en ligne, mais ce n'était pas trop grave. Ce coup-ci ce ne sera pas pareil. Ce n'est pas beau pour le moment. Que veux-tu, il faut du courage et avoir l'amour du pays [*Id.*].

---

1. Louis CROZET, « Ni obéir, ni commander, ni combattre. Souvenirs militaires d'un mobilisé de 1939 » (témoignage dactylographié, Archives IHTP).
2. G.Q.G., 2e Bureau, 2e section contrôle postal. Commission XA. Rapport d'ensemble mensuel n° 4, réf. 1509 pour mai 1940 (AN 2W/57).
3. Rapport particulier n° 2426 de la commission XA du 18 mai 1940 (AN 2W/57).

(...) On les aura ces vaches-là, et après on pourra respirer librement [*Id.* à ses parents].

C'est à qui célébrera l'accueil de la population belge :

(...) On nous donnait des paquets de cigarettes, des pommes, des oranges, des bonbons, du chocolat, beaucoup de saluts et des baisers. On nous criait : « Vive la France et les Français » [Ire D.L.M., 4e cuirassiers, lettre de soldat].

(...) Tu parles comme on a été reçu ; cigares, cigarettes et à boire tout le long du chemin. Voici un gosse qui m'apporte une bouteille de bière et en me la donnant, il crie : « Vive la France » [*Id*].

Au 4e et au 7e cuirassiers, le moral est au plus haut [1] :

(...) Tu vas voir que d'ici quelque temps ils vont prendre une purge qui les calmera pour longtemps.

L'exode et les mitraillages des civils attisent l'indignation :

(...) Les Boches sont d'horribles créatures. Il n'y a pas de mot pour qualifier leur barbarie sauvage. Nous sommes bien fatigués, mais ce n'est rien. Nous les écraserons. Les Boches sont la vermine de la civilisation.

(...) C'est bien triste de voir tous ces gens abandonner tout et partir. Les Boches sont plus barbares que jamais et mitraillent femmes et enfants et vieillards qui s'enfuient. C'est une honte et l'anéantissement de cette sale race sera un bienfait [10e génie, soldat à sa femme].

Les premiers accrochages avec les Allemands ne diminuent pas le :onus :

(...) Le moral est même meilleur qu'avant [*Id.*].
(...) Cette bande de salauds ont trouvé pour une fois à qui parler [10e cuirassiers, soldat à sa femme].

(...) Hier les Belges et les Hollandais reculaient vivement. Notre général Giraud prit le commandement de tous et les obligea à avancer et dit les Français sont là. Tout le monde avec les petits chars de chez nous ont repoussé les Allemands et avancent bien vite [4e cuirassiers, soldat à sa femme].
(...) J'ai eu pendant la nuit les blindés à un mètre et grâce aux autres ils n'ont pas résisté plus de cinq minutes, ça a fait une belle prise, trois blindés et un camion de ravitaillement [*Id.*].

Les premiers bombardements par avions sont bien supportés :

(...) Maintenant fini de dormir, la nuit est faite pour rouler, le jour pour se faire canarder. On n'est pas un quart d'heure sans voir ces sales oiseaux au-dessus de nous et nous arroser. Mais, tu sais, on se planque drôlement

---

1. Commission de contrôle d'armée XA, *ibid.*

dans les trous, c'est tout ce qu'on peut faire [7ᵉ régiment d'artillerie, soldat à sa femme].

(...) Le pire, c'est l'aviation, je t'assure que nous ne faisons pas longtemps pour nous cacher quand nous les entendons arriver [4ᵉ cuirassiers, maréchal des logis à sa femme].

On s'étonne et on déplore de ne pas voir plus d'avions de chasse français et anglais :

(...) Ce qu'il y a de bizarre, c'est qu'on ne voit ni avions français ni avions anglais. Cela fait qu'ils font ce qu'ils veulent au-dessus de nous [4ᵉ cuirassiers, soldat à ses parents].

Le réconfort est immédiat quand des avions français apparaissent et leur courage soulève l'admiration :

(...) Ce matin, 18 avions allemands sont venus au-dessus de nous, mais ils ont été attaqués par 3 avions français, j'aurais voulu que tu voies cela [soldat du 74ᵉ régiment d'artillerie à sa femme].
(...) Tu sais, ces jours-ci, les Boches étaient très forts, nos avions n'étaient ici qu'en petit nombre, mais aujourd'hui il y en a eu une grande quantité qui est arrivée [4ᵉ cuirassiers].
(...) Nos aviateurs sont vraiment de braves pilotes et font vite à nettoyer le ciel [*Id.*].

Le seul point noir, dans ces premiers jours de l'avance, serait l'insouciance excessive et le relâchement de la discipline de certaines unités d'infanterie et du génie qui croient encore à la « drôle de guerre ». Dans la nuit du 11 au 12 mai, l'ordre du réveil est donné à une compagnie de sapeurs de la classe 36, élément faible de la 1ʳᵉ division légère mécanique [1] :

Partir ? Mais il n'y a personne : tous les hommes sont allés se coucher dans les fermes ! Je parcours plus d'une heure les champs de blé en hurlant leurs noms.

Encore le 15 mai, à Charleroi, alors que les Allemands sont à quelques kilomètres :

Si on laisse les sapeurs sortir, ils iront au café ; ou il sera impossible de les retrouver, ou ils seront saouls. Les officiers décident de mettre une garde... Le sergent de semaine aborde un sapeur qui refuse de prendre la garde. Il en aborde un deuxième qui discute et refuse :
« Ce n'est pas mon tour de monter la garde ! »

Cas extrêmes, comportements qui seraient inimaginables chez les cuirassiers ou les dragons portés.
Et pourtant, l'euphorie et l'insouciance des divisions qui montent à la

---

1. L. CROZET, *o.c.*, pp. 23, 25, 128.

rencontre de l'armée la plus redoutable de l'histoire sont assez générales, assez visibles pour retenir l'attention de Daladier, venu le 12 en Belgique afin de mettre au clair les relations entre les commandements français, anglais et belge, et pour l'inquiéter[1].

> J'ai vu défiler en plein jour les divisions motorisées françaises, je les ai vues d'ailleurs, contrairement à tous les règlements, s'arrêter aux carrefours, s'arrêter sur les places publiques, j'ai vu les militaires français descendre les uns de leurs voitures, les autres de leurs chars et de leurs automitrailleuses et fraterniser avec la population belge.
> Je n'ai pas vu d'avions dans le ciel : le ciel était vide d'avions.

Précisément, la veille, à 15 heures, le général Prioux, qui commandait le corps de cavalerie, avait écrit au général Billotte, commandant du premier groupe d'armées, qu'à son avis les conditions stratégiques du mouvement en Belgique n'étaient pas réalisées et qu'il était nécessaire d'en revenir à la défense sur la ligne de l'Escaut : Billotte a confirmé la « manœuvre Dyle ».

Daladier se garde de peser sur les décisions de l'État-Major. Mais il est d'autant plus sensible à ce qu'il voit qu'une inquiétude point obscurément dans l'esprit de cet homme anxieux :

> J'avais à ce moment [au soir du 12 mai] une sorte d'intuition, fondée sur cette absence d'escadrilles allemandes, que peut-être l'État-Major était tombé dans un piège.

---

1. CEP, I, pp. 61-62.

2

10 mai 1940 :
aux prises avec la cinquième colonne
sur le front du Luxembourg

10 mai 1940, 7 h 15 du matin : devant les barrières douanières qui ferment le territoire luxembourgeois à l'orée de la petite ville minière et industrielle d'Esch-sur-Alzette, une colonne motorisée française, une des toutes premières à passer à l'action, s'ébranle en direction de Luxembourg. De 7 h 15 à 9 h 30, entre Longwy à l'ouest et Thionville à l'est, six colonnes françaises vont ainsi franchir la frontière luxembourgeoise : elles vont, dès ce premier jour, se mesurer avec l'ennemi et, les premières, connaître l'échec.

Elles font partie de la 3e division légère de cavalerie du général Petiet, ancien commandant de Saumur. Cette grande unité, forte de 15 000 hommes et en partie motorisée, est combative et solidement encadrée ; sa mission, depuis longtemps fixée, est de s'avancer aussi rapidement que possible sur un front de 40 km jusqu'au nord de Luxembourg, de bousculer les éléments légers ennemis rencontrés et de retarder la progression allemande, puis de se replier sur la ligne Maginot, après avoir fait sauter huit ponts de chemin de fer, dont celui de Luxembourg, quatre grands transformateurs, trois centraux téléphoniques et dirigé le matériel ferroviaire sur la France.

Les états-majors et une partie des cadres de la division savent déjà que des événements sérieux se déroulent au Luxembourg : un inspecteur général de la S.N.C.F., Lagnace, arrivé en taxi à 4 h 30 à la frontière, venant de Luxembourg, a donné l'alerte au secteur français : il a rapporté qu'on se battait dans la capitale et qu'à Esch « s'entendaient des tirs provenant des toits de certaines maisons » ; à 5 h 30, le chef de la gendarmerie de Differdange, au Luxembourg, a téléphoné à son collègue français d'Hussigny que des Allemands aéroportés venaient d'être déposés à Aessen ; le réseau téléphonique des chemins de fer luxembourgeois a signalé un atterrissage à Bettembourg à 12 km de la frontière. Entre 6 et 7 h, les douaniers luxembourgeois d'Esch ont ouvert plusieurs fois les barrières pour laisser sortir une cinquantaine de voitures de réfugiés affolés, parmi lesquels les enfants du couple grand-ducal. Le ministre de France, les fonctionnaires et agents français, les membres du gouvernement qui se sont échappés par les postes frontières ouest du Luxembourg, entre Pétange, Rodange et Longwy, apportent des renseignements plus officiels : le ministre de France n'a échappé que de peu aux Allemands. La grande-duchesse ne passera qu'à 7 h 45 la frontière à Rodange, au moment où les Allemands occupent la gendarmerie de la localité.

La cinquième colonne frappe

Les événements qui se déroulent le 10 mai à Esch-sur-Alzette ne sont qu'un épisode local dont la chronique s'emparera. Ils sont sur le moment stupéfiants, mais rétrospectivement significatifs à plus d'un titre.

La colonne motorisée française qui s'ébranle donc à 7 h 15 est précédée de deux pelotons motocyclistes sur side-cars et de trois automitrailleuses Panhard. Le moral est excellent. Soudain l'imprévu surgit : au moment où le détachement atteint la barrière de douane luxembourgeoise fermée, il est accueilli par des feux de mitraillettes semblant partir des usines qui dominent la douane.

Laissons la parole aux acteurs[1] :

> Les motocyclistes se jettent à terre — la position est délicate, la colonne est dans un défilé, coincée entre les crassiers et des murs et sur cette route pas un abri, sauf les fossés, heureusement profonds.
>
> Déjà les premiers blessés refluent vers la douane française. Si on ne sort pas de là dans les minutes suivantes, c'est l'échec avant la bataille.
>
> Quelques ordres rapides — un groupe de motocyclistes sort des fossés et escalade les murs des usines. La cinquième colonne peu nombreuse ne tient pas et l'on aperçoit quelques hommes, en civil, refluer par les fenêtres vers l'intérieur de la ville.
>
> Les motocyclistes se précipitent vers la barrière de la douane et réussissent à l'ouvrir. Les blindés poussent alors hardiment vers la gare. Les dragons progressent à pied, l'œil sur les fenêtres d'où partent des coups de feu et des rafales de mitraillettes.
>
> Les motocyclistes se ruent vers les « maisons fortes », les visitent et redescendent sans rien trouver. Cette lutte de rues où l'on est fusillé par-derrière est exaspérante. Les hommes s'énervent et tirent maintenant dans toutes les fenêtres douteuses. Les Luxembourgeois sont la plupart dans la rue ou sur le bord des routes et regardent sans réflexion ou réaction. Ces braves gens gênent considérablement les troupes. Comment distinguer au milieu d'eux les nazis déguisés qui tirent, disparaissent et réapparaissent un peu plus loin.
>
> Hélas, beaucoup de coups auront malheureusement porté.
>
> *8 h 30*. Enfin, la place de la gare est atteinte, on reprend son calme. Les rues sont larges et les blindés vont pouvoir enfin agir. Il faut songer à tenir

---

1. Journal de marche du 2ᵉ dragons (SHAT 34 N/470). Ce journal, reconstitué plus d'un an après les événements, a été publié en 1954 par Ch. A. de GONTAUT-BIRON sous le titre *Les Dragons au combat* avec une préface du général Petiet.

la partie de la ville prise, à regrouper les éléments épars et surtout à nettoyer les rues en obligeant les habitants à rester dans les maisons et à fermer leurs volets.

Jusqu'ici, les dragons n'ont pas vu un uniforme allemand. Le combat de rues, de maison en maison, s'est déroulé contre des gens en civil, dont très peu ont été surpris une arme à la main et cela au milieu d'une population hébétée de 28 000 habitants qui s'affolent et tournent en rond.

Bientôt, les patrouilles blindées parcourent les rues, essuyant toujours le feu des fenêtres et soupiraux, mais les gens rentrent et les fenêtres se ferment. Il est à peu près 9 h.

On étouffe dans cette ville d'usines où chaque bastion est une souricière...

Pendant ce temps, le détachement de découverte de la colonne a poursuivi vers le nord, le long de la rue principale parmi les acclamations de la population[1]. Écoutons le lieutenant Rouzée qui commande ce détachement, lui aussi paie son tribut à la cinquième colonne :

> Sur la place de l'hôtel de ville, la foule est dense, mais déjà quelques coups de feu partent des fenêtres, qui obligeront plus tard à un nettoyage minutieux des maisons.
>
> Le détachement de découverte parvient à la sortie nord en direction de Dudelange, quand il se heurte à une barricade au pied de laquelle se trouve un groupe de civils qui l'acclament et l'encouragent à passer outre aux cris de « Vive la France ». Le maréchal des logis Garnier, chef de la première automitrailleuse, trompé par ces exhortations tapageuses, s'engage dans la chicane ; il saute avec sa voiture sur une mine camouflée dans la barricade.
>
> Aussitôt, des maisons environnantes, part un feu nourri de mousqueterie et d'armes automatiques qui arrête le peloton moto, en même temps que la seconde voiture blindée est prise sous le feu d'un canon antichar dissimulé sur un mamelon à l'est de la ville.
>
> Il est alors 8 h 10 et le détachement a déjà des pertes sensibles : une voiture détruite, deux tués, deux blessés.

Une patrouille automitrailleuses-motos tente de déborder la barricade par la droite ; un groupe de trois chars Hotchkiss essaie de la prendre à revers par la campagne : deux d'entre eux s'embourbent puis leurs chenilles endommagées par un antichar se retirent. Tous les éléments de découverte sont bloqués dans un goulet : ils attaquent la barricade de front à 8 h 45, puis de nouveau à 11 h. Sans succès. Le peloton aura perdu là le tiers de son effectif. Vers midi, les Allemands se replient, mais pour se regrouper un kilomètre au nord, derrière le crassier de la cimenterie d'Esch :

> L'ennemi était là avant nous avec des moyens très supérieurs, très aidé par les nombreuses formations de la cinquième colonne d'Esch qui continuaient de tirer sur tous les hommes isolés et sur nos agents de transmission moto[2].

1. Rapport du lieutenant Rouzée sur les combats à Esch, 3ᵉ régiment d'automitrailleuses (SHAT 34 N/509). L'épisode est également raconté dans le livre du docteur André SOUBIRAN, *J'étais médecin avec les chars*, Paris, SEGEP, 1950.

2. Ch. A. GONTAUT-BIRON, *o.c.*

La colonne française n'ira pas plus loin. Déjà des éléments ennemis se sont infiltrés dans les hauteurs boisées qui dominent la ville vers l'est, d'où ils tirent à la mitrailleuse sur la route et la place de la Gare. La hantise de la trahison s'étend. Le maire demande à évacuer la population durement bombardée vers la France : le commandement, convaincu que de nombreux groupes de la cinquième colonne risquent d'attaquer ses troupes sur leurs arrières, envisage d'abord de n'autoriser que l'exode des femmes et des enfants ; finalement, l'autorisation est donnée pour tous : à la tombée de la nuit, 15 000 habitants d'Esch refluent dans la bousculade vers la France, 500 autos mêlées aux piétons qui poussent charrettes, brouettes, voitures d'enfants, vélos, chargés de sacs et de valises, flanqués de leurs chiens[1]. Les officiers français se demandent combien d'espions se cachent dans cette foule, combien d'éléments de la cinquième colonne.

> Le reste de la nuit se passe en petits combats de rues : les nazis, toujours dans les maisons, tirent sur tout ce qui bouge[2].

Une hantise pour les combattants

À l'ouest d'Esch-sur-Alzette, les choses ont mieux tourné. La première brigade de spahis du colonel Jouffrault a débouché : elle a occupé la ville de Differdange et les villages voisins, enlevé le piton du Zollverknapp, poussé de 15 km ; les spahis ont grièvement blessé le général Behlendorff, commandant la 34e division allemande, qui a voulu rejoindre ses avant-gardes, et ont capturé sa voiture. Les cadres qui entraînent cette superbe unité nord-africaine ont la fougue des cavaliers de 1914 ; le lieutenant de Cassin, vedette des concours hippiques, trouve la mort en conduisant une charge à cheval. La brigade, après deux jours de succès, ne se repliera que sur ordre, ramenant 96 prisonniers et 2 mitrailleuses allemandes, mais elle comptera 94 tués, dont 4 officiers, et 85 blessés ; elle se retrouvera jusqu'au 24 juin à tous les points chauds de la bataille de France[3].

Or son chef, le colonel (plus tard général) Jouffrault, n'aura pas eu plus de doute que les officiers engagés à Esch sur les ennemis que ses

1. MELCHERS, *o.c.*, pp. 443-444.
2. Ch. A. GONTAUT-BIRON, *o.c.*
3. Partout, elle se distingue par son esprit offensif poussé jusqu'à l'héroïsme aussi bien que par sa résistance acharnée dans la défensive, au milieu de troupes qui se débandent. On la retrouve le 13 mai à Longwy, le 15 sur l'Aisne à Sissonne, en juin sur la Somme, sur la basse Seine, puis sur la Loire. Le 24 juin, le colonel Jouffrault adresse à ses hommes un ordre du jour ainsi conçu : « Les hostilités ont cessé ce matin à minuit trente. L'armistice qui scelle notre défaite est signé. C'est une humiliation que la 1re brigade de spahis n'avait pas méritée. » Promu général et versé dans le cadre de réserve, Jouffrault allait devenir chef d'état-major de l'armée secrète. Il mourut le 5 juin 1944, la veille du débarquement allié, au camp d'extermination du Struthof.

hommes ont eu à affronter. Pour ce combattant indomptable, futur martyr de la Résistance, la présence des Allemands à la frontière luxembourgeoise *avant les Français* au matin du 10 mai de même que l'échec et le repli général de la division Petiet le 11 au soir ont une explication et une seule : la cinquième colonne.

Dans le livre qu'il rédigera, après l'armistice, à la gloire des spahis [1], il parlera

> d'agents allemands nombreux et implacables et (de) groupes francs d'effectifs considérables (...) Les spahis se sont heurtés à de nombreuses résistances de groupes francs et de civils armés.
> La tâche de la compagnie cycliste Sillègue (à Differdange) est ardue : on arrête de nombreux suspects ; mais les efforts de la compagnie ne pourront arriver à paralyser complètement le groupe franc de l'agglomération qui compte plus de 800 francs-tireurs.

Et de conclure :

> On a la confirmation d'une véritable inondation du pays par des parachutistes, par des détachements débarqués d'avions et également par des unités motocylistes très nombreuses : tout ce personnel a trouvé sur place un armement antichar (canons de fort calibre jusqu'au 77), camouflé chez des habitants pro-allemands, des munitions et une énorme quantité de mines.

L'accusation sera confirmée par le journal de marche et d'opérations de la division et par le général Petiet lui-même dans son journal personnel [2].

À Longwy de même, si l'on en croit les souvenirs de Pierre Ordioni [3], alors lieutenant au 227ᵉ d'infanterie, la cinquième colonne est dans la place. « Il s'agit de partisans politiques dotés, en temps de paix, de consignes, d'armes et de matériel de transmission selon un *timing* réglé à l'avance, agissant individuellement pour organiser des missions précises ou se groupant en organisations militaires pour appuyer, sur les arrières, l'action de l'armée régulière défaillante. »

Les officiers de son régiment se confient des informations troublantes [4].

1. Général JOUFFRAULT, *Les Spahis au feu*, pp. 42-45.
2. SHAT 32 N/482.
3. Pierre ORDIONI, *Commandos et cinquième colonne en mai 1940 : la bataille de Longwy*, Paris, Nouvelles Éditions latines, 1970, pp. 81-85, 234 et ss. Cet ouvrage, publié en 1970, a suscité une très vive réaction au Luxembourg et en Lorraine et a donné lieu à une question écrite à l'Assemblée nationale le 18 février 1971.
4. Le sergent-chef Ropiteau du 227ᵉ R.I., qui sera tué le 20 juin devant Toul, fait part à sa famille, dans une lettre du 14 mai, de « l'infernal banditisme des espions et des francs-tireurs allemands qui nous mitraillaient de tous côtés, à bout portant : tout cela nous a obligés de céder » (cité par P. ORDIONI, *Le Pouvoir militaire en France, o.c.*, p. 437).

Au contact de la position avancée de Longwy, les touristes allemands qui ont précédé les gros, et même les parachutistes, sont à pied d'œuvre depuis trois jours et déterrent maintenant uniformes, équipement et armes.

Le récit que fait Ordioni des combats de Longwy montre bien le sentiment d'insécurité ambiant :

Une rafale part dans notre dos : il y a décidément tout un réseau installé au milieu de nous. Ma tension d'esprit est telle que j'en ai des crampes.

À 2 h 30, au milieu des fusées éclairantes, monte du bois de Chadelle une fusée codée identique qui, une minute plus tard, s'ouvre comme une fleur au-dessus de la Redoute. (...) Des éléments infiltrés procèdent au harcèlement des défenseurs de la citadelle (...)

3 h : nous apprendrons que l'infanterie allemande a attaqué et rejeté notre 10e compagnie sur Gouraincourt, cité et complexe industriel singulièrement propices aux infiltrations et où sévit déjà un corps franc de la cinquième colonne (...) Tout paraît suspect.

Ainsi, sans aller toujours jusqu'à imputer à la seule cinquième colonne l'échec de la manœuvre française au Luxembourg ou la perte de Longwy, le commandement local est formel :

La lutte engagée sur un très vaste front est rendue plus difficile par la présence, à l'intérieur de nos lignes, de très nombreux francs-tireurs allemands, armés de mitraillettes et de grenades, disposant parfois de side-cars : ils assaillent nos isolés, nos estafettes, les P.C., les voitures de ravitaillement.

La lutte se complique, à l'arrière, de perquisitions chez les suspects, d'arrestations, de poursuites dans les maisons et les ruelles qui provoquent une grosse émotion dans la population[1]...

La clef de l'énigme

Or, il est avéré aujourd'hui, en dépit de ces assertions, qu'aucune cinquième colonne n'a jamais participé aux combats du Luxembourg. Comme dans le cas des prétendues révélations de Radio Stuttgart et des poussées d'angoisse qui les ont accompagnées, une partie des cadres et des soldats français a été la proie d'un phénomène conjugué d'intoxication psychologique et d'autosuggestion.

On peut tenir pour assuré qu'il n'y a eu, dans la zone des combats, aucune participation militaire directe de la population civile, aucun franc-tireur, aucun dépôt préalable d'armes ou d'uniformes, aucune organisation d'accueil ou de pilotage des troupes allemandes et que l'aide ou les renseignements fournis occasionnellement à des unités

1. Général JOUFFRAULT, *o. c.*

allemandes ont été sans commune mesure avec ceux dont ont bénéficié partout les troupes françaises[1].

La clé de l'énigme, nous la possédons grâce à deux enquêtes menées au Luxembourg avec un souci rigoureux d'impartialité au cours des années 1960[2] et dont les conclusions sont corroborées par l'analyse des documents des archives militaires allemandes et de l'Abwehr.

Deux facteurs ont joué : les procédés tactiques déroutants que les Allemands ont mis au service de la stratégie de la guerre éclair et l' « impressionnabilité » de la population luxembourgeoise et des troupes françaises engagées.

L'état-major de la Wehrmacht, pour que réussisse son plan qui visait à rompre le front français entre Sedan et Namur, avait besoin de lancer, d'est en ouest vers la Meuse, par la voie la plus courte, c'est-à-dire par le Luxembourg, tout le corps blindé du général von Kleist et vingt divisions d'infanterie qui devaient disposer, sans délais et sans obstacles, de tous les itinéraires de traverse du grand-duché ; le plan était risqué : il impliquait une mainmise immédiate sur le Luxembourg entier, ce qui supposait de clouer la division Petiet sur la frontière française.

À cet effet, deux ensembles d'opérations sans précédent furent lancés dans la nuit du 9 au 10 mai[3].

Un premier ensemble de coups de main dirigés principalement contre les postes de garde luxembourgeois à la frontière allemande avait été préparé par la deuxième section de l'Abwehr que dirigeait le colonel von Lahousen. Une douzaine d'équipes de soldats silésiens du bataillon dit des opérations spéciales, soigneusement entraînés, s'infiltrèrent clandestinement au Luxembourg dans la soirée du 9 et, pour la plupart en tenue civile, tentèrent de s'emparer des énormes portes blindées qui bloquaient les accès routiers et ferroviaires du pays, ou de se les faire ouvrir sous la menace ; ils s'employèrent d'autre part à détruire les câbles téléphoniques et télégraphiques vers Luxembourg et la France. Ces coups de main, exécutés à partir d'une heure et demie du matin, conduisirent à des heurts sanglants avec des gendarmes qui purent informer à mesure leur gouvernement.

En même temps, neuf groupes de deux à quatre hommes en civil, venus presque tous d'Allemagne et téléguidés également par l'Abwehr, prenaient position sur l'itinéraire que devait suivre la 1ʳᵉ Panzerdivision blindée de Guderian, afin d'empêcher la destruction des ponts par des

---

1. Ce qui n'est pas contradictoire avec le fait que des Allemands résidant au Luxembourg et une minorité de Luxembourgeois aient eu des sympathies pour le nazisme et que certains aient renseigné auparavant le S.R. allemand.

2. Qui ont donné lieu aux deux ouvrages fondamentaux du lieutenant-colonel MELCHERS : *Kriegschauplatz Luxemburg* et d'H. KOCH-KENT : *10 Mai 1940 au Luxembourg*.

3. Sur le détail de ces événements, cf. le livre du lieutenant-colonel MELCHERS qui analyse les documents et témoignages allemands, notamment pp. 247, 253 et 298 et suivantes.

saboteurs français ou pro-français. Plusieurs de ces équipes se heurtè-rent, elles aussi, à des patrouilles de gendarmes[1].

L'intervention brutale de ces équipes en treize lieux de la frontière germano-luxembourgeoise et dans quelques localités de l'intérieur donna au gouvernement grand-ducal l'impression d'un vaste mouvement de subversion, impression aussitôt partagée par les diplomates et fonctionnaires informés et répercutée par ceux-ci à leur arrivée en France[2]. La rumeur fut d'autre part propagée et amplifiée dans le pays et jusqu'à la frontière française grâce aux circuits téléphoniques des chemins de fer, de la gendarmerie et des douanes.

Le second ensemble d'opérations qui a accrédité la version d'une cinquième colonne omniprésente est l'intervention fulgurante de com-mandos aéroportés à proximité immédiate de la frontière française, opérations inimaginables pour les officiers du général Petiet ! Dans un premier temps, cinq groupes de vingt-cinq hommes, munis de fusils-mitrailleurs, de fusils antichars, de mines antichars et de grenades furent déposés à l'aube du 10 mai en arrière de la frontière franco-luxembour-geoise, afin de tenir chacun un carrefour, sur les cinq principales routes qui, du sud au nord, conduisent à Luxembourg. La Wehrmacht possédait de petits avions, les Fieseler-Storch, capables de transporter trois hommes et aptes à se poser et à décoller sur un très court espace : par ordre personnel de Hitler, cinq de ces avions avaient été affectés à chacun des cinq commandos, qu'ils devaient déposer en trois aller et retour.

Les premiers groupes de trois hommes atterrirent à 5 h du matin, bloquèrent la circulation, posèrent des mines ; la seconde vague arriva à 6 h. Ce sont ces équipes qui manquèrent de peu d'intercepter le ministre de France, puis la voiture de la grande-duchesse et celle des enfants princiers.

À 6 h également, quatre sections de motocyclistes franchissent la Moselle, chacune avec une mitrailleuse lourde et un canon antichar et foncent sur les routes du Luxembourg vers la frontière française : à 6 h 30 les deux premières donnent la main aux commandos aéroportés d'Esch-sur-Alzette et de Dudelange ; les deux dernières sections seront en position avant 8 h à Rodange et à Pétange, 2 km au nord de Longwy.

1. Les participants de nationalité luxembourgeoise semblent s'être limités à neuf membres d'un groupe de jeunesse pro-nazie, qu'un de leurs affidés avait d'ailleurs dénoncés à la police dans l'après-midi ; la ferme isolée de Felsmühle à 5 km de la Moselle, gérée par un Allemand, avait été désignée comme lieu de rassemblement de ces commandos.
2. Le témoignage du diplomate Tarbé de Saint-Hardouin, qui était en poste à la légation de France est typique : « La cinquième colonne a surgi vers 1 h ou 1 h 30 du matin dans les rues de Luxembourg, s'est emparée notamment de la poste et dans la campagne a pris possession de certains points où devaient avoir lieu les parachutages » (CEP, p. 1532). L'apparition de la cinquième colonne dans la ville de Luxembourg est purement imaginaire.

Des renforts de mitrailleuses et de canons antichars suivront en camion.

Si les avant-gardes françaises s'étaient ébranlées à 6 h, elles auraient trouvé les cinq routes de Luxembourg encore libres ou presque. À 7 h 15 ici, à 8 h là, les Allemands les tenaient.

Nous savons, avec une égale précision, ce qui, du côté allemand, s'est passé à Esch ; tout a été minutieusement préparé et répété. Un lieutenant du nom d'Oswald a été déposé par avion Storch, à 5 h du matin ; bientôt renforcé par une section de mitrailleurs motocyclistes qui portent son effectif à quarante hommes, il installe ses hommes sur les deux crassiers de la cimenterie d'Esch, à la sortie nord de la ville ; ces remblais hauts de 5 à 10 m forment un rempart de 500 m de long, de part et d'autre de la route d'Esch à Luxembourg. Photographiés par la Luftwaffe, ils ont été reconstitués en Allemagne au moyen de sacs de sable ; Oswald et ses hommes se sont exercés plusieurs semaines à en organiser la défense. Ils dressent une barricade sur la route entre les deux remblais du crassier : c'est là que viendra mourir l'avance française.

Comme rien ne s'annonce, Oswald et une partie de ses hommes entrent dans Esch et y établissent, à un étranglement, une barricade avancée faite de trois véhicules renversés : le détachement Rouzée butera ici. Rien n'étant encore en vue à 7 h, Oswald, avec trois hommes, s'empare d'une voiture luxembourgeoise et fonce vers le sud pour reconnaître le terrain jusqu'à la frontière : il s'engouffre dans le poste de douane, juste à temps pour apercevoir le premier peloton motocycliste français qui s'ébranle : il lâche dans sa direction des rafales de mitraillettes qui sèment le désarroi qu'on a vu et, dans la confusion générale, fait demi-tour avec sa voiture pour s'embusquer près de la barricade avancée derrière laquelle un premier canon antichar est mis en position.

Naissance du mythe

Pas l'ombre de cinquième colonne en tout cela. Pourtant l'idée prend corps instantanément : certains des officiers qui entrent au Luxembourg ont été touchés par les rumeurs que propagent les réfugiés, les douaniers et les gendarmes luxembourgeois. Ils sont prédisposés à la crédulité par les campagnes contre la cinquième colonne que la presse française mène depuis des mois ; ils sont traumatisés depuis avril, comme le sont toutes les populations de l'Europe occidentale, par le débarquement allemand à Oslo et par le rôle attribué au traître pro-nazi Quisling[1]. Ont-ils eu de surcroît connaissance du bulletin de renseignements du 2e Bureau du 7 mai, qui a diffusé dans une partie de l'armée des précisions effrayantes

---

1. Cf. le livre de L. de JONG, *The German Fifth Column in the 2nd World War*.

sur la tactique allemande et l'emploi des parachutistes en Norvège[1] ?

Ils entrent dans un pays germanique, naturellement suspect à leurs yeux ; à Esch, les rafales de mitraillettes qui les accueillent dès la frontière confirment leur méfiance et, à mesure qu'ils progressent, les fusillades qu'eux-mêmes alimentent accroissent leur énervement ; quand ils butent sur la première barricade, comment imagineraient-ils que quarante soldats allemands seulement (qui, il est vrai, seront bientôt beaucoup plus), bloquent leur avance et font régner l'insécurité dans la ville ? Devant un mode de combat urbain inédit[2], fait d'embuscades, d'infiltrations et de harcèlement, les troupes sont désorientées : toutes les règles du jeu semblent violées. La lourdeur manœuvrière d'unités excellentes, mais rivées à la route, leur difficulté à s'adapter instantanément à une situation imprévue, l'incertitude devant l'incompréhensible les ralentissent et, dans quelque cas, les paralysent. Elles croient avoir à faire à un ennemi partout en place qui domine la situation grâce au soutien armé d'une partie de la population. « Un jeu de chat et de la souris », rapporte un officier : ce sera vrai le second jour, quand les Allemands auront jeté de gros renforts dans la mêlée. Mais dès le 10 mai, la hantise de la cinquième colonne — une cinquième colonne fantôme — a manifestement handicapé les unités engagées.

Autant on a scrupule à mettre en doute les témoignages d'hommes de qualité dont certains ont donné leur vie pour leur pays, autant l'examen des faits aujourd'hui connus oblige à conclure que les cadres d'une division ont cédé à une intoxication mentale collective. Nulle part les documents et témoignages français ne révèlent autre chose que des rumeurs ou l'interprétation préconçue d'une réalité militaire trop déroutante pour être clairement admise : très vite ces rumeurs ont acquis l'autorité d'un mythe — d'un mythe qui investit les Allemands de pouvoirs redoutables et atteste le trouble jusque dans les âmes les mieux trempées[3].

1. Le bulletin de renseignements du 2ᵉ Bureau diffusé le 7 mai au moins aux divisions et régiments de la VIIᵉ armée affirme que « les Allemands auraient 1 100 avions de transport pouvant transporter 16 000 hommes et des obusiers de 105 ; ils auraient au moins 5 000 parachutistes en bataillons de 550 hommes, puissamment armés ». « L'occupation de l'aérodrome d'Oslo s'est faite par atterrissage d'avions au rythme de 5 par seconde ; 3 000 hommes ont débarqué en une heure. » « Une compagnie de parachutistes saute de 100 m au maximum et peut être rassemblée avec ses armes en un quart d'heure. »
2. Le colonel Dutailly m'indique qu'à sa connaissance, au cours des années précédant la guerre, une seule étude sur le combat moderne dans les agglomérations a été publiée dans une revue militaire française. Il s'agissait de la revue de la gendarmerie et de la traduction d'un article allemand.
3. On ne relève pas un seul fait à la fois probant et précis sur l'action de la cinquième colonne dans les comptes rendus rédigés le soir même des opérations par les petites unités qui étaient pourtant les mieux placées pour observer et rendre compte. Si le Journal de marche et d'opérations de la division Petiet mentionne, à la date du 10 mai, l'arrestation de 25 civils suspects, rien n'indique que ceux-ci aient alors joué le moindre rôle et il est clair que 12 d'entre eux n'en ont joué aucun. Pas un document émanant de témoins oculaires ne

De l'intoxication à l'autojustification

En vingt-quatre heures, l'intervention déterminante de la cinquième colonne s'accrédite officiellement. Dès le 11 mai, une note d'information signée du général Prételat en répand la nouvelle dans la IVe armée [1] :

> La IIIe armée s'est heurtée, dès le franchissement de la frontière, à des éléments suspects déjà en place et utilisant des armes stockées par les Allemands grâce à des complicités locales.
> Certains dépôts d'armes découverts par nos troupes paraissaient destinés également aux éléments réguliers ennemis débarqués d'avion.
> Plus que jamais, il importe que l'attention de tous soit attirée sur une méthode déjà pratiquée en Norvège et en Pologne et qu'une surveillance stricte soit exercée dans toute la profondeur de la zone des armées sur les civils dont l'attitude peut être suspectée et qu'il conviendrait de mettre hors d'état de nuire à bref délai.

Quand, le 11 mai au soir, il faut se replier sur la ligne Maginot, le mythe de la cinquième colonne au Luxembourg apporte non plus seulement une explication, mais une autojustification : consciemment ou inconsciemment, il sert d'alibi — pour ne pas dire de camouflage — aux insuffisances et aux défaillances : car celles-ci, dans un tel climat d'insécurité, n'ont pas manqué. Si dans les secteurs centraux, les troupes se sont remarquablement comportées, comment taire que lors du franchissement de la frontière devant Differdange, le 10 au matin, les pelotons de sapeurs chargés de déblayer les obstructions luxembourgeoises, en avant des fortifications françaises, ont fait défaut et que ce furent des cheminots et des ouvriers civils français et italiens qui frayèrent la voie aux motorisés [2] ? Qu'à l'est comme à l'ouest du front, les détachements français ont été paralysés ? Que, dès le 10, les Allemands ont enlevé en plein territoire français, près de Thionville, grâce à un coup de main hardi et longuement préparé, le piton du Stromberg où ils ont fait 180 prisonniers ? Enfin, que la chute de Longwy a été peu glorieuse : le 204e d'infanterie et des éléments du 227e ont vaillamment combattu, mais comment justifier qu'ailleurs des sections se soient débandées ? Comment expliquer que la chute de la position, vite encerclée et bientôt impossible à tenir, ait coûté à la 58e division 76 tués, dont

---

fait état de la découverte d'un dépôt d'armes ou de l'arrestation de civils armés. La nouvelle, répandue dès le 10 ou le 11 mai, selon laquelle les premières vagues de soldats allemands étaient déjà sur place en civil et auraient revêtu à l'heure H des uniformes stockés dans la zone frontière, ne résiste pas à l'examen ; pas davantage, l'affirmation, lancée ultérieurement, selon laquelle un escadron du 3e R.A.M. (régiment d'automitrailleuses) fit prisonnier à lui seul une douzaine de Luxembourgeois en civil, mais casqués et portant un brassard hitlérien.

1. SHAT 29 N/197.
2. Général JOUFFRAULT, o.c., p. 31.

11 officiers, et 208 blessés, mais 452 disparus, c'est-à-dire 452 prisonniers ?

Tout compte fait, pourtant, l'échec français au Luxembourg et à Longwy, total et irrémédiable en l'espace de trente-six heures, a été dû beaucoup moins à la surprise, qui a été forte, ou à des défaillances locales qu'à des causes plus graves qui étaient les choix stratégiques du commandement : l'armée française s'étant laissé devancer sur la frontière même, il lui aurait fallu, pour agir dans le grand-duché, réunir des moyens autrement importants que les 15 000 hommes de la division Petiet, engagés par tronçons sur un front de 40 km. L'enjeu le méritait, mais cet enjeu, le commandement français ne l'avait pas perçu : dans un secteur jugé secondaire, il n'avait jamais envisagé plus qu'une action limitée de retardement. Il a, ainsi, sans même le soupçonner, laissé le Luxembourg et l'Ardenne ouverts aux divisions blindées de Kleist qui fonçaient vers Sedan.

Du moins, cet échec si largement attribué à la cinquième colonne laissait à notre État-Major bonne conscience. L'intervention de la cinquième colonne suffisait d'autre part à le justifier devant l'opinion publique : trois grands journaux parisiens furent autorisés à publier des comptes rendus terrifiants des combats au Luxembourg qui contribuèrent à répandre la psychose de la cinquième colonne dans les régiments montant en renfort et dans les populations du Nord[1].

L'intoxication persista une quinzaine de jours, propagée par l'incompréhensible ubiquité des troupes allemandes. Elle culmina avec le bulletin de renseignements diffusé le 24 mai à toutes les unités de la VIIe armée sous la signature du chef d'état-major du général Frère[2] : la crédulité y confine au délire. Quel a dû être le désarroi des rédacteurs pour ne pas se rendre compte que leurs « renseignements » étaient les plus propres à encourager l'esprit de panique :

> Dans certains cas, l'ennemi a lancé, presque en même temps que le bombardement des premières lignes, des parachutistes dans les lignes d'arrêt. Les parachutistes se forment aussitôt en deux groupes :
> — *1er groupe :* armé de mitraillettes, tire dans le dos des défenseurs ;
> — *2e groupe :* abandonnant les combinaisons de vols, les hommes apparaissent revêtus d'uniformes français (officiers, soldats) sans armes. Ils se répandent dans les arrières, batteries, etc., donnent des ordres de retraite et le signal du sauve-qui-peut.
> Dans le cas où le 1er groupe est contre-attaqué, les servants de mitraillettes abandonnent leurs armes et opèrent comme les hommes du 2e groupe, cherchant à provoquer la panique.

Est-il besoin de le rappeler, les Allemands n'ont jamais employé de parachutistes au cours de la campagne de France.

---

1. Voir l'article paru dans *Le Matin,* t. I, p. 547.
2. SHAT 29N/362. La VIIe armée, qui revient en désordre de Hollande, a largement bénéficié des rumeurs véhiculées par les civils belges dans leur exode ; elle est spécialement accessible aux fables sur la cinquième colonne.

3

Le 13 mai à Sedan
ou l'échec sans mystère

L'alerte

L'infanterie chargée de la défense de la Meuse dans le secteur de Sedan a été alertée le 10 mai à 10 h ; elle a abandonné ses cantonnements et ses travaux de bétonnage pour occuper ses positions de combat. En hâte, on approfondit les tranchées, on entasse les sacs de terre dans les ouvertures des fortins inachevés, on y installe tant bien que mal des armes automatiques, on dégage les champs de tir. L'artillerie lourde avance vers les emplacements prévus. Pendant ce temps, la 5ᵉ division légère de cavalerie fait mouvement vers le nord, en Belgique, afin de retarder l'ennemi : normalement, celui-ci ne devrait pas déboucher sur la Meuse avant le 15 mai, sixième jour d'offensive, c'est du moins ce qu'a calculé l'État-Major[1].

Mais les Allemands poussent vite et fort ; le 11 mai au soir, ils rejettent la 5ᵉ division de cavalerie sur la ligne de la Semois, à 18 km seulement au nord de Sedan ; dans la soirée du dimanche 12, jour de la Pentecôte, ils atteignent la Meuse ; Sedan étant sur la rive nord, les forces françaises abandonnent la ville pour se replier au sud du fleuve dont elles font sauter les ponts.

Toute la journée du 11 et dans la matinée du 12, des colonnes de réfugiés ont défilé sur ces ponts, autos, puis bicyclettes et voitures attelées, puis piétons portant avec eux leurs richesses. L'armée a fourni des camions pour véhiculer les traînards jusqu'à Vendresse, en direction de Vouziers. On a évacué en même temps les agriculteurs du sud de la Meuse, dont le bétail paissait encore le 11 les prés voisins du fleuve, entre les positions de défense ; puis, dans l'après-midi du 12, on a assisté au repli des cavaliers de la 5ᵉ division légère, en bon ordre, mais impressionnés par les automitrailleuses allemandes qui les ont malmenés ; on n'ose pas s'expliquer que certains cavaliers entraînent avec

1. Général DOUMENC, *Histoire de la IXᵉ armée*, p. 74.

eux deux ou trois chevaux démontés ; on recueille aussi les restes d'un bataillon du 295ᵉ d'infanterie, éprouvé et abattu : quelques hommes parlent de trahison. Les témoins de ce reflux en sont frappés ; ils le sont d'autant plus qu'ils constatent depuis deux jours avec anxiété que les Allemands sont maîtres du ciel.

Cependant, le commandement est confiant et, dans l'ensemble, la troupe l'est aussi : la position naturelle est forte, elle avantage la défense. La Meuse a 60 mètres de large ; encaissée dans son cours amont, elle élargit un peu sa vallée à la sortie immédiate de Sedan, pour dérouler un long méandre étroit, la « presqu'île d'Iges », qui a une dizaine de kilomètres de tour ; dominant de 150 à 180 mètres la rive sud de cette « presqu'île », le plateau de La Prayelle et surtout le massif de la Marfée barrent l'arrière-pays ; sur leurs crêtes s'échelonnent des observatoires d'artillerie et l'on sait qu'à contrepente, au revers de ces hauts de Meuse, l'artillerie lourde du 10ᵉ corps d'armée est venue renforcer celle de la 55ᵉ division : 212 pièces sont en batterie dans la zone de défense du corps d'armée[1]. À 22 h, l'officier d'état-major qui a dirigé la destruction des ponts prend congé d'un des capitaines d'infanterie du sous-secteur en lui disant : « Maintenant, vous voilà tranquilles pour plusieurs jours ! »

Stupéfiante illusion ! En vain les renseignements de plus en plus précis fournis par l'armée de l'air ont signalé « l'effort très sérieux de l'ennemi en direction de la Meuse » : « d'importantes forces motorisées et blindées sont en marche à travers les Ardennes, transportant des équipements de ponts ». Ces forces ennemies, on ne les a pas bombardées. Jusqu'au 12 mai au soir, le commandement n'a eu d'yeux que pour la Belgique et la Hollande. Dans la nuit du 12 au 13, l'aviation rend compte que sur les axes Clairvaux-Bastogne et Châteauneuf-Bouillon-Sedan les convois roulent phares allumés : « C'est une ruée, c'est une illumination. » Le 13 au matin seulement, le général Billotte prescrit que l'appui aérien doit aller par priorité à la IIᵉ armée ; mais lui non plus ne pressent pas le péril imminent : il ne s'attend à une attaque que dans les deux ou trois jours[2]. Le commandement français semble ignorer surtout que les forces qui descendent sur la Meuse sont l'avant-garde de la première grande formation blindée de l'histoire militaire, le groupement von Kleist : celui-ci avec ses 1 250 chars, ses 260 automitrailleuses, ses 40 000 véhicules, a reçu pour mission de « conquérir grâce à une attaque par surprise la rive occidentale de la Meuse entre le confluent de la Semois et Sedan » :

---

1. Le commandant du 10ᵉ corps d'armée, le général Grandsard, affirme dans la journée du 12 au général Lafontaine : « J'ai toujours dit qu'il faudrait aux Allemands des semaines sinon des mois pour monter une attaque avec des moyens puissants : nous en sommes toujours à la prise de contact avant l'engagement » (général RUBY, *Sedan terre d'épreuve*, p. 125).

2. Général d'ASTIER DE LA VIGERIE, *Le ciel n'était pas vide*, pp. 89-104.

Poussant de jour et de nuit sans souci de sa droite ni de sa gauche, il exploitera le moindre désarroi, le moindre fléchissement de l'ennemi, le surprendra sans répit, avec pour seul but de prendre pied au plus vite et par surprise au-delà de la Meuse [1].

Sous les bombes des Stukas

L'homme qui conduit la manœuvre en direction de Sedan à la tête de trois Panzerdivisionen est le général Guderian, l'inspirateur de l'arme blindée allemande : il n'entend pas traîner. Sans attendre ses chars et contre l'avis de son supérieur von Kleist, il attaquera dès le lendemain matin. Aux premières heures du 13 mai, des détachements *feldgrau* se coulent dans les vergers et entre les maisons pour prendre position le long de la rive nord. À 10 h, les observatoires français signalent sur le versant de l'Ardenne « une fourmilière de camions et de motos en marche par tous les chemins possibles vers la Meuse » ; l'artillerie les prend violemment à partie ; l'infanterie, un peu émue, garde son sang-froid.

Les avant-gardes allemandes ne sont pas encore en place que débute la plus formidable attaque de bombardiers en piqué de la campagne de France. Six cents avions sont engagés, les soldats allemands n'en croient pas leurs yeux. Du côté français, une des batteries de D.C.A. du commandant Borgnis-Desbordes comptera 3 000 passages d'avions. Voici ce que rapporte un témoin qui a résisté sur place jusqu'au 14 [2] :

Pendant trois longues heures, le ciel appartient aux Allemands. Les escadres succèdent aux escadres. L'air est tenu en permanence par 50 à 70 appareils qui virevoltent, tournent en rond, puis, un à un, piquent à mort vers le sol... Fracas de bombes de tous calibres qui labourent les positions de résistance..., sifflements de l'avion qui pique... ces hululements s'amplifient avec la vitesse de descente, deux, trois ou quatre fuseaux d'acier qui se détachent simultanément des avions et, après quelques secondes d'angoisse mortelle, l'éclatement presque coup sur coup des bombes meurtrières. Et cela pendant trois heures... Notre aviation est nulle (ce que personne ne peut s'expliquer). Serait-elle représentée, des escadres de chasseurs, en ronde au-dessus comme des éperviers, l'empêcheraient de tenir l'air... la rapidité des piqués est telle que les armes anti-aériennes sont sans effet. Nos hommes réagissent mal devant cet enfer : ces braves paysans de l'Orléanais, plus habitués aux travaux des champs qu'à la vie militaire, jetés dans la bagarre sans avoir jamais entendu d'autres coups de fusil que ceux de leurs pétoires de chasse, se trouvent brutalement au centre d'un bombardement aussi nouveau que monstrueux. Il est aisé de se faire une idée de l'angoisse qu'ont pu ressentir des hommes si peu aguerris. Les pertes ne furent pas importantes, elles étaient hors de proportion avec les moyens employés ; mais l'effet moral jouait au maximum [3].

1. Ordre du jour de von Kleist en date du 10 mai 1940.
2. Chef de bataillon Le Poullin, du 331e R. I. (SHAT 34 N/178).
3. Le commandant notera des cas de troubles psychiatriques aigus.

Les dégâts matériels sont sérieux : des batteries sont anéanties, des blockhaus sont atteints, mais, surtout, le réseau téléphonique de l'avant, qui n'est pas enterré, est littéralement haché. Les rares appels qui atteignent le P.C. de la division répètent le même refrain : « Envoyez la chasse, nom de Dieu ! qu'est-ce que fout la chasse ? »

À 16 h, le bombardement aérien s'arrête ; mais l'artillerie prend le relais, par-dessus la Meuse : elle concentre son tir sur les blockhaus proches de la rive ; et tandis que les soldats français sont encore aplatis au fond de leurs tranchées ou de leurs abris sans savoir rien de ce qui se passe autour d'eux, les premiers éléments d'infanterie allemande, dissimulés sous un écran de fumée, mettent à l'eau des canots pneumatiques. Trois heures plus tard, non seulement ils ont pris pied au sud du fleuve, mais ils ont emporté la ligne principale de résistance et atteint sur 2 km la ligne de crête des hauts de Meuse ; à 23 h, ils occupent une poche de 4 à 5 km de large sur 5 à 6 de profondeur et s'infiltrent sur la contre-pente vers la vallée de la Bar, tandis que leur génie construit, sans être dérangé, un premier pont de bateaux. À l'aube du 14 mai, les Panzers passent la Meuse : ils ne s'arrêteront que sur la Manche.

Impréparation, manque de cohésion, isolement

Que s'est-il passé dans ces trois heures de fin d'après-midi du 13 mai ? Le bombardement aérien n'explique pas tout. Bien que la position soit forte, les conditions les plus propices à la rupture du dispositif — et à la rupture du moral — sont réunies.

Tout d'abord, la surprise stratégique est totale : jamais Gamelin n'a cru à une offensive allemande à travers l'Ardenne belge, réputée impénétrable. Comme Pétain, il a pensé que « si les Allemands s'y aventuraient, on les repincerait à la sortie ». Pourtant en novembre 1936 un *Kriegspiel* du Conseil supérieur de la guerre en avait prévu la possibilité : « Du roman ! », avait proclamé Gamelin[1]. À nouveau, en 1938, un exercice de cadres dirigé par le général Prételat, commandant alors désigné de la IIe armée, avait mis en évidence la vulnérabilité de la position, du fait de son manque de profondeur. Ce *Kriegspiel* avait pour but l'étude, en période de couverture, d'une agression allemande par sept divisions d'infanterie, une division blindée et une forte artillerie débouchant du Luxembourg : les délais de la progression ennemie, calculés au plus court, étaient exactement ceux de l'attaque du 10 mai : la défense française avait été bousculée sans possibilité de se rétablir. Le résultat avait été si net que le général commandant le secteur avait demandé « qu'on ne fît pas état officiellement de cette étude pour ne pas impressionner les troupes ». Le général Gamelin, présent à la critique

---

1. Cf. général DELMAS, « Les exercices du Conseil supérieur de la guerre, 1936-1937 et 1938-1939 », *Revue historique des armées*, 1979/4.

finale, qui eut lieu à la citadelle de Verdun, observa simplement que le général Prételat avait « voulu jouer le pire » ; que d'ailleurs dans une telle hypothèse lui-même aurait bien entendu « donné en temps utile les renforts nécessaires pour parer le coup ». Le général Prételat n'avait pas cru devoir insister [1].

Cette confiance dans l'invulnérabilité du secteur, allant de pair avec une sous-estimation non moins grave de la capacité de rupture que peut avoir une formation blindée adverse, a eu pour effet qu'on a abandonné la défense à la 55e division, une des plus médiocres de l'armée de terre. Division de réserve « de série B », nullement entraînée, nullement aguerrie, la majorité de son effectif est âgée de près de trente-cinq ans, elle compte moins de 50 officiers d'active sur 450 et rassemble une énorme majorité de sous-officiers de réserve qui suivent leurs hommes plus qu'ils ne les encadrent. Pour défendre un secteur clé de 20 km, 6 000 fantassins s'étirent en dispositif peu étoffé : dans la vallée, la ligne de la Meuse n'est guère plus qu'une position d'avant-poste que soutient, il est vrai, une solide artillerie. Ainsi la 7e compagnie du 147e R.I.F. (régiment d'infanterie de forteresse), dans le grand méandre de la Meuse, « a la mission impossible de défendre quatre points d'appui, ceux des localités de Villette et de Glaire, ceux du château de Bellevue et de la vaste usine des Forges : elle couvre une superficie de 300 hectares alors que normalement sa zone de responsabilité n'aurait pas dû dépasser 8 à 10 hectares » [2].

Sur une longueur de 2,5 km en bordure du grand méandre de Sedan, Guderian n'a pas de peine à s'assurer une énorme supériorité numérique locale : les huit compagnies d'infanterie françaises échelonnées sur la ligne principale, la ligne d'arrêt et la bretelle qui les relie l'une à l'autre, sont attaquées par huit bataillons allemands d'infanterie d'élite et trois du génie appuyés par huit groupes d'artillerie. Du côté français, des éléments de la 71e division ont bien été envoyés, les uns en renfort, les autres en relève, dans la nuit du 12 au 13 ; ils sont exténués ; ils ne connaissent pas les lieux ; une partie d'entre eux en était encore à chercher ses emplacements quand l'attaque des Stukas a commencé ; leur colonel ne peut mieux faire que de se mettre sous les ordres du chef du sous-secteur qu'il venait relever.

Il y a plus, le commandement français semble avoir tout fait pour abandonner les hommes à eux-mêmes : l'État-Major d'armée a imposé le panachage des unités ; la mesure a pour effet qu'un colonel chef de sous-secteur a sous ses ordres trois bataillons appartenant à trois régiments différents ; dans chaque bataillon, les compagnies elles-mêmes

---

1. Cf. général Ruby, *o.c.*, pp. 30-31, et Cl. Paillat, *Le Désastre de 1940*, I, *La Répétition générale*, pp. 192-195.
2. Colonel Rolland, « À Sedan le 13 mai 1940 l'infanterie française pouvait-elle tenir ? », *Bulletin de l'Association trimestrielle des amis de l'École supérieure de guerre*, n° 77, 1978.

ORGANISATION THÉORIQUE
D'UNE DIVISION D'INFANTERIE DE TYPE NORMAL[1]

QUARTIER GÉNÉRAL

Général commandant la division.
Général commandant l'infanterie divisionnaire (I.D.).
Général commandant l'artillerie divisionnaire (A.D.).
Chef d'état-major et,
État-major (12 off., 25 S.O. et H.d.T.).
Commandant des troupes et direction des services (25 off., 50 S.O. et H.d.T.).
Unité de quartier général (3 off., 150 S.O. et H.d.T.).

INFANTERIE

3 régiments à 3 bataillons (80 off., 3 000 S.O. et H.d.T. chacun).
1 compagnie divisionnaire antichar (4 off., 150 S.O. et H.d.T.), 12 canons de 25 mm.
1 compagnie de pionniers (3 off., 225 S.O. et H.d.T.).

CAVALERIE

1 groupe de reconnaissance de D.I. [G.R.D.I.] (30 off. 660 S.O. et H.d.T.).

ARTILLERIE

1 régiment d'artillerie divisionnaire à 3 groupes (70 off., 2 090 S.O. et H.d.T.), 36 canons de 75 mm.
1 régiment d'artillerie lourde divisionnaire à 2 groupes (50 off., 1 660 S.O. et H.d.T.), 24 canons de 155 C.
1 batterie divisionnaire antichar (4 off., 190 S.O. et H.d.T.), 6 canons de 47 mm.

GÉNIE

1 bataillon de sapeurs-mineurs à 2 compagnies (12 off., 560 S.O. et H.d.T.).

TRANSMISSIONS

1 compagnie télégraphique (4 off., 250 S.O. et H.d.T.).
1 compagnie radio (3 off., 170 S.O. et H.d.T.).

TRAIN

1 compagnie automobile (2 off., 30 S.O. et II.d.T.).
1 compagnie hippomobile (4 off., 200 S.O. et H.d.T.).

SERVICES

ARTILLERIE
Parc d'artillerie divisionnaire (12 off., 400 S.O. et H.d.T.) :
— 1 compagnie d'ouvriers,
— 1 section de munitions hippomobile,
— 1 section de munitions automobile.

INTENDANCE
1 groupe d'exploitation (2 off., 50 S.O. et H.d.T.).

SANTÉ
1 groupe sanitaire divisionnaire. Type hippomobile :
— 1 élément de brancardage à 3 sections,
— 1 élément de P.S.D.
1 section sanitaire automobile (1 off., 50 S.O. et H.d.T.).

EFFECTIF TOTAL :
— officiers   500
— sous-officiers et hommes de troupe 16 110

LE RÉGIMENT D'INFANTERIE[2]

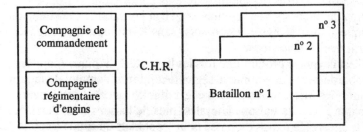

Effectif : 80 officiers et 3 000 hommes.

Nota : la compagnie régimentaire d'engins dispose de 6 canons antichars de 25 mm et de 2 mortiers de 81 mm.

En mai 1940, elle n'existe pas dans tous les régiments et ne dispose, dans certains d'entre eux, que des mortiers.

La C.H.R. (compagnie hors rang) assure l'intendance du régime.

LE BATAILLON

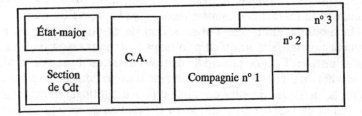

Effectif : 20 officiers et 850 hommes.
Front et profondeur d'emploi :
— Défensive : 1 000 mètres
— Offensive : 800 mètres
Profondeur : environ 1 500 mètres.

Nota : la C.A. (compagnie d'accompagnement) est, en fait, dans un très grand nombre de régiments une compagnie de mitrailleuses. Ses moyens sont normalement répartis entre les compagnies.

1. *Référence :* Aide-mémoire pour les travaux d'état-major (1939).
2. Source : colonel DUTAILLY, *Les Problèmes de l'armée de terre.*

sont d'unités différentes : la défense de Torcy, faubourg de Sedan situé au sud de la Meuse, qui devrait être un des piliers de la résistance avancée, est confiée depuis le 6 mai à un groupement temporaire formé de sections de trois régiments différents de sorte que la troupe reçoit ses ordres de chefs souvent connus et que si les liaisons sont interrompues chaque unité est livrée à son sort, sans le moindre lien organique ou moral avec ses voisines.

C'est ce qui se produit une fois les lignes téléphoniques coupées par le bombardement ; et comme le règlement interdit l'emploi de la radio par crainte des interceptions, « les chefs d'unité ignorent totalement ce qui se passe : plus de liaisons latérales, plus de liaisons avec l'arrière »[1].

Pis encore, le temps est passé pour les soldats du coude à coude sur un front continu des Vosges à la mer, comme le soulignera le lieutenant-colonel Demay[2].

> Le règlement des manœuvres de l'infanterie prescrivait d'organiser les positions de résistance en mettant en place *des groupes de combat commandés par un sous-officier,* groupes éloignés de plusieurs centaines de mètres parfois, d'environ 150 à 200 mètres normalement : (c'est dire) qu'ils ne pouvaient résister à une pression ennemie importante sans être très bien armés, très bien aguerris, et sans avoir un commandant de groupe de combat ayant une instruction militaire très complète et le sens du commandement, ce qui n'était pas le cas.

Ainsi, à la trilogie des fautes énoncées par Gamelin le 18 mai : *défaillances, indiscipline, laisser-aller,* faut-il en superposer une autre : *impréparation, manque de cohésion, isolement,* dont les effets se cumulent au moment — inimaginable — de l'épreuve du feu.

On ajoutera enfin que l'organisation de la position est en pleine ébauche ; on a hésité jusqu'au printemps 1940 pour savoir où il valait le mieux installer la ligne principale de résistance : au niveau de la Meuse, en travers du méandre ? Ou plus en retrait sur la ligne de hauteurs ? Au début de mars, les députés en mission Pierre Taittinger et de Framond, ont rédigé un rapport dramatique sur la situation du secteur de Sedan[3] :

> Nous considérons de notre devoir de dégager un fait brutal (...) : *Tant sur la ligne d'arrêt que sur celle de résistance,* nombre d'ouvrages ne seront pas terminés avant plusieurs semaines (...)
> *Les hésitations du Commandement,* les rigueurs de la température sont responsables d'un grand nombre de lacunes constatées.
> Nous souhaitons que le répit nécessaire nous soit accordé, mais nous devons d'ores et déjà remercier la Providence de nous avoir préservés au mois de septembre 1939 d'une invasion par la Belgique.

---

1. Témoignage du commandant du 3ᵉ bataillon du 331ᵉ R. I. (SHAT 34 N/178).
2. À l'instruction du procès de Riom (AN 2 W/22). Les « petits blocs » qui, à défaut des grands blockhaus, sont les seuls éléments de fortification achevés sont confiés, mieux vaudrait dire abandonnés, à des garnisons de cinq à six hommes.
3. SHAT 29 N/25.

Il semble qu'il y ait des terres de malheur pour nos armes.

Pour conjurer en particulier le triste souvenir que la visite du secteur de Sedan fait revivre, des mesures urgentes doivent être prises...

Les deux parlementaires ont analysé point par point les insuffisances et les risques. On frémit en les relisant :

L'organisation défensive dans la région de Montmédy apparaît redoutable (...). Mais l'impression satisfaisante cesse à l'arrivée à Sedan.

On compte beaucoup sur la forêt des Ardennes et sur la Meuse pour protéger Sedan, donnant peut-être à ces obstacles une importance exagérée.

Les organisations défensives sont dans ce quartier rudimentaires pour ne pas dire embryonnaires (...).

Les réseaux de fils de fer qui ont été placés, les destructions envisagées et les maisons fortes ne peuvent pas procurer un temps d'arrêt supérieur à une heure (...).

Procédant surtout par infiltrations, [nos ennemis] se heurteraient aux cavaliers en cantonnement et ne rencontreraient de résistance sérieuse qu'en arrivant au pont sur la Meuse (...).

La Meuse constitue un merveilleux « fossé antichar », mais la rivière n'est pas très large, elle est peu profonde (...).

Pendant l'autre guerre, les Allemands ont franchi à plusieurs reprises la Marne qui présente, à beaucoup de points de vue, des difficultés plus grandes de franchissement (...).

On sent que la véritable résistance aura lieu en deçà de la Meuse. Cette intention du commandement peut fort bien se défendre, encore faudrait-il que les ouvrages de la ligne de résistance soient terminés, munis de leur armement et en état de remplir le rôle qui leur est assigné.

Dans certains de ces ouvrages, seul le coffrage est terminé et le béton n'est même pas coulé. Dans d'autres, il manque les créneaux, les portes de fer, le matériel antigaz, une partie de l'armement.

On tremble rétrospectivement en envisageant ce qu'aurait été une attaque allemande dans ce secteur.

Le rapport se terminait par une objurgation prémonitoire :

Nous sommes il est vrai protégés :
1. par la neutralité belge et la parole allemande ;
2. par les fortifications belges ;
3. par l'armée belge ;
4. par la Meuse et la rareté des voies de franchissement du massif boisé des Ardennes.

Tout ceci forme un ensemble impressionnant sur le papier.

La neutralité belge peut être violée. La résistance belge peut être symbolique, les destructions incomplètes ; quant au franchissement de la Meuse, il est permis de rappeler qu'en 1914 les Allemands ont utilisé les gués et les passages d'hommes sur les écluses.

Pour qu'une résistance sérieuse ait lieu sur la rive sud de la Meuse, il y a beaucoup à faire.

Le général Huntziger, commandant la IIe armée, a répondu avec hauteur à l'adresse de la Commission de l'armée de la Chambre :

Il semble que monsieur Taittinger n'ait pas eu le temps nécessaire, au cours de son court passage dans la zone de la IIe armée, pour vérifier le bien-fondé de toutes les observations qu'il a présentées dans le rapport que vous avez bien voulu me communiquer.

Et de conclure en ces termes stupéfiants :

> J'estime qu'il n'y a aucune mesure urgente à prendre pour le renforce-
> ment du secteur de Sedan qui, ainsi qu'il est demandé, se poursuit sous la
> direction du général commandant le 10ᵉ corps d'armée, avec énergie et
> avec tous les moyens en matériel et en personnel qui peuvent être mis en
> œuvre [1].

Néanmoins, sous la pression du général Billotte, on a, entre-temps, décidé de reporter la position principale de résistance vers le sud le long de la ligne des hauteurs et de renforcer la défense des pentes par la construction de quarante-cinq ouvrages de plus fort volume ; mais la décision a été prise le 23 mars 1940 et les travaux ne devaient être terminés qu'à l'automne. Sur vingt grands blockhaus en construction, aucun n'est achevé et n'a reçu son armement spécial, le fossé antichar est à peine amorcé. Enfin la ligne d'arrêt des Hauts de Meuse n'est bien tenue que sur le plateau de la Prayelle par deux sections ; ailleurs, la série d'observatoires d'artillerie le long des crêtes est protégée, ici et là, par un groupe ou une section d'infanterie ; le vieux réseau de boyaux d'avant-guerre n'a pas été renforcé ; là où elles existent, les tranchées de soutien des observatoires ou des batteries n'ont pas plus de 70 cm de profondeur.

Le général Huntziger : légende et réalité

Cette situation, qui laisse rétrospectivement « une impression de malaise » aux analystes militaires les plus pondérés [2], tient évidemment en grande partie au climat de la « drôle de guerre » et au sentiment de fausse sécurité auquel le commandement a cédé. Quelle est la part des responsabilités du commandant de la IIᵉ armée, le général Huntziger ? La question a été soigneusement éludée pendant quarante ans. Cet homme de claire intelligence et de large culture avait-il la trempe nécessaire pour tenir une armée en pleine tempête ? Rien dans sa carrière ne l'y prédisposait : il avait fait la guerre de 1914 dans des états-majors puis avait été conseiller militaire à l'étranger [3]. S'il est au courant

---

1. Gamelin a transmis le rapport Taittinger le 20 mars à Huntziger. La décision de Billotte de renforcer le secteur a été prise le 23 mars ; il est douteux qu'elle ait été influencée par la visite des parlementaires. La réponse de Huntziger à Gamelin est du 8 avril (SHAT, *ibid.*).

2. Colonel ROLAND, *o.c.*

3. Depuis 1918, mis à part ses passages à l'État-Major, il a été chef du corps d'occupation français en Chine de 1924 à 1928, chef de la mission militaire française au Brésil de 1930 à 1933 et commandant supérieur des troupes du Levant de juin 1933 à la guerre.

des opérations de Pologne, il n'a aucune expérience de l'arme blindée ni de l'emploi de l'aviation. C'est un diplomate et un mondain. On a vu quelle place le théâtre et l'orchestre de la IIe armée tiennent dans ses préoccupations. Il est soucieux d'avoir les meilleurs rapports avec les municipalités et les châtelains de la région : aussi a-t-il donné la consigne de ne gêner en rien la circulation des civils et les travaux agricoles ; a-t-il interdit, comme on l'a affirmé, d'abattre des arbres sans autorisation des maires ? Il est sûr qu'il a accordé à ces derniers l'aide la plus libérale pour les travaux civils et favorisé au maximum l'extension des jardins potagers ; si la division de Sedan n'a jamais eu de champ de tir, c'est qu'il a refusé de laisser empiéter sur le verger d'un propriétaire récalcitrant ; de même, pour ne pas gêner la batellerie, il n'a pas autorisé la pose d'un réseau de barbelés le long des berges de la Meuse au ras de l'eau, qui, le 13 mai, aurait rendu moins facile l'accostage des canots ennemis. Il se plaît à passer auprès de la Commission de l'armée pour « le général le plus compréhensif des besoins des populations civiles et de l'agriculture », celui « dont l'armée donne le plus de satisfactions »[1].

Pendant neuf mois, le général Huntziger a appliqué la devise : « Pas d'histoires ! » Prévenant et affable, répugnant à confirmer les punitions infligées par ses subordonnés, inspectant peu, contrôlant peu, il a laissé le laxisme se propager dans les divisions de « formation » que des généraux vieillis n'étaient plus en état de commander efficacement. Il est de notoriété publique qu'à la 71e division il faudrait remplacer le général Baudet et son état-major ; ils ne seront écartés qu'après le désastre. La 55e division a été jusqu'au mois d'avril 1940 sous les ordres du général Britsch, ancien officier des affaires indigènes, héros de la guerre de 1914, grand officier de la Légion d'honneur, qui déjà versé dans le cadre de réserve, a été rappelé en activité et s'est vu confier une division : mais sous son commandement, l'infanterie de la 55e D.I. n'est guère mieux qu'une milice et la troupe est si peu instruite, si peu encadrée, qu'elle s'attend à être relevée en cas de coup dur par une unité plus solide[2]. On ne voit pas que le général Huntziger ait jamais alerté le haut commandement à ce sujet. Sous le choc de l'ennemi, il sera tout aussi peu diligent.

Le 12 mai, au moment du repli sur la rive sud de la Meuse, il n'a encore prévu aucune disposition de contre-offensive ; le 13 mai à 17 h 10, il fait un saut de dix minutes au P.C. du général Grandsart qui commande le 10e corps d'armée ; il y apprend qu'une quarantaine d'Allemands ont traversé la Meuse à Wadelincourt. Il a un haut-le-corps, mais rien n'indique un danger sérieux ; à son état-major on conclut : « Cela fera autant de prisonniers[3] ! »

1. Cf., notamment, le témoignage du commandant Cahier à l'instruction du procès de Riom (AN 2 W/66).

2. Témoignage à l'auteur de M. Michel de Lombarès, alors officier à l'état-major de la 55e D.I., puis à l'état-major de la IIe armée.

3. Général RUBY, *o.c.*, p. 144.

Carte 2. La bataille de Sedan (13 mai-14 mai au soir)

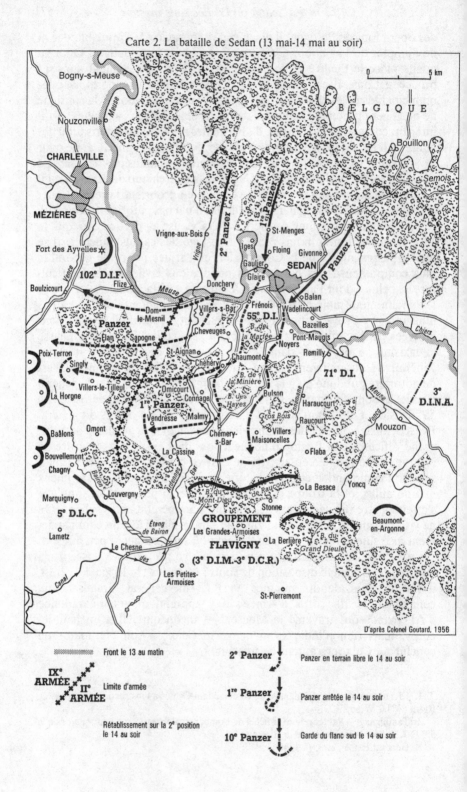

Les défenses débordées

Or, depuis 16 h, les Allemands ont entrepris de franchir la Meuse en trois endroits. À 1 500 mètres au sud-est de Sedan, deux sections allemandes ont traversé le fleuve sans recevoir un coup de fusil ; elles encerclent le blockhaus nord de Wadelincourt, l'attaquent à la grenade et font prisonniers le petit groupe de défenseurs ; cependant, les assaillants sont contenus dans le village jusque vers 17 h 30 par l'artillerie française. Tout à l'ouest, à Donchéry, à la sortie du grand méandre, les tentatives de franchissement échouent : les observatoires français qui dominent la vallée dirigent toute la journée les tirs d'interdiction.

Mais c'est au centre, 1 500 mètres en aval de Sedan, entre le faubourg de Torcy et le petit village de Glaire, que les Allemands portent leur principal effort. Il y a là, dans la défense, un trou qu'ils ont repéré : « Sur 1 800 mètres, du bloc 211 de Torcy à la casemate 305 de Glaire, il n'y a qu'un petit abri en terre et en rondins surmonté d'une tourelle de char Renault : cet ouvrage, occupé par un caporal et quatre hommes et situé en retrait du chemin de halage, ne peut même pas tirer sur le plan d'eau. En arrière vers le sud, sur une profondeur de 2 km, jusqu'aux premières pentes du plateau de La Prayelle, le terrain est vide de défenseurs à l'exception d'une escouade[1]. » Les fantassins allemands, par équipes de six à huit hommes, débarquent de leurs canots pneumatiques sous le couvert de l'écran de fumigènes qui noie la vallée dans le brouillard ; de couvert en couvert, ils s'infiltrent vers les points d'appui.

Le correspondant de guerre Fritz Lücke décrit leur action : avant même que l'équipage du premier ouvrage ait eu le temps de s'en rendre compte, « les fils de fer sont cisaillés, les grenades éclatent et règlent le sort de la garnison... Le second ouvrage se mitraille avec la compagnie allemande de l'autre rive. Il est ouvert par-derrière. Les Français ne se doutent pas que les Allemands sont déjà dans leur dos : les douze vaillants défenseurs meurent dans une grêle de grenades à mains »[2].

Les grenadiers du régiment Grossdeutschland à l'est, les fusiliers du 1er régiment de Panzer à l'ouest, élite de l'infanterie d'assaut, progressent à vive allure ; ils réduisent successivement les points d'appui de la ligne principale de résistance trop éloignés les uns des autres : les 500 défenseurs dilués sur près de 10 km en travers du méandre, de Wadelincourt à Bellevue, sont tués, blessés ou capturés à leur poste — ou se sauvent — sans avoir pu assurer une défense efficace. La rupture des lignes téléphoniques ne permet pas d'alerter le commandement en temps utile ; le brouillard noie la vue des hauteurs : pas un obus français n'est tiré sur la zone critique du fleuve, là où les unités allemandes du

---

1. Colonel ROLAND, *o.c.*
2. Extrait de *Soldat im Donauland*, mai 1940, publié avec le concours du Wehrkreiskommando XVII (cité dans SHAT 32 N/251).

génie continuent à faire la navette pour transporter l'infanterie d'assaut.

Celle-ci manœuvre avec une hardiesse étonnante, elle prend à revers le plateau de La Prayelle et capture par surprise ses deux sections, puis remonte les pentes vers les hauteurs où est supposée installée la ligne d'arrêt. Le chef d'escadron Bernard, qui commande un groupe d'artillerie lourde, s'y trouve à son observatoire de la cote 302, près du bois de la Marfée ; il a reçu depuis 16 h d'un de ses chefs de batterie en position 3 kilomètres *à l'arrière,* sur la contre-pente, des appels téléphoniques inquiétants : des groupes de fantassins refluent en répandant des bruits alarmistes, la Meuse serait franchie. Le commandant Bernard dément : dans le secteur de la Meuse qu'il peut voir, l'artillerie française continue d'interdire tout franchissement. Autour de lui, c'est le calme, pas un coup de fusil. Il s'avance à pied pour chercher la liaison avec l'infanterie ; à sa surprise, les sections qui devraient couvrir ses trois observatoires ont disparu ; il se porte 600 mètres plus avant, jusqu'à un petit bois ; il le trouve occupé seulement par une dizaine de fantassins, un lieutenant et un capitaine, apparemment paralysés : sous leurs yeux, à 300 mètres, une colonne de deux cents fantassins allemands remonte la route départementale. Il fait ouvrir le feu : la résistance ne peut être que brève [1].

La poche allemande, le 13 mai au soir, est encore peu profonde ; elle n'est tenue que par de l'infanterie ; le premier pont de bateaux ne sera achevé qu'à minuit, les Panzers ne traverseront pas la Meuse avant le 14 à 6 h du matin ; jusqu'à ce qu'ils débouchent en force, la position allemande est aventurée. Comme l'a écrit un officier d'état-major de la 1er Panzerdivision [2] :

> Si les Français n'avaient pas été abandonnés par tous leurs bons génies, ils auraient dû alors attaquer avec une vigueur accrue pour réduire la hernie encore petite qui s'était formée dans leurs lignes et pour détruire les éléments allemands avant qu'ils ne fussent renforcés au point que cela fût devenu impossible.

Une première conclusion s'impose à ce stade de la bataille : l'infanterie française, insuffisante en nombre, mal préparée, mal retranchée, mal placée, mal soutenue par l'artillerie, coupée du commandement, ne pouvait pas tenir sur la Meuse devant Sedan le 13 mai 1940.

---

1. SHAT 30 N/115.
2. Major von Kielmansegg de l'état-major de la 1re Panzerdivision dans le périodique *Die Wehrmacht,* 1941 (SHAT 29 N/28).

4

La rumeur de Bulson

Cependant, au cours de cette même fin d'après-midi du 13 mai, un phénomène stupéfiant se produit : c'est la deuxième surprise de la journée dans le secteur de Sedan. Tandis que l'infanterie de l'avant s'accroche tant bien que mal au terrain, brusquement, les arrières de la 55ᵉ, puis ceux de la 71ᵉ division s'effondrent : la « panique de Bulson » les emporte ; le lendemain, une seconde vague de débandade achève la 71ᵉ division.

Les historiens militaires français réduisent pour la plupart l'épisode à un incident local ; en sens contraire, plusieurs officiers supérieurs, témoins des faits et d'autant plus sévères lors du procès de Riom qu'ils n'appartenaient pas aux divisions incriminées, y ont vu le point de départ d'un sauve-qui-peut quasi général, preuve d'un véritable refus de combattre et cause d'une défaite irrémédiable[1]. Les témoignages aujourd'hui accessibles permettent d'y voir plus clair[2] : le désarroi de la soirée du 13 est beaucoup plus complexe qu'on ne l'a généralement dit. S'il n'a pas eu d'effet décisif, il a néanmoins pesé lourd. L'ampleur du mouvement de panique en fait un dramatique révélateur, mais de quoi[3] ?

La « surprise morale »

Ce 13 mai, à partir de 16 h, on l'a vu, de petits groupes de fantassins ont quitté leur position en divers points du champ de bataille, dans le

---

1. En particulier le général Suffren et le commandant Cahier (cf. AN 2 W/66).
2. En attendant que soient retrouvés les documents réunis après l'armistice par la Commission sur les repliements suspects que présida le général Doumenc.
3. Ce chapitre est fondé essentiellement sur les archives des unités conservées au SHAT ; 29 N/104 (IIᵉ armée, prévôté) ; 32 N/318 et 319 (71ᵉ D.I. [division d'infanterie]) ; 34 N/124, 164 et 170 (120ᵉ, 205ᵉ et 246ᵉ R.I.) ; 34 N/568, 589 et 697 (38ᵉ R.A.D. [régiment d'artillerie divisionnaire] ; 78ᵉ R.A.D.L.C. [régiment d'artillerie divisionnaire lourde de campagne] ; 185ᵉ R.A.L.T. [régiment d'artillerie lourde tractée] ; 404ᵉ D.G.A.) s'ajoutant aux sources du chapitre précédent.

méandre de Sedan, et se sont repliés sans toujours être débordés par l'ennemi. Ils ont été brutalement commotionnés par le bombardement aérien ; et certains n'ont pas supporté de se découvrir abandonnés à eux-mêmes au moment de l'épreuve du feu.

Deux facteurs de démoralisation avaient transparu déjà dans les combats du 10 mai au Luxembourg : ils jouent à plein. Le premier est la crainte révérentielle de la force allemande ; le second, que des officiers subalternes sont à peu près seuls à signaler, est ce que l'un d'eux appelle la « surprise morale ». Leurs comptes rendus mettent en lumière, après l'impact déstabilisant des Stukas, l'effet stupéfiant qu'a eu sur leurs hommes *la découverte simultanée de la guerre de mouvement* et du *combat rapproché.* Une troupe inexperte et faiblement encadrée, qui ne conçoit d'autre guerre que de position, a vu, pour son baptême du feu, surgir un ennemi à qui tout a toujours réussi, qui a atteint Sedan en quarante-huit heures, qui a débouché sur l'autre rive par toutes les routes, par tous les chemins, qui a la maîtrise du ciel, qui fonce, traverse un fleuve, s'infiltre silencieusement d'arbre en arbre entre les points d'appui, fait soudain pétarader des mitraillettes dans tous les sens, jette des grenades dans les embrasures des blockhaus qui ont résisté au bombardement : un ennemi de guérilla bénéficiant d'une forte concentration locale d'effectifs et avec lequel des petits groupes de défenseurs isolés se trouvent nez à nez au coin d'un bois, sur lequel, pour résister, ils doivent tirer à vue, sinon presque à bout portant.

C'est pour certains dans la commotion du bombardement, pour d'autres devant cette forme de guerre déroutante à quoi rien ne les avait même mentalement préparés, que les défenseurs de plusieurs points d'appui, quelques groupes de combat et la plus grande partie d'une section de soutien de la ligne d'arrêt ont rompu ou refusé le combat. Quelques-uns ont levé les bras, d'autres se sont repliés, ils ont atteint et parfois dépassé la zone des batteries d'artillerie lourde, cinq à six kilomètres à l'arrière ; quelques-uns crient au passage aux servants ou aux P.C. : « Les Boches ont passé la Meuse, caltez ! » Dans le même temps, des nouvelles colportées par des blessés évacués au poste de secours de Neuville-à-Paire, à une dizaine de kilomètres au sud-ouest de la zone des combats, provoquent de ce côté une ambiance d'inquiétude et de malaise. La rumeur circule ; elle est relayée par le téléphone des batteries d'artillerie ; elle devance l'événement ; elle s'enrichit d'un détail terrifiant : « Les Boches ont passé la Meuse, ils arrivent avec des chars. »

Naissance d'une panique

Entre 18 h et 18 h 15, le général Lafontaine est dans son P.C. blindé de Fond-Dagot, 1 200 mètres au sud du village de Bulson, à plus de huit kilomètres de la ligne principale de résistance sur laquelle on se bat ; il attend le retour des officiers de liaison envoyés aux nouvelles

Soudain, des voitures d'une batterie du 404e D.C.A. débouchent de Bulson et prennent à toute allure, en direction du sud, la route qui longe son P.C. Des groupes d'hommes sont accrochés aux voitures, ils hurlent que l'ennemi, avec des chars, vient d'atteindre Bulson. Le commandant La Barbarie, chef du 3e bureau de l'état-major de la division, a vu la scène[1] :

> Certains de ces fuyards, manifestement détraqués, tirent des coups de fusil dans toutes les directions. Quelques balles sifflent dans les branches au moment où le général Lafontaine, attiré par le bruit, sort de son P.C. Aidé du colonel commandant l'infanterie divisionnaire et du colonel commandant l'artillerie divisionnaire, il fait mettre quelques camions et camionnettes en travers de la route, à l'entrée du bois ; ensuite, il donne l'ordre de rassembler les isolés qui refluent à pied de la région de Bulson et de les déployer aux lisières nord du bois de Fond-Dagot qui sont déjà occupées par une compagnie du 331e R.I.
> Il y a là quelques fantassins d'un bataillon du 295e R.I. et d'une compagnie du 147e R.I.F. stationnés *en réserve* à Bulson et surtout de nombreux artilleurs appartenant aux groupes des 110e et 185e régiments d'artillerie lourde en position à l'est de Bulson.
> La plupart des fuyards sont sans armes, mais beaucoup portent des valises[2]. Peu d'officiers parmi eux, deux ou trois déclarent avoir détruit leurs pièces ou démonté les culasses sur ordre (?) reçu par téléphone et émanant du groupement d'artillerie lourde de corps d'armée, l'A.L.C.A.
> Il est environ 19 h. Aucun char, aucun élément ennemi n'a fait son apparition dans la région. À Chaumont, c'est-à-dire à 2,5 km au nord de Bulson (...) le lieutenant-colonel Pinaud déclare que tout est calme... L'incident se réduit à *une panique qui est toute locale et qui est sans rapport avec la situation de l'avant.*

Ce que le commandant de la division ignore, c'est qu'en divers points *des arrières* d'autres mouvements de repli se sont déclenchés qui, faisant tache d'huile, entraînent sur les routes les trains de combat, les convois et les services. À 18 h 30, à dix kilomètres au sud-est de Bulson, le lieutenant-colonel Labarthe est en train de rédiger ses ordres afin de faire avancer son régiment, le 213e, vers la zone de combat, comme il en a reçu mission : soudain un officier de l'état-major de la 55e division entre en courant dans son P.C. et crie : « Mon colonel, des automitrailleuses débouchent de Chaumont : que doit faire le P.C. de la division ? »

> Je suis très surpris et reste sceptique, rapporte le colonel Labarthe. Malgré le bombardement d'avions, je n'ai entendu aucun bruit de bataille. Je calme l'officier et je sors dans la rue. Un véritable affolement règne dans le village. Tous les camions du parc d'artillerie divisionnaire se mettent en mouvement vers le sud. Le commandant du parc me déclare qu'il exécute un mouvement de repli. De Chémery déferle une file ininterrompue de

---

1. SHAT 32 N/251.
2. Ce détail, maintes fois reproduit, n'est mentionné par aucun autre témoin. Il n'a guère de vraisemblance en ce lieu et à cette date, même en supposant que des soldats des arrières soient allés visiter les fermes des environs, évacuées depuis quarante-huit heures.

colonnes de ravitaillement, de caissons de train d'infanterie. Les officiers commandant ces convois disent avoir un ordre de repli vers Tannay.

Quand le général Lafontaine se transportera lui-même à Chémery à 19 h 15, il assistera, lui aussi, au reflux massif des équipages et ne se l'expliquera pas davantage. Le phénomène est si extraordinaire qu'il ne peut l'imputer qu'à la cinquième colonne :

> Des officiers, pour la plupart d'artillerie, affirment avoir reçu, tous à peu près à la même heure, des ordres de repli d'autorités qu'ils ne peuvent pas exactement désigner.

Dans le compte rendu qu'il rédigera le 18 mai pour le général en chef, il écrira :

> Il faut signaler la présence à peu près certaine d'hommes douteux ou de parachutistes, ayant une mission bien déterminée à remplir, qui ont donné des ordres de repli. Le désordre qui en est résulté n'a pu être enrayé, malgré les efforts des cadres supérieurs.

Dans son rapport du 8 juin, il sera encore plus formel :

> Le rôle de la cinquième colonne a été certainement important : les bombardements du 13 prouvaient qu'ils connaissaient tout notre dispositif et, dans la suite, dans les arrières, des éléments ennemis jetaient à chaque instant la panique parmi les évacués et les troupes amies.

Lors de l'instruction du procès de Riom, des officiers supérieurs ont parlé, eux aussi, de « panique organisée », que certains ont imputée à des éléments communistes agissant de concert.

Il est aujourd'hui certain que, pas plus à Sedan que lors des combats du Luxembourg, aucune cinquième colonne n'est intervenue et qu'aucun parachutage n'a eu lieu. La thèse d'une opération défaitiste concertée ne repose sur aucun indice.

Tout est parti d'une rumeur, celle de l'arrivée des chars allemands. L'incertitude subsiste quant à son origine : invention de soldats soucieux de justifier leur repli[1]? Égarement de fantassins qui auraient pris des chenillettes françaises de ravitaillement pour des chars ennemis? Erreur d'un officier qui, apercevant dans le soir tombant les lueurs de départ de canons français, a cru y voir des tirs de Panzers? Simple désir de dramatiser? Malveillance? C'est en tout cas l'arrivée des commotionnés de l'avant parmi les personnels des trains régimentaires et des équipages d'artillerie qui est le détonateur, c'est à leur échelon que la panique devient collective. Les conducteurs, séparés de leur unité ou de leur batterie et sans encadrement, sont depuis le matin dans l'attente, à

---

1. On retrouve cette affabulation agrémentée de détails fantaisistes dans des lettres de fuyards.

l'écoute des bruits de la bataille ; ils ont recueilli les propos démoralisants de rescapés du 295ᵉ R.I., malmenés la veille par des automitrailleuses allemandes. Eux-mêmes sont peu combatifs. (La plupart ne se
considèrent même pas comme des combattants.) Quand la rumeur les
atteint, ils ont des camions ou des attelages, ils en profitent. La
contagion est instantanée, irrésistible. En moins de trois quarts d'heure,
leur affolement a embrasé la zone Bulson-Chémery-Maisoncelle, soit un
triangle d'une douzaine de kilomètres de côté. Impossible de raisonner
personne, le flot se gonfle ; des groupes de fantassins terrorisés ou
démoralisés prennent eux aussi la route. On verra des hommes s'enfuir à
trois sur un cheval.

Le téléphone multiplicateur d'affolement

Mais entre-temps, un second et formidable amplificateur de l'affolement est entré en jeu : c'est le réseau téléphonique de l'artillerie lourde
de corps d'armée (l' « A.L.C.A. ») que le bombardement a laissé à peu
près intact. À travers lui, la rumeur touche les états-majors : ceux-ci y
ajoutent foi ; ils la répercutent à leur tour (ce que les comptes rendus
officiels se garderont bien de mentionner). Dans leur désarroi, ils
désorganisent davantage encore les arrières du champ de bataille.

Le lieutenant-colonel Dourzal commande l'un des deux groupements
de l'artillerie lourde de corps d'armée, le groupement « B » ; il a son
P. C. à Bulson ; autour de 18 h 30, sur la foi de bruits alarmants
annonçant qu'on se bat à 500 mètres du village, il appelle le corps
d'armée, déclare que des mitrailleuses allemandes tirent et qu'il risque
d'être fait prisonnier dans les cinq minutes ; il demande et obtient
l'autorisation de se replier [1]. Il quitte son P. C. pour essayer de rejoindre
son chef, le colonel Poncelet, commandant l'ensemble de l'artillerie
lourde du corps d'armée, qui a son P. C. à sept kilomètres à l'est, à
Flaba. Il n'y parvient pas, bloqué par le barrage que le général
Lafontaine a fait placer sur la route.

Le colonel Poncelet, alerté de son côté, n'a pas douté un instant, lui
non plus, des bruits alarmants qui lui parviennent : il se replie en
direction du sud, vers le P. C. de son second groupement d'artillerie
lourde, qu'il rejoint à 21 h ; il y annonce qu'il a quitté Flaba au moment
où les Allemands y arrivaient. On a peine à croire que cet officier
supérieur réputé pour sa haute conscience ait quitté son poste sans avoir
reçu confirmation du corps d'armée d'un péril grave et imminent, ou du
moins sans s'être concerté auparavant avec l'état-major de la 71ᵉ division
qui était tout voisin. Or, il semble bien que ce P. C. de division lui-
même, jusque-là parfaitement tranquille, ait reçu à 18 h 30, puis à

---

1. Général RUBY, *o. c.*, p. 132.

18 h 40, deux appels téléphoniques du chef d'état-major du corps d'armée l'informant que les chars allemands sont d'abord à Chaumont, puis sur la crête de Bulson et lui prescrivant de premières contre-mesures[1]. Le général Baudet, qui commande la 71e division, est désemparé ; il transmet les instructions reçues et, à son tour, abandonne son P. C., en emmenant le commandant de son artillerie divisionnaire ; il va errer toute la nuit.

Deux responsables de premier rang gardent la tête froide, le général Grandsard, commandant le 10e corps d'armée, et le général Lafontaine, commandant la 55e division. Le général Grandsard met la plus grande partie de ses réserves à la disposition du général Lafontaine en lui prescrivant de préparer une contre-attaque ; mais en même temps, il l'autorise ou l'invite à transférer son P. C. au village de Chémery, en laissant sur place le commandant de son infanterie divisionnaire, l'énergique colonel Chaligne.

Qu'une rumeur ait suffi à faire abandonner deux P. C. de division et les deux plus importants P. C. d'artillerie lourde est sidérant, surtout si l'on pense que des éléments d'infanterie se battent encore à l'avant. Cet abandon a, en outre, des effets désastreux, car, dès lors, dans les P. C. évacués, le téléphone va sonner sans réponse ; au P. C. de la 55e division le standardiste, voyant partir son général, a même cru bon de rendre le central inutilisable ; de son nouveau P. C. de Chémery, le général Lafontaine ne pourra obtenir de liaison téléphonique ni avec ses unités ni avec le corps d'armée. Le résultat immédiat est que la cohésion se trouve rompue entre les petites unités d'infanterie.

Le réseau téléphonique qui a été, entre 18 et 19 h, le véhicule de la rumeur de Bulson, devient à partir de 19 h, par son silence, l'instrument de l'anxiété ou de la démoralisation. La plupart des groupes et batteries d'artillerie n'ont pas été avertis du déménagement des P. C. Le deuxième groupement du 185e d'artillerie lourde a envoyé, en fin d'après-midi, un officier de liaison à moto à Flaba ; celui-ci a rapporté à son commandant l'affolement qui y règne et les propos qu'on y tient :

> L'A.L.C.A. évacue, les chars ennemis étant sur la crête de Bulson. La Meuse est franchie en plusieurs points. Les 55e et 71e sont enfoncées, l'artillerie divisionnaire prise, le 110e d'artillerie pris, le 3e groupement du 185e s'est replié, laissant son matériel, l'A.L.C.A. n'existe plus[2].

D'autres chefs de groupes appellent en vain. Or, l'artillerie dépend du téléphone : installée en retrait du champ de bataille, elle ne le voit pas, elle est commandée et renseignée à distance par ses observatoires et par

---

1. La teneur de ces deux communications téléphoniques a été discutée par la suite. Le colonel Badel (chef d'état-major du 10e corps) l'a infirmée. Il est en tout cas hors de doute qu'au moins pendant le début de la soirée l'état-major du 10e corps a cru à la menace des chars allemands et l'a répercutée. Cf. général RUBY, *o. c.*, p. 137.

2. SHAT 30 N/115 et 34 N/643.

les P. C. Une grande partie de l'artillerie du secteur de Sedan se retrouve dans le vide entre 18 h 30 et 19 h : par les communications entre batteries, elle découvre qu'elle est abandonnée, peut-être menacée d'être capturée. Un grand silence se fait et persiste : à 19 h, presque partout l'artillerie française a cessé le feu[1].

Dès lors, tout dépend des réactions des capitaines et des commandants. Quelques-uns s'accrochent au terrain, tirent sur les objectifs antérieurs jusqu'à la nuit complète, jusqu'à épuisement de leurs munitions ou jusqu'à réception d'un ordre certain de repli[2]. Les plus proches du combat évitent de justesse d'être pris. Plusieurs évacuent leur position, mais mettent leur point d'honneur à ramener leur matériel intact ; d'autres abandonnent ou enclouent leurs pièces ; au total, à l'aube du 14, les bouches à feu de neuf groupes, soit plus de 80 canons sont perdus. Le colonel Poncelet, arrivé au P. C. du corps d'armée à 1 h 30 du matin, est aussitôt renvoyé à son propre P. C. de Flaba qu'il regagne dans la nuit. Il se suicidera trois jours plus tard.

Des contre-mesures sans effet

Depuis 19 h, la pagaille est reine. Le général Lafontaine et le général Grandsard ont gardé leur sang-froid, on l'a vu, et prescrit les contre-mesures que permettent leurs moyens. Mais les deux principales routes nord-sud sont engorgées par les mouvements de repli. Quand le général Lafontaine, à 19 h 15, arrive à Chémery, la cohue y est indescriptible :

> Tous les trains de la division, accumulés dans cette région, trains de combat, trains régimentaires, colonnes de ravitaillement, parcs, éléments généralement peu encadrés, sont en route vers le Sud, chargés d'isolés ; comme par enchantement, les chefs ont naturellement reçu un mystérieux ordre de repli ; les barrages de la prévôté sont balayés[3].

Dans son P. C. improvisé, le général Lafontaine, qui doit contre-attaquer le lendemain matin, ne sait ni où sont parvenus les Allemands, ni ce qu'il lui reste d'artillerie ni où en sont ses unités de renfort. Entre lui et le général Grandsard, distant de onze kilomètres, c'est le sous-chef d'état-major du corps d'armée qui assure la liaison ; quand celui-ci retourne vers 21 h au corps d'armée, il doit abandonner son auto et faire plusieurs kilomètres à pied ; à minuit, le général Lafontaine, isolé, attend toujours de nouvelles instructions ; il tente d'aller en personne au corps d'armée : l'engorgement de la route l'y fait renoncer. Les instructions de contre-attaque ne lui parviennent qu'à 3 h du matin.

1. Les Allemands peuvent construire un pont de bateaux et deux passerelles dans la nuit sans être le moins du monde harcelés par l'artillerie française ; il est vrai que du côté français, faute de renseignements et d'aviation, on en ignore l'emplacement.
2. L'un même, le capitaine Héloir, commandant la 1re batterie du 110e RALCH, en position à la ferme Beaumesnil, poursuivit le tir jusqu'au lendemain 14 mai à 17 h.
3. Général RUBY, *o. c.*, p. 135, et SHAT 32 N/251.

L'encombrement des arrières[1] retarde les renforts autant que la transmission des renseignements et des ordres. Il n'explique pourtant pas la lenteur des unités appelées à la rescousse : le corps d'armée a donné l'ordre de faire monter le 213ᵉ d'infanterie à 14 h 15, puis deux bataillons de chars à 15 h 15 ; ils ne s'ébranlent qu'à 20 h. C'est que ni le général Grandsard ni le général Huntziger (qui n'est intervenu en rien dans cette première journée) n'ont envisagé un seul instant une contre-attaque avant la nuit : le commandement ne sait pas encore que, dans la guerre éclair, chaque minute compte.

Les unités de renfort sont vite impressionnées par le spectacle de cette nuit folle. Le 205ᵉ, qui monte à partir de 20 h vers Raucourt et Maisoncelle, est retardé par des voitures chargées de fuyards qui crient : « Ne montez pas, les Boches sont là ! » Des voiturettes sont culbutées ; pour accroître l'anxiété, on croit entendre des bruits de mitrailleuses venant du sud. Le 7ᵉ bataillon de chars n'arrivera à Chémery qu'à 3 h 30 du matin : des officiers ont dû se frayer un passage pistolet au poing au milieu des équipages qui refluent... Le 213ᵉ d'infanterie est le plus ému : son colonel craint pour son moral s'il prolonge la marche en pleine nuit de cette troupe sans expérience, alors que l'ennemi doit être tout proche.

Finalement, aucune des unités de renfort qui doivent participer à la contre-attaque du lendemain matin n'atteint dans la journée du 13 la ligne de départ qui lui a été fixée.

La contre-attaque du 14, complètement improvisée, commence à 6 h 30 du matin, au nord de Chémery, et seulement à 8 h dans la zone de Raucourt. Elle démarre bien. Mais les blindés de Guderian entrent maintenant dans la bataille : à partir de 8 h 30, ils écrasent le 7ᵉ bataillon de chars légers, dont on a comparé le sacrifice à celui des cuirassiers du 2 septembre 1870.

C'est aussi le commencement de la fin de la 71ᵉ division. Ce qui reste de cette piètre unité reçoit, à la fin de la matinée du 14 mai, dans une atmosphère de catastrophe, l'ordre de s'installer en position de défense face à l'ouest, en bordure de la brèche ouverte par les Allemands.

> Les troupes étaient déjà très démoralisées[2]. Les vieux « crocos » ne pensaient venir qu'en renfort, pour le cas où les jeunes auraient cédé. Jamais les réservistes de la 71ᵉ n'auraient pu croire, en raison de leur impréparation à la bataille et de la vétusté de leur matériel, qu'il n'y avait rien entre les Allemands et eux. Ils se considéraient, en quelque sorte, comme des unités de forteresse et non comme des troupes de choc.
>
> En outre, ce qui les déconcertait et les inquiétait, c'était de recevoir des coups par-derrière.

---

1. Aggravé par l'exode précipité des populations civiles du Chesne, de Buzancy, de Vouziers, etc.

2. Rapporte un témoin, « officier radio » de la 71ᵉ division, cité par P. ALLARD, *La Vérité sur l'affaire Corap*, p. 38.

Les bataillons se fragmentent par compagnies et par sections pour installer des points d'appui espacés ; ils ont un soutien d'artillerie, mais ils ne disposent que de quelques antichars. Ils ne peuvent communiquer que par agents de liaison, ne reçoivent ni ordres ni informations. Des avions à croix noire, de temps à autre, lâchent ici et là leurs bombes. Sur la route qui va *vers le sud,* en face d'eux, ils voient des motos, puis des blindés ennemis qui dépassent leurs positions. Rien ne les a préparés à cet isolement. Bientôt certains croient être tournés. En l'espace d'un après-midi, presque tout le 120ᵉ régiment d'infanterie y compris son colonel et un bataillon du 246ᵉ se défont par groupes ou par sections entières et refluent vers le sud. De même quatre groupes d'artillerie. 1 600 hommes disparaissent, dont beaucoup sont faits prisonniers. Seuls deux bataillons du 205ᵉ R.I. et un demi-bataillon du 120ᵉ, grâce à des chefs énergiques, tiennent leurs positions jusqu'à l'aube du lendemain [1].

---

1. C'est grâce aux comptes rendus rédigés par les officiers de ces trois bataillons que l'on peut le mieux suivre (mieux qu'à travers les réquisitoires imprécis, et parfois romancés) l'espèce de « désagrégation moléculaire » qui a dissous sans panique, en un après-midi, plus de la moitié de la 71ᵉ division, incapable de soutenir la *menace* d'opérations incompréhensibles. Cf. notamment le rapport de commandement du 3ᵉ bataillon du 120ᵉ R.I. (SHAT 34 N/124) :

« *Vers 17 h,* le commandant de la 7ᵉ compagnie me rend compte qu'il occupe Angecourt et reçoit de moi l'ordre de mettre ce village, important pour la couverture de mon flanc gauche, en état de défense. Vers 18 h, le commandant de la 10ᵉ compagnie veut prendre contact avec la 7ᵉ ; il ne la trouve pas : j'ai appris par la suite qu'elle avait quitté sa position vers le sud par les bois.

Vers la même heure, l'ennemi arrive aux abords de l'Ennemane et ne cherche pas à franchir le ruisseau.

La corvée de soupe revient à nouveau, mains vides comme la veille : pas de roulantes. 2ᵉ jour sans nourriture. Je donne l'ordre de manger une partie des vivres de réserve.

Vers 20 h, j'envoie un cycliste au P. C. du colonel. À son retour, il déclare n'avoir trouvé personne ; l'artillerie même (groupe K.) est partie, laissant sur place son matériel. Ne pouvant y croire, je fais vérifier par mon adjudant-major qui confirme.

Je fais chercher encore une liaison assez loin à ma gauche, sans résultat ; à ma droite, je n'ai jamais pu atteindre personne.

L'ennemi semble se préparer à l'attaque, lance des fusées, tiraille avec ses mitrailleuses, fait du repérage d'artillerie sur les lisières du bois. À gauche, sur la route Raucourt-Angecourt, c'est un bruit continu de moteurs. (...)

Toute la nuit se passe à faire des patrouilles sur l'Ennemane et à rechercher en vain des liaisons à gauche et en arrière de ma position où l'infiltration ennemie s'accentue.

Vers 23 h, je parcours la position de la 10ᵉ compagnie et pousse une reconnaissance jusqu'aux premières maisons d'Angecourt : les motos ennemies traversent le village.

Le 15 mai vers 2 h, je rejoins mon P. C. Isolé, coupé de mes chefs, sans liaison à droite, n'ayant personne à gauche, sans appui d'artillerie, sans secours possible, pressé sur mes flancs par l'ennemi qui a atteint mes arrières sur une grande profondeur et peut nous attaquer sans que je puisse m'y opposer, je décide après mûre réflexion de donner l'ordre au bataillon de repli vers le sud en direction de Yonck. Commencement du mouvement à 5 h. Repli par petites colonnes en silence. Très peu de pertes. En cours de route, je trouve les trains de combat du 246ᵉ R.I. abandonnés et pillés, les cantines des officiers éventrées, les archives éparses. »

Les hommes de la débâcle

Mais revenons à Bulson. Dans la soirée du 13 mai, tandis que le commandement local s'évertuait à colmater la brèche, la rumeur de l'arrivée des chars allemands s'est propagée dans les Ardennes. Si le gros des fugitifs l'a répercutée surtout vers le sud, la rumeur a progressé aussi d'est en ouest, portée par des conducteurs de camions et des motocyclistes à travers les arrières de la IIe armée ; elle y provoque l'inquiétude et des poussées locales d'affolement.

Elle est à 20 h à Vendresse, à vingt kilomètres au sud-ouest de Sedan ; deux officiers du génie en perdent leur sang-froid au point de reconnaître des blindés allemands dans une section du 7e bataillon de chars : ils font route en hâte vers Senuc où est le P. C. de l'armée pour informer le général Huntziger, qui les traite de menteurs. De Vendresse, la rumeur atteint à 20 h 30 Launois, à mi-chemin entre Rethel et Charleville, où un adjudant qui se replie avec sa section de transports, puis un motocycliste délirant viennent annoncer que les tanks ennemis sont tout proches, qu'ils menacent le bourg de Poix-Terron. La troupe cantonnée sur place comprend des éléments excellents, y compris des chars légers et des tirailleurs algériens ; elle est si émue qu'elle commence à quitter ses cantonnements : il faut qu'un chef de bataillon, revolver au poing, lui ordonne de faire demi-tour pour que tout rentre dans l'ordre. La rumeur atteint vers 22 h Saulces-Monclin et Novion-Porcien où des isolés à motocyclette refluent : « Les Allemands arrivent, ils sont plus forts que nous, repliez-vous sur Rethel ! » Elle est connue avant 22 h 30 à Rethel même : on établit des barrages sur les routes pour arrêter et récupérer les fuyards. Le 14 au matin encore, le commandant des étapes de Saulces-Monclin recueille les officiers d'une batterie de 75 et les restes de trois sections d'infanterie qui se sont repliés, affolés par les semeurs de panique.

Ainsi, l'onde d'angoisse se propage sur un itinéraire qui sera précisément celui des Allemands ; elle trouble certains éléments de la 53e division, avant que celle-ci ne soit engagée dans des conditions déplorables contre l'avant-garde des Panzers[1].

Mais tout cela est marginal. Le gros des fuyards du secteur de Sedan n'a cessé, pendant ce temps, de déferler vers le sud et le sud-ouest[2]. Leur avant-garde — une file de camions d'artillerie partis de Raucourt — est signalée dès 19 h 30, le 13 mai, à Grandpré, à trente kilomètres au sud de Bulson. Les fantassins repliés n'atteignent la région de Vouziers qu'à l'aube du 14 ; ils se répandent toute la journée du 14 et encore le 15 dans les campagnes du sud du département des Ardennes et du nord-est

1. Rapport de la direction des étapes, Rethel et Saulces-Monclin (SHAT 29 N/458).
2. La plupart des détails qui suivent sont empruntés au compte rendu que le colonel Serein, prévôt de la IIe armée, a donné de ces événements (SHAT 29 N/104).

de la Marne. La prévôté, impuissante à faire barrage, canalise les masses débandées vers les routes qui convergent sur Vouziers. Les hommes se laissent orienter docilement.

À Vouziers, la prévôté a organisé dans la matinée du 14 un centre de rassemblement dans une caserne : ils ont tôt fait de remplir tous les locaux, cours et hangars ; beaucoup d'autres ont fait halte pour se reposer dans les bois à l'est de la ville. Le 14, vers midi, le ravitaillement préparé par l'Intendance est épuisé, les locaux d'accueil sont saturés : on décide de créer un second centre de regroupement à dix kilomètres de distance dans la campagne, à Mazagran.

C'est alors que l'aviation allemande se manifeste : tout l'après-midi, par vagues, elle pilonne l'agglomération. Les derniers habitants prennent la fuite, tandis que le régiment régional cantonné à Vouziers « se replie sur de nouvelles positions » : la cité se trouve abandonnée aux fuyards. Pour échapper aux bombes, les uns se réfugient dans les caves où ils se livrent à d'amples libations, les autres s'égaillent dans la campagne. De sorte que dans la nuit du 14 au 15 et la journée du 15, toutes les fermes avoisinant Vouziers ainsi que les bois proches sont peuplés de soldats harassés et souvent mourant de faim qui se livrent en assez grand nombre au pillage[1].

Qui sont-ils ? L'aumônier de la 36e division les a vus à Mazagran, à dix kilomètres à l'ouest de Vouziers où « toutes les routes sont remplies de fuyards »[2] :

> Rapides ou harassés, ils sont tellement tenaillés par la peur qu'ils s'effraient mutuellement dans leur retraite avec les renseignements les plus fantaisistes, comme s'ils voulaient s'interdire tout espoir de retour... Ils s'en vont vers le sud-ouest, par paquets, dans un désolant méli-mélo de toutes armes. Beaucoup n'ont plus ni sac ni fusil et ils ne semblent pas préoccupés d'en récupérer. Ils « s'en vont ».

Il y a des mauvais esprits dans le tas, en particulier parmi les conducteurs de camions de l'artillerie que l'on dit être presque tous de recrutement parisien, c'est-à-dire politiquement douteux ; dans un cas au moins, ils se montrent menaçants envers un officier. Il y a des fuyards pour lesquels la rumeur n'a été qu'une occasion ou un prétexte, témoin cet éclaireur motocycliste de la 53e division intercepté alors qu'il se sauvait avec deux camarades ; on l'interroge[3] :

---

1. « Parmi ces misérables, certains furent arrêtés qui n'étaient cependant pas des va-nu-pieds dans la vie civile et qui ne se contentèrent pas d'assouvir leur faim, mais qui défoncèrent les armoires pour y dérober les objets de valeur, quelques autres détruisirent sans raison le mobilier, la vaisselle, les objets d'art dans les châteaux et les habitations cossues, déchirèrent dans les plus humbles demeures les photographies et les souvenirs de famille. » Ces pillages furent le fait non seulement d'hommes des 55e et 71e divisions, mais de soldats du 29e R.R., le régiment régional de Vouziers (SHAT 29 N/104 et 27 N/70).

2. Témoignage de l'abbé Poueydebasque, Archives départementales des Ardennes, J-374/18.

3. SHAT 29 N/458

Pourquoi ? Sur ordre de qui ? Il n'en sait rien. Il déclare : « On m'a dit que les Allemands étaient là et l'on a crié : " Sauve qui peut ! " Il a jeté ses armes et il s'est sauvé. Toujours : " On m'a dit. " »

Aux questions qui lui sont posées, il répond d'une façon gouailleuse et cynique... Il est grossier vis-à-vis du major de zone. Il reconnaît qu'il n'a vu ni blessés ni tués. Il reconnaît que c'est seulement la peur qui a fait fuir lui-même et ses camarades.

Pour justifier leur fuite, ils répondent invariablement : « On m'a donné l'ordre de fuir le plus vite possible vers Rethel » ; et tout le long de leur chemin semant la panique, recommandant à tous de fuir (...).

Mais la grande majorité des troupes débandées n'est pas composée de mutins ou de mauvais esprits. Presque tous ces fuyards, dont beaucoup sont d'origine terrienne, se disent recrus de fatigue, tenaillés par la faim et tiennent à peu près les mêmes propos :

Nous avons été trahis, l'aviation allemande nous a écrasés, nous n'avons vu aucun avion français.

Certains ajoutent : « Nos officiers nous ont abandonnés ! »

Si on les presse de donner des noms, la plupart se dérobent. Des hommes de la 71e division affirment avoir eu derrière eux des parachutistes allemands portant le même uniforme et le même numéro de régiment qu'eux. Quelques-uns, encore sous le coup de l'émotion, se mettent à pleurer quand on les prend à part et demandent à retourner au feu.

Le bouclage de la région est organisé dès le 15 avec le renfort de deux compagnies de gardes mobiles venus de Châlons et de Vitry-le-François ; puis le ramassage systématique des isolés est entrepris à partir du 16 ; il permet de récupérer 13 600 hommes auxquels s'ajoutent 554 fugitifs retrouvés dans les rues de Reims et de Châlons et des villages avoisinants : regroupés à Verdun, ils seront pour la plupart incorporés avant la fin du mois à une division nouvelle commandée par le général Lascroux.

Tout compte fait, la rumeur de Bulson aura mis en fuite près de 20 000 hommes en y comprenant le régiment régional de Vouziers[1]. C'est seulement le 22 mai qu'on estime l'affaire résorbée.

Un réquisitoire. Le cas du 246e R.I.

Un accusateur de poids s'est dressé à l'instruction du procès de Riom en la personne du général Suffren pour dénoncer les régiments du

---

1. Non compris les 4 000 à 5 000 fantassins de la 71e division qui se sont débandés les 14 et 15 mai et ont été, à l'exclusion de 300, rapidement récupérés par la prévôté divisionnaire. Plus rien de tel ne se produira sur cette partie du front malgré de durs combats : entre le 27 mai et le 7 juin, la prévôté enregistrera, pour l'ensemble de la IIe armée, 50 abandons de poste et 5 désertions (SHAT 29 N/104).

secteur de Sedan : selon lui, ils ont sciemment et délibérément refusé de se battre.

Le général Suffren commandait l'infanterie d'une unité de choc, la 3e D.I.N.A. (3e division d'infanterie nord-africaine), qui, entre le 16 et le 22 mai, a bloqué au prix de lourdes pertes la poussée allemande au sud-est de Sedan. Il a dépeint des bandes d'hommes sans armes et sans chefs refluant en désordre[1] :

> Ce qui est caractéristique c'est que ces fuyards n'étaient pas frappés de panique, ils ne cherchaient pas à se mettre momentanément à l'abri du danger, ils quittaient le champ de bataille pour rentrer chez eux ; aussi presque tous s'étaient débarrassés de leur armement devenu inutile.
> Et l'on put voir un vieux pionnier poussant tristement devant lui une brouette où il avait entassé des fusils abandonnés par des fuyards.

Nous savons combien la déposition du général Suffren a ému Gamelin : il s'y est référé dans une note rédigée pendant sa captivité au fort de Bourrassol, en août 1942, il y est revenu dans ses Mémoires ; c'est ce témoignage qui lui a inspiré la question si grave : « Ne savaient-ils plus qu'il faut mourir pour la patrie[2] ? »

Les accusations de Suffren reposent pour une part sur des propos entendus et des extrapolations passionnées. Son témoignage n'est recevable que dans la mesure où il parle de ce qu'il a vu. Ce qu'il a vu est non pas la panique de Bulson, mais le repli des deux derniers bataillons du 246e régiment d'infanterie, deux jours plus tard, c'est-à-dire le 15 mai. Avec la désintégration de cette unité s'achève la décomposition de la 71e division que j'ai déjà évoquée. Il est exact que celle-ci n'a pas résulté d'une panique. Les faits appellent un examen d'autant plus minutieux que d'autres « repliements », du même type, mais localisés et de bien moindre ampleur, se sont également produits ou se produiront ailleurs.

Une première question se pose : le 246e, que le général Suffren accable, n'était-il pas un régiment « douteux »[3] ? Formé à Fontainebleau, comprenant une majorité de soldats de la Brie et de la région parisienne, c'était un des rares régiments dont le moral en mars et avril avait été reconnu comme flottant. À en croire le chef d'état-major de la 71e division, on comptait dans ses rangs de nombreux éléments « suspects », une centaine de repris de justice et de condamnés de droit commun, des anciens marins reversés dans l'armée et « un certain nombre d'agitateurs politiques : syndicalistes militants, secrétaire d'un journal *(sic)*, objecteurs de conscience, etc. ». Rien ne permet de vérifier ces assertions ni de les contester. Si l'on admet que le 246e ait eu

---

1. AN 2 W/66.
2. Général GAMELIN, *Servir,* t. I, p. 352.
3. Le 246e a été un des régiments mutinés de 1917 ; mais on peut douter que cet antécédent ait compté pour les soldats de 1940, à supposer qu'ils en aient eu connaissance.

en effet mauvais esprit ou ait été travaillé sourdement par des groupes de contestataires [1], du moins faut-il relativiser ces influences : il ne suffit pas de quelques meneurs défaitistes pour que des compagnies se dissocient les unes après les autres. En outre, au régiment voisin, le 120ᵉ, deux bataillons sur trois se comportent, le 14 mai, presque aussi mal. Or, le 120ᵉ, formé à Stenay, est composé en majorité de ruraux de l'Ardenne et de l'Aisne ; il est reconnu pour son bon esprit ; il a toujours inspiré toute confiance au commandement et à ses officiers. Il ne lui manque que d'être aguerri. Le 120ᵉ regroupé sera en mesure dès le 16 mai de garder les défilés de l'Argonne.

Il faut admettre que les défaillances de la 71ᵉ division n'ont pas pour seules raisons le « mauvais esprit » ou un pourrissement politique qu'aucun officier subalterne du régiment ne confirme. Le manque de conviction est certain, l'imprégnation pacifiste plausible, comme dans bien des unités. Encore doit-on y voir de plus près.

Le 246ᵉ appartient à une division âgée qui, comme la 55ᵉ, n'était pas destinée à être engagée. Il a (comme le 120ᵉ) partagé son temps jusqu'au 10 mai entre des travaux de terrassement, le déchargement des wagons et le service en place. La plupart des hommes ne savent pas manier une grenade. Cette troupe sans formation et sans entraînement a été dissociée par ordre : un bataillon sur la rive gauche de la Meuse, deux bataillons sur la rive droite. Le commandement de la division et celui du régiment se sont effondrés, de sorte que les petites unités dépendent entièrement des cadres subalternes. Le général commandant la 71ᵉ division n'a pas retrouvé ses esprits depuis Bulson ; il a mis ses régiments sommairement en place sans leur donner d'ordres et sans organiser les plans de feu, puis il s'est cantonné dans un P.C. si éloigné et si menacé qu'il n'a plus de liaison avec ses hommes. Il finit l'après-midi du 14 mai dans une tranchée pour s'abriter des bombes. Le colonel du 246ᵉ n'a jamais eu son régiment en main ; le 15 mai, incapable de donner des ordres, il s'agite à la recherche d'un P.C., puis à la recherche de ses unités ; il finit par demander à en être déchargé. Quant aux trois chefs de bataillon, l'un d'eux est resté en arrière-garde et a perdu lui aussi sa troupe, un autre n'a que des moyens réduits par l'émiettement et du fait de la dispersion des compagnies.

L'encadrement est intégralement de réserve, à l'exception de deux chefs de bataillon. On compte en tout quatre capitaines. Sur 10 compagnies, huit sont commandées par des lieutenants ou des sous-lieutenants, la moitié des sections sont commandées par des sous-officiers. La moitié des officiers ont plus de quarante ans. Abandonnés à eux-mêmes dans un climat de déroute, venus de toutes les branches professionnelles du

---

1. La même accusation a été lancée au cours de l'instruction du procès de Riom contre le 295ᵉ R.I., régiment formé à Bourges, où la proportion d'ouvriers de l'arsenal et de « salopards » aurait été élevée : rien non plus ne le confirme.

secteur tertiaire[1], à peu près aucun ne sait mettre un village en état de défense ni contrôler un repli. Tel est le régiment dont un bataillon s'est volatilisé, dans l'après-midi du 15 mai, dans ses points d'appui le long de l'Ennemane et dont le général Suffren a vu les deux autres se dissocier le 15 mai. Ces derniers, après avoir marché toute une nuit pour occuper des positions fortifiées, ont reçu, au bout de trente-six heures, l'ordre de les évacuer en pleine nuit et de marcher à travers champs pour ne pas encombrer les routes en attendant de s'installer en position de défense personne ne sait où. Dans chaque détachement, l'officier marche en arrière-garde, conformément au règlement : une partie des hommes continue vers le sud. Finalement, sur quelque 1 100 hommes, il en reste moins de 100 avec un chef de bataillon et une poignée d'officiers pour s'intégrer à la 3ᵉ D.I.N.A. avec laquelle ils combattront vaillamment.

Le 246ᵉ s'est effondré sans avoir combattu ; il n'avait été ni préparé, ni commandé, ni encadré. On peut en dire autant de la 71ᵉ division tout entière.

Le coup de fortune du général Huntziger

Les Allemands avaient voulu attaquer « de la façon la plus inimaginable à l'endroit le plus inimaginable »[2]. Personne n'avait imaginé, en effet, du côté français un choc d'une aussi extraordinaire violence, ni encore moins sur Sedan. Une des révélations les plus bouleversantes de ces journées aura été que ni les anciens de 1914-1918, ni les troupes dans leur ensemble, ni le commandement *n'ont reconnu la guerre*[3].

Deux divisions se sont volatilisées, la 71ᵉ pratiquement sans combat, fait unique au cours de cette campagne. Les défaillances du commandement local et celles de la troupe sont également lourdes. La défaite de la France aura été consacrée ici.

Mais tant d'insuffisances et parfois aussi d'héroïsme ne doivent pas dissimuler le personnage central du drame, le général Huntziger. Le 13 mai, au soir, la tête de pont allemande au sud de la Meuse était encore peu profonde. Le 14 mai au soir, la percée pouvait sans doute encore être bloquée. La situation pouvait-elle être rétablie et l'ennemi ramené à la Meuse ? On hésite à le croire, compte tenu de la supériorité de la stratégie et des moyens adverses. La carence du général Huntziger pendant les mois de la « drôle de guerre », son impéritie entre le 10 et le 15 mai 1940 ont rendu le coup irrémédiable.

Il a fallu, pour préserver sa réputation, un concours de circonstances

1. 4 professeurs, 5 instituteurs, 1 commissaire de police, 2 prêtres, 4 avocats ou notaires, 8 commerçants, négociants et représentants, 10 employés ou secrétaires de contentieux.
2. Compte rendu du commandant von Kielmansegg (SHAT 29 N/28).
3. L'expression est du colonel de Bardies, du Grand État-Major.

inouï : d'abord la faute inexplicable de Paul Reynaud dénonçant devant
le Sénat comme responsable du désastre de Sedan, non pas Huntziger,
mais Corap, chef de l'armée voisine, la IXe ! Il a fallu le réseau de
sympathies que le général Huntziger avait nouées et la propagande dont
il a su s'entourer[1]. Il a fallu enfin, après l'armistice, son accession au
gouvernement en qualité de ministre de la Guerre, qui lui a permis de
faire écrire l'histoire à sa façon[2]

---

1. Propagande assez efficace pour que le général de Gaulle, qui ne s'en laissait pas
accroire, ait proposé, le 11 juin 1940, Huntziger pour remplacer Weygand (cf. *Mémoires de
guerre,* t. I, p. 52). Il est vrai qu'à cette date Gamelin et Georges étaient hors de course,
Billotte était mort, Giraud et Blanchard étaient prisonniers, on voit mal à quel autre des
généraux d'armée, « bons divisionnaires » pour la plupart, il aurait pu faire appel.

2. Les responsabilités du général Huntziger à Sedan ont été depuis longtemps relevées
par celui qui fut le chef adjoint du 3e bureau de la IIe armée, M. Michel de Lombarès. Tous
les documents que nous avons pu étudier au Service historique de l'armée et dans les
archives du procès de Riom concordent avec ses assertions, aucun ne les infirme.

5

De la surprise de Houx
à la surprise d'Avesnes

La surprise n'est pas seulement à Sedan, elle est aussi en Belgique. Les Allemands sont arrivés sur la Meuse belge à hauteur de Dinant dans l'après-midi du 12 mai, comme à Sedan, en avance sur tous les pronostics. La rivière est large : cent dix mètres. En face d'eux, deux divisions de la IXe armée, la 18e et la 5e division d'infanterie motorisée (ou 5e D.I.M.), viennent de prendre position ou sont en train de prendre position sur la rive ouest. Cette rive est escarpée et semble offrir une solide protection, mais ni tranchées, ni barbelés, ni champs de tir n'y ont été d'avance aménagés[1]. Le général Corap, qui commande la IXe armée, inquiet de la rapidité de l'avance ennemie, a prescrit au gros du 2e corps de forcer l'étape dans la nuit pour l'avoir à proximité de la Meuse au matin du 13. Il a en outre mis un bataillon de réserve d'armée, le bataillon Cadennes (du 39e R.I.) à la disposition de la 18e division pour renforcer ses avant-gardes sur la Meuse, à la charnière entre la 18e et la 5e D.I.M.

Les « négligences fatales... »

Première surprise : à 6 h du matin, le lundi de Pentecôte 13 mai, la 5e D.I.M. découvre que des éléments ennemis ont franchi le fleuve ; ils s'infiltrent à sa droite, dans les bois de Grange, précisément dans l'intervalle entre les deux divisions.

Ce qui s'est passé est très simple.

Face aux bois de Grange, il y a une île dans la Meuse, l'île de Houx, et une écluse, que le génie français a laissée intacte afin de ne pas provoquer une baisse de niveau excessive en amont. Le bataillon Cadennes devait garder cette section. Les ordres de l'armée étaient clairs : « La ligne extérieure de la position de résistance sera jalonnée

---

1. Cf. SHAT 32 N/126. Voir photographie hors texte du passage de la Meuse.

Carte 3. La percée allemande sur la Meuse belge

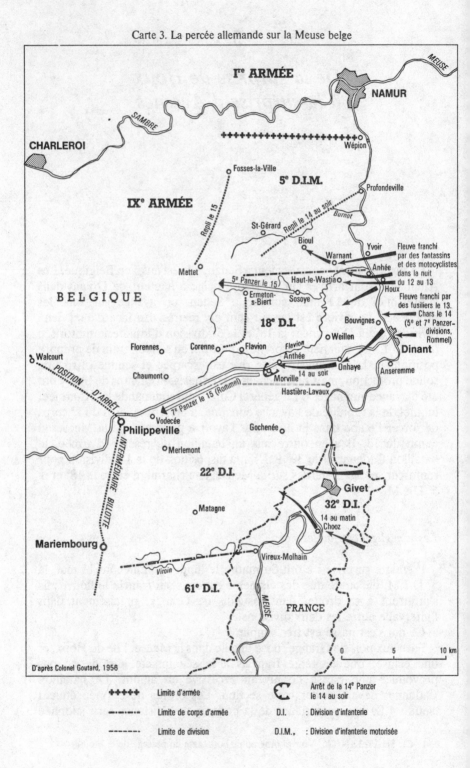

par le fleuve lui-même dont le cours devra être battu par les feux de la ligne principale. » Le bataillon s'est installé sur la falaise qui domine la rive gauche de la Meuse ; il a eu la surprise d'y être aussitôt canonné ; il ne semble pas qu'il ait rien fait pour tenir la rive et surveiller l'écluse. Personne n'a vérifié son plan de feux. Douze cents mètres de bordure de Meuse sont restés sans surveillance là où il ne le fallait pas. Des fantassins allemands sont passés à la faveur de la nuit dans l'île de Houx (sur laquelle on n'avait pas installé de champ de mines, car on n'avait pas de mines), puis par la passerelle de l'écluse. Non seulement le bataillon n'a pas gardé le fleuve, mais il s'est volatilisé : « Ses éléments ont été capturés ou dispersés sans que ses voisins de droite ni de gauche aient perçu le bruit d'un combat. »

« Ces négligences seront fatales », écrit le général Dufieux, chargé de l'enquête sur la défaite de la IXe armée. « C'est la première faille dans le dispositif ; elle s'agrandira vite...[1] » On a fait un peu facilement des boucs émissaires de ce bataillon et de son chef. Aux négligences s'ajoutent, en effet, des défaillances de l'infanterie, mais surtout le poids d'une supériorité aérienne, matérielle et tactique massive de l'adversaire — supériorité du nombre, de la puissance de feu, qualité plus homogène de troupes mieux encadrées.

Les Allemands n'occupent sur la rive ouest de la Meuse, le 13 mai au matin, qu'une poche autour des deux villages d'Anhée et de Haut-le-Vastia. Une contre-attaque est organisée : dans l'après-midi, les dragons portés français reprennent Haut-le-Vastia et y font une quarantaine de prisonniers. Un bataillon du 129e R.I. devrait aller tenir la position. Il ne suit pas. Il a reçu ses instructions verbales à 10 h, ses instructions écrites à 11 h, il n'est prêt à intervenir qu'à 12 h 30. À 13 h, les Stukas s'en prennent à lui, sans trêve jusqu'à 14 h, puis à nouveau de 14 h 30 à 17 h 30. Son lieu de stationnement était à 5 kilomètres de Haut-le-Vastia ; il n'a progressé à 17 h 30 que de 800 mètres.

Une seconde contre-attaque, ordonnée en fin de journée, est aussi décevante. L'artillerie, les chars légers et la cavalerie jouent parfaitement leur rôle, mais à 19 h 55 — cinq minutes avant l'heure fixée — le colonel du 39e régiment d'infanterie fait savoir que ses bataillons ne sont pas prêts.

---

1. SHAT 29 N/443. Le commandant Cadennes avait eu une carrière honorable et terne. Sous-officier rengagé en 1914, il a été un chef de section courageux et a fini la guerre comme lieutenant. Il est resté dans l'armée où il a exercé, notamment en Rhénanie et au Maroc, des fonctions parfois plus administratives que militaires dont celles de commissaire de gare à Guercif. Il a été promu chef de bataillon au début de 1940, après treize ans passés dans le grade de capitaine. Il allait mourir en captivité le 14 juillet 1942 sans que l'on connaisse sa version des faits. Un ouvrage paru au printemps 1944 à Paris a affirmé que son bataillon avait pillé, en montant en ligne le 12 mai au matin, les caves de Falaën, un village voisin, et que la plupart des hommes étaient ivres. Cf. RICHECOURT, *La Guerre des cent heures*, Paris, Flammarion, 1944, p. 178. Aucun compte rendu militaire ni rapport d'enquête ultérieur, à ma connaissance, ne le confirme.

Les Allemands n'avaient encore dans l'après-midi du 13 mai, sur la rive gauche de la Meuse belge, qu'un bataillon d'infanterie et deux compagnies motocyclistes, sans antichars, que l'on pouvait rejeter. L'occasion perdue ne se retrouvera pas : le 14 mai, leurs blindés auront passé le fleuve ; ils sont quinze à l'aube, trente à 9 h...

Le succès allemand au nord de Dinant n'est pas dû seulement à des circonstances propices. Le simple fait que, dès l'après-midi du 13 mai, Rommel en personne ait pu franchir la Meuse de vive force, malgré un feu intense, sur des canots pneumatiques avec des éléments d'infanterie, prouve assez la supériorité de l'attaque sur la défense.

Face à un ennemi agressif, résolu et puissant, l'armée Corap, avec ses neuf divisions étirées en mince cordon sur 100 km le long de la Meuse est hors d'état de tenir. La 18e D.I., qu'une longue marche a épuisée, doit tenir un secteur de 18 km, la 5e D.I.M. un secteur de 16 km, avec cinq bataillons de 550 hommes en ligne.

Pour protéger ce front de 100 km et ses arrières qui s'étendent sur une grande profondeur, la D.C.A. est limitée à trois groupes de canons et trois batteries de vingt-cinq anti-aériens. La IXe armée ne dispose en propre comme blindés que de deux bataillons de chars légers modernes. Les transmissions devaient être assurées pour l'essentiel par le réseau téléphonique belge ; elles sont inutilisables dès le début de la bataille. Les arrières sont désorganisés, paralysés par les interventions incessantes de l'aviation de bombardement qui attaque les châteaux, sièges présumés des états-majors, et qui détruit systématiquement les poteaux téléphoniques le long des routes.

L'opération de Gamelin vers la Meuse était basée sur la conviction que l'adversaire, ayant atteint ce grand fossé antichar de la Meuse belge, s'y arrêterait pour engager une guerre de position. Erreur ! Le commandement redécouvre la dissymétrie fondamentale de l'offensive et de la défensive. Comme à Luxembourg et à Sedan, les Français sont aux prises, avant même l'entrée en action des blindés, avec une guerre de mouvement dont le temps est une des dimensions et où chaque petite unité doit jouer sa partie. La cavalerie, les chars, l'artillerie tenteront de s'y adapter, l'infanterie plus difficilement... Ses maillons faibles lâchent, alors qu'à 40 km de là, dans la trouée de Gembloux, en rase campagne des divisions entraînées et encadrées supportent sans faiblir le choc du corps de bataille allemand.

Au niveau terre à terre du fantassin novice, deux éléments rendent le premier feu plus impressionnant, notamment dans les rencontres rapprochées. L'infanterie allemande est armée de mitraillettes à faible portée, mais à tir crépitant beaucoup plus rapide que nos fusils-mitrailleurs : le soldat français se croit guetté de partout et environné de balles.

D'autre part, les troupes allemandes pratiquent des tirs d'intimidation : dès qu'elles soupçonnent une présence adverse, elles ouvrent les premières un feu concentré et nourri. Cette tactique est efficace dans les premières rencontres d'infanterie.

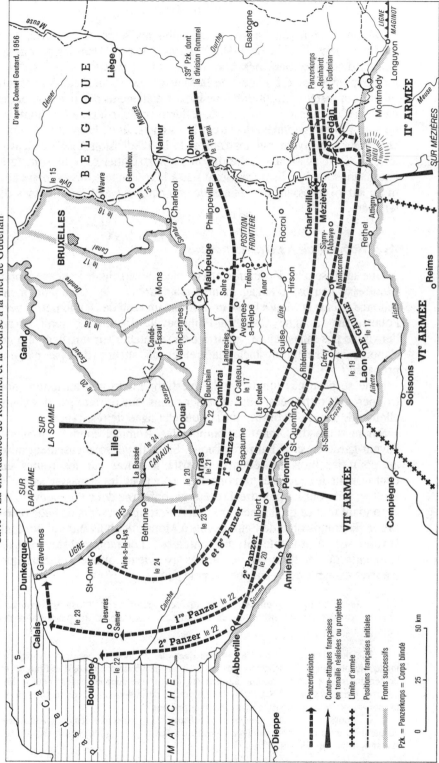

Carte 4. La chevauchée de Rommel et la course à la mer de Guderian

Dès le 13 mai, on l'a vu, deux régiments se sont comportés très médiocrement, le 39e et le 129e (ce dernier est privé dans les premières heures de son colonel mis hors de combat) : ils ont laissé les Allemands prendre pied à l'ouest de la Meuse[1]. Le 14 au matin se produit un fait qui restera exceptionnel de la part d'éléments d'active : de petits paquets d'infanterie, sans officiers, refluent vers l'arrière. « Ces hommes ne sont pas indisciplinés, déclarent leurs chefs, ils se laissent regrouper et ramener en avant par les cadres de la 1re division légère de cavalerie. » C'est aussi la conclusion du rapport Dufieux : « Ils sont fatigués, sans moral. » Ils ne résistent pas à la soudaineté des événements, ni au survol incessant des avions de combat, cent mètres au-dessus de leur tête.

Avec Rommel sur les arrières français

Une surprise plus déroutante attend bientôt les soldats français. Après trente-six heures d'engagements malheureux, le commandement renonce à tenir la Meuse belge et ordonne un repli de 24 kilomètres vers l'ouest, sur la ligne Charleroi-Philippeville-Rocroi. Ce repli, il ne l'envisage pas sans crainte : pourra-t-on se rétablir sur une ligne qui ne s'appuie sur aucun obstacle naturel et où aucune défense n'a été préparée ?

Il ne se pose pas longtemps la question. Le 15 mai au matin, nos troupes sont rattrapées, puis dépassées dans leur retraite par des chars allemands avant d'avoir atteint la nouvelle ligne de résistance.

Sur la route de Dinant à Philippeville, Rommel conduit lui-même l'avant-garde de sa 7e Panzerdivision[2]. Sa tactique, soigneusement mise au point les mois précédents, consiste à foncer sur les routes en contournant les localités importantes, soit pour les dépasser sans s'y arrêter, soit pour les prendre à revers. Il contourne donc Philippeville en canonnant tout ce qu'il rencontre, puis il rattrape, au-delà de l'agglomération, la grand-route de Philippeville à Mons : des buissons qui bordent la route sortent, raconte-t-il, des centaines (?) de motocyclistes français stupéfaits qui mettent bas les armes avec leurs officiers, tandis que d'autres essaient de s'échapper vers le sud.

Je m'occupai quelque temps de ces prisonniers. Plusieurs officiers m'adressèrent de nombreuses demandes, notamment la permission de

1. RICHECOURT, *o. c.*, p. 178, affirme que « le 39e avait un esprit déplorable et manquait totalement de discipline. Les cadres, pour beaucoup composés d'instituteurs et de séminaristes, n'avaient aucune autorité sur une troupe dont ils avaient peur ». Les archives lacunaires du 39e R.I., pas plus que celles de la division, ne permettent de se prononcer sur cette affirmation de source non précisée.

2. Cf. Maréchal ROMMEL, *La Guerre sans haine*, t. I, p. 46 et ss. Récit qu'il faut mettre en parallèle avec le compte rendu saisissant qu'a fait le général DOUMENC du raid sur Avesnes, *o. c.*, pp. 197-201.

garder leurs ordonnances et que leurs bagages fussent enlevés de Philippe-ville où ils les avaient laissés. Étant fort intéressé à ce que la garnison de Philippeville se rendît rapidement et sans combat, je consentis à tout cela.

Il poursuit vers l'ouest sur la grande route, à vive allure, et il commence à rencontrer des renforts français qui montent.

Près de Senzeille, nous croisâmes une troupe de motocyclistes avec leurs armes qui venaient de la direction opposée. Nous les arrêtions à mesure qu'ils arrivaient : la plupart étaient si saisis de se trouver soudain au milieu d'une colonne allemande qu'ils étaient incapables de résistance et se contentaient de pousser leurs machines dans le fossé.

Il en est de même toute la journée du 16 mai et la nuit suivante, au long des cent kilomètres qui le mènent de Belgique au nord de la France, vers Avesnes et Landrecies. Les mitrailleuses et les antichars qu'il rencontre sont neutralisés.

Devant le tintamarre de ses chars traversant les villages, les soldats en cantonnement ne réagissent pas. Il passe en force la zone de blockhaus de la frontière française. À la nuit, le détachement, mêlé à la cohue des civils qui reflue, « cueille dans la surprise et le désordre un groupe d'artillerie de la 1re division cuirassée au bivouac le long de la route ». Vers minuit, il stationne à l'entrée d'Avesnes, tous feux éteints, s'empare des officiers isolés qui passent ; après quoi, fidèle à sa tactique, il contourne la ville bourrée de troupes françaises pour y pénétrer par sa sortie ouest. Des chars rescapés de la 1re division cuirassée le prennent à partie, il les écrase. À 4 h du matin, il se remet en route vers Landrecies.

Les chars ennemis que nous rencontrions étaient mis hors de combat à mesure que nous avancions vers l'ouest sans nous arrêter. Centaines par centaines d'hommes, les troupes françaises se rendaient dès notre arrivée. À certains points, il fallait les faire descendre des voitures qui roulaient à nos côtés.

À Landrecies, ses blindés raflent le commandant du cantonnement, désarment l'infanterie, s'assurent du pont sur la Sambre, lancent des reconnaissances, enlèvent ici un poste, là une ambulance et ne s'arrêtent qu'à 6 h 15 devant Le Cateau.

Ce raid audacieux et risqué de 120 kilomètres mené par deux bataillons de chars qui précèdent de plusieurs heures le gros de la division est pour une bonne part « cause du désordre qui s'établit au sud de la Sambre dans la matinée du 17 mai » ; il donne cours à de fausses nouvelles sur la progression des Allemands au sud de l'Oise qui vont avoir des conséquences désastreuses sur les arrières de la IXe armée [1]. Et

---

1. Général DOUMENC, *o. c.,* p. 201.

ce n'est qu'un début : seul un immense effet de surprise confinant à l'annihilation mentale peut expliquer que la 7e Panzerdivision de Rommel ait pu en six semaines, de Dinant à Cherbourg, capturer 100 000 hommes, 8 000 blindés, canons, camions et véhicules automobiles au prix de 682 tués et 292 disparus [1].

_____

1. Maréchal ROMMEL, *o. c.*, p. 131.

IV

La guerre à réapprendre

> La vie est précisément telle, parce que, d'ordinaire, nous n'apprenons la stratégie qu'après la campagne.
>
> GOETHE, *Poésie et vérité*.

1

Quelle tactique pour quelle stratégie ?

Cette guerre, le commandement ne la reconnaît pas plus que la troupe. Il ne tient pas sous le choc.

L'effondrement du général Georges...

Tout bascule brusquement autour du général Georges, commandant en chef du front du Nord-Est, dans la nuit du 13 au 14 mai. Un appel téléphonique du commandement de l'artillerie du secteur de Sedan lui a transmis la « rumeur de Bulson ». Ses nerfs lâchent : il convoque aussitôt à son P.C. des Bondons, à La Ferté-sous-Jouarre, le major général de l'armée, Doumenc, qui arrive aux premières heures du 14[1]. Le capitaine Beaufre est présent :

> L'atmosphère est celle d'une famille où l'on veille un mort. Georges se lève vivement et vient au-devant de Doumenc. Il est terriblement pâle : « Notre front est enfoncé à Sedan ! Il y a eu des défaillances... » Il tombe dans un fauteuil et un sanglot l'étouffe.
> C'était le premier homme que je voyais pleurer dans cette bataille. J'en verrai beaucoup d'autres, hélas. Cela me fit une impression effroyable.
> Doumenc, surpris par cet accueil, réagit immédiatement... « Mon général, c'est la guerre et à la guerre il y a toujours de tels incidents ! » Alors Georges, toujours aussi pâle, explique : les deux médiocres divisions auraient lâché pied à la suite d'un terrible bombardement aérien. Le 10e corps signale que la position est traversée et que les chars allemands sont arrivés à Bulson vers minuit. Et il a un nouveau sanglot. Tous les autres témoins restent silencieux, accablés par l'événement.

Georges, stimulé par Doumenc, reprend un moment espoir; le compte rendu de situation journalière fait par son état-major à 7 h 30 est

---

1. La scène est rapportée par le général BEAUFRE, *Le Drame de 1940*, p. 233.

abusivement lénitif ; le compte rendu du 14 mai à 19 h 30 l'est encore plus :

> Sur la Meuse, petites têtes de pont réalisées sur la rive ouest. En tous ces points, nous avons lancé des contre-attaques et le combat continue.
> Vers Sedan, l'ennemi continue un effort violent, ayant réussi à occuper une poche avec de l'infanterie et des chars. Il a été contre-attaqué, rejeté en partie sur la rivière au sud-est de Sedan ; il insiste encore à l'ouest.

Toute la journée, Georges attend les résultats des attaques de l'aviation franco-britannique sur les ponts de bateaux de Sedan, ainsi que les résultats de la contre-offensive prescrite à la 3e division cuirassée en direction de Bulson et de la Meuse : la 3e D.C.R., espoir suprême et suprême pensée[1] ! Mais les ponts ne sont pas détruits et la contre-attaque n'a pas lieu. Cette fois, le commandant en chef sur le front du Nord-Est s'effondre Daladier, qui va le 15 au matin au quartier général sans soupçonner la gravité de l'heure, le trouve si prostré au milieu d'officiers abattus qu'il recommande dans l'après-midi à Gamelin de le remplacer. Cet homme, apparemment si solide, ne s'est sans doute jamais remis des blessures qu'il a reçues en 1934 lors de l'attentat qui a coûté la vie au roi Alexandre de Yougoslavie. Depuis le 10 mai, il ne dort plus. Se reproche-t-il de ne pas s'être opposé au plan de manœuvre en Belgique dont il a prévu les risques dès l'automne ? Il est en proie à une profonde dépression. Il a des crises de larmes répétées. Le 19, Weygand, nouveau commandant en chef, le trouve « dans l'état d'une personne qui a reçu un violent coup de poing dans l'estomac et a de la peine à s'en remettre » : « un homme fatigué et éteint » qui « voit les choses petitement et timidement »[2].

Le tableau de la situation au 20 mai qu'il prépare pour Weygand est d'un esprit lucide mais qui ne sait que proposer. Il raie les mots « Situation critique, mais non désespérée », pour les remplacer par « Situation grave » ; mais il est clair qu'il n'a plus d'espoir : « Issue incertaine au nord » ; les troupes du sud, de Montmédy à la mer, ne sont qu' « un cordon » et « seraient insuffisantes pour s'opposer à une menace vigoureuse à base de chars et d'aviation ». L'instruction qu'il rédige le 24 mai pour les commandants de groupes d'armées est si défaitiste que Weygand s'oppose à son envoi :

> Comme il faut prévoir le pire — le tronçonnement de notre front —, a écrit Georges, les généraux commandant de G.A. doivent envisager avec sang-froid l'attitude qu'il conviendrait d'observer dans ce cas extrême ; continuer la lutte sans faiblesse pour sauver l'honneur[3].

1. SHAT 27 N/10.
2. P. Baudouin, *Neuf mois de gouvernement*, p. 263.
3. Weygand a une vive discussion avec Georges à propos de ce texte. Son diagnostic est aussi pessimiste, mais, explique-t-il, il importe de « ne pas atténuer chez certains chefs la résolution qui doit être prise d'abord de tenir sur place » (SHAT, Archives privées du général Georges, 1 K/95).

Le commandant en chef du front du Nord-Est n'est plus qu'une ombre dans l'ombre de Weygand

... et l'immobilisme de Gamelin

Gamelin a senti l'abîme sous ses pas vingt-quatre heures plus tard que Georges. Après le 10 mai, il affiche la sérénité qui convient à un chef ; le 12, il réaffirme sa résolution devant le colonel de Villelume, directeur du cabinet militaire de Reynaud, venu lui faire part de ses appréhensions [1] :

> Quand nous avons pris la décision d'entrer en Belgique, nous avons accepté tous les risques de cette entreprise. Nous ne pouvions pas non plus nous borner à soutenir les Belges sur l'Escaut.

Le 13, le 14 au matin encore, toujours confiant, il répercute sur Reynaud, en les atténuant, les comptes rendus lénifiants du G.Q.G., ce qui provoque la colère de Villelume [2] :

> On trompe le président du Conseil : on le traite comme un lecteur du *Figaro* !

C'est le 15 au matin qu'il comprend que la bataille de la Meuse est perdue. La situation empire dans la journée. À 8 h 30 du soir, il appelle au téléphone Daladier. Celui-ci a dans son bureau l'ambassadeur des États-Unis Bullitt par qui l'on connaît la scène [3] :

> Daladier prend l'écouteur et, tout d'un coup, il s'écrie :
> — Non ! Ce que vous dites n'est pas possible !
> Gamelin lui avait appris qu'une colonne blindée, ayant tout brisé sur son passage, croise entre Rethel et Laon. Daladier, haletant, trouve la force de crier :
> — Il faut attaquer aussitôt !
> D'assez longues explications suivent.
> — Entre Laon et Paris, je ne dispose pas d'un seul corps de troupe, aurait avoué Gamelin.
> Le sinistre dialogue se serait achevé sur cet échange de phrases :
> — Alors, c'est la destruction de l'armée française !
> — Oui, c'est la destruction de l'armée française !

Mandel, qui apprend la nouvelle en arrivant à son bureau le lendemain matin, téléphone à Gamelin : « J'eus devant moi un homme plein de sang-froid et désespéré », devait-il confier à ses intimes. Plein

---

1. AN 74 AP/22.
2. *Ibid.*
3. Pertinax a retranscrit la scène d'après le récit de Bullitt, *Les Fossoyeurs*, t. I, pp. 91-92.

de sang-froid et désespéré, ainsi apparaît-il devant Churchill appelé en hâte.

— Et les réserves ? lui demande le Premier britannique.
— Il n'y en a pas !

« Au cinquième jour de la bataille, ce Bouddha d'une sérénité inaltérable s'avouait vaincu[1]. »

Gamelin demeure pourtant maître de lui. Mais cet homme si intelligent est de ceux chez qui la capacité d'agir est déconnectée de la faculté de jugement. Après le coup de massue du 15 mai, il devine, dès le 16, la manœuvre allemande ; le 17 au matin, il n'en doute plus, les Panzers foncent non pas sur Paris, mais vers la mer, afin de prendre au piège les armées de Belgique. Le 18 mai, il voit la contre-manœuvre à tenter, celle qui a encore une chance de succès : puisque le corps blindé de Guderian s'est aventuré vers l'ouest sans être suivi par le gros des forces allemandes, laissant un vide derrière le premier échelon, puisque ses colonnes s'étirent sur 100 kilomètres, il faut le prendre en tenaille du nord et du sud, l'isoler, ressouder du même coup les forces alliées de Belgique avec le gros de l'armée.

Seulement, il ne bouge pas. Depuis le 13, il n'a pas bougé sauf pour adresser à Georges, le 16 au matin, un message bien peu apte à galvaniser les énergies : « Faire passer à tous que, même encerclés, on tient[2]... » Le 19, il faut que le général Doumenc le supplie de faire acte d'autorité pour qu'il rédige, de sa main, une note définissant la manœuvre à tenter, celle qu'il recommande : « Il faudra jouer d'extrême audace... » Et il ajoute : « *C'est une question d'heures.* » Il trace un trait sous ces derniers mots. Même en cet instant dramatique, il se garde d'ordonner :

> Sans vouloir intervenir dans la conduite de la bataille en cours qui relève de l'autorité du commandant en chef sur le front du Nord-Est, j'estime qu'actuellement il y a lieu de...

Le général Koeltz, aide-major général, lui indique que « pour souligner qu'il s'agit bien là d'un acte de commandement, cette note prendrait avec avantage la forme d'une instruction personnelle et secrète adressée non seulement au général Georges, mais au général Vuillemin, commandant en chef des forces aériennes », Gamelin suit le conseil, il ajoute sur son manuscrit : « Instruction personnelle et secrète n° 12[3]. »

---

1. Pertinax, *ibid.*
2. « On constitue des noyaux de résistance. Dès que la vague de chars et particulièrement de chars lourds est passée, on s'efforce de disloquer l'infanterie qui arrive ou les engins légers et on agit sur les arrières de l'ennemi pour couper ses communications et son ravitaillement. »
3. J. Minart, *o. c.*, pp. 187-192.

Puis il va aux Bondons, au quartier général personnel de Georges, qu'il trouve plus abattu que jamais et à qui il donne lecture de sa directive ; il déjeune avec lui de bon appétit, apparemment indifférent, sans évoquer un instant les moyens nécessaires au succès de la manœuvre [1]. Comme s'il avait simplement voulu, avant d'être relevé de son commandement, témoigner pour l'Histoire.

Étrange, indéchiffrable Gamelin ! Le chef du corps expéditionnaire anglais, Gort, a eu dès 1939, l'intuition qu'il n'était pas un *fighting man*. Pertinax, toujours pénétrant, note de son côté que pour bien faire la guerre, il faut l'aimer, « avoir à son sujet les imaginations de l'amour : chez Gamelin, elle ne provoque certainement pas un élan du cœur et de l'esprit, mais un travail de bureau soutenu, médiocre, monotone » [2]. Face à l'ennemi, le généralissime s'en tient à la répartition bureaucratique des tâches que lui-même a tracée. Il a dit le 12 mai au matin à Georges : « Le Nord-Est, c'est votre affaire ! », comme il avait dit en avril : « La Norvège, c'est l'affaire des Anglais ! » Alors qu'il faudrait bousculer les événements, galvaniser les hommes, forcer le destin, il se garde d'*intervenir dans la conduite de la bataille*. Faut-il attribuer à la maladie une passivité si tenace ? Peut-être. Il n'a pour attribution, dit-il, que de « coordonner l'ensemble » !

Les explications qu'il donnera après la guerre sont déroutantes [3] :

> Je n'étais renseigné sur l'évolution des événements que par l'état-major du Nord-Est... Je me trouvais donc toujours — et plus que le commandant en chef sur le Nord-Est lui-même — en face de faits accomplis. Notamment je n'ai connu l'emploi des chars par les commandants d'armée et par le commandant en chef sur le front Nord-Est que trop tard pour pouvoir intervenir...

Bref, ni le commandement en chef ni l'organisation de ce commandement n'ont résisté à l'épreuve du feu. Gamelin ne commandant pas, Georges ayant peine, malgré son courage, à diriger la bataille, c'est le général Doumenc qui, momentanément, manie les commandes. Ce polytechnicien, qui a été breveté de l'École de guerre à vingt-sept ans, est un des meilleurs cerveaux de l'armée, le plus efficace peut-être parmi les hommes de l'État-Major. La France ignore qu'il a été, en 1916, l'organisateur de la voie sacrée qui a sauvé Verdun. Il se multiplie pour diriger vers le front les hommes et le matériel récupérables. Il reste calme, propose et dispose. « Tel un capitaine sur un bateau désemparé en pleine tempête, rapporte le colonel Minart, il met tout en œuvre pour

---

1. Le général Beaufre nous a laissé un extraordinaire récit de ce déjeuner gastronomique servi dans une atmosphère d'enterrement et où, face à Georges, pâle et abattu, Gamelin parvient à plaisanter : *Le Drame de 1940*, pp. 238-239.
2. PERTINAX, *o. c.*, t. I, p. 102.
3. Lettre du général Gamelin à M. Charles Serre, 26 décembre 1947, rapport de la Commission d'enquête, n° 2344, t. III, p. 577.

colmater, aveugler les brèches, obstruer les fissures chaque fois qu'il s'en produit dans notre dispositif ; il stimule, pousse, bouscule[1]... » La prouesse qu'accomplissent les chemins de fer et les cheminots sur ses directives pour transférer des divisions vers le nord est magnifique. Seulement, Doumenc n'a pas qualité ni autorité de commandant en chef. Weygand, qui remplace Gamelin, le 19 au soir, approuve et confirme l' « instruction personnelle et secrète n° 12 » de son prédécesseur, mais il lui faut jusqu'au 22 pour s'organiser, aller conférer en Belgique avec le général Billotte et le roi Léopold, évaluer la situation avant de pouvoir contribuer de toute son énergie au succès de la manœuvre en tenaille recommandée par Gamelin. Trois jours pendant lesquels la bataille n'est pas vraiment conduite. Elle ne l'avait pas été non plus les trois ou quatre jours précédents. « C'est une question d'heures », avait souligné Gamelin. Les heures décisives sont manquées. La manœuvre qui aurait coupé les détachements ennemis aventurés vers la mer et brisé l'encerclement des troupes alliées redescendant de Belgique tourne court. C'est la bataille de la Marne perdue sans avoir été engagée[2].

L'épreuve des chefs d'armées

À l'échelon des groupes d'armées et des armées, le traumatisme n'est pas moindre. Billotte, le proconsul plein d'assurance qui commande les armées du Nord, flotte plusieurs jours ; lui, si impérieux, qui, le 11 mai au soir, a refusé d'annuler l'ordre de la « manœuvre Dyle » pour ne pas provoquer une retraite dans le désordre, retraite qu'il doit ordonner en catastrophe le 15, se montre soudain très sombre. Le 17, il confie au général Prioux : « Nous allons vers un nouveau Sedan et plus terrible encore que celui de 1870[3]. » Il ne cache pas son pessimisme au roi Léopold le 21. Du moins, sa résolution ne fléchit pas. Sa mort accidentelle le 23 mai, une mort qu'il semble avoir souhaitée, décapite les armées du Nord.

Blanchard, qui lui succède, n'a pas les nerfs de l'emploi. « Faites ce que vous voudrez, mon général, mais faites quelque chose », lui lance un de ses commandants de corps d'armée[4]. Le portrait que trace de lui le général anglais Alanbrooke à la date du 24 mai est terrible :

> Le général Blanchard m'a donné l'impression d'un homme brisé qui aurait depuis longtemps cessé de fonctionner. Il fixait sans expression la

---

1. J. MINARD, *o. c.*, t. II, pp. 194-195.
2. On en rejettera la responsabilité sur les Anglais qui ont bifurqué vers les ports de la mer du Nord contrairement aux ordres. Mais tout était déjà joué.
3. Général PRIOUX, *Souvenirs de guerre...*, p. 86.
4. Marc BLOCH, *L'Étrange Défaite*, p. 128.

carte sans paraître capable de formuler une idée. Sentiment désespérant qu'il n'y a personne aux commandes[1].

Le 29 mai, le rapport de l'officier de liaison britannique auprès de la Ire armée est aussi sévère[2] :

> Aucune impulsion au sommet. Jusqu'à ce que le général Blanchard ait subi l'influence personnelle de Lord Gort, je n'ai jamais senti chez lui aucun esprit combatif.

Et il dépeint autour de lui un état-major désorganisé et démoralisé dont certains membres vont jusqu'à souhaiter que le général anglais assume le commandement du groupe d'armées à la place du général français. D'ailleurs ni Blanchard ni son état-major ne croient au succès de la manœuvre Weygand. Et si, dès le premier jour, il est incapable de coordonner l'action des Français et des Britanniques, c'est aussi parce qu'il n'a que méfiance pour l'Angleterre et son corps expéditionnaire.

On saura plus tard par un témoin irrécusable que, le 26 mai au matin, le général Blanchard, qui avait encore les moyens de se battre désespérément, déclarait avec sang-froid : « Je vois très bien une double capitulation[3]. »

Parmi les autres généraux d'armée, l'étoile montante est Huntziger, l'homme de Sedan. Par un incroyable quiproquo, Paul Reynaud a fait de Corap le bouc émissaire et non lui. On dit qu'il a su ressaisir ses troupes et rétablir une situation compromise, qu'il est le seul commandant d'armée qui ait arrêté l'ennemi, qu'il a trouvé la parade qui convient aux attaques allemandes. Dès le 19 mai, on a parlé de lui pour remplacer le général Georges. Réputation indue[4] : Huntziger, général opportuniste, n'a guère d'esprit offensif. Sa responsabilité dans le désastre de Sedan est lourde, on l'a vu. Il n'a pas réagi le 13 mai. Il ne s'est pas dépensé le 14 pour précipiter la 3e division cuirassée vers Sedan, ni pour tenir solidement la trouée de la Bar quand Guderian a pivoté vers l'ouest. Il a évacué en catastrophe le 15 la ligne fortifiée du Chiers et depuis il se préoccupe moins de fermer la brèche grandissante ouverte sur sa gauche que d'éviter de se laisser « enrouler », c'est-à-dire encercler : « Tous mes efforts, dussé-je retraiter, tendent à éviter cet enroulement. » D'ailleurs, à ses yeux, la guerre est perdue : le 26 mai, en présence de

---

1. War Office, 106/1708, cité par D. C. WATT, « The British Image of French Military Morale 1939-1940 », communication au colloque *Français et Britanniques en mai et juin 1940* ; le témoignage du général de La Laurencie est concordant.
2. PRO, War Office, 106/1708, *ibid.*
3. M. BLOCH, *o. c.*, p. 130.
4. Réputation qui lui vaudra, après avoir été pressenti en juin par le général de Gaulle pour remplacer éventuellement le général WEYGAND, d'être nommé, en septembre, ministre secrétaire d'État à la Guerre et commandant en chef des forces terrestres du gouvernement de Vichy.

Prételat, commandant du deuxième groupe d'armées, et de Condé, qui commande la IIIᵉ armée, il déclare l'armistice « obligatoire » dans l'état « de nos troupes fatiguées, de nos divisions étalées sur des fronts impossibles, de notre aviation inexistante »[1]. Le 29 mai, il écrit dans ce sens au chef d'état-major de Weygand. Prételat partage son sentiment : tout comme Condé, il estime depuis septembre 1939 que la France n'était pas prête à entrer en guerre ; Prételat va multiplier les messages et les pressions en vue de la conclusion urgente d'un armistice[2].

Ces chefs ne cherchent plus à vaincre : comment attendre de grandes résolutions d'esprits accablés ou froidement réalistes pour qui la défaite est déjà consommée ? Les généraux d'armée les plus solides seront finalement des hommes tels que Frère, « ce bon soldat »[3], ou Touchon, qui ne sont pas les gloires de l'État-Major, mais qui sauront s'accrocher au terrain, et le gouverneur de Paris, Héring, qui n'a pas un commandement à sa mesure.

Weygand, nouveau commandant en chef, tranche, malgré ses soixante-douze ans, sur cette constellation d'hommes abattus : vision claire, jugement rapide, propos mordant, impatient de toute contradiction, il apporte, face à l'État-Major et aux chefs des armées, l'énergie qui stimule. Il garde la résistance physique d'un jeune officier de cavalerie. Il ne connaît pas l'accablement. Et il se targue d'avoir les « recettes de Foch ». Mais lui aussi est devant une guerre de conception inédite dont les mouvements amples et rapides ne peuvent que l'emplir de stupeur[4]. Dès le 24 mai, à son cinquième jour de commandement, il ne dissimule pas devant Reynaud, devant Pétain, devant Spears, devant Baudouin, qu'il n'a guère de doutes sur l'issue des combats et sa rage froide éclate contre la folie d'une guerre où des criminels ont jeté la France[5].

« Vaincus dans leur doctrine »

Le désarroi du commandement supérieur ne tient pas seulement au drame d'une guerre qu'il juge perdue et à la révélation d'une erreur

---

1. Cité par R. BRUGE, *Les Combattants du 18 juin*, p. 51.
2. Cf. les objurgations qu'il adresse le 29 mai au directeur du cabinet de Dautry. « La question se pose, affirme-t-il, de savoir si pour sauver l'honneur *il faut faire tuer toute la jeunesse française et se résigner à la destruction du pays.* D'ores et déjà, l'armée a sauvé l'honneur. Les exécutants ont fait et continuent de faire tout leur devoir. *Le gouvernement a-t-il le droit de les sacrifier jusqu'au dernier ?* Ou bien ne doit-il pas s'efforcer de sauver, de la terre et des hommes, ce qui peut être sauvé ? *Ne serait-il pas sage d'essayer de garder intactes les quelques divisions de l'Est pour maintenir éventuellement l'ordre en France ?* » : AN, Fonds Dautry, 307 /AP 22, et Cl. PAILLAT, *La Guerre éclair* (d'après les archives personnelles du général Georges, p. 411).
3. Le mot est de De Gaulle.
4. Cf. le portrait de Weygand que brosse le général de Gaulle dans ses *Mémoires de guerre*, t. I, p. 40.
5. Cf. ses propos du 24 mai rapportés par P. BAUDOUIN, *o. c.*, p. 76, et par S. L. SPEARS, *Témoignage sur une catastrophe*, p. 216.

stratégique ; comme l'a souligné maintes fois le général de Gaulle, il est une déroute intellectuelle :

> Le moral a flanché dans le commandement dès le début. Et cela parce que, ce qui est pire que tout, ils étaient vaincus dans leur doctrine : tous avaient soutenu la doctrine de la défense sur place contre celle de l'armée mécanique mobile. Et ils étaient vaincus par l'armée mécanique. Battus sur le terrain de la doctrine, ils ne pouvaient s'en relever [1].

Le commandement n'avait imaginé aucun des trois caractères de l'arme blindée : ni sa force de rupture, ni sa capacité de déploiement dans l'espace, ni sa rapidité qui bouleverse le rythme de la bataille. Elle ressuscite la stratégie napoléonienne, revue et accélérée par le moteur. C'est une guerre nouvelle. Une guerre à réapprendre : une guerre à inventer en même temps qu'on la découvre.

Sans doute, le commandement n'a-t-il bientôt plus les moyens matériels ni le temps d'y faire face [2]. Mais avant tout, ses schémas mentaux sont axés sur la défensive suivant le modèle de la « bataille d'arrêt » : c'est une bataille d'arrêt que Gamelin est allé chercher en Belgique, en la déplaçant seulement de la frontière française à la Meuse ; c'est la bataille d'arrêt sur fronts continus telle qu'en 1918 que Weygand et ses généraux tentent de faire renaître : c'est elle qu'ils préparent à partir du 25 mai et qu'ils soutiendront sur la Somme et l'Aisne entre le 5 et le 10 juin ; c'est la seule qu'ils sauront vraiment mener. La campagne de mi-juin 1940, vue dans la perspective des comportements psychologiques français, se réduit à une bataille d'arrêt entre deux déroutes.

Tant que dure la guerre de mouvement, sa conduite leur échappe. Pourrait-il en être autrement ? Il est en effet probable, le 24 mai, comme le pense Weygand, que la bataille de France est déjà perdue. Pour faire plus et mieux, il faudrait de leur part une révolution mentale ; il leur faudrait tracer une croix sur leur savoir, sur les vérités apprises, sur les leçons stratégiques et tactiques de la guerre précédente : ils n'y sont préparés ni intellectuellement ni pratiquement. Gamelin donne bien le 19 mai un plan de contre-manœuvre qui implique de lutter contre le mouvement par le mouvement ; Weygand met bien en garde ses chefs d'armées le 24 mai contre la suprématie donnée à la notion de *ligne* de défense et affirme la nécessité d'y substituer une autre organisation du combat. Ils n'ont ni la disposition d'esprit ou la jeunesse d'esprit ni le temps nécessaires pour en tirer les conséquences, c'est-à-dire pour

---

1. Rapporté par Georges POMPIDOU : *Pour rétablir une vérité*, Paris, Flammarion, 1972, p. 80.
2. Moyens d'autant plus dérisoires à ses yeux qu'il surestime l'ennemi ; au 10 mai, le 2e Bureau évaluait le nombre des chars allemands entre 3500 et 4200 ; certaines évaluations allaient jusqu'à 7000 : c'est le chiffre mentionné par le général Georges lors du procès de Riom. En fait, 2600 furent engagés, plus 700 automitrailleuses légères, total inférieur, on l'a vu, à celui des blindés français et anglais.

apprendre ces deux exigences de la guerre nouvelle : d'une part la
concentration des forces blindées indispensable à toute manœuvre et
d'autre part la vitesse.

Il paraît clair aujourd'hui à ceux qui prophétisent le passé que la
meilleure riposte à la manœuvre allemande eût été de lancer dans la
bataille une contre-masse de manœuvre groupant de huit à dix divisions
mobiles et fortement armées : divisions cuirassées, division légère
mécanique, divisions motorisées, divisions nord-africaines. Ces divisions
existaient, les services de renseignements allemands en avaient dressé la
liste ; ils avaient constaté avec soulagement, le 9 mai, qu'elles n'étaient
pas disposées en vue d'une telle riposte. Pour qu'une pareille force de
frappe, dont on peut rétrospectivement concevoir le rassemblement
entre Saint-Quentin et Le Cateau, fût efficace, a écrit le général
Doumenc[1], il aurait fallu que sa concentration fût achevée le 16 mai,
c'est-à-dire décidée le 12 : « Ce simple énoncé des dates montre les
impossibilités », conclut-il. De plus, c'est la notion même de « force de
frappe », qui non seulement n'existe pas alors dans le vocabulaire
militaire, mais qui est étrangère aux chefs de l'armée, à l'exception peut-
être de Héring.

Nul n'a l'idée que pour attaquer le 16 mai vers Montcornet, il serait
plus efficace de réunir des éléments de plusieurs divisions cuirassées qui
ne sont pas très éloignées les unes des autres : le groupement cuirassé du
colonel de Gaulle, incomplet et disparate, ne peut pas suffire à la tâche.
Le 1er juin, quand de Gaulle suggère à Weygand de regrouper les 1 200
chars modernes qui lui restent en deux puissants corps blindés renforcés
d'infanterie motorisée et d'artillerie, le généralissime ne paraît pas
entendre. Sans doute a-t-il peine à concevoir une telle stratégie. À moins
qu'il n'y ait vu qu'un pari inspiré par l'ambition.

Depuis le 13 mai, la préoccupation dominante, permanente, du
commandement a été de colmater les brèches : elle persiste à l'heure où
se prépare la bataille décisive, la bataille sans esprit de recul...
« Colmater » demeure le maître mot. Or cette notion, héritée elle
encore de l'autre guerre et valable dans le cas d'enfoncements limités
d'un front où s'opposent des troupes d'armement équivalent et de vitesse
de déplacement égale, n'est plus adéquate ; c'est seulement à l'expérience qu'on le découvrira — trop tard. Le « colmatage » conduit à
engager ponctuellement des renforts qui sont à leur tour balayés par le
torrent des Panzers. Pour colmater les brèches, on disperse les divisions,
pis, on les morcelle. Aux erreurs et aux retards d'organisation s'ajoutent
les erreurs d'emploi. Alors que l'armée française comptait au 10 mai
autant de blindés, sinon plus, que l'armée allemande, une grande partie
d'entre eux est restée fragmentée. Non seulement les divisions cuirassées
sont entrées en campagne sans moyens suffisants, sans structure
cohérente et sans entraînement, mais c'est sans cesse à qui, au niveau de

---

1. Général DOUMENC, *Histoire de la IXe armée*, pp. 277-278.

l'armée, du corps d'armée, de la division, intervient pour obtenir que soient dissociés les engins disponibles afin de recueillir ici un groupement d'appui, là un détachement protecteur, quand ce n'est pas un char isolé pour garder un pont ou un P. C.

La 1re division cuirassée est détruite dans une bataille de rencontre alors que le manque de carburant ne lui permet pas de se regrouper ; la 2e, cassée par un débarquement échelonné dans dix gares sur cinquante kilomètres, est engagée par tronçons isolés, au hasard des situations locales entre les sources de l'Oise et l'Argonne ; la 3e, avant d'être sacrifiée en juin, ne parvient pas non plus à maintenir son unité et voit même *in extremis* le général de Lattre confisquer une partie de ses chars, qu'il émiette pour défendre les ponts de l'Aisne.

En chaque grande occasion, on disperse les efforts : il est vrai aussi que les périls ne sont pas tous dans un seul secteur, ils sont partout, aussi cherche-t-on à faire face partout. Par suite, quand il s'agit, du 25 mai au 4 juin, de reprendre les têtes de pont allemandes au sud de la Somme, opération dont dépend l'issue de la prochaine bataille d'arrêt, les moyens réunis sont toujours insuffisants pour obtenir un vrai succès.

La vitesse est la seconde leçon de la guerre à réapprendre. On s'en est aperçu dès le matin du 10 mai au Luxembourg. On s'en est aperçu plus cruellement encore le 13 mai sur la Meuse. Une armée à cinq kilomètres à l'heure doit se mesurer à une armée qui fait du quinze à l'heure quand ce n'est pas du quarante.

Le commandement est parfois capable de réactions rapides. Mais outre l'insuffisance dramatique des moyens réunis, ceux-ci sont toujours mis en œuvre trop tard et sans cohésion. Toujours le délai d'exécution est plus long que prévu, du fait de la distance, des difficultés de transport, de l'encombrement des routes, de la fatigue des hommes, des transmissions insuffisantes, parfois des bombardements allemands, parfois des atermoiements de chefs dépassés par l'événement ou timorés. On a beau demander un gigantesque effort aux chemins de fer, réparer les trois cents coupures de voies ferrées des dix premiers jours en moins de six, douze ou vingt-quatre heures, pousser en hâte les unités vers l'avant : l'infanterie dite motorisée ne l'est qu'à moitié et doit monter en ligne à pied ; les réservoirs des chars, calibrés pour des opérations d'appui d'infanterie, sont trop vite à sec. Toujours, l'ennemi a progressé plus vite que les renforts. Les ordres ne sont plus exécutables, ou, appliqués à contretemps, ils deviennent désastreux. Le commandement a peine à suivre le rythme de la guerre : pour lui, réapprendre le facteur temps, c'est trop souvent constater que les heures perdues ne se retrouvent pas.

Le drame de la 3e D.C.R.

Aucune occasion manquée n'est aussi consternante que l'intervention avortée de la 3e division cuirassée vers Sedan.

Le général Huntziger l'a appelée à la rescousse le 13 mai à minuit : objectif Bulson ; mission : rejeter l'ennemi à la Meuse ; heure d'intervention : le 14 mai, 11 h. Le général Brocard, qui commande la 3ᵉ D.C.R., est un beau soldat de la guerre de 1914-1918 : mais « le beau combattant de 1914-1918 était mort et on ne s'en doutait pas »[1]. Du moins était-il en retard d'une guerre. Il juge sa division trop récente pour être lancée si vite dans la bagarre : ses chars moyens et ses voitures de commandement n'ont pas reçu leurs postes de radio, il manque de matériel de ravitaillement et de dépannage tout terrain, ses tireurs ne sont pas assez entraînés, toutes lacunes bien réelles. Aux délais de mise en route évitables, aux malentendus, aux lenteurs dans la transmission des ordres répercutés avec trois ou quatre heures de retard, s'ajoutent les réticences du général qui insiste tant sur les insuffisances de sa division que le général Flavigny, commandant du corps d'armée, chef énergique et estimé, prend sur lui de suspendre la contre-attaque demandée pourtant par Georges pour le 14. Qui pis est, le général Flavigny disperse les chars en position défensive pour consolider l'infanterie[2]. Le général d'armée, Huntziger, ne se manifeste pas. L'occasion, ici encore, ne se représentera plus : le 15 mai au matin, les Panzers sont là et ce sont eux qui attaquent ; un détachement blindé de la 3ᵉ D.C.R. doit s'employer toute la journée à les contenir. La contre-attaque d'importance stratégique que le G.Q.G. attend depuis trente-six heures n'a lieu que le 15 à 17 h 30 ; elle se réduit à l'engagement d'un bataillon et demi de chars lancés sans préparation sous un feu si meurtrier que la division donne, après deux kilomètres, l'ordre d'arrêter l'avance.

Pourtant, ces quelques heures de combat et mieux encore l'action superbe de chefs tels que le commandant Malagutti et le capitaine Billotte à Stonne, le 16 au matin, confirment la valeur de cette grande unité. Elle aurait pu, le 14 mai, sinon rejeter l'ennemi à la Meuse, du moins le bloquer et réoccuper le plateau de Bulson : un succès local en ce jour, en ce lieu, aurait dépassé par ses effets le cadre de la IIᵉ armée.

Le commandement fait-il meilleur emploi de ses maigres ressources aériennes que de ses blindés ? C'est dans la nuit du 13 au 14 mai qu'on décide d'engager sur la Meuse 150 bombardiers et 250 chasseurs : trop tard, car les Allemands ont construit un pont et deux passerelles à Sedan et accumulé une D.C.A. si puissante que les Britanniques perdent inutilement dans l'opération la moitié des bombardiers qu'ils engagent.

C'est seulement autour du 25 mai que le G.Q.G. semble avoir assimilé que la coopération étroite de l'aviation et des éléments blindés est à la

---

1. Le mot est d'un témoin consterné qui est aussi un acteur héroïque et prendra quatre ans plus tard une éclatante revanche à la tête de la brigade blindée de Leclerc, le capitaine, depuis général, Pierre BILLOTTE, *Le Temps des armes*, Paris, Plon, 1972, p. 33.
2. Cf. général Flavigny, note sur les événements survenus au sud de Sedan au 21ᵉ corps d'armée, dossiers de la commission Serre (ARAS) et témoignage du général Devaux, chef d'état-major de la 3ᵉ D.C.R., CEP, pp. 1328-1345.

base des succès allemands. Il faut en arriver au 27 mai pour que deux notes largement diffusées, l'une de Georges, l'autre de Weygand, tirent à ce sujet les enseignements des premiers combats : encore les recommandations qui en découlent se limitent-elles à des incantations.

L'inadaption du commandement terrestre à l'emploi de l'aviation persiste : rien ne l'y a préparé, les structures sont pesantes et le particularisme de l'armée de l'air ne faiblit pas. Le général d'Astier de la Vigerie prend-il l'initiative, au nom du commandant en chef de l'armée de l'air, d'aviser les commandants d'armées qu'il a des formations aériennes sans emploi, il s'entend répondre qu'ils n'en ont pas l'usage. Ni le général Frère, commandant de la VIIᵉ armée, ni le général Altmayer, commandant de la Xᵉ, ne savent utiliser sur la Somme le groupement mixte de bombardement Girier, composé de trente bombardiers pour la plupart d'assaut et de quarante chasseurs, qui a été mis à leur disposition du 26 mai au 5 juin.

« Quoique pouvant disposer journellement d'une quarantaine de sorties, témoignera le général Girier, je n'ai jamais reçu d'eux un ordre de mission avec un objectif désigné. Si bien que de ma propre initiative, je déclenchais des missions sur des objectifs repérés par un de mes avions envoyés en reconnaissance. » Le 4 juin, lors de l'attaque de la tête de pont d'Abbeville, l'état-major de la Xᵉ armée et le groupe Girier ne sont pas capables de s'entendre sur l'horaire de bombardement des premières lignes ennemies [1].

Ainsi, une fois perdue la bataille de la Meuse, le commandement débordé se débat-il dans la confusion de la retraite avant de pouvoir livrer, sur la Somme et l'Aisne, une vraie bataille d'arrêt : mais, pour celle-ci, il n'aura plus assez d'hommes. Et l'on retrouve ici une des limites physiques sur lesquelles bute le commandement : autant il est clair que ce n'est pas le nombre qui a fait la victoire allemande, autant il convient de rappeler que les armées françaises du Nord et du Nord-Est comptaient en 1917, avant l'arrivée des Américains, 700 000 soldats français et 40 divisions anglaises de plus qu'au 10 mai 1940.

Réadapter l'emploi des armes

L'effort pour réapprendre et enseigner la guerre conduit pourtant très vite à des innovations parfois remarquables : celles, en particulier, qui ont trait à l'emploi de l'artillerie et à l'organisation du champ de bataille, à quoi s'ajoute un vigoureux effort d'instruction et de « conservation du moral ».

En moins d'une semaine, on reconnaît que « le seul tir efficace de l'artillerie contre les chars est le tir au but » : par suite « on ne doit plus hésiter à placer les 75 de l'artillerie divisionnaire à l'avant », pour attaquer à vue, en tir direct à courte distance, les engins ennemis.

---

1. Cf. témoignage de Guy La Chambre devant la commission Serre, pp. 352-353.

L'artillerie du général Juin en a donné l'exemple le 14 mai à Gembloux ; le 16 mai, Bourret écrit au jeune général de Lattre pour l'y inciter : « Mettez vos canons de 75 en première ligne dans les rangs de l'infanterie et tuez, tirez des chars[1]. »

Le 16 au soir, le général de La Laurencie donne des instructions véhémentes à son corps d'armée[2].

> La totalité de l'artillerie légère sera mise en ligne — par batterie, section, voire pièce isolée — dans le *dispositif même de l'infanterie* où elle agira à vue comme artillerie d'accompagnement immédiat...
> Ces prescriptions bouleversent — je ne l'ignore pas — la doctrine d'emploi de l'artillerie ; mais à une situation nouvelle, il faut adapter des procédés nouveaux et s'affranchir de ceux qui se sont avérés caducs.
> L'artillerie légère doit désormais combattre jusqu'à l'abordage dans les rangs de ses camarades de l'infanterie ; elle en partagera les dangers et la gloire...
> Le sacrifice de son matériel n'est plus pour un artilleur un « déshonneur » et lorsqu'une pièce a démoli un char, elle est payée ! J'insiste de tout le poids de mon autorité pour que les artilleurs du corps d'armée appliquent sans la moindre restriction mentale les dispositions de la présente note.
> Je leur fais confiance.

Le 19 mai, les instructions du général Frère à la nouvelle VIIe armée vont dans le même sens[3]. C'est la nouvelle doctrine[4]. Pour en comprendre l'importance, il faut rappeler que l'emploi de l'artillerie, la seule arme qui soit très supérieure en nombre et en qualité du côté français, était, lui aussi prévu avant tout pour la guerre de position. Le document faisant foi, *Instruction pour le tir,* avait pour base une préparation topographique de tir extrêmement poussée et la centralisation du tir à l'échelon du groupement, nullement le tir à vue.

Weygand fait un pas non moins hardi dans l'organisation tactique de la défensive : son instruction du 24 mai, son ordre général du 26 donnent la priorité à la notion de *maîtrise des voies de communication* par rapport à la défense linéaire. Il faut organiser sur une grande profondeur les zones à défendre sous la forme d'un quadrillage de centres de résistance installés sur les grandes voies d'accès, barricadés en tous sens et hérissés de feux antichars ; les unités contournées doivent rester sur place et se mettre en hérisson pour constituer des môles de résistance[5]. Ces

---

1. *Revue d'histoire de la Deuxième Guerre mondiale,* n° 126/1982, p. 95.
2. Général de LA LAURENCIE, *Les Opérations du 3ᵉ corps d'armée,* pp. 57-58.
3. Général FRÈRE, *Souvenirs de la VIIᵉ armée,* p. 47.
4. Il arrive qu'on tombe d'un excès dans l'autre : « Sous l'influence de la psychose des chars, des commandants de division, même lorsqu'il n'y a aucune division blindée en face, prélèvent une partie notable de leurs 75 pour les disposer en antichars, affaiblissant leur moyen d'action le plus efficace, les feux concentrés de leur artillerie divisionnaire » (de LOMBARÈS, RENAULD, BOUSSARIE et GUILLAUME-LABARTHE, *Histoire de l'artillerie française,* Paris, Lavauzelle, 1984, p. 307).
5. Note sur la conduite à tenir contre les blindés appuyés par l'aviation (n° 1142/3/FT), reproduite en appendice n° 4 des Mémoires de WEYGAND : *Rappelé au service,* où figure aussi le texte de son ordre général d'opérations, pp. 140-141.

instructions diffusées jusque dans la troupe sont plus ou moins bien observées et la faiblesse des effectifs les rend souvent inefficaces. Du moins confirment-elles que le général en chef a des idées claires et entend commander.

Galvaniser le moral par l'exemple et par le verbe est une autre préoccupation de Weygand : cela implique avant tout pour lui de prévenir dans la troupe la peur panique des Panzers et, dans un deuxième temps, de dissiper le mythe de la trahison. Désormais tous les services d'information des armées s'y emploient. L'officier de presse de la IIe armée, l'écrivain d'extrême droite Henri Massis, se révèle le meilleur vulgarisateur des instructions du haut commandement. Dans un ordre signé Huntziger qui s'adresse aux hommes sous la forme familière du tutoiement, il explicite le nouveau catéchisme :

> Soldat... sache que contre l'infanterie, le char ne peut pas grand-chose. Si tu te terres, il ne te verra pas. Laisse-le passer sans te démasquer, puis tire sur les guides qui l'accompagnent : sans eux, le char est presque aveugle, tôt ou tard, il devra abandonner le terrain pour être ravitaillé si nos canons antichars ne l'ont pas abattu...

La presse et la radio donnent à ce texte un retentissement national ; quand s'engage la bataille de la Somme, il est connu au niveau des compagnies.

La contribution de Weygand au redressement du moral des armées entre le 20 mai et le 5 juin est certaine. L'effort de pédagogie pratique y a sa part. Mais avant tout, Weygand donne confiance. Cette confiance tient bien entendu à son prestige d'héritier de Foch, elle tient à la campagne de propagande orchestrée à sa gloire — dont il exige d'ailleurs qu'elle s'étende à l'ensemble des chefs de l'armée, durement atteints dans leur crédit, après Sedan, par la mise au pilori des généraux limogés. Elle tient aussi à son comportement. Le général en chef s'est plongé dans la guerre nouvelle : il donne l'impression de la comprendre ; il la vit. Il a refusé pour son P.C. la thébaïde de Vincennes et s'est installé à Montry, auprès de Doumenc, là où est le cerveau du G.Q.G. S'il est tous les matins à 9 h chez Reynaud, à Paris, il trouve le moyen de se montrer aux armées, de visiter ses généraux, de redresser quelquefois brutalement leurs instructions ; il affirme sa confiance alors qu'il est convaincu de la défaite. C'en est fini de l'atonie qui, descendant de Gamelin, se répandait dans l'armée.

Les généraux au ras du champ de bataille

Il n'empêche que le réapprentissage de la guerre est pour les généraux de tous grades une épreuve d'autant plus déroutante que l'exercice du commandement est bouleversé. Bien avant 1914, un officier qui fut entre les deux guerres un ami et un maître à penser du colonel de Gaulle, le lieutenant-colonel Émile Mayer, avait souligné que toute guerre moderne était imprévisible, ce qui impliquait, pour les futurs chefs de l'armée, « une intelligence libre et ouverte, du jugement et de la décision »[1]. Les chefs de mai 1940 ne sont pas seulement devant l'imprévisible, ils sont plongés en personne dans la bataille. Ils doivent s'y adapter matériellement, physiquement. L'heure n'est plus aux bureaucrates, le temps est revenu des généraux-soldats.

De Sedan à Dunkerque, les P.C. sont emportés dans un maelström comme le sont les unités elles-mêmes. Dès le 13 mai, des P.C. de divisions sont bombardés. L'ennemi surgissant de partout, certains P.C. doivent être déplacés jusqu'à trois fois en une journée : le 15 mai, le commandant du 11e corps déplace le sien quatre fois et bientôt ce sont les P.C. d'armées qui deviennent ambulants. Pour échapper à la pression ennemie ou se concerter avec leurs subordonnés, les généraux les plus dynamiques se déplacent constamment, souvent dans la cohue des convois et des réfugiés ; aussi les cherche-t-on sans cesse. Toute la journée du 17 mai, Giraud, nommé à la tête de la IXe armée, fait en vain rechercher le commandant de la 2e division cuirassée ; il ne sait pas que pendant ce temps, Billotte, qui commande le groupe d'armées, le cherche lui-même. Billotte, ne parvenant pas à établir la liaison avec lui, prend la route pour aller le voir. Il raconte le soir à Doumenc :

> Nous nous sommes trouvés réunis en première ligne pendant une heure, à quelque cent mètres d'engins allemands embossés. Ces procédés de commandement ne valent rien[2].

Ce sont les seuls qui restent possibles.

Pendant toute la seconde quinzaine de mai, le renseignement est un casse-tête pour les généraux : les informations que les 2es bureaux portent sur les cartes sont constamment dépassées, souvent inexactes, avec de grands blancs ; plus d'une fois on se fie à des rapports oraux qui ne font que relater des faux bruits.

La faillite des transmissions, conçues pour une guerre immobile, prend des proportions catastrophiques. Quand Weygand prend ses fonctions le 20 mai, il découvre avec stupeur que le centre de transmissions du G.Q.G. n'a pas d'émetteur-récepteur radio. On recourt à l'armée de l'air pour qu'elle lui installe une station radio et en assure le service. Mais le 30 mai encore, une note du G.Q.G. approuvée par Weygand constate que le général « ne dispose actuellement en propre d'aucun moyen de transmission radio lui permettant d'avoir des liaisons sûres, même en cas de rupture des communications par fil »[3]. L'armée

1. Article publié dans *L'Opinion* le 8 mai 1909, cité par J. Lacouture, *De Gaulle*, t. I, Paris, Seuil, 1984.
2. Général Doumenc, *o. c.*, p. 228.
3. Cl. Paillat, *o. c.*, p. 346, d'après SHAT 27 N/145.

semble ignorer la radio. Le général Corap disposait bien de liaisons radio au P.C. de la IXe armée, mais dès le premier jour, les émissions ont été brouillées ; le général Bruché, qui commande une division cuirassée, a bien un camion radio, mais on n'a pas prévu de longueurs d'ondes communes ni de code avec les divisions voisines. En fait, les transmissions reposent sur le téléphone et sur les liaisons par officiers ou motocyclistes. Or, dès le 13 mai en Belgique, l'aviation allemande détruit systématiquement les poteaux et les lignes téléphoniques le long des routes qui montent vers la Meuse : le 13 à midi, le P.C. de la 18e division engagée près de Dinant, est sans communications avec ses régiments et essaye en vain pendant huit heures de transmettre à l'État-Major des précisions sur le passage de la Meuse par les Allemands.

La retraite commencée, c'est encore pire. Des officiers de liaison se perdent. Retrouver ses unités devient pour le commandement une obsession. Le 15 mai au soir, Giraud, qui a pris dans l'après-midi le commandement de la IXe armée, téléphone à l'état-major de Billotte qu'il est sans nouvelles du 11e corps et de la 1re division cuirassée. À la même heure, un officier de liaison du premier groupe d'armées revient rendre compte de sa mission : « J'ai vu à Rancé le général Duffet et le général d'Arras. Ils n'ont plus rien et ne savent pas où se trouvent leurs troupes... », ce qui signifie que les états-majors d'un bon nombre de grandes unités ont toutes leurs transmissions et liaisons coupées avec leurs échelons subordonnés [1].

Du 15 au 16 mai, on ignore ce que sont devenues la 1re et la 2e division cuirassée qui portent tant d'espoirs ; on retrouve la 2e le 16 au matin ; à 11 h, le général Billotte, toujours sans nouvelles de la 1re, lance le général Delestraint à sa recherche avec ordre de la faire attaquer en direction d'Avesne : c'est seulement en fin d'après-midi que Delestraint apprend d'officiers isolés qu'elle n'existe plus.

Dans l'agonie de la IXe armée, le commandant ne sait plus sur quoi compter : « L'échelon corps d'armée n'existe plus, les divisions ne sont plus que des groupements de toutes armes qu'on actionne tantôt comme des régiments, tantôt comme des bataillons [2]. »

À mesure que s'aggrave la retraite des armées du Nord, les états-majors fondent ; certains sont capturés. À l'état-major de la Ire armée, quand s'engage la bataille de Dunkerque, la confusion des tâches entre officiers et bureaux devient totale, on ne sait plus qui fait quoi, à peine sait-on qui commande, les rotations ne sont plus organisées, plus personne ne dort, on ne dispose que d'une ligne téléphonique, la garde du P.C. est à peine assurée [3].

Pris dans le tourbillon, les généraux d'armées paient de leur personne. Touchon, à peine nommé à la VIe armée, manque d'être enlevé par une

---

1. Général DOUMENC, *o. c.*, p. 176.
2. Carnet du général Véron, sous-chef d'état-major de la IXe armée (SHAT 29 N/443).
3. D'après les rapports des officiers de liaison britanniques cités par D. C. WATT, *o. c.*

colonne allemande, Giraud se dépense pendant trois jours en territoire sillonné par les Panzers avant d'être capturé. Prioux, Frère, Delestraint se déplacent à six à l'heure sur des routes engorgées que pilonne la Luftwaffe. Il leur advient de descendre de voiture pour faire dégager un carrefour inextricable. Les brigadiers et les divisionnaires sont les plus engagés. Les plus solides, les meilleurs — finalement la plupart — s'accrochent sans voir plus loin que leur horizon ; ils s'épuisent à tenter de maintenir une cohésion. Quand s'offre l'occasion d'une halte permettant un combat défensif, ils s'accrochent, ils redeviennent eux-mêmes des combattants : Janssen couvre héroïquement Dunkerque pendant cinq jours avec la 12e D.I.M.

Il reste à ces généraux de prouver qu'ils savent mourir. Outre Billotte, victime d'un accident de voiture, douze officiers généraux trouveront la mort dans cette campagne de six semaines : écrasés par des bombes dans leur P.C., comme Janssen ou Bouffet, ou tombés l'arme à la main, comme l'aviateur Augereau, qui est tué en défendant l'accès au P.C. de la IXe armée, comme Thierry d'Argenlieu, tué en cherchant à atteindre ce même P.C., comme Deslaurens, tué en Hollande en couvrant le rembarquement des derniers soldats français de Walcheren, ou comme Caille, organisateur de la défense de Boulogne-sur-Mer, tué le 25 mai à la tête d'une des colonnes qui essaient de franchir les lignes ennemies[1]. Jamais l'armée française n'aura connu en quarante jours pareille hécatombe de généraux.

Le cas Weygand

Il faut en revenir à Weygand qui, à partir du 22 mai, tient en main tous les fils. Le cas Weygand restera extraordinaire dans notre histoire, non point tant par l'abnégation avec laquelle cet homme de soixante-treize ans assuma une situation désespérée ou par l'énergie avec laquelle il prépara et soutint la « bataille d'arrêt » — ces mérites lui valurent la juste admiration de l'armée —, mais par le sang-froid avec lequel il s'engagea dans un difficile double jeu politico-stratégique, s'acharnant, avec une sorte de rage, à obtenir contre le pouvoir politique que la France sorte de la guerre.

Il ne se privera pas d'attribuer la responsabilité des échecs aux autres, aux Anglais qui, en ne se pliant pas aux ordres et en retraitant vers les ports, ont rendu inopérante la manœuvre conçue par Gamelin, puis au roi des Belges qui a capitulé sans l'en aviser. En réalité, dès le retour de sa tournée d'inspection quarante-huit heures après sa prise de commandement, sa conviction est faite : la guerre est perdue. Car *la guerre,* il ne peut pas y en avoir d'autre que celle que livre la France, il n'imagine pas d'autre puissance que la France tenant tête à l'Allemagne, ni la guerre

---

1. *Revue historique des armées,* n° 4/1979, p. 221 et ss.

devenant une guerre mondiale : la France vaincue, la guerre sera finie, « dans quinze jours, l'Angleterre aura le cou tordu comme un poulet »[1]. Il pourrait, comme le souhaitent les politiciens calamitards ou les généraux Prételat et Huntziger, insister pour qu'on arrête les frais sans plus tarder — et sur la Somme plutôt que sur la Gironde. Il ne le fait pas, soit que la présence de Reynaud au gouvernement rende l'abandon impossible, soit qu'il se souvienne qu'un chef ne peut renoncer tant qu'il a des armes et qu'il lui importe, à lui, après les premières défaites, d'affermir l'image de l'armée.

Car c'est à la survie de l'Armée (avec un grand A) qu'il s'accroche, de l'Armée en tant que symbole, en tant que structure et en tant que principe d'ordre. Non pas, comme on l'a parfois dit, qu'il mette l'Armée au-dessus de la nation ni qu'il voie dans l'armée un bien patrimonial quasi féodal dont les chevaliers servants auraient seuls qualité pour déterminer le sort. Mais toute sa logique s'articule autour de trois convictions :

— l'Armée est le recours ultime de la patrie ;

— il faut en préserver l'« âme », la dignité, le noyau dur, pour protéger la France vaincue de la subversion communiste ou de la contagion hitlérienne ;

— c'est à partir de l'Armée et de ses symboles qu'il faut au plus tôt rebâtir sur les ruines ignobles de la France républicaine une France libérée des illusions révolutionnaires, des compromissions capitalistes et des poisons du matérialisme.

Ainsi Weygand est-il, dans ce mois critique, un des rares hommes qui ont un clair projet pour la France. Pendant un mois, il est l'un des ressorts les plus efficaces d'une contre-politique française. Le commandant en chef, Janus à double face, selon la juste expression d'Emmanuel Berl, mène du 24 mai au 24 juin sa double bataille, la « bataille d'arrêt » qui consacrera la défaite, mais dans l'honneur de l'Armée, et parallèlement, à Paris, à Briare, à Cangé, à Bordeaux, une bataille furieuse dans le secret des coulisses, pour imposer, dès le lendemain de la défaite, un armistice sauveur.

---

1. Il a fallu, semble-t-il, l'échec allemand dans la bataille d'Angleterre pour persuader Weygand que la guerre était une guerre mondiale et que l'armistice de juin 1940 n'était qu'une trêve. Ainsi a-t-on entendu, à partir de l'automne 1940, lorsqu'il commandait en Afrique du Nord, affirmer que la France était dans la situation de la Prusse après la bataille d'Iéna et qu'il fallait conjuguer tous les efforts pour être un jour en mesure de reprendre la lutte en étant victorieux.

2

Les combattants de mai

Roland Dorgelès, l'auteur du meilleur livre sur les combattants de 1914-1918, *Les Croix de Bois*, a écrit que si les soldats de mai 1940 avaient tenu le coup comme les poilus de Verdun, jamais les Panzers n'auraient atteint la mer en sept jours[1]. Autant se demander comment les poilus de Verdun auraient tenu devant un déferlement de blindés.

Les soldats de mai 1940 s'attendaient, sans y croire, au bruit, à la fureur, peut-être à l'horreur, mais au coude à coude sur un front stable. La guerre les a projetés à la fois dans le mouvement et dans la confusion, une confusion dont on a peine à se représenter le formidable effet déstabilisateur. Ils y ont été vulnérables. Eux non plus n'ont pas reconnu la guerre. Il est trop simple d'expliquer l'ampleur de l'effondrement des armées prises au piège en Belgique par le fait qu'il y avait *a priori* dans leurs rangs deux catégories de Français, des braves et des lâches, des hommes qui voulaient se battre et d'autres qui ne le voulaient pas. Des facteurs multiples, techniques au moins autant que psychologiques, ont commandé les attitudes dans un désarroi si imprévisible qu'il faut se replacer à leur niveau pour essayer de les comprendre.

La mort qui vient du ciel

De l'avis des chefs militaires français, à commencer par Weygand et Georges, l'aviation allemande aurait été le premier facteur décisif de la défaite. Il est certain que les premières interventions de la Luftwaffe

---

1. R. DORGELÈS, *La Drôle de guerre 1939-1940*, p. 251. Correspondant de presse aux armées et excellent reporter, Dorgelès n'a pas été un témoin oculaire des opérations de mai 1940, car le commandement a interdit pendant quinze jours aux journalistes l'approche des champs de bataille. Il était le 12 mai à Vouziers, le 14 aux environs de Reims où il a enregistré, sur la percée de Sedan, les mouvements et les rumeurs de l'arrière.

dans la bataille ont provoqué un désarroi irrésistible parmi les unités des deux zones qui ont craqué : sur la Meuse belge et à Sedan.

Le général Corap a souligné, dans son rapport sur la défaite de la IXe armée, que

> l'emploi en masse de l'aviation et des engins blindés fut pour nos troupes une surprise analogue par ses effets à celle que produisit, au début de la guerre précédente, l'emploi par l'ennemi des « gros noirs » et des mitrailleuses en grande densité[1].

En août 1914, rappelle-t-il, « certaines troupes quittèrent, elles aussi, le champ de bataille pour échapper à ces dangers imprévus et se replièrent très loin ».

L'impact des bombardiers en piqué, les Stukas, a été d'autant plus terrifiant qu'on n'en soupçonnait pas l'existence. Le 13 mai, au soir, le colonel commandant l'infanterie de la 55e division, note des cas d'aliénation mentale. Un officier rapporte : « J'ai vu des hommes fuir comme des fous à travers la campagne, jetant armes et bagages. Lorsque parfois on parvenait à ressaisir ces pauvres gens, le moindre bruit d'avion les replongeait dans le même état voisin de la folie. »

La plupart des témoins montrent des hommes cloués sur place, paralysés plus ou moins durablement[2]. Ils semblent « atteints de dépression nerveuse, comme frappés d'accablement »[3], note le général Georges le 27 mai, lorsqu'il prend enfin le phénomène en compte.

Car il a fallu quinze jours au commandement pour admettre le fait[4]. On raconte ainsi que pendant la bataille de Sedan, le général Huntziger, que l'on pressait de faire intervenir l'aviation de chasse, répondit avec une belle inconscience « qu'il fallait que les hommes s'aguerrissent et s'habituassent à ces actions de bombardement »[5].

Avec des chefs de sang-froid, les hommes finissent, en effet, par s'habituer : sur la Somme du 5 au 10 juin, sur la Loire le 15 juin, ceux qui ont déjà subi des attaques de Stukas ne bronchent plus. Il y aura fallu un mois, comme en 1914 sous les « marmitages », mais à quel prix ?

On découvre vite que l'aviation d'assaut et les bombardiers traditionnels sont beaucoup plus redoutables : les avions à croix noire s'acharnent sur les P.C., les gares de débarquement et les ponts, ils bombardent et mitraillent à basse altitude les convois, provoquent l'enchevêtrement et l'affolement, surtout quand l'exode des civils encombre aussi les

---

1. SHAT 29 N/447.
2. Syndrome aujourd'hui bien connu de la médecine militaire qui l'a qualifié de « commotion-inhibition-stupeur ».
3. Note sur les enseignements à tirer des premiers combats (10-25 mai 1940) (G.Q.G., n° 2 149/3/IM ; SHAT 27 N/154).
4. Gamelin n'a jamais compris l'effet des bombardements aériens sur la troupe. Encore après la guerre, il y voyait un signe de défaillance du moral. Il a répété, non sans raison, que les pilonnages d'artillerie de 1914-1918 étaient autrement meurtriers.
5. Commission Serre, p. 352.

itinéraires. Le 13 mai, les renforts qui montent vers la Meuse belge perdent des heures : tout le monde s'aplatit dans les fossés ou prend le large, à commencer par les conducteurs de camions. Il n'y a pas moyen qu'ils se remettent en route après l'alerte.

« Cette mentalité de sauver sa peau, de lui éviter même le moindre danger au détriment du service à accomplir dans le temps imparti, semblait, dans cette journée du 13, faire des progrès effrayants[1]. »

Entre le 12 et le 19 mai, les correspondances montrent comment de bonnes unités passent de l'ardeur allègre à l'étonnement, puis au courage résigné, et bientôt à la stupeur (« Les salauds, ils font des cartons ! »). La rogne grandit, quitte à laisser place à l'admiration quand des chasseurs alliés apparaissent et « descendent » des Boches à un contre trois ; elle tourne à l'accablement ou à l'indignation à mesure que passe le temps.

> En deux jours, tout a été anéanti. Et pas un avion pour appuyer les tirailleurs !

Les soldats des blindés tiennent le mieux ; pourtant une unité déjà aussi aguerrie que la 2e division légère mécanique (la 2e D.L.M.) ne parle dans son courrier de fin mai que de l'aviation allemande, comme si rien d'autre ne comptait.

Des soldats n'hésitent pas à parler, à l'occasion des bombardements aériens, de « sauve-qui-peut », « expression dont l'emploi semble avoir été très répandu et l'effet irrésistible », souligne la commission XA du 2e Bureau[2]. Les rescapés de la IXe armée qui se sont comportés le plus médiocrement ne lésinent pas sur les détails :

> Un avion nous pourchassait. On s'est caché derrière le tronc d'un grand platane. L'avion tournait autour, nous aussi. On ne sait pas comment on en a réchappé[3]...

En revanche, beaucoup s'indignent qu'on doute de leur courage :

> On dit beaucoup sur nous que nous avons lâché, mais pouvions-nous faire autrement... 70 km à pied avec les Boches sur le dos... Pas d'avions : en 6 jours, j'ai vu 600 ou 700 Boches et 6 ou 7 Français...

En Belgique où sévit l'espionnite, la crainte de l'aviation va souvent de pair avec la hantise de la cinquième colonne :

> Sur deux Belges à qui on parlait, il y en avait un d'espion.
> Le plus dur, c'est qu'on n'a pas vu un avion français. C'est signe qu'on était vendus.

---

1. SHAT 29 N/441 : compte rendu d'un officier de l'état-major de la IXe armée.
2. AN 2 W/57, principale source avec SHAT 27 N/70. La commission XA est responsable du contrôle postal des armées du Nord.
3. Rapporté à la date du 23 mai par G. SADOUL, *o. c.*, p. 218.

Quand des Allemands questionneront leurs prisonniers sur les causes de leur défaite, ils n'auront qu'une réponse : *l'aviation*. C'est aussi la réponse que fait Weygand, quand Paul Reynaud lui pose la même question.

Face au raz de marée des Panzers

Pourtant, ce sont bien les divisions blindées allemandes qui, après les percées sur la Meuse, taillent en pièces les armées françaises. Il suffit plus d'une fois d'une grappe humaine hurlant : « Sauve-qui-peut, les chars ! » pour déclencher une débandade locale. Le règlement de l'infanterie n'a pas prévu les blindés. Les troupes qui ne sont pas en position forte, pourvues d'antichars et encadrées par des chefs de sang-froid, ne savent que faire, sinon se jeter sous bois, s'aplatir dans un fossé ou s'enfuir. À moins de lever les bras.

> J'étais dans les derniers pour partir et ces sales Boches avec leurs autos blindées qui nous suivaient à 150 m. Je n'ai jamais su aussi bien courir. C'était quelque chose d'effrayant. Vous pensez, *nous Infanterie contre des engins blindés !*

La retraite, talonnée ou bousculée par les blindés, disloque l'armée ; elle broie les unités. L'ennemi est partout sans qu'on sache précisément où il est — jusqu'à ce qu'on bute sur lui. Chaque jour des unités doivent changer de front ; en position face à l'est, ou face au nord, puis l'inverse. Quand le 16 mai au matin, la 9ᵉ division reçoit l'ordre de se porter « sur l'Oise, face au sud », personne n'y comprend rien, car *au sud de l'Oise*, à Vervins, c'est là qu'était encore la veille au soir le commandement de l'armée ; la division reçoit d'ailleurs deux contrordres dans la journée.

Les troupes se perdent, se mélangent, attendent des ordres, s'épuisent en marches et contremarches sur des routes engorgées et bombardées que cisaillent les Panzers. Alors que certains ont la satisfaction de bien résister, on leur ordonne de décrocher, généralement parce qu'une unité voisine a été enfoncée. Tout semble absurde.

> Rien de ce qu'on aurait voulu ne s'effectuait en temps utile. Les hommes voyaient, vivaient ce drame sous un ciel éclatant, avec stupeur et accablement[1].

Le grand désarroi

Le désarroi s'aggrave quand les chefs sont tués ou introuvables. Désormais partout, jusqu'à la fin de la campagne, l'essentiel de la vie de

---

1. Général BEAUFRE, *o. c.*, p. 229.

la troupe — subsistance, cohésion, résistance ou abandon — dépend des petits chefs : adjudants, lieutenants, capitaines, parfois chefs de bataillon.

Communiquer, garder la liaison est pour ceux-ci une obsession. Régiments et bataillons, s'ils ont un poste émetteur-récepteur, ne savent pas toujours s'en servir, car pendant la « drôle de guerre », on a répugné à envoyer des hommes aux stages de formation. D'ailleurs, qui recevrait les messages ? Seuls, les chars lourds peuvent communiquer entre eux par radio, mais leurs postes n'ont que trois kilomètres de portée, ils sont peu audibles à cause du bruit du roulement et ils sont alimentés par des accumulateurs qui sont épuisés en huit heures et qu'il faut trente-six heures pour recharger. On cherche éperdument les cabines de téléphone public en état de fonctionner, les bureaux de poste qui ont gardé leur téléphoniste. Les agents de liaison motocyclistes reviennent ou ne reviennent pas. Sans cesse on se demande où est le commandement. On ne sait plus de qui on dépend. Des éléments d'une unité se rattachent à une autre qui souvent ne sait qu'en faire.

La fatigue ajoute à la démoralisation. Des hommes ne peuvent pas marcher trente ou quarante kilomètres par nuit et s'arrêter le jour pour combattre. Ceux qui tiennent sont ceux qui peuvent dormir et ceux qui sont motorisés, ou qui ont pu se hisser sur un camion. À mesure que la campagne avance, on voit des fantassins en retraite sommeiller en marchant avec une sorte d'automatisme effrayant ; à la halte horaire, ils s'écroulent au bord de la route. Certains ne repartent pas. Les isolés se multiplient, traînards, dispersés ou égarés. La prévôté en recueille à Montdidier 200 à 300 le 18 mai, 4 000 à 5 000 le 19. Livré à lui-même, chacun se débrouille[1].

---

1. Témoin ce soldat qui décrit à sa femme le reflux de sa compagnie des environs de Charleroi à Amiens (SHAT 29 N/70) :

« Mercredi 15 : Floriffoux-Avesnes : repli attendu ; services non indispensables partent. Mitraillé en route, avant Charleroi ; nous évitons Maubeuge saccagé. Avesnes a été en partie bombardé ; les trois quarts de la ville évacués.

Jeudi 16 : trois bombardements d'Avesnes — incendie. Un camarade est légèrement blessé. Il y a des morts. Dans la nuit, départ précipité ; nous étions avec Moutillet dans l'abri du collège à réconforter les réfugiés ; installation de matelas ; distribution de lait.

Vendredi 17 : arrivée à Landrecies à 6 h 30 du matin. À 6 h, Marc et moi désarmés et prisonniers d'une colonne motorisée allemande. Personne ne savait qu'elle arrivait et nous nous apprêtions à retourner à Avesnes pour prendre des choses oubliées. Le capitaine, mes camarades, le matériel étaient camouflés dans la forêt de Normal pour la journée. Nous nous évadons, retrouvons le capitaine. Douze heures de marche à travers bois et champs. Le capitaine prend une voiture en route et nous donne rendez-vous à Cambrai. Nous ne l'avons plus revu.

Samedi 18 : arrivée à Cambrai bombardé. Le gâchis, aucune indication. À 8 h du soir, les Allemands sont aux portes de la ville. Nous partons sur Arras avec deux bicyclettes prises n'importe où.

Dimanche 19 : Arras intact, des trains en partance, je donne une lettre pour toi à des réfugiés. À Arras, le même gâchis, pas d'indication ; nous filons sur Amiens. Nous

La retraite sans issue de la IXe armée

C'est dans les divisions de la Meuse belge tournées avant même de battre en retraite que la confusion est la plus grande[1].

Les autorités de Vichy ont été sévères pour la 5e division d'infanterie motorisée, « cas unique dans l'armée française d'une division d'active qui ait été dispersée sans combat vraiment sérieux »[2]. La 5e D.I.M. avait eu à défendre le cours de la Meuse, on l'a vu, sur une longueur de seize kilomètres avec seulement cinq bataillons en ligne. Il est avéré que le 13 mai, après les premières infiltrations allemandes au nord de Dinant, des éléments de deux de ses bataillons qui voyaient le feu pour la première fois ont reflué par petits groupes vers l'arrière et que, le 15 mai, un autre bataillon cerné s'est rendu après combat. En revanche, la cavalerie de reconnaissance divisionnaire a fait preuve de beaucoup de mordant ; même dans le régiment jugé le plus médiocre, le 39e d'infanterie, le commandement rend hommage à des actes d'héroïsme, comme celui d'un conducteur qui s'est sacrifié en précipitant son camion sur un char ennemi qu'il a incendié.

Quand la 5e D.I.M. reçoit le 16 mai l'ordre de retraiter vers le sud-ouest, ses cadres ont été décimés : deux de ses régiments ont vu leur colonel tué et leurs trois chefs de bataillon tués ou mis hors de combat ; le colonel du 3e régiment est prisonnier. La retraite est une suite d'épisodes lamentables comme il en est de toutes les unités qui se replient dans une zone dont l'ennemi sillonne déjà les principaux itinéraires.

L'objectif fixé est Maubeuge. On se dirige d'abord vers le pont de La Bussière, le seul qui subsiste en Belgique sur la Sambre au sud de Charleroi. Toutes les troupes en provenance de Wallonie — de Charleroi, de Mons et de Dinant — convergent sur ce pont, en même temps que des réfugiés : embouteillage monstre, toutes les unités se mêlent. Le général commandant la division prend la direction de Giry, reste des heures bloqué sur la route ; le chef d'état-major est aiguillé sur

---

retrouvons deux camarades sur onze et un camion. Amiens est en feu, mais nous logeons à la citadelle.

Lundi 20 : départ d'Amiens vers 6 h du matin, en colonne de camions et camionnettes. Nous n'avons pas eu le temps de sortir de la ville, pris dans un déluge de bombes lancées par une vingtaine d'avions. »

Dans la journée du 20 mai, les blindés de Guderian allaient entrer à Amiens.

1. « Certaines unités se sont trouvées entourées d'une nuée de chars contre lesquels il était impossible de se défendre, ce fut alors la débandade. D'autres se sont trouvés pris sous un bombardement d'aviation sans pouvoir répondre. D'autres ont maintenu la poussée allemande, puis ont reçu ordre de repli. D'autres en prenant position ou en revenant à leurs cantonnements, les ont trouvés occupés par l'ennemi. D'autres ont reflué sans combattre » (rapport du contrôle postal sur le courrier des rescapés de la IXe armée en date du 21 mai, SHAT 29 N/70).

2. SHAT 32 N/14.

Landrecies où, n'ayant plus de troupes, il se met à la disposition du commandant de la 9ᵉ division ; la cavalerie s'engage sur un itinéraire où elle se trouve confondue à des colonnes allemandes ; une partie d'un régiment mal orientée bifurque vers Guise ; le gros, enfin, piétine jusqu'à Avesnes, il y parvient après une journée et une nuit de marche harassante — 60 kilomètres : c'est pour y trouver les Allemands qui écrasent le détachement de tête. Les éléments suivants, jugeant les routes du sud coupées, prennent la direction du nord-ouest pour rallier Valenciennes — encore 60 kilomètres en terrain dénudé sous les bombes — afin de se raccrocher à la Iʳᵉ armée. Peut-on s'étonner que la 5ᵉ division se soit volatilisée ?

Les quelques forces que regroupe son général tiennent encore un secteur du 19 au 20 mai près de Valenciennes, puis sur le canal de l'Aire. Envoyée à Dunkerque en vue d'être embarquée, la 5ᵉ D.I.M. ne comprend plus que la valeur de deux compagnies d'infanterie, cinq cents artilleurs et trois canons.

La retraite de la 61ᵉ division est encore plus lamentable [1]. Il s'agit d'une division de forteresse de « série B », formée, comme les divisions de Sedan, d'hommes de classes anciennes et ne comportant qu'un nombre infime d'éléments actifs. Elle avait mission de tenir un secteur de Meuse de 25 kilomètres au nord de Givet. Quand son général lui téléphone l'ordre de repli sans qu'elle ait eu à se battre, elle est condamnée. Les bataillons, étirés dans les escarpements de la Meuse reçoivent dans la nuit des instructions hâtives : les divisions voisines ont été enfoncées ; ils doivent abandonner leur matériel et se déplacer d'une traite et tous ensemble à travers la forêt, en colonnes utilisant au mieux le lacis mal connu des chemins de l'arrière, sans reconnaissance, sans appui, sans liaisons, pour confluer dans une même zone. Les régiments s'émiettent, chaque petite unité tâtonne. Aucun des corps ne peut se regrouper dans les localités fixées. Le contact est perdu avec le général et les colonels, les troupes se trouvent dispersées dans les bois et dans les hameaux où elles s'infiltrent pour chercher du ravitaillement, tout en se dissimulant aux vues des automitrailleuses allemandes, car il y a des convois ennemis sur les routes de traverse.

Des éléments d'un de ces régiments, le 337ᵉ, font marche vers Éteignères où doit être le P. C. de leur colonel : quand ils y parviennent, à 22 h 15, le village brûle, le P. C. a déménagé ; les hommes sont exténués par dix-huit heures de marche. Certains ont bu pour se donner du courage et ne peuvent plus avancer. Un chef de bataillon ordonne de marcher vers Auviller où doit être le P. C. de la division ; on y arrive à minuit : personne ! On continue vers Rumigny qu'on atteint à l'aube : le bataillon n'a plus que 200 hommes. Au bataillon voisin, le commandant décide de rallier Hirson ; après 3 kilomètres, il rencontre 500 ou 600 soldats sans armes : ils ont été désarmés par des colonnes alle-

---

1. SHAT 32 N/265.

mandes qui précisément venaient d'Hirson ! Il les prend en charge et vire de cap : droit au sud en direction de Liart ! À 5 h du matin, le chef de bataillon n'a plus que 400 hommes quand il apprend par les isolés errants que des colonnes blindées allemandes ont déjà dépassé Liart. « Une seule chance s'offre à nous : franchir ces colonnes... » Le détachement progresse dans les bois, à la boussole. Il est capturé par des blindés allemands en fin d'après-midi.

La 61ᵉ D.I. n'était pas une mauvaise unité ; composée de paysans normands, elle avait « bon esprit », elle était disciplinée. Elle s'est désintégrée. Entre le 15 et le 17 juin, plus des deux tiers de ses effectifs sont faits prisonniers. « Nous avons plus de prisonniers que de blessés », dira un rescapé.

Un effondrement psychologique

De nombreux témoignages illustrent l'effondrement psychologique d'une partie de ces unités broyées par la retraite. Un officier de l'état-major de Gamelin rentrant de l'Oise le 19 mai fait état de 70 000 hommes et de nombreux officiers qui flottent épars : « Aucune unité commandée, si petite soit-elle. »

> Un troupeau abruti et hagard, mélange complet de numéros, de troupes et de services, à peine 10 % des hommes ont conservé leur fusil ; aucune arme automatique. Beaucoup de gradés voyagent en auto militaire ou particulière... Ce n'est pas tant une question de moral... Ces gens-là sont déroutés, ils ne comprennent pas ce qui leur est arrivé. La vue d'un avion leur inspire de la terreur [1].

Ils reprendront plus vite et mieux qu'on ne l'aurait pensé. Il reste que beaucoup se sont abandonnés. Ils ballottent entre la conviction tenace que « la France s'en tirera », qu' « elle en a vu d'autres », qu' « elle ne peut pas être battue comme ça », et l'acceptation de la supériorité allemande : « Il n'y a rien à faire contre ces gens-là ! »

Et dans les unités les plus faibles, parmi les services et les formations non combattantes s'accrédite maintenant la fable lancée le 8 avril par *Paris-Soir* et qui, reprise le lendemain par *L'Œuvre*, aura figuré en manchette dans le quart du tirage global des quotidiens français : « Goebbels fait annoncer la prise de Paris pour le 15 juin et la *pax germanica* pour le 1ᵉʳ juillet [2]. »

Cette pseudo-prophétie, non pas « autoréalisatrice », mais devenue réalisable et finalement réalisée, va peser lourd dans le subconscient collectif. Le journaliste Georges Sadoul enregistre entre le 15 et le

---

1. Colonel J. MINART, *P.C. Vincennes*, t. II, pp. 221-222.
2. Titre en manchette de *L'Œuvre* sur quatre colonnes, le 9 avril 1940.

20 mai, dans son unité des transmissions au moral médiocre, des propos d'une ironie sinistre [1] :

> Hitler disait qu'il serait à Paris le 15 juin. Il y sera peut-être avant. Il va falloir qu'il se retienne...

Résignation devant l'irrémédiable, sentiment de la vanité de toute résistance : combien de soldats piégés de la IXe armée se laissent capturer sans défense ? Dans les derniers jours de la retraite, combien de fantassins exténués, assis au bord des routes des Flandres expliquent : « Ils sont les plus forts ! *La guerre est finie pour nous !* »

Il arrive que la discipline sociale se dissolve en même temps que la discipline militaire. Des « éléments troubles » en profitent : saoulerie et pillage réapparaissent comme à l'automne 1939 en Alsace et en Moselle, comme dans les Ardennes après la panique de Bulson. Les faits sont plus occasionnels qu'on ne l'a prétendu, mais spectaculaires.

Le 18 mai, une compagnie du train de la 2e division légère mécanique, repliée dans un village en cours d'évacuation du Cambrésis, se livre, sitôt les habitants éloignés, au pillage systématique de la localité ; comme elle dispose de moyens de transport, elle y accumule jusqu'au linge. Le 19 et le 20, elle se saoule, tandis que les officiers se gobergent. Revanche à prendre sur un destin qu'on refuse et auquel pourtant on se soumet ? Il est clair en tout cas qu'il s'agit d'une unité dont les officiers se désintéressent et sur qui les sous-officiers sont sans autorité [2].

Le 1er juin, à l'est d'Amiens, le bourg de Quévauvillers est pillé par deux compagnies du 7e régiment d'infanterie coloniale : des scènes abjectes s'y déroulent [3].

Ce régiment, le 7e R.I.C., vient de participer pendant plusieurs jours aux combats visant à réduire les têtes de pont allemandes au sud de la Somme et s'y est comporté honorablement ; il a été relevé dans la nuit. Il s'en donne à cœur joie : maisons pillées de la cave au grenier, vandalisme, les écrins d'argenterie vidés et les coffres fracturés jusque dans la villa où cantonnent les officiers, cinquante hommes couchés ivres morts dans un dépôt d'alcool razzié, le reste de la troupe se mettant en marche à l'heure du départ avec des musettes gonflées de bouteilles d'apéritif ou une bonbonne d'alcool sur l'épaule derrière un capitaine qui zigzague d'un trottoir à l'autre.

Le 7e R.I.C. est formé de cultivateurs du Sud-Ouest de trente-deux ans, au bon moral et à l'esprit excellent, mais d'assez faible formation militaire ; son journal de marche révèle, sans autres précisions, que le régiment « a été alourdi le 18 mai de rebuts composés de réservistes âgés

1. G. Sadoul, *o. c.*, p. 199.
2. L. Crozet, *o. c.* (IHTP).
3. G. Sadoul, *o. c.*, pp. 258-260.

et de valeur médiocre, et d'officiers et de sous-officiers peu instruits et de valeur douteuse »[1]...

Incidents marginaux qui ne sont pas uniquement le fait de voyous et qui ne se produisent que grâce à l'indifférence, sinon la tolérance, des cadres. Car tout change d'un endroit à un autre et d'une unité à l'autre. Le 18 mai, à l'heure même où la compagnie du train de la 2e D.L.M. s'adonne au pillage, à 30 kilomètres de là, à Catillon, « le 95e régiment d'infanterie, encerclé depuis le matin, résiste tout l'après-midi à des bombardements répétés suivis d'assauts poussés jusqu'au contact ; vers 18 h, les munitions manquent, le colonel brûle son drapeau ; le combat dure jusqu'à la nuit »[2].

Le 13 mai sanglant

En effet, dès le 13 mai, puis tout le long du mois malgré les aléas d'une retraite désastreuse, une grande partie des troupes s'est battue durement, courageusement, là où elle en a eu les moyens et où elle a été commandée.

Jamais dans l'histoire militaire française, le contraste des comportements n'aura été si grand. Hitler l'a souligné dans la lettre qu'il a adressée à Mussolini le 25 mai pour lui rendre compte de la première phase des opérations[3].

> Des unités très mauvaises côtoient des unités excellentes. La différence de qualité entre divisions d'active et de réserve est extraordinaire. Beaucoup de divisions d'active se sont battues désespérément ; les unités de réserve, en général, supportent beaucoup moins bien le choc qu'exerce la bataille sur le moral des troupes.

Le fait est qu'il y a au sein de l'armée française une armée excellente. L'énergie de ceux qui résistent à mort est d'autant plus remarquable qu'une fois le front percé, aucune bataille ne peut être au mieux qu'une bataille de retardement, aucune manœuvre n'est tentée avec des moyens suffisants ou en temps utile, aucune contre-offensive, telle qu'elle est lancée, n'a de chance de succès. Pourtant, chaque fois qu'une infanterie soutenue par l'artillerie et bien encadrée s'accroche à une position défensive, elle bloque l'ennemi, même en l'absence d'appui aérien. À toutes les étapes de la campagne, l'infanterie soutient des batailles localisées qui durent de un à trois jours, quatre jours à Lille, six jours à Dunkerque, jamais plus, en raison de la rapidité de la guerre de mouvement ou de l'accumulation de moyens qu'elle permet à l'adver-

---

1. SHAT 34 N/107-2.
2. Général DOUMENC, *o. c.*, p. 299.
3. *Les Archives secrètes de la Wilhelmstrasse, Les Années de guerre*, t. IX, livre 2, n° 316.

saire : batailles acharnées, les troupes se défendant pied à pied, des unités entières ou de petits groupes résistant jusqu'à la limite de leurs forces, parfois jusqu'à l'extermination, contre un ennemi toujours supérieur en nombre. La douzaine d'épisodes retracés par le général Delmas et le colonel Devautour dans leur beau livre *Les Combattants de l'honneur* n'en est qu'une illustration [1] : ce ne sont pas les seuls.

Le 13 mai, à Monthermé, l'un des trois lieux prévus pour le franchissement de la Meuse par les Panzers, dans un site encaissé et boisé plus favorable à la défense que celui de Sedan mais au creux duquel serpente aussi un long méandre vite encerclé, la 42e demi-brigade de mitrailleurs coloniaux — l'effectif d'un régiment — avec un appui d'artillerie limité tient tête pendant quarante-huit heures : elle interdira jusqu'au 15 mai au matin à la 6e Panzerdivision le passage du fleuve et l'accès au plateau ardennais.

Ce même 13 mai, au nord de Charleroi, dans la trouée de Gembloux, accès de la Belgique centrale, s'engage la première grande bataille de blindés de l'histoire ; les chars mis en ligne par le 16e Panzerkorps sont deux fois plus nombreux que les blindés français et leur armement est supérieur. C'est seulement après avoir perdu les deux tiers de leurs chars Hotchkiss (armés du vieux canon de 37) et le tiers de leurs chars S.O.M.U.A. que les divisions légères mécaniques doivent passer le 14 mai derrière la position de résistance de l'infanterie. Deux divisions d'infanterie supportent alors tout le poids de la bataille : la 1re division marocaine et la 15e division d'infanterie motorisée (D.I.M.) du général Juin. Ces deux divisions installées hâtivement en rase campagne et sans appui aérien, une partie de leur effectif harassée par 130 kilomètres de marche, réalisent l'exploit de bloquer pendant deux jours deux divisions de Panzers. Les concentrations instantanées et précises de leur artillerie désorganisent les assauts des blindés. Malgré les Stukas, malgré l'attaque de chars qui parviennent jusqu'aux batteries françaises, les lignes plient mais ne cèdent pas ; le sacrifice de deux régiments de tirailleurs marocains permet de conserver à peu près intacte la ligne principale de résistance, au prix d'une hécatombe qui ne laisse au 2e R.I.M. que 74 présents à l'appel sur 700. La plupart des commandants de compagnies et des chefs de section, payant d'exemple, sont tombés. Côté allemand, la moitié des blindés du 35e régiment de chars a été détruite et l'un des bataillons du 12e fusiliers est réduit à 4 officiers et 31 hommes.

Seule la retraite de la IXe armée, enfoncée sur la Meuse et tournée au sud-est, contraint les survivants, maîtres du terrain, à se replier en ordre le 16 mai.

---

1. Les précisions données ci-après sur les épisodes de Monthermé, Gembloux et Libersart lui sont empruntées, pp. 35 et 36, 51 et ss., 130 et ss.

Parmi les hauts lieux du courage

La primauté de la défensive n'amoindrit pas l'agressivité de la cavalerie et des chars, si médiocrement engagés soient-ils. La cavalerie est l'arme la mieux préparée à la guerre de mouvement et ses chefs sont ardents. Le sacrifice des spahis le 15 mai 1940 à La Horgne, près de Poix-Terron, vaut celui des cuirassiers de Reichshoffen[1].

Le 14 au matin, les Panzers de Guderian ayant percé au sud de Sedan, la 3e brigade de spahis barre la route d'Omont à Vendresse, pour les empêcher de déboucher en direction de l'ouest. Elle tient sur place jusqu'à 14 h ; les chars l'obligent à reculer jusqu'à Chagny qu'elle défend jusqu'à la nuit.

Le 15 mai, le colonel Marcq qui commande la brigade regroupe ses escadrons entre 4 et 8 h du matin dans le village de La Horgne ; il établit un plan de défense, fait barrer les quatre routes d'accès par des camions. À 10 h 30, les Allemands attaquent avec des blindés : la brigade n'a que deux canons antichars, l'un de 25, l'autre de 37. Tous les assauts sont repoussés, mais la brigade est isolée ; à 15 h, le village est encerclé. Un escadron, conduit par le lieutenant MacCarthy, contre-attaque à cheval vers le nord sur la route de Singly : il est anéanti. L'unique canon de 25 est servi par un adjudant qui détruit 5 blindés avant d'être tué sur sa pièce.

Vers 17 h, le colonel Burnol, voyant que tout est fini, rassemble une quarantaine de cavaliers dont un chef d'escadron et, muni d'un mousqueton, charge en direction des bois qu'il atteint malgré le feu ennemi : il sera tué un peu plus tard.

Le 15 au soir, quand les survivants, ayant réussi à décrocher, se rassemblent près de Villers-le-Tournant, ils comptent 610 manquants dont les trois colonels (deux ont été tués et le troisième a été grièvement blessé). Le journal de marche de la Panzerdivision rend compte du combat en ces termes :

> Dans notre progression sur le canal des Ardennes, nous avons été arrêtés pendant douze heures par une brigade de spahis. Nous n'avons pu passer qu'après l'avoir anéantie.

À Poix-Terron comme à Gembloux, les Maghrébins et spécialement les Marocains ont été parmi les meilleurs soldats de l'armée française : partout les cadres français leur auront donné l'exemple.

L'agonie des armées du Nord a, elle aussi, ses grandes heures, même si l'on en garde surtout le souvenir des centaines de milliers de soldats écroulés sur les plages de Dunkerque.

Les débris de sept divisions en retraite ont été refoulés puis encerclés

---

1. SHAT 34 N/456 et Archives des Ardennes (I J 347/15).

le 27 mai dans l'agglomération lilloise ; ils y résistent avec acharnement. Pendant quatre jours, rappelle le général Delmas, se déroule

> une lutte confuse où du côté français ce ne sont plus les liens organiques et hiérarchiques, mais seulement la volonté de se battre et le refus de s'avouer vaincus qui regroupent les combattants autour de chefs (que ce soit un général ou un sergent-chef) décidés à continuer la lutte. On se bat sur place, en constituant des centres de résistance improvisés dans une usine, un pâté de maisons, derrière un remblai de voie ferrée, en installant les postes de secours dans les caves, au milieu d'une population qui n'a pas été évacuée, sous le pilonnage intensif de l'artillerie allemande.

Les sorties échouent. Les banlieues succombent les unes après les autres, leurs points d'appui isolés, leurs munitions épuisées, le matériel détruit ; le colonel Dutrey, commandant le 40ᵉ régiment d'artillerie, se donne la mort pour ne pas tomber vivant aux mains de l'ennemi. Le faubourg de Lambersart tient le dernier, barricade après barricade, pâté de maisons après pâté de maisons, jusqu'à la reddition qui, signée dans la nuit du 1ᵉʳ juin, vaut aux survivants les honneurs de la guerre. Sans qu'ils s'en rendent compte, ils ont peut-être sauvé Dunkerque[1].

La défense des abords de Dunkerque est aussi sanglante et plus directement efficace. Le sacrifice délibéré de la 12ᵉ D.I.M. du général Janssen, conjugué avec la résistance de la 68ᵉ division, permet de tenir les Allemands à distance du 28 mai au 3 juin, tandis que s'accumulent sur les plages des masses humaines désorganisées et des monceaux de matériel : les deux divisions auront couvert l'embarquement des 330 000 rescapés.

Ceux qui tiennent

Le courage et la ténacité ne sont pas le privilège des unités d'élite ou des professionnels de la guerre. Même les régiments d'infanterie dits d'active comprennent d'ailleurs en majorité des soldats du contingent. La demi-brigade de tirailleurs coloniaux qui tient Monthermé le 13 mai est composée, outre 400 tirailleurs malgaches, de paysans du Gers, de l'Ariège, des Hautes-Pyrénées et des Landes, recrutement qui les situe dans la moyenne des régiments d'infanterie[2].

---

1. Comme l'écrit Churchill, « ces Français avaient durant quatre jours critiques, contenu non moins de sept divisions allemandes qui autrement auraient pu prendre part aux attaques sur le périmètre de Dunkerque. Ces troupes apportèrent ainsi une splendide contribution au salut de leurs camarades plus favorisés et du corps expéditionnaire britannique » (*Mémoires sur la Deuxième Guerre mondiale*, t. II, p. 101).
2. Il est hasardeux d'établir des distinctions de comportement entre les unités en fonction de leur origine régionale. Les réservistes bretons et ceux de toutes les régions de montagnes sont certainement parmi les meilleurs. On trouve, comme en 1914-1918, des appréciations péjoratives à l'égard des « Méridionaux », mais elles sont beaucoup plus

Le 43e d'infanterie de Lille, connu pour avoir été indiscipliné avec des poussées antimilitaristes voyantes jusqu'à 1936, puis pour avoir été « difficile » pendant la « drôle de guerre », est au feu une unité honorable.

La 68e division, décimée devant Dunkerque, est une division régionale de « série B » ; il est vrai qu'elle défend son terroir.

Dans l'ensemble, même des réservistes peu motivés, si un officier auquel ils font confiance leur dit : « Il faut y aller ! » et prend leur tête, se comportent bien, à condition de ne pas être tronçonnés en petits groupes livrés à eux-mêmes ou dispersés sur une ligne si étirée qu'elle laisse à ceux qui n'ont pas envie de mourir toute facilité de se replier : tout est affaire de commandement et d'encadrement.

Le refus collectif d'obéissance devant le feu n'existe pas, le témoignage du général Véron qui fut sous-chef d'état-major de la IXe armée, est amplement confirmé :

> J'ai vu des gens en désarroi, mais je n'ai jamais vu une troupe indisciplinée. Je fais là une grosse différence, parce que j'ai vu en 14, pendant la retraite du Nord, des troupes fatiguées jetant les sacs et les fusils dans les fossés, ce qui n'a pas empêché le rétablissement de la Marne... J'ai connu la troupe qui tombait sur la route, qu'il fallait faire lever à coups de pied dans le derrière pour la faire repartir. Il arrive un moment où la bête humaine ne réagit plus et lâche. Ceci est exact en 1914, c'est encore exact en 1940. Mais je n'ai pas vu de troupe se rebellant contre les chefs pour dire : « Nous sommes trahis, nous ne voulons plus marcher. » Et personne autour de moi n'a pu dire qu'il l'avait vu [1].

À la IXe armée en mai, sur la Somme et sur l'Aisne en juin, partout où les officiers et les gradés se montrent solides et capables, l'acceptation est la norme ; l'imprégnation pacifiste ou communiste est rarement perceptible et n'est d'ailleurs à peu près jamais signalée. Inversement, que les cadres flottent devant l'imprévu, ils perdent leur autorité : ils ne pourront pas retenir une troupe si elle s'effiloche.

On en revient une fois encore aux cadres et en particulier aux officiers.

Inégaux, ils l'ont été aussi, surtout dans l'infanterie.

À Sedan comme à Dinant, l'inaptitude de colonels et de chefs de bataillon usés, vieillis sous le harnais, qui n'ont pas reconnu la guerre ou qui ont perdu la tête, a été cause de défaillances locales parfois graves. Dans la seule journée du 14 mai, au sud de Sedan, trois colonels hors d'état de commander ou seulement de se décider errent sur le champ de

---

rares ; comme en 1914-1918, Languedociens et Provençaux se comportent parfaitement bien quand ils sont encadrés dans les régiments coloniaux. Dans les six divisions qui sont dissoutes entre le 18 et le 27 mai (18e, 22e, 55e, 61e, 71e D.I. et 5e D.I.M.), il n'y a pas de Méridionaux. Ce sont surtout les soldats de recrutement parisien qui sont suspectés de moindre esprit combatif, sans doute par *a priori* politique. Tout au plus peut-on penser que les soldats de recrutement rural sont, dans l'ensemble, moins politisés, plus disciplinés et plus dévoués que ceux qui sont originaires des grandes zones urbaines.

1. Commission Serre, p. 1304.

bataille. Que deux officiers supérieurs des divisions de Meuse, un colonel et un chef de bataillon, quittent leur unité quelques heures avant qu'elle ne soit engagée pour aller à 40 kilomètres de là consulter un état-major donne la mesure du désarroi. Tout est allé trop vite pour que les uns soient remplacés en temps utile et pour que les autres réapprennent la guerre.

Plus fréquent, à tous les niveaux, est le manque d'initiative, l'inaptitude à réagir devant l'imprévisible. Or, la guerre de mouvement multiplie l'imprévisible. À chaque instant, la chaîne de commandement est rompue, livrant les officiers subalternes à eux-mêmes. Et des chefs d'unités, encerclés, dépassés par l'avance ennemie ou croyant l'être, s'interrogent sur l'utilité de poursuivre une lutte inégale. Faible combativité ? Souci d'épargner le « précieux sang français » ? Écrasement des esprits sous un choc trop violent ? Une partie des cadres de la nation armée n'a pas résisté à l'épreuve.

Cependant, il est tout aussi avéré que les cadres de carrière et notamment les officiers d'active ont dans une forte proportion payé d'exemple. Leurs faits d'armes ne manquent pas. Les livres d'or en sont pleins : lieutenants de cavalerie chargeant sabre au clair comme en 1914, officiers de chars jetant leur engin transpercé sur l'artillerie ennemie ; aviateurs volontaires pour des missions suicides, pilotes de chasse attaquant à un contre trois, chefs de section ou capitaines couvrant seuls avec une mitrailleuse la retraite de leurs hommes, commandants de régiments prenant la tête d'une contre-attaque, mousqueton au poing, ou encore ce lieutenant-colonel capturé par surprise par Rommel sur la route de Landrecies qui, malgré trois sommations, refuse de monter dans un char ennemi et que le commandant allemand fait abattre [1]. Une élite militaire s'est exposée sans compter pour réapprendre la guerre ou pour l'enseigner à la troupe. Elle a été durement éprouvée.

Mais plus que les cas individuels, les chiffres sont probants. C'est sur les grands nombres et sur l'ensemble de la campagne que l'on doit tenter d'apprécier et d'éclairer les contrastes du comportement des officiers.

---

1. Général ROMMEL, *La Guerre sans haine*, t. I, p. 34.

3

Le sursaut :
« *sans esprit de recul* »

La mémoire des hommes retient rarement le détail des batailles perdues. Si Bir Hakeim et la Résistance peuvent faire oublier Sedan, il est injuste de taire que la bataille de la Somme et de l'Aisne de juin 1940 a été un instant éminent de la conscience nationale. La perspective historique, en télescopant dans un seul et unique désastre les défaites de mai et la débâcle de la mi-juin 1940, a escamoté cette semaine de combat où, pour la dernière fois à ce jour, la nation armée a été prête à *mourir pour la patrie.*

Le début de juin 1940 mérite en effet une place dans l' « histoire des passions françaises » : il illustre la persistance du patriotisme et, même si elle est éphémère, sa vigueur. Au moment où les réalistes de l'État-Major et du gouvernement jugent la guerre perdue et où une partie de la nation stagne dans l'inertie, un sursaut soulève les armées ; il s'amplifiait déjà fin mai ; il dure jusqu'à la percée allemande sur l'Aisne le 10 juin. En trois semaines, soldats et officiers ont pris le temps de croire à la guerre. Sous le choc des désastres et de l'invasion, ils réagissent — ceux des unités combattantes du moins. Dans leur bouche, sous leur plume, des mots usés tels que *le pays est en danger* resurgissent et retrouvent un sens. Le mouvement est si ample, l'énergie et l'abnégation déployées si intenses qu'on s'étonne de ne pas en trouver plus de traces dans les histoires de cette guerre.

Le redressement a été encouragé par la résolution de Paul Reynaud. Le recours à Pétain, la promotion de Mandel et la prise de commandement de Weygand stimulent et donnent confiance. Un autre facteur y contribue : la première surprise dissipée, les Français retrouvent les schémas mentaux qui leur sont familiers, ceux de l'autre guerre ; après les défaites de Belgique, l'armée se ressaisit comme on sait qu'elle l'a fait en 1914 : après les cafouillages de la bataille de rencontre, une ligne de défense se reconstitue en terre française, de l'Ardenne à la mer ; sur les positions où se sont battus les pères et les aînés, la Somme et l'Aisne, on en revient enfin au front continu, à la bataille d'arrêt, celle que l'on connaît, celle que l'on sait mener.

Il faut lire les correspondances analysées par le contrôle postal pour découvrir la vigueur du sursaut. Weygand, à son arrivée au G.Q.G., ne s'est pas contenté de rapports hebdomadaires sur le moral de l'armée, il a exigé du 2ᵉ Bureau des rapports quotidiens. Ces rapports, accompagnés d'extraits des correspondances et désormais adressés au commandant en chef, aux généraux Georges, Doumenc et Koeltz et bientôt à Pétain, ont été conservés ; ils sont complétés par les résultats des « sondages par unités », effectués une à deux fois par semaine.

Autant les analyses et les rapports du contrôle postal appelaient de réserves de méthode avant le 10 mai, autant, à partir de la mi-mai, ils peuvent difficilement être contestés : ils sont plus prudents ; on ajoutera que les correspondants qui s'expriment sur les événements sont nombreux et que la réalité quotidienne des combats les engage trop pour qu'ils puissent l'éluder ou la travestir ; le contenu des correspondances est d'ailleurs corroboré point par point par les journaux de marche des unités.

Le moral est incomparablement plus ferme qu'en mai. Rien ne laisse percevoir parmi les troupes engagées sur la Somme et sur l'Aisne deux attitudes devant la guerre. On ne distingue plus de différence entre régiments d'active et de réserve.

Il subsiste des zones de dépression : elles sont circonscrites. On les trouve en premier lieu dans les débris de l'infanterie des divisions de réserve qui ont flanché sur la Mcuse. Le 20 mai, le colonel Suffren, après avoir interrogé 700 soldats du 331ᵉ R.I.F. (régiment d'infanterie de forteresse) rescapés du secteur de Sedan, n'estimait pas à plus de 10 % les soldats, à plus de 25 % les officiers ayant à la fois la capacité et la résolution de s'intégrer sur-le-champ à sa division. À la même date, à en juger par le courrier, les fantassins des divisions disloquées à Sedan se félicitaient surtout d'être à l'abri[1]. On s'excusait de n'avoir pu faire mieux ou on en rejetait la faute sur la trahison. De même, les rescapés de la 61ᵉ division étaient « apathiques et ternes » après leur retraite éprouvante, avec pourtant dans toutes les unités une minorité d'hommes « très gonflés ».

À la fin du mois de mai, beaucoup de ceux qui avouaient avoir été démoralisés semblent reprendre leur équilibre et s'attendent à retourner au combat, une fois leur unité reformée. Aucune flamme, mais la discipline mentale ou le conformisme sont assez forts pour que presque personne ne déclare qu'il faut « en finir à tout prix » avec la guerre.

Les flanchards avoués se rencontrent surtout dans les arrières ou chez les non-combattants, dans les transmissions, les services de santé, parmi les pionniers et dans certaines unités du génie ou « l'on a beaucoup de satisfaction de ne pas faire partie des unités combattantes » et où

---

1. « Le tonus est médiocre et les lettres ne révèlent aucun esprit combatif » (SHAT 29 N/70).

le moral et la tenue paraissent en raison directe de l'activité fournie : excellents chez les pontonniers, tandis que ceux qui sont à peu près oisifs ou ont tout loisir de se baigner et de pêcher à la ligne montrent moins de tenue morale[1].

C'est presque uniquement de là que viennent les lettres du style : « Je ne souhaite qu'une chose, c'est d'être réformé en vitesse et de ne pas moisir ici. » Encore sont-elles plus rares.

C'est comme toujours dans la zone de l'intérieur que l'esprit de guerre reste le plus incertain. Paul Reynaud[2] stigmatise la persistance du laisser-aller dans une instruction du 1er juin aux généraux commandants de régions leur prescrivant de poursuivre « la défense contre les incursions profondes de l'ennemi » ; les termes en sont révélateurs :

> Il est inadmissible, j'ai pu le constater, que certaines formations du territoire continuent à vivre à un rythme comparable à celui qu'elles suivaient jusqu'à présent. Trop de garnisons et de cantonnements offrent le spectacle d'hommes inoccupés qui ne paraissent soumis à aucune activité militaire ; leur tenue, leur allure révèlent un manque total de discipline.
>
> Vous voudrez bien rétablir progressivement, mais fermement, en exigeant la correction absolue de la tenue, l'exécution stricte des marques extérieures de respect, la pratique journalière d'exercices d'ordre serré. Vous veillerez également à l'exécution des ordres concernant la circulation des isolés.
>
> Aucune faiblesse de commandement ne devra être tolérée (...), aucune considération ne devant entrer en ligne que le redressement à effectuer...

Un fossé entre l' « intérieur » et l'avant

Jamais la différence d'attitude, la rupture de ton n'a été si nette entre l'intérieur et l'avant. Partout, le long de la nouvelle ligne de front, cavaliers et artilleurs se distinguent par leur ressort. Même les cavaliers récupérés de Sedan « ont la satisfaction du devoir accompli » tandis que les artilleurs du 45e régiment d'artillerie divisionnaire « ne demandent qu'à monter en ligne pour prendre une revanche éclatante ».

Il en est de même de tous les éléments de Belgique et du Nord qui ont le mieux tenu, que ce soient les zouaves et les dragons portés (« Nos dragons ont été de beaux soldats courageux jusqu'à la mort », écrit un de leurs officiers), ou les combattants des deux premières divisions légères mécaniques, si durement éprouvées pourtant.

Dans ces deux grandes unités, les hommes qui ont vu bombarder les colonnes de civils expriment un sentiment nouveau, la haine de l'Allemand. Elle n'existait à peu près pas, elle déborde de leur courrier : « Les Boches sont d'horribles créatures. » « Quels salauds ! » « Ils sont

---

1. Rapport du 2e Bureau de la IIe armée sur les unités proches de Verdun (SHAT 29 N/47).
2. Archives privées, fonds Reynaud (AN 74 AP/22).

plus barbares que jamais ! » « Il n'y a pas de mots pour qualifier leur barbarie sauvage ! » Des hommes rêvent de vengeances sensationnelles et de représailles sans pitié : « Mon cher frangin, initie bien tes élèves pour venger les massacres ennemis par les aviateurs boches, hommes sans cœur ni scrupule. » « Espérons que, quand nous aurons le bonheur de rentrer chez eux, ils s'en souviendront. » « Gare à eux si nous pénétrons un jour en territoire allemand, ce jour-là, le sang innocent criera vengeance... »

Les survivants des divisions cuirassées gâchées et massacrées en mai sont prêts « à remettre ça ». Ainsi à la 1re D.C.R. :

> Je me remets tout doucement. Il faut leur faire voir que nous sommes toujours là.
> Pour l'instant, il ne faut pancé plus aux permissions. Il faut pancé à défendre la France et ses alliés et il faut espéré que cette guerre ne durera pas autant que celle de 14 à 18. Nous la gagnerons tout de même et il faut que la France reste la France *(sic)*.

Le ton est identique à la 2e division cuirassée : « L'ère de la trahison est finie, il y a des chefs, il n'y en avait pas » ; « On espère avoir une bonne revanche » ; « Nous, les Français, il nous faut recevoir une bonne giffle *(sic)* pour réagir, nous l'avons reçue, c'est à présent que les héros vont se montrer ».

La foi religieuse renforce la confiance : « Dieu sera le plus fort » ; « Dieu est avec nous » ; « Avec Dieu nous vaincrons. »

Entre le 25 mai et le 5 juin le raidissement du moral paraît se généraliser. La confiance dans le généralissime s'exprime partout, on l'oppose à « notre grand Gamelin et sa bande de guignols qui n'ont pas été foutus d'organiser la frontière ». Un ton inimitable, inimaginable quinze jours plus tôt, se répand dans les lettres.

D'un canonnier, secteur fortifié de Boulay, le 27 mai :

> Nous tenons le choc et j'aimerais mieux rester sur le canon que de voir un char franchir la ligne Maginot.

D'un soldat du 12e zouaves, le 27 mai :

> Nous sommes restés près de dix jours avec du pain et de l'eau. Je préfère des cartouches et du courage que du pain.

D'un fantassin du 97e (28e D.I.), encore le 27 mai :

> Paraît-il qu'Arras et Lille seraient entre les mains des Allemands. Si c'est vrai, la Nation doit retrouver son vieil esprit de 1789 et de 1914.

Dès qu'une unité s'est battue ou croit pouvoir se battre avec les moyens de le faire, son moral remonte en flèche. C'est le cas de la 28e D.I. qui a arrêté l'avance allemande dans la région de Soissons ; ce

succès est commenté avec fierté ; on se considère comme pouvant en toutes circonstances résister à l'ennemi (sondage du 29 mai).
D'un lieutenant du 47ᵉ B.C.A. :

> Mes types se révèlent épatants.

D'un adjudant du 2ᵉ R.A.M. (régiment d'artillerie de montagne) :

> Nous sommes tous gonflés à bloc.

D'un médecin lieutenant :

> Les blessés qui passent entre nos mains ont toujours un tonus extraordinaire. Je crois bien qu'il ne faut pas que les Fritz essaient de les bousculer, car il pourrait leur en coûter cher.

Réactions identiques à la division de Lattre, la 14ᵉ, qui durement bousculée par les Panzers le 15 mai (« Des régiments de foireux ont reçu une correction ») s'est rétablie sur l'Aisne.
D'un lieutenant du 152ᵉ R.I. :

> Dans une pagaïe bien décevante... c'était la mêlée poitrine contre chars, une lourde colonne allemande de plus de cent chars. Il y a eu de la casse, les villages flambaient, jusqu'à la nuit ce fut la bagarre. Puis le décrochage, l'action retardatrice jusqu'à la dernière seconde, la course à l'Aisne et enfin le stoppage sur l'Aisne avec nos derniers moyens. Et sans cela et tous ceux que nous avons laissés là, ils seraient à Reims !

D'un fantassin du 152ᵉ R.I. :

> Ils courent sur nos positions aux cris de *Heil Hitler,* mitraillette et grenades à la main. Un seul de nos petits canons leur a mis onze chars hors de combat. Nous leur avons capturé aussi soixante camions de ravitaillement.

D'un canonnier du 4ᵉ R.A.D. (régiment d'artillerie divisionnaire) :

> Pour eux, notre division est un vrai fléau et déjà des montagnes de chars allemands détruits jalonnent le front devant nous à Rethel. Pour notre infanterie, cela a fait une belle barricade à un moment. Je viens de compter le nombre de coups tirés par mon canon depuis le début de la guerre : cela fait plus de mille, dont la moitié depuis le 17 de ce mois.

Weygand, pourtant peu optimiste, confirme le 27 mai que le moral s'améliore de jour en jour et que l'armée se bat de mieux en mieux ; les officiers de liaison anglais, comme les comptes rendus allemands notent l'acharnement croissant de la résistance ; le général Spears en rend compte à Churchill. Le 31 mai, pour constituer des groupements mobiles antichars près de Péronne, on trouve plus de volontaires qu'il n'en faut ;

des permissionnaires pleurent parce qu'ils n'ont pu rejoindre à temps leur unité.

Le moral de la division de Gaulle

Les archives du procès de Riom ont conservé les rapports sur le courrier de la 4ᵉ division cuirassée du général de Gaulle après ses attaques du 27 au 30 mai en direction d'Abbeville, au cours desquelles elle a enlevé les deux premières lignes allemandes, progressé de 10 kilomètres, réduit des trois quarts la tête de pont allemande, mais au prix de pertes si lourdes en hommes et en matériel qu'on l'a envoyée se refaire près de Beauvais.

> Les survivants ont un moral solide, ils gardent une confiance inébranlable dans l'avenir, ils semblent prêts à repartir de l'avant, dès qu'ils auront été renforcés en hommes et en matériel. Ils aspirent à venger ceux de leurs camarades qui sont restés sur le terrain.
> Il y a un grand esprit de corps dans les différentes unités, une grande cohésion entre les cadres et la troupe. Chacun est fier de l'œuvre accomplie jusqu'à présent.
> Dans l'ensemble, on ne mésestime pas la valeur des troupes allemandes et de leur matériel, mais on est sûr de « les avoir » quand même. On déplore évidemment l'infériorité numérique temporaire de notre matériel, cependant supérieur au point de vue technique. L'état d'esprit est excellent.

Les extraits de lettres conservés en témoignent, qu'ils émanent du 4ᵉ bataillon de chasseurs à pied, du 7ᵉ régiment de dragons portés ou des équipages des blindés des 3ᵉ et 4ᵉ cuirassiers.

Le 4ᵉ B.C.A. (bataillon de chasseurs alpins) a perdu 50 % de son effectif ; dans une compagnie, il reste 38 hommes sur 180. Chacun est fier des quatre attaques réussies faites par l'unité :

« Les survivants vivent dans l'espoir de pouvoir venger ceux qui sont tombés », écrit un chasseur à sa femme. Les censeurs relèvent 15 % d'allusions optimistes ; pas une lettre ne laisse percer faiblesse ou défaitisme parmi ces fantassins de choc.

Extrait d'une lettre d'un soldat à ses amis :

> ... Quant aux autres copains, ils ont tous fait leur devoir, comme nous tous, et nous souhaitons de vite remonter pour venger nos chers disparus qui, hélas, sont nombreux, mais nous sortirons vainqueurs, j'en suis sûr, car en quinze jours nous avons fait quatre attaques et toujours nous avons été vainqueurs, aussi vous pouvez croire que nous allons serrer les coudes le reste de notre belle équipe et nous l'aurons ce cochon d'Hitler...

D'un soldat à ses tantes :

> ... Aussi quelle joie j'ai éprouvée lorsque nous avons pu les faire reculer d'une douzaine de kilomètres, pris de panique, laissant tout leur matériel sur place...

D'un soldat à sa sœur :

> ... Nous avons fait quatre attaques en douze jours dont trois ont réussi. Nous avancions sous les obus et les balles dans le Nord. Mais, hélas, que de copains disparus, sur un bataillon il n'en reste presque plus. Nous sommes sortis premier bataillon de France...

Certains se sentent chargés d'un message.
D'un capitaine à sa femme :

> ... Les défaitistes ou les mauvais Français doivent disparaître et être fusillés. Nos grands chefs désirent que nous disions cela aux gens de l'arrière...

Les lettres des dragons portés et des cuirassiers de la division de Gaulle respirent elles aussi la confiance et la fierté : pourtant sur 87 chars, il n'en reste que 24 dont 2 chars B.
D'un officier à sa femme :

> ... Nous en avons pris un sacré coup, il ne reste presque plus personne, mais ceux qui restent ont un moral formidable et c'est ce qui fait plaisir. Ce matin rasés, lavés, nous ne pensons plus au sale cauchemar que nous avons vécu. C'est ça le soldat français ; si tu voyais avec quel plaisir il y a à aller au pétard avec des types pareils... Ma blessure est guérie tout à fait. Je ne sais pas si j'ai une citation et d'ailleurs, je m'en fous. Il faut faire ce qu'on doit faire, sans chercher la récompense. On a moins de soucis...

D'un soldat à sa femme :

> ... Il ne faut pas penser que tu ne reverras personne, moi j'ai toujours bon espoir et toi, il faut en faire autant ; que veux-tu, il faut bien être courageux en ce moment....

D'un soldat à un ami :

> ... Une bonne chose chez nous, le courage et la confiance de nos chefs ne manquent pas....

D'un soldat à ses parents :

> ... Nous avons tenu plus fort que les Boches qui ont été repoussés avec des pertes formidables, nous leur avons pris du matériel, des camions, des autos, des canons, etc. De notre côté, le moral est véritablement excellent, malgré certaines choses qui se tournent contre nous, nous les aurons ces bandits...

D'un soldat à un camarade :

> ... Heureusement, le moral est bon et c'est le principal, mais qu'est-ce qu'ils dérouillent les fridolins, c'est à ne pas croire. Il faut le voir pour se rendre compte. Les chars les « bousillent » sur place...

Au 1er juin 1940, les soldats du général de Gaulle ont un « moral de vainqueurs ».

Un esprit nouveau

Dans la veillée d'armes des premiers jours de juin, l'armée en ligne est consentante et parfois ardente, y compris ceux qui ont peu d'espoir, y compris l'aspirant d'infanterie qui poste un poème comme une bouteille lancée à la mer :

> J'attends d'être jeté sur l'enclume brûlante
> Avec mes paysans des campagnes de France,
> Hommes de peu de foi prêts à mourir en vain...
> [47e R.I., 7 juin 1940]

Les gars du Nord se rongent en pensant à leurs familles.

> Nous sommes quelques copains du Nord sans nouvelles. Alors nous nous mettons ensemble et nous nous consolons.

Ils n'en sont que plus décidés :

> 16e jour sans lettre de toi. Je ne peux plus vivre. Es-tu partie ou es-tu restée là-bas ? Je ne l'espère pas car je mourrais de chagrin si tu es restée avec les Boches. J'ai peur que tu aies été mitraillée sur la route avec mon petit Claude chéri. Si seulement j'étais là pour te défendre. Je ne vis plus, je pleure, je pleure toujours ; si ça continue, je vais demander pour aller me battre là-bas dans le Nord, pour te venger et avoir de tes nouvelles.

> Ils ont osé bombarder chez nous, les bandits ! Une haine nous anime tous. La plupart de nos hommes sont du Nord. Il y aura des comptes à régler... [Lettres de soldats de diverses unités du secteur fortifié de Boulay, ligne Maginot].

La plupart des hommes qui rédigent ce qui sera peut-être leur dernier message sont manifestement confiants. Il y a plus, on perçoit en les lisant une vibration que rien, dans les neuf mois précédents, ne laissait pressentir, sauf certaines correspondances du tout début des hostilités.

Voici ce qu'écrivent les 2 et 3 juin, à la veille d'attaquer, les hommes de la 31e division, bonne unité d'active à recrutement dauphinois et rhodanien que l'on ne compte pas traditionnellement parmi les « formations d'élite ».

D'un soldat à sa mère :

> ... Je suis maintenant devant Abbeville et demain matin nous attaquons et nous prendrons la dernière tête de pont que les Allemands ont sur la rive gauche. Nous sommes arrivés ce matin après de dures marches forcées, nous faisons 50 kilomètres par nuit...

D'un adjudant à ses parents (23ᵉ G.R.D.I. [groupe de reconnaissance divisionnaire]) :

> ... Je suis grisé par ce fantastique tumulte. J'ai en moi une confiance illimitée et je sens que Dieu me protégera jusqu'à la fin, afin que je vous revienne sain et sauf. Je serai fier d'avoir participé à la Victoire qui ne fait plus aucun doute et avoir assisté aux endroits les plus dangereux. Chaque jour notre avance se poursuit un peu jusqu'au moment où ce sera la déroute complète de ces assassins...

D'un soldat à son frère (23ᵉ G.R.D.I.) :

> ... Pour moi, il me tarde de tuer le plus de Boches possible...

D'un soldat à un ami (concernant le moral) :

> ... Ne vous en faites pas pour la fureur allemande déchaînée ! Elle trouve à qui parler. La mienne aussi de fureur est déchaînée...

D'un soldat à ses parents (96ᵉ R.I.A.) :

> ... Nous sommes bien fatigués, mais il faut être là, ils ne passeront pas, on les aura...

D'un capitaine à un ami (96ᵉ R.I.A.) :

> ... Nos hommes sont confiants, ceux d'en face beaucoup plus fatigués, si l'on en juge par les prisonniers faits...

À défaut de sondages d'opinion publique, nous possédons des comptages, si superficiels soient-ils, faits par le contrôle postal. Ils ne relèvent, à côté d'un taux inhabituel d'opinions « optimistes » ou « positives », qu'une contrepartie infime d'expressions « pessimistes » ou « négatives ». Aucune trace de pacifisme. Pas l'ombre d'anglophobie : la solidarité, l'esprit de camaraderie à l'égard des soldats britanniques voisins sont au plus haut, on admire leur matériel, leur cran.

Il est symptomatique que l'espionnite et la crainte du parachutiste s'atténuent, tout comme le mythe de la trahison qui s'est propagé pourtant comme un feu de paille à la suite des discours de Reynaud dénonçant les agents camouflés et les généraux négligents. Non seulement Weygand a réagi contre cette psychose, mais il semble qu'une désintoxication spontanée ait commencé : on se rend sans doute compte que la force allemande tient à autre chose qu'à des ruses subalternes[1].

---

1. La hantise du parachutiste reste assez forte pour que, pendant la bataille de l'Aisne, le commandement du secteur sud de Vouziers perde un moment son sang-froid convaincu d'être pris à revers par des parachutistes (qui sont en réalité des fantassins allemands infiltrés profondément dans les lignes françaises). Le cas reste exceptionnel.

L'armée est en train de surmonter ce que certains états-majors appe-laient son « impressionnabilité ». Elle paraît digne des espoirs de la nation. Le 5 juin, à l'heure où la « bataille sans esprit de recul » se déclenche sur la ligne de la Somme, le colonel Gauché, chef du 2ᵉ Bureau, adresse au commandant en chef la note suivante[1] :

> Moral nettement bon dans l'ensemble des unités contrôlées.
> Le contrôle postal donne de plus en plus l'impression que si la troupe (désormais avertie et en grande partie aguerrie) est bien commandée, bien encadrée, retranchée, dotée d'un matériel suffisant et soutenue par une aviation vraiment active, aucune défaillance n'est plus à craindre — même en présence d'un ennemi très supérieur en nombre.

*

C'est peu de trois semaines pour réapprendre la guerre. Deux changements ont eu lieu pourtant, mis à part la maturation de l'esprit de l'armée.

D'abord, un début de renouvellement des cadres. L'éviction d'une fournée de généraux incapables a été rendue publique par Reynaud le 24 mai ; elle a été salubre, mais elle a aussitôt provoqué les protestations du général Georges, qui en a appelé à Weygand, qui en appelé à Pétain, qui en a appelé à Paul Reynaud. Il est convenu que les limogeages des généraux se feront désormais sans publicité, on se garde de laisser entendre qu'il puisse rester des généraux qui ne soient pas à la hauteur, et l'on encense ceux qui restent en place à commencer par Weygand et Huntziger. On s'est débarrassé aussi d'officiers incapables, encore que la purge reste limitée : la vraie sélection ne peut se faire qu'à l'épreuve du feu — et l'on n'a pas toujours de bons remplaçants sous la main.

Le second changement est l'adaptation progressive aux tactiques de la guerre nouvelle. Les hommes s'habituent aux bombardements ; ils ne s'enfuient plus automatiquement devant les blindés s'ils n'ont pas d'antichars ; ils apprennent à leur résister en bordure d'un bois ; on expérimente avec un succès inégal la tactique de défense par points d'appui échelonnés, préconisée par Weygand. Le progrès le plus important est que l'armée réussit la révolution tactique de l'artillerie. Des officiers renâclent. La rapidité d'adaptation des chefs de batterie et de leurs canonniers n'en est pas moins remarquable : elle témoigne de la valeur des personnels. Quand la bataille s'engage, l'armée française dispose, grâce à son artillerie, d'une arme redoutable.

La vraie bataille en France

Bataille perdue d'avance : Weygand n'a pu rassembler que 40 divisions d'infanterie et 3 divisions cuirassées en cours de reconstitution

1. SHAT 27 N/70.

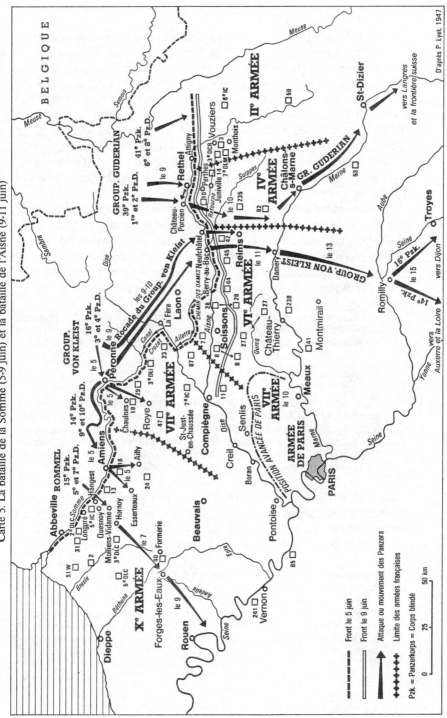

Carte 5. La bataille de la Somme (5-9 juin) et la bataille de l'Aisne (9-11 juin)

pour faire face à plus de 50 divisions allemandes et au reliquat de 10 Panzerdivisions, qui attaquent sur la Somme et l'Aisne. L'appui aérien, bien meilleur qu'à la mi-mai, ne compense pas l'inégalité des aviations.

Pourtant, les troupes s'accrochent au terrain. Devant Amiens les 5 et 6 juin, la 16e division d'infanterie est enfoncée par les coups de boutoirs des 9e et 10e Panzerdivisions, mais le 7 juin, une division de 2e ligne, la 24e, bloque l'attaque en fond de poche : à la fin de la bataille, la 10e Panzer n'aura plus que 60 chars sur 180[1]. Plus à l'est, devant Péronne, les 3e et 4e Panzerdivisions pénètrent d'une douzaine de kilomètres le front de la 19e division, mais la 47e, engagée en 2e ligne, contient l'offensive.

L'acharnement est extrême : le 5 juin, sur la Somme, les antichars du 117e R.I., le régiment du Mans, formation qui se situe dans la moyenne de l'infanterie française, détruisent chacun en moyenne 5 engins ennemis ; ceux du 29e R.I. détruisent dans la journée 41 blindés. Le général Frère, qui commande le front de la Somme sur 90 kilomètres, se reprend à espérer ; il téléphone à son collègue Besson :

> Chez moi, tout le monde tient. On est encerclé, mais on tient. Un groupe du 304e d'artillerie vient de contre-attaquer et de faire 150 prisonniers. J'ai la conviction absolue que l'armée française est en train de se sauver.

Le soir, il note :

> Les divisions de la VIIe armée se sont aujourd'hui splendidement battues. La 19e D.I. a droit à une mention particulière : le choc ennemi ne l'a pas fait reculer et si elle a perdu quelques-uns de ses points d'appui, elle sort quand même victorieuse de cette première journée de bataille. Marchelepot, Licourt, Pertain, Misery, ces points d'appui tiennent avec une poignée d'hommes qui ont réussi à incendier quelques chars[2].

Marchelepot, au sud de Péronne, est tenu par le 22e régiment de marche de volontaires étrangers. Le village succombe le 6 après des combats de rues et de barricades qui rappellent curieusement la guerre de 1870. On se bat furieusement à l'entrée nord de l'église,

> défendue par de véritables démons qui lançaient leurs grenades debout sur les barricades jusqu'au moment où ils étaient abattus par l'ennemi. D'autres ont tenu un boqueteau. Le boqueteau écrasé par les obus, les survivants se réfugièrent dans le P. C., poursuivis par les groupes ennemis. La lutte continua dans la cour de la ferme à l'abri de pans de murs. À 16 h 30, le rez-de-chaussée était envahi. Quelques légionnaires qui avaient

---

1. Sur cet épisode, que l'état-major du groupement blindé von Kleist devait qualifier de « déconvenue opérationnelle », cf. l'étude du colonel MERGLEN, « La percée allemande au sud d'Amiens, juin 1940 », *Revue historique des armées*, 1970/1, pp. 75 et ss.

2. Général FRÈRE, *o. c.*, p. 71.

gardé leur dernière cartouche se suicidèrent pour ne pas tomber vivants aux mains de l'Allemand[1].

Entre le 5 juin à 7 h 30 du matin et le 6 juin à midi, le 60e d'infanterie compte 250 hommes et 16 officiers tués dont 2 des 3 chefs de bataillon.

Ce même jour, 6 juin, la 1re compagnie du 19e bataillon de chasseurs se laisse anéantir plutôt que de reculer. Des soldats de 1940 meurent comme des pioupious de Déroulède.

À Sains en Amiénois, les servants des 155 courts du 237e régiment d'artillerie lourde restent à leurs pièces pour tirer à 50 mètres de l'ennemi une ultime bordée avant d'être écrasés par le corps blindé allemand ; le dernier canonnier, les jambes arrachées et sur le point de mourir, demande : « Mon lieutenant, est-ce que vous êtes content de moi[2] ? »

Héroïsme ? Les comptes rendus des unités d'artillerie et de chars mettent plus simplement en évidence l'attachement des hommes au groupe, leur conscience professionnelle, leur ténacité, toutes qualités qui s'accordent mal avec le je-m'en-fichisme si souvent dénoncé[3]. S'il y a des flanchards, la pression du groupe les retient. Il faut admettre que les armées de la Somme croient à l'utilité de leur sacrifice.

L'acharnement est comparable sur l'Aisne[4] : la bataille s'étend progressivement d'ouest en est pour se déclencher seulement le 9 à l'aube, de Château-Porcien à l'Argonne ; elle oppose, dans ce dernier secteur, six divisions allemandes à trois divisions françaises (la 36e division de Bayonne du général Aublet, la 14e division d'Alsace du général de Lattre, la 2e division des Flandres du général Klopfenstein). Dans ce combat inégal et bien que sachant que Rommel a réussi à percer sur la Somme, les trois divisions conservent pendant deux jours la presque intégralité de leur front. À Voncq, devant la 36e D.I., un des régiments d'assaut allemands perd en une demi-journée près de 500 prisonniers. Le groupement blindé du général Buisson, avec les 150 chars qui lui restent, réussit à faire reculer un moment la 1re Panzerdivision.

1. Journal de marche du 22e régiment de marche de volontaires étrangers (R.M.V.E.) (SHAT 34 N/319).
2. J.M.O. de la 18e batterie (SHAT 34 N/660-20).
3. Voici, par exemple, comment un officier d'artillerie lourde dépeint son dépanneur, mécanicien de profession : « Avec lui, aucune voiture n'a été abandonnée pour panne. Je l'ai vu entreprendre sur le terrain et en pleine bagarre des réparations extraordinaires : enlever un pignon dans une boîte de vitesse, changer une garniture de frein... Sans que j'aie besoin de lui en donner l'ordre, de nuit comme de jour, il était plongé dans ses capots. En dehors de cela, il se payait de temps en temps la " distraction " d'aller avec son S.O.M.U.A. chercher sous le bombardement et au nez de l'ennemi un matériel abandonné... entre autres, un jour, 2 canons de 75 » (J.M.O. du 78e R.A.D.L.C., SHAT 34 N/589).
4. Malgré des débandades locales sur l'Aisne, de même qu'aux confins de la Lorraine à proximité de la Meuse où l'infanterie coloniale de la 1re D.I.C. a peine à rétablir la situation.

Comme l'a souligné très justement le général Laffargue[1], là où la densité du front français est forte, c'est-à-dire voisine de deux divisions pour 10 kilomètres de front — comme c'était le cas pendant l'autre guerre —, les blindés ne passent pas. Inversement, des divisions même galvanisées ne peuvent pas tenir chacune un front de 15 kilomètres : le 7 juin, Rommel, fonçant à partir d'une des têtes de pont allemandes de la Basse-Somme, perce le long de la Manche en direction de la Seine ; le 9, une partie de la VIe armée est refoulée de l'Aisne en direction de la Marne.

Le commandement donne l'ordre général de repli le 9 sur la Somme, dans la nuit du 10 au 11 sur le front de Rethel à Montmédy : « Les hommes abandonnent leur position la rage au cœur, écrit un officier : ils avaient si bien résisté[2]. »

---

1. Général A. LAFFARGUE, *Justice pour ceux de 40*, p. 201.
2. J.M.O. du 123e R.I. (SHAT 34 N/125).

4

Les combattants du ciel

Un contre deux, un contre sept...

Quarante-huit heures d'opérations auront suffi aux aviateurs français pour découvrir que l'emploi de l'arme aérienne qu'on leur avait enseigné était périmé, l'organisation du commandement boiteuse et que leur guerre se réduisait à une succession de combats singuliers et de missions de sacrifice.

On leur a demandé l'impossible. Aucune arme, aucun corps de troupe n'a été plus constamment en action et n'a subi proportionnellement plus de pertes. Ils ont donné des exemples éclatants d'héroïsme. Aussi la propagande de Vichy les a célébrés comme incarnant les vertus françaises de chevalerie et ils restent auréolés d'une gloire pieusement entretenue alors pourtant que l'insuffisance de l'aviation de 1940 a été éclatante. C'est une raison de plus d'explorer comment une phalange d'élite a agi et réagi.

Ils n'ont jamais été qu'une poignée : sur le million et demi de mobilisés, et à côté des 2 700 000 hommes qu'aligne ce qu'on appelle les « armées », les forces aériennes comptent, au 10 mai 1940, 77 500 officiers, sous-officiers et hommes de troupe en métropole et outre-mer.

Sur ces 77 500 hommes, 5 600 seulement sont des navigants dont 3 600 en service en France : officiers pour 40 %, sous-officiers et hommes de troupe pour 60 %. Ce ne sont pas tous des soldats de métier, mais tous ont choisi l'aviation.

Ces 3 600 hommes ont affronté à eux seuls l'attaque allemande dans les airs. Infériorité numérique irrémédiable ! Les écoles de l'air sont embouteillées ; 5 500 pilotes sont à l'instruction au 15 avril 1940 ; mais les plans de formation ne permettront pas de contrebalancer les effectifs navigants ennemis avant 1941. On a réduit le déficit du personnel volant, on n'a pas pu le combler. Il y aura à peine assez de remplaçants en mai et juin 1940 pour compenser les pertes : 246 nouveaux pilotes de chasse pour 362 perdus. Et ces nouveaux pilotes sont insuffisamment préparés (mais c'était déjà le cas en 1917-1918), les mitrailleurs à peine instruits, les navigateurs dépourvus d'expérience. Le 18 avril, le commandant de la zone d'opérations aériennes Est a signalé qu'en cas de crise les unités risquaient, du fait de la pénurie de personnel et d'un surmenage déjà sensibles, d'être hors d'état de fournir un effort soutenu.

L'insuffisance du matériel est plus voyante : la France a perdu le pari intenable fait en septembre 1939 de mettre à niveau son aviation d'ici le printemps : sur 5 000 avions militaires en métropole et outre-mer, le nombre total d'avions aux armées est, au 10 mai 1940, de 2 716 contre 5 140 du côté allemand. Mais les appareils de première ligne réputés *disponibles* ne sont que 1 368 contre 3 824 dans la Luftwaffe [1]. Encore ces chiffres expriment-ils imparfaitement les disproportions réelles des forces de combat. D'abord parce que l'armée de l'air française a été conçue comme une arme défensive destinée à renseigner l'armée de terre et accessoirement à protéger les villes, alors qu'on a sous-estimé sinon complètement écarté l'emploi des bombardiers dans la bataille. L'État-Major n'a pas cru bon de commander des bombardiers en piqué, jugeant préférable de miser sur les avions d'assaut, mais le seul groupement d'avions d'assaut opérationnel au 10 mai compte moins de 25 appareils perçus depuis à peine trois semaines.

L'aviation allemande, au contraire, est entièrement orientée vers l'offensive avec 40 % de bombardiers ou d'avions d'assaut que protège une solide flotte de chasseurs.

Il en résulte que, si les avions de renseignement sont en nombre presque égal de part et d'autre, le handicap français est de 1 à 2 pour la chasse et de 1 à 7 pour le bombardement. La présence en France d'une force britannique de 400 appareils disponibles ne suffit pas à rétablir l'équilibre. Elle ramène la disparité de 1 à 1,7 pour la chasse et de 1 à 3,3 pour le bombardement.

Ce n'est pas tout. Alors que la Luftwaffe est entièrement moderne, l'aviation française vit sur un stock d'avions dont certains sont antérieurs à 1936. Seule la chasse a été entièrement rénovée ; encore est-elle non pas surclassée mais dépassée par les qualités de vol du nouveau Messerschmitt 109 qui vole à 550 kilomètres à l'heure. Mais 44 % des avions de bombardement sont anciens : certains n'atteignent pas 300 kilomètres à l'heure ; on n'espère pas achever leur remplacement avant le milieu de l'été. D'ici là, leur lenteur et leur faible armement de défense les rendent si vulnérables qu'on ne doit les utiliser que de nuit ; quant à l'aviation d'observation, ses unités valent celles des Allemands mais aux prises avec un ennemi maître du ciel, elles ne pourront opérer que par intermittence et souvent par surprise.

---

1. Pour l'armée de l'air française, d'après P. BUFFOTOT et J. OGIER, « L'armée de l'air française dans la campagne de France (10 mai-25 juin 1940) », *Revue historique des armées*, n° 3, 1975 (SHAA). Les chiffres sont confirmés par le général CHRISTIENNE dans l'*Histoire de l'aviation militaire française*. Pour la Luftwaffe, d'après H. A. JACOBSEN, *Fall Gelb*, p. 180, et les sources allemandes.

On ajoutera enfin que, si les décomptes des avions de « première ligne » aux armées à la veille du 10 mai 1940 font état d'un peu plus de 600 chasseurs et de 220 à 240 bombardiers français en face de 1 200 chasseurs et de 1 500 bombardiers adverses, le nombre des avions français réellement utilisables sur le théâtre d'opérations du Nord-Est, c'est-à-dire prêts à y être engagés dans les quatre heures, se limite à 413 pour la chasse et à moins de 100 pour le bombardement dont à peine la moitié aptes au bombardement de jour.

Le fait est que certaines escadrilles de bombardement réputées *disponibles* ne le sont pas, car elles sont en train de « terminer leur 'transformation' sur avions modernes » dans le Midi : on aura beau accélérer le mouvement, elles n'accompliront pour la plupart leur première mission de guerre qu'à partir du 17 mai et pour quelques-unes dans la dernière semaine du mois[1].

L'armée de l'air est loin d'être inexistante et progresse rapidement, mais elle n'a pas rattrapé l'avance prise par la Luftwaffe et ne peut rivaliser avec celle-ci ni par le nombre, ni par les performances, ni par l'efficacité d'emploi. Et la D.C.A. française, avec moins de 3 000 tubes, reste très faible, à peine le tiers de la D.C.A. allemande.

Un moral élevé, des chefs d'unité soucieux

Les équipages sont-ils prêts à un affrontement dont ils se représentent mal le caractère inégal ?

Leur moral passe pour très bon : le 2e bureau de l'État-Major général, se fondant sur le contrôle postal, les classe à ce titre au premier rang des forces armées. Le moral n'est pourtant ni sans ombres ni sans fluctuations : au point qu'un bon analyste l'a jugé probablement moins ardent, à la veille du 10 mai 1940, que celui des aviateurs adverses[2].

Jusqu'en mars, l'ennui, le froid, les affectations spéciales, l'inégalité des soldes, le spectacle des états-majors pléthoriques et distants[3], le

1. Ainsi le groupe de bombardement 1/31, équipé d'au moins 10 Léo 45, est à Lézignan les 10 et 11 mai où ses équipages s'exercent au pilotage sans visibilité. Par suite de retards et de contrordres, il fera sa première mission de guerre le 15 mai. Le groupement de bombardement n° 1, fort de 26 Glenn Martin ultramodernes, a été ramené d'Afrique du Nord à Orange pour y achever pendant deux mois son entraînement. Il est en place dès le 12 mai à Claye-Souilly et à Cormeilles-en-Vexin. Mais il manque des pièces aux mécanismes des lance-bombes (le journal de marche d'un de ses groupes précise qu'un bricolage à base de ficelle permet à la rigueur d'en lâcher) et les mitrailleuses ne sont pas réglées. L'armement des appareils n'est au point que le 20 mai ; ils feront leur première mission le 22 mai (I/63) et le 25 mai (I/62) (SHAA G/2110, G/2125 et G/2127).

2. P. BUFFOTOT, *Le Moral dans l'armée de l'air, 1939-1940.*

3. SHAA, Archives orales, n°s 79 et 146. Il y a, fin janvier 1940, dans la seule zone d'opérations aériennes Est, 25 états-majors avec 376 officiers et 6 directions de services avec 132 officiers, sans compter la première région aérienne de Dijon avec 32 officiers (général PRÉTELAT, *Le Destin tragique de la ligne Maginot*, pp. 103-104).

laisser-aller de l' « intérieur » ont été, ici comme partout, des facteurs de morosité et de relâchement. Les unités volantes changent souvent de terrain, elles s'irritent de la pauvreté des cantonnements. On dépeint couramment ceux-ci comme détestables ; les pilotes anglais s'en indignent. Sur la plupart des bases, il n'y a pas de constructions permanentes, les équipages sont mal logés et souvent trop loin des terrains, parfois à plusieurs kilomètres de la piste.

Le commandement s'évertue à pallier les difficultés ; il a réagi contre le laisser-aller, il a lancé des mises en garde et a multiplié les recommandations afin de « maintenir l'ambiance aéronautique faite de camaraderie ».

Ce n'est pas l'esprit de camaraderie qui est en cause ; les frictions restent superficielles — si même elles persistent — entre aviateurs d'origine différente, entre pilotes et non-pilotes, entre saint-cyriens et sous-officiers de carrière anciens, promus officiers par la grâce de Pierre Cot [1]. On supporte avec plus d'impatience que des chefs qui ont été des praticiens excellents et, pour certains, des héros soient des hommes parfois fatigués qui n'ont plus goût à voler ou qui se sont mal adaptés à l'aviation nouvelle. Les changements des techniques ont eu pour effet de creuser le fossé entre les générations. Les jeunes chefs se savent souvent meilleurs aviateurs que leurs aînés. Ils sont aussi les plus résolus : s'il y a des officiers pour déclarer qu'on aurait dû s'entendre avec l'Allemagne, c'est parmi les anciens qu'on les rencontre. Le rajeunissement de l'armée de l'air est encore à faire.

Mais le vrai problème des aviateurs est de pouvoir voler. Comme l'a dit, dès 1938, le chef de l'armée de l'air, Vuillemin, qui connaît son monde : « Là où il y a des avions et où on vole, le moral est excellent ; là où il y a peu ou pas d'avions, il y a un sentiment de lassitude et un profond découragement. » Or, au 10 mai 1940, seuls les pilotes de chasse ont beaucoup volé, au point d'être déjà surmenés. Dans les autres subdivisions d'armes, on a beaucoup joué au bridge et au poker. Vuillemin a prescrit d'économiser le matériel et les équipages. En novembre 1939, il a réduit le rayon d'action des avions de reconnaissance Potez à onze kilomètres en territoire adverse. Les reconnaissances profondes autorisées pendant l'hiver ont dû être faites par nuit noire et n'ont rapporté que des renseignements décevants. Les rares bombardements ont été faits de nuit, à faible distance, ou se sont limités, de jour, à des actions menées à proximité des lignes, par circonstances atmosphériques favorables et contre des objectifs bien reconnus et faiblement défendus.

Partout on s'est impatienté dans l'attente du nouveau matériel qui, sauf pour la chasse, n'est arrivé qu'au compte-gouttes. On a protesté parce qu'il manquait de dispositifs de dégivrage et que le froid gelait les

---

1. SHAA, *ibid.*

moteurs, faisait s'enrayer les mitrailleuses ou bloquait les appareils de prises de vues.

Il a fallu digérer la pagaille des premiers mois de la guerre, puis s'accommoder d'une perpétuelle improvisation. Tout l'hiver, les chefs d'unités ont dû harceler des compagnies de ravitaillement souvent incompétentes ou impuissantes[1]. Quand la 38e escadre de bombardement a été ramenée d'Algérie en Champagne, en octobre 1939, aucune autorité régionale n'était avertie, aucun responsable de l'intendance des avions n'était présent sur le terrain, aucun échelon roulant n'avait été prévu : l'escadre a dû s'organiser tant bien que mal.

Les deux cents terrains qui sont accessibles à portée de trois cents kilomètres de la frontière belge ou de la ligne Maginot forment une infrastructure rationnelle ; mais ils sont restés pour la plupart dotés d'une seule citerne à essence et parfois d'une seule pompe et de liaisons téléphoniques vite engorgées.

Quant à l'organisation du commandement, elle est allée de remaniement en remaniement. Difficile mise en train !

Aussi l'excellent tonus des aviateurs cède parfois à l'incertitude. Leur méfiance est latente envers les politiques qui n'ont rien prévu, envers les communistes qui freinent la production, envers ceux des chefs de l'armée de terre qui ont soutenu « qu'on peut faire la guerre sans aviation ».

Avril 1940, veille de combat, a révélé un fléchissement du tonus d'une partie du personnel navigant ; ce fléchissement, qui ne paraît pas dû à la seule fatigue physique des pilotes de chasse, le général Vuillemin lui-même le constate à quarante-huit heures de l'offensive allemande[2].

> Un nombre anormal des militaires du personnel navigant se sont présentés ou ont été présentés à la visite médicale pour être examinés sur leur aptitude physique au service aérien... Il semble bien... que les premiers signes de lassitude physique ou morale eussent pu être observés plus tôt par les commandants d'unités à qui il appartenait de prendre les

1. Le député Robbe, critique véhément mais qualifié, a dressé le 12 janvier 1940 devant la Commission de l'aéronautique de la Chambre un tableau de la situation pendant l'hiver qui reflète clairement l'impatience des chefs d'unités volantes : « Que le luxe des services, des états-majors, n'ait même pas permis d'assurer le ravitaillement normal du petit nombre de formations engagées semble inadmissible. Les malheureux commandants de groupes, répandus dans la nature, obligés à une paperasserie administrative effarante, ont été des semaines, quand ce n'était pas des mois, à attendre que soient satisfaites les demandes qu'ils adressaient aux organismes de ravitaillement...
Ceux-ci manquaient purement et simplement de tout.
Que pouvaient, en outre, les officiers de réserve qui les commandaient, insuffisamment préparés comme instruction militaire, dépourvus souvent de la nomenclature d'un matériel qu'ils n'avaient jamais vu, quelquefois livrés à eux-mêmes, sans personnel comptable, ignorant le règlement qu'ils devaient appliquer, malgré toute leur bonne volonté, pour satisfaire les demandes dont ils étaient harcelés » (ARAS).
2. Note du général Vuillemin en date du 8 mai 1940 sur le « Maintien de la valeur physique et morale du personnel » (N° 2 198/1, O/RG/EMG), cité par P. BUFFOTOT, *Le Moral dans l'armée de l'air..., o. c.*

mesures nécessaires pour ménager momentanément ce personnel et l'aider à trouver son équilibre.

Les aviateurs sont néanmoins dans l'ensemble « gonflés ». Les victoires aériennes remportées depuis septembre renforcent leur confiance ; il est communément admis parmi eux que sur trois combats aériens, deux ont été à l'avantage des chasseurs français. Ils se considèrent comme les meilleurs manœuvriers.

Et ils ont en Vuillemin un porte-drapeau. Vuillemin, général apolitique qui ne porte ombrage à personne, est un grand aviateur. « Pilote exceptionnel aux cinq mille heures de vol, combattant totalisant dix victoires et dix-sept citations, il est l'homme des raids au Sahara dans les années vingt et de la Croisière noire, le chef prestigieux de l'aviation en Algérie et de l'aviation au Maroc[1]. » Quoi que Gamelin ait pu dire (ou médire) de lui par la suite, et si faible qu'ait été son influence sur la conduite des opérations, il sait garder jugement et sang-froid.

Quand le 10 mai, entre 5 h 30 et 6 h 30 du matin, 400 avions à croix noire fondent par surprise sur les gares, les usines et 47 bases d'aviation du Nord, de l'Est, du Bassin parisien et de la région lyonnaise, les pertes en appareils au sol sont lourdes, moindres pourtant qu'on n'aurait pu le craindre : 60 à 70 avions. En revanche, l'attaque galvanise les équipages[2].

Doctrine périmée, emploi en porte à faux

On ne retracera pas le détail de la bataille aérienne ; on se bornera à illustrer les comportements et, en premier lieu, à mettre en lumière la triple révélation qu'apportent aux aviateurs les journées critiques du 10 au 15 mai 1940 : l'effondrement de la doctrine, l'impuissance du commandement, la crise du matériel. Prise de conscience brutale qui rend plus incertaine la tâche des exécutants et plus poignant le sacrifice des équipages.

---

1. Général CHRISTIENNE et général LISSARAGUE, *Histoire de l'aviation militaire française.*
2. Un réserviste, officier de l'Air, a traduit sous forme littéraire des réactions qui semblent bien avoir été communes à l'ensemble des personnels volants : « Tout de suite, un nouvel univers se mit en place. Ce n'était plus seulement une apparence qui changeait, un masque qui tombait. C'était tout autre chose... une soudaine ardeur. La vie du terrain, assoupie au long des mois, flambait... Cela seul comptait. Les êtres, les rencontres passées, tout s'effaçait des mémoires. Seuls les camarades étaient réels. Les gestes accomplis tous les jours, les habitudes, les besoins, les désirs, les élans et les inquiétudes du temps de paix étaient abolis. Désormais, au prix de quelques bombes à peine imprévues (sur le terrain), d'une nouvelle apportée sur les fils du télégraphe et dont ils n'avaient pas connu eux-mêmes les effets, tous ces hommes redevenaient soldats, et pour des soldats, les soldats comptent et eux seuls. » (CASAMAYOR, *Désobéissance*, pp. 82-83).

Dès le premier jour, la chasse a été jetée dans la mêlée. Massivement : 200 avions français engagés, 360 sorties, 44 appareils allemands proclamés abattus au prix de la perte de 24 chasseurs. Accrochages sporadiques mais coûteux. Et déjà se font sentir dans l'emploi de l'aviation de renseignement et de bombardement les contraintes qui limitent l'engagement aérien français et qui réduisent son efficacité.

Alors que la ruée allemande a commencé à l'aube du 10 mai, la première intervention de jour des bombardiers français n'a lieu que trente-six heures plus tard. Le commandement ne s'avise de la manœuvre du Panzerkorps en direction de Sedan qu'après soixante heures et ne recourt qu'incidemment à l'aviation pour la contrecarrer. Enfin dans la journée du 13 mai où le front est percé à Sedan et à Houx, aucune intervention aérienne d'envergure n'a lieu dans ces secteurs décisifs.

L'aviation de bombardement française intervient tard ou n'intervient pas parce que les forces prêtes à être engagées de jour sont minimes : 44 appareils modernes le 10 mai, dont 22 Lioré 45 prévus pour le bombardement à grande distance et 22 avions d'assaut. Le commandement ne veut les engager qu'à bon escient ; or, dans le flot des rumeurs affolées qui déferlent de Belgique et de Hollande, il a peine à démêler où et comment atteindre l'ennemi[1]. De plus, il ne pense pas *aviation*. Il tergiverse.

Le général d'Astier, responsable de la zone d'opérations aériennes Nord (Z.O.A.N.), ne reçoit qu'à 11 h, le 10 mai, l'autorisation de bombarder, autorisation bientôt soumise à des restrictions paralysantes.

L'historique des opérations de la zone d'opérations aériennes Nord enregistre que[2]

> dans le cadre de ces restrictions, aucun objectif justifiable de bombardement ne se présente dans l'après-midi. L'aviation française reste donc inactive.

Et dans la nuit du 10 au 11 mai, par crainte de représailles sur des objectifs français qu'on ne serait pas en mesure de protéger, on se contente de bombarder trois aérodromes rhénans.

C'est brusquement le 11 mai à 16 h 30 que le général d'Astier est avisé par téléphone de la part de Gamelin « de tout mettre en œuvre pour retarder les colonnes allemandes et de ne pas hésiter à bombarder les villes et les villages pour obtenir le résultat cherché ». Le premier vol de

---

1. Le chiffre de 31 bombardiers modernes de jour effectivement disponibles a été généralement avancé. L'analyse des journaux de marche des unités fait ressortir un total de 44 appareils.

2. Historique des opérations de la Z.O.A.N. dressé par le capitaine Puget (SHAA 2 D/17). Cl. PAILLAT a reproduit dans *Le Désastre de 1940*, t. III, *La Guerre éclair*, pp. 84-85, d'après le carnet de notes du général Georges, le texte de l'étonnante discussion qui se déroule le 10 mai de 18 h 05 à 19 h 30 entre les différents états-majors sur le choix des objectifs à frapper et à éviter.

jour a lieu à 18 h : 12 bombardiers Lioré 45 flanqués de chasseurs attaquent les colonnes ennemies débouchant des ponts du canal Albert au sud-ouest de Maestricht. Attaque réussie, mais succès relatif : le vrai succès serait de détruire les ponts dont les Allemands se sont saisis et qui leur ouvrent l'accès de la Belgique centrale. Des escadrilles belges, puis anglaises y ont échoué, elles n'en sont pas revenues. Les instructions du général Tétu sont, avant même l'opération, un aveu d'impuissance :

> J'insiste (...) pour que les résultats à atteindre soient bien recherchés par l'attaque des éléments ennemis identifiés, soit à l'est, soit à l'ouest du canal Albert, et non par l'attaque des ponts eux-mêmes, dont la destruction exigerait des moyens hors de proportion avec nos possibilités.

La deuxième opération de bombardement de jour française a lieu le lendemain 12 mai à 13 h. Cette fois, l'aviation d'assaut est lancée dans la bataille. Créée en novembre 1939, pourvue d'avions modernes depuis à peine trois semaines, elle est le fer de lance de l'armée de l'air : elle opère en vol rasant.

Dix-huit Bréguet 693 du groupement d'assaut du général Girier escortés de chasseurs foncent en rase-mottes sur les colonnes motorisées allemandes qui déferlent dans la région de Tongres, vers le cœur de la Belgique. L'opération est efficace, mais à quel prix ! Rien que du groupe 1/54, le plus éprouvé, dix avions sont détruits ou hors d'usage sur onze engagés ; sur onze équipages, sept sont portés disparus !

La leçon à tirer, au soir du troisième jour de bataille, est sévère :

1. La chasse, écartelée entre trois missions — couvrir l'avance des armées alliées en Belgique et en Hollande, protéger les bombardiers, protéger les aérodromes français et la région parisienne —, ne parvient pas à y faire face.

2. L'expérience de Tongres condamne l'emploi de l'aviation en vol rasant, que la D.C.A. légère des colonnes ennemies rend trop meurtrier. Le Bréguet 693 ne sera plus employé qu'au-dessus de 1 200 mètres, en vol horizontal, puis en semi-piqué ; « les pertes seront moins grandes mais le manque de viseurs rendra le tir imprécis ».

3. Encore deux jours et l'inadaption du Lioré 45 aux missions qu'on lui demande sera à son tour reconnue. Ce bombardier excellent, le plus puissant de l'aviation française, a été conçu pour aller haut et loin [1]. Il va être engagé — par nécessité — « au plus près de nos troupes et sur des objectifs fugitifs, qu'il a d'ailleurs peu de chances d'atteindre à plus de 1 200 mètres d'altitude. Ainsi ce matériel insuffisamment défendu à l'arrière, lourd et peu maniable, perdant ses qualités de vitesse aux altitudes moyennes, va être une proie pour le chasseur et une cible pour le tireur de terre » [2].

---

1. Il est capable de porter 1 800 kg de bombes à 425 km/h.
2. *Historique des opérations de la Z.O.A.N., o.c.*

Une aviation écartelée

L'insuffisance des moyens et la faillite de la doctrine sont aggravées par le désarroi d'un commandement surpris, puis débordé.

Car le 12 mai encore, le commandement se refuse à croire à la menace sur Sedan.

Pourtant l'aviation de renseignement a bien travaillé. Dès la nuit du 10 au 11 mai, le lieutenant Gavoille, du groupe de reconnaissance II/33, a rapporté d'une mission sur l'Ardenne belge que des colonnes motorisées allemandes encombraient les routes[1] :

> Les véhicules sont très rapprochés l'un de l'autre, chaque véhicule est éclairé, un seul s'est partiellement éteint à l'approche.

L'ensemble des reconnaissances amène le général d'Astier — on l'a vu déjà — à conclure dans son rapport du 11 mai à midi que « l'ennemi semble préparer une action énergique en direction de Givet ».

Les confirmations se succèdent. À la date du 12 mai, le journal d'opérations du groupe de reconnaissance II/33 rend compte[2] :

> *Mission 71 :*
> Impression d'ensemble : l'ennemi progresse avec des divisions blindées en Ardenne ; il ne rencontre aucune résistance.
> Les renseignements ci-dessus sont téléphonés immédiatement à la IXe armée où ils sont accueillis avec une incrédulité totale. Malgré des explications fort vives entre l'observateur, officier de chars, et le correspondant, il ne semble pas que l'on soit arrivé à convaincre cet état-major du passage de divisions blindées à travers les Ardennes[3].

Le 12 mai à midi, quand d'Astier alerte à nouveau le commandement terrestre sur la menace qui grandit en direction de Sedan, il n'est peut-être pas trop tard pour bloquer les Panzers de Guderian dans la forêt d'Ardenne. Du moins pour les empêcher de déboucher trop vite.

Mais l'information circule mal et l'on ne veut pas croire à l'incroyable.

Le premier groupe d'armées, que commande le général Billotte, confirme ses ordres : « L'axe d'effort principal à assigner à notre aviation reste au nord de la Meuse (en Belgique centrale) et la direction de Mézières ne vient qu'ensuite. »

---

1. SHAA G/8280.
2. *Ibid.*
3. Cl. Paillat a publié sur cet épisode des précisions inédites dans *La Guerre éclair*, pp. 166-167. Il rapporte que le commandant du groupe II/33, le colonel Alias, a, pour gagner du temps, téléphoné les renseignements au chef du 2e bureau de la IXe armée, le colonel Osteing, son ancien camarade de lycée. Comme ce dernier semblait douter de la présence de tant de chars allemands en Ardenne, l'officier observateur, le lieutenant Chéry, prenant à son tour le téléphone, a essayé de convaincre son correspondant — sans succès.

À 16 h, le commandement de l'air, qui voit le danger, renverse, en accord avec le général Georges, les priorités fixées à l'aviation :

> *Première urgence* : action à mener en liaison étroite avec la IIe armée terrestre [c'est-à-dire en Ardenne].

L'état-major de Billotte, mal informé peut-être, revient à l'ordre d'urgence initial : deux tiers de l'appui de l'aviation à la Ire armée en Belgique, un tiers seulement à la IIe armée[1].

C'est donc à Tongres que d'Astier envoie les bombardiers français, non sans avoir obtenu de la R.A.F. un raid de cinquante appareils en Ardenne sur Neufchâteau et les ponts de Bouillon (car, devant le péril, le vice-air marshal anglais Baratt acquiesce à tout). Mais il est 18 h 30 en ce dimanche de Pentecôte, 12 mai et les Allemands sont déjà à Sedan.

Dès lors et pendant une semaine, l'aviation doit se plier aux aléas de la bataille terrestre ; un coup au nord, un coup au sud, elle se disperse. La confusion s'étend, les priorités changent d'heure en heure.

Le 13 mai, à 9 h 40, l'appui aérien doit aller en première urgence à la IIe armée autour de Sedan : on y envoie un peu de chasse. Mais à 14 h 45, l'armée Corap, sur la Meuse belge, réclame de l'aide à Dinant et à Houx. Billotte modifie en conséquence ses priorités du matin : il n'est « pas nécessaire que le bombardement agisse sur le front de la IIe armée où les objectifs sont sous le feu du canon ». À 17 h 25, nouveau retournement, car la situation s'aggrave devant Sedan. Et c'est entre Sedan et Givonne qu'a lieu le seul engagement des bombardiers français : 8 Lioré 45.

Ces alternances sont désastreuses. Ordres, contrordres : la répartition des moyens devient un casse-tête, les équipages s'effarent.

Le 14 mai, la priorité accordée au secteur de Sedan est de « 1 000 à 1 » : il faut pourtant distraire des chasseurs pour couvrir les VIIe et IXe armées en retraite et le corps de bataille engagé à Gembloux[2].

Une phase s'achève le 16 mai, quand les bombardiers de jour survivants sont engagés à Montcornet contre l'avant-garde des Panzers et s'y font décimer.

Au septième jour, la bataille aérienne est perdue comme la bataille terrestre. Les Anglais ont dû suspendre leur bombardement pour la journée du 16. Les Français en font autant pour la journée du 17. Les bombardiers devront à l'avenir renoncer à toute opération profonde en territoire ennemi. Et le général Tétu décide, en accord avec Vuillemin, de ne plus faire intervenir la chasse que pour soutenir les troupes de première ligne ou pour attaquer l'aviation de bombardement ennemie[3].

C'est reconnaître que la saignée de ces sept premiers jours excède les forces de l'armée de l'air et qu'il faut en réviser l'emploi.

---

1. SHAA 2 D/17.
2. *Ibid.*
3. Général CHRISTIENNE et général LISSARAGUE, *o.c.*, p. 375.

La bataille du matériel

Ni les Anglais ni les Français ne prévoyaient une pareille hécatombe. Les Allemands non plus, mais ils ont plus de ressources. Quarante-huit heures après le début des opérations, il ne reste à l'Advanced Air Striking Force, la « force tactique avancée » britannique qui assume l'essentiel de l'action de bombardement, que 72 avions sur 135. Le 14 mai, la R.A.F. est encore jetée dans la bataille à l'appel de Gamelin et de Georges afin de couper les ponts de Sedan. C'est pour elle un jour noir : 41 avions perdus ; sur 31 bombardiers Battle engagés dans l'après-midi, 24 ne rentrent pas. L'histoire officielle de la Royal Air Force souligne que, de toute la guerre, elle n'a « jamais subi, dans une opération d'un volume comparable, un taux de pertes plus important »[1].

Vuillemin a vu, de son côté, dès le 11 mai[2], l'aviation française menacée d'anéantissement. Il a adressé un message pressant au ministre de l'Air, puis lui a remis une lettre alarmée : 42 appareils de chasse, expose-t-il, ont été détruits dans la journée du 10 tant en combat qu'au sol ; 15 seulement ont pu être remplacés.

> Si le chiffre de nos pertes s'élève journellement au chiffre de pertes du 10 ou à un chiffre voisin, notre aviation de chasse sera entièrement détruite dans 15 jours.

Et de réclamer « des mesures exceptionnelles ».

L'hécatombe s'amplifie. Le nombre des chasseurs disponibles qui était de 417 le 10 mai au matin tombe à 314 le 12 mai à 20 h.

Il faut dégarnir la protection de la basse Seine et transférer le gros des réserves à la zone d'opérations aériennes du Nord : malgré ce renfort, celle-ci ne totalise, le 14 mai au matin, que 237 chasseurs. Le 16 mai, la flotte des bombardiers disponibles au 10 mai est réduite de 50 %.

En moins d'une semaine, la Luftwaffe s'est assuré par l'épuisement de ses adversaires une maîtrise de l'air qui ne lui sera plus contestée que pendant cinq jours à Dunkerque et pendant quatre jours sur la Somme.

Aussi la bataille se dédouble : elle va se livrer non plus seulement dans les airs, mais dans les usines : 434 avions sortent des chaînes de montage en mai, soit 104 de plus qu'en avril. Performance excellente, bien qu'inférieure aux prévisions du plan ; performance ignorée, occultée : il sera sorti en mai autant de chasseurs en France qu'en Allemagne[3].

La bataille se livre plus fiévreuse encore dans les entrepôts : partout

---

1. Cf. L. F. ELLY, *The Campaign of France and Flandres,* et Herbert Molloy MASON, *The Rise of the Luftwaffe, 1918-1940,* Londres, Cassell, 1975, pp. 340 et ss.

2. Lettre n° 3402/3 IS/EMG du 11 mai 1940 (SHAA D 1/51).

3. La production de chasseurs n'atteint pas à cette époque en Allemagne 200 par mois. Cf. Richard SUCHENWIRT, *The German Air Force in World War II,* U.S.A., Historical Studies, n° 189, Arno Press, New York, 1968.

s'y attardent les appareils neufs auxquels manquent les dernières pièces sous-traitées, l'armement et la radio. L'ultime goulot d'étranglement est là.

À tous les échelons du commandement, on se penche sur les comptes rendus journaliers de livraison. Le 15 mai, on ne prend plus la peine de dactylographier le relevé des livraisons attendues de chasseurs [1] :

> *Avions à livrer aux armées :*
> Curtiss. 134 avions livrés à New York, en cours de transport, dont 64 arrivés à Bourges en montage, dont 24 sont montés, dont 13 seront livrables aux armées dans 48 heures (restent en montage : 40, l'atelier peut en sortir 3 ou 4 par jour).
> En même temps que ces Curtiss arrivent (en plus) 6 P.36 compteur Wright, de la commande des 285.
> Bloch. Cette semaine : 47 promis. En réalité pour les 5 premiers jours : 5 livrés.
> Dewoitine. Il ne faut pas compter sur une sortie de plus de 3 par jour actuellement. Encore sur ces avions faut-il régler T.S.F., armement, collimateur, soit environ 3 jours de travail.
> Le (groupe de chasse) II/3 a, ce soir, 18 h, 18 avions sur lesquels il y a encore beaucoup de travail.
> Le groupe II/7 a envoyé à Toulouse 5 pilotes, 5 mécaniciens et des armuriers.

On prélève des avions des écoles de l'air. On active le montage des avions américains. On s'évertue à réduire les délais entre la sortie des chaînes d'assemblage et l'envoi aux escadrilles. On appelle les unités à la rescousse pour qu'elles envoient des monteurs, des mécaniciens, des armuriers participer à la finition. On multiplie les convoyeurs.

Le 22 au matin, l'effectif des appareils de bombardement disponibles est remonté à 120, avec une proportion croissante d'avions modernes, mais la chasse est aux abois. Sur l'ensemble du territoire, il ne reste côté français que 244 chasseurs disponibles ; il faut avec cet effectif assurer aussi la garde du Rhin, celle des Alpes et la protection de Paris.

L'armée de l'air reprend du souffle dans la dernière décade de mai, pendant que la R.A.F. supporte le poids de la bataille aérienne à Dunkerque ; mais elle ne parvient pas à refaire ses forces : elle aura perdu en mai 631 avions ; son effectif volant disponible au 1er juin est de 599 avions — bien moindre que le 10 mai. Quand s'engage la bataille de la Somme, « elle n'a pu remplacer les pertes qu'elle a subies par des appareils neufs, non parce que ceux-ci n'existaient pas (au contraire leur nombre couvrait largement les appareils perdus), mais parce que 30 % d'entre eux, livrés aux armées, étaient incomplets et ne pouvaient voler » [2].

---

1. Note n° 400 (SHAA D 1/51).
2. L'analyse des livraisons aux armées et des recomplètements des unités est empruntée à la minutieuse étude de P. BUFFOTOT et J. OGIER, « L'Armée de l'air française dans la campagne de France ». Comme ils l'ont très clairement révélé, sur 32 appareils livrés chaque jour aux armées entre le 10 mai et le 5 juin, 22 seulement arrivent aux unités et 10

De surcroît, dans les unités, la proportion des appareils indisponibles atteint 71 %, taux énorme qui s'explique par la violence des combats et par le manque de pièces de rechange.

L'armée de l'air a échappé à l'anéantissement au prix d'un immense effort, mais elle est très affaiblie. C'est avec 60 % de ses chasseurs et de ses bombardiers cloués au sol qu'elle affronte la bataille sans esprit de recul : elle va y perdre, dans la première décade de juin, encore 220 appareils dont 120 chasseurs.

L'esprit de sacrifice

Des conditions d'engagement si dures rendent d'autant plus remarquables les performances des aviateurs. Le spectacle d'une armée de terre disloquée, une action émiettée, un combat inégal et tant de risques ont pu affecter leur moral, ils ne les ont pas découragés.

Quand le lieutenant Gavoille, qui a vu les Panzers sillonner l'Ardenne dans la nuit du 11 mai, repart en mission le 13 au matin et qu'il découvre le fourmillement allemand à Sedan et sur la rive droite de la Meuse, que son avion traqué par la D.C.A., criblé d'éclats, s'écrase dans les lignes françaises et que lui-même en réchappe de justesse, « il a compris », comme on dit alors. Il repartira. Il n'est pas le seul.

Les revenants du raid des avions d'assaut sur Tongres, le 12 mai, « ont compris », eux aussi. Ils ont foncé sur une colonne motorisée allemande dans l'axe de la route, à dix mètres du sol. La D.C.A. du convoi s'est déchaînée. Sur deux des trois avions de la section de tête, la section Delattre, on a vu un moteur s'enflammer : ils n'ont pas cessé de cribler la colonne ennemie d'obus et de balles avant de s'écraser[1]. En une heure, plus de la moitié du groupement d'assaut a été mise hors de combat.

Le soir, les survivants se sont comptés. « Ils ne croyaient pas que leur baptême du feu serait si dur... ». « C'était affreux... ». Ils ont mesuré leur faiblesse : « Ce n'est pas dix ou vingt avions qu'il eût fallu lancer dans la mêlée, mais deux cents ou plus si possible ! »

---

restent à l'entrepôt pour finition. Cet engorgement au stade de la finition atteint d'énormes proportions pour les bombardiers : 152 seulement ont atteint les unités sur 309 livrés aux armées du 10 mai au 10 juin. L'organisation du montage des avions américains en Afrique du Nord est encore plus tardive et plus lente. On s'explique la stupeur des personnels lorsqu'ils ont vu dans les parcs et dépôts du Midi et d'Afrique du Nord des centaines d'avions neufs auxquels ne manquaient que leur radio et leur armement pour être « bons de combat ».

1. « En dépit de l'incendie dévorant un des côtés de son appareil, Delattre lâchait ses bombes sur des véhicules qui sautaient avec leur chargement. À son tour, le deuxième moteur était en feu. Qu'importait ! Le lieutenant revenait sur la colonne et la saupoudrait d'obus et de balles de mitrailleuses. Le Bréguet n° 49 n'était plus qu'une torche : son pilote le dirigea alors vers la tête du convoi où il s'écrasait avec son mitrailleur, l'adjudant Di Matto près du fameux pont de Vroenhoven que les Allemands avaient réussi à prendre intact. » (Rapport du colonel Seive, SHAA Z/12 949.)

Mais le lendemain, quand les rescapés sont reçus à Roye, au P.C. du général Girier, qui commande le groupement d'assaut, aucun ne veut abandonner le vol rasant, qui a prouvé son efficacité[1].

Pour détruire les ponts de Sedan

Lucidité, conscience professionnelle, dévouement se retrouvent dans la journée charnière du 14 mai 1940 où le secteur de Sedan achève de s'effondrer : tout concourt à ce que les drames individuels s'y conjuguent au drame militaire — y compris le choix ou le refus de l'obéissance passive. Sous l'image d'Épinal transparaît, dans le détail des *petits faits*, le tableau, plus complexe et plus heurté qu'on ne l'a dit, d'un corps d'élite durement éprouvé. Il faut s'y arrêter.

Dans la soirée du 13 mai, le haut commandement, alerté sur la gravité de la situation au sud de Sedan, a prescrit deux contre-mesures : une attaque coup de poing de la 3e division cuirassée pour réduire la poche ennemie au sud de la Meuse — attaque qui n'aura pas lieu — et l'intervention de toute l'aviation alliée contre les ponts que lancent les Allemands à Sedan, avant tout contre le pont de bateaux de Gaulier. « La victoire ou la défaite passent par ce pont », téléphone Billotte[2].

La R.A.F. attaque la première avec deux vagues d'avions à 4 h 30 et 6 h 30 du matin. Entre-temps, on a mobilisé le ban et l'arrière-ban de l'aviation française. Elle n'a que 65 bombardiers disponibles, dont 27 avions modernes aptes aux opérations de jour et 38 appareils anciens réservés aux opérations de nuit ; parmi ces derniers, 22 appartiennent à la fin de série des Amiot 143 qui volent à 275 km/h.

D'Astier a prévu d'excepter les vieux et lents Amiot. Vuillemin, a-t-il indiqué par la suite, lui a prescrit de les envoyer aussi[3]. Toute l'aviation française doit donc aller à Sedan. Les réactions, dans les unités, combinent curieusement les réticences et l'esprit de discipline.

« Les Amiot, de jour ? s'exclame le capitaine Véron, commandant du groupe 34/1. Nos équipages sont braves, mais ils n'ont pas vocation au suicide ni à la palme du martyre. Est-ce sans appel ?

— Oui.

— Dans ce cas, vous pouvez compter que chacun fera son devoir. »

Véron n'a plus que cinq avions disponibles. Il prend sur lui de décider que trois seulement partiront : il pilotera l'un, ses chefs d'escadrille piloteront les deux autres.

---

1. *Icare*, n° 94, 1980/4.
2. Général D'ASTIER, *Le ciel n'était pas vide*, p. 107.
3. Un télégramme de Vuillemin à d'Astier, approuvé le 14 à 11 h du matin précise : « Dans situation actuelle, groupes équipés Amiot 143 peuvent être engagés de jour en appui immédiat opérations terrestres — stop — leur assurer solide protection chasse — stop. »

Au 10/2, le chef de groupe ne désigne, lui aussi, que cinq avions qui partiront, sur dix appareils disponibles.

Au 34/2, le commandant Dieudonné de Laubier, qui revient d'une mission de nuit sur la Belgique, estime « impossible d'ordonner aux équipages d'y aller sans partir avec eux ».

À la 38ᵉ escadre, le lieutenant-colonel Aribaud décide, malgré l'ordre contraire du général Escudier, de prendre la tête de l'un de ses groupes. Survient alors une péripétie qui pourrait changer bien des choses : à 9 h 45 et à 10 h, deux messages téléphonés de l'état-major annoncent que les ponts sur la Meuse de Sedan sont détruits[1]. Fausse nouvelle de source britannique que vient de confirmer l'état-major de la IIᵉ armée. En fait le pont de Gaulier est intact et les chars allemands le traversent depuis six heures du matin.

L'opération vers Sedan est limitée en conséquence à la rive nord du fleuve : « Insistez sur la zone Sedan-Givonnes-Bazeilles ».

Ainsi, contrairement à la légende, les groupements 6/9 et 10 vont aller bombarder non pas les ponts de bateaux, mais une zone de 20 km² à l'est de Sedan où se concentrent les blindés allemands. Dans la confusion de cette journée, l'ordre suicidaire d'envoyer les Amiot de jour à basse altitude n'est pas révoqué. Alors que les chefs de groupe pouvaient comprendre que l'on mobilise, même dangereusement, l'aviation de bombardement contre des ponts de bateaux par où se ruait l'ennemi, ils reçoivent — pour la plupart vingt minutes avant l'envol — à la fois la confirmation de leur engagement et les messages qui changent l'objectif.

Le colonel Aribaud et le commandant de Laubier

Ici se place un épisode singulier qu'un ancien de la 38ᵉ escadre, connu depuis sous son nom de plume de Casamayor, a fait revivre dans un livre également singulier intitulé *Désobéissance*[2].

Le groupement d'Amiot 38/2, dont le lieutenant-colonel Aribaud a décidé de prendre la tête, manque le rendez-vous avec la chasse. Dans le récit de Casamayor, « le colonel » (qui n'est pas nommé), manque exprès ce rendez-vous parce qu'il trouve absurde l'ordre qui envoie ses équipages « en mission de sacrifice ». L'auteur décrit ainsi la scène qui se déroule à l'atterrissage :

> Derrière l'accablement de la fatigue accumulée, la tension nerveuse enfin tombée, le soulagement apparaît. Au cœur de ces hommes audacieux, le respect du devoir s'inspire moins du patriotisme que de l'habitude.

---

1. SHAA 1D/42 et 2 D/9. Deux passerelles semblent avoir été touchées, en effet, dans la région ; le pont de Gaulier ne l'a jamais été. Cf. aussi *L'Activité de l'aviation de bombardement le 14 mai 1940*, Archives de l'IHTP, document anonyme auquel ce récit doit beaucoup, tout comme à *L'Historique de la 38ᵉ escadre* rédigé par le colonel Aribaud (SHAA et Archives orales du SHAA).

2. Casamayor, p. 182.

Mais le colonel ne leur en veut pas. Il ignore la fierté. Familier de tous les dangers, il sait que, ce matin, il n'en avait, lui, couru aucun, que le désordre, la liquéfaction des consciences et des forces militaires empêchent qui que ce soit de lui demander des comptes. Il a tiré d'un guet-apens des hommes dont quelques-uns le haïssent, qui l'oublieront presque tous...

Le colonel expliqua le rendez-vous manqué par une distraction de sa part et une erreur du navigateur. L'État-Major y vit une dérobade. « Où va l'armée, dit un témoin, si l'exécution des ordres n'est plus assurée ? » Aribaud, sévèrement jugé par ses pairs, faillit y perdre son commandement.

Ce qui donne du relief à sa « désobéissance » (si désobéissance il y eut), c'est que nul n'a songé à lui prêter des motifs indignes. Engagé volontaire à dix-neuf ans, sous-lieutenant sorti du rang en 1915, vétéran de Verdun et du Chemin des Dames, six fois cité pendant la Grande Guerre, Aribaud s'impose encore à cinquante ans comme un pilote hardi, un excellent navigateur et un entraîneur d'hommes. Il passe pour n'avoir peur ni des Allemands ni des états-majors. Au 10 juin, il aura dirigé treize missions de nuit et arraché deux nouvelles citations.

On s'expliquerait mal les comportements contrastés de certains cadres de la génération d'Aribaud si l'on ne prenait en compte ce type de baroudeurs, revenus des batailles d'infanterie de l'autre guerre avec la conscience aiguë d'être comptables du sang de leurs hommes. Si l'on ne devinait aussi chez bien des commandants d'unités une méfiance implicite à l'égard d'états-majors terrestres déphasés, toujours prêts à engager comme ultime recours l'aviation ou les chars pour des missions de désespoir.

Le commandant Dieudonné de Laubier est allé, lui, à Sedan. Saint-cyrien catholique, homme de devoir et de tradition, il y est allé de son libre choix. Il avait toutes les raisons de ne pas partir, car son avion, de retour de mission, était inutilisable. Les témoins nous le montrent arpentant l'herbe du terrain de Nangis avec un de ses officiers, évoquant « les divisions, les faiblesses et les imprévoyances qui, depuis des années, minent la capacité de résistance française ». À 11 h 25, les moteurs tournent, les équipages sont à leur poste : il fait descendre un sous-officier d'un appareil et prend sa place. Sur le terrain, tandis que les avions roulent, les mécaniciens, geste insolite, sont figés au garde-à-vous et saluent.

Le commandant de Laubier n'est pas revenu de Sedan.

Les cinq Lioré 45 et les dix Amiot 143 parvenus à la Meuse entre midi et une heure ont tous été gravement touchés, cinq ont été abattus dont deux ont pu se poser dans les lignes françaises, neuf aviateurs sont manquants. Tant d'efforts pour un résultat « médiocre ou nul » et sans que le pont ait même été visé[1].

---

1. Rapport du commandant Destannes, du 38/1, qui devait lui-même trouver la mort le 17 mai. « Il vaut mieux ne pas renouveler ce genre d'expédition, car j'insiste, les résultats

L'attaque en force du pont n'a lieu qu'à 18 h 30, ce sont les Britanniques qui la mènent : 71 bombardiers Battle et Blenheim escortés par la chasse française sont envoyés aussi vainement au massacre.

Le grand sursaut de juin

Le second temps fort de la guerre aérienne vue du côté français se situe, après quinze jours d'activité ralentie, dans la première décade de juin. C'est à nouveau pour l'aviation « le moment de tous les sacrifices : on lui demande de se substituer aux réserves absentes, aux armes défaillantes »[1]. Un avion d'observation ne tient pas l'air plus d'un quart d'heure avant d'être abattu.

À partir du 5 juin, rapporte le général de Geffrier, chef d'état-major de la Z.O.A.N., « l'insuffisance des renseignements de guet ne permet plus de distinguer la physionomie de l'action ennemie aux abords du front de contact ». L'ordre que le général commandant la Z.O.A.N. a donné à la chasse le 6 juin est révélateur :

> Décentraliser le commandement au début de la matinée, compte tenu de l'incertitude de la manœuvre ennemie, puis le centraliser à l'échelon Zone lorsqu'on aura des précisions sur les points d'application de l'attaque ennemie[2].

Autant avouer qu'on s'en remet pour la moitié du temps aux initiatives des chefs d'unités. Ces derniers, obsédés par le manque d'avions, incertains d'assurer la relève des pilotes, mal instruits des vœux du commandement terrestre, avaient dans la décade précédente semblé parfois hésiter à engager les équipages[3] ; fin mai, le moral avait paru atteint dans 20 % des unités de chasse, alors qu'il restait « bon, très bon ou excellent » partout ailleurs.

Les 5, 6, 7 et 8 juin, tandis que « la bataille sans esprit de recul » fait rage sur la Somme et sur l'Aisne, ils s'engagent à fond. Ce sont « de

---

m'ont paru médiocres... De nuit, nous aurions fait beaucoup mieux avec des risques infiniment moins grands » (« Historique de la 38e escadre », SHAA G 2117/2118). Treize tonnes de bombes ont été déversées par les Lioré et les Amiot sur les abords nord du pont de Gaulier (Sedan, le ravin de Givonne et Bazeilles). D'après les archives allemandes, les effets les plus appréciables des raids alliés du 14 mai ont été de retarder la construction de la passerelle d'infanterie de Donchéry qui n'était pas achevée à 20 h et d'obliger la Luftwaffe à détourner une fraction de sa chasse de Belgique où se livrait une violente bataille de blindés (cf. L. F. ELLY, *The War in France and Flandres*).

1. Général CHRISTIENNE, *Histoire de l'aviation militaire française, o.c.*
2. Lettre du général de Geffrier relative à l'*Historique des opérations dans la Z.O.A.N.*, 4 août 1940 (SHAA 2 D/17).
3. D'où les remarques excessives de E. L. SPEARS qui n'hésite pas à taxer de « léthargie » l'aviation française, au moment même où l'engagement de la R.A.F. à Dunkerque était à son maximum. Cf. *Témoignage sur une catastrophe*, pp. 37 et 61.

grands jours de la chasse française » : le nombre de ses sorties remonte à plus de 300 par jour ; la moyenne quotidienne des pertes avoisine celles qu'on enregistrera du côté britannique pendant la bataille d'Angleterre.

Le 5 juin, au sud de la Somme, pour stopper une avance des blindés allemands, six chasseurs les attaquent au canon à basse altitude : un seul chassseur regagne sa base[1]. Le même jour, le sous-lieutenant Pomier-Layragues abat un Messerschmitt 109 piloté par le célèbre capitaine Mölders, l'as allemand aux seize victoires, puis abat un second Messerschmitt avant d'être touché mortellement par les rafales de neuf adversaires unis contre lui[2].

Le 6, pour la première et la dernière fois, on est en mesure de lancer contre les Panzers au sud de Péronne des attaques assez massives et répétées de bombardiers bien protégés par la chasse[3]. Mais, en quatre jours, 35 équipages de bombardement auront été perdus. Il ne reste le 11 juin face aux Allemands que 140 à 150 chasseurs et 70 bombardiers de jour disponibles.

« *Vous n'avez pas été battus* »...

Les aviateurs finissent la campagne décimés et épuisés. Les équipages de bombardement ont dû sortir jour et nuit.

Les pilotes confirmés ont été trop peu nombreux, les jeunes officiers et sous-officiers qui les ont rejoints trop peu formés pour permettre des mutations. Le général Robineau rapporte que le groupe 1/63, engagé le 22 mai avec 15 pilotes pour 12 avions, avait le 10 juin 10 pilotes pour 11 avions et n'a jamais eu plus de 8 radios ; l'escadrille 3/54, engagée le 12 mai avec 8 avions au lieu de 12, avec 7 pilotes au lieu de 14, 7 mitrailleurs au lieu de 9, et 16 mécaniciens, dont 9 confirmés, au lieu de 24, n'avait, le 8 juin, qu'un seul équipage disponible[4]. D'autres exemples abondent.

Les navigants, étayés sur un corps de mécaniciens à toute épreuve, apparaissent ainsi, avec leur endurance, leur professionnalisme et leur audace, comme un des éléments les plus solides et les plus homogènes — le plus particulariste aussi — de cette avant-garde technicienne qui forme, on l'a vu, une armée dans l'armée.

1. Rapport de la commission « G », État-Major de l'Air (SHAA 3 D/497).
2. *Icare*, n° 112, 1985/1. Mölders, fait prisonnier, fut libéré par l'armistice.
3. Si active soit-elle, la chasse française qui n'est plus secondée que par une soixantaine de chasseurs britanniques, n'est assez nombreuse ni pour protéger nos bombardiers, dont les interventions doivent rester limitées, ni pour empêcher l'aviation de bombardement allemande de choisir ses objectifs. La Luftwaffe réussit des opérations telles que l'attaque du quartier général Altmayer le 7 juin, à l'heure même où Weygand s'y trouve. Les généraux sont indemnes, mais toutes les liaisons, toutes les communications du Q.G. sont coupées. Cf. P. BAUDOUIN, *Neuf mois au gouvernement*, p. 133.
4. Général ROBINEAU, « L'armée de l'air dans la bataille de France », dans *Les Armées françaises pendant la Seconde Guerre mondiale*, p. 46.

Ils tranchent tout autant sinon plus sur le magma des arrières que les bons officiers de l'armée de terre : ils trouveront jusqu'au bout, non sans raison, qu'il y a trop d'officiers (et même de navigants) qui grattent du papier dans des états-majors pléthoriques, trop de cadres de l' « intérieur » qui n'ont plus goût à voler ni aptitude à commander, trop de compagnies de l'air je-m'en-fichistes [1].

Les rapports sur les « enseignements de la guerre », confirmés par les archives orales, montrent qu'ils n'ont rien de héros désincarnés. Ils grognent parce qu'on les envoie se faire tuer sur des renseignements périmés, qu'ils sont exténués, que l'armée de terre ne comprend rien ou qu'on ne leur décerne pas autant de citations qu'ils le méritent ; mais « ils sont faciles à commander ». Il leur arrive d'être impressionnables ; mais leurs chefs se félicitent qu'ils ne se soient pas laissé abattre en apprenant que la D.C.A. française leur a « descendu » le 3 juin trois chasseurs [2].

À partir du 10 juin, ils n'échappent pas au découragement quand l'aviation reflue de terrain en terrain devant l'avance ennemie. On replie leurs unités dans le Centre, puis dans le Midi de la France où le manque de terrains prend des proportions catastrophiques : sur certains s'entassent plus de 250 appareils. Puis du 18 au 22 juin, c'est l'exode vers l'Afrique du Nord. Des jeunes à peine sortis des écoles n'hésitent pas à enlever les avions vers Alger, Oran ou Rabat [3] : il y aura le 25 juin, en Afrique du Nord, 700 appareils opérationnels dont plus de 370 avions modernes [4].

Si amers et dépourvus d'indulgence que soient alors les aviateurs, deux traits les distinguent de l'armée de terre et rapprochent leurs réactions de celles de la Marine : la conscience de ne pas avoir été inférieurs aux ennemis : (« Souvenez-vous que vous n'avez pas été battus », confirme Vuillemin dans son ordre du jour du 25 juin) ; et le fait que la quasi-totalité des navigants — et avec eux beaucoup d'élèves des écoles de l'air —, bien que peu disposés à rejoindre de Gaulle, semblent avoir été prêts à poursuivre le combat si le gouvernement légitime en avait décidé ainsi.

Un bilan des pertes et des succès

L'insuffisance de l'aviation française n'a pas tenu à la valeur de ses personnels : « ils ont été encore meilleurs qu'on ne pouvait le prévoir »,

1. Le 7 juin, quand la base d'Évreux est bombardée par la Luftwaffe, les servants de mitrailleuses sont en train de déjeuner.
2. Cf. Enseignements de la campagne, compte rendu du général commandant les forces aériennes de la VIe armée, 15 septembre 1940 (SHAA).
3. D'après une autre évaluation récente, il y aurait eu ainsi à l'armistice en Afrique du Nord 670 appareils modernes, auxquels il convient d'ajouter les appareils américains directement débarqués. *Les Armées françaises pendant...*, p. 97.
4. Non compris 60 avions en caisse : *Icare*, n° 54, et commission G (SHAA 3 D/497 et archives orales SHAA).

déclarent curieusement les rapports de fin de campagne. Plaidoyer *pro domo* qui, dans leur cas, est largement justifié.

Le plus sûr critère est celui des chiffres. Les pertes en matériel ont été lourdes. Du 10 mai au 9 juin au soir : 852 avions détruits (dont 410 en combat aérien, 230 par accident et 202 détruits au sol par bombardements), c'est-à-dire 62 % du total des appareils en première ligne au 10 mai. Vraisemblablement un millier d'avions à la date de l'armistice.

Les pertes en hommes ont été proportionnellement énormes : 30 % de l'effectif combattant (pour toute l'année 1918 elles n'avaient pas dépassé 20 %, comme dans l'infanterie) ; elles ont atteint 40 % parmi les officiers. En trente-quatre jours, plus de 700 navigants dont 386 pilotes ont été mis hors de combat [1].

De leur côté, les Anglais ont perdu 916 navigants dont 435 pilotes [2].

Les Alliés, en revanche, ont affligé à la Luftwaffe des pertes qui ne sont pas hors de proportion. Il n'est plus possible de retenir le score proclamé après l'armistice par le général d'Harcourt, commandant de la chasse, de trois avions allemands abattus pour un avion français perdu. Ni même de conclure, en se fondant sur le palmarès des 696 « victoires françaises homologuées » et des 120 avions revendiqués comme abattus par la D.C.A., que « lorsque l'armée française détruisait deux appareils elle n'en perdait qu'un », preuve éclatante que la chasse française aurait été, « en dépit de son infériorité qualitative et quantitative, supérieure au combat à la chasse allemande » [3].

Chaque aviation en guerre a surestimé ses succès approximativement du simple au double : il en avait été ainsi en 1914-1918. Il en a été de même en 1940 [4]. Il faut se résigner, enfin, du côté français à une révision

---

1. Notamment : pertes portées à la connaissance du 1er bureau de l'État-Major général au 13 juin 1940 (SHAA 3 D/498). Henri Amouroux fait état, pour l'ensemble des hostilités, de septembre 1939 à l'armistice, d'un total de pertes en hommes de 1493 (776 tués, 537 blessés, 180 disparus) : *Le Peuple du désastre, 1939-1940*, p. 95.

2. D'après F. Bédarida, *La Bataille d'Angleterre*. Les pertes britanniques en matériel se sont élevées à 944 appareils, dont 474 chasseurs presque tous modernes, soit 50,6 % de leurs avions de première ligne au 10 mai. Cf. L. F. Elly, *The War in France and Flandres*, *o.c.*, p. 307.

3. P. Buffotot, *o.c.*

4. Le haut commandement allemand a donné à l'époque deux évaluations globales discordantes, toutes deux très exagérées, des pertes infligées aux Franco-Anglais en mai-juin 1940 : l'une est de 3 391 avions, l'autre de 4 233 appareils dont 1 850 détruits au sol. Les exemples de surestimation dus aux aviateurs eux-mêmes abondent : des affirmations répétées font état de plusieurs centaines d'avions détruits au sol le 10 mai en France, alors que les pertes françaises réelles n'ont pas dépassé 70 appareils. De même, d'après les rapports secrets de la Luftwaffe, le bombardement de la région parisienne du 3 juin aurait coûté à l'aviation française 71 appareils détruits en combat aérien et 200 à 300 au sol, alors que les pertes effectives ont été de 22 avions détruits au combat et 13 détruits au sol. Cf. Maréchal Kesselring, *Soldat jusqu'au dernier jour*, Paris, Lavauzelle, 1956 ; lieutenant-colonel de Sainte-Péreuse, « Le bombardement de la région parisienne le 3 juin 1940 », in *Forces aériennes françaises*, n° 197, pp. 737-762. Parallèlement la R.A.F. évaluait ses victoires pendant la bataille de Dunkerque à 262 pour 100 avions britanniques perdus : le chiffre a dû être ramené après la guerre à 132.

consulté les chefs militaires auxquels on demande de poursuivre le combat et qui entendent faire leur métier. Il mettra soixante-dix-sept heures avant de répondre au général Georges qui réclame en vain qu'on annule ou qu'on modifie la décision. Le malheureux Georges multiplie les protestations indignées, il télégraphie encore le 22 juin :

> Pour éviter dégâts villes, on favorise manœuvres ennemi en décourageant commandement local et troupes.
> Mesures prescrites par gouvernement sont incompatibles avec nécessité prolonger résistance.

Le général Olry, qui tient le front des Alpes contre les Italiens avec la menace allemande sur ses arrières, ne s'embarrasse pas de précautions, il fait sauter le pont-route de Livron, proclame « qu'on ne peut lui imposer de laisser tomber aux mains de l'ennemi des ponts intacts, alors que la situation *exige leur destruction* », déclare à Georges, qui transmet à Weygand : « On ne peut me demander de me déshonorer en sacrifiant mon armée [1]. » C'est aussi l'avis du général Besson qui commande les armées du Centre.

Mais, « au point où en sont arrivés les événements », explique Weygand, « il est impossible de revenir sur les décisions gouvernementales ». Les militaires qui voudront encore se battre seront abandonnés ou entravés.

Le refus des civils

Ainsi, depuis le 17 juin, se battre n'a plus de sens. Et continuer de se battre dresse la population contre les militaires.

« Pendant nos courts arrêts, raconte le général Beaufre, alors officier au grand État-major, notre rôle se bornait à discuter avec les autorités civiles et militaires pour savoir s'il y avait lieu de combattre ou de se replier. Les deux paraissaient également absurdes [2]. »

Déjà, le 16 juin, à Montargis, le maire s'est affronté avec un capitaine qui prétendait en organiser la défense ; soutenu par les habitants, il l'y a fait renoncer : il se vantera d'avoir « sauvé sa ville » par sa « crânerie ».

Le 18, le général Besson, commandant le groupe des armées du Centre, tente désespérément de se rétablir sur le Cher comme Weygand le lui a prescrit, lorsqu'il apprend que le gouvernement a ordonné aux autorités locales de ne pas défendre Bourges et de n'y faire aucune destruction : il refuse d'obtempérer. Il ne peut rien empêcher. Le 19, à Châteauroux, le maire munichois Deschizeaux fait placer des drapeaux blancs aux entrées de sa ville et, pour être sûr qu'elle ne sera pas

---

1. CEP, *Rapport général*, p. 391.
2. Général BEAUFRE, *Le Drame de 1940*, p. 265.

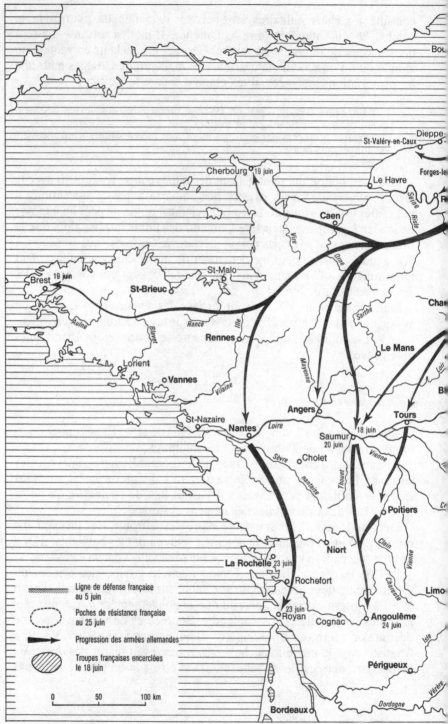

Ligne de défense française
au 5 juin

Poches de résistance française
au 25 juin

Progression des armées allemandes

Troupes françaises encerclées
le 18 juin

0   50   100 km

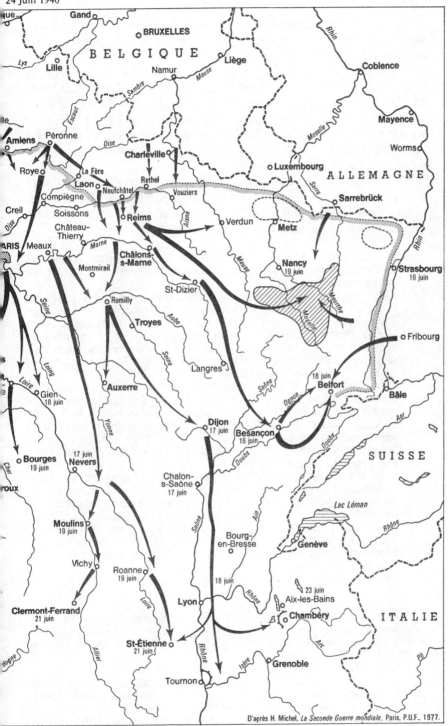

D'après H. Michel, *La Seconde Guerre mondiale*, Paris, P.U.F., 1977.

défendue, il fait désarmer les soldats qui la traversent : le général Frère alerté fait arracher les drapeaux blancs et exige que les troupes circulent en armes dans la localité[1].

L'exemple est contagieux. Le maire de Chabris estime que sa bourgade a droit aux mêmes égards que les villes de 20 000 habitants. Voyant que l'on s'apprête à défendre le pont du Cher, il menace de se placer, avec les anciens combattants de la commune, entre l'ennemi et les défenseurs. Ceux-ci ne se laissent pas intimider. Libre au maire et à ses administrés de se placer devant la gueule des canons. On tirera quand même... Le maire n'insiste pas[2].

À Vierzon, rapporte le général Beaufre, un officier de chars qui veut défendre les lisières de la ville est tué par la population[3]. Le refus des civils s'étend à toutes les localités ouvrières de la Loire, de Roanne à Saint-Étienne. Le général Pagezy rend compte que

> la défense s'est heurtée à l'attitude méfiante et parfois hostile des populations civiles, à la lâcheté et au manque de patriotisme de certains de leurs représentants.
>
> En règle générale, chaque fois qu'un village était mis en état de défense et qu'un point d'appui y était créé, son chef recevait du maire des doléances, des plaintes et parfois des menaces. Il était manifeste que depuis que la demande d'armistice avait été annoncée, les populations ne pensaient qu'à éviter des représailles possibles ou des bombardements, sans parler de certains éléments douteux qui, en quelques occasions, ont joué le rôle de cinquième colonne.
>
> À Roanne, le 19 juin, sur l'initiative du sous-préfet, la ville a été entourée de drapeaux blancs. À Thizy, le point d'appui s'est rendu sans combattre à l'instigation du maire communiste. Les maires de Rive-de-Gier, de Feurs, de La Fouillouse sont allés jusqu'à tenter de faire enlever des barricades et à menacer un commandant de point d'appui. À Montrond, le 20 juin, une patrouille fixe a été mise par la population dans l'impossibilité de se défendre.
>
> En même temps, poursuit le général Pagezy, j'apprenais que Saint-Étienne, « ville ouverte », n'acceptait pas que des militaires pussent traverser la ville en armes. Certains agents obligeaient les militaires à enlever leurs casques et avaient même la prétention de leur confisquer leurs armes. Triste mentalité, la population souhaitait notre départ au plus tôt et n'attendait rien tant que l'arrivée des Allemands ! (...) Certains habitants pêchaient à la ligne ou jouaient au ballon pendant qu'on se battait au Nord (...)[4].

1. « Vous allez nous faire fusiller », dit Deschizeaux à un officier. « Monsieur le Maire, lui répond celui-ci, tant qu'à être fusillé, mieux vaut l'être par les Allemands que par les Français, ce sera plus glorieux. » (Élie CHAMARD, *Les Combats de Saumur, juin 1940*, pp. 20-27.)

2. Général FRÈRE, *o.c.*, pp. 131-135.

3. Les détails font défaut. Dans un télégramme à Weygand du 22 juin, le général Georges s'inquiète de possibles « collusions sanglantes entre troupes et agents et autorités civiles, comme le fait s'est produit à Vierzon » (CEP, *ibid.*, p. 390).

4. Rapport du général Pagezy, précédemment commandant de la Ire région, sur l'attitude des populations civiles, 25 juin 1940 (SHAT 31 N/38).

Les réactions sur la basse Loire sont plus lourdes de conséquences. Le 19 juin à Angers, le maire demande à l'armée d'évacuer la ville sans combat, ce qu'elle fait, puis ceint de son écharpe tricolore, coiffé d'un haut-de-forme, il précède les avant-gardes allemandes dans une voiture flanquée de drapeaux blancs. Après quoi il remet sans protester aux Allemands le drapeau de sa mairie, sous réserve qu'ils lui en donnent reçu[1].

À Nantes, clef de la basse Loire, le génie a préparé la destruction des ponts ; le général commandant la région prescrit qu'étant dans une ville ouverte ils ne doivent « sous aucun prétexte » être détruits. Des officiers s'insurgent, alertent le général de La Laurencie qui prend sur lui de faire exécuter les destructions : mais déjà les avant-gardes allemandes sont dans la ville.

C'est aussitôt la levée de boucliers de toutes les municipalités du sud de la basse Loire. À Poitiers, le maire s'oppose aux mesures de défense prescrites, des femmes veulent démolir les barricades construites sur le Clain ; le commandement menace de les refouler par les armes. Des incidents analogues ont lieu à Thouars et à Loudun. À Cholet, le 21 juin, le maire et le sous-préfet font mieux : ils n'hésitent pas à sortir de la ville pour aller avertir un détachement allemand de reconnaissance que deux fusils-mitrailleurs sont en position contre eux[2]. Comme l'explique aux soldats le maire d'un village voisin : « Je suis contre l'armistice, mais je n'ai pas envie que la guerre se passe chez moi. » En Dordogne, le général Frère craint des mouvements séditieux dans les arrières si les soldats qui se replient font encore mine de se battre.

La troupe ne s'y retrouve pas. Des dizaines de milliers d'hommes se laissent chaque jour désarmer sans résistance. Si quelques chefs, ou quelques groupes de furieux, s'obstinent, la plupart baissent les bras. Les comportements des vaincus sont pour les Allemands « un mélange de surprise, de pitié et de mépris », note Claude Paillat, qui en donne pour témoignage ce compte rendu du 2ᵉ Bureau du groupement blindé von Kleist, en date du 20 juin[3] :

> Depuis quarante-huit heures s'écoule à travers le groupement von Kleist, sur toutes les routes venant de l'est et du sud-est, un flot ininterrompu de prisonniers (...). Se sont rendus en unités constituées des unités de chars, des régiments d'infanterie et d'artillerie, des trains de combat, des compagnies de réparation, des états-majors avec tout leur matériel.
> Des officiers conduisent leurs propres formations en captivité, dans la mesure où ils ne les ont pas précédées en voiture. En cours de marche, des officiers rendent compte du fait qu'il y aurait encore des armes dans leurs colonnes et demandent à les remettre (...).

1. É. CHAMARD, *o.c.*, p. 132.
2. Cf. le témoignage du général LA LAURENCIE au cours de l'instruction du procès de Riom et son livre : *Le 3ᵉ Corps d'armée*, pp. 152-156 et 177-179.
3. Cl. PAILLAT, *Le Désastre de 1940*, p. 513. Le groupement Kleist traverse alors la France d'est en ouest pour aller occuper la côte atlantique.

La dernière résistance d'une certaine importance a été offerte le 18 juin à Châtillon et le 19 juin dans la tête de pont de Moulins (...).

On ne constate nulle part une volonté de résistance. Partout règne la joie de voir la fin de la guerre. Dès qu'ils commencent à faire connaissance, les prisonniers tentent de se montrer familiers avec nos soldats. Nulle part ils n'ont conscience de la situation réelle. Partout se déploie la faconde et les déclarations sans frein, très souvent aux dépens de la vérité. Ils ont tous en commun la rage contre l'Angleterre et contre leur propre gouvernement.

Le corps des officiers, abstraction faite de quelques rares exceptions, ne fait pas une impression excellente. La masse ne semble guère ressentir la gravité du malheur qui la frappe. Les nombreux officiers de réserve assez âgés ne donnent plus en moyenne l'impression qu'ils sont à la hauteur des efforts d'une guerre moderne. Les officiers d'active, plus jeunes, sont certes alertes mais ne semblent pas s'intéresser à la situation et montrent, dans de nombreux cas, peu d'initiative et aucune capacité à organiser au-delà du cadre de leurs compagnies. Ils gardent peu de distance envers la troupe et celle-ci leur témoigne peu de respect.

Ces prisonniers, le capitaine Ernst Jünger, bon connaisseur des choses françaises, les a vus défiler pendant des heures « comme une image du flot sombre de la destinée elle-même... La plupart d'entre eux étaient *émoussés*. Ils ne posaient que deux questions : leur donnerait-on à manger ? La paix était-elle signée ? ».

Jünger a été frappé par « leur allure irrésistible et mécanique, qui, écrit-il, est le propre des grandes catastrophes » et il s'est interrogé sur ce que signifie *le fait de rendre ses armes* ; il y voyait, lui qui avait été si profondément *militaire* en 1914-1918, « un acte irrévocable qui atteint le combattant à la source même de sa force », à supposer du moins que ce combattant sache « quel est notre enjeu sur cette terre »[1].

De toute évidence, les soldats français de la dernière semaine ne se sentent pas investis d'une mission conférant à leurs armes une valeur symbolique : beaucoup n'ont jamais très clairement saisi les enjeux nationaux de cette guerre ; ils en imaginent encore moins l'enjeu individuel qui leur coûtera cinq ans de liberté. Au sud de Lyon, des soldats vont spontanément au-devant des Allemands. À Vichy, des officiers faits prisonniers en pleine rue font des grâces et adressent des sourires autour d'eux avant de monter dans les voitures militaires allemandes. On aurait vu, au cours de la retraite au sud de la Loire, « un chef de corps rendre sa troupe par téléphone aux Allemands qui étaient encore loin de la localité »[2] !

Prisonniers par ordre

Le fait le plus accablant, et que la confusion régnant à Bordeaux ne saurait expliquer, c'est que ni le maréchal Pétain ni le haut commande-

---

1. E. JÜNGER, *Jardins et routes, o.c.*, pp. 214 et 227-228.
2. GOUTARD, *La Guerre des occasions perdues*, p. 376.

ment n'aient une seule fois rappelé que le devoir s'impose à tout militaire dont les moyens de combattre sont épuisés de tout faire pour éviter de tomber aux mains de l'ennemi.

Au contraire, tout donne à penser que des instructions émanant soit du cabinet du nouveau ministre de la Guerre, soit de son secrétaire d'État, le général Colson, ont fait de la reddition à l'ennemi dans les villes ouvertes une règle impérative. C'est ce qui semble ressortir des ordres donnés non par les commandants d'armées, mais par certains généraux commandants de régions ou par certains commandants de places de l'Ouest et du Sud-Ouest. C'est bien, en tout cas, ce qu'ils ont compris[1].

On lit dans un rapport concernant la 9e région (Tours) :

> Le général commandant la région signale que certains commandants de subdivisions et de places ont reçu pour consignes de rester sur place, même en cas d'avance de l'ennemi, en exécution de directives d'ordre général émanant de l'État-Major de l'armée... Par ailleurs il signale que, le 21 juin, il a reçu un coup de téléphone du cabinet du ministre lui demandant *par ordre de qui* il avait défendu les ponts de la Loire et pour quelles raisons il avait quitté Tours au lieu d'y attendre les Allemands et de se rendre à l'ennemi. Il a répondu qu'il avait quitté Tours sur l'ordre du général Besson, commandant le groupe d'armées, et que le général Haya, commandant la subdivision de Tours, était resté de sa personne à Tours pour représenter l'autorité militaire comme le demandait le ministre.

Dans la 10e région, les commandants d'armes de Brest, Dinan et Guingamp reçoivent le 18 juin un ordre analogue qui se résume à ceci :

> Consigner la garnison dans les chambrées, faire rassembler et cadenasser les armes, et attendre l'arrivée des Allemands.

À Bordeaux, le général commandant la 18e région — qui lui, est tout proche du pouvoir[2] — donne à ses commandants de subdivisions l'ordre catégorique suivant :

> Désarmer tout le monde. Rassembler toutes les armes et les munitions dans un même local. Consigner officiers et hommes au quartier. Brûler les documents. Les officiers qui n'exécuteraient pas ces ordres seraient traduits devant le Conseil de guerre.

C'est ainsi qu'à La Rochelle, le 23 juin, « les Allemands entrent dans la place sans coup férir, se rendent au quartier, vérifient comment les armes sont rassemblées et s'approprient les clefs du magasin ». À

---

1. Les citations suivantes sont tirées des documents annexes au *Rapport général* de la commission Serre, CEP, pp. 393-403.

2. On lit dans le rapport du général de corps d'armée commandant la 18e région (Bordeaux) : « Au cours de ces journées précédant l'armistice, des interventions multiples du préfet, sous-préfet et même de certaines personnalités politiques agissant directement auprès du ministre de la Guerre (Weygand) ont fait modifier à plusieurs reprises les instructions » (*Ibid.*, CEP, p. 403).

Saintes, après des incidents dont nous ignorons le détail, l'effectif de plusieurs régiments ramenés des Alpes est *fait prisonnier par ordre* avec ses officiers.

À Clermont-Ferrand et à Poitiers, on rassemble la garnison et les troupes de passage dans les casernes pour qu'elles se rendent aux Allemands à leur arrivée [1]. Sur quelque 1 850 000 prisonniers français, onze cent mille auront été capturés à partir du 16 juin, dont vraisemblablement la plus grande partie sans avoir combattu.

---

1. Outre les documents de la CEP, cf. général BEAUFRE, *o.c.*, p. 265. Cf. aussi l'étonnant récit de l'occupation de Clermont-Ferrand que fait Jean GUITTON dans son *Journal de ma vie*, Paris, Desclée de Brouwer, 1975, t. I, p. 36.

2

Les drames de l'honneur

En 1918, quelques heures avaient suffi pour faire cesser le feu : il y faut, en 1940, huit jours pleins, huit jours durant lesquels l'armée est prise au piège de la demande publique d'armistice. Elle est d'autant plus désorientée qu'elle est maintenant privée de nouvelles : les journaux ne sont plus diffusés ; l'émetteur de Radio Paris à Allouis cesse d'émettre ; chaque jour les soldats se demandent si l'armistice est signé ou quand il le sera.

Le gouvernement lui-même ignore jusqu'au 19 juin si Hitler lui consentira un armistice ; il n'en connaît les conditions que le 21 ; la signature n'a lieu que le 22. Jusque-là, il est partagé entre le souci d'épargner le sang français et le besoin de maintenir une résistance. Pour justifier la poursuite de combats, il fait appel à l'honneur de l'armée : Weygand, Georges, Prételat renchérissent : jamais on n'aura autant parlé d'honneur dans les télégrammes d'état-major.

Directives ambiguës, car les ordres sont de se battre pour l'honneur, mais non pas de se battre à outrance ; de résister, mais à bon escient ; comme on l'a vu, ils ne sont pas non plus de sauver de la capture le plus possible d'hommes et de matériel. Sur le terrain chaque petit chef les interprète à sa façon.

Les drames de l'honneur donnent à cette agonie une résonance héroïque, pitoyable et absurde.

Courage et démission « pour l'honneur » à Saumur

Voies ferrées coupées, ponts détruits, routes bombardées, ravitaillement difficile, réfugiés encombrants, renseignements parcellaires, liaisons et transmissions aléatoires, esprits désarmés. Face aux avances profondes des divisions motorisées, la seule tactique est celle des « bouchons » sur les sites défendables des principaux itinéraires. Presque jusqu'aux derniers moments, tout officier décidé trouve des hommes pour se faire tuer en défendant un pont, en barrant une vallée, en servant un canon antichar à une lisière, souvent avec une espèce de fureur.

L'épisode des « cadets de Saumur » est justement célèbre, même si sa portée militaire est limitée[1]. Il se déroule en deux actes, dont le premier a curieusement dissimulé le second, qui est tout aussi révélateur.

L'École militaire d'officiers de cavalerie a reçu l'ordre de se replier sur Montauban. Sur l'insistance de son commandant, le colonel Michon, qui fait valoir qu'un repli créerait un large vide dans le dispositif de défense que le commandement essaie d'établir sur la Loire, l'autorisation de combattre lui est donnée.

Michon dispose avec les éléments récupérés sur place de 2 470 hommes auxquels viennent s'ajouter un détachement de l'école d'artillerie de Fontainebleau et un bataillon d'élèves aspirants de réserve de Saint-Maixent. Ils sont abondamment pourvus d'armes, surtout d'armes automatiques. Ils ont mission de défendre la Loire sur vingt-six kilomètres, du pont de Gennes au pont de Montsoreau ; une dizaine de kilomètres à l'est de Montsoreau, les Saint-Maixentais vont, de leur côté, défendre le pont de Port-Boulet.

Les Allemands débouchent dans la soirée du 18 juin sur la Loire, large de trois cents mètres, mais parsemée d'îlots boisés.

Devant Gennes, les Français font sauter le pont routier et le pont rail ; le 19, ils accueillent des parlementaires à coup de canon, poussent une reconnaissance sur la rive nord où le lieutenant de Buffévent, instructeur à Saumur, va se faire tuer, par point d'honneur et par défi. Le 20, quand les Allemands tentent de forcer le passage, les défenseurs détruisent la plupart de leurs embarcations, mais ne peuvent les empêcher de prendre pied au sud du fleuve ; ils les contre-attaquent « au mépris de la mort », dit un compte rendu allemand et ne se replient qu'en milieu d'après-midi, sur ordre, alors pourtant qu'il paraissait possible de rejeter les assaillants à la Loire. À Port-Boulet, les Saint-Maixentais se sont acharnés à faire sauter le pont, ils se sont glissés en chaussettes le long des poutrelles pour y fixer huit cents kilos de mélinite qui n'exploseront pas. Et ils se sont bravement battus. L'ensemble des engagements a coûté cinquante et un tués français[2].

Qui sont-ils, ces combattants ? Pour plus de moitié des étudiants, sans vocation militaire particulière, des élèves-aspirants de réserve d'infante-

---

1. Sur les cadets de Saumur, qui ont donné lieu à une abondante littérature hagiographique, cf. É. CHAMARD, *Les Combats de Saumur*, et de H. DE MOLLANS, *Combats pour la Loire, juin 1940*.
2. Ils justifient la citation à l'ordre de l'armée que le général Weygand, ministre de la Guerre, signa le 23 août au nom de l'École de la cavalerie et du train. L'auréole de Saumur aurait-elle été moins éclatante si le 2e bataillon de marche de Saint-Maixent, sévèrement éprouvé, et le détachement d'artillerie de l'école de Fontainebleau avaient été cités aussi ? Ils furent simplement reconnus « unités combattantes du 17 au 24 juin ».

rie et de cavalerie, — ceux de Saumur n'ayant reçu qu'un mois de formation —, mais encadrés par des instructeurs convaincus.

L'élève aspirant André-Jean Campan, venu en renfort le 19 juin avec le détachement de Saint-Maixentais, n'a pas derrière lui une tradition militaire familiale. Il meurt à Saumur de chagrin et d'humiliation. Il écrivait le 2 juin :

> Il ne faut pas, tant qu'il y aura un Français vivant, que la France soit battue. Alors, tu vois, je ne m'appartiens plus.

Il écrit le 17 :

> La France a capitulé. Nous pleurons tous. Tu ne peux pas savoir le désespoir où nous sommes tous plongés ici. Peut-être serai-je mort demain. Je le désire plutôt que d'accepter cela. Tu diras à mes parents que leur fils n'a pu supporter la honte de la défaite.

Le 20, il est tué en servant lui-même une mitrailleuse pour couvrir le repli de ses camarades ; avant de tomber, il a fait accrocher à son épaule la fourragère rouge de son régiment[1].

L'esprit de résistance des « cadets » ne se limite pas à quelques exaltés : beaucoup sont prêts à poursuivre la lutte, comme l'était Campan, comme le sont ailleurs les aviateurs et les cadres de la marine. Mais on va leur faire un devoir de se rendre. Peu d'événements illustrent de façon plus dramatique le désarroi des consciences.

Les combattants repliés de Gennes et de Saumur reçoivent en effet dans la soirée du 20 juin l'ordre de gagner l'orée de la forêt de Fontevrault où ils pourront se dissimuler : mouvement hasardeux, qui les maintient à une dizaine de kilomètres de la Loire au moment où les Allemands l'ont franchie. Disciplinés, ils se regroupent néanmoins dans la nuit du 20 au 21 juin, en même temps que de nombreux isolés en désordre, à Lerné (Indre-et-Loire), dans le grand parc du château de Chavigny.

Le colonel Michon a, lui aussi, gagné Chavigny. Il croit y être encerclé par les avancées ennemies. Il a reçu un ordre « autorisant la reddition de l'École dans le but d'épargner le sang de notre héroïque jeunesse » :

> L'armistice étant proche, tâcher de se camoufler dans les bois le plus longtemps possible, mais si l'on est découvert, se rendre sans combat pour ne pas laisser sacrifier une élite dont la France aura le plus grand besoin.

Il songe à rentrer à l'École de Saumur et à y attendre dans son grand bureau l'arrivée des Allemands. On l'en dissuade. Il décide alors de sauver le drapeau de l'École, en partant vers le sud pour essayer de traverser les lignes allemandes avec un détachement rapide formé des

---

1. Cf. Antoine REDIER, *Gestes français*, Le Puy, Mappus, 1945, pp. 58-61.

trois chars et des quatre automitrailleuses qui lui restent, de sept officiers et cent élèves montés sur motos ou side-cars. « Un plus grand nombre, explique-t-il, ne serait transportable qu'en camions » : or pour le combat qu'il prévoit, brutal et rapide afin de bousculer plus sûrement l'ennemi, ces combattants en surplus, entassés dans des voitures, deviendraient une gêne, un poids lourd ; ils risqueraient de se faire massacrer vainement sans pouvoir se défendre.

Le 21 juin à 7 h 30, le colonel Michon transmet son commandement au chef d'escadron Launay, officier de valeur, combattant de 14-18, auquel il confie la mission « épouvantable » de rendre l'École. Il lui remet l'ordre suivant que l'on enterre sous un arbre, dans une bouteille scellée :

> Le colonel ne saurait admettre que l'âme de l'École soit faite prisonnière. Sous la garde d'un détachement mobile et susceptible de combattre, il va tenter de la sauver. Cette tentative ne peut réussir que par la force. Le détachement doit donc nécessairement être réduit en nombre.
>
> D'autre part, il est essentiel que les éléments de l'École, qui ne peuvent prendre part à ce dernier sursaut d'énergie et qui devront, en conséquence, supporter la redoutable épreuve de la captivité, conservent le sentiment d'une haute fierté pour les actes d'héroïsme accomplis ces derniers jours. Ils en imposeront à leur vainqueur par la hauteur et la dignité de leur attitude. Ils se souviendront qu'ils sont le corps de l'École, que ce corps n'est ni en panique ni en déroute.
>
> Ils se laisseront faire prisonniers et prouveront, malgré nos revers, la valeur immortelle de la cavalerie. Cette valeur sera manifestée par l'ordre et la discipline.
>
> Le chef d'escadron Launay a assez de grandeur d'âme et de distinction pour accepter le sacrifice que je lui impose et l'imposer aux officiers et aux élèves dont je lui confie la direction.

Puis le détachement fonce vers le sud ; il atteindra sans combat Montauban[1].

Dans les bois de Lerné, cependant, les bruits de reddition suscitent de vives réactions parmi les élèves.

> Les uns prétendent qu'ils étaient tous de taille à risquer avec le colonel une descente vers le sud et même à se battre avec ce qui leur restait d'armes. D'autres ne comprennent pas pourquoi les camions, tout comme les sides, n'auraient pas franchi les lignes.

L'aspirant de réserve Norbert Bontoux, « cadet » de Saumur, a raconté cette journée dans son journal quotidien[2].

> François nous mobilise pour aller calmer un groupe d'E.A.R. qui sont furieux d'apprendre que l'on se rend et le manifestent en hurlant leur

---

1. É. CHAMARD, *o.c.*, pp. 135-142, et H. DE MOLLANS, *o.c.*, pp. 128-129.
2. De larges extraits du journal de l'aspirant Bontoux sont reproduits par Cl. PAILLAT, *o.c.*, pp. 565 et ss.

désapprobation. Les plus enragés parmi eux nous accueillent avec hostilité, comme si nous étions les responsables de cette décision.

François s'est donné une mission très délicate. Le voilà qui prend la parole dans la cour de la ferme où des E.A.R., notamment ceux de la brigade de Buffévent, sont rassemblés. J'entends des cris, des hurlements : « On nous a vendus ! » Certains pleurent de rage, d'autres filent dans les bois enterrer leurs armes.

L'E.A.R. Klopfenstein, de la brigade Trastour, exprime son dégoût à haute voix. Nous essayons de le calmer avec des arguments du genre « La France aura besoin de sa jeunesse », « Ta famille t'attend », etc. Il nous considère avec haine et sanglote de rage.

Des E.A.R. démontent leurs mousquetons, envoient les culasses au diable, brisent les baïonnettes ; d'autres viennent nous dire qu'ils ont jeté leurs armes dans un puits (...).

L'ordre arrive de déposer nos armes sous un arbre, devant la ferme. Dans un grand désordre, gradés, E.A.R., réservistes jettent leurs armes, leurs casques, leurs munitions, leurs cartouchières, qui forment maintenant un tas. Certains sont furieux et piétinent les impedimenta dont ils se défont. La scène est particulièrement pénible.

Un deuxième ordre nous intime d'avoir à présenter nos armes correctement. Nous devrons faire deux tas : l'un pour les armes, l'autre pour les munitions. La plupart des E.A.R. se refusent à exécuter cette besogne et s'égaillent dans le bois.

L'ultime espoir des « cadets » est de n'être pris qu'après la signature de l'armistice. Les Allemands se présentent seulement à Chavigny le lendemain 22 juin. Le commandant Launay leur fait dire qu'il a reçu l'ordre de ne plus combattre. Mitrailleuses et antichars environnent le château. À midi, Launay suffoquant d'émotion préside à la cérémonie de reddition, devant les unités de « cadets » au garde-à-vous [1].

Le colonel Michon devait mourir quelques mois plus tard, de chagrin, a-t-on dit. On perçoit bien les mobiles de son attitude déroutante : certitude que la guerre est perdue sans recours, souci d'épargner le « précieux sang français », conception moyenâgeuse de l'honneur militaire qui lui fait voir dans l'affrontement franco-allemand une joute chevaleresque sans soupçonner mieux que le maréchal Pétain que « Hitler, c'est Gengis Khan », espoir désespéré en une France capable de se regrouper autour de ses drapeaux...

Le front des Alpes

Cependant, à partir du 20 juin, dans tout le centre du pays, les accrochages se font plus rares : les troupes en retraite évitent le combat et les Allemands n'ont lancé, au-delà de ce qui sera la ligne de démarcation, que des éléments légers, sauf dans la vallée du Rhône où les Panzers sont bloqués près de Tournon par les spahis.

---

1. H. DE MOLLANS, *o.c.*, p. 133. En hommage à leur belle résistance, les Allemands libéreront les cadets au début de juillet.

Le 21 juin, Pétain et Weygand insistent dans un message à la VIe et à la VIIe armée, « seules forces organisées entre l'Atlantique et le Rhône... pour qu'elles se battent jusqu'au bout, afin de sauver l'honneur de nos armes et de rendre moins difficile la conclusion de l'armistice ».

Le 22 encore, à Moncontour, un peloton du 3e régiment de dragons portés, encerclé, se laisse exterminer plutôt que de se rendre.

Mais entre-temps, depuis le 20 juin, la bataille s'est allumée sur le front des Alpes : Mussolini a attendu l'effondrement de la France pour entrer en guerre ; il a besoin d'un succès militaire avant que l'armistice soit signé. Là les Français savent pourquoi ils se battent, ils en veulent à leurs adversaires et ne les estiment pas. Les Italiens lancent à l'assaut des solides positions françaises dix-neuf divisions en première ligne ; le général Olry, dont les deux tiers des forces ont été, depuis le 10 mai, envoyés dans d'autres secteurs, n'a plus à leur opposer que trois divisions de réservistes régionaux de série « B » et les troupes des trois secteurs fortifiés de Savoie, du Dauphiné et des Alpes maritimes, soit, sur un front de 350 kilomètres, 185 000 hommes : l'avance des Allemands pointant vers Grenoble les menace sur leurs arrières[1]. Le 15 juin, Olry a pris la décision de faire face au nouvel ennemi allemand, « sans enlever un homme, une arme, aux troupes qui font face à l'Italie ». Il a, depuis le début juin, réalisé « une mobilisation régionale d'autant plus remarquable que tout craque ailleurs » : constitution d'unités de marche à partir des ressources de tous les dépôts régionaux ; récupération des éléments refluant dans le couloir rhodanien ; utilisation de tous les permissionnaires de l'armée du Levant en transit à Marseille ; récupération de dix compagnies de l'air fournies par la zone d'opérations aériennes et de marins du dépôt des équipages de la flotte mis à sa disposition par l'amiral préfet maritime de Toulon. La marine a fourni 38 canons provenant de navires désarmés, qui, transférés d'urgence sur le front de l'Isère, sont installés sur des socles en béton coulés en quarante-huit heures par sapeurs et marins. En trois semaines d'efforts, il a pu ainsi réunir 30 000 hommes et 170 pièces de tous calibres pour faire face à l'ouest : la ligne de résistance improvisée contre les Allemands est jalonnée par le Rhône de Bellegarde à Culoz, le massif de la Grande Chartreuse et l'Isère en aval de Voreppe sur laquelle il a fait sauter tous les ponts.

Avec ces moyens dérisoires, il organise la région alpine en môle de défense afin de faire front de toutes parts. L'avance italienne est partout stoppée sur les cols et dans les hautes vallées alpines, elle est même repoussée par d'énergiques contre-attaques, sauf en Haute-Maurienne, où les détachements légers doivent se replier sur la ligne principale de résistance, et à Menton, occupée partiellement. Si les Allemands

---

1. Colonel DELMAS, colonel DEVAUTOUR, Éric LEFEVRE, *Mai-juin 1940. Les combattants de l'honneur*, pp. 212-224, ouvrage auquel sont empruntées les données relatives à la bataille des Alpes.

Carte 7. L'armée des Alpes entre deux feux : situation au 25 juillet 1940

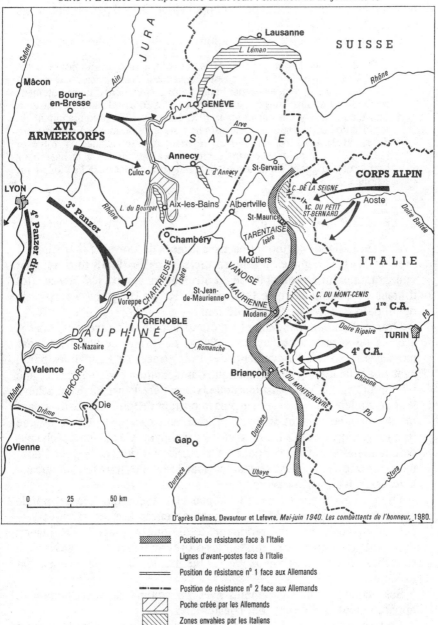

D'après Delmas, Devautour et Lefevre, *Mai-juin 1940. Les combattants de l'honneur*, 1980.

▨▨▨	Position de résistance face à l'Italie
---------------	Lignes d'avant-postes face à l'Italie
════════	Position de résistance n° 1 face aux Allemands
━·━·━·━	Position de résistance n° 2 face aux Allemands
▨	Poche créée par les Allemands
▨	Zones envahies par les Italiens

atteignent Aix-les-Bains, ils ne peuvent pousser jusqu'à Chambéry et ils ne peuvent forcer le verrou de Voreppe, cloués au sol par les tirs précis de l'artillerie.

Une étude critique de ces opérations faite du côté italien conclut :

> Il est vrai que la plus grande partie des soldats français qui nous étaient opposés appartenaient à des classes anciennes, mais l'ancienneté de ces éléments étaient compensée par le fait qu'ils provenaient d'un recrutement régional... Les garnisons des forts et casemates étaient décidées à résister à outrance... Il n'y eut aucun signe d'écroulement. Et le commandant de l'armée des Alpes, auquel il est juste de rendre les honneurs que mérite un digne adversaire, trouva, tout en résistant à notre avance, la force et l'énergie de préparer une armée improvisée, assemblée à la hâte pour l'opposer d'urgence à l'invasion allemande qui menaçait déjà sur le haut Rhône.

Le drame des armées de l'Est

Restent la ligne Maginot et les trois armées de Lorraine et d'Alsace : près de 500 000 hommes y sont encerclés à partir du 18 juin. Ils sont voués à une fin lamentable où s'entremêlent à tous les niveaux les drames de l'honneur et de la discipline. Roger Bruge en a retracé le détail dans des livres éclatants de faits.

Drame d'un commandement supérieur dépourvu de moyens, mais si accablé ou si résigné, qu'ayant la charge de diriger de l'extérieur, par messages radio, les mouvements des trois armées de l'Est, il les pilote avec une telle lenteur, un tel manque d'imagination et de hardiesse, une telle indifférence à la logistique, que la première Panzerdivision achève leur encerclement — qui sera le plus important de toute la guerre — sans qu'une manœuvre tant soit peu efficace soit exécutée et sans qu'une fraction importante des troupes puisse s'échapper. Ce qui n'empêche pas ce commandement de continuer à prescrire du dehors, « pour l'honneur », des offensives inexécutables pour lesquelles il ne fournit aucune aide ni n'envoie aucun avion[1].

Drame de conscience du chef digne et noble à qui tout le monde abandonne la responsabilité des armées encerclées et sacrifiées, le général Condé; lui qui redoutait cette guerre parce qu'il jugeait l'armement insuffisant, lui qui sait les ordres qu'il reçoit inapplicables, il se cabre, mais, respectueux de la hiérarchie, il les fait cependant exécuter.

Ses échanges de télégrammes avec un commandement lointain et apparemment indifférent sont consternants.

Le 15 juin, il a, conjointement avec le général Bourret, lancé par radio ce message angoissé[2] :

---

1. Dès le 16 juin, des membres du cabinet Weygand admettent froidement que l'armée de l'Est est une branche morte qu'il faudra se résigner à amputer (AN 74 AP/22).
2. SHAT 28 N/12 et 28 N/26.

Vous signalons situation extrêmement critique de 23 grandes unités en partie disloquées, 7 éléments organiques de corps d'armée, 2 quartiers généraux d'armée menacés d'encerclement avec manœuvre en repli et rétablissement impossibles. Masse réfugiés. Bombardements avions partout. Vous conjurons appeler immédiatement attention commandant en chef et gouvernement.

Le 16 juin, à 22 h 45, le général Georges a télégraphié en réponse :

Je connais votre situation. Elle permet d'exécuter la manœuvre prescrite. Je compte sur votre énergie et résolution pour la mener à bien et sauver ainsi Honneur du drapeau comme on l'a fait dans le Nord.

Toute la journée du 18 juin, tandis que les villes de France s'ouvrent les unes après les autres aux Allemands, les troupes de Condé, encerclées, livrent à travers la Lorraine des combats sanglants. Le 18 au soir, le général Georges renouvelle un ordre d'offensive qui ne peut plus avoir de portée militaire :

Malgré les difficultés signalées, les attaques prévues doivent être déclenchées dans le plus bref délai avec tous les moyens disponibles et conduites avec la dernière énergie. La situation générale exige impérieusement cette action de force seule capable de sauver l'honneur.

Tout au plus recommande-t-on — trop tard — au commandant des armées de l'Est de chercher à faire passer les effectifs les plus nombreux en Suisse. Un corps d'armée seulement l'aura fait, ainsi qu'une division polonaise, au total 42 500 hommes. La réponse de Condé au télégramme du 18 juin du général Georges illustre la conjonction de son drame personnel et de celui des armées. Il s'incline, non sans beaucoup de réserves :

Reçu 19 juin ordre d'attaquer. Sera exécuté. Beaucoup d'éléments sans pain ni munitions, ni essence ; presque tous les corps d'armée contiennent péniblement l'ennemi avec fractions non épuisées ; jamais avion ami ; aucun renseignement ; bombardements fréquents ; tout mouvement vers le sud qu'on peut appeler « offensive vers le sud » peut déterminer écroulement (...).

Il laisse percer un ultime accent d'indignation :

Quant à sauver honneur troupes qui, après annonce fin de la lutte, encerclées, non ravitaillées, combattent depuis six jours en rase campagne, c'est fait !

Si respectable que soit ce chef condamné à un sort affreux, il n'a plus assez de ressort pour réagir sinon par des ordres ponctuels aboutissant à des combats confus. Finalement, il prend sur lui de renoncer à une offensive vers le sud qui lui paraît vouée à un sanglant échec[1].

Autour de lui se multiplient les drames de l'abandon. Les équipages de train et les conducteurs de camions qu'on n'a pas su utiliser pour le transport des fantassins en profitent pour prendre la route et foncer vers le Midi avant l'encerclement complet, tout comme le font des officiers et des généraux, ceux des services de santé, ceux de l'aviation (il est vrai sans avions) et jusqu'à Freydenberg, le général nommé le 5 juin à la tête de la IIe armée, qui suit ses troupes de si loin et en les commandant si peu, que, de repli en repli, il se retrouve successivement à Bourbonne-les-Bains, à Arbois et en dernier lieu, tout seul, dans l'Ardèche à Aubenas.

Drames de l'épuisement : les troupes se traînent les pieds en sang, tournant en rond, recevant ordres et contrordres, parcourant une nuit soixante kilomètres dans un sens pour les parcourir en sens inverse la nuit suivante, souvent sans nourriture parce que le ravitaillement est difficile à assurer, mais aussi parce que des états-majors en désarroi ne sont plus capables de l'organiser. Des milliers d'hommes se pressent dans les villages, dans les forêts, n'attendant qu'une chose, l'armistice, et commençant, à partir du 20 juin, à brandir des drapeaux blancs.

Drame symbolique, drame du refus de sacrifices devenus absurdes, que le meurtre par un soldat du colonel Charly. Fait divers à peu près unique en son genre[2].

Le 153e régiment d'artillerie portée a son P.C. à Tandimont, en Lorraine ; il est encerclé avec un groupe de divisions. Il s'est encore battu le 19 juin. Le 20, au matin, le colonel Charly qui le commande s'étonne que certaines de ses unités ne soient pas en batterie : il apprend qu'un de ses chefs d'escadron, considérant la guerre comme finie, a fait noyer les gargousses et enterrer les fusées de ses obus. Le colonel confère avec ses six officiers chefs d'unités ; ceux-ci jugent une plus longue résistance inutile. Il leur déclare que ceux qui ne voudraient pas marcher, il les ferait fusiller et il ordonne que deux soldats soient désignés pour aller récupérer des munitions abandonnées sur les positions de la veille, positions peut-être occupées entre-temps par les Allemands. La scène se passe dans un verger : 450 hommes sont dispersés alentour, dans l'attente. L'un des canonniers dit : « Si je suis désigné, je le descends. »

---

1. Il envoie, le 22 juin au soir, un dernier radiogramme : « Tous moyens de résistance épuisés. Troupes confondues dans périmètre étroit, ayant cessé défense aux postes, avec population civile. Famine ne peut plus être évitée. Pour épargner sacrifices humains inutiles, j'estime que dans de telles conditions, le moment est venu de cesser le combat comme il a été dit publiquement il y a six jours pour l'ensemble du pays. Je donne ordre aux troupes que je puis encore commander de déposer les armes à partir de 15 h ce jour. Commandement allemand prévenu » (SHAT 28 N/26).

2. D'après le compte rendu d'opérations de la VIe armée allemande pour la journée du 17 juin, se référant aux déclarations de soldats prisonniers, deux autres officiers d'artillerie auraient été abattus dans des conditions analogues près de Gondreville (Loiret). Cf. H. DE MOLLANS, *o.c.*, p.18.

Il est désigné. C'est un compagnon maçon d'un village de Picardie. Il est connu comme un excellent soldat. Lui a-t-on tendu une arme ? Deux camarades lui crient : « Ne fais pas de bêtises ! » Un coup de feu retentit : à trente mètres le colonel Charly s'effondre.

Le fait le plus singulier, plus encore que l'acte lui-même, est le silence, doit-on dire la connivence, qui l'entoure. Les 450 témoins vont être dispersés en captivité loin de France : aucun d'eux ne parlera. Quand une enquête sera enfin ouverte après sept ans, le juge instructeur mettra 18 mois à reconstituer les faits et à obtenir des aveux[1].

Il faut mettre en regard de ce drame tous les drames de l'héroïsme gratuit qui jalonnent l'agonie des armées de l'Est ; jusqu'au soir du 21 juin, des « combattants de l'honneur » continuent de s'y battre et de mourir.

La bataille qui s'est déroulée le 18 juin 1940 sur 80 km le long du canal de la Marne au Rhin ainsi que sur la Meuse n'a pas été un simulacre. Elle est restée longtemps ignorée ; elle a pourtant été violente. En cette seule journée, rien qu'en Lorraine, 1 100 hommes sont morts pour la France, dont environ deux tiers de Français de souche et un tiers de tirailleurs marocains et sénégalais, de légionnaires et de soldats polonais[2].

Les 19, 20 et 21 juin, les combats livrés dans la région de Toul coûtent 203 tués dont 9 officiers et 22 sous-officiers au seul 227ᵉ R.I., régiment considéré jusque-là comme « inégal ». Nous savons ce qui anime les combattants grâce à Pierre Ordioni qui était l'un d'entre eux[3] :

> Ces hommes vont se battre non plus pour le « capitalisme » comme on le leur a dit et répété, non plus pour une victoire inutile comme en 1914-1918, pas même pour la France, mais bien pour leur liberté individuelle : ils se savent encerclés et ils se battent en attendant, avec quelle impatience !, l'armistice qui mettra fin à ce cauchemar.
>
> Ils se battent, parce que, pour la première fois, les ordres sont clairs. Parce que, pour la première fois depuis la mobilisation, les généraux et les états-majors ont lié leur sort au nôtre ; ils les savent là, juste derrière eux, pris dans la nasse, même s'ils s'obstinent à ne pas monter en ligne.
>
> Enfin, parce que le combat va vite prendre le caractère d'une chouannerie, menée par des petits groupes autour des officiers subalternes. Il n'y a plus désormais d'unités, mais des bandes. Chacune à l'image de son officier. S'il « tient », la bande « tient ».

Ici, comme partout depuis la percée allemande, comme partout dans la débâcle, les actes de résistance sont avant tout le fait de « petits chefs », lieutenants et capitaines.

---

1. Le canonnier coupable fut condamné à cinq ans de prison le 27 avril 1949 par le tribunal militaire de Metz, peine portée à dix ans de prison après cassation du jugement (cf. journaux parisiens, 28 avril 1949).

2. Le détail de ces combats est retracé dans le livre de R. BRUGE, *Les Combattants du 18 Juin*, t. I.

3. P. ORDIONI, *Le Pouvoir militaire en France, o.c.*, pp. 441-443, et *Les Cinq Jours de Toul, 18-22 juin 1940*, Paris, Laffont, 1967.

Tant de courage et tant de sang dépensés pour aboutir à cet autre drame, la duperie des « prisonniers d'honneur » !

Car parmi le demi-million d'hommes encerclés en Lorraine et dans les Vosges, une centaine de mille ont tenu jusqu'au-delà de la signature de l'armistice, une cinquantaine de mille au-delà de son entrée en vigueur. Ils étaient convaincus qu'ils ne seraient pas prisonniers : illusion !

Le corps d'armée Lescanne ne met bas les armes au Donon que le 24 juin, la division Didio à Rouge-Gazon et le 22ᵉ R.I.F. à Haguenau que le 25 : ces combattants opiniâtres sont qualifiés de prisonniers d'honneur et traités avec égards le temps qu'on les désarme ; ils n'échapperont pas pour autant à la captivité.

De même, quand l'armistice entre en vigueur, le 25 à 0 h 35, l'essentiel de la ligne Maginot tient toujours : 20 gros ouvrages sur 22, 25 petits ouvrages sur 31 et plus de 130 casemates. À l'est de la Moselle, les équipages des forts rejettent les protocoles de reddition que leur présentent des émissaires de l'ennemi. Le 27 juin, Weygand leur envoie une mission dirigée par le colonel Marion : ils accepteraient de déposer les armes mais refusent la captivité. Or, le commandement n'a prévu pour eux aucune clause de sauvegarde et la commission allemande d'armistice de Wiesbaden signifie au négociateur français, le général Huntziger, qu' « un refus de la reddition complète serait considéré comme une violation des prescriptions de la convention d'armistice »[1]. Huntziger s'incline. C'est seulement sur ordre formel du commandement en chef que les derniers défenseurs — ils sont encore 22 000 — rendent l'un après l'autre les forts, entre le 30 juin et le 7 juillet.

La soumission

L'ultime drame des armées de l'Est est celui de leur soumission : la grande préoccupation du commandement est de maintenir l'ordre et la discipline dans la troupe et d'en offrir l'exemple aux Allemands. Dans bien des unités, les hommes sont non seulement prévenus que toute évasion est interdite, mais ils sont menacés de sanctions : des régiments sont avertis que « tout militaire en situation illégale sera porté déserteur devant l'ennemi »[2]. Un chef d'escadron venu demander à l'état-major de sa division s'il peut s'évader sans se déshonorer reçoit une réponse négative : il partira en captivité, ainsi l'exige ce sens aveugle du devoir qui conduira « l'armée de l'armistice » du gouvernement de Vichy à capituler une seconde fois devant les Allemands en novembre 1942.

Un seul commandant de grande unité donne dès le 21 juin l'ordre à ses troupes de détruire le matériel, de camoufler les drapeaux et de se

1. Général Vernoux, *Wiesbaden 1940-1944*, p. 48, Paris, Berger-Levrault, 1954.
2. Additif à l'ordre du jour du général Dubuisson au 334ᵉ R.I. lors de la reddition du groupement le 21 juin.

fractionner « en groupes de dix hommes au plus, avec un gradé », qui s'efforceront de rejoindre le Sud de la France, puis l'Angleterre : c'est le général Duch, commandant de la première division de grenadiers polonais. Il commandera quatre ans plus tard à Monte Cassino la 3ᵉ division polonaise, qui comptera dans ses rangs de nombreux soldats échappés de la souricière lorraine. Le général Duch agit le 21 juin de sa propre autorité ; il passe outre au refus que lui a opposé l'autorité militaire supérieure en la personne du général Hubert[1].

La volonté de discipline, dont on fait un point d'honneur, est poussée jusqu'à l'aberration dans la ligne Maginot. Car ces mêmes équipages qui refusent de rendre les ouvrages ont reçu de leurs commandants de secteur, dans plusieurs cas *avant* l'heure de la cessation officielle des hostilités, l'ordre d'éviter « tout geste malheureux » : pas de destructions qui risqueraient de laisser croire à une violation de l'armistice[2]. C'est aussi une façon de se faire valoir aux yeux des Allemands. Ainsi est-il noté au Journal d'opérations du grand fort du Hackenberg, le 25 juin :

> Ordre de laisser les ouvrages, casemates et abris et le matériel dans le plus grand état de propreté afin de montrer aux Allemands le moral élevé que conservent en ces heures pénibles les troupes des forteresses.

Toute la dernière semaine de juin, on refuse de rendre les forts ; mais partout on a, en prévision, fourbi, frotté, nettoyé et graissé les armes et les canons. On les livrera intacts. Une seule exception sur l'ensemble de la ligne Maginot : le lieutenant d'active Jean Braun ne livre le petit fort d'Aumetz, dans le nord de la Meurthe-et-Moselle, que sur ordre, le 27 juin, après avoir fait saboter les armes, le matériel optique et le mécanisme de la tourelle. Ce geste d'insubordination vaudra au lieutenant Braun, avant qu'il ne parte en captivité, deux jours d'incarcération par les Allemands et de vives remontrances de ses chefs.

Parmi les prisonniers, la soumission est plus étonnante encore. Le choc a été brutal, sans appel, la capitulation est, dans les esprits, cautionnée par le maréchal Pétain. Les réactions sont faibles. La haine reste exceptionnelle. Cela n'empêche pas, ici et là, de dénoncer la « trahison », ou encore l'abandon de la troupe par les officiers. L'accablement domine. La puissance allemande est écrasante. Le soldat est convaincu que la guerre est finie et qu'il rentrera bientôt chez lui. Il ne faut que le temps de dénombrer les captifs. Le soldat allemand ne dit

---

1. Ces détails sont empruntés à R. BRUGE, *Juin 1940, le mois maudit*, pp. 156-157-166-191. De nombreux officiers polonais tentèrent en effet de gagner le Sud de la France, mais sans avoir transmis les instructions du général Duch à leurs hommes. Ceux-ci s'indignèrent d'avoir été abandonnés par leurs chefs.

2. La convention d'armistice stipule que les troupes encerclées *déposent les armes* ; elle prescrit « la remise régulière des armes et des matériels » (art. 4), « la remise des installations, établissements et stocks militaires intacts » (art. 13).

pas autre chose : « Guerre finie... *Bald nach Hause...* » Des isolés qui ont perdu leur convoi courent dans la campagne à la poursuite d'un détachement allemand qui veuille les prendre en charge. Ainsi le lieutenant Brasillach et quinze camarades, de Saint-Dié aux Trois-Épis et à l'Alsace, traversent les Vosges dans une camionnette cahotante :

> Nous aurions pu cent fois nous évader chez des civils, changer de vêtements. L'idée ne nous en vint pas : prisonniers dociles, nous réclamions à tous les vents notre dépôt. Et puis n'allait-on pas nous libérer immédiatement ? C'était l'opinion unanime. (...) J'ai plusieurs fois pensé, par la suite, à ce voyage de fous avec une certaine stupéfaction... [1].

Mais à la fin de juin 1940, le temps des illusions n'est pas encore fini [2]. Seuls ont compris, seuls redoutent vraiment l'avenir les populations vosgiennes et alsaciennes qui, dans les villages, couvrent les prisonniers de vivres et de boissons aux cris de « France toujours » !

Encore quelques heures ou quelques semaines et d'immenses troupeaux débraillés se traîneront vers le nord, sur les routes de la captivité, encadrés de quelques rares sentinelles : un chien de berger pour trois cents moutons. Pas un geste de révolte. Les évasions sont rares.

On croit la guerre finie.

Personne n'imagine une guerre de cinq ans.

---

1. Robert BRASILLACH, *Journal d'un homme occupé*, Paris, Plon, 1958, p. 353.
2. Tout l'été de 1940, les prisonniers de guerre maintenus dans des camps provisoires en France restent convaincus que leur libération est imminente. « Je me souviens », raconte Jean GUITTON (*Journal de ma vie*, t. I, p. 100), « qu'au camp de Mailly, nous attribuions au major allemand cette phrase très profonde de sens : *L'espérance, pour les garder, cela vaut mieux que les grenades*. Et cela était vrai », ajoute Guitton : « sans cette espérance, la moitié d'entre nous auraient pris la campagne ».

À DÉFAUT DE CONCLUSION

« Trop peu d'enfants, trop peu d'armes, trop peu d'alliés », expliquait le maréchal Pétain dans son allocution radiodiffusée du 20 juin 1940. Il omettait la cause la plus immédiate de la défaite, l'incapacité du commandement : l'inspirateur de la politique militaire de l'entre-deux-guerres, le commandant en chef des années 1920, le ministre de la Guerre de 1934, le membre à vie de toutes les hautes instances politico-militaires ne pouvait pas sans se condamner lui-même incriminer une doctrine qui était *sa* doctrine, ni ceux qui l'avaient appliquée.

Le haut commandement des années 1930 n'avait su ni éviter la sclérose intellectuelle et bureaucratique ni admettre qu'il pût y avoir d'autre forme de guerre que celle de 14-18, ni faire le choix de systèmes d'armes cohérents. Qu'il se soit laissé inhiber par les réticences d'une nation qui avait rejeté vingt ans l'idée de guerre et qui s'honorait de mettre les valeurs de paix au-dessus des valeurs militaires n'est guère contestable, mais il était précisément là pour veiller au grain : la pire erreur des gouvernants fut de lui laisser carte blanche, dans la limite des crédits qui n'avaient rien de médiocre.

La guerre mécanique le prit par surprise. Face à la stratégie de rupture de l'adversaire, la défense linéaire sur 750 kilomètres, la dispersion de réserves trop éloignées pour être portées assez vite sur les points menacés, l'absence enfin d'une contre-force blindée d'intervention limitaient dangereusement les possibilités de riposte. On n'avait pas osé profiter de la diversion polonaise ni de l'immense capital de bonne volonté des mobilisés en septembre 1939. On ne sut (ou on ne put) pas davantage conduire en mai 1940 la contre-manœuvre qui aurait compromis l'exécution aventureuse du plan allemand d'encerclement. La défaite, probable dès le 10 mai 1940 compte tenu des plans de campagne et de la répartition des moyens, difficilement évitable le 17, était irrémédiable le 24.

On a dit à satiété, après coup, qu'un État ne s'effondre pas en une bataille sans que des faiblesses profondes aient préparé sa chute. Le propos est moins vrai qu'au temps de Montesquieu ou de Xerxès, tant une percée technologique peut doter un belligérant d'un avantage décisif, ce qui fut le cas. Il est indéniable que des causes multiples avaient débilité la France : l'efficacité restreinte d'un régime politique trop souvent condamné aux demi-mesures, la stagnation de l'économie, le laisser-faire de dirigeants trop confiants ou trop faibles devant l'État-Major pour lui imposer des choix, trop absorbés par le quotidien pour devancer l'événement et tirer la diplomatie de ses porte-à-faux, la rupture de la cohésion nationale enfin. Rien de tout cela n'impliquait encore, au 1er septembre 1939, une défaite à laquelle le pays n'était nullement voué. Des autres causes directes qui ont été invoquées, on peut seulement souligner, avec l'excellent historien américain Paxton, l'importance relative :

> Qu'il s'agisse de politique ou de conjuration — trahison, cinquième colonne, matériel insuffisant ou médiocre, refus de combattre des communistes ou des fascistes — (ce sont) des épiphénomènes et point n'est besoin d'y recourir pour expliquer l'issue des combats[1].

Il n'y eut d'ailleurs ni trahison ni cinquième colonne militaire ; quant au matériel, il n'était pas si insuffisant, hormis l'aviation.

S'il y eut un handicap fondamental au regard duquel les erreurs du court terme paraissent bien relatives, c'est celui qui tenait au rapport des forces industrielles et humaines : la France avait réussi, au prix d'un énorme efffort, à aligner un nombre de combattants égal à celui de l'adversaire et un armement qui n'était pas hors de proportion avec le sien, elle n'avait plus, après vingt jours de combat, de réserves d'hommes à lui opposer ; elle était seule à porter le poids de la lutte terrestre, dramatiquement privée d'alliés à l'est, trop peu soutenue par les Britanniques qui étaient entrés en guerre sans armée. 1940 confirmait, plus irrémédiablement que 1870, la différence de poids spécifique entre la nation française et le bloc germanique, que ne compensait pas le renfort, plus apparent qu'efficace, de l'Empire colonial. 1940 est le terme du déclin, politique parce que démographique, commencé à Waterloo.

C'est dans le cadre d'une stratégie et d'une tactique dont l'échec fut total qu'il faut évaluer la participation des *Français de l'an 40* à la guerre. Au seuil de ce livre, leurs comportements apparaissaient comme une énigme, de même la démission finale, qui a donné à la chute de la France une dimension de tragique médiocrité.

La surprise, on l'a vu, fut accablante pour eux comme pour le commandement. Elle ne consista pas seulement dans la rencontre d'armes nouvelles : la formidable cohésion de 14-18 avait eu pour base l'imbrication des combattants dans un coude à coude de tranchée qui

---

1. Robert PAXTON, *La France de Vichy*, Paris, Seuil, 1972.

s'étendait des Vosges à la mer du Nord et faisait d'eux des sortes d'O.S.
de la guerre, entraînés et condamnés à l'endurance. La guerre mécanique de 1940, en cassant le front, redonna du même coup une autonomie
aux unités, petites et grandes, elle en exigeait l'initiative, elle supposait
des chefs responsables fortement motivés. En dehors d'une minorité de
jeunes cadres et d'unités de choc, personne n'y était préparé : ni par la
représentation qu'on se faisait de la guerre, ni par l'instruction militaire
reçue, ni par la pratique de rapports hiérarchiques trop rigides ou trop
lâches, ni par l'expérience trop brève des combats. Puis la spirale des
défaites paralysa les esprits en même temps qu'elle dissociait les unités.

Le choc ayant été si rude, on s'étonne d'autant plus que des soldats et
des officiers aient avoué si spontanément, au lendemain de la défaite,
leur sentiment d'une faute collective à laquelle ils auraient participé en
tant que citoyens et en tant que militaires.

*

Le 13 juin 1940, dans une colonne de prisonniers en marche vers
l'Allemagne, un officier dont je me sentais tout proche pour l'avoir vu se
conduire comme on doit, me dit : « *Ce n'était pas notre guerre.* » J'ai
réentendu une ou deux fois ces mots dans les semaines suivantes,
prononcés par des officiers. Beaucoup plus tard, quand j'eus connaissance des journaux clandestins communistes de 1940, j'y retrouvai cette
même expression : « *Ce n'est pas notre guerre.* »

« Mourir pour Dantzig ? » Comme le notait Marc Bloch, les soldats de
1914 n'avaient pas eu davantage envie de mourir pour Belgrade. En
réalité, l'enjeu n'était pas celui-là. Daladier, Reynaud, Blum avaient eu
le mérite de le comprendre et l'énorme majorité des mobilisés l'avait
admis en septembre 1939 : tous ne le voyaient plus aussi clairement
après huit mois de fausse guerre et de laisser-aller. Il faut admettre
qu'une bonne partie d'entre eux n'a pas été à la hauteur du défi que
l'hitlérisme avait lancé aux hommes libres. Ils n'ont pas été les seuls : les
Anglais, à la date du 10 mai 1940, n'étaient pas beaucoup plus
convaincus. Ne parlons pas des Américains.

Que tant d'hommes se soient néanmoins bien battus sans savoir
toujours exactement *pourquoi* ou sans en mesurer toujours l'importance
atteste l'ampleur du loyalisme populaire. Cette armée largement dépoli-
tisée était aussi une armée républicaine, même s'il est clair que la ferveur
républicaine s'était attiédie depuis le début du siècle : 1914 avait vu une
conjonction qui ne pouvait pas se retrouver du nationalisme extrême, de
la ferveur républicaine et du civisme patriotique. Les mobilisés de 1939
étaient partis sur la foi de Daladier qu'on ne pouvait pas laisser faire plus
longtemps. Ils n'avaient pas envie de se battre, mais ils étaient prêts à le
faire. De même qu'il n'y eut pas d'insoumis, il n'y eut quasiment jamais
parmi eux ni révolte ni esprit de sédition. Non seulement les unités du
corps de bataille et l'aviation furent, dans l'ensemble, exemplaires, mais

la masse de la piétaille rurale, qui avait paru, trois mois plus tôt, malade des semailles, se fit tuer sans entrain, mais sans rechigner toutes les fois qu'elle fut commandée. Et quand il s'agit de défendre le sol national, les quarante divisions engagées sur la Somme et sur l'Aisne donnèrent pendant une semaine l'image d'une nation rassemblée.

Le sentiment qu'ont eu certains que *ce n'était pas leur guerre* avait pourtant un sens, ou plutôt, il en avait plusieurs. Les conditions dans lesquelles la guerre avait été engagée avaient été malheureuses. Ni Daladier ni Chamberlain ne voulaient la guerre. Ils l'avaient pourtant déclarée. Il ne faut pas être celui qui déclare la guerre. L'affreuse habileté de Hitler — comme celle de Bismarck en 1870 — fut de se la faire déclarer tout en prétendant qu'il ne la voulait pas. « L'esprit de sacrifice » a moins manqué aux soldats français que la motivation de l'esprit de sacrifice (l'extrême droite et une fraction de la gauche avaient d'ailleurs tout fait pour qu'il en soit ainsi). De toutes les nations du camp allié : Pologne, Angleterre après Dunkerque, Belgique, Hollande, États-Unis, U.R.S.S., la France fut la seule dont les citoyens eurent si longtemps le sentiment qu'ils faisaient la guerre[1] pour autre chose que pour sa survie. Tout donne à penser que, si la patrie avait été directement en danger dès le premier jour, les Français auraient mis plus d'acharnement à défendre leur sol.

L'officier qui m'a dit que « *ce n'était pas notre guerre* » ne me signifiait pas par là que cette guerre fût à ses yeux une guerre voulue par les juifs, la City ou le Kremlin alors que *notre guerre* aurait dû être une guerre contre les Soviétiques, il sous-entendait simplement que cette guerre n'avait pas été engagée comme aurait dû l'être une guerre nationale, la seule à son gré qu'il fallait faire, et que nous aurions dû savoir que tout ce qui l'avait préparée et accompagnée conduisait au désastre.

« *Ce n'était pas notre guerre* » a exprimé, dans d'autres bouches, bien plus qu'une motivation incertaine devant une guerre aux buts devenus parfois indistincts. Pour une frange communiste et ouvrière, et de même pour une frange faite notamment d'officiers, le fond des choses a été que cette France ne méritait pas qu'on meure pour elle, parce qu'elle n'était pas *leur France*. Ce n'est pas tellement (ou pas uniquement) le rêve de la patrie soviétique et des « lendemains qui chantent » qui dissuadait ces ouvriers de s'exposer, car le militantisme communiste, s'il a bien été un facteur de dérobade pour quelques-uns, était trop affaibli ou trop dilué pour avoir un effet aux armées. Des îlots plus ouvriéristes que communistes (où de jeunes socialistes révolutionnaires et des affectés spéciaux radiés furent sans doute parmi les plus réticents) ne se reconnaissaient pas dans une société qui les excluait : il est plausible que

---

1. « Qu'ils faisaient la guerre » est un euphémisme : l'illusion prolongée que *la guerre n'aurait pas lieu* n'était pas faite pour stimuler l'« esprit de sacrifice ». Le laisser-aller de la « drôle de guerre » fut plus étendu dans l'armée que dans l'industrie : les officiers n'y étaient pas intéressés aux bénéfices.

la rancune sociale et l'anticapitalisme, avivés par la haine de classe, aient animé quelques-uns des fuyards de Bulson et de la 71e division.

Symétriquement, une frange d'officiers et, dans une moindre proportion, d'hommes de troupe issus des classes moyennes ou aisées refusait de se reconnaître dans la France du « Front crapulaire » et de « la politique du chien crevé au fil de l'eau »[1] et répugnait à se sacrifier pour elle. À d'infimes exceptions près, ce n'est pas la sympathie pour l'Allemagne nazie qui inspirait ces lecteurs de *L'Action française*, de *Gringoire*, de *Je suis partout* peu disposés à « mourir pour la Pologne ». Et ce n'est pas non plus l'anticommunisme, car ce dernier semble bien n'avoir été lui aussi, du moins sur le plan militaire, qu'un facteur accessoire de diversion. On peut s'en étonner, alors que l'anticommunisme a tellement agité la presse et le Parlement pendant la « drôle de guerre » et que l'antisoviétisme avait contribué si passionnellement au fiasco de l'alliance russe. Je persiste, pour ma part, à imaginer que, si l'envahisseur avait été l'Armée rouge, beaucoup d'officiers auraient résisté plus énergiquement pendant la phase de débâcle. Mais la mise hors la loi du P.C.F. avait, aux armées, rassuré les anticommunistes les plus acharnés. Ce qui les animait, c'était bien davantage le souvenir de leur Grande Peur de 1936 et une furieuse rancune partisane, avivée par la haine du régime : de « nationaux », certains en étaient venus à oublier la nation.

Ces comportements extrémistes n'ont toutefois été que marginaux. Tous les indices dont nous disposons vont dans un même sens : les ferments de moindre résistance psychologique dans l'armée, là où il y en eut, ont relevé beaucoup moins de l'idéologie communiste ou anticommuniste qu'on ne l'a dit. En dehors du fait essentiel que la guerre n'était pas une guerre nationale, les trois facteurs négatifs, étroitement liés, qui ont pesé le plus ont été l'imprégnation pacifique — et pacifiste —, l'obscur sentiment de la faiblesse française et le poids de la Grande Guerre.

Le pacifisme doctrinal d'inspiration socialiste et radicale a pu influencer (compte tenu de ce que l'on sait de l'évolution de l'opinion socialiste) jusqu'à 15 % des mobilisés, mais l'imprégnation de l'*esprit pacifique* a été plus large, notamment en milieu rural, où elle avait été réactivée, en 1938, par les campagnes du mouvement Dorgères et des associations d'anciens combattants. Nous en mesurons mal l'impact : tout au plus peut-on affirmer que parmi les soldats-citoyens issus de la gauche et du monde paysan, la majorité considérait les soldats allemands non pas comme des ennemis, mais comme des hommes en tout point semblables à eux et aussi pacifiques qu'eux et tenaient la guerre pour un mal.

La montée en puissance de l'Allemagne avait été d'autre part, pour les Français, un révélateur de leur faiblesse et cinq ans d'échecs et de

---

1. C'est ainsi que Léon Daudet avait qualifié dans *L'Action française* la politique de Briand.

déceptions politiques avaient contribué à faire douter certains d'entre eux de leur pays et parfois à les désespérer. La France s'est trouvée, au moment crucial, confrontée à la douloureuse difficulté de se reconnaître enfin pour ce qu'elle était : une puissance moyenne en Europe. Sa faiblesse démographique donnait la mesure de son déclin : dans un pays décimé et pauvre en hommes, une partie de l'opinion publique a souhaité gagner la guerre sans combattre ou grâce au renfort des autres, en épargnant le « précieux sang français ». Quand le chef du gouvernement et la propagande officielle étaient les premiers à le dire, comment imaginer que des soldats aient été prodigues de leur sang ? De la crise de confiance au défaitisme, il n'y eut pour certains qu'un pas : disons-le, une partie des Français et non des moindres avait peur de l'Allemagne.

Toute hypothèse chiffrée ne peut être que hasardeuse, compte tenu de l'absence de sondages systématiques et de la mobilité d'une grande partie des opinions publiques en temps de guerre. Il est plausible toutefois que la proportion d'un tiers de Français résolus en 1938-1939 à tenir bon devant l'Allemagne, même au prix d'une guerre, s'est retrouvée en 1939-1940 parmi les combattants ; elle correspond à la proportion de ceux qui, d'après les comptages bien incertains du 2ᵉ Bureau, se déclaraient en février-mars 1940 opposés à toute paix de compromis. La proportion d'hostilité délibérée à la guerre ou de franche réticence n'aurait vraisemblablement pas dépassé quelques pour cent, tandis que la masse fluctuante et généralement de bonne volonté se comportait en fonction du degré de professionnalisme des unités et de leur encadrement. La coexistence de deux armées dans l'armée amplifia les contrastes. Ainsi la question « Les Français voulaient-ils se défendre ? » est dans une large mesure une fausse question.

On revient au principal qui est que la France n'était pas remise de la Grande Guerre. C'est trop pour un pays de soutenir deux fois en l'espace d'une génération une guerre d'extermination. Une nation où un million de jeunes adultes ont été élevés par des veuves de guerre et où un sur six des soldats des unités du champ de bataille a eu un père ou un frère tué à l'ennemi n'est pas spontanément destinée à alimenter en volontaires les corps francs : et pourtant ce sont les jeunes, et notamment les jeunes cadres qui se sont le mieux adaptés à la guerre. Mais la relève des générations n'était pas accomplie. La démission collective de juin 1940 a traduit l'accablement devant une défaite qui paraissait sceller le sort de l'Europe, elle a eu aussi toutes les apparences d'un besoin quasi biologique de récupérer : l'aspiration à la neutralité qu'incarna le maréchal Pétain répondait à la réaction physique et mentale d'une nation deux fois exténuée.

*

Quelques mots enfin sur la dernière semaine d'hostilités, qui conduisit à l'armistice, puis à Vichy. Le réalisme aurait conduit à traiter trois semaines plus tôt avec l'adversaire, comme le voulaient la plupart des généraux d'armée. L'obstination de Reynaud, secondé en cela, du moins jusqu'à la bataille d'arrêt, par Weygand, a peut-être sauvé l'Angleterre de l'invasion. Quoi qu'il en soit, l'appel du maréchal Pétain à cesser le combat généralisa le *dé-couragement,* au sens le plus littéral du terme. On a oublié ce que fut son impact local pour n'en voir que les conséquences nationales : accueilli par la plupart des militaires avec soulagement, il acheva de casser une combativité bien réduite et généralisa l'esprit de capitulation. Il est vraisemblable qu'un gouvernement légitime, inflexiblement résolu à poursuivre la lutte hors de France, aurait pu compter non seulement sur la marine et sur la quasi-totalité des cadres de l'air, mais sur la majorité des élèves-officiers des écoles d'infanterie, de cavalerie et de l'air, sur des résidus non négligeables des formations d'active et sur une large proportion de ce qui restait des jeunes cadres[1].

Mais ni l'armée ni la nation n'eurent à choisir. Il fallait, d'une façon ou d'une autre, cesser le feu. L'attente du cessez-le-feu demandé entraîna, puis renforça l'assentiment au maréchal. Celui-ci se portait garant du maintien de la souveraineté et de l'indépendance nationales : on se raccrocha à ces bouées. La France n'était ni la Belgique ni la Hollande : l'armistice, pour draconien qu'il fût, offrait l'espoir d'une remise en marche du pays. La nécessité d'un rassemblement national allait de soi. Aucune velléité révolutionnaire pourtant, quelle qu'elle fût, ne se manifestait, sauf dans une étroite minorité réactionnaire. Ici ou là, dans les unités laminées, une voix s'élevait pour dire qu'il fallait être forts et disciplinés parce que les Allemands n'aimaient que les peuples forts et disciplinés[2]. Si la libération des prisonniers avait pu, dans les deux mois, compenser la perte de l'Alsace-Lorraine, une paix de réconciliation n'était pas impensable, du moins pour un temps, pas plus que ne le fut le ralliement — temporaire, mais massif — de la nation à la monarchie d'Ordre moral du vainqueur de Verdun.

---

1. Ce qui ne signifie pas que des effectifs terrestres importants auraient pu être embarqués : rien n'avait été préparé et les Allemands, face à un gouvernement résolu, auraient accéléré leur avance vers les ports de la Méditerranée.

2. C'est la formule par laquelle le maire d'Angers conclut l'appel aux habitants qu'il fit placarder le 21 juin sur les murs de sa ville

BIBLIOGRAPHIE

Le tome I offre déjà sa bibliographie propre, mais certains des ouvrages qui y sont signalés valent pour les deux tomes. Les principales rubriques de la bibliographie entière sont récapitulées dans la Table des matières du tome II.

A. SOURCES LITTÉRAIRES : ouvrages et articles

I. SUR LE FRONT DES USINES

I.1 : ECONOMIE ET FINANCES

I.N.S.E.E., *Annuaire statistique de la France. Résumé rétrospectif*, Paris I.N.S.E.E./ Imprimerie nationale, 1966.

CARON, François, *Histoire économique de la France XIXᵉ et XXᵉ siècles*, Paris, Armand Colin, 1981.

Conseil national économique, *La Situation des principales branches de l'industrie*, 9 séries de rapports, Paris, Journal officiel, 1932-1934.

KUISEL, Richard F., *Le Capitalisme et l'État en France : modernisation et dirigisme au XXᵉ siècle*, Paris, Gallimard, 1984.

LAUFENBURGER, Henry, *Les Finances de 1939 à 1945. I. La France*, Paris, Librairie de Médicis, 1947.

LESTRADE, René de, *Le Financement des dépenses publiques pendant la guerre*, Paris, Librairie générale de droit et de jurisprudence, 1944.

SAUVY, Alfred, *Histoire économique de la France entre les deux guerres*, 4 vol., Paris, Fayard, 1969-1975.

I.2 : ÉTUDES RÉGIONALES

HARDY-HÉMERY, Odette, *De la croissance à la désindustrialisation. Un siècle dans le Valenciennois*, Paris, Presses de la Fondation nationale des sciences politiques, 1987.

— *Industries, patronat et ouvriers du Valenciennois pendant le premier XXᵉ siècle*, Lille, 1985, multigraphié, Diffusion Éditions sociales-Messidor.

LUIRARD, Monique, *La Région stéphanoise dans la guerre et dans la paix, 1936-1951*, Saint-Étienne, Centre d'études foréziennes, 1980.

I.3 : DAUTRY ET L'ARMEMENT DE LA FRANCE

CLARKE, Jeffrey J., *Military Technology in Republican France. The Evolution of the French Armored Force, 1917-1940*, Duke University, 1969.

DAUTRY, Raoul, *Métier d'homme*, préface de Paul Valéry, Paris, Plon, 1937.

FRANKENSTEIN, Robert, *Le Prix du réarmement français, 1935-1939*, Paris, Publications de la Sorbonne, 1982.

JACOMET, Robert, *L'Armement de la France, 1936-1939*, Paris, La Jeunesse, 1945.

I.4 : PATRONS ET PATRONAT

BAUDANT, Alain, *Pont-à-Mousson, 1918-1939. Stratégies industrielles d'une dynastie Lorraine*, Paris, Publications de la Sorbonne, 1980.

BRUN, Gérard, *Techniciens et technocraties en France*, Paris, L'Albatros, 1985.

DETŒUF, Auguste, *Propos de M. O. L. Barenton, confiseur*, Paris, Éditions du Tambourinaire, 1948.

EHRMANN, H. W., *La Politique du patronat français, 1936-1955*, Paris, Armand Colin, 1959.

FRIDENSON, Patrick, et STRAUS, André, *Le Capitalisme français, XIXe et XXe siècles. Blocages et dynamisme d'une croissance*, Paris, Fayard, 1987.

JEANNENEY, Jean-Noël, *François de Wendel en République. L'argent et le pouvoir, 1914-1940*, Paris, Seuil, 1976.

LÉVY-LEBOYER, Maurice, « Le patronat français a-t-il été malthusien ? », *Le Mouvement social*, n° 88, juillet-septembre 1974.

ROY, Joseph Antoine, *Histoire de la famille Schneider et du Creusot*, Paris, Rivière, 1962.

I.5 : RENAULT ET BERLIET

BORGE, Jacques, et VIANNOF, Nicolle, *Berliet de Lyon*, préface de Paul Berliet, s.l., Éditions E.P.A., 1981.

DEPRETTO, Jean-Paul, et SCHWEITZER, Sylvie, *Le Communisme à l'usine : vie ouvrière et mouvement ouvrier chez Renault, 1920-1939*, Lille, Edires, 1984.

FRIDENSON, Patrick, *Histoire des usines Renault. Naissance de la grande entreprise, 1898-1939*, Paris, Seuil, 1972.

HATRY, Gilbert, *Louis Renault, patron absolu*, Paris, La Fourcade, 1981.

PICARD, Fernand, *L'Épopée de Renault*, Paris, Albin Michel, 1976.

RHODES, Anthony, *Louis Renault, A Biography*, Londres et Cassell, 1969.

SAINT-LOUP, *Marius Berliet l'inflexible*, Paris, Presses de la Cité, 1962.

TOURAINE, Alain, *L'Évolution du travail ouvrier aux usines Renault*, Paris, C.N.R.S., 1955.

I.6 : LES ARSENAUX ET ATELIERS D'ÉTAT ET LE CONTRÔLE DES INDUSTRIES DE GUERRE

BIGANT, A., *La Nationalisation et le contrôle des industries de guerre*, Paris, Domat-Montchrestien, 1939.

CARNOT, R., *L'Étatisme industriel*, Paris, Payot, 1920.

GIGNOUX, Claude Joseph, *L'Arsenal de Roanne. L'État industriel de guerre*, Roanne, Imprimerie de l'union républicaine, 1920.

— *Bourges pendant la guerre*, Paris, P.U.F., 1927.

CLARKE, Jeffrey J. « The nationalisation of the war industries, 1936-1937. A case story », extrait du *Journal of Modern History*, Chicago, The University of Chicago, 1977, vol. 49, n° 3, 1977, pp. 411-430.

MARQUANT, Henry de, *La Question des arsenaux*, Paris, Plon et Nourit, 1923.

I.7 : CONSTRUCTIONS AÉRONAUTIQUES

ASSOULINE, Pierre, *Monsieur Dassault*, Paris, Balland, 1983.

CHADEAU, Emmanuel *État, entreprises et développement économiques : l'industrie aéronautique en France, 1900-1940,* thèse de lettres, université Paris-X (Nanterre), 1986, 5 vol., multigraphiés.

CHRISTIENNE, général Charles, et LISSARAGUE, général P., *Histoire de l'aviation militaire, L'Armée de l'air, 1928-1981,* Charles Lavauzelle, Paris et Limoges, 1981.

DANEL, Raymond, *Émile Dewoitine. Création des usines de Toulouse et de l'aérospatiale,* Paris, Larivière, 1982.

FRIDENSON, Patrick, et LECUIR, Jean, *La France et la Grande-Bretagne face aux problèmes aériens, 1935-mai 1940,* Paris, SHAA, 1976.

HÉBRARD, J., général de brigade aérienne, *Vingt-cinq années d'aviation militaire, 1920-1945,* t. I, *La Genèse du drame aérien de 1940,* Paris, Albin Michel, 1946.

Mc VICAR-HAIGHT, John, *American Aid to France, 1938-1940,* New York, Atheneum, 1970.

MONNET, Jean, *Mémoires,* Paris, Fayard, 1976.

ROOS, ingénieur général Joseph, « L'effort de l'industrie aéronautique française de 1936 à 1940 », in *Quinze ans d'aéronautique française, 1932-1947,* Paris, Union des syndicats des industries aéronautiques, 1949.

I.8 : L'ÉCONOMIE DE GUERRE ALLEMANDE

EICHHOLTZ, Dietrich, *Geschichte der deutschen Kriegswirtschaft, 1939-1945,* vol. I, 1939-1941, Akademieverlag, Berlin, 1969.

MILWARD, S., *The German Economy at War,* The Athlone Press of the University of London, 1965.

THOMAS, général Georg, *Geschichte der Wehr und Rüstungswirtschaft, 1918-1943/45,* Boppard am Rhein, Harald Boldt Verlag, 1966.

I.9 : CONSCIENCE OUVRIÈRE, MOUVEMENT OUVRIER, MOUVEMENT SYNDICAL, LÉGISLATION SOCIALE

AREMORS, *Saint-Nazaire et le mouvement ouvrier de 1939 à 1943,* par l'Association de recherches et d'études du mouvement ouvrier de la région Saint-Nazaire, Saint-Nazaire, Aremors, 1986.

ASSELAIN, Jean-Charles, « La loi des 40 heures de 1936 », in BOUVIER, J., *La France en mouvement,* voir bibliographie t. I, 1.

BONNET, Serge, avec la collaboration d'Étienne KAGAN et Michel MAIGRET, *L'Homme du fer. Mineurs du fer et ouvriers sidérurgistes lorrains,* t. II, *1930-1959,* Nancy, Centre lorrain d'études sociologiques, 1977.

BRUHAT, Jean, et PIALAT, Marc, *Essai d'une histoire de la C.G.T., 1895-1965,* Paris, C.G.T., 1966.

COLLINET, Michel, *L'Ouvrier français. Esprit du syndicalisme,* Paris, Éditions ouvrières, 1952.

GEORGES, Bernard, et TINTANT, Denise, *Léon Jouhaux dans le mouvement syndical français,* Paris, P.U.F., 1979, 2 vol., t. II.

LEFRANC, Georges, *Les Expériences syndicales en France, 1939 à 1950,* Paris, Montaigne, 1950.

— *Le Mouvement syndical sous la IIIe République,* Paris, Payot, 1967.

MONTREUIL, Jean (pseudonyme de Georges LEFRANC), *Histoire du syndicalisme, mouvement ouvrier en France des origines à nos jours,* Paris, Aubier, 1946.

NOIRIEL, Gérard, *Les Ouvriers dans la société française du xixe au xxe siècle,* Paris, Seuil, 1986.

PROST, Antoine, *La C.G.T. à l'époque du Front populaire, 1934-1939. Essai de description numérique,* Cahier de la Fondation nationale des sciences politiques, n° 129, Paris, Armand Colin, 1964.

REYNAUD, Jean-Daniel, *Sociologie des conflits du travail,* Paris, P.U.F., 1982.

TASCA, Angelo, *Vichy 1940-1944, Archives de guerre d'Angelo Tasca, a cura di Denis Peschanski,* Paris et Milan, C.N.R.S. et Feltrinelli, 1986.

TOURAINE, Alain, *La Conscience ouvrière,* Paris, Seuil, 1966.

— *Histoire générale du travail*, t. IV, *La Civilisation industrielle*, Paris, Nouvelle Librairie de France, 1964.

II. SUR LE FRONT DES ARMÉES

II.1 : POLITIQUE MILITAIRE ET PROBLÈMES DE L'ARMÉE FRANÇAISE

Les Armées françaises pendant la Seconde Guerre mondiale, 1935-1945, Actes du colloque international de mai 1985, Paris, Institut d'histoire des conflits contemporains, SHAA, SHAM, SHAT, Paris, Atelier d'impression de l'armée de terre, 1986.
Centenaire de l'École de guerre, 1876-1976, Paris, Atelier d'impression de l'armée, 1976.

DOISE, Jean, et VAISSE, Maurice, *Diplomatie et outil militaire, 1871-1969*, Imprimerie nationale, 1987.
DUTAILLY, lieutenant colonel Henry, *Les Problèmes de l'armée de terre française, 1935-1939*, préface de Guy Pedroncini, Paris, Imprimerie nationale, 1980.
GIRARDET, Raoul, avec la collaboration de Jean-Pierre THOMAS, *La Crise militaire française, 1945-1962, Aspects sociologiques et idéologiques*, Paris, Armand Colin, 1964.
LE GOYET, colonel Pierre, *Le Mystère Gamelin*, Paris, Plon, 1975.
PAOLI, colonel François-André, *L'Armée française de 1919 à 1939*, Paris, SHAT, 1976, 4 vol.
TOURNOUX, général, *Défense des frontières. Haut commandement-gouvernement*, Éditions latines, 1961.

II.2. : PLANS STRATÉGIQUES. ÉTUDES D'ENSEMBLE SUR LES OPÉRATIONS MILITAIRES

BARDIES, colonel de, *La Campagne 39-40*, Paris, Fayard, 1947.
BEAUFRE, général, *Le Drame de 1940*, Paris, Plon, 1965.
BÉDARIDA, François, *La Stratégie secrète de la drôle de guerre. Le Conseil suprême interallié, septembre 1939-avril 1940*, Presses de la Fondation nationale des sciences politiques et Éditions du C.N.R.S., 1979.
CHAUVINEAU, général, *Une invasion est-elle encore possible?* préface du maréchal Pétain, Paris, Berger-Levrault, 1939.
DELMAS, général, « Les exercices du Conseil supérieur de la guerre, 1936-1937 et 1937-1938 », *Revue historique des armées*, n° 4, 1979.
ELLY, major L. F., *History of the Second World War. The War in France and Flandres 1939-1940*, Londres, H.M.S.O.
GOUTARD, colonel, *La Guerre des occasions perdues*, Paris, Hachette, 1956.
JACOBSEN, Hans Adolf, *Fall Gelb. Der Kampf um des deutschen Operationsplan zur Westoffensive 1940*, Wiesbaden, Steiner, 1957.
LAFFARGUE, général A., *Justice pour ceux de 40*, Paris, Lavauzelle, 1952.
LYET, commandant Pierre, *La Bataille de France (mai-juin 1940)*, Paris, Payot, 1947.
MICHEL, Henri, *La Drôle de guerre*, Paris, Hachette, 1972.
— *La Défaite de la France*, Paris, P.U.F., 1980.
MINART, Jacques, *P.C. Vincennes (Secteur 4)*, 2 t., Paris, Berger-Levrault, 1945.
PAILLAT, Claude, *Le Désastre de 1940*, I, *La Répétition générale* ; II, *La Guerre immobile* ; III, *La Guerre éclair, 10 mai-24 juin 1940*, Paris, Laffont, 1983 à 1985.
ROTON, général Gaston, René, Eugène, *Années cruciales. La course aux armements 1933-1939 ; La campagne 1939-1940*, Paris, Lavauzelle, 1947.

II.3 : NORVÈGE, BELGIQUE, LUXEMBOURG, SEDAN ET BATAILLE DE LA MEUSE

Les Relations militaires franco-belges, mars 1986-10 mai 1940, Paris, C.N.R.S., 1969.

ALLARD, Paul, *La Vérité sur l'affaire Corap*, Paris, Éditions de France, 1941.
Belgian Ministry of Foreign Affairs, *The Official Account of What Happened in 1939-1940*, Londres, Evans Brothers, 1941.
DOUMENC, général A., *Histoire de la IXᵉ armée*, Grenoble et Paris, Arthaud, 1945.
GONTAUT-BIRON, Ch. A. de, *Les Dragons au combat. Journal de marche du 2ᵉ dragons, 1939-1945* (préface du général Petiet), chez l'auteur, Diors par Châteauroux, 1954.
GRANDSARD, général, *Le 10ᵉ Corps dans la bataille*, Paris, Berger-Levrault, 1949.
JOUFFRAULT, général P., *Les Spahis au feu. La première brigade de spahis pendant la campagne de France*, Paris, Lavauzelle, 1948.
KERSAUDY, François, *1940. La Guerre du fer*, Paris, Tallandier, 1987.
KOCH-KENT, Henri, *10 Mai 1940 au Luxembourg. Témoignages et documents*, Luxembourg, 1971, publié sous le patronage des Anciens combattants luxembourgeois.
MELCHERS, lieutenant colonel E. Y., *Kriegschauplatz Luxemburg, August 1914-Mai 1940*, Luxemburg, St Paulers Druck, 1966.
ROLAND, colonel, « À Sedan, le 13 mai, l'infanterie pouvait-elle tenir ? » *Bulletin trimestriel de l'Association des amis de l'École supérieure de guerre*, n° 78, 2ᵉ trimestre 1978.
RUBY, général Edmond, *Sedan, terre d'épreuve*, Paris, Flammarion, 1948.
VANWELKENHUYZEN, Jean, *Neutralité armée. La Politique militaire de la Belgique pendant la « drôle de guerre »*, Bruxelles, La Renaissance du Livre, 1979.

II.4 : OPÉRATIONS DE JUIN 1940

BRUGE, Roger, *Les Combattants du 18 Juin* (6 vol., 1982-1989), t. I, *Le Sang versé*, Paris, Fayard, 1982.
— *Histoire de la ligne Maginot*, t. I, *Faites sauter la ligne Maginot* ; t. II, *On a livré la ligne Maginot* ; t. III, *Offensive sur le Rhin*, Paris, Fayard, 1973-1977.
— *Juin 1940, le mois maudit*, Paris, Fayard, 1980.
CHAMARD, Élie, *Les Combats de Saumur, juin 1940*, Paris, Berger-Levrault, 1948.
MERGLEN, colonel Albert, « La percée allemande au sud d'Amiens, juin 1940 », *Revue historique des armées*, 1970/1, pp. 75 et s.
MOLLANS, Henri DE, *Combats pour la Loire, juin 1940*, Chambrey, C.L.D., 1985.

II.5. : COMBATTANTS (ÉTATS D'ESPRIT ET COMPORTEMENTS)

DELMAS, colonel Jean, DEVAUTOUR, colonel (E.R.) Paul, LEFEVRE, Éric, *Mai-juin 1940. Les Combattants de l'honneur*, Paris, Copernic, 1980.
DORGELÈS, Roland, *La Drôle de guerre, 1939-1940*, Paris, Albin Michel, 1957.
DURAND, Yves, *La Captivité. Histoire des prisonniers de guerre français, 1939-1945*, Paris, Fédération nationale des combattants prisonniers de guerre, 1981.
LANOUX, Armand, *Le Commandant Watrin*, Paris, Julliard, 1956.
MERLE, Robert, *Week-end à Zuydcote*, Paris, Gallimard, 1949.
MEYER, Jacques (sous la direction et avec préface de), *Vie et mort des Français, 1939-1945*, Paris, Hachette, 1971.
ROTHIOT, Pierre, *Cent cinquante ans au service du peuple*, t. II, *Pour la France et la Liberté*, Imprimerie Georges Feuillard, Charmes (Vosges), 1979.
SADOUL, Georges, *Journal de guerre, 2 septembre 1939-20 juillet 1940*, Paris, Éditeurs français réunis, 1977.
SARTRE, Jean-Paul, *Les Carnets de la drôle de guerre, novembre 1939-mars 1940*, Paris, Gallimard, 1983.
— *Les Chemins de la liberté*, t. I t. II, Paris, Gallimard, 1945.

II.6. MÉMOIRES ET TÉMOIGNAGES (personnalités militaires)

ALTMAYER, général Robert, *La Xᵉ Armée sur la Basse-Somme, en Normandie et vers le « réduit breton »*, mai-juin 1940, Paris, Défense de la France, 1944.

BEAUFRE, André, *Mémoires 1920-1940-1945*, Paris, Presses de la Cité, 1969.

BOISSIEU, général de, *Pour combattre avec de Gaulle*, Paris, Plon, 1981.

BOURRET, général, *La Tragédie de l'armée française*, Paris, La Table ronde, 1947.

FRÈRE, général Aubert, *Souvenirs de la VIIᵉ armée, mai-juin 1940*, 2 t., Vincennes, SHAT, 1980, photocopié.

GAMELIN, général, *Servir*, t. I : *Les Armées françaises de 1940*; t. II : *Le Prologue du drame, 1930-août 1939*; t. III : *La Guerre, septembre 1939-19 mai 1940*, Paris, Plon, 1946-1947.

GAULLE, général Charles de, *Mémoires de guerre*, t. I, *L'Appel 1940-1942*, Paris, Plon, 1954.

— *Lettres, notes et carnets*, t. II, *1918-1940* ; t. III, *1940-1941*, Paris, Plon, 1980-1981.

LA LAURENCIE, général de, *Les Opérations du 3ᵉ corps d'armée en 1939-1940*, Paris, Lavauzelle, 1949.

PRÉTELAT, général, *Le Destin tragique de la ligne Maginot*, Paris, Berger-Levrault, 1950.

PRIOUX, général, *Souvenirs de guerre, 1939-1943*, Paris, Flammarion, 1947.

REQUIN, général, *Combats pour l'honneur*, Paris, Lavauzelle, 1946.

STEHLIN, Paul, *Témoignage pour l'histoire*, Paris, Robert Laffont, 1964.

VILLELUME, Paul de, *Journal d'une défaite, août 1939-juin 1940*, Paris, Fayard, 1976.

WEYGAND, général Maxime, *Mémoires*, t. III, *Rappelé au service, 1939-1940*, Paris, Flammarion, 1950.

II.7 : AVIATION AU COMBAT

D'ASTIER DE LA VIGERIE, général, *Le ciel n'était pas vide, 1940*, Paris, Julliard, 1952.

BUFFOTOT, Patrice, *Le Moral dans l'armée de l'air, 1939-1940*, Paris, SHAT, polycopié.

BUFFOTOT, Patrice, et OGIER, Jacques, « L'armée de l'air française dans la campagne de France, 10 mai-25 juin 1940 », in *Revue historique des armées*, n° 3, 1975, pp. 86-117.

CASAMAYOR, *Désobéissance*, Paris, Seuil, 1968.

ROBINEAU, général Lucien, « L'armée de l'air dans la bataille de France », in *Les Armées françaises dans la Deuxième Guerre mondiale*, voir ci-dessus III.1.

SAINT-EXUPÉRY, Antoine de, *Pilote de guerre*, Paris, Gallimard, 1942.

Icare. Revue de l'aviation française, nᵒˢ 54 (1970/3) ; 87 (1979/1) ; 94 (1980) ; 112 (1985/1).

II.8 : SERVICES DE RENSEIGNEMENTS

GAUCHÉ, général, *Le 2ᵉ Bureau au travail, 1935-1940*, Paris, Amiot-Dumont, 1954.

LEVERKUEHN, Paul, *Der Geheime Nachrichtendienst der deutschen Wehrmacht im Kriege*, Francfort-sur-le-Main, Verlag für Wehrwesen Bernard und Graefe, 1957.

NAVARRE, général, *Le Service de renseignements, 1871-1944, Le Temps des vérités*, Paris, Plon, 1979.

PAILLOLE, colonel Paul, *Services spéciaux 1935-1945*, Paris, Laffont, 1975.

II.9 : L'ARMÉE ALLEMANDE

GOLAZ, A., « L'armée allemande de 1935 à 1945 d'après les sources allemandes », *Revue historique de l'armée*, 1957, n° 3.

GUDERIAN, Heinz, *Souvenirs d'un soldat*, Paris, Plon, 1954.

HALDER, général F., *Hitler seigneur de la guerre*, Paris, Payot, 1950.

— *Kriegs-Tagebuch*, Stuttgart, W. Kohlhammer Verlag, 1962.

MANSTEIN, maréchal von, *Victoires perdues*, Paris, Plon, 1958.

LISS, Ulrich, *Westfront 1939-1940*, Neckargemünd, Kurt Vowinckel Verlag, 1959.

MERGLEN, général Albert, *Les Forces allemandes sur le front de l'Ouest en septembre 1939*, Bordeaux, Faculté des lettres et des sciences humaines, 2 vol. multigraphiés.

ROMMEL, maréchal, *La Guerre sans haine. Carnets présentés par Liddle Hart*, I, *Années de victoire*, Paris, Éditions Amiot-Dumont, 1952.

B. SOURCES D'ARCHIVES

I. ARCHIVES CIVILES

1. Archives nationales
a. Archives publiques :
— série BB/18 ; 2 BL et 4 BL : ministère de la Justice, division criminelle ;
- série BB/30 : ministère de la Justice (cabinet) et notamment BB 30/1706 ;
   série F1a : ministère de l'Intérieur, administration générale ;
— série F7 : ministère de l'Intérieur, police (et notamment 14685 et 14686 ; 14809 à 14814 ; 14821 et 14822 ; 14830 et 14831 ; 14924 et 14925) ; dans cette série Marcel DÉAT, Journal de guerre, F7/15342 microfilm ;
— série F22 (et notamment F22/240 à 247) et série TR (et notamment 11085 à 11091 ; 11096 ; 11108) : ministère du Travail ;
— série F41 : Commissariat général à l'information ;
— série F43 : radio (notamment 95 et ss. : émissions allemandes en langue française) ;
— série 2W : Cour suprême de justice de Riom ;
— série 3W : Haute Cour de justice.
b. Archives privées :
— fonds Raoul Dautry 307/AP
         Édouard Daladier 496/AP
         Wladimir d'Ormesson 144/AP
         Paul Reynaud 74/AP ;
— procès Lauzanne et Suarès : 334/AP/8.
c. Archives d'entreprises :
— mines d'Anzin : 10/AQ et 49/AQ ;
— Blanzy : 92/AQ ;
— Commentry-Fourchambault : 59/AQ (36 Mi/18) ;
— Decazeville et Brassac : 110/AQ et 59/AQ ;
— Holtzer : 124/AQ (524 Mi/1) ;
— La Grand Combe : 90/AQ ;
— Marine Homécourt : 139/AQ ;
— Renault : 91/AQ ;
— Saint-Chamond : 139 AQ/70 et 71 ;
— S.N.C.A.O. : 99/AQ ;
— S.O.M.U.A. : 292 Mi/1.

2. Archives départementales
— Archives de Paris : versements 1004 W et 1005 W, dépôt 5.
— Ardennes : dossiers exode et fonds Sampaix.
— Aisne, Allier, Aude, Bouches-du-Rhône, Eure, Eure-et-Loir, Loiret, Meurthe-et-Moselle, Nord, Rhône, Haute-Savoie, Seine-Maritime, Vaucluse, Yvelines : dossiers cabinet, police administrative, activités communistes et répression ; rapports des centres départementaux d'information.

3. Archives de la préfecture de Police
— Série BA.

4 Archives des assemblées parlementaires
   Procès-verbaux des commissions militaires, des commissions des Affaires étrangères et des Finances de la Chambre et du Sénat.

5 Bibliothèque nationale (Manuscrits)
— Fonds Marcel Déat et Pierre-Étienne Flandin

— Fonds Jean-Richard Bloch, Gabriel Marcel, Roger Martin du Gard, Romain Rolland, Jules Romains.

6. *B.D.I.C.*
— Morasses de presse (censure) : Gr. F°/102.

7. *Fondation nationale des sciences politiques (CERI)*
— Fonds Anatole de Monzie.

8. *Sources privées*
— Office universitaire de recherches socialistes (l'OURS) : fonds Deixonne.
— Chambre de commerce de Marseille : archives du port.
— Fondation de l'automobile Marius Berliet : archives Berliet.
— Institut d'histoire sociale : Ludovic ZORETTI, *Les Deux Dernières Années de la S.F.I.O.*, 1944.
— Archives personnelles de MM. Maurice Bardèche, Fernand Picard, Pierre Pujo.

II. ARCHIVES MILITAIRES

1. Service historique de l'armée de terre (SHAT)
— série 2N : Conseil supérieur de la Défense nationale (notamment 2N/56 à 61 et 2N/140 à 149 : production d'armements ; recherche scientifique) ;
— série 5N, notamment 5N/578 et 600 à 602 : cabinet du ministre ;
— série 7N : État-Major de l'armée (et notamment 7N/2294 ; 2472 et 2475 ; 2481 ; 2573 ; 4800 ; 4204 ; 4231 : Personnels ; section de l'armement) ;
— série 8N, notamment 8N/108 à 111 et 116 (direction du contrôle) ;
— série 9N : direction des fabrications d'armement, notamment 9N/279 à 285 ; région militaire de Paris (notamment 9N/318 et 360 à 363 : 2e Bureau) ;
— série 27N : G.Q.G. (et notamment 27N/4 ; 10 à 13 ; 65 à 70 ; 111 ; 148 ; 154 ; 167 et 168 ; 171) ;
— série 28N : groupes d'armées (notamment 28N/12, 28N/21 et 22 ; 28N/26 et 27) ;
— série 29N : Armées (notamment dossiers 2es bureaux : 29N/46 et 47 ; 104 ; 130 et 131 ; 197 à 199 ; 268 et 269 ; 362 à 371 ; et contrôle postal : 29N/69) ; 29N/25, 27 et 28, 49, 51, 104 (IIe armée) ; 29N/441 à 443 et 458 (IXe armée) ;
— série 30N : Corps d'armée, notamment 30N/115 et 116 (10e corps) ;
— séries 32N (divisions) et 34N (régiments) : voir les références dans les chapitres ;
— archives privées du général Georges : 1K/75.

2. Service historique de l'armée de l'air (SHAA)
— Sur la bataille aérienne : 3D/447 et 3D496 à 498 (commission « G » sur les enseignements à tirer de la campagne), 1D/51 (QG/FA) et 2D/17 (Z.O.A.N.) ; G/8280 (reconnaissance) ; Z/12949 ; G/8254 et 10874 (groupes d'assaut) ; G/2115, 2117 et 2118 ; G/941 (bombardement).
— Sur les constructions aéronautiques : 1B/4 (comités du matériel) ; 3D/493 et 494 ; Z/11609.

3. Service historique de la marine (SHM)
1BB2/223.

III. FONDS D'ARCHIVES ÉTRANGERS

— Bonn, Auswärtiges Amt : Akten der deutschen Gesandtschaft in Brüssel, 4020 H/E 059216 (Brüssel 184/3).
— Londres, Public Record Office : série FO/371, rapports de l'ambassadeur de Grande-Bretagne et des consuls britanniques en France
— Stanford (Californie), Hoover Institution on War, Revolution and Peace : archives Bergery.

INDEX

Ne figurent pas dans cet Index les noms des principaux pays protagonistes ni les localités où ont eu lieu les opérations militaires (voir les chapitres afférents). Le nom du chancelier Hitler a été omis, vu la fréquence.

I. SUR LE FRONT DES USINES